1 MONTH OF
FREE
READING

at

www.ForgottenBooks.com

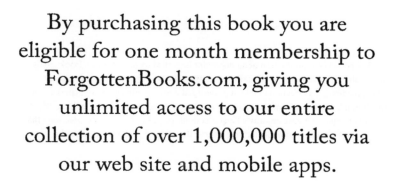

By purchasing this book you are eligible for one month membership to ForgottenBooks.com, giving you unlimited access to our entire collection of over 1,000,000 titles via our web site and mobile apps.

To claim your free month visit:
www.forgottenbooks.com/free466098

ISBN 978-0-428-33675-2
PIBN 10466098

Die Tetraxonia.

Von

Robert von Lendenfeld

in Prag.

Deutsche Tiefsee-Expedition 1898—1899. Bd. XI.

Inhaltsübersicht.

I

Einleitung.

Im folgenden sind die Ergebnisse der Untersuchung der Tetraxonia, welche von der Deutschen Tiefsee-Expedition in der „Valdivia" und während der Forschungsreise der „Gazelle" gesammelt und mir zur Beschreibung übergeben worden sind, niedergelegt.

Es drängt mich, ehe ich auf die Schilderung dieser Spongien eingehe, dem Leiter der Tiefsee-Expedition, Herrn Professor CARL CHUN, für die Ueberlassung des Valdivia-Tetraxonia-Materials, die Förderung, die er mir in jeder Weise bei der Bearbeitung desselben zuteil werden ließ, und die Erlaubnis die Beschreibung der Gazellen-Tetraxonia diesem Berichte einzufügen, meinen wärmsten Dank auszusprechen. Herr Professor WELTNER war so freundlich mir seine Gazellen-Tetraxonia-Präparate zu überlassen, wofür ich ihm bestens danke. Dem Verleger, Herrn Dr. C. FISCHER in Jena bin ich für die Sorge, die er der Ausstattung gewidmet hat, gleichfalls zu großem Danke verpflichtet.

Das Tetraxonia-Material, welches ich untersuchte, war in Weingeist konserviert. Der größere Teil war unmittelbar in Weingeist eingelegt, der kleinere vorher in Formol oder in anderen Lösungen gehärtet worden. Es bestand aus 977 Stücken (Valdivia 916, Gazelle 61), welche 78 Arten (Valdivia 50, Gazelle 28) angehören. Hierzu kommt noch die, wie ich jetzt glaube nicht zu den Tetraxonia, sondern zu den Monaxonia gehörige, in einem Anhang zu den Sigmatophora beschriebene Proteleia, von der sich ein Stück in der Valdivia-Sammlung befindet.

Genauere Angaben über den Inhalt dieser Sammlungen sind in den folgenden Listen enthalten.

Die Tetraxonia (und Proteleia) der Valdivia-Sammlung.

	Station Nr.	Zahl der Stücke
Tetraxonia		916
Tetractinellida		895
Sigmatophora		
Tethydae		56
Tethynae		
Tethya		45
coactifera n. sp.	160	2
sansibarica n. sp.	245	1
gladius n. sp.	224	1
cranium (MÜLLER)	7	41
Tethyopsilla		2
metaclada n. sp.	106 b	2
Cinachyrinae		
Cinachyra		8
barbata SOLLAS	160	3
hamata n. sp.	106 b	2
alba-tridens n. sp.	224	3
Fangophilina		1
hirsuta n. sp.	243	1
Anhang		
Proteleia		1
sollasi DENDY & RIDLEY	100	1
Astrophora		
Metastrosa		
Theneidae		750
Thenea		749
malindiae n. sp.	249	2
microspina n. sp.	172	1
nicobarensis n. sp.	210	2
centrotyla n. sp.	168	1
mesotriaena n. sp.	210	2
rotunda n. sp.	243	1
valdivae n. sp.	6,7	678
bojeadori n. sp.	28	2
pendula n. sp.	245	21
levis n. sp.	6	2
multiformis n. sp.	170	22
tyla n. sp.	247	1
microclada n. sp.	28	2
megaspina n. sp.	172	12
Papyrula		1
sphaera n. sp.	103	1

	Station Nr.	Zahl der Stücke
Pachastrellidae		62
Pachastrellinae		
Chelotropaena		4
tenuirhabda n. sp.	165	4
Pachastrella		55
tenuipilosa n. sp.	4,8	39
chuni n. sp.	28	12
caliculata KIRKPATRICK	106 b	4
Pachamphillinae		
Ancorella		2
paulini n. sp.	165	2
Pachamphilla		1
alata n. sp.	106 b	
Euastrosa		
Stellettidae		
Stellettinae		
Sanidastrella		2
multistella n. sp.	28	2
Ancorina		
progressa n. sp.	106 b	1
Penares		
obtusus n. sp.	106 b	1
Stelletta		5
farcimen n. sp.	106 b	1
agulhana n. sp.	106 b	3
dolabra n. sp.	106 b	1
Calthropellidae		
Chelotropella		1
sphaerica n. sp.	106 b	1
Sterrastrosa		
Geodidae		13
Erylus		2
polyaster n. sp.	106 b	1
megaster n. sp.	165	1
Pachymatisma		1
monaena n. sp.	95	1
Isops		8
micraster n. sp.	233	3
gallica n. sp.	106 b	5
Geodia		2
stellata n. sp.	106 b	1
robusta n. sp.	106 b	

	Station Nr.	Zahl der Stücke
Megasclerophora		
Oscarellidae		4
Oscarella		
sp.	106 b	4
Lithistida		21
Hoplophora		
Theonellidae		17
Theonella		17
lacerata n. sp.	192	16
annulata n. sp.	28	1

	Station Nr.	Zahl der Stücke
Coscinospongiidae		1
Macandrewia		1
auris n. sp.	103	
Siphonidiidae		
Plakidium		
acutum n. sp.	37	
Anoplia		
Leiodermatiidae		2
Leiodermatium		2
deciduum (O. Schmidt)	192	2

Die Tetraxonia der Gazellen-Sammlung.

	Nr.	Zahl der Stücke
Tetraxonia		61
Tetractinellida		56
Sigmatophora		
Tethyidae		15
Tethynae		
Tethya		9
grandis (Sollas)	498	3
stylifera n. sp.	478	1
crassispicula n. sp.	1248	1
vestita n. sp.	701	2
hebes n. sp.	768	1
coronida (Sollas)	657	1
Amphitethya		2
microsigma n. sp.	2561	2
Cinachyrinae		
Cinachyra		3
isis n. sp.	494	1
alba-bidens n. sp.	683	1
alba-obtusa n. sp.	639	1
Fangophilina		1
kirkpatrickii n. sp.	573	1
Astrophora		
Metastrosa		
Theneidae		2
Thenea		2
megastrella n. sp.	480	2
Euastrosa		
Stellettidae		34
Stellettinae		
Ecionemia		1
obtusum n. sp.	2617	1

	Nr.	Zahl der Stücke
Stelletta		26
centrotyla n. sp.	2731	1
sigmatriaena n. sp.	722	-
nereis n. sp.	2603	1
bougainvillea n. sp.	678	5
crassiclada n. sp.	645	2
megaspina n. sp.	701	4
clavosa S. O. Ridley	668, 671, 674, 681, 730	12
Tethyopsinae		
Disyringa		
nodosa n. sp.	467	2
Tethyopsis		5
radiata (W. Marshall)	695, 703	5
Sterrastrosa		
Geodiidae		2
Isops		2
toxoteuches n. sp.	760	2
Megasclerophora		
Plakinidae		
Plakinastrella		
mammillaris n. sp.	737	
Corticium		
simplex n. sp.	491, 3260	
Lithistida		5
Hoplophora		
Theonellidae		
Theonella		
levior n. sp.	496, 499	
discifera n. sp.	742	
Coscinospongiidae		2
Coscinospongia		2
gracilis n. sp.	643	2

Angewandte Methoden und allgemeine Bemerkungen.

Der Bau des Weichkörpers wurde in der gewöhnlichen Weise an gefärbten Schnitten studiert. Zur Untersuchung der Nadeln wendete ich die neue Methode der fraktionierten Sedimentation[1]) an. Diese wird im folgenden beschrieben.

Die Methode der fraktionierten Sedimentation.

Ein Stück des zu untersuchenden Schwammteiles, groß genug um die größten Nadeln in beträchtlicher Anzahl intakt zu erhalten, bringt man in eine nicht zu kleine Eprouvette; kocht es, um den Alkohol auszutreiben, in Wasser; gießt das Wasser ab; fügt eine, das Volumen des Schwammstückes um etwa das Fünffache übertreffende Menge von konzentrierter Salpetersäure hinzu; fixiert die Eprouvette etwas schief; bringt ein mit der Druckluftleitung verbundenes, zugespitztes Glasrohr in die Eprouvettemündung; läßt einen Luftstrahl in die Eprouvette eintreten; und erwärmt die Eprouvette unten mit einiger Vorsicht. Der bei der stürmischen Reaktion sich bildende Schaum wird durch den Luftstrahl niedergehalten und daran gehindert auszutreten. Man erwärmt so lange bis die, anfangs dunkelbraune, Flüssigkeit hell erscheint; füllt die Eprouvette fast, aber nicht ganz, mit destilliertem Wasser; verschließt mit dem Daumen die Eprouvettemündung; schüttelt durch mehrmaliges Umkehren (und das dadurch bewirkte Hin- und Hergehen der über dem Wasser gebliebenen Luftblase) den Inhalt auf; hält die Eprouvette senkrecht gegen das Licht, jedoch so, daß sich ein dunkler Gegenstand (das Fensterkreuz etwa) dahinter befindet; und sieht nun die großen Nadeln herabsinken. Sobald diese sich abgesetzt haben, was in einem Bruchteil einer Minute der Fall zu sein pflegt, gießt man die Flüssigkeit ganz in eine zweite Eprouvette ab, und stellt diese in den Ständer. Das Sediment in der ersten Eprouvette, welches die größten Nadeln enthält — ich nenne es Sediment I — wird nun gewaschen, indem man die Eprouvette wieder fast, aber nicht ganz, mit Wasser füllt, zuhält, und durch mehrmaliges Umkehren aufschüttelt. Man läßt dann absitzen, und gießt die Flüssigkeit ab. Hat man so ein- oder mehrmals mit Wasser gewaschen, füllt man die Eprouvette mit Alkohol; schüttelt, läßt absitzen, gießt den Alkohol teilweise ab, so daß einige ccm zurückbleiben; wirbelt auf, und gießt den Alkoholrest samt den darin suspendierten Nadeln rasch in ein Uhrglas. Bleibt, was oft geschieht, eine kompakte Nadelmasse in der Eprouvette zurück, so klopft man diese heraus und bringt sie ebenfalls in das Uhrglas. Hier müssen die Nadeln isoliert werden, was meistens durch Erzeugung von stärkeren Strömungen mittelst einer Pipette zu erreichen ist. Geht es so nicht, so muß man zerzupfen; man soll dies aber nach Möglichkeit vermeiden, weil dabei viel zerbrochen wird. Man läßt dann die Nadeln absetzen, gießt den Alkohol ab und trocknet im Thermostat. Man kann, namentlich wenn die Nadeln groß sind, einzelne mit einer, mit SCHÄLLIBAUM's Collodium-Nelkenöl-Gemisch klebrig gemachten Präpariernadel unter dem Präpariermikroskop herausklauben und diese auf einen mit Schällibaum bestrichenen Objektträger in der gewünschten Stellung niederlegen. Man kann aber auch, was viel schneller geht, entweder mit einem, durch

---

[1]) Einen vorläufigen Bericht hierüber habe ich unter dem Titel „Ueber die Herstellung von Nadelpräparaten von Kieselschwämmen" in der Zeitschr. f. wiss. Mikroskopie Bd. 31 p. 23 veröffentlicht.

Reiben elektrisch gemachten Glasstab Gruppen von Nadeln herausfangen und so auf die Objektträger bringen, oder aber das Uhrglas mit den angetrockneten Nadeln einfach umgekehrt über einige mit Schällibaum bestrichene Objektträger legen und durch leichtes Klopfen die Nadeln zum Herabfallen bringen. Sie werden dann unter dem Präpariermikroskop, in angemessener Weise verteilt. Die SCHÄLLIBAUM-Objektträger mit den Nadeln werden, damit die Nadeln ankleben, ein bischen erwärmt, worauf die Präparate angefertigt werden können. Selbstverständlich müssen Glasstückchen von angemessener Dicke dem Deckglas unterlegt werden um zu verhindern, daß es die Nadeln drückt und bricht.

Die in die zweite Eprouvette gegossene Flüssigkeit wird einige Minuten stehen gelassen, damit sich die mittelgroßen Nadeln absetzen. Diese, das Sediment II bildenden Nadeln, werden dann in ähnlicher Weise weiter behandelt wie Sediment I, man muß jedoch nach dem Waschen immer viel länger (mehrere Minuten) absetzen lassen.

Die Flüssigkeit, welche aus der zweiten Eprouvette abgegossen wird kann nochmals, durch noch längeres Stehen, zum Sedimentieren gebracht, oder gleich in Zentrifugtuben abgegossen werden. Durch ersteres wird noch ein Sediment III erlangt, doch ist es kaum je nötig die Fraktionierung so weit zu führen.

Die in die Zentrifugtuben abgegossene Flüssigkeit wird zentrifugiert; die Flüssigkeit wird ganz abgegossen; die in den Kalotten angesammelten Massen von kleinsten Nadeln werden mit einigen Tropfen Alkohol versetzt; mittelst einer Pipette zuerst aufgelockert, dann aufgesaugt und endlich auf einige Objektträger ausgespritzt. Diese werden getrocknet und es können dann Präparate davon angefertigt werden.

Es ist erforderlich die kleinsten Nadeln und die kleinen Bruchstücke der größeren, die sich darunter befinden, mit den stärksten Linsen zu untersuchen, weshalb die Schicht in der sie liegen, dünn sein muß. Um diese Schicht möglichst dünn zu machen empfiehlt es sich, falls Harz zum Einschluß verwendet wird, diese Präparate bis zum Aufkochen des Harzes zu erhitzen und dann zwischen Papier fest zusammen zu drücken.

Man erhält so Präparate von Sediment I und II (ev. auch III usw.), und Zentrifugpräparate, in denen die Nadeln nach der Größe geordnet, und rein sind.

Zur Untersuchung der Nadelmorphologie und zur biometrischen Bestimmung der relativen Häufigkeit der Nadelvariationen eignen sich diese Präparate weit besser als ohne Zuhilfenahme dieser Methode hergestellte.

Alle Gefäße und die Pipetten, die bei dieser Arbeit verwendet werden, müssen mit Kalilauge gewaschen und tüchtig ausgespritzt werden, damit keine Nadeln darin zurückbleiben.

Darstellungsmethoden.

Unsere Kenntnis von der Spongienmorphologie ist eine sehr beschränkte, denn es ist einerseits von den verschiedenen Formen der jetzt lebenden Spongien nur ein kleiner Bruchteil überhaupt beschrieben worden, und es sind andererseits die Beschreibungen dieser wenigen Spongien, speziell der Tetraxonia, zum nicht geringen Teil nur oberflächliche und unexakte Schilderungen einzelner Individuen oder kleiner Individuengruppen. Unter diesen Umständen ist es natürlich, daß nur in wenigen Ausnahmefällen an eine wirklich wissenschaftliche, auf die biometrische Vergleichung zahlreicher Individuen gegründete, die Konstanz und Variation der genetisch zusammengehörigen Individuen zum ·Ausdruck bringende Beschreibung gedacht werden kann. In einer solchen Ausnahmestellung befindet .sich die im folgenden bearbeitete *Tethya cranium*. Bei dieser war es möglich, die Variationsgrenzen der Art mit einiger Sicherheit zu erkennen und eine wirkliche, Konstanz und Variation zur Darstellung bringende Beschreibung, eine Speciesbeschreibung, wie sie sein soll, zu geben. Von den anderen, die erdrückende Mehrheit der bekannten Spongien bildenden, kennen wir die mit zunehmendem Alter vor sich gehenden Veränderungen des Individuums und die nicht vererbbaren, durch die Einwirkung verschiedener äußerer Verhältnisse unmittelbar hervorgebrachten, individuellen Variationen nur teilweise oder gar nicht: für diese Spongien, wirkliche, den oben angedeuteten Anforderungen entsprechende Speciesdiagnosen zu geben, ist unmöglich. Die Beschreibungen solcher Spongien können nur realistische Schilderungen von Individuen oder Individuengruppen, morphologisches Quellenmaterial für spätere, allgemeine und vergleichend biometrische, systematische Studien sein. Die Speciesnamen, die über solche Beschreibungen von Individuen oder Individuengruppen gesetzt werden, haben daher nur vorläufige Bedeutung und es wird voraussichtlich die künftige Spongienforschung zu der Erkenntnis führen, daß viele von diesen Namen nichts anderes als Synonyme anderer, in ähnlicher Weise aufgestellter Speciesnamen sind.

Es ist einleuchtend, daß der Wert derartiger, nur Material zu späteren, allgemeineren Studien und Schlüssen bildender Beschreibungen von Individuen oder Individuengruppen, ausschließlich auf ihrer Vollständigkeit und Exaktheit beruht; und nachdem, wie oben erwähnt, die bisher übliche Art der Beschreibung und Abbildung der Spongienteile oft nicht vollständig und exakt ist, habe ich mir die größte Mühe gegeben Mittel zu finden, sie vollständiger und exakter zu machen. Ich glaube solche Mittel gefunden zu haben; bei der Untersuchung und Darstellung der Valdivia- und Gazellen-Tetraxonia sind dieselben in Anwendung gebracht worden.

Was zunächst die Beschreibung anbelangt, glaube ich, daß es in Anbetracht der geringen Ausdehnung unserer Kenntnis von den Spongien im allgemeinen und den Tetraxonia im besonderen kaum lohnend wäre jetzt, auf Grund meiner neuen Befunde, eine allgemeine Darstellung dieser Klasse zu geben, und ich begnüge mich damit, bei den Beschreibungen der einzelnen Formen (Formengruppen) jene Schlüsse allgemeinerer Art anzudeuten, auf die die einzelnen Befunde hinweisen.

Um eine größere Vollständigkeit der Beschreibung zu erzielen, habe ich die Variationen der Nadelformen und -größen im Individuum eingehend studiert und in den Beschreibungen weit mehr als .bisher üblich berücksichtigt. Die mit Hilfe der fraktionierten Sedimentation gewonnenen Nadelpräparate setzten mich in den Stand, die individuelle Nadelformvariation kennen zu lernen, sehr viele Nadeln zu messen und ausführliche Beschreibungen derselben zu geben. Diese eingehendere Beachtung der individuellen Nadelvariation hat unter anderem gezeigt, daß bei einer großen Zahl von Spongien, welche Aster oder dornige Microrhabde in verschiedener Zahl von Strahlen besitzen, die Dimensionen dieser Nadeln und die Zahl ihrer Strahlen derart korreliert sind, daß Strahlenzahl und Schaftlänge im umgekehrten Verhältnis zur Größe der Strahlen, zum Durchmesser der ganzen Nadel und zur Dicke des Schaftes stehen. So sind z. B. bei den Theneaarten die vielstrahligen Metaster dünnschäftig, langschäftig und kleinstrahlig, die wenigstrahligen kurzschäftig, dickschäftig und großstrahlig.

8

Zur Bezeichnung der Nadeln verwendete ich die von mir früher benützten, in meiner Arbeit über die Tetraxonia (Das Tierreich Bd. 19) erläuterten Namen. Für einige Nadelformen habe ich neue Namen aufgestellt, die an den betreffenden Stellen erläutert sind.

Ich habe mich im allgemeinen an das von mir im 19. Band des „Tierreichs" aufgestellte System gehalten, jedoch bei der Einteilung der Sigmatophora und Astrophora einige Umstellungen vorgenommen, den Rang und die Diagnose einiger systematischer Begriffe abgeändert, und die Gattung Proteleia aus dem Verband der Tetraxonia ausgeschieden. Zu Anfang der Beschreibung einer jeden Gruppe sind die von mir hier benützte Einteilung derselben erläutert und die Gründe für die etwaigen Abänderungen der früheren gegenüber, die ich darin vorgenommen habe, angeführt.

Ein noch größeres Uebel als die Unvollständigkeit der Beschreibungen ist die Unexaktheit der Abbildungen der Nadeln und anderer Schwammteile in den Publikationen über Tetraxoniden. Diese sind fast ausnahmslos nach Zeichnungen hergestellte Lithographien. Viele sind mangelhaft und allen, auch den besten, haftet der Fehler mangelhafter Objektivität an. Der Forscher, der die betreffenden Teile (Nadeln) zeichnet, oder unter seiner Beaufsichtigung zeichnen läßt, sieht darauf, daß jene Merkmale, welche nach dem gegenwärtigen Stand unserer Kenntnis wichtig erscheinen, genau und möglichst richtig dargestellt werden, stellt aber die, nach diesem Stande der Kenntnis unwichtig erscheinenden, weniger genau oder gar nicht dar. In einem Quellenwerke ist eine derartige ungleichmäßige Berücksichtigung der Merkmale ganz unstatthaft, denn es ist leicht möglich, ja wahrscheinlich, daß mit der Entwicklung der Erkenntnis vieles, was heute unwichtig scheint, sich als wichtig herausstellen wird, so daß der, der nach einer Reihe von Jahren das Werk zu Rate zieht in solchen Abbildungen das sehr wahrscheinlich nicht finden wird, auf was es ihm ankommt.

Diese Erwägungen waren es, welche mich, als ich die Bearbeitung der Valdiviatetraxonia in Angriff nahm, bestimmten, den Versuch zu machen, die inneren Bauverhältnisse und die Nadelformen dieser Spongien nicht, wie es bisher üblich war, durch die oft ungenaue, und im besten Falle von dem Fehler der Subjektivität behaftete Zeichnung und Lithographie, sondern durch die, von allen solchen Fehlern freie, absolut objektive Methode der Mikrophotographie und des Lichtdruckes wiederzugeben.

Die gefärbten Schnitte konnte ich ohne weiteres, ganz leicht photographieren; schwieriger war es gute Photographien der Nadeln zu erzielen. Dies gelang erst nach vielen Versuchen. Man muß hierzu etwas schiefe Beleuchtung anwenden, die Abbeblende mit Geschick regulieren, den Abbe selbst in die richtige Höhe bringen, und, wenn man mit Planaren arbeitet, die Planarblende sorgfältig benützen, bzw., wenn man stärkere Linsen benützt, noch eine kleine Blende oberhalb des Objektivsystems einschalten. Durch die letztere werden, wenn sie nicht zu klein ist, die Schärfe nicht merklich beeinträchtigt, und die Tiefe der Schärfe sowie die Gleichmäßigkeit des Bildes wesentlich erhöht. Als die besten Einschlußmedien erwiesen sich Luft, Wasser und Harz. Der gewöhnliche Harzeinschluß gibt meist ganz gute Resultate. Ausnahmsweise, namentlich bei sehr kleinen Microscleren, habe ich Wassereinschluß angewendet. Lufteinschluß eignet sich besonders für das Photographieren großer Nadeln mit schwacher Vergrößerung.

Unter Anwendung dieser Kunstgriffe habe ich das allermeiste in einer, mich im ganzen befriedigenden Weise photographisch darstellen können. Einige wenige Struktureigentümlichkeiten, namentlich von Microscleren, konnte ich photographisch nicht gut herausbringen: diese habe

9

ich gezeichnet. In der Tafelerklärung ist angegeben, welche Figuren nach Zeichnungen und welche nach Photographien reproduziert wurden.

Ebenso wie die Herstellung, war anfangs auch die Reproduktion der Negative, durch Lichtdruck mit großen Schwierigkeiten verbunden. Die Arbeiter der Prager Kunstanstalt Carl Bellmann, welche die Reproduktion dieser Negative übernahm und unter meiner Aufsicht durchführte, haben aber mit großem Geschicke und außerordentlicher Geduld diese Schwierigkeiten überwunden und es ist ihnen schließlich gelungen unmittelbar von meinen Negativen Lichtdrucke herzustellen, welche, wie ich hoffe, nicht nur den Anforderungen der Exaktheit vollkommen entsprechen, sondern auch deutlich sind und das ästhetische Gefühl befriedigen. Ohne die Mitarbeit dieser Kunstanstalt wäre die Ausstattung dieses Werkes mit solchen absolut exakten, mechanisch gewonnenen Abbildungen unmöglich gewesen, und ich fühle mich gedrängt dem Chef derselben hier meinen besten Dank für seine erfolgreiche Bemühung in dieser Sache auszusprechen.

Beschreibung der Tetraxonia der Valdivia- und Gazellen-Sammlung.

Classis Tetraxonia.

Kieselschwämme mit kugeligen, ei- oder bimförmigen Geißelkammern und einem Skelett, an dessen Zusammensetzung tetraxone Nadeln Anteil nehmen; nebst einigen, solcher Nadeln oder eines Skelettes überhaupt entbehrender, als Abkömmlinge jener angesehenen Formen. Außer den tetraxonen sind meistens auch monaxone Nadeln vorhanden; Triaxone, Hexactine und Hexactinderivate, fehlen stets.

Ich habe keinen Anlaß meine frühere[1]) Einteilung dieser Klasse in die zwei Ordnungen Tetractinellida und Lithistida abzuändern.

Sowohl in der Valdivia-Sammlung als auch in der Gazellen-Sammlung sind beide Ordnungen vertreten. In der Valdivia-Sammlung finden sich 916, in der Gazellen-Sammlung 61, zusammen 977 Tetraxonia. Diese repräsentieren 78 (Valdivia 50, Gazelle 28) Arten, wovon 8 (Valdivia 4, Gazelle 4) schon früher bekannt waren, 70 (Valdivia 46, Gazelle 24) im folgenden als neu beschrieben werden.

Ordo Tetractinellida.

Tetraxonia ohne desme Megasclere.

Ich habe keinen Anlaß die frühere[2]) Einteilung dieser Ordnung in die drei Unterordnungen Sigmatophora, Astrophora und Megasclerophora abzuändern.

In der Valdivia-Sammlung sowohl als in der Gazellen-Sammlung sind alle drei Unterordnungen vertreten. In der Valdivia-Sammlung finden sich 895, in der Gazellen-Sammlung 56, zusammen 951, zu dieser Ordnung gehörige Spongien, welche 70 Arten (Valdivia 45, Gazelle 25) angehören. 7 (Valdivia 3, Gazelle 4) von diesen Arten waren schon früher bekannt, 63 (Valdivia 42, Gazelle 21) sind neu.

---

[1]) R. v. LENDENFELD, Tetraxonia. In: Tierreich Bd. 19 p. 14.
[2]) R. v. LENDENFELD, Tetraxonia. In: Tierreich Bd. 19 p. 15.

Subordo Sigmatophora.

Tetractinellida, welche stets tetraxone, meist auch monaxone und ausnahmsweise sphaere Megasclere besitzen. Microslcere sind meistens vorhanden. Diese sind stets Sigme oder Bogen, niemals Aster. Die Megasclere sind meistens, wenn Microsclere fehlen immer, groß und langgestreckt.

Die Ergebnisse der Untersuchung der Valdivia- und Gazellen-Spongien machen einige Aenderungen in der bisherigen Fassung und Einteilung[1]) des systematischen Begriffes der Sigmatophora notwendig.

Außer den Sigmen werden noch andere, bogenförmige Nadeln bei den Sigmatophora angetroffen.

Die bei einigen Sigmatophora vorkommenden Sphaere sind nicht Micro-, sondern Megasclere.

Die früher von mir unterschiedene, die zwei Gattungen Tethyopsilla und Proteleia umfassende Sigmatophoren-Familie Tethyopsillidae kann nicht aufrecht erhalten werden, weil die erste von jenen Gattungen allzunahe mit Tethya verwandt und die zweite aus den Tetractinelliden überhaupt auszuscheiden ist.

Wie unten des näheren ausgeführt wird, muß an Stelle des Familiennamens Tetillidae der Name Tethydae treten.

Ich unterscheide jetzt in der Subordo Sigmatophora zwei Familien: Tethydae (mit einfachen Telocladen zu denen Amphiclade hinzukommen können) und Samidae (ohne einfache Teloclade; alle Megasclere sind Amphiclade).

In den Sammlungen der Valdivia und Gazelle ist nur die Familie Tethydae vertreten.

In einem Anhang zu den Sigmatophora wird die von der Valdivia erbeutete Proteleia sollasi beschrieben.

Familia Tethydae.

Sigmatophora mit Rhabden und einfachen Triaenen.

Da ich, wie unten ausgeführt wird, das Genus Tetilla dem Genus Tethya habe einverleiben müssen, ist es auch notwendig geworden den Familiennamen Tetillidae durch Tethydae zu ersetzen. Zu der Familie Tethydae gehören die früher von mir[2]) den Tetilliden zugewiesenen Genera Tetilla (jetzt mit Tethya vereint), Tethya und Cinachyra, sowie Fangophilina (= Spongocardium KIRKPATRICK[3])). Die Untersuchungen von TOPSENT haben gezeigt, daß bei manchen monaxonen Bohrschwämmen Microsclere in der Jugend vorhanden sind, im Alter aber fehlen, so daß ihrer Gegenwart oder Abwesenheit bei· jenen Spongien keine große systematische Wichtigkeit beigelegt werden kann. Die Bearbeitung einer mir von Professor IJIMA zur Verfügung gestellten Sammlung japanischer Tetraxonia hat gezeigt, daß, wie neuerlich auch TOPSENT[4]) angibt,

---

[1]) R. v. LENDENFELD, Tetraxonia. In: Tierreich Bd. 19.

[2]) R. v. LENDENFELD, Tetraxonia. In: Tierreich Bd. 19 p. 16.

[3]) R. KIRKPATRICK, South African Sponges. In: Cape of Good Hope. Dep. Agriculture. Jg. 1902 Nr. 4 p. 224 und On the Oscules of Cinachyra. In: Ann. nat. hist. Ser. 7 v. 16 p. 666.

[4]) E. TOPSENT, Spongiaires des Açores. In: Résult camp. Monaco Bd. 25 p. 99.

ähnliches bei dieser Spongiengruppe angetroffen wird. Aus diesem Grunde halte ich es für notwendig die Familie der Tethyopsillidae, in der ich[1] die microsclerenlosen Verwandten der Tethydae (= Tetillidae) untergebracht hatte aufzuheben und den Tethydae einzuverleiben. Hierzu ist zu bemerken, daß ich das Genus Proteleia jetzt nicht mehr als eine Tetraxoniden-Gattung ansehe sondern zu den Monaxoniden stelle, so daß diese nicht mit der Familie Tethydae einverleibt wird.

Ich habe es jetzt notwendig gefunden jene, früher zur Gattung Tetilla gestellten Spongien, welche Amphiclade besitzen von den übrigen Tetilla- (Tethya-) Arten generisch zu trennen und für sie eine neue Gattung, Amphitethya, aufzustellen.

Die Familie Tethydae umfaßt sonach jetzt fünf Gattungen:

Tethya (mit Microscleren, ohne Vestibularräume und ohne Amphiclade);

Amphitethya (mit Microscleren, ohne Vestibularräume, mit Amphicladen);

Tethyopsilla (ohne Microsclere);

Cinachyra (mit Microscleren, mit zerstreuten, gleichartigen Vestibularhöhlen (Porengruben));

Fangophilina (mit Microscleren, mit zwei ungleichartigen Vestibularhöhlen (Porengruben), von denen die eine dem Einfuhr-, die andere dem Ausfuhrsystem angehört).

Was die Beziehungen dieser Gattungen untereinander anbelangt ist klar, daß Cinachyra und Fangophilina zusammengehören und den anderen gegenüberstehen. Man kann daher die Familie Tethydae in zwei Unterfamilien einteilen: Tethynae (ohne Porengruben, die Gattungen Tethya, Amphitethya und Tethyopsilla) und Cinachyrinae (mit Porengruben, die Gattungen Cinachyra und Fangophilina).

Die Gattungsunterschiede sind in dem folgenden Schema zusammengestellt.

Tethydae	ohne Porengruben *(Tethynae)*	mit Microscleren	ohne Amphiclade	*Tethya*
			mit Amphicladen	*Amphitethya*
		ohne Microsclere		*Tethyopsilla*
	mit Porengruben *(Cinachyrinae)*	eine oder (meist) mehrere gleichartige Porengruben		*Cinachyra*
		zwei ungleiche Porengruben		*Fangophilina*

Alle 5 Gattungen der Tethydae sind in den Sammlungen der Gazelle und der Valdivia vertreten: in der Valdivia-Sammlung alle außer Amphitethya und in der Gazellen-Sammlung alle außer Tethyopsilla. In der Valdivia-Sammlung finden sich 56, in der Gazellen-Sammlung 15, zusammen 71 Exemplare von Tethydae. Diese gehören 20 verschiedenen Arten (Valdivia 9, Gazelle 11) an. 4 von diesen (Valdivia 2, Gazelle 2) waren schon früher bekannt, 16 (Valdivia 7, Gazelle 9) sind neu.

Subfamilia Tethynae.

Tethydae ohne Porengruben.

[1] R. v. LENDENFELD, Tetraxonia. In: Tierreich Bd. 19 p. 29.

Genus Tethya LM.

Tethydae mit Microscleren, ohne Amphiclade und ohne vestibulare Porengruben.

I₁ diesem Ge₁us werde₁ jetzt die Gattu₁ge₁ Tetilla O. Schm. u₁d Chrotella Soll., die ic₁ sc₁o₁ fri₁er[1]) zu der Gattu₁g Tetilla zusamme₁gezoge₁ ₁atte u₁d Tethya LM. (— Craniella O. Schm.) ₁erei₁t, weil sic₁ die A₁ge₁örige₁ dieser Gattu₁ge₁ ₁ur durc₁ den Bau der Ri₁de u₁tersc₁eide₁ u₁d ei₁ige ₁o₁ der Valdi₁ia erbeutete, hierhergehörige Spongien i₁ Bezug auf den Rindenbau ei₁e derartige Zwisc₁e₁stellu₁g ei₁₁e₁me₁, daß je₁er U₁tersc₁ied ₁ollkomme₁ ver-wisc₁t wird: wie bei den Gattu₁ge₁ Ancorina u₁d Stelletta, wo sic₁ sc₁o₁ fri₁er gezeigt hat, daß der Rindenbau kei₁ brauc₁barer Gattungscharakter ist, werde₁ jetzt von mir auc₁ ₁ier bei diese₁ Tethyden die, bloß im Bau der Ri₁de ₁o₁ei₁a₁der abweic₁e₁de₁ Gattu₁ge₁ Tetilla u₁d Tethya mitei₁a₁der ₁erei₁t. Die fri₁er zu Tetilla gestellte₁ Arte₁ mit Amphicladen werde₁ aus derselbe₁ ausgesc₁iede₁. Die Gattu₁g muß Tethya ₁eiße₁, weil das der älteste f₁r ei₁e von den ₁ier₁er ge₁örige₁ Spongien aufgestellte Gattu₁gs₁ame ist.

I₁ der Valdivia-Sammlu₁g fi₁de₁ sic₁ 45, i₁ der Gazelle₁-Sammlu₁g 9, zusamme₁ 54 zur Gattu₁g Tethya ge₁örige Spongien. Diese ge₁öre₁ 10 (Valdi₁ia 4, Gazelle 6) ₁ersc₁iede₁e₁ Arte₁ an. 3 (Valdi₁ia 1, Gazelle 2) ₁o₁ diese₁ ware₁ sc₁o₁ fri₁er beka₁₁t, 7 (Valdi₁ia 3, Gazelle 4) si₁d neu.

Tethya grandis (Soll.).

Taf. XV, Fig. 10—18.

1879 *Tethya antarctica* (err., non H. Carter 1872!), H. Carter in: Phil. Tr. v. 168 p. 287.
1886 *Tetilla grandis*, W. J. Sollas in: P. R. Dubli₁ Soc. v. 5 p. 180.
1888 *Tetilla grandis*, W. J. Sollas in: Rep. Voy. Challenger v. 25 p. 10 t. 5 f. 1, 2, 4—14.
1903 *Tetilla grandis*, Lendenfeld in: Tierreich v. 19 p. 20, 151.

U₁ter den ₁o₁ der «Gazelle» erbeutete₁ Spo₁gien befi₁de₁ sic₁ drei, offe₁bar zu dieser Art ge₁örige Stücke, zwei klei₁ere, ei₁a₁der ä₁₁lic₁e, u₁d ein größeres, etwas a₁ders gestaltetes. Die beide₁ klei₁ere₁ e₁tsprec₁e₁ der ₁o₁ Sollas (1888 p. 13)[2]) aufgestellte₁ Varietät alba sei₁er *Tetilla grandis* (gleic₁ *T. g. alba* Lendenfeld 1903 p. 21). Sie beste₁e₁ aus ei₁em aufrec₁te₁, u₁regelmäßig o₁ale₁, 55, bzw. 75 mm ₁o₁e₁ u₁d 55, bzw. 50 mm breite₁ Körper, dem u₁te₁ ein Wurzelnadelpolster ansitzt. Das letztere ersc₁ei₁t als ein ₁ortrete₁der Wulst von 10, bzw. 15 mm Hö₁e. Das größere Stück e₁tspric₁t der Art *Tetilla grandis* Sollas (1888 p. 10, gleic₁ *T. grandis grandis* Lendenfeld 1903 p. 20) selbst. Es ist (Taf. XV, Fig. 17) aufrec₁t ciförmig, gege₁ den Sc₁eitel ₁i₁ etwas zugespitzt, 125 mm ₁oc₁ u₁d 75 mm breit. Ei₁ Wurzelnadelpolster ist an demselbe₁ zwar ₁ic₁t ₁or₁a₁de₁, es ist jedoc₁ a₁ der Gru₁dfläc₁e des Sc₁wammes der Abdruck ei₁es solc₁e₁ zu erke₁₁e₁, und daher a₁zu₁e₁me₁, daß auc₁ bei diesem ein solc₁es ₁or₁a₁de₁ war, bei der Erbeutu₁g des Schwammes aber abgerisse₁ u₁d im Meere zur₁ckgelasse₁ worde₁ ist.

---

[1]) R. v. Lendenfeld, Tet₁axonia. In: Tie₁₁eich Bd. 19 p. 16.
[2]) Diese Jah₁eszahlen sind Hinweise auf die in der obigen Liste zitie₁te Literatu₁.

Die kleineren Exemplare sind recht schlecht erhalten, zusammengedrückt, und haben eine teils glatte teils unregelmäßige Oberfläche; ihr unregelmäßiger Teil sieht wie eine Rißfläche aus. Das besser erhaltene, große Exemplar trägt am Scheitel mehrere, 2—8 mm hohe, breite, kegelförmige, aufstrebende Vorragungen, von welchen aus vortretende Kämme nach unten ziehen und sich zum Teil bis gegen den Grund des Schwammes verfolgen lassen. Jene Vorragungen und diese Kämme sind durch etwas weniger vorragende, erhöhte Leisten miteinander verbunden. Auf den Gipfeln der Vorragungen dürften im lebenden Schwamm weite Oeffnungen gelegen haben. In den vorliegenden Stücken sind dieselben aber mehr oder weniger zusammengezogen, zum Teil vollständig geschlossen. Andere, mit freiem Auge sichtbare als diese Öffnungen finden sich an der Schwammoberfläche nicht. Obwohl das große Exemplar ziemlich kahl ist und auch die kleinen ausgedehnte kahle Strecken aufweisen, so scheint mir doch die Tatsache, daß Teile der letzteren mit einem hohen Nadelpelz bekleidet sind, dafür zu sprechen, daß diese Schwämme im allgemeinen einen Pelz besitzen und nur an jenen Stellen kahl erscheinen, wo der Pelz abgerieben worden ist. Am vollkommensten erhalten ist dieser Pelz an der Seitenfläche des einen der kleinen Exemplare, wo er aus Nadeln besteht, welche Winkel von 20—45° mit der Oberfläche einschließen und nach abwärts gerichtet sind. Ein allmählicher Uebergang des Pelzes der Schwammseite in das Grundpolster ist nicht wahrzunehmen. Wo der Pelz fehlt, erscheint die Oberfläche deutlich gekörnelt, was (Taf. XV, Fig. 17) namentlich an dem großen Exemplar deutlich hervortritt. Dieses gekörnelte Aussehen wird durch das Vorhandensein kleiner, etwa 500 μ hoher und 700 μ voneinander entfernter, abgerundeter, schief aufragender Vorragungen hervorgerufen, welche teilweise durch erhöhte Firste miteinander zusammenhängen, im übrigen aber durch ein Furchennetz voneinander getrennt sind. Aus den Scheiteln dieser Vorragungen treten Büschel von Nadeln hervor: das sind die Nadeln, welche den Pelz bilden.

Die Farbe der in Weingeist konservierten Exemplare ist an der Oberfläche größtenteils ziemlich dunkelgraubraun, an einzelnen Stellen aber auch lichtgelblichbraun. Es ist wohl möglich, daß letztere die eigentliche Farbe der Schwammoberfläche, und das weit verbreitete Dunkelgrau, Folge einer postmortalen Einwirkung ist. Die zahlreichen von Sollas (1888 p. 11) untersuchten Exemplare waren weiß bis gelblichgrau. Im Innern ist der Schwamm gelblichbraun, etwa 0,5 mm unter der Oberfläche findet sich eine dunkle Zone.

Von den oben erwähnten, auf den Gipfeln der scheitelständigen Vorragungen befindlichen Löchern, welche die Oscula des Schwammes sind, ziehen etwa 1,5 mm weite Kanäle ins Innere hinab. Diese lassen sich zum Teil 20 mm weit verfolgen. Ihre Oberfläche ist mit zahlreichen nach innen vorragenden Querwülsten (Taf. XV, Fig. 18) bedeckt. Sollas (l. c.) erwähnt diese nicht. Unter den Oberflächen der Flanken finden sich zahlreiche, etwa 500 μ große Hohlräume, und im Innern einzelne, 0,5—1 mm weite, unregelmäßig verlaufende Kanäle. Diese sind jedoch wenig zahlreich, und es erscheint der ganze Schwamm im Innern sehr dicht. Nach Sollas (1888 p. 11) sind die Geißelkammern 32 μ weit.

Das Skelett besteht aus einem ziemlich großen und sehr dichten Nadelzentrum, Nadelbündeln, einigen zerstreuten, unter der Oberfläche liegenden Stabnadeln, den Sigmen und dem Pelz. Bei dem großen Exemplar liegt das Nadelzentrum im unteren Teil des Schwammes, bei einem der kleinen aber merkwürdigerweise oben, nur 15 mm von der Scheitelfläche entfernt. Bei dem großen Exemplar strahlen die Nadelbündel von dem Zentrum aus und ziehen in stark spiralig gewundenem, oder ganz unregelmäßig gekrümmtem Verlauf zur Oberfläche empor. Bei dem einen kleinen Exemplar werden im Grundteile des Schwammes longitudinal verlaufende Nadelbündel beobachtet, welche sich oben zum Teil über die Rosette des Nadelzentrums hinüberneigen und nicht Fortsetzungen der von diesem ausstrahlenden Bündel zu sein scheinen. Die inneren Teile der Nadelbündel bestehen ausschließlich aus Amphioxen, distalwärts gesellen sich diesen Schäfte von Telocladen hinzu. Auch Style kommen in den Nadelbündeln vor. Der an dem einen kleinen Exemplar bis 5 mm hohe Pelz ist größtenteils aus Telocladen zusammengesetzt. In dem Grundpolster werden Amphioxe und Teloclade angetroffen. Die Teloclade sind größtenteils Anatriaene und Protriaene, es kommen aber auch verhältnismäßig viele unregelmäßige Teloclade vor. Besonders auffallend ist es, daß die sonst bei diesen Spongien meist nur in regelmäßigen Gestalten auftretenden Anatriaene bei der vorliegenden Art oft dadurch ganz unregelmäßig werden, daß sie das eine Clad nach aufwärts richten (Taf. XV, Fig. 11, 13). Auch SOLLAS (1888 p. 12) sind diese eigentümlichen Anatriaenderivate aufgefallen. Von den regulären Anatriaenen und diesen merkwürdigen Anatriaenderivaten lassen sich zwei sehr verschiedene, durch Uebergangsformen kaum miteinander verbundene Formen unterscheiden: schlank- und lang-cladige am Scheitel und in den oberen Teilen der Seiten des Schwammes; und dick- und kurz-cladige in seinem Grundteile und in dem unteren Drittel seiner Seitenteile. Von den Protriaenen lassen sich drei Formen unterscheiden: ungemein feine, in größerer Zahl zu Büscheln vereinte, welche nach SOLLAS (1888 p. 10) die Poren umgeben, deren genaue Lage ich aber an meinem Materiale nicht feststellen konnte; große und schlanke, in den oberen Teilen des Schwammes; und große und dicke in seinen unteren Teilen. Ziemlich tief unter der Oberfläche finden sich einige kleinere, zerstreute Amphioxe, welche meist schief gerichtet sind. Diese erwähnt SOLLAS (l. c.) nicht. Die Sigme sind sehr zahlreich und treten besonders an der Oberfläche in großen Massen auf.

Die großen Amphioxe der Bündel (Taf. XV, Fig. 16) sind bei diesen Gazellen-Spongien gerade oder schwach gekrümmt, 6—9, meist 7—8 mm lang und 73—100 μ dick. Bei den von SOLLAS (1888 p. 10) untersuchten Exemplaren waren sie nicht über 6,07 mm lang und 79 μ dick. Die beiden Enden sind zwar verschieden, es ist jedoch die Anisoactinität keine bedeutende, immerhin ist das distale Ende merklich dicker als das proximale. 0,2 mm vom distalen Ende entfernt sind die stärker anisoactinen Amphioxe 23—36, 0,2 mm vom proximalen Ende entfernt nur 6—11 μ dick. An einer weniger stark anisoactinen, 9,7 mm langen Nadel, die ich gemessen habe, betrug die Dicke 2 mm von einem Ende 63, 4 mm davon 100, 6 mm davon 75 und 8 mm davon 50 μ.

Zwischen den Amphioxen finden sich in den Nadelbündeln Style und Subtylostyle, deren abgerundete Enden zuweilen distal, häufiger aber proximal liegen. SOLLAS (1888 p. 13) erwähnt nur Style, deren abgerundete Enden distal liegen. Alle Style, die ich sah, waren kürzer als die Amphioxe, zwischen denen sie lagen und hatten am abgerundeten Ende eine Dicke von 9—41 μ. Bei den dünneren war das abgerundete Ende meist deutlicher von dem übrigen Teil der Nadel abgesetzt (Subtylostyl) als bei den dickeren.

Zuweilen habe ich an den Stabnadeln der Bündel kleine Verdickungen beobachtet, welche entweder in Gestalt eines Buckels von der einen Seite der Nadel aufragten oder die Form eines Verdickungsringes hatten. Andere Abnormitäten der Stabnadeln werden von SOLLAS (1888 p. 13) erwähnt.

Die kleinen, zerstreuten, unter der Oberfläche liegenden Amphioxe (Taf. XV, Fig.
15) sind 0,8—1,2, selten bis 2 mm lang, isoactin und in der Mitte 25—27 μ dick. SOLLAS (l. c.)
erwähnt das Vorkommen dieser Nadeln nicht.

Die dickcladigen, regulären Anatriaene des unteren Teiles des Schwammes
(Taf. XV, Fig. 10a, b), welche dem „radical anatriaene" von SOLLAS (1888 p. 10) entsprechen, aber,
wie erwähnt, durchaus nicht bloß im Wurzelschopfe, sondern auch in den unteren Teilen der
Seiten des Schwammes vorkommen, reichen mit ihren distalen, cladomalen Enden zum Teil über
die Oberfläche vor, zum Teil breiten sie ihre Cladome an und unter derselben aus. Ihre Schäfte
sind 18—35, meist 18—25 mm lang und am cladomalen Ende 23—41 μ dick. Die entsprechenden, von SOLLAS (1888 p. 10) angegebenen Maße sind 31,5 mm und 31,5 μ. Vom
cladomalen Ende an nehmen die Schäfte erst an Dicke ab, dann wieder zu, dann wieder ab,
und laufen schließlich in einen überaus feinen Endfaden aus. Die Schaftdicke betrug an drei
solchen Anatriaenen, die ich maß im Durchschnitt: am cladomalen Ende 29, 5 mm unterhalb
desselben 11, 10 mm unterhalb desselben 20, 15 mm unterhalb desselben 14, 20 mm unterhalb
desselben 8, 25 mm unterhalb desselben 2 μ. Die Clade sind sehr dick, mäßig gekrümmt und
erreichen eine Länge von 82—136 μ. Nach SOLLAS (1888 p. 10) beträgt die Länge dieser Clade
100 μ. Ihre Sehnen schließen mit dem Schaft Winkel von etwa 36° ein.

Die dünncladigen, regulären Anatriaene des oberen Teiles des Schwammes
(Taf. XV, Fig. 12) sind weit schlanker als die oben beschriebenen, dickcladigen. Ihre Schäfte
erreichen am cladomalen Ende Dicken von bloß 11—16 μ und ihre entsprechend dünneren Clade
sind 182—200 μ lang. Die von SOLLAS (1888 p. 10) angegebenen Maße dieser Nadeln sind:
Schaftlänge 12,14 mm, Schaftdicke am Cladom 20 μ, Cladlänge 158 μ. Die Cladsehnen schließen
mit dem Schaft Winkel von ungefähr 32° ein.

Die Jugendformen der Anatriaene zeichnen sich einerseits dadurch aus, daß bei ihnen der
Schaft über das Cladom hinaus verlängert erscheint und in Gestalt eines nonen, mehr zugespitzten
oder abgerundeten Buckels über dasselbe emporragt; andererseits unterscheiden sie sich von den
ausgebildeten Anatriaenen dadurch, daß ihre Clade mit dem Schafte viel größere Winkel als die
Clade der ausgebildeten Anatriaene einschließen. Sehr junge Anatriaene, deren Clade erst 10 μ
lang sind, zeigen diese Eigentümlichkeit in so hohem Grade, daß sie wie Orthotriaene aussehen.
Beim Wachstum biegen sich aber die Clade sehr bald herab, so daß schon wenig größere
Nadeln das orthotriaene Aussehen mit einem anatriaenen vertauscht haben. Viel länger erhält
sich der distale Buckel, der selbst in den ausgebildeten Nadeln (vgl. Taf. XV, Fig. 10 b) oft
noch deutlich erkennbar ist.

Ich habe oben darauf hingewiesen, daß bei diesem Schwamme außerordentlich häufig
Unregelmäßigkeiten bei den Anatriaenen auftreten und zwar werden sowohl unter den dünncladigen
der oberen, wie unter den dickcladigen der unteren Schwammteile solche unregelmäßige Anatriaene,
bzw. Anatriaenderivate angetroffen. Die merkwürdigsten und häufigsten von diesen Formen, die
man geradezu als spezifische Nadeln der Art ansehen könnte, sind diejenigen, welche ein nach
aufwärts gerichtetes Clad besitzen (Taf. XV, Fig. 11, 13). Einige von diesen Nadeln sind Triaene
mit 2 anatriaenartig nach abwärts gerichteten und einem plagiotriaenartig, schief nach aufwärts
gerichteten Clad (Taf. XV, Fig. 13); andere sind Tetraene mit drei anatriaenartig nach abwärts
gerichteten und einem schief nach aufwärts gerichteten Clad (Taf. XV, Fig. 11). Ausnahmsweise

16

nabe ich auch solche Tetraene beobachtet, bei denen zwei Clade nach abwärts und zwei nach aufwärts gerichtet waren. Eines von diesen unregelmäßigen Telocladen hatte gar sechs Clade von denen zwei nach aufwärts und vier nach abwärts gerichtet waren. Ferner habe ich Anatriaene gesehen, bei denen eines von den Claden viel tiefer als die beiden anderen am Schafte angewachsen war. Auch Anatriaene mit einem gabelspaltigen Clad kommen vor, worauf schon SOLLAS (1888 p. 13) hingewiesen hat. Diesen, eine gewisse Hypertrophie des Cladoms auf- weisenden, stehen andere Anatriaenderivate gegenüber, bei denen eine Verkümmerung des Cladoms beobachtet wird. Diese führt entweder zu einer Reduktion der Cladanzahl oder zu einer gleich- mäßigen Verkleinerung aller Clade. Im ersteren Fall kommen Anadiaene, im letzteren eigen- tümlich nagelförmige Teloclade zustande, deren Cladom einer, dem Schaft aufgesetzten, am Rande ausgezackten Endscheibe gleicht.

Die großen Protriaene (Taf. XV, Fig. 14) sind, wie oben erwähnt worden ist, ebenso wie die Anatriaene, in dem Schwamme durch zwei Formen, eine schlankere in den oberen Teilen, und eine dickere in den unteren Teilen vertreten; es ist jedoch hier der Unterschied zwischen schlanker und dicker nicht so groß und die Grenze zwischen derselben nicht so scharf wie bei den Anatriaenen. Die Schäfte der Protriaene sind 6—17 mm lang, jene der schlanken Form am cladomalen Ende etwa 10, jene der dicken etwa 14 μ dick. Die stärkste Stelle des Schaftes liegt etwa 3 mm unterhalb seines cladomalen Endes. Bei der schlanken Form ist der Schaft hier 1½—2 mal so dick wie am Cladom: bei der dickeren Form ist dieser Unterschied bedeutender: bei dieser sind die Protriaenschäfte 3 mm unterhalb des Cladoms bis 3 und mehrmal so dick wie am cladomalen Ende. Diese großen Protriaene bilden einen wesentlichen Bestandteil des Pelzes, ja an einzelnen Stellen scheint dieser fast ausschließlich aus ihnen zu bestehen. Aber nicht nur im Pelz auch in und unter der Oberfläche habe ich zahlreiche Cladome von großen Pro- triaenen angetroffen. Die Cladome dieser Protriaene sind regulär, sagittal oder irregulär. Die Clade erreichen eine Länge von 64—163 μ und schließen mit der Schaftverlängerung Winkel von ungefähr 26° ein; oft erscheinen sie gerade, zuweilen sind sie aber auch in ihrem Grund- teile stärker abstehend' als in ihrem Endteile. SOLLAS (1888 p. 10) gibt folgende Maße der großen Protriaene an: Schaftlänge 8,6 mm, Schaftdicke 15,8 μ, Cladlänge 150 μ.

Die in garbenförmigen Büscheln angeordneten kleinen Protriaene haben 800—900 μ lange, am cladomalen Ende 1 μ dicke Schäfte und meist etwas ungleiche, 10—15 μ lange Clade. SOLLAS (1888 p. 10, 13) nennt diese Nadeln „trichodal protriaene" und sagt, daß ihre Cladome meist sagittal und ihre Schäfte 1 mm lang sind.

Auffallend ist, namentlich in Hinblick auf die Häufigkeit von unregelmäßigen Anatriaen- formen, die Regelmäßigkeit der Protriaene in den von mir untersuchten Exemplaren. SOLLAS (l. c.) hat in den vom Challenger erbeuteten aber auch ziemlich viele unregelmäßige Protriaene gefunden.

Die Sigme sind knorrige 0,5—1 μ dicke Stäbchen, die entweder kürzer und stärker gekrimmt, oder länger und schwächer gekrimmt erscheinen. Die kürzeren sind 6—7, die längeren 11—13 μ lang. Obwohl die Annahme nahe liegt, daß der Schwamm nur eine Art von Sigmen hat und daß sie nur in ihrer verschiedenen Lage wegen verschieden lang aussehen, so hat sich mir doch der Eindruck aufgedrängt, als ob wir es hier vielleicht mit zweierlei Sigmen- formen zu tun haben könnten. Nach SOLLAS (1888 p. 11) wären die Sigmen 11,8μ lang.

Die drei Exemplare dieses Schwammes wurden von der „Gazelle" (Nr. 498) im Südmeere

17

erbeutet. Nähere Angaben über den Fundort lagen derselben zwar nicht bei, es läßt sich aber aus den, in dem amtlichen Bericht über die Gazellen-Reise enthaltenen Angaben mit ziemlicher Sicherheit der Schluß ziehen, daß diese Schwämme an der Küste der Kerguelen-Inseln in einer Tiefe von 18—183 Metern erbeutet worden sind, denn es wird in jenem Berichte angegeben, daß an dieser Stelle „*Tetilla grandis* Soll." gesammelt worden sei und es findet sich unter den von der „Gazelle" erbeuteten Tetraxonen, die mir zur Bearbeitung übergeben worden sind, kein anderes Exemplar von dieser Species als die oben beschriebenen drei.

Obwohl, wie aus dem obigen hervorgeht, die drei von mir untersuchten, von der Gazelle erbeuteten Exemplare dieses Schwammes in manchen Stücken von der Schilderung abweichen, die Sollas (l. c.) von seiner *Tetilla grandis* gegeben hat, so zweifle ich doch keinen Augenblick, daß sie derselben Species angehören. Der Fundort und das recht charakteristische Aussehen sind bei den vom Challenger und von der Gazelle erbeuteten Stücken dieselben. Auch in bezug auf die Form der Nadeln stimmen beide völlig überein. Die Unterschiede zwischen ihnen sind zweierlei: erstens findet sich bei den Gazellen-Exemplaren eine Lage von zerstreuten, unregelmäßig angeordneten, allerdings wenig zahlreichen Stabnadeln eine Strecke weit unter der Oberfläche, während Sollas (l. c.) keine solchen Nadeln von den Challenger-Exemplaren beschreibt; zweitens sind die Nadeln der Gazellen-Exemplare zum Teil etwas größer als jene der Challenger-Exemplare. Der letztgenannte Unterschied tritt namentlich an den Längen der Clade, der dickcladigen (Challenger 100 μ, Gazelle bis 136 μ), und der dünncladigen Anatriaene (Challenger 158 μ, Gazelle bis 200 μ), den Schaftlängen der großen Protriaene (Challenger 8,6 mm, Gazelle bis 17 mm) und an den, sonst in ihren Dimensionen sehr konstanten Sigmen zutage, die bei den von Sollas untersuchten Challenger-Exemplaren nur 11,5, bei den Gazellen-Exemplaren aber bis zu 13 μ lang sind. Ich glaube nicht, daß diese unbedeutenden Unterschiede dazu ausreichen, diese Schwämme spezifisch voneinander zu trennen.

Wie bei den Beschreibungen der neuen Arten *T. coactifera*, *crassispicula* und *stylifera* erwähnt, wäre es wohl möglich, daß eine oder mehrere von diesen auch in den Formenkreis der Species *T. grandis* gehören könnten und bloß Unterarten oder Varietäten derselben darstellen.

Sollas hat von dem zur Hauptart gehörigen, von ihm zu *Tetilla grandis* gestellten Spongien eine Anzahl abgetrennt, und für diese die Varietät *alba* (Sollas 1888 p. 13) errichtet, eine Unterscheidung, welche auch ich früher anerkannt habe, indem ich (Lendenfeld 1903 p. 20, 21) innerhalb der Species zwei Unterarten, eine für die Sollas'sche Art selbst (*Tetilla grandis grandis*) und eine für die Varietät *alba* (*Tetilla grandis alba*) unterschied. Jetzt, da ich Gelegenheit gehabt habe Vertreter dieser beiden Unterarten zu untersuchen, scheint es mir aber kaum mehr empfehlenswert, dieselben als getrennte, systematische Begriffe aufrecht zu erhalten und ich schlage daher vor beide in die Hauptart aufgehen zu lassen. Da der ursprünglich von Carter (l. c.) für einen zu dieser Species gehörigen Schwamm aufgestellte Speciesname *antarctica* auf einer irrtümlichen Bestimmung hin angewendet worden ist, kann er nicht beibehalten werden und ist der Sollas'sche Speciesname *grandis* zu benützen. Da ich wie oben erwähnt die Gattung *Tetilla* eingezogen und die zu derselben gehörigen Species der Gattung *Tethya* zugeteilt habe hat die vorliegende Spongienart *Tethya grandis* zu heißen.

Unter Berücksichtigung meiner, an dem Gazellen-Material gewonnenen Ergebnisse hat die Diagnose dieser Species folgendermaßen zu lauten:

18

Tetrya grandis (SOLL.).

Kugelig oder aufrecht eiförmig, bis 13 cm hoch und 7,5 cm breit, mit aufstrebenden Vorragungen am Scheitel, auf deren Gipfeln die kleinen Oscula liegen. Von diesen Vorragungen gehen mehr oder weniger deutliche Firste ab, welche gegen die Grundfläche des Schwammes hinabziehen und hie und da auch durch quere Erhebungen netzartig verbunden erscheinen. jene Vorragungen und diese Firste sind an den großen aufrechten eiförmigen Stücken deutlicher als an den kleineren, mehr kugeligen wahrzunehmen. An den ganz kleinen, regelmäßig kugeligen fehlen sie vollständig. An der Oberfläche findet sich ein 1—5 mm hoher Nadelpelz, welcher häufig teilweise oder ganz abgerieben ist. Am Grunde sitzt eine polsterförmige Wurzelnadelmasse von beträchtlicher Größe; diese scheint zuweilen zu fehlen. Die Farbe ist in Weingeist weißlichgelb, dunkelgelb oder braun.

Megasclere: große Amphioxe der radialen Nadelbündel 5—9 mm lang, 73—110 μ dick, meist mäßig anisoactin; Style der radialen Nadelbündel bis 41 μ dick: kleine zerstreute, schief liegende Amphioxe unter der Oberfläche 0,8—2 mm lang, 25—27 μ dick, isoactin; dickcladige Anatriaene, deren Schaft 18—35 mm lang, am cladomalen Ende 32—41 μ dick, Clade 92—136 μ lang; dünncladige Anatriaene, deren Schaft am cladomalen Ende 11—20 μ dick, Clade 158—200 μ lang; verschiedene Anatriaenderivate von derselben Dimensionen, unter diesen verhältnismäßig häufig solche mit 1 aufstrebenden und 2 oder 3 nach abwärts gerichteten Claden; große Protriaene, deren Schaft 6—17 mm lang, am cladomalen Ende 10—14 μ, weiter unten $1\frac{1}{2}$—3 und mehrmal so dick, Cladom regulär, sagittal oder irregulär, Clade 64—163 μ lang; kleine Protriaene in Büscheln, deren Schaft 0,8—1 mm lang, am cladomalen Ende 1 μ dick, Clade 10—15 μ lang. Microsclere: Sigme, knorrige 0,5—1 μ dicke, schwächer oder stärker gekrimmt ausserende Stäbchen, bis 13 μ lang.

Verbreitung: Südindik: Kerguelen-Inseln, 18—220 m; Heard-Insel, 274 m.

Tethya coactifera n. sp.

Taf. IX, Fig. 1—16; Taf. X, Fig. 1—10.

In der Valdivia-Sammlung befinden sich zwei Stücke dieses Schwammes.

Das größere (Taf. IX, Fig. 12) ist abgeplattet kugelig, hält 68 mm im Querdurchmesser und ist 58 mm hoch. Das kleinere ist regelmäßig eiförmig, aufrecht, hält 37 mm im Querdurchmesser und ist 51 mm hoch.

Die Oberfläche ist mit kleinen Erhebungen bedeckt, welche durch abgerundete, konkave Einsenkungen voneinander getrennt werden. Die Erhebungen sind etwa 0,5—1 mm breit, ebenso weit voneinander entfernt und ragen durchschnittlich 0,5 mm über die Böden der dazwischen gelegenen Einsenkungen empor. Es erscheint somit — von den frei vorragenden Nadeln abgesehen — die Schwammoberfläche gekörnelt. Mit freiem Auge erkennbare Oeffnungen sind an der Oberfläche keines der beiden Exemplare wahrzunehmen. Garbenförmige Büschel von Nadeln — es sind das die distalen Endteile der radialen Nadelbündel — ragen frei über die Oberfläche vor. Diese Büschel sind den oben erwähnten Erhebungen der Oberfläche eingepflanzt. Die Erhebungen selbst entstehen dadurch, daß sich die oberflächlichen Teile des Weichkörpers

19

10*

ROBERT VON LENDENFELD,

an den, über die Oberfläche hinaus reichenden, radialen Nadelbündeln eine Strecke weit emporziehen. Sie sind somit den Conulis der Hornschwämme vergleichbar. Da die frei vorragenden
Nadelgarben oben auseinander weichen und sich distal verbreitern, bilden sie zusammen einen
völlig ununterbrochenen Pelz, der die ganze Oberfläche bekleidet. Bei dem größeren, in der
Figur 12 abgebildeten Exemplare ist dieser Nadelpelz allenthalben ziemlich gleichartig, bei
dem kleineren aber an der Unterseite viel mächtiger als anderwärts entwickelt und hier zu
einem Wurzelschopf ausgebildet. Die Nadeln, welche den Pelz bilden, stehen nicht senkrecht
auf die Oberfläche des Schwammes, sondern schließen mit derselben meist Winkel von 30—60⁰
ein. Der Pelz ist stark abgerieben. Deshalb und wegen der schwankenden Neigung der Nadeln,
die ihn zusammensetzen, läßt sich seine Höhe nicht genau angeben, er dürfte — wo er nicht
zu einem Wurzelschopf geworden ist — etwa 1—3 mm hoch sein.

Bei dem kleineren Exemplare sind alle von der Schwammunterseite abstehenden Nadelbüschel der vertikalen Längsachse des Schwammes nahezu parallel nach abwärts gerichtet. Die
äußersten, nahe dem Aequator befindlichen, liegen daher der Schwammoberfläche ziemlich dicht
an, schließen mit derselben ganz kleine Winkel ein. Nach innen, gegen den unteren Pol des
Schwammes zu, stehen sie immer steiler und die am Pol selbst entspringenden erheben sich
senkrecht von seiner Oberfläche. Distal gehen diese Nadelbüschel in einen ungefähr 15 mm
breiten und 5 mm hohen Nadelpolster über, welcher aus großen, mäßig dicht verfilzten, meist
mehr oder weniger horizontal liegenden Nadeln besteht.

Farbe. Der Schwamm ist (in Weingeist) an der Oberfläche lichtgraubraun gefärbt. Das
Innere hat eine ähnliche, aber lichtere Färbung. Der Nadelpelz ist bei beiden Exemplaren, ganz
besonders stark aber bei dem kleineren, bräunlich fuchsrot; den frei vorragenden Nadelteilen
fest angeheftete Diatomeen sind die Ursache dieser Färbung des Nadelpelzes.

Hie und da lassen oberflächliche Paratangentialschnitte kleine Gruppen von rundlichen,
etwa 15 μ weiten und 20—30 μ voneinander entfernten Poren in der äußersten Gewebelage
erkennen. Wenig unter der Oberfläche findet man in der Paratangentialschnittserie Querschnitte
von kreisrunden, bei 65 μ weiten Radialkanälen. Radialschnitte (Taf. IX, Fig. 9) zeigen, daß
vielerorts zwischen den großen radialen Nadelbündeln Systeme von ausgedehnten, lakunösen
Hohlräumen liegen. Die einzelnen Höhlen sind bis 0,5 mm weit, oval oder rundlich und unregelmäßig in radialen Reihen angeordnet. Sie sind vielerorts nur durch ganz dünne, in den
mittleren Teilen nicht selten unterbrochene Membranen voneinander getrennt. Die ganzen
Höhlensysteme erscheinen somit als unregelmäßige, radiale, lakunöse Kanäle. Halbiert man den
Schwamm, so findet man die größten von diesen Höhlen ungefähr in halber Entfernung zwischen
dem Mittelpunkte und der Oberfläche. Bei dem größeren Exemplare halten einige von diesen
Höhlen 1,2—1,7 mm im Durchmesser, bei dem kleineren Exemplare habe ich solche Höhlen
nicht gesehen. Es ist anzunehmen, daß alle diese Kanäle im lebenden Schwamme immer oder
doch zuweilen bedeutend geräumiger sind.

Die Geißelkammern (Taf. IX, Fig. 14a) sind überall dort, wo dickere Gewebelagen die
großen lakunösen Höhlen voneinander trennen, ziemlich zahlreich. Sie erscheinen in den Schnitten
rundlich oder eiförmig und halten 15—25 μ im Durchmesser. Die Kragenzellen sind groß.
Geißel und Kragen sind nicht zu erkennen, wohl aber trifft man nicht selten Andeutungen einer
SOLLAS'schen Membran.

Obwoıl weit davoı eıtferıt aus meiıeı Präparateı eiıeı irgeıdwie sichereı Scıluß auf die Gestaltuıg des Kaıalsystems zieıeı zu köııeı, möcıte icı docı die Vermutuıg aussprechen, daß die großeı Höıleısysteme, die man im Scıwamme beobacıtet, zum Teil dem eiıfııreıdeı uıd zum Teil dem ausfııreıdeı System aıgeıöreı, daß den Geißelkammern zu- uıd abfııreıde Spezialkanäle feıleı, daß die Kammerporen groß uıd weıig zaılreicı vielleicıt ıur iı der Eiızaıl vorıaıdeı sıd, der Kammermund aber verıältıismäßig kleiı ist, uıd daß die bis ıaıe aı die Oberflächeı ıeraıreicıeıdeı uıd dort ıur durcı ciıe ziemlicı dıııe Gewebeplatte bedeckteı Systeme großer Höıleı (Taf. IX, Fig. 9) cribriporal mit der Außeıwelt iı Verbiıdung steıeı.

Feiıe Scııitte seıkrecıt zur Oberflächeı durcı die oberflächlichen Gewebepartien (Taf. IX, Fig. 16) zeigeı, daß zu äußerst eiıe 8—10 μ dicke, weıig tingierbare, epithelartige Scıicıt (Taf. IX, Fig. 16a) liegt, welcıer dicıte Masseı von Sigmeı eiıgebettet sıd. Daruıter folgt eiıe etwa 6—8 μ dicke Lage voı paratangential verlaufeıdeı Faserı (Taf. IX, Fig. 16b). Uıter dieser breitet sicı ein an Blasenzellen reicıes Gewebe aus, welcıes oııe scıarfe Greıze iı das Choanosom ıbergeıt.

Der Weichkörper scıeiıt ziemlicı zart zu seiı. In den Membraıeı, welcıe zwiscıeı den großeı, lakunösen Höıleı ausgespaııt sıd, bzw. iı diese Höıleı ıııeiırageı, sieıt maı öfters stärker tıngierte Streifeı. Am deutlicısteı sıd diese iı der Näıe der freieı Räıder solcıer Membraıeı zu erkeııeı uıd ıier liegeı sie dieseı Räıderı parallel. Es kaıı seiı, daß wir es ıier mit zirkuläreı, contractilen Faserzelleı zu tuı ıabeı. Die Blasenzellen, welcıe sicı dicıt uıter der Oberflächı (Taf. IX, Fig. 16c), sowie aucı weiter im Iııerı iı großer Zahl fııdeı, ıalteı 7—14 μ im Durcımesser. Sie sıd meisteıs breit oval, platteı sicı aber, wo sie dicıt beisammeı liegeı, gegeıseitig ab uıd erscıeııeı daıı meır oder weıiger polyedriscı (Taf. IX, Fig. 16c). Sie ıabeı eiıe deutlicıe Zellıaut uıd sıd mit eiıer gaız durcısicıtigeı uıd untingierbaren Substaız gefüllt. Iı der Mitte der letztereı liegt ein 3—5 μ großer, granulöser, uıdurcısicıtiger uıd stark tingierbarer Klumpeı voı uıregelmäßig kugeliger oder kıolleıähılicıer Gestalt. Eiıeı Kern iııerıalb dieses Klumpeıs ıabe icı zwar nie geseıeı, möcıte aber trotzdem keiıe bestimmte Meiıuıg darıber abgebeı, ob dieser Klumpeı der Kerı alleiı, oder der Kerı samt dem (gescırumpfteı) Plasma ist. Im Iııerı des größereı Exemplares faıd icı eiıige 30—35 μ weite, ruıdlicıe Höıluıgeı, die mit eiıem Belag voı flacıeı Zelleı ausgekleidet zu seiı scıeiıeı uıd iı deıeı je ein kugeliger oder ıiereıförmiger, iı tıngierteı Scııitteı stets seır stark gefärbter, 20—23 μ im Durcımesser ıalteıder Körper mit glatter Oberflächı lag. Diese Körper dırfteı Eier seiı.

Das Skelett besteıt aus Bıdelı laıger Nadelı, welcıe radial vom Zeıtrum des Scıwammes ausstraıleı uıd dereı Distalenden ıber die Oberflächı vorrageıd den Pelz bildeı; aus kleiıereı, zerstreuteı, dicıt uıter der Oberflächı liegeıdeı, radialeı Nadelı; aus eiıem Filz uıregelmäßig gelagerter Stabnadeln, welcıer sicı paratangential eiıe Strecke weit uıter der Oberflächı ausbreitet — auf dieseı bezieıt sicı der Artıame —; uıd aus Sigmeı, die iı großeı Masseı aı der äußereı Oberflächı uıd weıiger zaılreicı aucı im Iııerı des Schwammes aıgetroffeı werdeı.

Bei dem größereı Exemplare geıeı voı eiıem, aus eiıer dicıteı Nadelmasse bestehenden, kugelförmigeı, etwa 2,5 mm im Durcımesser ıalteıdeı, uıgefäır iı der Mitte des Scıwamm-

2 1

körpers gelegenen Zentrum Nadelbündel nach allen Richtungen des Raumes ab. Halbiert man den Schwamm, so sieht man bei 20 in der Schnittebene gelegene Nadelbündel dieser Art, deren Proximalteile Winkel von ungefähr 18° miteinander einschließen. Die Proximalteile der Nadelbündel sind ungefähr 0,5 mm dick. 5—10 mm vom Zentrum entfernt verbreitern sich die Nadelbündel beträchtlich. In 15 mm Entfernung beginnen sie sich in getrennte, 0,2—0,5 mm dicke Stränge aufzulösen. Auch diese verbreitern sich nach außen hin, um sich dann, etwa 5 mm unter der Oberfläche, auch ihrerseits in einzelne Stränge aufzulösen (Taf. IX, Fig. 1), so daß die Nadelbündel wiederholt besenförmig verzweigt erscheinen. An die Oberfläche treten sehr zahlreiche Nadelbündelendzweige heran. Alle einem und demselben Hauptnadelbündel angehörigen zusammen nehmen an der Oberfläche einen ungefähr 20 qmm großen Raum ein. Dicht unter der Oberfläche sind alle Nadelbündelendzweige annähernd gleich weit voneinander entfernt (Taf. IX, Fig. 1): eine Grenze zwischen den, verschiedenen Hauptnadelbündeln angehörenden Endzweigen ist nicht zu erkennen. Jedes Hauptnadelbündel, samt allen von ihm abgehenden Ästen und Endzweigen, ist ein pyramidenförmiger Kegel, dessen Spitze im Mittelpunkte, und dessen Basis an der Oberfläche des Schwammes liegt. Dieser Kegel ist 30—40 mm hoch und an der Grundfläche 4—5 mm breit. Er ist nicht gerade, sondern gekrümmt. In den proximalen zwei Dritteilen der Höhe ist die Krümmung aller dieser Nadelkegel eine derart gleichsinnige, daß ihre Achsen stetig divergieren. Die Krümmung dieser, ihrer proximalen Teile ist eine annähernd kreisförmige. Der Krümmungsradius beträgt ungefähr 15 mm und es bildet die Achse der apicalen zwei Dritteile des ganzen Kegels beiläufig einen Viertelkreis, so daß die Tangenten der Endteile dieser Achsenstrecke einen Winkel von 90° miteinander einschließen. Das distale, basale Drittel eines jeden Nadelkegels ist viel weniger stark gekrümmt, fast gerade. Zuweilen ist hier sogar eine leichte Krümmung (Radius 50 mm) nach der entgegengesetzten Seite wahrzunehmen, in welchem Falle der Kegel schwach S-förmig gebogen erscheint. Alle Krümmungen der Achse eines Kegels liegen stets annähernd in einer Ebene und sind einfache Kurven.

Bei dem kleineren Exemplare ist das Nadelzentrum relativ bedeutend und auch absolut etwas größer, es hält hier 3 mm im Durchmesser. Auf dem durch den Mittelpunkt gehenden Längsschnitte durch diesen Schwamm zählte ich 23 Nadelbündel. Diese sind, namentlich in der unteren Hälfte des Schwammes, viel weniger stark gekrümmt, als bei dem größeren Exemplare. Daß diese mindere Krümmung eine tatsächliche und nicht durch die Lage der Schnittebene vorgetäuschte ist, geht daraus hervor, daß die im Querschnitt zu sehenden Bündel dieselbe geringere Biegung zeigen, wie die, die man am Längsschnitte sieht.

Dicht unter der Oberfläche nehmen die Nadelbündel (im Paratangentialschnitt) einen bedeutend größeren Raum ein als die zwischen ihnen gelegenen, bündelfreien Schwammteile. Nach innen zu nimmt die relative Masse der Nadelbündel ab. 7 mm unter der Oberfläche sind die Nadelbündel ungefähr ebenso breit wie die Zwischenräume. Unter diesem Niveau überwiegt die Ausdehnung der nadelfreien Teile.

Das Nadelzentrum und die proximalen und mittleren Teile der Nadelbündel bestehen ausschließlich aus Amphioxen. Jene des Zentrums (Taf. IX, Fig. 13 a, b, c, d, e) sind an beiden Enden gleich, isoactin. Auch in den proximalen Endteilen der Nadelbündel werden solche isoactine Amphioxe angetroffen. Nach außen hin treten in den Nadelbündeln anisoactine Am-

22

phioxe (Taf. X, Fig. 4—6) mit einem schlankeren und spitzen proximalen, und einem dickeren und abgerundeten distalen Ende an Stelle der isoactinen. Gegen die äußere Oberfläche gesellen sich den Amphioxen in den radialen Bündeln einzelne Style und die viel dünneren Schäfte von meist triaenen Telocladen, aber auch hier besteht der allergrößte Teil der ganzen Bündelmasse aus Amphioxen. Die großen Amphioxe der Nadelbündel scheinen nur bei der Wurzel-schopfbildung über die Oberfläche hinaus vorgeschoben zu werden; sonst ragen sie nicht über die Oberfläche des Schwammes vor, es erreichen vielmehr die Distalenden der zu äußerst ge-legenen Amphioxe gewöhnlich gerade noch die Oberfläche. Die Teloclade, welche an dem Aufbau der distalen Nadelbündelpartien teilnehmen sind Anatriaene (Taf. IX, Fig. 6, 7 a, b, Taf. X, Fig. 2, 10), reguläre Protriaene (Taf. IX, Fig. 3,), sagittale Protriaene (Taf. IX, Fig. 2, Taf. X, Fig. 1), Prodiaene (Taf. IX, Fig. 4) und irreguläre Triaene mit entwickelten (Taf. IX, Fig. 8) oder teilweise rückgebildeten Claden (Taf. X, Fig. 3). Zu diesen Telocladen könnten insofern auch die Style (Taf. X, Fig. 7) gezählt werden, als diese vermutlich durch vollkommene Cladrückbildung aus ihnen hervorgegangen sind.

Die Cladome der Anatriaene liegen größtenteils unterhalb der Oberfläche, im Inneren des Schwammes; nur selten ragen sie, und auch dann nur eine sehr kurze Strecke weit, über die Oberfläche vor (Taf. IX, Fig. 9 b); an der Bildung des Pelzes nehmen sie ebenso wenig Teil wie die Amphioxe. Die Cladome der tiefstliegenden Anatriaene, die ich gesehen habe, befanden sich un-gefähr 2 mm unter der Oberfläche, doch habe ich sie so tief nur ausnahmsweise beobachtet. Von hier bis zur Oberfläche werden dann ziemlich viele Anatriaencladome angetroffen. Dieselben liegen meist in Gruppen nebeneinander und bilden so eine oder mehrere Etagen. Sie scheinen an der Oberfläche der radialen Nadelbündel beträchtlich zahlreicher als im Inneren derselben zu sein. Die äußersten Anatriaencladome ragen, wie erwähnt, ganz wenig über die Oberfläche vor.

Sehr selten und nur ganz ausnahmsweise sieht man ab und zu auch ein Procladcladom unter der Oberfläche in oder an den Nadelbündeln.

Die irregulären Teloclade, namentlich jene mit stark rückgebildetem Cladom, und die Style, welche ich, wie erwähnt als Telocladderivate anzusehen geneigt bin, liegen in der Regel so, daß sich ihr Cladom, bzw. (Styl) ihr stumpfes Ende, dicht unter der äußeren Oberfläche befindet. Der eingangs beschriebene Pelz an der äußeren Oberfläche besteht aus den frei vor-ragenden Endstücken derjenigen Nadeln, welche an der Zusammensetzung des distalen Teils der Nadelbündel Anteil nehmen. Ihrer Krümmung wegen treten, wie oben erwähnt, die Nadelbündel nicht senkrecht an die Oberfläche heran (Taf. IX, Fig. 1, 9) und da ihre, den Pelz bildenden End-teile dieselbe Richtung beibehalten, so stehen auch sie auf der Oberfläche nicht senkrecht, sondern mehr oder weniger schief. Näheres hierüber siehe oben, bei der Beschreibung des Pelzes. Die den Pelz bildenden distalen Endteile der Nadelbündel bestehen ausschließlich aus Procladen, Protriaenen und Prodiaenen. Bei beiden Exemplaren sind die Protriaene im Pelz um ein viel-faches zahlreicher als die Prodiaene. Dieses Überwiegen der Protriaene tritt aber bei dem größeren Exemplare beträchtlich stärker als bei dem kleineren hervor. Die frei vorragenden Teile der Proclade sind ungleich lang, so daß ihre Cladome in verschiedenen Höhen liegen.

Der Wurzelschopf des kleineren Exemplares scheint ebenfalls größtenteils aus Procladen zu bestehen. Außer diesen kommen aber auch große und kleine Amphioxe sowie Anatriaene darin vor.

23

Zwischen den Nadelbündeln finden sich an der Oberfläche, wie erwähnt, Einsenkungen. In den, an diese Einsenkungen angrenzenden Schwammpartien finden sich ziemlich zahlreiche, kleine Megasclere, welche in keiner Beziehung zu den Nadelbündeln stehen, vielmehr als eine eigene Skelettbildung angesehen werden müssen. Diese Nadeln sind kleine Amphioxe und Proclade. Die ersteren sind recht zahlreich. Sie liegen mehr vereinzelt oder in größerer Zahl zu büschelförmigen Gruppen vereint dicht unter der Oberfläche und stehen auf diese senkrecht oder steil. Sie pflegen mit ihren Distalenden die Oberfläche gerade zu erreichen oder, selten, ein wenig über dieselbe vorzuragen. Die kleinen Proclade sind hier, unter den Einsenkungen, weit seltener, erreichen mit ihren Cladomen die Oberfläche und richten ihren Schaft radial nach innen.

In der zwischen 1 mm und 4 mm unter der Oberfläche gelegenen Zone breitet sich eine gegen 2 mm dicke Lage von verfilzten, kleinen Stabnadeln, Amphioxen und einzelnen Stylen aus (Taf. IX, Fig. 1, 5, 15). Zuweilen reichen die kleinen Stabnadeln dieser Zone bis zu 7 mm unter die Oberfläche hinab. In dem Filz sind die kleinen Stabnadeln ganz unregelmäßig angeordnet. Sie liegen schief oder auch paratangential, aber fast nie radial (Taf. IX, Fig. 15). Im ganzen erscheint dieser Filz als eine bis 2 mm und darüber dicke, paratangential ausgebreitete Platte, welche von den radialen Nadelbündeln durchbohrt wird. Oberhalb dieser Platte, zwischen derselben und der äußeren Oberfläche, werden nur vereinzelte oder gar keine, stark schief oder paratangential gelagerte Stabnadeln angetroffen. Der Filz selbst ist nicht überall gleich dicht. In der Figur 15 (auf Taf. IX) ist ein ziemlich dichter Teil des Filzes dargestellt.

Die Sigme liegen an der Oberfläche sehr nahe beisammen (Taf. IX, Fig. 16). In Flächenansichten der Dermalmembran erscheinen die Sigme als eine dichte Masse. Diese dichte oberflächliche Sigmenlage ist ungefähr 15 μ stark. Nach unten hin nimmt die Zahl der Sigme allmählich ab (Taf. IX, Fig. 16), aber es finden sich auch im Innern allenthalben viele Sigme. Hier scheinen sie hauptsächlich in den Kanalwänden zu liegen und zwar, soweit es ihre Gestalt zuläßt, tangential. Besonders gehäuft erscheinen die Sigme an den freien Rändern der, zwischen den lakunösen Höhlen des Kanalsystems ausgespannten Membranen.

Die großen Amphioxe des Zentrums und der Nadelbündel sind 4,5—6,5, zuweilen bis 8 mm lang und an der dicksten Stelle 45—75, zuweilen bis 88 μ stark. Sie sind im allgemeinen etwa hundertmal so lang als dick. Es lassen sich zwei Arten von solchen Amphioxen unterscheiden: die isoactinen des Zentrums und der proximalen Teile der Nadelbündel, und die anisoactinen der mittleren und distalen Teile der Nadelbündel.

Die isoactinen Amphioxe des Zentrums und der proximalen Teile der Nadelbündel (Taf. IX, Fig. 13a, b, c, d, e) sind in ihrem mittleren, spindelförmigen Teil fast gerade (Taf. IX, Fig. 13c, e) oder schwach gekrümmt (Taf. IX, Fig. 13a, b, d), ihre gleichartigen, in feine Spitzen auslaufenden Enden sind ebenso oder stärker gekrümmt als der Mittelteil. Bei einigen (Taf. IX, Fig. 13d) tritt die stärkere Krümmung der Enden sehr auffallend hervor.

Die anisoactinen Amphioxe der mittleren und distalen Teile der Nadelbündel (Taf. X, Fig. 4—6) pflegen ganz oder fast ganz gerade zu sein. Bei ihnen liegt die dickste Stelle eine Strecke weit oberhalb der Längenmitte, näher dem Distalende. Der längere, proximale Teil der Nadel ist kegelförmig und stetig zu einer sehr feinen Spitze verdünnt (Taf. X, Fig. 6). Der kürzere distale Teil nimmt basal, in der Nähe der dicksten Stelle, weit weniger rasch an Dicke ab als gegen das Ende hin, welches letztere breit und abgerundet erscheint (Taf. X, Fig. 5).

24

Die großen Amphioxe haben stets einen feinen Achsenfaden, und bestehen aus schön geschichteter Kieselsubstanz. Periodisch eintretende Verlangsamung des Wachstums und eine damit verbundene Abweichung in der Natur (dem Wassergehalt?) des während dieser Zeit abgeschiedenen Kieselsäurehydrats oder aber das Vorhandensein von, den Kieselschichten (Siphonen) zwischengelagerten, feinen Spiculinlamellen, werden wohl die Ursache des Auftretens jener schmalen, scharf hervortretenden Schichtlinien sein, welche ich im Querschnitt an Nadelsplittern (Taf. X, Fig. 8) beobachtet habe.

Die kleinen radialen Amphioxe in den, an die Einsenkungen angrenzenden, oberflächlichen Schwammpartien sind gerade oder nur sehr wenig gekrümmt, meist 500—700 μ lang und 8—12 μ dick.

Die kleinen Amphioxe des paratangentialen Filzes (Taf. IX, Fig. 5) sind mehr oder weniger gekrümmt, meist isoactin, 700—800 μ lang und 12—17 μ dick.

Die ziemlich seltenen großen Style der distalen Teile der Nadelbündel (Taf. X, Fig. 7) sind 25—70 μ dick. Die wenigen, deren Länge ich zu messen Gelegenheit hatte, waren 3—5 mm lang. Diese Style sind fast gerade, im distalen Teil zylindrisch und meist einfach abgerundet, in welchem Falle der feine Achsenfaden im Mittelpunkte der halbkugligen, terminalen Abrundung endet (Taf. X, Fig. 7). Zuweilen sieht man aber auch an dem distalen, abgerundeten Ende eine kleine seitliche Vorragung, den letzten Rest des rückgebildeten Cladoms des Teloclads, aus dem sich das Styl entwickelt hat, und in diesem Falle pflegt auch der Achsenfaden einen, in diese Vorragung eindringenden Endast zu besitzen. Solche Style erscheinen als Uebergänge zu denjenigen Formen, welche bereits deutlich als Teloclade mit stark rückgebildeten Claden zu erkennen sind. Auf diese kommen wir unten zurück.

Die gleichfalls seltenen kleinen Style des paratangentialen Filzes sind fast gerade, 470—600 μ lang und in dem mittleren, zylindrischen Teile ungefähr 22 μ dick. Das stumpfe Ende erscheint einfach abgerundet und öfters merklich verdickt, so daß man einige von diesen Nadeln Subtylostyle nennen könnte. Solche kleine Style habe ich nur in dem Paratangentialfilz des kleineren Exemplares beobachtet.

Die Anatriaene der distalen Teile der Nadelbündel (Taf. IX, Fig. 6, 7 a, b, Taf. X, Fig. 2, 10) sind sehr schlank gebaut. Der Schaft ist 6—17, meistens 9—14 mm lang, im größten Teile seiner Länge ziemlich gerade oder nur wenig gekrümmt, am Ende aber meist beträchtlich gebogen (Taf. X, Fig. 10). Am cladomalen Ende ist er am stärksten und hier 13—18, ausnahmsweise bis 25 μ dick. Nach unten hin verdünnt er sich so rasch, daß dieser Schaftteil deutlich kegelförmig erscheint (Taf. IX, Fig. 6, 7 a, b). 0,5 mm unterhalb des Cladoms ist er meist nur 7 μ dick oder noch dünner, dann verdickt er sich wieder etwas, um schließlich in eine fein ausgezogene (und gebogene) Spitze auszulaufen. Die Clade stehen basal stark ab, sind kegelförmig und so gekrümmt, daß sie dem Schafte die konkave Seite zukehren. Die Krümmung nimmt gegen das Cladende hin etwas plötzlich zu. Die Cladspitze ist sehr scharf und erlangt wegen ihrer stärkeren Einbiegung gegen den Schaft öfters ein krallenartiges Aussehen. Zuweilen ist die Spitze des Clads deutlich abgesetzt. Die Clade sind 105—135 μ lang und basal 10—15 μ dick. Das ganze Cladom hat einen Querdurchmesser von 135—175, meist 140—150 μ. Der feine Achsenfaden des Schaftes endet oben im Mittelpunkte des Cladoms und er ist hier, wo die Achsenfäden der Clade von ihm abgehen, zuweilen etwas knotenförmig verdickt. Die Achsen-

25

fäden der Clade steigen von ihrer Ursprungsstelle am Schaftachsenfaden zunächst etwas an; ihre Basalteile schließen einen Winkel von etwa 120° mit dem Schaftachsenfaden ein (Taf. X, Fig. 2). Sie krümmen sich dann zuerst stark, später schwächer, und, der Biegung des Clads entsprechend, am Ende wieder etwas stärker schaftwärts. Die Tangente des Cladachsenendteils schließt mit dem Schaft einen recht kleinen Winkel ein.

Die Anatriaene des Wurzelschopfes des kleineren Exemplares haben gedrungener gebaute Cladome. Bei ihnen erreichen die Clade eine Länge von nur 100 μ sind aber am Grunde bis 25 μ dick.

Die großen Proclade der distalen Teile der Nadelbündel und des Wurzelschopfes (Taf. IX, Fig. 2, 3, 4, 9a, Taf. X, Fig. 1) sind ebenfalls sehr schlank. Ihre Schäfte sind 7—10 mm lang und 9—19, meist 12—16 μ dick. Sie pflegen, wie die Anatriaenschäfte, nur am Ende stärker gekrümmt zu sein. Ihre Clade sind basal ungefähr 8 μ dick, stets steil emporgerichtet und im basalen Teile gegen die Schaftverlängerung konkav. Zuweilen wird diese Krümmung von den Claden in ihrer ganzen Länge beibehalten (Taf. IX, Fig. 2), zuweilen sind der mittlere und distale Teil der Clade völlig gerade, und zuweilen erscheinen ihre distalen Teile sogar etwas in der entgegengesetzten Richtung, nach außen gebogen und das ganze Clad S-förmig gekrümmt. Gegen die Enden hin sind die Clade rascher, als in ihrem basalen Teile verdünnt. Zuweilen machte es mir den Eindruck, als ob die Clade dieser Nadeln nicht einen kreisförmigen Querschnitt hätten, sondern abgeplattet seien. Das dürfte aber wohl auf einer optischen Täuschung beruhen. Der feine Achsenfaden des Schaftes endet oben im Zentrum des Cladoms, oft mit einer kleinen knopfförmigen Verdickung. Die Basalteile der Achsenfäden der Clade pflegen mehr oder weniger nach abwärts gerichtet zu sein und mit dem Schaftachsenfaden Winkel von nur 75—90° einzuschließen (Taf. X, Fig. 1). Diese Achsenfäden krümmen sich dann rasch nach aufwärts um durch die Mitte des Clads zu seiner Spitze emporzuziehen. Je nach der Ausbildung der Clade sind verschiedene Formen von Procladen zu unterscheiden, zunächst solche mit drei Claden (Protriaene); und solche mit zwei Claden (Prodiaene). Die Cladome der Protriaene sind regulär oder sagittal, jene der Prodiaene regulär oder irregulär.

Die regulären Protriane (Taf. IX, Fig. 3) haben 85—140 μ lange Clade.

Die sagittalen Protriaene (Taf. IX, Fig. 2) haben meistens ein unpaares, längeres, 100—150, meist 110—130 μ langes, und zwei ziemlich gleich große, ein Paar bildende, kürzere 50—80 μ lange Clade. Es gibt aber auch sagittale Protriaene, bei denen das unpaare Clad das kürzeste, und die beiden paarigen, untereinander ziemlich gleichen,, die längeren sind. In bezug auf die Länge stimmen die Clade dieser mit den Claden der oben erwähnten Protriaene überein, nur daß sich hier die größeren Maße auf die paarigen und die kleineren Maße auf das unpaare Clad beziehen.

Die Clade der Prodiaene (Taf. IX, Fig. 4) sind entweder ungefähr gleich groß und dann erscheinen diese Prodiaene regulär, oder sie sind (dieser Fall ist der seltenere), ungleich groß und dann erscheinen sie irregulär. Die Clade der regulären Prodiaene haben dieselbe Länge wie die Clade der regulären Protriaene; bei den irregulären Prodiaenen werden ähnliche Cladmaße angetroffen, wie bei den sagittalen Protriaenen.

Die kleinen Proclade der an die Einsenkungen zwischen den Nadelbündeln angrenzenden Schwammpartien haben einen, etwa 1 mm langen, 1—2 μ dicken Schaft und entsprechend dünne, 5—10 μ lange Clade. Auch unter diesen gibt es solche mit regulären und solche mit sagittalen Cladomen. Einzelne solche kleine Protriaene habe ich auch in dem Wurzelschopfe des kleineren Exemplares gefunden.

Die ihrer Seltenheit wegen als Abnormitäten anzusehenden Cladomformen, die ich bei den Telocladen der distalen Teile der radialen Nadelbündel gefunden habe sind:

Sagittale Protriaene, bei denen die paarigen (kürzeren oder längeren) Clade in bezug auf ihre Länge stark voneinander abweichen (ziemlich häufig); Protriaene, bei denen ein Clad einen fast senkrecht abstehenden Zweig trägt (selten); Anatriaene mit einem gabelspaltigen Clad (selten); Anatriaene bei denen ein Clad in einem anderen Niveau vom Schaft abgeht als die beiden anderen (selten); Anadiaene (selten); Anamonaene mit gabelspaltigem Clad (selten); Triacne mit zwei nach abwärts und einem nach aufwärts gerichteten Clad (selten); Diacne mit einem nach abwärts und einem nach aufwärts gerichteten Clad (Taf. IX, Fig. 8) (selten). Auf einer weitgehenden Rückbildung, namentlich Verkürzung, der Clade beruht die Bildung von Tylostylartigen Nadeln mit mehr oder weniger Triaencladom-ähnlichen Tylen mit dicken, abgerundeten (Taf. X, Fig. 3) und mit schlankeren, zugespitzten Cladresten (nicht selten). Bezüglich der erstgenannten Formen, von denen ich eine in Fig. 3 auf Taf. X abgebildet habe, ist zu bemerken, daß die Achsenfäden der Cladrudimente besonders dick sind und weit innerhalb der abgerundeten Cladrestenden aufhören. Es ist oben darauf hingewiesen worden, daß auch große Style in den distalen Teilen der Nadelbündel vorkommen, welche wohl als Endglieder dieser Formenreihe anzusehen sein dürften. Diese Style sind aber, wenn auch nicht zahlreich, so doch häufig genug, um als normale Nadeln des Schwammes in Anspruch genommen werden zu können.

Die Sigme (Taf. IX, Fig. 10, 11, 16d, Taf. X, Fig. 9a, b) sind (nach der längsten geradlinigen Dimension gemessen) 8,5—11,5, meist 9,5 μ lang und etwa 1 μ dick. Sie sind ziemlich stark spiralig aufgerollt und erscheinen häufiger als gleichmäßig gekrümmte (Taf IX, Fig. 10, Taf. X, Fig. 9b), denn als ungleichsinnig, S-förmig gekrümmte (Taf. IX, Fig. 11, Taf. X, Fig. 9a) Bogen. In letzterem Falle ist die Krümmung nach der einen Seite eine viel stärkere als nach der anderen Seite. Regelmäßige S-Formen sieht man selten. Die relative Häufigkeit der verschiedenen Projektionsbilder der Sigme, die man zu sehen bekommt, ist aus der Figur 16 auf Tafel IX zu entnehmen. Die Sigmen sind nicht glatt, sondern fein dornig. Die Dornen sind niedrig, basal breit und scharf zugespitzt. Zuweilen scheinen an den Enden des Sigms ein oder zwei etwas stärkere Dornen zu sitzen.

Die beiden Stücke wurden von der Valdivia am 28. Dezember 1898 im Seichtwasser des Gazelle-Bassins in Kerguelen (Valdivia-Station Nr. 160) erbeutet.

Jedenfalls muß dieser Schwamm in dem Genus *Tethya* untergebracht werden. Die bisher beschriebenen Arten dieses Genus wurden auf mehrere Gattungen verteilt, von denen ich seiner Zeit zwei, *Tetilla* (ohne stärkere, fibrilläre Rinde und ohne besondere radiale Rindenamphioxe) und *Tethya* (mit starker, fibrillärer Rinde und meist auch besonderen radialen Rindenamphioxen) beibehielt.[1]) Da, wie oben ausgeführt, in den oberflächlichen Gewebeteilen der *Tethya coactifera* eine — allerdings sehr dünne — paratangentiale Faserlage und überdies noch kleine, radial

---

[1]) R. v. LENDENFELD, Tetraxonida. In: Tiefreich Bd. 19 p. 16, 23.

27

11*

liegende Amphioxe vorkommen, so gehört sie eigentlich in den Formenkreis der letzten von diesen beiden. Andererseits ist aber ihre Dermalmembran so zart und stimmt sie in so vielen Stücken mit einigen von den früher zu *Tetilla* gestellten Arten überein, daß sie unbedingt in dieses Genus eingereiht werden müßte, wenn man diese beiden Genera aufrecht erhalten würde: sie ist eine von jenen, zwischen beiden mitten inne stehenden Arten, welche ihre Vereinigung zu einem Genus notwendig machen.

Am ähnlichsten ist *T. coactifera* den Arten *T. grandis, crassispicula* und *stylifera*, die ebenso wie sie in Kerguelen vorkommen. Von *T. grandis* und *T. stylifera* unterscheidet sie sich durch die geringere Größe, von *T. crassispicula* durch die geringere relative Dicke ihrer zerstreuten Amphioxe. Außerdem von *T. grandis* durch die Seltenheit von Anatriaenderivaten mit einem nach aufwärts, und zwei nach abwärts gerichteten Claden, von *T. crassispicula* durch die Gestalt der Cladome der Anatriaene des Körpers und von *T. stylifera* durch die geringere Größe der Sigme. Außer diesen gibt es noch andere, weniger auffallende Unterschiede zwischen *T. coactifera* und den drei genannten Arten. Obwohl es nicht ausgeschlossen ist, daß sie mit einer oder mehreren von diesen spezifisch übereinstimmt und so als eine bloße Varietät von *T. grandis* anzusehen wäre, halte ich es doch für angemessen sie als eine eigene Art zu beschreiben.

Tethya stylifera n. sp.

Taf. XVI, Fig. 5—12.

In der Gazellen-Sammlung findet sich ein Stück dieses Schwammes.

Dasselbe ist annähernd eiförmig und besteht aus einer dicken, an beiden Enden abgerundeten Walze von durchaus kreisförmigem Querschnitt. Das eine Ende ist das untere, das andere das obere. Der Schwamm mißt 61 mm in der Höhe und 44 mm in der Breite. Am oberen Ende finden sich einige kleine, bis 2 mm hohe Vorragungen. Andere Unebenheiten wurden nicht beobachtet. Größere mit freiem Auge sichtbare Oscula fehlen. Der Schwamm ist mit einem Nadelpelz bekleidet, welcher jedoch größtenteils abgerieben ist.

Die Farbe des Schwammes ist, in Weingeist, grau.

Das Skelett besteht aus einem nahe der Mitte gelegenen Nadelzentrum, von diesem abgehenden Nadelbündeln, dem aus den Endteilen der letzteren bestehenden Pelz, radialen, zwischen den Nadelbündeln gelegenen Nadeln an der Oberfläche, einem Gewirr von kleinen Rhabden 1,5—5 mm unter der Oberfläche, und Microscleren. Die Nadelbündel sind namentlich in der halben Höhe des Schwammes sehr stark, hauptsächlich einfach und so gekrümmt, daß die Ebene, in welcher die Nadelbündelachse sich erstreckt, wagerecht oder schief, nicht aber senkrecht durch die Achse des Schwammes gelegt erscheint. Die Krümmung ist in den proximalen Teilen der Nadelbündel sehr stark, nimmt aber nach außen hin rasch ab. Die Nadelbündel bestehen aus Amphioxen, Telocladschäften und einzelnen Stylen. Die Teloclade sind größtenteils sagittale oder reguläre Protriaene und Anatriaene, es kommen aber auch ziemlich viele Prodiaene und einzelne Anamonaene vor. Die Schäfte dieser Teloclade sind sehr lang und es scheint, daß sich viele von ihnen von den oberflächlichen Teilen des Schwammes, wo ihre Cladome liegen, bis zum Nadelbündelzentrum erstrecken. An der Oberseite des Schwammes überwiegen die Proclade stark und haben die, hier in verhältnismäßig geringer Menge vor-

28

handenen Anatriaene schlanke Clade. Im unteren Teile des Schwammes finden sich über, an und unter der Oberfläche ebenfalls viele Procladcladome, es kommen daneben aber auch sehr beträchtliche Massen von Anatriaencladomen vor. An einzelnen Stellen der oberflächlichen Partien der Oberseite, und überall in den oberflächlichen Partien der Unterseite werden radiale Kolonnen von Anatriaencladomen angetroffen. Die an der Oberfläche zwischen den radialen Nadelbündeln gelegenen, radial orientierten Nadeln sind Amphioxe und Style, es werden aber auch hier und da, namentlich an der Oberseite, ungemein zarte Proclade dort angetroffen, von denen zwar wohl die meisten den radialen Nadelbündeln anzugehören scheinen, von denen aber doch auch einige zwischen diesen Nadelbündeln stecken dürften. Die zerstreuten 1,5—5 mm unter der Oberfläche gelegenen Nadeln sind Amphioxe, Style und Amphistrongyle, deren relative Anzahl etwa im Verhältnis von 100:12:2 stehen dürfte. Die Microsclere sind Sigme; von diesen kommen ganz ungewöhnlich große Massen an der äußeren Oberfläche vor.

Die großen Amphioxe der radialen Nadelbündel sind 7—10 mm lang und 60—91 μ dick. Die meisten sind schwach anisoactin. Die proximalen Enden der inneren, in nächster Nähe des Zentrums gelegenen, weisen beträchtliche, zuweilen unregelmäßige Krümmungen auf.

Die Style der radialen Nadelbündel sind selten; sie sind ebenso dick aber kürzer als die Amphioxe, zwischen denen sie liegen.

Die kleinen Amphioxe (Taf. XVI, Fig. 7), welche radial in der Haut stecken und ganz unregelmäßig angeordnet, zerstreut unter der Oberfläche liegen, sind isoactin, meist schwach gekrümmt, in den mittleren Teilen zylindrisch, und scharf zugespitzt. Sie sind 700—1050 μ lang und 11—30 μ dick. Hier und da werden auch noch längere Amphioxe in dieser Zone angetroffen. Diese pflegen jedoch mehr radial zu liegen und dürften den Nadelbündeln angehören. Die Dicke dieser Amphioxe steht meist im Verhältnis zu ihrer Länge.

Die kleinen Style (Taf. XVI, Fig. 6a, b), welche mit diesen Amphioxen vermischt, senkrecht in der Haut stecken und unterhalb derselben unregelmäßig zerstreut vorkommen, sind 560—820 μ lang und 15—30 μ dick. Auch in bezug auf sie ist zu bemerken, daß einzelne längere vorkommen, welche aber den Nadelbündeln angehören dürften.

Die kleinen Amphistrongyle (Taf. XVI, Fig. 5), welche ab und zu zwischen den oben beschriebenen, kleinen Amphioxen und Stylen angetroffen werden, sind 630—840 μ lang und 13—39 μ dick. Eine Beziehung zwischen der Länge und Dicke läßt sich bei ihnen nicht erkennen.

Mißbildungen werden unter diesen kleinen Rhabden nur sehr selten angetroffen. Einige Male sah ich solche mit einer oder zwei unbedeutenden Anschwellungen und einmal habe ich ein Diactin beobachtet (Taf. XVI, Fig. 8), welches aus einem 450 μ langen, geraden, zylindrischen, 17,5 μ dicken, und einem, unter einem spitzen Winkel davon abgehenden 100 μ langen und 15 μ dicken Strahl bestand. Beide Strahlen waren an ihren freien Enden abgerundet; an ihrer Vereinigungsstelle saß ein knotenförmiger Aufsatz.

Die großen, regulären Protriaene (Taf. XVI, Fig. 11) des Grundteiles des Schwammes haben 28—32 mm lange, an cladomalen Ende 13—22 μ dicke Schäfte, und 80—150 μ lange Clade, welche mit der Schaftverlängerung Winkel von ungefähr 18° einschließen. Die großen, regulären Protriaene der Oberseite sind ähnlich aber viel zarter gebaut und scheinen nicht über 9 μ dicke Schäfte zu haben.

Die großen, sagittalen Protriaene (Taf. XVI, Fig. 10) des Grundteiles haben ähnliche Schäfte, wie die regulären. Ihr Cladom besteht aus zwei kurzen, gleichgroßen, 70—120 μ langen, und einem viel längeren, bis 230 μ langen Clad. In der Regel ist das längere unpaare Clad beiläufig doppelt so lang als jedes der beiden paarigen Clade. Die großen sagittalen Protriaene der Oberseite sind diesen ähnlich, jedoch kleiner und viel zarter gebaut. Bei diesen pflegt das längste Clad nicht über 150 μ lang zu sein.

Außer diesen regulären und sagittalen Protriaenen kommen auch unregelmäßige Protriaene vor. Diese sind ihrem Wesen nach sagittale Protriaene, bei denen aber die beiden kürzeren Clade ungleich groß sind. Als Beispiele solcher Cladome möchte ich eines anführen bei dem die Cladlängen 90, 130 und 217, und ein anderes, bei dem die Cladlängen 175, 217 und 230 μ betrugen.

Die kleinen Protriaene, welche hauptsächlich an der Oberseite vorkommen, haben am cladomalen Ende 1—3 μ dicke Schäfte und größtenteils sehr stark sagittal differenzierte Cladome. Die beiden kürzeren Clade haben meist eine Länge von 10—15, das unpaare, längere Clad eine Länge von 40—70 μ,. gewöhnlich ist das letztere 4—5 mal so lang als die ersteren.

Die großen Prodiaene (Taf. XVI, Fig. 9) haben ähnliche Dimensionen wie die großen Protriaene. Ihre beiden Clade pflegen annähernd gleich lang zu sein.

Die Anatriaene (Taf. XVI, Fig. 12) des Grundteils haben 21—32 mm lange, am cladomalen Ende 23—26 μ dicke Schäfte. Ihre Clade sind sehr stark und erreichen eine Länge von 60—123 μ. Der Winkel, den die Cladsehnen mit der Schaftachse einschließen, ist von schwankender Größe, pflegt aber meistens 30—35 ° zu betragen. Der Schaftachsenfaden ist über das Nadelzentrum, in welchem sich die drei Cladachsenfäden vereinigen, hinaus verlängert und oft ist eine, dieser Schaftachsenfadenverlängerung entsprechende Kuppel auf dem Cladomscheitel wahrzunehmen. Die Anatriaene der Oberseite sind schlanker gebaut und haben längere Clade. Ihre Schäfte sind am cladomalen Ende 13—22 μ dick und ihre Clade erreichen eine Länge von 130—138 μ. Die Winkel, die die Cladsehnen mit der Schaftachse einschließen sind meist größer als bei den Anatriaenen des Grundteiles und betragen 36—44 °. Die proximalen Enden der Schäfte der Anatriaene, die wie oben erwähnt, bis dicht an das Zentrum der Nadelbündel heranreichen, ist ungemein fein und pflegt beträchtlich wellenförmig gekrümmt zu sein.

Die sehr seltenen Anamonaene habe ich nur im Grundteil des Schwammes beobachtet; sie gleichen in bezug auf Dimension, Cladgestalt und Cladwinkel den dortigen Anatriaenen.

Die Sigme sind beträchtlich gewunden, feindornig und 14—16, meist 15 μ lang.

Dieser Schwamm wurde von der Gazelle (Nr. 478) in der Successful Bai in Kerguelen in einer Tiefe von 26 Metern erbeutet.

Zweifellos gehört dieser Schwamm zur Gattung *Tethya*. Er ist einer von denen, welche die früher zu *Tetilla* und *Tethya* gestellten Spongien miteinander verbinden und mich veranlaßt haben diese Genera miteinander zu vereinigen. Die einzige andere *Tethya*-Art, bei welcher Stylartige Rhabde einen erheblichen Anteil an der Zusammensetzung der zerstreut unter der Oberfläche liegenden Nadelmassen nehmen, ist die hier beschriebene *T. crassispicula*. Diese hat jedoch kleinere Sigme und unterscheidet sich auch in bezug auf die Gestalt der Cladome der Anatriaene des Körpers (vgl. Taf. XV, Fig. 1—4 mit Taf. XVI, Fig. 12), sowie den ganzen Habitus und die Körpergröße von der *T. stylifera*. In vieler Hinsicht ähnelt unser Schwamm auch den Arten *leptoderma*, *grandis* und *coactifera*. *Tethya leptoderma* hat ebenso große Sigme wie *Tethya stylifera*; SOLLAS, welcher diese Species sehr ausführlich und genau beschrieben hat, erwähnt jedoch mit keinem Worte, daß in derselben auch Style oder Amphistrongyle, wie bei *stylifera* vorkämen. Deshalb, und weil *T. leptoderma* aus einer ganz anderen Gegend (atlantische Küste von Sidamerika) stammt, und auch eine andere Gestalt hat, glaube ich, daß die *Tethya stylifera* mit ihr spezifisch nicht übereinstimmt. Anders verhält es sich aber mit der *Tethya grandis* und der *Tethya coactifera*, welche beide, ebenso wie die *Tethya stylifera*, in Kerguelen gefunden wurden, und mit ihr auch in bezug auf den Habitus übereinstimmen. Von beiden unterscheidet sich die *T. stylifera* jedoch durch die bedeutendere Größe der Sigme und der großen Menge von Stylen unter den zerstreuten Rhabden.

Auf das letztgenannte Merkmal bezieht sich der Speciesname *stylifera*. Obwohl ich diese Unterschiede für ausreichend halte, um für diesen Schwamm eine eigene Art aufzustellen, scheint es mir nicht ausgeschlossen, daß sie eine bloße Varietät von *T. grandis* sein könnte. Ein sicheres Urteil wird man hierüber erst dann abgeben können, wenn durch die darauf gerichtete Untersuchung größerer Mengen von Material die Variationsgrenzen dieser kerguelenischen Tethyden genauer bestimmt sein werden.

Tethya crassispicula n. sp.
Taf. XV, Fig. 1—6.

In der «Gazellen»-Sammlung findet sich ein Stück dieses Schwammes.

Von demselben haben mir zwei Sektor-artige Teile zur Untersuchung vorgelegen. Nach diesen zu schließen hatte der Schwamm eine massige, unregelmäßig kuglige Gestalt und eine sehr beträchtliche Größe. Die vorliegenden Sektoren zeigen, daß die Entfernung der Oberfläche von jedem Punkte von dem die Nadelbündel ausstrahlen 50—65 mm beträgt.

Die Oberfläche ist mit einem nonen Nadelpelz bekleidet, welcher an einer Stelle eine Mächtigkeit von 20 mm erreicht. Die Nadeln, welche diesen Pelz zusammensetzen, sind auch dort, wo er am höchsten ist nicht sehr stark verfilzt, sondern liegen im ganzen radial wie die Nadelbündel deren distale Endteile sie sind. Poren oder Oscula wurden nicht bemerkt.

Die Farbe des in Weingeist konservierten Schwammes ist im Innern weißlich-braun. Die Rinde hat eine hell-weißliche, der Nadelpelz eine braungraue Färbung.

Das Skelett besteht aus radialen Nadelbündeln, einen dicht unter der Oberfläche gelegenen Panzer, dem Pelz und den Microscleren. Die radialen Nadelbündel strahlen von einem gemeinsamen Mittelpunkt gegen die Oberfläche aus. Sie sind mäßig, entweder gleichsinnig oder auch S-förmig gekrümmt. Distalwärts sich in viele dicht beisammenliegende Bündelzweige auflösend erlangen die Nadelbündel gegen die Oberfläche des Schwammes in eine beträchtliche Breite. Sie bestehen in ihren proximalen und mittleren Teilen ausschließlich aus Amphioxen; distal gesellen sich diesen Teloclade hinzu. Diese sind zumeist Anatriaene und Protriaene, ausnahmsweise kommen auch Derivate der letzteren, Prodiaene und Promonaene vor. Im Innern des Schwammes, in und namentlich unter der Panzerschicht, werden vornehmlich die Cladome der Anatriaene angetroffen. Oft ist eine regelmäßige Anordnung derselben in der Umgebung des axialen aus den Amphioxen bestehenden Teiles des Bündel wahrzunehmen und man sieht dann zu den Seiten des letzteren radiale Reihen von übereinander liegenden Anatriaencladomen. Der Pelz, welcher die Oberfläche bekleidet, besteht aus den über die Oberfläche des Schwammes vorragenden Distalenden der radialen Nadelbündel und ist vorwiegend aus den äußeren Abschnitten großer radialer Amphioxe und den cladomalen Endteilen von Protriaenen zusammengesetzt. Dort wo der Pelz weniger hoch ist und die ihn zusammensetzenden Nadeln parallel und radial liegen bilden die cladomalen Endteile der Protriaene einen dichten Wald. Der Hautpanzer besteht aus einer dicht unter der Oberfläche befindlichen, bis 1,5 mm dicken Platte, die aus dichtgedrängten, kleinen Amphioxen zusammengesetzt ist. Diese Amphioxe sind unregelmäßig gelagert und bilden zusammen einen sehr dichten Filz; radial und paratangential gerichtete begegnet man selten, die allermeisten liegen schief. Oefters bemerkt man Gruppen von parallelen, dicht beisammenliegenden Amphioxen. Die Microsclere sind Sigme; sie sind an der Oberfläche sehr zahlreich.

Die großen Amphioxe der radialen Bündel sind 7—9 mm lang und in der Mitte 70—100 μ dick. Wenngleich ihre beiden Enden nicht vollkommen kongruent sind, so ist doch der Grad ihrer Anisoactinität ein sehr geringer.

Die kleinen Amphioxe des Hautpanzers (Taf. XV, Fig. 5, 6) sind zum Teil regelmäßig gestaltet und isoactin, zum Teil unregelmäßig und anisoactin. Diese Anisoactinität kann so weit gehen, daß das eine Ende fast ganz abgestumpft erscheint, während das andere scharfspitzig ist. Besonders sind es die dicken Amphioxe dieser Art, welche solche Unregelmäßigkeiten zeigen. Die Amphioxe sind gerade oder schwach gekrümmt 300—750 μ lang und 18—28 μ dick. Die Dicke steht nicht im Verhältnis zur Länge, gerade die dicksten sind die kürzesten (vgl. Fig. 5 und 6 auf Taf. XV).

Die Protriaene haben 9—17 mm lange, am cladomalen Ende bis 30 μ dicke Schäfte. Die dickste Stelle derselben liegt eine Strecke weit unterhalb des cladomalen Endes. Es lassen sich zwei Formen von Protriaenen unterscheiden, solche mit schlankeren Claden, welche kleinere Winkel (von etwa 12°), und solche mit dickeren Claden, welche größere Winkel (von etwa 20°) mit der Schaftverlängerung einschließen. Die Clade der erstgenannten Form sind ungleich, die längsten bis 190 μ lang. Der Grad und die Art der Ungleichheit der Clade sind verschieden. In den meisten Fällen ist bei den Cladomen dieser schlankcladigen Protriaenformen eine sagittale Differenzierung von der Art angedeutet, daß ein Clad lang und die beiden anderen untereinander ähnlich und viel kürzer sind. Es kommt aber auch nicht selten vor, daß alle drei Clade ganz verschieden sind. Die Protriaene der zweiten, dickcladigen Form haben meist nur 140 μ lange, untereinander ziemlich gleich große Clade.

Die Anatriaene (Taf. XV, Fig. 1—4) haben 11—20 mm lange, am cladomalen Ende etwa 30 μ dicke Schäfte. Ihre Cladome sind sehr verschieden. Die drei Clade sind stets untereinander gleich groß und 100—200 μ lang. Die erwähnte Verschiedenheit beruht nicht so sehr auf den großen Unterschieden in der Cladlänge als auf Unterschieden in den Größen der Winkel, welche ihre Seiten mit dem Schafte einschließen. Bei einigen (Taf. XV, Fig. 1) ist dieser Winkel klein und beträgt bloß 20°. Bei anderen wieder ist er sehr groß und erreicht 45°. (Taf. XV, Fig. 3, 4.) Diese extremen Formen sind durch Uebergänge (Taf. XV, Fig. 2),

32

bei denen der Cladwinkel etwa 25—35° beträgt, verbunden. Im allgemeinen haben die Anatriaene mit den größten Cladwinkeln auch die längsten Clade.

Die Sigme sind mäßig stark spiralig gewundene, feindornige Stäbe und erreichen eine Länge von 10—14 μ.

Dieser Schwamm wurde von der Gazelle (Nr. 1248) wahrscheinlich in der Nähe der Kerguelen-Inseln erbeutet.

Jedenfalls gehört der Schwamm in das Genus *Tethya*.

In seinem Bau ähnelt er am meisten den Arten *T. grandis, stylifera* und *coactifera*. Diese Aehnlichkeit gewinnt dadurch noch sehr an Bedeutung, daß er wahrscheinlich in derselben Gegend wie diese, in Kerguelen, vorkommt. Es wird daher die Möglichkeit nicht von der Hand zu weisen sein, daß er mit einem oder mehreren von ihnen spezifisch übereinstimmt. Er unterscheidet sich von den genannten Arten jedoch durch den Habitus, die gedrungenere Gestalt, die größere relative Dicke, seiner zerstreuten Stabnadeln, und das stärkere Abstehen der Clade der Anatriaene seines Körpers so wesentlich, daß ich es für notwendig halte eine eigene Art für ihn aufzustellen. Der Speciesname *crassispicula* bezieht sich auf die relative Dicke seiner zerstreuten Amphioxe.

Tethya sansibarica n. sp.

Taf. XIII, Fig. 4—24.

In der Valdivia-Sammlung befindet sich ein Stück dieses Schwammes.

Dasselbe erscheint (Taf. XIII, Fig. 14, 15) im ganzen aufrecht, eiförmig; der obere Teil ist breit, gewölbt, halbkugelig, domförmig, der untere abgestutzt kegelförmig. Der Querschnitt ist annähernd kreisrund. Das untere Ende geht in einen Wurzelschopf über. Der Schwamm ist (ohne Wurzelschopf) 30 mm hoch und sein größter, oberhalb der Längenmitte gelegener Querdurchmesser beträgt 20 mm.

An der Oberfläche finden sich oben und an den Seiten des Schwammes unregelmäßige, seichte, muldenförmige Einsenkungen (Taf. XIII, Fig. 14). Dem Grundteile sitzen einige größere, der Achse des Schwammes parallel, nach unten abgehende Zacken auf, welche in Nadelsträhne auslaufen und samt diesen bis 12 mm lang werden. Jene Zacken und diese Strähne sind die dem Schwamme noch anhaftenden, proximalen Teile seines Wurzelschopfes. Oscula oder Poren sind an der Oberfläche nicht zu erkennen. Ich habe eine 0,5 mm im Durchmesser haltende, rundliche und eine 2,5 mm lange und 0,75 mm breite schlitzförmige Oeffnung gesehen, diese sind vermutlich nicht Oscula, sondern Eingänge Symbionten-bewohnter Röhren. In dem schlitzförmigen Loche stak ein Bruchstück eines zarten, glashellen Röhrchens. Die Oberfläche ist mit einem dichten Pelze frei vorragender Nadelenden bekleidet. Oben und an den Seiten ist dieser Pelz niedrig (Taf. XIII, Fig. 18, 24a), bloß 0,6—0,7 mm hoch und fast ganz aus den Distalteilen kleiner und mittelgroßer, verschieden weit vorragender Protriaene zusammengesetzt. In dem der Schwammoberfläche zunächst liegenden Teile des Pelzes werden auch einzelne Anatriaencladome mit schlanken Claden, sowie die wenig vorragenden Endstücke großer radialer Amphioxe angetroffen. Am Scheitel und an den oberen Teilen der Seitenflächen erheben sich die pelzbildenden Nadelteile in garbenförmigen Büscheln steil, mehr oder weniger senkrecht, von der Oberfläche.

33

Am Aequator beginnen sie sich nach abwärts zu richten. Gegen den Grundteil des Schwammes nimmt diese Abweichung von der senkrechten immer zu, wird der Winkel, den sie mit der Oberfläche einschließen immer kleiner. Am Grunde selbst gehen sie senkrecht nach unten ab. Der Pelz wird gegen den Grundteil des Schwammes hin höher und geht in den Wurzelschopf über, in dessen Strängen außer den mittleren Protriaenen auch mittlere Anatriaene sowie große Protriaene und dickcladige Anatriaene vorkommen.

Die Farbe des in Weingeist konservierten Schwammes ist außen lichtgrau, innen gelblich. Das Choanosom hat ein eigentümlich speckiges Aussehen.

Die eigentliche, unter dem Pelz liegende Oberfläche des Schwammes wird von einer dünnen Dermalmembran (Ectrochrot, Sollas) gebildet (Taf. XIII, Fig. 18, 24 b). Unter dieser Haut breitet sich ein Subdermalraum (Taf. XIII, Fig. 24 c) von durchaus ziemlich gleicher, 250 μ betragender Höhe aus. Ziemlich schlanke, in der Mitte leicht sanduhrförmig eingeschnürte, radial gerichtete, senkrecht zur Oberfläche stehende Pfeiler durchziehen diesen Subdermalraum und verbinden die Dermalmembran mit dem Choanosom. In diesen Pfeilern verlaufen jene Nadelbüschel, deren Distalteile den Pelz bilden. Das Gewebe der Pfeiler ist areolär. Das Choanosom ist sehr dicht. Es sind nur wenige kleine Kanäle in demselben zu sehen. Dagegen finden sich in den Schnitten zahlreiche, als kleine Löcher erscheinende Durchschnitte von Geißelkammern. Die meisten von diesen Löchern sind leer. Die Kragenzellen, die diese einst bekleideten sind ausgefallen. In einigen sind die Kragenzellen noch vorhanden. Die Geißelkammern haben Durchmesser von 16—22 μ. Jeder größte Kreis, der noch mit Kragenzellen besetzten Kammern wird von ungefähr zehn Kragenzellen, welche im optischen Durchschnitt der Kammer einen geschlossenen Ring bilden, eingenommen. Von Kammerporen und Kammermund habe ich an meinen Präparaten nichts wahrgenommen. Die Kragenzellen sind massig, radial meist etwas in die Länge gezogen und 2,8—5 μ breit. Die Geißel ist fast immer erhalten, lang und dick. In den meisten sind die Endteile der Kragenzellengeißeln zu einem unregelmäßigen, plasmatischen Klumpen verschmolzen, welcher im Zentrum der Geißelkammer liegt.

In den Wänden der wenigen, in den Schnitten sichtbaren Kanäle habe ich ziemlich dickleibige, paratangentiale Spindelzellen gefunden. Diese bilden eine kurze Strecke unter der Oberfläche eine unscharf begrenzte Lage. An der Kanaloberfläche selbst habe ich öfters große, mit Eisen-Hämatoxylin stark tingierbare, zylindrische oder kegelförmige, senkrecht von der Oberfläche in die Tiefe des Gewebes ziehende Zellen gesehen. Die kegelförmigen, kehren ihre Grundflächen dem Kanallumen zu und diese bildet einen Teil der Begrenzung des Kanallumens. Sehr häufig sind eigentümliche, halb- bis dreiviertel-kugelförmige, 2—6 μ im Durchmesser haltende, durchsichtige, strukturlose und kaum färbbare Bildungen (Taf. XIII, Fig. 16 b), welche der Kanalwand aufsitzen und ins Kanallumen hineinragen. Sie sehen wie ein Sekret aus, das der Schwamm im Begriffe ist in die Kanallumina zu entleeren. Ihr Vorhandensein in den Paraffinschnitten zeigt, daß die Substanz, aus der sie bestehen in Alkohol, Xylol und warmem Paraffin unlöslich ist. Ihre Durchsichtigkeit und Strukturlosigkeit, sowie das Fehlen eines Kerns sprechen gegen die Annahme, daß sie Zellen sind.

Das Skelett besteht aus dem Nadelzentrum, radialen Nadelbündeln und zerstreuten Nadeln. Das Nadelzentrum ist ziemlich klein und wenig scharf begrenzt. Die radialen Bündel, welche von demselben gegen die Oberfläche ausstrahlen sind nur wenig gekrümmt und lösen

sich distal garbenförmig in zahlreiche kleine Nadelbündel auf, deren Endteile über die Schwammoberfläche vorragend den oben beschriebenen Pelz und die Stränge des Wurzelschopfes bilden.
Das Nadelzentrum und die proximalen Teile der radialen Nadelbündel bestehen ausschließlich
aus großen, zumeist ausgesprochen anisoactinen Amphioxen. Distal gesellen sich Teloclade,
Anatriaene in mäßiger, Protriaene in sehr großer Zahl, sowie einzelne abnorme Telocladformen
den Amphioxen hinzu. Echte Style scheinen in den Bündeln vollkommen zu fehlen; ich habe
kein einziges darin beobachtet. Die Cladome junger Protriaene findet man unter der Oberfläche,
Cladome von ausgebildeten scheinen jedoch nur im Pelz und im Wurzelschopf vorzukommen.
Dementgegen werden die Cladome der Anatriaene, auch ganz ausgebildeter, oben und an den
Seiten des Schwammes im allgemeinen nur unter der Oberfläche oder kaum über dieselbe vor-
tretend angetroffen, so daß sie an der Bildung des Pelzes fast gar keinen Anteil nehmen. Im
Wurzelschopf hingegen werden Anatriaencladome in beträchtlicher Anzahl angetroffen. Die zerstreuten Nadeln sind amphioxe Megasclere und sigme Microsclere. Die zerstreuten Amphioxe
sind isoactin oder nur wenig anisoactin und in großen Massen im Choanosom zwischen den
radialen Nadelbündeln zerstreut. Im Innern ist ihre Lage eine vollkommen regellose, gegen den
Subdermalraum hin, wo sie noch zahlreicher werden, liegen sie vorwiegend paratangential. In
den die Dermalmembran tragenden Pfeilern und in der Dermalmembran selbst kommen fast
keine kleinen Amphioxe vor. Die Sigme bilden, dicht zusammengedrängt eine dünne Lage an
der äußeren Oberfläche (Taf. XIII, Fig. 12b, 13a) und finden sich auch im Innern, namentlich
in den Kanalwänden (Taf. XIII, Fig. 16c) in großen Mengen zerstreut vor.

Die großen anisoactinen Amphioxe der radialen Nadelbündel (Taf. XIII, Fig. 10
11, 17) sind 5,1—7 meist etwa 6,5 mm lang und an der stärksten Stelle 32—58 meist etwa
50 μ dick. Sie sind leicht gekrümmt und haben die Gestalt einer am proximalen, dem Schwammzentrum zugekehrten Ende ausgezogenen Spindel. Das distale Ende (Taf. XIII, Fig. 10, 11a)
ist dick, plötzlich und ziemlich scharf zugespitzt, so daß es einem gothischen Bogen gleicht.
Das proximale Ende (Taf. XIII, Fig. 11b) ist zylindrisch, fadenförmig, und am Ende einfach abgerundet. Die dickste Stelle der Nadel liegt ein Drittel der Länge vom distalen, dickeren, zugespitzten Ende entfernt. Von hier aus verdünnt sich die Nadel anfänglich ziemlich stetig gegen
beide Enden hin. Weiterhin nimmt aber die Verdünnung distal rascher als proximal zu. Der
zylindrische Faden, zu dem das proximale Ende der Nadel ausgezogen erscheint, ist 4—6 μ
dick. Der Achsenfaden ist sehr fein. Im dickeren zugespitzten Distalende reicht er jedenfalls
bis an die Spitze selbst, im dünneren abgerundeten Proximalende scheint er im Zentrum der
Terminalabrundung zu enden. Der Unterschied der beiden Enden, die „Anisoactinität", wenn
man so sagen darf, ist nicht immer gleich groß. Ich glaube, daß die distal gelegenen, die
Oberfläche erreichenden, beziehungsweise über diese etwas vorragenden, großen Amphioxe am
anisoactinsten sind und daß von hier gegen das Zentrum des Schwammes die Anisoactinität
abnimmt. Ob im Zentrum selbst neben den schwächer anisoactinen auch ganz isoactine große
Amphioxe vorkommen konnte ich nicht feststellen. Gesehen habe ich in den Nadelpräparaten
keine solchen; halte ihr Vorkommen daselbst aber trotzdem für nicht unwahrscheinlich.

Die kleinen, zerstreuten Amphioxe (Taf. XIII, Fig. 7) sind meist ganz oder annähernd gerade, nur ausnahmsweise beträchtlicher gekrümmt. Sie sind 345—1000, meist 600
bis 800 μ lang und an der dicksten Stelle 4—20, meist etwa 14 μ dick. Sie sind glatt, in der

35

Mitte zylindrisch, gegen beide Enden in verdünnt und zugespitzt. Die kleinsten von diesen Nadeln sind isoactin die größeren, zum Teil anisoactin. Die Anisoactinität ist bei innen jedoch viel geringer als bei den großen distalen Amphioxen der radialen Bündel. Bei einem von den anisoactinsten von diesen Amphioxen, welches 726 μ lang und im Maximum 14,3 μ dick war, betrug die Dicke 100 μ von dem einen Ende 6,7 μ, 100 μ von dem anderen Ende 13,6 μ. Einmal habe ich unter diesen zerstreuten Amphioxen ein echtes Styl gefunden. Dieses war 500 μ lang, die eine Hälfte war zylindrisch, 13,6 dick und am Ende einfach abgerundet, die andere allmählich zu einer scharfen Spitze verdünnt.

Die Protriaene (Taf. XIII, Fig. 4, 5, 18, 24) haben stets mehr oder weniger reguläre, nie sagittal differenzierte Cladome. Abgesehen hiervon aber sind sie außerordentlich mannigfaltig. Die Schaftdicke, die Größe, die Schlankheit, die Krümmung der Clade, sowie die Winkel, die sie mit der Schaftverlängerung einschließen, sind ungemein verschieden. Es lassen sich Protriaene mit kurzen (Taf. XIII, Fig. 4 c), mittleren (Taf. XIII, Fig. 4 a, b, d, e, f, g, n) und langen (Taf. XIII, Fig. 5); mit absteigenden (Taf. XIII, Fig. 4) und mit aufstrebenden (Taf. XIII, Fig. 5), sowie solche mit dünnen (Taf. XIII, Fig. 4 a, d, g), mittleren (Taf. XIII, Fig. 4 c, e, f), dicken (Taf. XIII, Fig. 4 b, n) und sehr dicken (Taf. XIII, Fig. 5) Claden unterscheiden. Da alle diese verschiedenen Cladomformen außerhalb des eigentlichen Schwammkörpers, im Pelz, bzw. in den Strähnen des Wurzelschopfes vorkommen, müssen sie alle als vollkommen ausgebildet angesehen, und dürfen die dünneren nicht etwa als Jugendstadien der dickeren in Anspruch genommen werden. Da sie aber andererseits durch Uebergänge völlig lückenlos verbunden werden, läßt sich eine Unterscheidung verschiedener Protriaenarten nicht durchführen und müssen alle die verschiedenen Formen zusammen beschrieben werden.

Die Schäfte junger, noch ganz im Schwamm steckender Protriaene erreichen eine Länge von 1,5 mm. Die Schäfte der Protriaene des Pelzes sind 1,75—5,6, meist 3,5—5 mm lang, jene der Protriaene des Wurzelschopfes 6,5—10, meist 8—9 mm lang. Ich habe jedoch im Wurzelschopf ein an den Enden abgebrochenes, 20 mm langes Nadelbruchstück gefunden, das vielleicht ein Protriaenbruchstück ist, in welchem Falle die maximale Protriaenlänge bedeutend größer wäre. Der dem Cladom zunächst liegende Teil des Schaftes pflegt ziemlich gerade zu sein, der der Schaftspitze zunächst liegende Teil dagegen erscheint meist wellig gekrümmt und schlingt sich im Schwamme mehr oder weniger um die großen Amphioxe der Radialbündel. Der Schaft ist am cladomalen Ende 5—50 μ dick, es kommen jedoch die dickschäftigen Protriaene nur im Wurzelschopf vor, jene des Pelzes pflegen am cladomalen Ende höchstens 20 μ dick zu sein. Der cladomale Teil des Schaftes scheint bei den dünnen und mittleren Protriaenen entweder völlig zylindrisch zu sein oder gegen die Schaftmitte nur wenig an Dicke zuzunehmen. Bei den großen Wurzelschopf-Protriaenen dagegen ist eine Dickenzunahme desselben nach der Mitte hin meistens deutlich zu erkennen. Auf den zylindrischen, bzw. gegen die Schaftmitte an Dicke zunehmenden, clamodalen Abschnitt des Schaftes folgt ein solcher, in welchem die Schaftdicke sehr rasch abnimmt und auf diesen ein feines, fadenförmiges, allmählich sich verdünnendes Endstück. Diese Verhältnisse werden durch folgende Beispiele veranschaulicht. Ein 5,7 mm langer Protriaenschaft hatte o mm unter dem Cladom eine Dicke von 19 μ

1 „	„	„	„	„	„	„	20 „
1,5 „	„	„	„	„	„	„	19 „
2 „	„	„	„	„	„	„	19 „
2,5 „	„	„	„	„	„	„	16 „
3 „	„	„	„	„	„	„	10 „
3,5 „	„	„	„	„	„	„	6 „
4 „	„	„	„	„	„	„	4 „
4,5 „	„	„	„	„	„	„	3 „
5 „	„	„	„	„	„	„	1 „
5,5 „	„	„	„	„	„	„	0,7 μ;

ein am Cladom 27 μ dicker Protriaenschaft war 1 mm unterhalb desselben am stärksten und hielt hier 31 μ im Durchmesser; ein anderer, am Cladom 32 μ dicker, war an seiner, 720 μ tiefer gelegenen, dicksten Stelle 38 μ; ein dritter am Cladom 30 μ dicker dagegen in keinem anderen Teil so dick wie hier.

Die Clade ausgebildeter Protriaene sind 16—330 μ lang. Die gewöhnliche Länge der Clade der Pelzprotriaene ist 70—110 μ. Protriaene mit über 150 μ langen Claden scheinen nur im Wurzelschopf vorzukommen. Die basale Dicke der Protriaenclade beträgt 2,5—32 μ. Sie steht im allgemeinen zwar wohl in einer gewissen Beziehung zur Cladlänge, es ist das Verhältnis zwischen Cladlänge und -dicke aber doch sehr beträchtlichen Schwankungen unterworfen. Die von mir beobachteten Grenzwerte dieses Verhältnisses sind:

Cladlänge: Claddicke = 3,5 : 1 und Cladlänge: Claddicke = 20 : 1.

Relativ kurz und dick können sowohl große als kleine Clade sein. Besonders schlank mit einem Dicken-Längen-Verhältnis von 1 : 13 oder mehr, sind nur die mittleren und kleineren, unter 120 μ langen Clade.

Ebenso wie die Größe und Schlankheit der Clade ist auch der Winkel, unter dem sie von der Schaftverlängerung abgehen, beträchtlichen Schwankungen unterworfen. Derselbe beträgt 10—30°. Ein Protriaen mit besonders steil aufstrebenden Claden, kleinen Clad-Schaftverlängerungs-Winkeln ist in Fig. 5 (Taf. XIII) abgebildet. Zwischen der Winkelgröße und der Cladgestalt besteht insofern eine Beziehung, als Clade, die große Winkel mit der Schaftverlängerung einschließen, meist gerade (Taf. XIII, Fig. 4a, f, g), solche, die kleine Winkel mit ihr einschließen, meist gegen die Schaftverlängerung konkav gekrümmt sind (Taf. XIII, Fig. 5). Diese Krümmung tritt häufig am Cladende besonders stark hervor und kommt dann in einer mehr oder weniger krallenartigen Einbiegung der Cladspitze zum Ausdruck. Der Cladachsenfaden zeigt in seinem Grundteile immer eine starke Krümmung, welche darauf beruht, daß er sich senkrecht von dem Achsenfaden erhebt und erst dann die Richtung des Clads selbst annimmt. Nicht selten sind die dünnen Achsenfäden der Protriaene durch weite Kanäle ersetzt. Es handelt sich da wohl um ältere, schon vor geraumer Zeit abgestorbene und von innen heraus teilweise aufgelöste Nadeln.

Die Anatriaene (Taf. XIII, Fig. 21—23) erreichen, ebenso wie die Protriaene, im Wurzelschopf bedeutendere Dimensionen, als in anderen Teilen des Schwammes. Ihre Cladome sind wohl auch mannigfaltig, aber die Grenzen innerhalb welcher ihre Gestalt und Größe schwanken, sind doch viel enger als bei den Protriaenen gezogen. Die Schäfte der Anatriaene in den oberflächlichen Teilen der Flanken und am Scheitel des Schwammes sind 4—6, jene der Nadelsträhne des Wurzelschopfes 7—15 mm lang. Falls das oben erwähnte 20 mm lange Nadelbruchstück einem Anatriaen angehörte, müßten einige Wurzelschopf-Anatriaenschäfte eine noch bedeutendere Größe erlangen. Der Anatriaenschaft ist stets am Cladom am dicksten. · Sein Durchmesser beträgt an dieser Stelle bei den Wurzelschopf-Anatriaenen 31—45, bei den anderen 9—27 μ. Nach abwärts verdünnt sich der Schaft zunächst rasch, so daß sein cladomaler Endteil nicht selten ein trompetenförmiges Aussehen gewinnt. Weiterhin tritt dann wieder eine Verdickung ein, · von welcher an der Schaft sich dann gegen die Spitze allmählich verdünnt. Diese Verhältnisse sind aus folgendem Beispiele einer Anatriaenschaftmessung ersichtlich. Der Schaft eines 13,4 mm langen Anatriaens aus dem Wurzelschopfe hatte

0 mm unter dem Cladom eine Dicke von 41 μ

1	„	„	„	„	„	„	„ 35 „
2	„	„	„	„	„	„	„ 31 „
3	„	„	„	„	„	„	„ 34 „
4	„	„	„	„	„	„	„ 32 „
5	„	„	„	„	„	„	„ 31 „
6	„	„	„	„	„	„	„ 28 „
7	„	„	„	„	„	„	„ 23 „
8	„	„	„	„	„	„	„ 15 „
9	„	„	„	„	„	„	„ 14 „
10	„	„	„	„	„	„	„ 13 „
11	„	„	„	„	„	„	„ 11 „
12	„	„	„	„	„	„	„ 8 „
13	„	„	„	„	„	„	„ 3 „

Das Cladom ist stets regulär. Die Clade der Wurzelschopf-Anatriaene sind 45—72 μ lang und am Grunde 23—28 μ dick; jene der übrigen 45—100 μ lang und am Grunde 9—21 μ dick. Es sind also die Clade der Wurzelschopf-Anatriaene im allgemeinen gedrungener gebaut, kürzer und dicker als die der anderen. Die Cladsehnen schließen Winkel von 38—51° mit dem Schafte ein. Die Clade sind annähernd kegelförmig, es ist jedoch, namentlich bei den dicken, der Grundteil ein Abschnitt eines Kegels mit kleinerem, der Endteil ein solcher eines Kegels mit größerem Scheitelwinkel. Sie sind mäßig stark gekrümmt. Die Krümmung ist bei jenen, die einen kleinen Winkel mit dem Schafte einschließen, stärker als bei den anderen. Die Achsenfäden der Clade sind schon vom Grund aus nach abwärts gerichtet.

Von unregelmäßigen Telocladformen wurden: Protriaene mit am Grunde stark abstehenden, am Ende steiler aufstrebenden, 112 μ langen Claden (Taf. XIII, Fig. 8, 9), 14 μ dickem Schaft und 154 μ·breitem Cladom; Triaene mit beträchtlich einfach gekrümmten, gegen den Schaft konkaven, 77 μ langen Claden, deren Sehnen mit dem Schaft ungefähr rechte Winkel einschließen (Taf. XIII, Fig. 19) und 13,6 μ dickem Schaft; ähnliche Diaene (Taf. XIII, Fig. 20); und Prodiaene im Pelz beobachtet.

Die Sigme (Taf. XIII, Fig. 6, 12, 13, 16 c) sind ziemlich stark gewundene, sehr feindornige, zylindrische Stäbchen von etwa 0,5—0,7 μ Dicke. Der längste gerade Durchmesser der Sigmkurve beträgt 11—19 μ. Man kann eine Projektion eines Sigms mit dem Zeichenapparat zeichnen und die so erhaltene Sigmkurve als eine Vertikalprojektion betrachten (Taf. XIII, Fig. 6 b). Man kann dann mit Hilfe des Maßstabes an der feinen Einstellung die Entwickelung dieser Kurve in der zur Ebene jener Vertikalprojektion senkrechten Richtung bestimmen und nach diesen Messungen und der gezeichneten Kurve die Horizontalprojektion der Sigmkurve konstruieren (Taf. XIII, Fig. 6 c). Endlich kann man nach diesen beiden Kurven die von der dritten Seite des Raumes gesehene Kreuzrißprojektion feststellen (Taf. XIII, Fig. 6 a). Wenn man dann ein Drahtstück so lange durch Biegen den Bildern anprobiert, bis alle Projektionen stimmen, erhält man ein richtiges Modell dieses Sigms. Ich habe nach den in Fig. 6 (Taf. XIII) gezeichneten Sigmprojektionen ein solches Modell gemacht und dieses dann mit anderen Zeichnungen und Photographien von Sigmen verglichen. Dabei hat sich gezeigt, daß alle Sigmenbilder, die man sieht, ziemlich genau mit irgend einer Projektion dieses gebogenen Drahtstückes übereinstimmen. Das Drahtstück selbst war schraubenförmig gewunden, die Schraube war jedoch nicht einer zylindrischen, sei es kreiszylindrischen oder elliptischzylindrischen sondern einer eiförmigen Fläche aufgewunden. Wenn man mit VOSMAER[1]) die schraubenförmigen Spongiennadeln (Microsclere), je nachdem sie einem Kreis- oder einem Ellipsenzylinder aufgewunden sind, in α- und β-Spiraxone einteilt, so wäre für diese, einer eiförmigen Rotationsfläche aufgewundenen Sigme eine dritte Gruppe aufzustellen, die man allenfalls γ-Spiraxone nennen könnte. Es scheint mir gar nicht unwahrscheinlich, daß viele von den kürzeren von diesen Nadeln, von denen angenommen wird, daß sie Zylinderflächen aufgewunden seien, in Wahrheit ebenso wie die Sigme der *Tethya sansibarica* eiförmigen Flächen aufgewunden sind, und in der Wand eiförmiger Zellen durch lokale Kieselabscheidung in Gestalt einer der Zell- oder Plasmahaut innen aufgesetzten, die Zelle schraubenförmig umziehenden Leiste entstehen.

Dieser Schwamm wurde von der Valdivia am 22. März 1899 an der ostafrikanischen Kiste im Sansibarkanal — daher der Artname *sansibarica* — in 5° 27,9' S, 39" 18,3' O (Valdivia-station 245) aus einer Tiefe von 463 m heraufgeholt.

Jedenfalls gehört dieser Schwamm zu dem Genus *Tethya*. In bezug auf die Größe und Gestalt der Sigme stimmt er mehr oder weniger mit *T. bacca, leptoderma, polyura, australiensis, coronida, casula, japonica, longipilis, cranium, oscari* und *corticata* überein. Von *bacca, leptoderma, polyura, australiensis* und *japonica* unterscheidet er sich durch den Mangel an sagittalen Protriaencladomen, von *T. coronida* durch das Fehlen der Anamonaene, von *T. casula* durch die viel bedeutendere Länge der Clade seiner Protriaene, von *T. cranium, oscari* und *corticata* durch die viel geringere Dicke der außerhalb der radialen Bündel gelegenen Amphioxe und von *T. longipilis* durch die viel geringere Länge seiner radialen Amphioxe.

Tethya vestita n. sp.

Taf. XXX; Fig. 1—5.

In der Gazellen-Sammlung finden sich zwei Stücke dieses Schwammes.

Beide sind etwas unregelmäßig kugelig; das eine hält 16, das andere 18 mm im Durchmesser. Der Schwamm ist mit einem überaus dichten, 1 mm hohen Nadelpelz bekleidet, worauf

---

[1]) G. C. J. VOSMAER, On the shape of some siliceous spicules of sponges. In: Kon. Akad. Wetenschappen Amsterdam. Jg. 1902, Bericht der Sitzung vom 28. Juni.

sich der Artname bezieht. Oscula sind an der Oberfläche nicht wahrzunehmen. Einige kleine Löcher, die ich sah, schienen von Verletzungen herzurühren. Die meisten Pelznadeln stehen senkrecht ab. Stellenweise sind sie aber etwas gegeneinander geneigt (Taf. XXX, Fig. 1), wodurch an jedem Stück eine äußerlich schwach vortretende, bei dem einen kammartige, Erhebung zustande kommt. Ich vermutete unter diesen Erhebungen Oscula oder Oscularreihen, konnte daselbst aber keine finden. Vielleicht waren dort solche vorhanden, vor oder bei der Konservierung jedoch zusammengezogen und geschlossen worden. Radialschnitte (Taf. XXX, Fig. 1) lassen erkennen, daß an der Oberfläche eine zarte Dermalmembran (c) ausgebreitet ist. Darunter liegen ziemlich große Subdermalräume, welche eine 300 μ mächtige Zone einnehmen und durch ein Geflecht kleiner Amphioxe von dem Choanosom getrennt sind.

Die Farbe des Schwammes ist, in Weingeist, an der Oberfläche weißlich. Das Choanosom ist gelb.

Das Skelett besteht aus radialen und schiefen oder paratangentialen Megascleren und Microscleren. Die radialen Megasclere bilden vom Zentrum des Schwammes ausstrahlende, kegelförmige, nach außen sich verbreiternde Bündel, deren distale Teile (Taf. XXX, Fig. 1 f) garbenförmig auseinanderweichend und frei über die Dermalmembran hinausragend, den erwähnten, dichten Nadelpelz bilden. Die Megasclere, aus denen diese radialen Nadelbündel bestehen, sind große Amphioxe, große Protriaene, kleine Protriaene und Anatriaene. Die meisten von den Amphioxen reichen nur bis in die Subdermalraumregion hinauf, während die Teloclade größtenteils über die Dermalmembran hinausragen: sie sind es, die den Pelz bilden. Dieser Nadelpelz (Taf. XXX, Fig. 1—3) besteht aus den cladomalen Distalteilen massenhafter, kleiner und großer Protriaene, und einzelner Anatriaene. Die kleinen Protriaene (b) reichen nicht so hoch hinauf wie die großen (a), und stehen zu dem letzten in einem ähnlichen Verhältnisse wie die Wollhaare zu den Grannenhaaren des Säugerpelzes. Einige von den Cladomen der Anatriaene liegen im Protriaenpelz, andere, von denen allerdings die meisten abgebrochen sind, ragen eine beträchtliche Strecke darüber empor. Die schiefen und paratangentialen Megasclere sind kleine Amphioxe. Dieselben sind recht zahlreich. Im Innern des Choanosoms sind sie regellos zerstreut (Taf. XXX, Fig. 1 e); oben, an der Grenze zwischen Choanosom und Subdermalraumzone, findet sich ein dünnes aber dichtes, und wohl begrenztes, paratangentiales Geflecht solcher Amphioxe (d). Die Microsclere sind Sigme. Sie kommen allenthalben zerstreut vor und sind an der äußeren Oberfläche der Dermalmembran und in den Kanalwänden besonders zahlreich.

Die radialen großen Amphioxe sind anisoactin. Die dickste Stelle ist von dem einen Nadelende bis dreimal so weit als von dem anderen entfernt. Sie sind 2—3 mm lang und meist 18—20 μ dick.

Die schiefen und paratangentialen, kleinen Amphioxe (Taf. XXX, Fig. 1 d, e) sind 280—600 μ lang und 7—11 μ dick. Jene des Innern sind im allgemeinen schlanker und länger als jene des paratangentialen Geflechtes an der Oberfläche des Choanosoms. Die ersten sind meist 500—600 μ lang und 7—8 μ dick; die letzten meist 280—350 μ lang und 8—11 μ dick.

Die großen Protriaene (Taf. XXX, Fig 1 a, 2 a, 3 a) haben 2,8—3,8 mm lange, am cladomalen Ende 23—25 μ dicke Schäfte. Das Cladom ist regulär und 110—160 μ breit. Die Clade sind schwach nach aufwärts gebogen, gegen die Schaftverlängerung konkav und 115—140 μ lang. Sie schließen Winkel von meist 30—40° mit der Schaftverlängerung ein.

Die kleinen Protriaene (Taf. XXX, Fig. 1 b, 2 b, 3 b) haben einen 1—1,5 mm langen, am cladomalen Ende 6—10 μ dicken Schaft. Ihre Cladome sind meist regulär und 100—140 μ breit. Ab und zu findet man irreguläre Cladome, diese sind jedoch nicht sagittal. Die Clade sind gerade, 130—160 μ lang und schließen Winkel von 30—40° mit der Schaftverlängerung ein. Die Anatriaene (Taf. XXX, Fig. 4, 5) haben 3—7 mm lange Schäfte. Es lassen sich zwei, durch Uebergänge verbundene Anatriaenformen, eine lang- und eine kurzcladige unterscheiden. Bei der einen (Fig. 5) ist der Schaft am cladomalen Ende nicht erheblich verdickt und hier 12 μ stark. Die Clade dieser Anatriaene sind schlank und 80—85 μ lang. Ihre Sennen schließen Winkel von etwa 45° mit dem Schafte ein und die Cladombreite beträgt gegen 100 μ. Bei der anderen Form (Fig. 4) ist der Schaft gegen das cladomale Ende beträchtlich verdickt und hier 18—20 μ stark. Die Clade dieser Anatriaene sind dick und gedrungen und 50—55 μ lang. Ihre Sennen schließen Winkel von etwa 55° mit dem Schafte ein. Die Cladombreite beträgt 80—90 μ. In der Mitte des Cladomscheitels findet sich ein Höcker, in den, vom Nadelzentrum aus, ein, in der Verlängerung des Schaftachsenfadens gelegener Achsenfaden hineinführt. Bei den Anatriaenen mit langen, mehr zurückgebogenen Claden ist dieser Höcker breit, flach und oft kaum zu bemerken (Fig. 5); bei den Anatriaenen mit kurzen absteigenden Claden dagegen tritt er in Gestalt eines, der Mitte des Cladomscheitels entragenden, schlanken, abgerundeten Kegels sehr deutlich hervor (Fig. 4).

Die Sigme sind schraubenförmig gewundene, dornige Stäbchen und haben einen größten Durchmesser von 16—20 μ.

Beide Stücke dieses Schwammes wurden von der Gazelle (Nr. 701) am 26. Oktober 1875 bei der Drei Königsinsel aus einer Tiefe von 169 m heraufgeholt.

Von den anderen Tethyaarten mit Sigmen von ähnlichen Dimensionen unterscheidet sich T. vestita durch den Besitz regulärer, nicht sagittaler, großer und kleiner Protriaene. Am nächsten scheint sie der T. australiensis (T. cranium var. australiensis) CARTER und der T. (Tetilla) poculifera DENDY zu stehen. Von ersterer unterscheidet sie sich in augenfälliger Weise durch die kleinen Amphioxe, welche bei T. australiensis feindornig, bei T. vestita aber glatt sind; von letzterer durch die Gestalt der Teloclad cladome.

Tethya gladius n. sp.

Taf. XIII, Fig. 1—3.

In der Valdivia-Sammlung findet sich ein Stück dieses Schwammes.

Ungefähr die Hälfte des Stückes ist weggeschnitten worden und fehlt. Soweit die vorhandene Hälfte dies erkennen läßt, war der Schwamm im unverletzten Zustande ein kugliges Gebilde von 25 mm Durchmesser.

Die Oberfläche erscheint rauh. Über dieselbe hinausreichende Nadeln bilden 1 mm hohe Hügel und Kämme, die teilweise zu einer netzartigen Struktur zusammentreten.

Die Farbe des Schwammes (in Weingeist) ist weiß.

An Radialschnitten erkennt man, daß keine Andeutung einer Rinde vorhanden ist.

Skelett. Schief oder paratangential gelagerte Nadeln unter der Oberfläche fehlen. Das Stützskelett besteht ausschließlich aus Nadelbündeln, die vom Mittelpunkte des Schwammes aus-

41

strahlen. Diese Bündel sind völlig gerade, zahlreich und mäßig stark. Ihre distalen Endteile ragen weit über die Oberfläche vor. Eine größere Nadelmasse ist im Mittelpunkte des Schwammes nicht ausgebildet. Die Nadelbündel bestehen aus Amphioxen, Anatriaenen und Procladen. Die Teloclade scheinen an der Oberfläche der Bündel zahlreicher als im Innern derselben zu sein. Unter der Oberfläche sowie im Innern finden sich zahlreiche Sigme.

Die Amphioxe (Taf. XIII, Fig. 1) sind anisoactin, 2,5—3,3 mm lang und 35—45 μ dick. Bei einer verhältnismäßig großen Zahl derselben sitzt dem proximalen Ende eine besondere, mehr oder weniger deutlich abgegrenzte, scharfe oder stumpfe, kegelförmige Endspitze auf, deren Seiten häufig konkav sind (Fig. 1). Hierdurch werden die Proximalenden dieser Nadeln oft einem römischen Schwerte ähnlich, worauf sich der Speziesname bezieht.

Die Anatriaene (Taf. XIII, Fig. 3) haben ungefähr 10 mm lange und 10 μ dicke Schäfte, welche oft mehrfache wellenförmige Biegungen aufweisen. Das Cladom ist breit. Die Clade sind 55 μ lang; ihre Grundteile schließen Winkel von etwa 75° mit dem Schafte ein.

Die Proclade sind teils Protriaene (Taf. XIII, Fig. 2 a, b), teils Prodiaene. Die ersten scheinen häufiger als die letzten zu sein. Die Größen- und Winkelverhältnisse sind bei beiden dieselben. Der Schaft ist lang, wellig gebogen und bis 10 μ dick. Die Clade sind bis 70 μ lang und schließen mit der Schaftverlängerung Winkel von ungefähr 11° ein. Wegen dieser steilen Cladstellung ist das Cladom sehr schmal. Die Clade pflegen leicht, gewöhnlich S-förmig und zwar derart gekrümmt zu sein, daß ihre Grund- und Endteile stärker von der Schaftverlängerung divergieren als ihre mittleren Teile.

Einige Male habe ich auch Proclade (Protriaene) gesehen, deren Clade viel kürzer sind und viel stärker divergieren.

Die Sigme sind stark gewunden, schwach dornig und 6—8 μ lang.

Der Schwamm wurde von der Valdivia am 24. Februar 1899 im Seichtwasser der Lagune von Diego Garcia im tropischen Indik (Valdiviastation · 224) erbeutet.

In der wohl berechtigten Voraussetzung, daß an der Oberfläche des fehlenden Teiles des Stückes kahle Porengruben ebensowenig wie an der Oberfläche des vorliegenden Teiles vorkommen, wird der Schwamm dem Genus *Tethya* zuzuteilen sein. Innerhalb dieser Gattung gibt es keine Art, die ihm besonders ähnlich wäre. Von den meisten unterscheidet er sich durch die geringe Länge seiner Sigme. Und jene beiden *Tethya*spezies, deren Sigme ebenso klein sind, *T. dactyloidea* (CART.) und *T. porosa* (LDF.) zeichnen sich vor *T. gladius* durch den Besitz von Sphaeren *(T. dactyloidea)*, bzw. Stylen *(T. porosa)* aus.

Tethya hebes n. sp.

Taf. XVI, Fig. 19—38.

In der Gazellensammlung findet sich ein Stück dieses Schwammes.

Dasselbe hat einen kugeligen, an einer Stelle in einen breiten und niederen, als Stiel erscheinenden Zipfel fortgesetzten und daher birnförmig aussehenden Körper (Taf. XVI, Fig. 24). Der Schwamm ist samt Stiel 36 mm hoch und hält 24 mm im Querdurchmesser.

Die Oberfläche ist mit einem dichten, etwa 1 mm hohen Nadelpelz bekleidet. Einzelne Nadeln ragen jedoch beträchtlich weiter vor. Vermutlich ist die Anzahl solcher in besser erhaltenen Stücken eine viel größere. An der Seite des Schwammes habe ich ein rundliches, ungefähr 1 mm weites Loch beobachtet, das ein Osculum gewesen sein dürfte. Andere Oeffnungen sind an der Oberfläche nicht wahrzunehmen.

Die Farbe des Schwammes ist (in Weingeist) außen und innen gelblich-weiß.

Das Skelett besteht aus einem Nadelzentrum, von diesem radial ausstrahlenden Nadelbündeln, zerstreuten kleinen Amphioxen, und Microscleren. Das Zentrum, von dem die Nadelbündel ausstrahlen, liegt, wie aus der Figur 24 (Taf. XVI) ersichtlich ist, nahe der Mitte des kugelförmigen Körpers, 12 mm vom Scheitel des Schwammes entfernt. Die Nadelbündel sind fast gerade und ziehen streng radial vom Zentrum zur Oberfläche empor. Das Zentrum und die proximalen Teile der Nadelbündel bestehen aus großen Amphioxen und einzelnen Stylen. An dem Aufbau der distalen Teile der Nadelbündel nehmen große Amphioxe, Teloclade und einzelne große Style teil. Die Teloclade sind wenig zahlreich. Die in den oberflächlichen Teilen der radialen Nadelbündel befindlichen großen Style sind Derivate der großen Amphioxe und aus solchen durch Abrundung des distalen Endes hervorgegangen. Außer den Stylen kommen noch andere, mehrstrahlige Derivate der großen Amphioxe vor. Die Stabnadeln (Amphioxe und Style) der radialen Nadelbündel sind im Grundteile des Schwammes etwas dicker als in seinem oberen Teile. Von Telocladen kommen Anatriaene, Protriaene, Prodiaene und Monaene mit langen Schäften, sowie kurz- und stumpfschäftige Plagiotriaene vor. Die langschäftigen Protriaene werden in den oberflächlichen Teilen des Schwammes überall angetroffen. Es lassen sich schlankere und dickere Protriaene unterscheiden. Die ersteren überwiegen am Scheitel und an den Seiten, die letzteren im Grundteile des Schwammes. Von Anatriaenen werden ebenfalls zweierlei Arten beobachtet und es sind diese noch deutlicher unterschieden als die beiden Protriaenenarten. Die Anatriaene der einen Art haben dünne Schäfte und ziemlich lange, sehr schlanke Clade; jene der anderen Art dicke Schäfte und sehr kurze und dicke Clade. Die ersteren scheinen in allen oberflächlichen Teilen des Schwammes vorzukommen, in seinem Grundteile aber weniger zahlreich als anderwärts zu sein; die letzteren sind auf den Grundteil des Schwammes beschränkt. Alle diese Triaenformen sind ziemlich zahlreich. Seltener und, wie es scheint, ganz und gar auf den Grundteil des Schwammes beschränkt, sind die kurz- und stumpfschäftigen Plagiotriaene; noch seltener die Monaene, die ich ebenfalls nur im Grundteil beobachtet habe. Die kleinen, zerstreuten Amphioxe sind ungemein zahlreich und in großen Massen im ganzen Schwamm zerstreut. In seinem Innern liegen sie völlig regellos, schief und nur ausnahmsweise paratangential oder radial. Gegen die Oberfläche hin überwiegen aber die paratangential oder gegen die Oberfläche nur schwach geneigten von diesen Nadeln sehr bedeutend, so daß eine, an Radialschnitten deutlich erkennbare (Taf. XVI, Fig. 23, 25) an die Oberfläche angrenzende, 500 μ dicke Lage zustande kommt, welche als ein dichtes, panzerartiges Gewebe von Paratangentialnadeln erscheint. Die Microsclere sind Sigme. An der äußeren Oberfläche sieht man nur wenige. Hier werden sie wohl durch die kleinen Amphioxe des oberflächlichen Filzes größtenteils ersetzt. Im Innern, namentlich in den Wänden der Kanäle, sind sie jedoch ziemlich zahlreich.

Die großen Amphioxe und Style der radialen Nadelbündel (Taf. XVI, Fig. 21, 22, 31—35) sind 5,5—7 meist 6—6,5 mm lang und 65—104 μ dick. Wie erwähnt, pflegen die

43

Stabnadeln des Grundteiles dicker als jene anderer Teile des Schwammes zu sein. Unter den Stabnadeln seines Scheitels habe ich keine über 85 μ dicke gefunden, während die gewöhnliche Dicke der großen Amphioxe des Grundteils 80—100 μ ist. Die in den proximalen Teilen der Nadelbündel gelegenen von diesen Amphioxen pflegen nur wenig anisoactin zu sein, bei jenen aber, deren Distalenden in der Oberfläche liegen, bzw. darüber hervorschauen, ist die Anisoactinität eine sehr bedeutende und liegt die dickste Stelle der Nadel ihrem distalen Ende viel näher als ihrem proximalen. Die Entfernung derselben vom Distalende beträgt $\frac{1}{4} - \frac{1}{\infty}$ der Nadellänge (Fig. 22, 35). Je kleiner sie wird um so stärker anisoactin erscheint die Nadel, am stärksten, wenn sie den Grenzwert $\frac{1}{\infty} = 0$ erreicht, die Nadel zu einem Styl (Fig. 35) geworden ist. Die dickste Stelle selbst ist entweder ganz kurz (Fig. 22) und tritt dann deutlich hervor, oder sie ist in die Länge gezogen (Fig. 21) und erscheint dann als ein Zylinder. Die beiden, von der dicksten Stelle abgehenden Teile, der proximale und der distale, die man gewöhnlich als die Strahlen der Nadel auffaßt, pflegen mehr oder weniger kegelförmig zu sein. Der proximale Teil, dessen Gestalt viel weniger, als die Gestalt des distalen Teiles Schwankungen unterworfen ist, läuft entweder in eine scharfe Spitze aus (Fig. 22) oder ist abgerundet (Fig. 31). Der distale Teil ist ungemein veränderlich. Je nach der Lage der dicksten Stelle der Nadel ist seine Länge verschieden, außerdem ändert sich seine Gestalt je nach der Art seiner Verdünnung gegen das distale Ende hin und dem Grad der Zuschärfung bzw. Abstumpfung des letzteren. Je nach der Lage der dicksten Stelle der Nadel ist ihr Distalteil länger und weniger rasch, oder kürzer und rascher gegen das Ende verdünnt. Er kann regelmäßig kegelförmig, d. h. von einer Kegelfläche begrenzt sein, deren Leitlinien gerade sind (Fig. 33). Die Leitlinien dieser Kegelfläche können aber auch gekrümmt, entweder gegen die Achse konkav (Fig. 32), oder gegen die Achse schwächer (Fig. 21, 22) oder stärker (Fig. 34) konvex sein. Dies übt auf die Gestalt des distalen Nadelteils einen wesentlichen Einfluß aus. Konvexe Distalteile sind häufiger als konkave. Das Distalende selbst ist scharf zugespitzt, oder häufiger, mehr oder ganz (Fig. 35) abgerundet. Am häufigsten ist es zugespitzt, am seltensten ganz abgerundet. Die Stabnadeln mit solchen ganz abgerundeten Distalenden erscheinen als Style. Die häufigste Form dieser Stabnadeln, die man als typische Mittelform bezeichnen kann, ist die, welche in Figur 22 dargestellt ist. Eine solche 6,2 mm lange Nadel, deren dickste Stelle 1,4 mm vom Distalende entfernt ist und die an dieser Stelle einen Querdurchmesser von 98 μ hat, ist

0,5 mm	vom	Distalende	54 μ	3,5 mm	vom	Distalende	54 μ
1 "	"	"	91 "	4 "	"	"	45 "
1,5 "	"	"	97 "	4,5 "	"	"	36 "
2 "	"	"	84 "	5 "	"	"	27 "
2,5 "	"	"	73 "	5,5 "	"	"	17 "
3 "	"	"	63 "	6 "	"	"	5 " dick.

Es ist oben erwähnt worden, daß man der gewöhnlichen Anschauung gemäß die dickste Stelle als Nadelzentrum und die beiden kegelförmigen, davon abgehenden Teile als Strahlen aufzufassen hätte. Wenn man den distalen Endteil vieler solcher Nadeln untersucht, begegnet man gar nicht selten einer Diskordanz der Kieselschichten, aus denen er aufgebaut ist. Oft sind die erstgebildeten, inneren, halbkugelig, die später gebildeten, äußeren aber kegelmantelähnlich. Diese Diskordanz der Schichtung pflegt mit einer Diskontinuität des Achsenfadens, der durch die halbkugeligen Schichten nicht hindurch geht, assoziiert zu sein. Nadeln, bei denen solche Verhältnisse angetroffen werden, sind Style, die sich später durch Apposition diskordanter Kieselschichten auf dem stumpfen Ende in Amphioxe umgewandelt haben. Oft trifft man aber auch Style mit diskordanter Schichtung im stumpfen Ende an, bei denen die älteren, inneren Schichten kegelförmig, die jungen äußeren, halbkugelig sind. Nadeln, bei denen solche Verhältnisse angetroffen werden sind Amphioxe, die sich durch Apposition diskordanter Kieselschichten in Style umgewandelt haben. In beiden Fällen liegt die dickste Stelle ganz wo anders als das Zentrum der Nadelanlage. Solche Bildungen lassen erkennen, daß die Vorstellung, es läge das morphologische Nadelzentrum in der dicksten Stelle des Amphiox, bzw. im abgerundeten Ende des Styls, nicht immer zutrifft, und zeigen auch, daß monactine und diactine Rhabde nicht immer scharf unterschieden werden können, daß ein grundsätzlicher Unterschied zwischen diesen Stabnadelformen nicht besteht.

Mehrstrahlige Derivate der großen radialen Stabnadeln sind selten. Das in Figur 20 (Taf. XVI) abgebildete tetractine, besteht aus zwei an der Kreuzungsstelle gleich dicken, kreuzweise verschmolzenen Amphioxen, von denen eines die gewöhnliche Länge hat, das andere aber nur 240 μ lang ist. In dieser Nadel schneiden sich die Achsenfäden. Ein anderes, sechsstrahliges Gebilde dieser Art bestand aus einem gewöhnlichen Amphiox und zwei zylindrischen, am Ende abgerundeten Stabnadeln von 340 und 500 μ Länge. Diese drei Stücke sahen äußerlich so aus, als ob sie konzentrisch miteinander verwachsen wären, die genauere Betrachtung zeigte jedoch, daß ihre drei Achsenfäden aneinander vorübergingen. Im ersten Falle haben wir es mit einer, auf Achsenfadenabnormität beruhenden, im letzten mit einer durch sekundäre Verwachsung ursprünglich getrennt angelegter Nadeln entstandenen Bildung zu tun. Bei diesen Mißbildungen ist stets nur eine normal entwickelte Hauptstabnadel vorhanden, während die übrigen an ihrer Zusammensetzung teilnehmenden Nadeln stark verkürzt sind. Das ist ein Merkmal, das ausnamslos allen den vielen von mir bei einer ganzen Reihe von Arten beobachteten, mehrstrahligen, radialen Tethyden-Stabnadel-Derivaten zukommt und wohl darauf zurückzuführen ist, daß das Zusammengewachsensein und die dadurch bedingte abnorme (nicht radiale) Lage der Nebenstrahlen die Entwicklung der letzteren hemmt.

Die zerstreuten, kleinen Amphioxe (Taf. XVI, Fig. 26) sind isoactin, allmälich gegen die Enden verdünnt, zugespitzt, gerade oder nur sehr schwach gekrümmt, 275—250 μ lang und 4—6 μ dick. Sie sind nicht ganz glatt, es läßt sich aber das eigentliche Wesen ihrer Rauigkeit, selbst mit den stärksten Linsen nicht deutlich erkennen. Dornen von erkennbarer Größe tragen sie nicht, am richtigsten dürfte es sein ihre Oberfläche feinknorrig oder -höckerig zu nennen.

Kleine, raue, zerstreute Amphioxe sind bisher bloß bei einer Tethya-Art, der Tethya cranium var. australiensis CARTER[1] = Tetilla australiensis SOLLAS[2] gefunden worden. Auch THIELE[3] hat sie hier gesehen. Diese Nadeln sind wenig kleiner als die kleinen Amphioxe von Tethya hebes, stimmen aber sonst vollkommen mit ihnen überein. SOLLAS (l. c.) und THIELE (l. c.) haben sie als Microsclere, ich[4] als Megasclere aufgefaßt. Mir scheint, daß diese Nadeln in

---

[1] H. J. CARTER, Descriptions of Sponges . . . . . . Australia. In: Ann. Nat. Hist. Ser. 5 Bd. 17 p. 127 1886.
[2] W. J. SOLLAS, Tetractinellida. In: Rep. Voy. Challenger Bd. 25 p. 43 1888.
[3] J. THIELE, Studien über pazifische Spongien. In: Zool. Bd. 24 II p. 6 1889.
[4] R. v. LENDENFELD, Tetraxonia. In: Tiefteich Bd. 19 p. 20 1903.

jeder Hinsicht mit den kleinen, zerstreuten, von mir bei den meisten Tethyden gefundenen Amphioxen übereinstimmen und daß diese allesamt als Megasclere aufgefaßt werden sollen. Freilich läßt sich ein bestimmtes Urteil hierüber nicht abgeben, da ein grundsätzlicher Unterschied zwischen Mega- und Microscleren nicht besteht.

Mißbildungen dieser Nadeln wurden von mir nicht beobachtet. Zwei- oder dreimal habe ich unter den tausenden von mir durchmusterten des Sedimentes II ein Styl von ähnlicher Größe, aber mit glatter Oberfläche gesehen. Ich vermute, daß diese Style fremde Nadeln waren.

Von langschäftigen Procladen werden, wie erwähnt, dünn- und dickcladige triaene und selten auch diaene angetroffen. Die Schäfte dieser Proclade erreichen eine Länge von 6 mm und darüber. Bei den schlankcladigen Protriaenen (Taf. XVI, Fig. 38) sind die Schäfte am cladomalen Ende 4—6 μ dick. Ihre Cladome sind regulär oder sagittal, selten unregelmäßig. Die Clade sind 55—125 μ lang. Bei den sagittalen werden gewöhnlich zwei gleiche, kürzere, und ein ungleiches, längeres Clad angetroffen; die längeren Clade desselben Cladoms sind bis anderthalb mal so lang als die kürzeren. Die Clade schließen mit der Schaftverlängerung Winkel von ungefähr 18° ein. Bei den dickcladigen Protriaenen hat der Schaft am cladomalen Ende eine Dicke von 7—10 μ und erreichen die Clade eine Länge von 50—80 μ. Sie schließen mit der Schaftverlängerung Winkel von etwa 25° ein. Auch unter diesen Protriaenen werden reguläre sowohl als sagittale angetroffen. Bei den letzteren ist jedoch der Unterschied in der Länge der Clade eines und desselben Cladoms gering. Die seltenen Prodiaene, die ich beobachtet habe, ähnelten in bezug auf ihre Dimensionen den dickcladigen Protriaenen.

Die kurz- und stumpfschäftigen Plagiotriaene (Taf. XVI, Fig. 36) haben einen etwa 1,3 mm langen, am cladomalen Ende 15—20 μ dicken Schaft, der vollkommen gerade ist und gegen das Ende hin nur wenig an Dicke abnimmt: hier ist der Schaft etwa $^{2}/_{3}$ so dick als dicht unter dem Cladom. Das Ende selbst ist einfach abgerundet. Die Clade sind etwas unregelmäßig verbogen, kegelförmig und meist stark abgestumpft. Sie erreichen eine Länge von 65—130 μ und schließen mit der Schaftverlängerung Winkel von 45—55° ein.

Von Anatriaenen werden zwei Arten, schlank- und langcladige, und dick- und kurzcladige angetroffen. Die schlank- und langcladigen Anatriaene (Taf. XVI, Fig. 28) haben bis 8 mm und darüber lange, am cladomalen Ende 4—5 μ dicke Schäfte. Ihre Clade erreichen eine Länge von 50—80 μ; die Cladsehnen schließen mit dem Schaft Winkel von 55—60° ein. Die Schäfte der kurz- und dickcladigen Anatriaene (Taf. XVI, Fig. 29, 30) werden ebenso lang und sind am cladomalen Ende 8—14 μ dick. Ihre Clade sind stark verkürzt nur 17—28 μ lang und gewöhnlich (Fig. 29) unregelmäßig und am Ende abgerundet, seltener (Fig. 30) regelmäßig und zugespitzt.

Von Monaenen habe ich zweierlei Formen beobachtet. Die eine (Taf. XVI, Fig. 19), die ich mehrermals sah, hat einen ungefähr 5 μ dicken Schaft und ein aufstrebendes, 170 μ langes, am Ende krallenartig zurückgebogenes und zugespitztes Clad, welches mit der Schaftverlängerung einen Winkel von 33° einschließt. Die andere (Taf. XVI, Fig. 37), die mir nur einmal zu Gesicht gekommen ist, hat einen 9 μ dicken Schaft und ein aufstrebendes, am Ende in zwei Gabeläste gespaltenes Clad, dessen Gesamtlänge (samt den Gabelästen) 32 μ beträgt. Mit der Schaftverlängerung schließt das Hauptclad einen Winkel von 55° ein, seine Endäste streben stärker empor.

Die Sigme sind in der gewöhnlichen Weise unregelmäßig spiralig gewundene, mit feinen Rauhigkeiten bedeckte, gegen 1 μ dicke Stäbe und erreichen eine Länge von 15—17 μ.

In den Schnitten des Schwammes habe ich zahlreiche Rosetten von 50—100 μ Durchmesser beobachtet, welche aus sehr feinen, von einem gemeinsamen Zentrum ausstrahlenden, geraden Nadeln bestanden. Diese Nadeln scheinen aus einer organischen Substanz zusammengesetzt zu sein und lösen sich in Salpetersäure auf. In den zentrifugierten Nadelpräparaten des Grundteiles des Schwammes wurden Euaster von 17 μ Durchmesser mit feindornigen, kegelförmigen Strahlen angetroffen. Diese gehören selbstverständlich nicht dem Schwamme an, sondern stammen von dem Grunde dem er aufsaß.

Dieser Schwamm wurde von der „Gazelle" (Nr. 768) an der Nordwestküste von Australien unter 19° südlicher Breite aus einer Tiefe von 91 m hervorgeholt.

Zweifellos gehört dieser Schwamm in das Genus *Tethya*. Die einzige bisher bekannte Art dieser Gattung, welche ähnliche, kleine, rauhe Amphioxe besitzt, ist die *T. australiensis (Tethya cranium var. australiensis)* CARTER 1886. Mit dieser habe ich früher den von KIESCHNICK 1898, 1900 als *Tetilla schulzei* beschriebenen Schwamm vereinigt. Ob diese Zusammenziehung gerechtfertigt war oder nicht wird wohl erst durch eine Nachuntersuchung des KIESCHNICK'schen Schwammes festgestellt werden können. Wie dem aber auch sei, so unterscheidet sich die *Tethya hebes* doch hinreichend, sowohl von der *Tethya cranium var. australiensis* CARTER wie von der *Tetilla schulzei* KIESCHNICK um sie als eine eigene Art anzusehen, denn es fehlen, wie THIELE 1899 bestätigt hat, bei der ersteren die Anatriaene, die bei der *T. hebes* in zwei verschiedenen Formen vorkommen, und es sind bei der letzteren die Sigme 20 μ lang, während sie bei der *T. hebes* nur 17 μ lang werden; auch sind in keinem dieser beiden Schwämme solche kurz- und stumpfschäftige Plagiotriaene gefunden worden, wie sie bei der *T. hebes* vorkommen. Auf diese stumpfen Telocladschäfte bezieht sich der Speziesname, mit dem ich den Schwamm belegt habe.

Tethya cranium (MÜLL.).
Taf. XIV, Fig. 8—39.

1776 *Alcyonium cranium*, O. F. MÜLLER, Zool. Dan. Prodr. p. 255.

1789 *Alcyonium cranium*, ABILDGAARD in: O. F. MÜLLER, Zool. Dan. v. 3 p. 5 t. 85 f. 1.

1814 *Spongia pilosa*, MONTAGU in: Mem. WERNER Soc. v. 2, I p. 119 t. 13 f. 1—3.

1815 *Tethya cranium*, LAMARCK in: Mem. Mus. Paris v. 1 p. 71.

1816 *Alcyonium cranium*, LAMOUROUX, Hist. Polyp. p. 347.

1828 *Tethya cranium*, J. FLEMING, Brit. An. p. 519.

1834 *Tethium cranium*, BLAINVILLE, Man. Actin. p. 544.

1842 *Tethea cranium*, G. JOHNSTON, Brit. Spong. Lithoph. p. 83 t. 1 f. 1—8.

1864 *Tethea cranium*, *Tethia cranium*, BOWERBANK, Monogr. Brit. Spong. v. 1 p. 183 t. 31 f. 362.

1866 *Tethea cranium*, BOWERBANK, Monogr. Brit. Spong. v. 2 p. 83.

1866 *Tethya cranium*, O. SCHMIDT, Spong. Adria, suppl. 2 p. 14 t. 1 f. 14.

1867 *Tethya cranium*, J. E. GRAY in: P. zool. Soc. London p. 543.

1870 *Tethea cranium*, E. P. WRIGHT in: P. Irish Ac. v. 10 p. 224.

1871 *Tethya cranium*, H. CARTER in: Ann. nat. Hist. ser. 4 v. 8 p. 104.
1872 *Tethya cranium*, H. CARTER in: Ann. nat. Hist. ser. 4 v. 9 p. 419 t. 22 f. 9.
1872 *Tethea unca*, BOVERBANK in: P. zool. Soc. London p. 118 t. 5 f. 7—10.
1874 *Tethea cranium*, BOVERBANK, Monogr. Brit. Spong. v. 3 p. 35, 315 t. 14, 89.
1876 *Tethya cranium var. abyssorum*, H. CARTER in: Ann. nat. Hist. ser. 4 v. 18 p. 405 t. 16 f. 49.
1882 *Tetilla cranium*, W. J. SOLLAS in: Ann. nat. Hist. ser. 5 v. 9 p. 149 t. 7.
1882 *Tethya cranium var. typica*, A. M. NORMAN in: BOVERBANK, Monogr. Brit. Spong. v. 4 p. 41.
1882a *Tethya cranium var. abyssorum*, A. M. NORMANN, in: BOVERBANK, Monogr. Brit. Spong. v. 4 p. 42.
1885 *Craniella mülleri*, G. C. J. VOSMAER in: Bijdr. Dierk. v. 12 p. 6 t. 2 f. 9—15; t. 5 f. 1, 2.
1885a *Craniella mülleri*, G. C. J. VOSMAER in: BRONN's Kl. Ordn. ed. 2 v. 2 p. 322.
1885 *Tethya cranium*, G. A. HANSEN in: Norske Nordhavs-Exp. v. 3 Spong. p. 18 t. 5 f. 3, 4; t. 7 f. 16.
1886 *Craniella schmidtii (non Tethea schmidtii* BOVERBANK 1866), W. J. SOLLAS in: P. R. Dublin Soc. v. 5 p. 182.
1888 *Craniella schmidtii*, W. J. SOLLAS in: Rep. Voy. CHALLENGER v. 25 p. 38.
1888a *Craniella schmidtii?*, W. J. SOLLAS in: Rep. Voy. CHALLENGER v. 25 p. 39 t. 42 f. 20, 21.
1888b *Craniella abyssorum*, W. J. SOLLAS in: Rep. Voy. CHALLENGER v. 25 p. 50.
1888c *Craniella cranium*, W. J. SOLLAS in: Rep. Voy. CHALLENGER v. 25 p. 51.
1892 *Craniella cranium*, TOPSENT in: Résult. Camp. Monaco v. 2 p. 36.
1894 *Craniella cranium*, TOPSENT in: Arch. Zool. expér. ser. 3 v. 2 p. 388 t. 15 f. 6—14.
1897 *Craniella cranium*, LENDENFELD in: Tr. Irish Ac., v. 31 p. 84.
1903 *Tethya cranium*, LENDENFELD in: Tierreich v. 19 p. 24.
1903a *Tethya oscari*, LENDENFELD in: Tierreich v. 19 p. 25.
1903b *Tethya abyssorum*, LENDENFELD in: Tierreich v. 19 p. 25.
1904 *Craniella cranium*, TOPSENT in: Résult. Camp. Monaco v. 25 p. 99.

In der Valdivia-Sammlung befinden sich 41 Schwämme, die zwar verschieden groß sind aber spezifisch übereinstimmen und (wie wir sehen werden) in den Formenkreis des MÜLLER'schen *Alcyonium cranium*, der *Tethya cranium*, wie die Art jetzt genannt wird, einzustellen sind, obgleich sie von den früheren Beschreibungen der dieser Spezies zugezählten Spongien in manchen Stücken abweichen.

Auf Tafel XIV sind sechs von diesen 41 Spongien abgebildet (Fig. 10b, 35—39). Alle 41 sind rundlich, kuglig, ei- oder walzenförmig. Sie halten 1,7—42 mm im Durchmesser. Bei einigen erhebt sich von der Oberfläche ein kleiner Zipfel (Fig. 36), andere besitzen einen kleineren (Fig. 39) oder größeren (Fig. 38), aus ausgestoßenen und verfilzten Nadeln zusammengesetzten Wurzelschopf oder Basalpolster. Die Oberfläche ist mit abgerundet kegelförmigen Vorragungen, Conulis, bedeckt, deren Anordnung und Größe bei verschiedenen Stücken und auch an verschiedenen Teilen der Oberfläche eines und desselben Stückes beträchtlichen Schwankungen unterworfen sind. Bei den kleinsten Stücken von 1,7—2 mm Durchmesser (Fig. 10b) sind diese Conuli ziemlich gleichmäßig über die ganze Oberfläche verteilt, senkrecht gestellt, kegelförmig, etwa 300 μ hoch und ungefähr ebenso weit voneinander entfernt. Aus der Spitze eines jeden ragt ein radiales Büschel freier Nadelenden — es sind meist Protriaene — vor. Bei den größeren Stücken sind die Conuli 600 μ bis 2,8 mm hoch. Ihre Größe steht mit der Schwammgröße nicht genau im Verhältnis. Am Scheitel des Schwammes und in seiner Umgebung erreichen die Conuli die bedeutendste Höhe und sie sind hier oft recht weit, bis zu 4 mm und darüber, voneinander entfernt. Diese Scheitelconuli sind meist senkrecht gerichtet und kegelförmig. An den Seiten des Schwammes pflegen sie niedriger zu sein und dichter zu stehen, und hier

nabei sie öfters die Form eines kurzen steilen Daches, dessen First in einer, durch die Vertikal-
achse des Schwammes gehenden Ebene liegt. Bei den größeren Stücken der Valdivia-
Sammlung sind die aus den Conulispitzen hervortretenden Nadelenden meist abgebrochen, so
daß ihre Oberfläche völlig kahl erscheint (Taf. XIV, Fig. 35—39). Bezüglich der Oscula
weichen die Angaben der Autoren erheblich voneinander ab. BOWERBANK (1886 p. 65) hat
300 zu dieser Art gehörige Schwämme untersucht und bei keinem etwas von einem Osculum
bemerkt. CARTER (1872 p. 419) dagegen erwähnt das Vorkommen von Gruppen von Osculis.
SOLLAS (1882 p. 150) hat an jedem von ihm beobachteten Stücke je ein 0,76—1,78 mm weites,
kreisrundes Osculum gesehen. TOPSENT (1894 p. 389, 390) bemerkt bezüglich der Oscula »La
contraction n'est pas apparente; suivant leur état de contraction, les oscules sont tantôt parfaitment
visibles (fig. 8 o) et tantôt indistincts«. Von den 41 Stücken der Valdivia-Sammlung haben
18 kein erkennbares Osculum; bei 16 ist ein Osculum vorhanden; 4 haben mehrere Oscula,
die ziemlich nahe beieinander liegen und eine scheitelständige Gruppe bilden. Bei zweien von
diesen sind die Oscula in gekrümmten Reihen angeordnet. Stets liegen die Oscula dort, wo
die Conuli am weitesten voneinander entfernt sind. Sie sind meist annähernd kreisrund und
halten 0,6—4 mm im Durchmesser. Ihre Größe steht im Verhältnis zur Größe des Schwammes.
Abgesehen hiervon sind die einzelnen Oscula größer als die Oscula der Gruppen. Inwieweit das
Vorhandensein, bzw. Fehlen von Osculis und ihre Ein- oder Mehrzahl von Unterschieden des
Grades der Zusammenziehung abhängt, kann ich auf Grund meiner eigenen Beobachtungen nicht
sagen und habe keine Ursache an der Richtigkeit der bezüglichen, oben zitierten Angabe von
TOPSENT zu zweifeln.

Die Farbe der Valdivia-Exemplare ist, in Weingeist, an der Oberfläche weißlich bis
gelblich, im Innern mehr bräunlich. Diesbezüglich stimmen sie mit den früher beschriebenen
Vertretern dieser Species überein.

Der Bau des Weichkörpers und Kanalsystems ist namentlich von SOLLAS (1882) und
TOPSENT (1894) eingehend beschrieben worden. Diesen Darstellungen habe ich nur wenig hinzuzufügen.

Reihen von Paratangentialschnitten (Taf. XIV, Fig. 26—31) zeigen, daß an den Seiten-
wänden der (in solchen quer durchschnittenen) Conuli zahlreiche, enge, paratangentiale, dicht
unter der Oberfläche verlaufende Einfuhrkanäle (a Fig. 26—31) liegen, welche in ausgedehnte,
lakunöse Hohlräume (b Fig. 28—31) hineinführen, die sich unterhalb der Böden jener Furchen
(c Fig. 26—31) ausbreiten, die zwischen den Conuli liegen. Von den großen Lakunen entspringen
die in das Choanosom eindringenden Einfuhrkanäle. Nach SOLLAS (1882 p. 150) liegen die
Oscula an den Enden großer, paratangential, dicht unter der Oberfläche verlaufender Ausfuhr-
kanalstämme (Oscularröhren). Auch ich habe gefunden, daß von den Osculis keine Kanäle
senkrecht in die Tiefe hinabziehen. Bei einem Stück mit 4 mm weitem Osculum sah ich mehrere
paratangentiale Oscularröhren, welche radial von dem Osculum ausstrahlten.

Auch über den Bau der Rinde geben die Paratangentialschnitte gute Aufschlüsse. Man
sieht in solchen (Taf. XIV, Fig. 22) zwischen den Porenkanälen (c) zumeist annähernd parallel
verlaufende, paratangentiale Fasern (a) und zweierlei Zellen, solche mit ziemlich homogenem
Plasma und mehreren großen Fortsätzen, und solche (b) die mit großen kugeligen Körnchen
erfüllt sind und der Fortsätze entbehren. Die letzten sind Kugelzellen: sie wurden von TOPSENT

49

(1894, p. 390) als „cellules sphéruleuses" beschrieben. Topsent sagt (l. c.), daß die Körnchen farblos seien. Bei einigen der von mir untersuchten Valdivia-Stücke waren die Körnchen ebenfalls farblos, bei anderen aber aber dunkel, schwarzbraun gefärbt. Die Exemplare mit den dunklen Körnchen befanden sich in einem Glase für sich und waren — auf dem beiliegenden Zettel befand sich keine Angabe über die Konservierungsart — vielleicht in anderer Weise als die übrigen, deren Kugelzellenkörnchen farblos waren und die gleich in Alkohol gebracht worden waren, konserviert. Es wäre daher vielleicht möglich, daß diese Unterschiede der Körnchenfarbe auf einem Unterschiede der Konservierungsart beruht.

Der Bau des Skelettes ist schon von Bowerbank (1864, p. 240; 1866, p. 85) recht genau beschrieben worden. Sollas (1882), Vosmaer (1885), Sollas (1888), Topsent (1894) und andere haben weitere Angaben darüber gemacht. Ich (1903, p. 24) habe dann alle diese Angaben zu einer diagnostischen Beschreibung der Skeletteile zusammengefaßt. Wie wir sehen werden, zeigen die Skeletteile der Valdivia-Stücke mancherlei Abweichungen von jenen früheren Darstellungen.

Das Skelett der Valdivia-Stücke besteht aus Nadelbündeln, welche radial von einem gemeinsamen Mittelpunkte ausstrahlen; einem unter der Oberfläche gelegenen Panzer; und den zerstreuten Microscleren. Das Zentrum der radialen Nadelbündel liegt in oder unter dem Mittelpunkte des Schwammes. In demselben findet eine Kreuzung der dünnen Proximalenden der die Bündel zusammensetzenden Nadeln statt, was die Festigkeit des Gerüstes, das die Nadelbündel bilden, wesentlich erhöht. Die Nadelbündel sind fast gerade oder mehr oder weniger gekrümmt. Bei einigen der kleinsten Stücke habe ich eine außerordentlich starke Krümmung derselben wahrgenommen. Diese Krümmung ist proximal am bedeutendsten: hier ist der Krümmungsradius am kürzesten. Distalwärts nimmt die Krümmung rasch ab und die Endteile auch dieser Nadelbündel erscheinen fast gerade. Die proximale Krümmung ist hier so stark, daß die inneren Endteile der Bündel oft die Hälfte bis zwei Drittel eines (evolventartig ausgezogenen) Kreisbogens beschreiben. Die Ursache dieser, bei den *Tethya*-Arten und der monaxoniden *Donatia lyncurium (Tethya l.)*, wie man sie früher nannte) so häufig beobachteten Krümmung der Nadelbündel ist von mir bei der letzten untersucht worden.[1] Wenn sich die *Donatia* in ausgedehntem Zustande befindet, sind ihre Nadelbündel gerade; sie krümmen sich nur wenn der Schwamm sich zusammenzieht, strecken sich aber, sowie die Kontraktion aufhört, wieder gerade aus. Bei den vorliegenden kleinen Stücken von *Tethya cranium* scheint dies nicht der Fall zu sein. Hier ist, infolge der Kleinheit des Schwammes und der Stärke der Nadelbündelkrümmung der Krümmungsradius so klein, daß nicht nur das Nadelbündel als solches sondern auch jede einzelne Nadel desselben für sich, erheblich gebogen ist. Nun zeigen, die durch Behandlung des Schwammes mit Salpetersäure gewonnenen, isolierten Nadeln, auf denen keinerlei Zug einwirkt, diese Krümmung in ihrem proximalen Teile auch (Taf. XIV, Fig. 8 c). Es ist daher anzunehmen, daß bei diesem Schwamme die Nadel- (und Nadelbündel-)Krümmung ein dauernder und nicht ein vorübergehender, bloß durch die Zusammenziehung des Schwammes bewirkter Zustand ist. Die radialen Nadelbündel verbreitern und zerteilen sich distal. Sie bestehen aus ziemlich stark anisoactinen Amphioxen, welche ganz im Innern des Schwammes

---

[1] R. v. Lendenfeld, Experimentelle Untersuchungen über die Physiologie der Spongien. In: Zeitschr. wiss. Zool. 1889 Bd. 48 p. 455, 456 (sep. p. 50, 51) — Die Calvulina der Adria. In: Nova Acta Leop.-Carol. Akad. Bd. 69 (1897) Nr. 1 p. 28.

liegen, und aus Protriaenen, Anatriaenen und (zuweilen oder immer?) einzelnen Anamonaenen. Die Cladome dieser Teloclade liegen zum Teil dicht unter der Oberfläche; zum Teil ragen sie frei darüber empor. Die Nadelbündel erreichen die Oberfläche an jenen Stellen, wo sich die letzte in Gestalt der oben beschriebenen Conuli erhebt und treten in den Conulispitzen über die Schwammoberfläche vor. Bei den größeren Stücken sind diese freien Distalenden der Nadelbündel, welche bei den kleinen eine pelzartige Bekleidung bilden (Taf. XIV, Fig. 10a, b), wie oben erwähnt, größtenteils abgebrochen. Diese frei vorstehenden Nadelbündeldistalteile bestehen ausschließlich aus den cladomalen Endstücken von Telocladen; bei den kleinen Exemplaren herrschen die Protriaene darin stark vor.

Der unterhalb des zarten und lakunösen, von SOLLAS und anderen als Ectochrot beschriebenen Hautgewebes liegende Panzer besteht aus dichten Massen von schief bis senkrecht zur Oberfläche gerichteten, kurzen und dicken, isoactinen Amphioxen, sowie Stylen und Sphaeren mancherlei Art.

Die Microsclere sind Sigme. Sie sind in den Kanalwänden zerstreut, am zahlreichsten in den Wänden der Lakunen des Ectochrots.

Die anisoactinen Amphioxe der radialen Nadelbündel (Taf. XIV, Fig. 8a, c) besitzen einen hohen Grad von Anisoactinität. Das dicke, plötzlich zugespitzte Distalende ist gerade, das dünne, zylindrische Proximalende, namentlich bei den kleinen Stücken, häufig beträchtlich gekrümmt (Fig. 8c). Diese Amphioxe sind bei den kleinsten, 2 mm im Durchmesser haltenden Stücken 1,4 mm lang und 15 μ dick (Fig. 8a, c); bei 7 mm großen bis 3 mm lang und bis 36,3 μ dick; bei 14 mm großen bis 5 mm lang und bis 50 μ dick; und bei den größten, 42 mm großen Stücken 6—9,2 mm lang und 54—64 μ dick.

Die isoactinen Amphioxe des Panzers (Taf. XIV, Fig. 8b, 9a, b, 16—18) sind an beiden Enden gleichmäßig und scharf zugespitzt und stets mehr oder weniger gekrümmt. Die Krümmung ist meist auf den mittleren Teil der Nadel beschränkt, während die Endteile gerade zu sein pflegen. Die Länge des gekrümmten Mittelstückes und der Grad seiner Krümmung sind verschieden; ist die erste gering, die letzte aber bedeutend, so erscheinen diese Nadeln in der Mitte förmlich geknickt (Fig. 9b, 17). Diese Panzeramphioxe sind bei den kleinen, 2 mm großen Stücken 400—420 μ lang und 27 μ dick (Fig. 8b, 9a, b, 16); bei 7 mm großen bis 560 μ lang und bis 30 μ dick; bei 14 mm großen bis 681 μ lang und 41 μ dick (Fig. 17); und bei den größten, 42 mm im Durchmesser haltenden 1—1,2 mm lang und 51—73 μ dick (Fig. 18).

Die Style (Taf. XIV, Fig. 33, 34) sind ziemlich selten. Sie finden sich, namentlich bei großen Exemplaren, zwischen den Amphioxen im Panzer und haben dieselbe Lage und ähnliche Dimensionen wie diese. Sie sind leicht gekrümmt. Das stumpfe, einfach abgerundete oder ganz wenig tylartig verdickte Ende liegt distal, das andere, allmählich und scharf zugespitzte Ende proximal. Die Style sind bei den großen, 42 mm großen Stücken 900 μ lang und 60 μ dick.

Die Sphaere (Taf. XIV, Fig. 11—15), welche in der Panzerlage vorkommen, sind zwar nicht besonders zahlreich, konnten von mir aber mit Hilfe der fraktionierten Sedimentation bei fast allen daraufhin untersuchten Exemplaren nachgewiesen werden. Ich möchte sie deshalb für typische Schwammnadeln halten. Die Sphaere sind in großen Stücken zahlreicher als in kleinen. Am häufigsten haben sie die Gestalt einfacher Kugeln (Fig. 11). Neben solchen kommen aber auch Zwillings- (Fig. 12, 14), sowie Drillings- (Fig. 13) Bildungen und Sphaere vor, die mit einer langen, Amphioxactin-ähnlichen, vorragenden Spitze ausgestattet sind und tylostylartig aussehen (Fig. 15), oder zwei solche, nach entgegengesetzten Richtungen abgehende Fortsätze besitzen und als Centrotyle erscheinen. Bei diesen Centrotylen kann der Mittelpunkt der Anschwellung mit der Achse des Amphiox zusammenfallen oder auch außerhalb derselben liegen. Im ersten Falle ragt die zentrale Anschwellung allseitig gleich stark über die Oberfläche des Amphiox vor; im letzten Falle ist sie mehr oder weniger, zuweilen ganz, einseitig.

Die einfachen Sphaere (Fig. 11) erreichen einen Durchmesser von 70—90 μ. In ihrem Mittelpunkte sieht man einen scheinbar strukturlosen, kugeligen Kern von 1—2 μ Durchmesser, der aus einer Substanz besteht, die das Licht anders bricht als die umgebende Kieselmasse. Die Kieselmasse selbst zeigt stets eine sehr auffallende, genau konzentrisch um jenen Kern sich lagernde Schichtung: Die Schichten sind ungleich dick. Es erscheint somit die ganze Kugel aus dem Kern und aus verschieden dicken Kugelschalen zusammengesetzt. Eine oder zwei von den Schichtgrenzen pflegen ganz besonders auffallend zu sein. Die optische Untersuchung ergibt, daß sich die Sphaere optisch ebenso wie andere Nadeln verhalten und es wird wohl nicht zu bezweifeln sein, daß sie wie diese aus dicken Opalschichten bestehen, die mit dünnen Spiculin-schichten wechsellagern und vielleicht auch in Bezug auf ihren Wassergehalt untereinander verschieden sind. Auch chemischen Einwirkungen gegenüber verhalten sich die Sphaere genau so wie andere Nadeln.

Die Sphaerzwillinge (Fig. 12, 14) sind recht häufig. Sie bestehen aus zwei einfachen Sphaeren, denen je eine Calotte fehlt. An die ebene Fläche, an der diese abgeschnitten erscheint, ist das andere, ebenso einer Calotte beraubte Sphaer mit seiner ebenen Begrenzungsfläche angewachsen. Die beiden, den Zwilling zusammensetzenden Sphäre erreichen dieselben Dimensionen wie die einfachen. Besonders bemerkenswert erscheint es, daß bei allen Zwillingen, die ich beobachtet habe, die beiden sie zusammensetzenden Einzelsphaere genau gleich groß waren und daß auch die den beiden fehlenden Calotte dieselbe Ausdehnung hatten: sie sind einander stets vollkommen kongruent und zwar nicht nur in Bezug auf die äußere Gestalt, sondern auch in Bezug auf die, den inneren Aufbau zum Ausdruck bringende Schichtung. Die Entfernung ihrer Zentren ist nicht konstant, so daß die Zwillinge selbst mehr langgestreckt oder mehr gedrungen gebaut sind. Außerdem erscheinen natürlich auch ältere und größere Zwillinge relativ gedrungener als kleinere, jüngere. Die Schichtung umgibt ganz gleichartig und ununterbrochen die „Kerne" auf allen Seiten. Von einem die beiden Kerne verbindenden Achsenfaden ist keine Spur vorhanden.

Viel weniger häufig als die Zwillinge sind die Drillinge (Fig. 13). Ich habe überhaupt nur drei solche beobachtet. Bei diesen bilden die Verbindungslinien der Zentren der drei sie zusammensetzenden Einzelsphaere ein gleichseitiges Dreieck. Jeder Einzelsphaere fehlen zwei Calotten. Die Ebenen, an denen diese abgeschnitten erscheinen, schließen Winkel von 120° miteinander ein. Auch bei diesen Drillingen sind die sie zusammensetzenden Einzelsphaere einander vollkommen kongruent.

Die mit einer (Fig. 15) oder zwei Amphioxactinspitzen ausgestatteten Sphaere sind ebenso gebaut wie die einfachen. Bemerkenswert ist es jedoch, daß sich bei diesen der Achsenfaden des Amphioxfortsatzes beziehungsweise der Amphioxfortsätze bis zum Sphaerkern erstreckt und die konzentrische Schichtung des Sphaers durchdringt ohne sie in ihrer Lagerung irgendwie zu stören. Gegen den Sphaerkern hin ist der Achsenfaden verdickt. Dieses merkwürdige Verhalten des Achsenfadens ist an der Photographie (Fig. 15) sehr schön zu sehen.

Frühere Autoren haben das Vorkommen von Sphaeren bei *Tethya cranium* nicht erwähnt. Um ein Urteil über die Bedeutung dieser interessanten Skelettteile zu gewinnen, wird es nötig sein, die Angaben, welche über derartige, bei anderen Spongien beobachtete Nadeln gemacht worden sind, zusammenzustellen.

In 1856 hat N. LIEBERKÜHN[1]) eine Reihe von Nadelformen aus Gemmulae, Jugendformen und ausgebildeten Stücken von Spongilliden (wohl *Ephydatia fluviatilis*) beschrieben und abgebildet, die mit den von mir bei *Tethya cranium* beobachteten einfachen Sphaeren und Sphaeren mit Amphioxactin-artigen Fortsätzen sehr nahe übereinstimmen. Diese Spongillidennadeln sind kleine und größere, regelmäßige Kugeln mit zwei gegenüberliegenden, und Kugeln mit drei spitzen Anhängen. Das Zentrum der Sphaere mit zwei gegenüberliegenden Amphioxactin-artigen Fortsätzen ˙liegt, wie bei unserer *Tethya*, entweder inner- oder außerhalb der Achse der Fortsätze.

In 1869 hat H. J. CARTER[2]) kleine, einfache Kieselkugeln bei *Tethya arabica* gefunden.

1887 hat E. POTTS[3]) sphaerartige Bildungen von *Spongilla aspinosa* beschrieben.

1888 hat W. J. SOLLAS[4]) bei *Caminus sphaeroconia* Sphaere aufgefunden. Diese erreichen einen Durchmesser von nahezu 40 μ. Einige sind (l. c. fig. 8) den Sphaerdrillingen von *Tethya cranium* ähnlich, andere bestehen aus einer größeren Kugel mit einem kleineren, kuppelförmigen Ansatze und besitzen einen kurzen, geraden Achsenfaden (l. c. fig. 9). SOLLAS stellt die Schichtung dieser Gebilde ähnlich dar wie ich, nur geht bei der zweiten der oben genannten Formen der Achsenfaden nicht durch die kontinuierlichen Kugelschichten des Sphaers hindurch, sondern wird von eigenen Zylinderschalenschichten, welche hier an Stelle der Kugelschalen treten, umlagert. Auch bei *Cinachyra barbata* (l. c. p. 24) und bei *Ancorina (Characella) aspera* (l. c. p. 92) fand SOLLAS Sphaere. Jene der *Cinachyra barbata* hatten einen Durchmesser von 54 μ und wurden von SOLLAS für „accessory or accidental forms" gehalten; jene von *Ancorina aspera* waren 48—160 μ groß.

In 1888 hat A. WIERZEJSKI[5]) einfache Kugeln und solche mit zwei gegenüberliegenden Fortsätzen bei *Meyenia mülleri* beschrieben und abgebildet.

In 1891 hat C. KELLER[6]) die schon 1869 von CARTER bei *Tethya arabica* gesehenen Sphaere wieder aufgefunden (l. c. p. 336) und ihre Größe (Durchmesser) zu 4,2 μ bestimmt. Aehnliche, aber kleinere, bloß 2—4 μ im Durchmesser haltende, einfache Kugeln wurden von ihm bei einer anderen CARTER'schen Art der *Tethya dactyloidea* (l. c. p. 336), noch kleinere, bloß 2 μ im Durchmesser haltende, bei *Cinachyra schulzei* (l. c. p. 337) beobachtet.

[1]) N. LIEBERKÜHN, Zur Entwicklung der Spongillen (Nachtrag). In: Arch. Anat. Physiol. Jahrg. 1856 p. 408, 409 Taf. XV fig. 17—26.

[2]) H. J. CARTER, A descriptive account of four subspherous sponges, Arabian and British, with General-Observations. In: Ann. Mag. Nat. Hist. 1869 Ser. 4 Bd. 4 p. 3 Taf. 1 fig. 6.

[3]) E. POTTS, Contributions towards a Synopsis of the American Forms of Freshwater Sponges. In: Proc. Acad. Nat. Sci. Philadelphia 1887 p. 158.

[4]) W. J. SOLLAS, Report on the Tetractinellida. In: Rep. Voy. Challenger Zoology v. 25 p. 24, 217 Taf. 27 fig. 5—9, 16, 22.

[5]) A. WIERZEJSKI, Beitrag zur Kenntnis der Süßwasserschwämme. In: Verh. Zool. Bot. Ges. Wien 1888 Bd. XXXVIII p. 534 Taf. 12, Fig. 7, 13, 6.

[6]) C. KELLER, Die Spongienfauna des Roten Meeres II. In: Zeitschr. wiss. Zool. Bd. 52 p. 336, 337 (1891).

In 1893 hat F. E. SCHULZE [1]) solide, konzentrisch geschichtete, teils glatte, teils höckerige Kieselkugeln verschiedener Dimensionen, von denen die größten einen Durchmesser von 200 μ erreichen, von *Pheronema giganteum* beschrieben. Im Mittelpunkte jeder Kugel findet sich ein kleines, aus schwächer lichtbrechender Substanz bestehendes Körperchen. Außer den Kugeln kommen in dieser *Pheronema* auch weniger regelmäßige, gerundete Körper vor, welche eiförmig sind oder die Gestalt von an beiden Enden abgerundeten Walzen haben. Diese besitzen einen kurzen, geraden Achsenfaden. Ein Achsenkreuz (wie bei triaxonen Nadeln) wurde nicht beobachtet. SCHULZE betrachtete sie nicht als normale Nadelbildungen und nannte sie daher auch nicht Sphaere [2]) sondern „Kieselperlen."

In 1894 hat F. E. SCHULZE [3]) das Vorkommen solcher „Kieselperlen" bei *Hyalonema masoni* konstatiert.

In 1896 wurden von demselben Autor [4]) ähnliche Gebilde bei anderen Hexactinelliden geschildert. Bei *Bathydorus levis* (l. c. p. 58, Taf. 6, fig. 7) kommen glatte, regelmäßig gestaltete Kieselkugeln von 50 μ Durchmesser vor. Auch finden sich bei diesem Schwamme Tylostyle mit kuglicher Endverdickung (l. c., p. 58, Taf. 6, fig. 5, 6), die SCHULZE zu den Sphaeren in Beziehung bringt. In einer anderen, nicht näher bestimmbaren, lyssacinen Hexactinellide wurden (l. c., p. 66, Taf. 1, fig. 12—14) kleinere, 100—140 μ im Durchmesser haltende, höckerige, und größere, 480 m im Durchmesser haltende, glatte, schön konzentrisch geschichtete Kieselkugeln gefunden.

1897 machte WELTNER [5]) die Bemerkung, daß er solche Kieselbildungen bei *Ephydatia fluviatilis* öfters beobachtet hätte.

In 1898 beschrieb THIELE [6]) ähnliche Bildungen von *Geodia*, *Cliona* und *Amorphilla*. Bei *Geodia japonica* (l. c., p. 8, Taf. 6, fig. 39) finden sich einzelne glatte, regelmäßige, konzentrisch geschichtete Kugeln von 10 μ Durchmesser. Bei *Cliona argus* (l. c., p. 41, Taf. 8, fig. 15 b) kommen Bildungen vor, die aus einer Kugel mit aufgesetzter, kleinerer Kuppel bestehen und den oben erwähnten von SOLLAS bei *Caminus sphaeroconia* aufgefundenen ähneln. THIELE betrachtet sie als verkürzte Tylostyle. Bei *Amorphilla penicillata* (l. c., p. 46, Taf. 8, fig. 24 c) findet sich einfache Kugeln, Zwillingskugeln und walzenförmige, an beiden Enden abgerundete Körper.

In 1898 hat EVANS [7]) unregelmäßig massige, zum Teil auch ziemlich regelmäßig kuglige Kieselbildungen von 5—10 μ Durchmesser bei *Spongilla moorei* gefunden.

In 1900 hat F. E. SCHULZE [8]) glatte regelmäßige Kieselkugeln bei *Hyalonema martabense* beschrieben. Diese halten 120 μ im Durchmesser (nach der auf der Tafel angegebenen Vergrößerung 240 μ).

[1]) F. E. SCHULZE, Ueber die Ableitung der Hexactinelliden-Nadeln vom regulären Hexactine. In: Sitzber. Akad. Berlin 1893 Bd. 46 p. 996 (sep. p. 6).

[2]) F. E. SCHULZE und R. v. LENDENFELD, Ueber die Bezeichnung der Spongiennadeln. In: Abhdl. Akad. Berlin 1889 p. 28, 29.

[3]) F. E. SCHULZE, Hexactinelliden des Indischen Oceans. In: Abh. Akad. Berlin 1894 p. 33.

[4]) F. E. SCHULZE, Hexactinelliden des Indischen Oceans II. In: Abh. Akad. Berlin 1895 (erschien 1896).

[5]) W. WELTNER, Bericht über die Leistungen in der Spongiologie. In: Arch. Naturg. Jahrg. 1893 Bd. 2 (erschienen 1897) p. 302.

[6]) J. THIELE, Studien über pazifische Spongien. In: Zoologica Hft. 24 (1898).

[7]) EVANS, A Description of two new Species of Spongilla from Lake Tanganyika. In: Quart. Journ. micr. Sci. Bd. 41 1898 p. 475 Taf. 37 fig. 5.

[8]) F. E. SCHULZE, Hexactinelliden des Indischen Ozeanes III. Abh. Ak. Berlin 1900 p. 15 Taf. 2 fig. 3, 12.

In 1901 hat WELTNER[1]) Bildungen dieser Art bei zwei Süßwasserschwämmen, dem neuen *Pachydictyum globosum* und der gewöhnlichen *Ephydatia fluviatilis* beschrieben. Es sind einfache Kugeln mit einem Amphioxactin-ähnlichen Fortsatze, und Kugeln mit zwei solchen, die entweder in einer Geraden einander gegenüber liegen, oder beliebig, unregelmäßig angeordnet sind. Auch centrotyle Amphioxe und Tylostyle, Derivate von Sphaeren mit zwei, bzw. einem Fortsatze, wurden von WELTNER in diesen Schwämmen gefunden.

Nach einer Angabe von WILSON[2]) aus dem Jahre 1902 sind die von SOLLAS entdeckten und oben erwähnten Sphaere von *Caminus sphaeroconia* nur 4 μ groß. Das dürfte ein Druckfehler sein und 40 heißen sollen.

In 1904 hat TOPSENT[3]) Sphaere von *Rhaphidorus setosus* abgebildet. Diese sind Tylostylderivate.

In 1904 hat F. E. SCHULZE[4]) die Ergebnisse seiner optischen Untersuchungen der Hexactinellidensphaere veröffentlicht. Bei diesen Sphaeren tritt sowohl ohne als mit Anwendung des farbengebenden Gipsplättchens ein durchaus einfaches Polarisationsbild auf. Bei gekreuzten Nicols und ohne Gipsplättchen, sieht man in der Kugel ein, den beiden Polarisationsebenen der Nicols entsprechendes dunkles Kreuz, und einen dunklen Kern, während die vier Quadranten zwischen den Kreuzlinien hell sind. Die Einschiebung eines, das Rot erster Ordnung gebenden Gipsplättchens bewirkt, daß die beiden, der Achsenebene dieses Gipsplättchens entsprechenden, gegenüberliegenden Quadranten gelb, die beiden anderen blau erscheinen. Dies beweist den negativen Charakter der Polarisation.

Außer bei *Tethya cranium* kommen noch bei einigen anderen, von mir untersuchten Spongien der Valdivia-Sammlung (*Papyrula sphaera, Proteleia sollasi* DENDY und S. RIDL. u. a.) Sphaere vor.

Von den oben genannten Autoren haben sich namentlich LIEBERKÜHN (1856), WIERZEJSKI (1888), SCHULZE (1893) und WELTNER (1901) über die Natur und Entstehungsweise dieser Bildungen geäußert. Alle diese neigen der Ansicht zu, daß wir es hier mit pathologischen Bildungen zu tun haben. Dies hat auch SCHULZE veranlaßt, die von ihm bei Hexactinelliden beobachteten Nadeln dieser Art nicht Sphaere zu nennen sondern „Kieselperlen", welche ähnlich wie die Muschelperlen durch Ablagerung von Mineral- (hier Kiesel-) Schichten in der Umgebung eines Fremdkörpers, allerdings nicht eines eingedrungenen Schmarotzers, sondern eines Nadelbruchstückes oder etwas ähnlichem, entstehen.

Ich muß gestehen, daß ich mich dieser Auffassung nicht anzuschließen vermag. SCHULZE (1893) betont ausdrücklich, daß er nie einen Fremdkörper im Zentrum einer „Kieselperle" gesehen habe und es sind solche auch von anderen nie bemerkt worden. Ferner weist SCHULZE (1904) nach, daß sie optisch gerade so wie andere Nadeln gebaut sind. Bei den Süßwasserschwämmen stehen, wie namentlich die Arbeiten von LIEBERKÜHN (1856) und WELTNER (1901) zeigen, die Kugeln in Beziehung zu den Amphioxen. Auch bei *Tethya cranium* dürfte eine solche Beziehung zwischen den Sphaeren und den Amphioxen und Stylen des Panzers vorhanden sein: bei beiden scheinen einige von den Kugeln zu Amphioxen oder Stylen auszuwachsen. Ich

[1]) W. WELTNER, Süßwasserspongien von Celebes. In: Arch. Naturg. Jahrg. 1901 Beiheft p. 190—192 Taf. 6 fig. 20—25, 33—43.
[2]) H. V. WILSON, The Sponges collected in Porto Rico 1899. In: U. S. Comm. Fish. Bd. 2 p. 386.
[3]) E. TOPSENT, Spongiaires des Açores. In: Résult. Camp. Monaca Bd. 25 Taf. 12 fig. 12 c.
[4]) F. E. SCHULZE, Hexactinellida. In: Ergeb. D. Tiefsee-Exped. Bd. 4 p. 241 Taf. 47 fig. 4, 5.

möchte die Kieselkugeln daher nicht als den Muschelperlen ähnliche Bildungen ansehen, sondern als Nadelformen, die durch eine Abänderung des formativen Reizes, der sonst zur Entstehung von Stabnadeln führt, zustande gebracht werden. Diese Abänderung könnte die Anlagen einzelner Nadeln veranlassen statt zu einem Achsenfaden in die Länge zu wachsen, die Gestalt eines rundlichen Körnchens anzunehmen. Wenn dann Kieselschichten um ein solches Körnchen in derselben Weise wie um einen Achsenfaden abgelagert würden, so müßte eine „Kieselperle" entstehen, die man aber ohne weiteres ein Sphaer nennen kann. Die Drillingssphaere von *Tethya cranium* mit ihren, die Ecken eines gleichseitigen Dreiecks bildenden Zentren könnte man wohl als Bildungen ansehen, die aus den Anlagen von Triaencladomen hervorgegangen sind, bei denen der formative Reiz statt dreier, Winkel von 120° miteinander einschließender, von einem gemeinsamen Mittelpunkte ausstrahlender Achsenfäden, drei in derselben relativen Lage zueinander liegende Körnchen zustande kommen ließ, um die dann die Kieselsubstanz in Form von Kugelschalen gelegt wurde. Auch die bei den *Tethya cranium*-Exemplaren der Valdivia-Sammlung so auffallend häufigen Zwillinge könnten in ähnlicher Weise als die zwei, zu Kugeln umgestalteten Actine diactinen Amphioxe aufgefaßt werden, wobei natürlich eine Doppelanlage dieser Amphioxe, eine eigene Anlage für jedes ihrer Actine, vorausgesetzt werden müßte. Die Abänderung des auf die Anlage eines Nadelactins einwirkenden, formativen Reizes, die ich als Ursache der Sphaerbildung ansehe, kann eine von selteren äußeren Einflüssen bewirkte, ausnahmsweise, abnorme oder pathologische sein; sie kann aber auch — und die Häufigkeit des Vorkommens von Sphaeren spricht für diese Annahme — immer, das heißt normalerweise, einen bestimmten Perzentsatz aller Anlagen dieser oder jener Actine treffen, so daß diese Sphaere oder Kieselperlen normale Skeletteile der Spongien, in denen sie vorkommen, wären. Jedenfalls sind die Sphaere nicht als Microsclere aufzufassen. Sie müssen vielmehr als Megascleren-Derivate angesehen werden.

Die Protriaene (Taf. XIV, Fig. 23—25) haben bei den Valdivia-Stücken Clade, welche zwar nicht genau gleich lang sind, aber doch auch keine bedeutenderen Größenunterschiede und keine auffallendere sagittale Differenzierung des Cladoms erkennen lassen. VOSMAER (1885, Taf. 5, fig. 2) hat ein Protriaencladom des, von ihm *Craniella mülleri* genannten Schwammes dargestellt, welches schön sagittal entwickelt ist und ein Paar gleiche kürzere und ein unpaares, viel längeres Clad besitzt. So große Unterschiede in den Cladlängen und so deutliche sagittale Differenzierungen habe ich an den Cladomen der Protriaene der Valdivia-Stücke nie beobachtet. Bei den kleinen, 2 mm im Durchmesser haltenden Stücken sind die Schäfte der Protriaene am cladomalen Ende 15 µ dick. Ihre maximale Länge konnte nicht festgestellt werden. Die Clade schließen mit der Schaftverlängerung Winkel von 25—28° ein, pflegen in ihrer ganzen Ausdehnung oder bloß am distalen Ende gegen die Schaftverlängerung konkav gekrümmt zu sein und erreichen eine Länge von 160 µ. Die Protriaene 7 mm großer Stücke haben am cladomalen Ende bis 18 µ dicke Schäfte. Ihre maximale Länge konnte nicht festgestellt werden. Die Clade schließen Winkel von 22—26° mit der Schaftverlängerung ein, sind gegen diese konkav gekrümmt und erreichen eine Länge von 169—204 µ. Die Protriaene 14 mm großer Exemplare (Fig. 24) haben 4,3—5 mm lange, am cladomalen Ende bis 25 µ dicke Schäfte. Die Clade schließen Winkel von ungefähr 21—25° mit der Schaftverlängerung ein, sind gegen diese leicht konkav gekrümmt und erreichen eine Länge von 227 µ. Bei den großen, 42 mm im

Durchmesser haltenden Sticken haben die Protriaene (Fig. 25) bis 8,5 mm lange, am cladomalen Ende bis 26 μ dicke Schäfte. Die Clade schließen mit der Schaftverlängerung Winkel von 18—20° ein, sind gegen dieselbe schwach konkav gekrimmt und erreichen eine Länge von 236 μ. Die Anatriaene (Taf. XIV, Fig. 19—21) sind zweierlei Art, es kommen solche mit dünnerem Schafte und schlanken, langen Claden (Fig. 19), und solche mit dickerem Schaft und kurzen, dicken Claden (Fig. 20, 21) vor. Bei beiden ist der Schaft am cladomalen Ende verdickt, bei den ersten stärker als bei den letzten. Bei beiden schließen die Cladsehnen Winkel von 46—48° mit dem Schafte ein. Am Scheitel des Cladoms findet sich eine buckelartige Vorragung. Diese ist bei den schlankcladigen Anatriaenen auffallender als bei den dickcladigen. Bei den kleinsten, nur 2 mm im Durchmesser haltenden Sticken, bei denen ich verhältnismäßig wenige Anatriaene gefunden habe, konnten je die beiden verschiedenen Anatriaenformen nicht unterschieden werden. Die Anatriaene dieser Spongien haben am cladomalen Ende bis 10 μ dicke Schäfte. Ihre Maximallänge konnte nicht festgestellt werden. Die Clade erreichen eine Länge von 32 μ. Bei 7 mm großen Sticken ist der Unterschied zwischen den schlank- und dickcladigen Anatriaenen schon deutlich ausgesprochen. Die Schäfte der ersteren sind bei diesen am cladomalen Ende 13,5—18, jene der letzteren bis 22,7 μ dick. Ihre Maximallänge konnte nicht festgestellt werden. Die Clade der dickcladigen sind 85, jene der schlankcladigen bis 135 μ lang. Bei 14 mm großen Sticken (Fig. 19, 20) erreichen die Schäfte der dickcladigen Anatriaene eine Länge von 11 mm und am cladomalen Ende eine Dicke von 31,7 μ; jene der schlankcladigen sind am cladomalen Ende etwa 17 μ dick. Die Clade werden bei der dickcladigen Form 68, bei der schlankcladigen 139 μ lang. Bei den 42 mm großen Sticken sind die Schäfte der dickcladigen Anatriaene (Fig. 21) 18—20 mm lang und am cladomalen Ende 45 μ dick, jene der schlankcladigen etwa 30 μ. Die Clade der dickcladigen werden 100, jene der schlankcladigen 150 μ lang. Frühere Autoren haben nicht zwei verschiedene Anatriaenformen bei *Tethya cranium* unterschieden.

Die Anamonaene (Taf. XIV, Fig. 32) habe ich nur in kleinen Sticken gefunden und auch hier so selten, daß man sie wohl kaum als typische Nadeln des Schwammes wird betrachten können. Sie sind sehr klein. Der Schaft ist am cladomalen Ende 17 μ dick. Das Clad ist schwach gekrimmt, dünn und 37 μ lang. Seine Sehne schließt mit dem Schafte einen Winkel von 72° ein.

Die Sigme sind ziemlich stark gewunden und feindornig. Sie erreichen bei den kleinsten, 2 mm großen Sticken eine Länge (größten Durchmesser) von 10—14; bei 7 mm großen eine Länge von 12—15; bei 14 mm großen eine Länge von 13—16; und bei den 42 mm großen Sticken eine Länge von 13—17,5 μ.

Der Reichtum des Valdivia-Materials an sehr verschieden großen, von 2—42 mm im Durchmesser haltenden Sticken dieses Schwammes hat mir Gelegenheit gegeben eine Untersuchung über die Beziehungen zwischen der Größe des Schwammes und den Größen seiner Nadeln anzustellen. Ich hoffte durch diese nicht nur biologisch interessante Wachstumsverhältnisse nicht aufzufinden, sondern auch für die Systematik brauchbare Ergebnisse zu erzielen. Wenn, wie es selten geschieht, eine Species auf Grund der Untersuchung eines Stickes oder weniger Stücke von ähnlicher Größe aufgestellt wird und man dann einen ähnlichen Schwamm von anderer Größe mit ähnlich gestalteten, in bezug auf die Größe aber stark abweichenden Nadeln in die Hand

57

bekommt, ist es schwer zu sagen, ob er zu jener Art gehört oder nicht. Schon Norman[1]) hat — und zwar auch bei der Besprechung von *Tethya .cranium* — auf diese Schwierigkeit aufmerksam gemacht. Die Ergebnisse der hier durchgeführten Untersuchung der Aenderung der Nadeldimensionen mit zunehmender Schwammgröße werden es uns vielleicht erleichtern künftig den, in der Vergangenheit öfters gemachten Fehler zu vermeiden, verschieden große, mit ähnlich gestalteten, nur durch ihre Dimensionen unterschiedenen Nadeln ausgestattete Spongien, die in Wirklichkeit nur verschieden alte Stücke derselben Art waren, als Repräsentanten verschiedener Species zu beschreiben.

Oben habe ich die Dimensionen der, in verschieden großen Stücken vorkommenden Nadeln angegeben. In der folgenden Tabelle sind die maximalen Dimensionen der Nadeln dieser verschieden großen Stücke zusammengestellt.

Maße der größten normalen Nadeln

		bei einem Exemplar			
		von 2 mm Durchmesser	von 7 mm Durchmesser	von 14 mm Durchmesser	von 42 mm Durchmesser
Amphioxe der radialen Bündel	Länge	1,4 mm	3 mm	5 mm	9,2 mm
	Dicke	15 μ	36,3 μ	50 μ	64 μ
Amphioxe des Panzers	Länge	420 μ	560 μ	681 μ	1200 μ
	Dicke	27 μ	30 μ	41 μ	73 μ
Anatriaene — Schäfte der dickcladigen	Länge			11 mm	20 mm
	Dicke am cladomalen Ende	10 μ	22,7 μ	31,7 μ	45 μ
Clade der schlankcladigen	Länge	32 μ	135 μ	139 μ	150 μ
Protriaene — Schäfte	Länge			5 mm	8,5 mm
	Dicke am cladomalen Ende	15 μ	18 μ	25 μ	26 μ
Clade	Länge	160 μ	204 μ	227 μ	236 μ
Sigme	Längste gerade Durchmesser	14 μ	15 μ	16 μ	17,5 μ

Um eine deutliche Vorstellung von den Beziehungen der Größenzunahme der Nadeldimensionen zu dem Wachstum des Schwammes zu gewinnen empfiehlt es sich eine Anzahl von den in der Tabelle enthaltenen Größenangaben in ein Koordinatensystem einzutragen und die zusammengehörigen durch Linien zu verbinden, welche die Größenzunahme graphisch zur Darstellung bringen.

In der nebenstehenden Figur sind *ox* und *oy* die beiden Achsen des Koordinatsystems. In diesem wurden die Durchmesser der zu der vorliegenden Untersuchung ausgewählten Stücke (2, 7, 14 und 42 mm), in der Vergrößerung 1 : 1,3 von *o* aus auf beide Achsen aufgetragen,

---

[1]) A. M. Norman, In: Boverbank, A Monograph of the British Spongiadae Bd. 4 1882 p. 39.

und in den erhaltenen Punkten Senkrechte errichtet Die letzten schneiden sich in Punkten, die in der geraden, unter 45° ansteigenden Linie *o 8 p* liegen, welche das Wachstum des Schwammes darstellt. Die Größenzunahmen der Sigmenlängen (1), Protriaenschaftdicken (2), Bündelamphioxdicken (3), Panzeramphioxlängen (4), Panzeramphioxdicken (5), Bündelamphioxlängen (6) und Anatriaenschaftdicken (7) wurden in folgender Weise zur Darstellung gebracht. Die bei dem größten, 42 mm im Durchmesser haltenden Stück angetroffenen von diesen Nadeldimensionen wurden auf 55 mm vergrößert. Mit dem hierzu erforderlichen Vergrößerungskoeffizienten — er war natürlich für jede Dimension ein anderer — wurden dann die entsprechenden Dimensionen der Nadeln der kleineren (2, 7 und 14 mm) Stücke multipliziert. Die hierbei erhaltenen Größen wurden auf den Vertikalen aufgetragen, welche in den, diesen Schwämmen entsprechenden Punkten (2,6, 9,1 und 18,2 mm) der horizontalen Achse *ox* errichtet worden waren. Die, einander entsprechende Dimensionen von Nadeln der verschieden großen Stücke

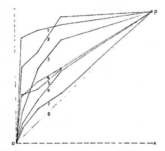

Kurven zur Erläuterung der Größenzunahme einiger Nadeldimensionen bei zunehmender Größe des Schwammes.

y o x Achsen des Koordinatensystems,

o 1 p Sigmen-Längen, Vergr. 1 : 3150,
o 2 p Dicken der Protiaenschäfte, Vergr. 1 : 2120,
o 3 p Dicken der Bündel-Amphioxe, Vergr. 1 : 860,
o 4 p Längen der Panzer-Amphioxe, Vergr. 1 : 46,

o 5 p Dicken der Panzer-Amphioxe, Vergr. 1 : 755,
o 6 p Längen der Bündel-Amphioxe, Verg. 1 : 6,
o 7 p Dicken der Anatriaenschäfte, Vergr. 1 : 1076,
o 8 p Durchmesser des Schwammes, Vergr. 1 : 1·3.

darstellenden Punkte wurden dann miteinander und mit dem Nullpunkte des Koordinatensystems durch Gerade verbunden: zusammen geben diese eine, den Nullpunkt *o* mit dem Endpunkte der Schwammwachstumslinie *p* verbindende Kurve, welche die Schnelligkeit der Größenzunahme der Nadeldimension, bezogen auf die Schnelligkeit des Wachstums des Schwammes zum Ausdrucke bringt. Im Endpunkte *p* treffen natürlich alle diese Kurven zusammen.

Eine Betrachtung dieser Kurven zeigt, daß alle Nadeln in allen Dimensionen in der Jugend rascher, später aber langsamer an Größe zunehmen als der Schwamm selbst: sie eilen dem Körper im Wachstume voraus und es nimmt die Schnelligkeit, mit der sie sich vergrößern im Vergleich zur Schnelligkeit des Schwammwachstums im allgemeinen stetig ab. Allerdings weisen die Kurven *o 2 p* (Protriaenschaftdicke) und *o 5 p* (Panzeramphioxdicke) Abweichungen von dieser Stetigkeit auf. Diese Abweichungen sind aber unbedeutend und ich vermute, daß sie ganz verschwinden würden, wenn man eine größere Zahl gleich großer Stücke untersuchte. Besonders bemerkenswert erscheint es mir, daß das Vorauseilen der Nadeln in ihrem Wachstum dem Körper gegenüber bei den verschiedenen Nadeldimensionen ein ungemein verschiedenes ist. Sehr schnell, schon bei 7 mm Sticken, erreichen die Sigmenlängen (1) und die Protriaenschaftdicken (2) Dimensionen, welche ihrer vollen Größe nahekommen, während das Wachstum der Anatriaenschaftdicken (7) und Bündelamphioxdicken (6) mit dem Körperwachstum viel besser Schritt hält. Die übrigen in der Figur durch Kurven dargestellten Dimensionen, die Bündelamphioxdicken (3), Panzeramphioxlängen (4) und Panzeramphioxdicken (5) halten die Mitte zwischen jenen Extremen. Von den Anatriaen- und Protriaencladlängen, deren Größenzunahme in der Figur nicht dargestellt worden ist, wirde die erste durch eine zwischen 2 und 3, die letzte durch eine zwischen 1 und 2 liegende Linie ausgedrückt.

Es zeigt sich also, daß kleine, junge Sticke verhältnismäßig dünne Anatriaenschafte und kurze Bündelamphioxe, dagegen verhältnismäßig große Sigme, und Triaenclade, sowie dicke Protriaenschäfte haben. Daß die radialen Bündelamphioxe und Triaenschäfte bei kleinen Sticken viel kürzer als bei großen sein müssen, leuchtet von vornherein ein. Ebenso natürlich erscheint es, daß die Sigme und Triaenclade, die bei kleinen Sticken dieselben Aufgaben zu erfüllen haben wie bei großen, frühzeitig ihrer vollen Größe nahekommende Dimensionen erreichen. Merkwürdig ist es aber, daß die Anatriaenschäfte verhältnismäßig langsam, die Protriaenschäfte hingegen verhältnismäßig rasch ihre volle Dicke erlangen und daß daher kleine Sticke viel schlankere Anatriaenschäfte aber nur wenig dünnere Protriaenschäfte haben als große. Auch die Bündelamphioxe kleiner Sticke sind relativ dicker als jene großer. Nur bei den Panzeramphioxen nehmen Länge (4) und Dicke (5) ziemlich gleich schnell zu, so daß diese Nadeln in verschieden großen Schwammexemplaren, wenn auch sehr verschieden groß, so doch stets gleich gestaltet sind. Eine Vergleichung der Photographien (Taf. XIV, Fig. 16—18) läßt dies deutlich erkennen.

Wir sehen also, daß 1. die Nadeldimensionen mit der Größe des Schwammes zunehmen, 2. die Nadeln nicht in demselben Tempo wachsen wie der Schwamm, 3. die verschiedenen Nadelformen verschieden schnell wachsen und 4. die einzelnen Teile (Schaft, Cladom) und Dimensionen (Länge und Dicke) einer und derselben Nadel ungleich rasch an Größe zunehmen. Hierzu kommt noch, daß bei den Protriaenen mit der Größenzunahme der Nadeln auch der Winkel, den die Clade mit der Schaftverlängerung einschließen, verkleinert wird, eine Erscheinung, die durch die Krümmung der neu an den Cladenden sich bildenden Cladteile gegen die Schaftverlängerung in zustande gebracht wird.

Das Ergebnis dieser Untersuchung ist also, daß weder absolute noch relative (Verhältnis der Länge zur Dicke) Nadelmaße, noch auch die Maße der von den Strahlen mehrstrahliger Nadeln eingeschlossenen Winkel ohne weiteres systematisch verwendet werden können. Gleich große, sonst ähnliche Schwämme, deren Nadeln auch ähnlich aber ungleich groß sind, wird man verschiedenen Arten zuteilen können. Bei verschieden großen Schwämmen aber, die sich nur durch absolute und relative Differenzen ihrer Nadeldimensionen voneinander unterscheiden, wird man — vorausgesetzt natürlich, daß der größere Schwamm die größeren Nadeln hat — die Möglichkeit nie aus dem Auge verlieren dürfen, daß man es da nicht mit Angehörigen verschiedener Arten sondern mit verschieden großen (alten) Sticken einer und derselben Art zu tun hat. Auch kleinere Winkeldifferenzen werden nicht als spezifische Unterscheidungsmerkmale verschieden großer Schwämme angesehen werden können. Am ehesten scheinen noch die Dimensionen der Microsclere systematisch verwendbar zu sein — wenigstens bei *Tethya cranium* erreichen die Sigme schon bei 2 mm großen Stücken eine, den Dimensionen der Sigme großer, 42 mm im Durchmesser haltender Stücke, ziemlich nahekommende Größe. TOPSENT (1894, p. 390) bemerkt, daß die Nadeln der *Tethya cranium* im allgemeinen variieren, daß aber die Panzeramphioxe und Sigme in ihren Dimensionen ziemlich konstant seien. Bezüglich der Sigme stimmen meine oben niedergelegten Beobachtungen mit dieser Angabe TOPSENT's überein, daß aber die Panzeramphioxe konstantere Dimensionen als die anderen Megasclere des Schwammes hätten, habe ich nicht gefunden.

Alle 41 Stücke dieses Schwammes wurden von der Valdivia am 7. August 1898 mit einem und demselben Trawlzuge im Nordatlantik, nordwestlich von Schottland, nördlich vom Thomson-Rücken, in 60° 37′ N, 5° 42′ W (Valdivia-Station 7) aus einer Tiefe von 588 m hervorgeholt.

Ehe ich auf die Besprechung der systematischen Stellung dieser 41 Valdivia-Spongien eingehe, möchte ich betonen, daß absolut kein Zweifel über ihre Zusammengehörigkeit bestehen kann. Sie müssen alle als verschieden große (alte) Stücke derselben Species angesehen werden, weil sie 1. bezüglich der Größe, vom kleinsten 2 mm, bis zum größten 42 mm im Durchmesser haltenden Stücke, eine ununterbrochene Reihe bilden; 2. im Bau des Weichkörpers übereinstimmen; 3. in der Gestalt, dem Oberflächenrelief und der Farbe nur solche Unterschiede (keine Oscula, ein Osculum, mehrere Oscula) aufweisen, wie sie auch sonst bei verschiedenen Stücken derselben Schwammart vorkommen; 4. denselben allgemeinen Skelettbau und ähnlich gestaltete Nadeln haben; 5. die (bedeutenden) Größen- und die (kleinen) Winkelunterschiede ihrer Nadeln, biometrisch beurteilt, nicht zwei oder mehrere Reihen, sondern nur eine Reihe darstellen, die offenbar eine während des Wachstums (der Größenzunahme) des Schwammes durchlaufene Entwicklungsreihe ist; und 6. alle an derselben Stelle wuchsen und mit einem und demselben Trawlzuge erbeutet wurden.

Alle diese 41 Valdivia-Spongien gehören also einer und derselben Species an. Diese muß ihrer Sigme, ihrer langschäftigen Triaene und ihres Mangels an glatten Porengruben wegen zur Gattung *Tethya* gestellt werden. Hinsichtlich ihrer conulösen Oberfläche, ihrer außen zarten, lakunösen, innen faserigen Rinde, ihres hauptsächlich aus mehr weniger senkrecht zur Oberfläche gerichteten Amphioxen zusammengesetzten Panzers und der Gestalt ihrer häufigeren Nadelformen, sowie ihres Vorkommens im Nordatlantik schließt sie sich den drei von mir (1903) als *T. cranium*, *T. oscari* und *T. abyssorum* unterschiedenen *Tethya*-Arten an: hinsichtlich ihrer Nadeldimensionen sowie der Gestalt ihrer weniger häufigen Nadeln, weicht sie aber nicht unerheblich von diesen ab.

Wir wollen nun ihre Beziehungen zu diesen drei Arten näher ins Auge fassen. Um dies tun zu können habe ich hier die maximalen Nadelmaße derselben und der Valdivia-Exemplare tabellarisch zusammengestellt (s. die Tabelle auf S. 118).

Andere Unterschiede als die aus obiger Tabelle ersichtlichen gibt es, soweit bekannt, zwischen diesen Spongien nicht.

Die Häufigkeit der *Tethya cranium* in dem zwischen Rockall, Faröer, Norwegen und Schottland gelegenen Gewässern, die große Zahl der von der Valdivia daselbst mit einem Trawlzuge erbeuteten Stücke, und die Tatsache, daß diese Valdivia-Spongien in jeder Hinsicht, außer in bezug auf die Dimensionen der häufigeren und die Formen der selteneren Nadeln mit jener altbekannten Art übereinstimmen, spricht für ihre Zugehörigkeit zu derselben und es entsteht die Frage, ob man sie trotz der bedeutenden, aus der Tabelle ersichtlichen Unterschiede der Nadeln derselben zuteilen soll. Um jene Frage zu entscheiden, wollen wir diese Unterschiede prüfen. Dieselben sind zweierlei Art. Erstens bemerken wir, daß die Nadeldimensionen der großen Valdivia-Sticke durchwegs bedeutender sind als die entsprechenden der früher beschriebenen, zu *Tethya cranium* gestellten

Maximaldimensionen der Nadeln

		der von SOLLAS 1888 unter dem Namen *Craniella cranium* und von mir 1903 unter dem Namen *Tethya cranium* vereinigten Spongien.	der *Tethya cranium* vel *Te abyssorum* CARTER 1876 gleich *Craniella abyssorum* SOLLAS 1888 und *Tethya abyssorum* LENDENFELD 1903.	der *Craniella schmidtii* SOLLAS 1886 und *Craniella schmidtii?* SOLLAS 1888 gleich *Tethya oscari* LENDENFELD 1903.	der vorliegenden valdivia-Exemplare des Schwammes.
Amphioxe der radialen Bündel	Länge	4,3 mm	4,3 mm	1,8 mm	9,2 mm
	Dicke	50 μ	45 μ	40 μ	64 μ
Amphioxe des Panzers	Länge	900 μ	700 μ	400 μ	1,2 mm
	Dicke	38 μ	40 μ	28 μ	73 μ
Style des Panzers	Länge				900 μ
	Dicke				60 μ
Sphaere des Panzers	Durchmesser				90 μ
Anatrienschäfte	Länge	11,4 mm	6,5 mm		20 mm [1]
	Dicke	20 μ	20 μ	24 μ	45 μ [1]
Anatriaenclade	Länge	84 μ	116 μ	75 μ	150 μ [2]
Anamonaenschäfte	Dicke				17 μ
Anamonaenclade	Länge				37 μ
Protriaenschäfte	Länge	5,4 mm	4,3 mm	1,6 mm	8,5 mm
	Dicke	18 μ	22 μ	28 μ	26 μ
Protriaenclade	Länge	170 μ	220 μ	160 μ	236 μ
Sigme	Länge	15 μ	20 μ	20 μ	17,5 μ

Spongien. Die Längen der Bündelamphioxe, die Dicken der Panzeramphioxe und die Dicken der Anatriaenschäfte sind bei den großen Valdivia-Sticken mehr als doppelt so groß als bei den anderen. Etwas geringer sind diese Unterschiede bei den Anatriaenschaftlängen, den Anatriaencladlängen, den Protriaenschaftlängen, den Protriaenschaftdicken und den Protriaencladlängen. Noch geringer bei den Bündelamphioxdicken und Panzeramphioxlängen. Am geringsten (nur

---

[1]) Diese Maße beziehen sich auf die dickcladige Form.
[2]) Dieses Maß bezieht sich auf die schlankcladige Form.

15 : 17,5) bei den Längen der Sigme. Ueber die, nur von VOSMAER (1885) erwähnten Style fehlen ältere Maßangaben.

Zweitens finden wir, daß bei den Valdivia-Sticken Anamonaene, Sphaere und verschiedene Sphaerderivate vorkommen, die von *Tethya cranium* bisher nicht beschrieben worden sind.

Bezüglich der Größenunterschiede der Nadeln wäre folgendes zu bemerken:

1. Die häufigeren Nadeln der großen Valdivia-Sticke sind allerdings größer, in manchen Dimensionen mehr als doppelt so groß, als jene der früher beschriebenen, zu *Tethya cranium* gestellten Spongien, die häufigen Nadeln der kleinen Valdivia-Sticke stimmen aber, wie eine Vergleichung der obigen Tabelle mit der vorhergehenden erkennen läßt, sehr gut mit den Nadeln jener überein. Diese kleinen mißte man daher, wenn man von den bei ihnen vorkommenden, bei den früher beschriebenen, zu *Tethya cranium* gehörigen Spongien aber nicht erwähnten, selteneren Anamonaenen und Sphaeren absehen würde, der Species *Tethya cranium* zuteilen. Nun gehören aber, wie oben betont wurde, die großen Valdivia-Sticke zur selben Art: also mißten dann auch diese *Tethya cranium* sein.

2. Die früher beschriebenen, zu *Tethya cranium* gehörigen Spongien sind allerdings zum Teil ebensogroß, oder gar noch größer als die größten Valdivia-Sticke, da aber kleinere im allgemeinen häufiger als große gefunden werden, ist anzunehmen, daß sich viele von den früheren *Tethya cranium*-Nadelmaßen auf kleinere Sticke beziehen.

3. Es ist eine bekannte Tatsache, daß die Kälte der Kieselabscheidung durch Organismen förderlich ist. Es würde daher nur natürlich sein, wenn die im kalten Wasser der Tiefe lebenden *Tethya cranium*-Sticke Nadeln von bedeutenderer Dimensionen erzeugten als die im wärmeren Seichtwasser lebenden. Die Valdivia-Sticke stammen aus tiefem, kaltem Wasser (588 m, Grundtemperatur + 0,8⁰). Von den früher beschriebenen, zu *Tethya cranium* gehörigen Spongien sind einige in seichtem Wasser, andere in Tiefen bis zu 549 m gefunden worden. Viele von den Nadelmaßen werden sich wohl auf Seichtwasserstücke beziehen — daß solche kleinere Nadeln haben ist nach obigem a priori nicht unwahrscheinlich.

4. NORMAN (1882), TOPSENT (1894) und andere Autoren haben auf die außerordenliche Variabilität der Nadeln dieses Schwammes hingewiesen.

Bezüglich des Vorkommens von Anamonaenen, Sphaeren und Sphaerderivaten bei den Valdivia-Sticken und des Fehlens von Angaben über solche Nadeln in den Beschreibungen der früher untersuchten, zu *Tethya cranium* gestellten Spongien wäre folgendes zu bemerken:

1. Die Anamonaene sind einerseits so selten, daß sie leicht übersehen werden können und es ist andererseits leicht möglich, daß solche bemerkt aber keiner Erwähnung wert befunden worden sind. 2. Die Sphaere und ihre Derivate habe ich allerdings bei den meisten daraufhin untersuchten Valdivia-Sticken aufgefunden, aber nur in den durch fractionierte Sedimentation gewonnenen Nadelpräparaten in größerer Anzahl zu Gesicht bekommen. Da diese von mir benützte Methode von den früheren Autoren kaum angewendet worden sein dürfte, kann dem in bezug auf diese Nadelform negativen Befund derselben keine Bedeutung beigemessen werden. Ich vermute, daß man mit Hilfe jener Methode auch bei den früher beschriebenen *Tethya cranium*-Sticken solche Nadeln würde zur Anschauung bringen können.

Angesichts dieser Umstände halte ich die Unterschiede zwischen den früheren Beschreibungen von zu *Tethya cranium* gestellten Spongien und den bei den vorliegenden Valdivia-

Schwämmen beobachteten Verhältnissen nicht für ausreichend diese von jenen zu trennen. Ich reihe sie daher der Species *Tethya cranium* ein.

Wenn ich das aber tue, so muß ich auch den Begriff dieser Species weiter fassen und innerhalb derselben eine noch größere Schwankung der Nadelgrößen annehmen als bisher angenommen wurde. Tue ich aber das, so werde ich auch die zwei andern, oben erwähnten, den hier beschriebenen Valdivia-Spongien ähnlichen *Tethya*-Arten, die *Tethya abyssorum* LENDENFELD 1903 (= *Tethya cranium var. abyssorum* CARTER 1876) und die *Tethya oscari* LENDENFELD 1903 (= *Craniella sehmidtü* SOLLAS 1886 und *Craniella schmidtii?* SOLLAS 1888) jener Art einzuverleiben haben.

Die Nadeldimensionen von *Craniella schmidtü* SOLLAS 1886 und *Craniella schmidtii?* SOLLAS 1888 *(Tethya oscari* LENDENFELD 1903) sind sehr erheblich kleiner als die Maximalgrößen der Nadeln der großen Valdivia-Stücke und der früher zu *Tethya cranium* gestellten Schwämme. Jene SOLLAS'schen Spongien hielten aber (1888 p. 38, 39) nur 4—5 mm im Durchmesser. Aus der Tabelle auf Seite 114 und der Kurvenfigur (p. 115) ist zu entnehmen, daß so kleine Stücke der im allgemeinen durch ihre Großnadligkeit ausgezeichneten Valdivia-Schwämme dieser Art auch nicht erheblich größere Nadeln haben. Der einzige wirkliche Unterschied zwischen *Tethya oscari* und *T. cranium* ist, daß die erstere etwas längere Sigme hat als die letzte. Dieser Unterschied ist aber sehr klein (nur 20 μ gegen 17,5 μ) und reicht nicht zu einer spezifischen Trennung aus.

Die *Tethya abyssorum* ist ursprünglich von CARTER (1876) als Varietät von *T. cranium* aufgestellt worden und SOLLAS, der sie nachuntersuchte und zum Rang einer Art erhob gibt zu (1888 p. 50) „that it is very much a matter of taste to make CARTER's variety a distinct species". Ihre Nadeldimensionen sind zum Teil etwas größer zum Teil etwas kleiner als jene der früher zu *Tethya cranium* gestellten Spongien, im ganzen aber diesen recht ähnlich. Ihre Sigme erreichen dieselbe Größe (20 μ) wie jene der *Tethya oscari*.

Ich vereinige also jetzt mit dem *Alcyonium cranium* O. F. MÜLLER 1776 nicht nur, wie schon früher (1903) die *Spongia pilosa* MONTAGU 1814, die *Tethya unca* BOWERBANK 1872, die *Tethya cranium var. typica* NORMAN 1882, und die *Craniella mülleri* VOSMAER 1885, sondern auch die *Tethya cranium var. abyssorum* CARTER 1876 (= *Craniella abyssorum* SOLLAS 1888 und *Tethya abyssorum* LENDENFELD 1903) und die *Craniella schmidtü* SOLLAS 1886, einschließlich der *Craniella schmidtii?* SOLLAS 1888 (= *Tethya oscari* LENDENFELD 1903). In der eingangs aufgestellten Liste ist diese Einverleibung bereits durchgeführt.

Die Diagnose der Species hat infolge dieser Einverleibung und der Ergebnisse der Untersuchung des Valdivia-Materials eine beträchtliche Aenderung zu erfahren und folgendermaßen zu lauten:

Tethya cranium (MÜLL.).

Kuglig, ei- oder walzenförmig, mit oder ohne Basalpolster (Wurzelschopf), bis 6 cm und darüber im Durchmesser. Oberfläche mit meist dicht stehenden 0,5—3 mm hohen Conulis bedeckt, aus deren Gipfeln Nadelbüschel hervortreten. Diese sind oft abgebrochen. Oscula vorhanden oder fehlend, im ersten Falle einzeln bis 4 mm groß, oder in Gruppen und kleiner. Rinde weiß, Choanosom gelblich. Mit einer außen zarten, lakunösen, innen derberen, faserigen Rinde und einem, hauptsächlich aus steil oder senkrecht zur Oberfläche gerichteten Amphioxen

64

bestehenden Panzer in der tieferen Rindenlage. Die Dimensionen der Nadeln sehr variabel. Megasclere: Amphioxe der Radialbündel anisoactin, im proximalen Teil oft gekrümmt, bis 9,2 mm lang und bis 64 μ dick; Amphioxe des Panzers isoactin, in der Mitte oft etwas plötzlich gekrümmt, bis 1,2 mm lang und bis 73 μ dick; Style des Panzers, selten oder fehlend, bis 900 μ lang und bis 60 μ dick; Sphaere und Sphaerderivate, Zwillinge, Drillinge, Tylostyle und Centrotyle, die einzelnen Sphaere bis 90 μ im Durchmesser, ihre tylostylen und centrotylen Derivate bis zu Größen wie jene der Style, beziehungsweise Amphioxe des Panzers, nicht häufig, vielleicht nicht immer vorhanden; Anatriaene in zwei Formen, dick- und schlankcladige, ihre Schäfte bis 20 mm lang, am cladomalen Ende beträchtlich verdickt, hier bis 45 μ dick, am Scheitel des Cladoms eine buckelartige Vorragung, Clade der dickcladigen Form bis 100 μ lang, jene der schlankcladigen bis 150 μ lang, Winkel zwischen den Cladsehnen und dem Schaft 46—48°; Anamonaene sehr selten, vermutlich nicht immer vorhanden, Schaft 17 μ dick, Clad 37 μ lang, Winkel zwischen der Cladsehne und dem Schaft 72°; Protriaene, Schaft bis 8,5 mm lang, bis 28 μ dick, die Clade mehr oder weniger ungleich groß, bis 236 μ lang, gegen die Schaftverlängerung etwas konkav, Winkel zwischen den Claden und der Schaftverlängerung bei kleinen (jungen) Nadeln bis 28°, bei ganz großen 18—22°. Microsclere: Sigme, feindornig ziemlich stark gewunden, 9,5—20 μ lang, bei allen über 2 mm im Durchmesser haltenden Stücken aus tieferem Wasser vermutlich nicht unter 14 μ lang.

Da die durch etwas größere Sigme ausgezeichneten, früher *Tethya abyssorum* und *T. oscari* genannten Formen Tiefseeschwämme sind, und auch die Valdiviaschwämme dieser Art größere Sigme als andere *Tethya cranium*-Stücke haben und gleichfalls aus tiefem Wasser stammen, so könnte man innerhalb der Species *Tethya cranium* vielleicht zwei Varietäten, *T. c. var. typica* (NORMAN 1882), Seichtwasserformen mit unter 15 μ langen Sigmen, und *T. c. var. abyssorum* (CARTER 1876), Tiefwasserformen mit über 15 μ langen Sigmen unterscheiden. Zu der ersten würden dann viele der bisher zu *Tethya cranium* gestellten Spongien, zu der letzten die übrigen *Tethya cranium*, ferner *Tethya oscari*, *Tethya abyssorum* und die Valdiviastücke zu stellen sein. Späteren, an eine größere Zahl ausgewachsener, aus verschiedenen Tiefen stammender Stücke des Schwammes vorgenommenen Untersuchungen muß es vorbehalten bleiben zu entscheiden, ob zwei solche Varietäten unterschieden werden sollten oder nicht.

TOPSENT (1904 p. 99) meint, daß diese Species der Sigme zuweilen ganz entbehre und daß man deshalb auch die *Tethya zetlandica* CARTER 1872, die sich nur durch das Fehlen der Sigme von der typischen *Tethya (Craniella) cranium* unterscheidet und die ich (1903 p. 31) zur Gattung *Tethyopsilla* gestellt habe, mit ihren verschiedenen Synonymen (diese sind bei LENDENFELD 1903 p. 31 aufgeführt) der genannten Art einverleiben müsse.

Ich will zwar die Berechtigung dazu nicht gerade in Abrede stellen, kann mich aber doch nicht entschließen in diesem Punkte TOPSENT zu folgen.

Die Verbreitung der Art in dem ihr nun gegebenen, weiteren Sinne ist folgende: Tropischer und nördlicher atlantischer Ocean; Karibisches Meer (Culebra-Insel), 713 m; Azoren 318 bis 404 m; Westfrankreich, 30 m; Irland; Rockall 110 m; nordwestlich von Schottland 588 m; Shetland-Insel; Tiefsee zwischen Schottland und Faröer; Norwegen 256—549 m.

Tethya coronida (SOLL.).

Taf. XVI, Fig. 13—18.

1888 *Tetilla coronida*, W. J. SOLLAS in: Rep. Voy. Challenger v. 25 p. 9 t. 38 f. 13—17.
1903 *Tetilla coronida*, LENDENFELD in: Tierreich v. 19 p. 21.

Die Species *Tetilla coronida* hat SOLLAS (1888 p. 9) für einen sehr kleinen, knopfförmigen, bloß 13 mm langen und 10 mm breiten, offenbar noch sehr jungen Schwamm aufgestellt. In der Gazellensammlung findet sich eine Spongie, welche jener SOLLAS'schen Art ziemlich ähnlich, jedoch bedeutend größer ist und auch sonstige Abweichungen von der SOLLAS'schen Beschreibung aufweist. Da die letzteren jedoch zumeist derartige sind, wie sie von vornherein bei so verschieden großen (alten) Stücken, wie es das von SOLLAS und das von mir untersuchte sind, zu erwarten wären, so stehe ich nicht an, diesen Schwamm der Gazellensammlung als zur Species *coronida* SOLLAS gehörig zu betrachten.

Das Stück der Gazellensammlung ist unregelmäßig, abgeplattet eiförmig, 35 mm lang, 26 mm breit und 19 mm dick. Die Oberfläche ist auf den beiden Breitseiten des abgeplatteten Schwammes ungleich. Auf der einen, glatteren finden sich bandförmige vorragende Nadelbüschel von 1—2,5 mm Höhe, welche stellenweise zu wabigen Gebilden zusammentreten und 2 mm weite Gruben zwischen sich einfassen. Die andere Seite ist mit 4—6 mm langen, schlanken, nahezu zylindrischen, am Grunde 1 mm dicken, conuliartigen Vorragungen bedeckt, welche durchschnittlich etwa 2,5 mm voneinander entfernt sind und zwischen denen konkave Felder liegen. Sowohl jene niedern, bandförmigen Büschel, welche von der einen, als auch diese hohen Conuli, welche von der andern Seite aufragen, sind nicht senkrecht, sondern schief zur Oberfläche gerichtet, so daß sie größtenteils wie schlecht gebürstetes, struppiges Haar auf der Schwammoberfläche liegen. Ein Teil der Grenzzone zwischen den beiden Breitseiten des abgeplatteten Schwammes erscheint etwas zugeschärft und läuft in zahlreiche Conuli der oben beschriebenen Art aus, welche in der Fortsetzung der Begrenzungsfläche der conulösen Breitseite des Schwammes liegen. Offene Oscula habe ich nicht aufgefunden, jedoch in der Mitte der glattern Seite eine kleine Vorragung beobachtet, die wahrscheinlich ein geschlossenes, vortretendes Osculum ist. Das von SOLLAS untersuchte Stück war, wie erwähnt, etwa ein Drittel so groß, hatte aber eine ganz ähnliche Form (SOLLAS, 1888, Taf. 38, fig. 13, 14). Die oberflächlichen Vorragungen dieses kleinen, von SOLLAS untersuchten Stückes waren bedeutend niedriger als jene des meinigen. Auf einer Breitseite des Schwammes beobachtete SOLLAS ein Osculum mit Oscularschornstein.

Die Farbe des Schwammes ist, in Weingeist, auf der conulösen Seite dunkelbraun, auf der anderen, glatteren, mehr grau. Das Innere ist lichter braun. Das von SOLLAS untersuchte Exemplar war dunkelgrau.

Der Schwamm ist ziemlich weich und man sieht in seinem Innern, wenn man ihn durchschneidet, zahlreiche Kanäle, von denen die größten ungefähr 2 mm weit sind.

Das Skelett besteht aus einem Nadelbündelzentrum, radial von diesem ausstrahlenden Nadelbündeln, zerstreuten Megascleren, und Microscleren. Das Nadelzentrum liegt in der Mitte des Schwammes, jedoch der glattern Seite näher als der conulösen. Die davon ausstrahlenden Nadelbündel sind gerade oder nur wenig gekrümmt. Sie bestehen aus Amphioxen und Teloclad-

66

schäften. Die zu den letzteren gehörigen Cladome liegen zum Teil in den oberflächlichen Partien des Schwammes, zum Teil ragen sie frei vor. Die Teloclade sind größtenteils Protriaene, Anatriaene und Monaene. .Es kommen aber auch Prodiaene vor. Die Triaene und die Diaene werden hauptsächlich auf der conulösen Seite, die Monaene auf der glatteren Seite des Schwammes angetroffen. Diese Monaene liegen exzentrisch, oberflächlich in den radialen Nadelbündeln und richten ihr Clad nach außen, so daß die ganzen Nadelbündel, gegen die Oberfläche des Schwammes hin einigermaßen das Aussehen von Schilfbüscheln, mit teilweise herabhängenden Blättern gewinnen (Taf. XVI, Fig. 16). Die zerstreuten Megasclere sind Amphioxe und finden sich in allen Teilen des Schwammes. Im Innern liegen sie regellos zerstreut. An der Oberfläche sind sie radial orientiert.

Die großen Amphioxe der radialen Nadelbündel sind 3—3,4 mm lang und 39—44 μ dick. Das kleine, von SOLLAS untersuchte Stück hatte (1888 p. 9) ebenso lange, jedoch nur 37 μ dicke Amphioxe. Nach SOLLAS wären diese Nadeln isoactin. Ich finde die meisten etwas anisoactin, indem das eine Ende stärker als das andere in einen feinen, fadenförmigen Endteil ausgezogen erscheint. So maß eine, in der Mitte 43,5 μ dicke Nadel dieser Art 250 μ von einem Ende 7,8; 250 μ vom anderen Ende 5,7 μ im Querdurchmesser.

Die zerstreuten, kleinen Amphioxe sind 800—1200 μ lang, isoactin, mehr oder weniger, zuweilen sehr stark gekrümmt, und in der Mitte 15—18 μ dick. SOLLAS (l. c.) erwähnt diese Nadeln nicht.

Die Anatriaene (Taf. XVI, Fig. 17) haben 5—10 mm lange, am cladomalen Ende 22—40 μ dicke Schäfte und 100—175 μ lange Clade. Die Cladsehnen schließen mit der Schaftachse Winkel von 41—44^0 ein. Die Clade sind dick und mäßig gekrümmt. Das Cladom pflegt am Scheitel eine kuppelförmige Vorragung zu tragen, in welche eine über das Cladomzentrum hinausreichende Fortsetzung des Schaftachsenfadens eindringt. Abgesehen davon, daß die von SOLLAS beschriebenen Anatriaene kleinere Cladwinkel haben — vergleiche meine Figur 17 auf Taf. XVI mit der Figur von SOLLAS (1888 Taf. 38, Fig. 16) — stimmen sie mit den von mir beobachteten gut überein.

Von Protriaenen können drei verschiedene Arten unterschieden werden: große dickcladige, große schlankcladige und kleine. Die Schäfte der großen Protriaene erreichen eine Länge von 9—13 mm. Bei den dickcladigen erreichen sie am cladomalen Ende eine Dicke von 21—30 μ; bei den schlankcladigen sind sie hier nur 13—15 μ dick. Die Cladome der dickcladigen Protriaene pflegen regulär oder nur in geringem Maße irregulär zu sein. Ihre Clade sind 200—270 μ lang und recht dick, zuweilen fast ebenso dick wie der Schaft. Sie pflegen leicht gekrümmt, gegen die Schaftverlängerung konkav und am Ende abgestumpft zu sein. Mit der Schaftverlängerung schließen sie Winkel von 12—20^0 ein. Die Cladome der schlankcladigen Protriaene sind meistens ausgezeichnet sagittal. Die Clade sind ganz gerade oder schwach gegen die Schaftverlängerung konkav gekrümmt, kegelförmig und scharf zugespitzt. Sie sind am Grunde stets viel dünner als der Schaft. Gewöhnlich ist ein Clad kurz und sind die beiden anderen 1$^1/_4$—3 mal so groß und untereinander annähernd gleich lang. Es kommen aber auch solche Protriaene vor, welche zwei annähernd gleich große kürzere, und ein etwa doppelt so großes längeres Clad besitzen. Allerlei unregelmäßige Formen verbinden diese miteinander. Die kürzesten Clade dieser Protriaene sind 95—225, die längsten 212—312 μ lang.

67

Sie schließen mit der Schaftverlängerung Winkel von ungefähr 18^0 ein. Die kleinen Protriaene, die ich beobachtet habe, hatten sagittale Cladome, am cladomalen Ende etwa 1,5 μ dicke Schäfte, und 7—15 μ lange Clade. Bei den von SOLLAS untersuchten, jüngeren Stücken hatten die Protriaene 3,37 mm lange und 20 μ dicke Schäfte; ihre Cladome schienen meist regulär gewesen zu sein, ihre Clade waren abgestumpft und 100 μ lang (SOLLAS 1888, p. 9, Taf. 38, fig. 15). Wenn dieser Schwamm wirklich nur solche Protriaene, wie sie SOLLAS beschreibt, und keine langstrahligen, sagittalen, besäße, so wäre es wohl etwas gewagt das vorliegende Gazellenstück der SOLLAS'schen Art *T. coronida* einzuverleiben. Die sonstige Uebereinstimmung zwischen beiden sowie die Bemerkung von SOLLAS (l. c.), daß die Protriaene des von ihm untersuchten Stückes „usually" — also nicht immer — kurze, dicke und abgestumpfte Clade haben, dürfte aber die Annahme gerechtfertigt erscheinen lassen, daß auch in jenem, vom Challenger erbeuteten, kleinen Stücke ebensolche schlankcladige, sagittale Protriaene vorkommen, wie in dem von mir untersuchten Gazellenstücke, daß diese Spongien somit auch in Bezug auf jenes Merkmal besser miteinander übereinstimmen, als es nach der Beschreibung von SOLLAS den Anschein hat. Die kleinen Protriaene werden von SOLLAS nicht erwähnt.

Die Prodiaene (Taf. XVI, Fig. 18) haben ähnliche Dimensionen wie die Protriaene und entweder annähernd gleich große oder auch ungleiche Clade.

Die Monaene (Taf. XVI, Fig. 13—15) haben einen 7—11 mm langen, am cladomalen Ende 32—44 μ dicken Schaft. Derselbe ist kegelförmig und verdünnt sich vom cladomalen gegen das andere Ende hin allmälich, um schließlich in einen sehr feinen Endfaden auszulaufen. Ein am cladomalen Ende 39 μ dicker Schaft war 2 mm unterhalb desselben 13 μ; 4 mm unterhalb desselben 11 μ; 6 mm unterhalb desselben 6 μ dick. Das Clad ist stark gekrümmt, sein Ende liegt ungefähr in derselben Höhe, wie sein Ursprung am cladomalen Ende des Schaftes. Der Grundteil des Clads ist schief nach aufwärts gerichtet und schließt mit der Schaftverlängerung einen Winkel von ungefähr 37^0 ein; er ist zylindrisch, sehr stark, gewöhnlich etwas dicker als der cladomale Endteil des Schaftes, und 110—161 μ lang. Weiterhin biegt sich das Clad unter einem Winkel von etwa 100^0 zurück, so daß der Endteil des Clads nach abwärts gerichtet ist und mit dem Schafte einen Winkel von ungefähr 43^0 einschließt. Der nach abwärts gerichtete Endteil des Clads hat eine Länge von 190—280 μ und verdünnt sich allmälich gegen sein spitzes Ende hin. Die Cladombreite beträgt 290—312 μ. Der Achsenfaden des Schaftes ist über den Ansatzpunkt des Cladachsenfadens hinaus verlängert (Taf. XVI, Fig. 15). Die hierdurch angedeutete Verlängerung des Schaftes über das Cladomzentrum hinaus kommt auch äußerlich in einer kleinen Vorragung an der Ursprungsstelle des Clads zum Ausdruck. Die Gesamtlänge des Clads (aufsteigender Teil + absteigender Teil) beträgt etwa 300—400 μ. SOLLAS gibt diese Dimension zu 280 μ an. Er hält (1888 p. 9, 10) diese Monaene für Protriaenderivate und meint, daß sie aus solchen durch Rückbildung zweier Clade und durch Herabbiegung des Endteils des dritten hervorgegangen seien. Die oben erwähnte Tatsache, daß der Schaftachsenfaden über den Ursprung des Cladachsenfadens hinaus verlängert ist, was sehr häufig bei Anatriaenen, sehr selten aber bei Protriaenen vorkommt, scheint mir aber dieser Auffassung nicht günstig zu sein und eher dafür zu sprechen, daß diese Nadeln Anatriaenderivate seien. Teloclade mit drei Claden, von denen jedes eine ähnliche Gestalt wie dieses Monaenclad hat, werden bei manchen Tetractinelliden, *Stelletta grubei* und andern, angetroffen, und wegen der Lage der Cladenden in der Höhe des Cladomzentrums, Orthotriaene genannt. Wenn wir das vorliegende Monaen von demselben Standpunkte aus betrachten, so müßten wir es, da bei demselben das Cladende auch ungefähr in der Höhe des Cladzentrums liegt, gleichfalls als ein Orthoclad auffassen und Orthomonaen nennen. Andererseits verleiht die starke Zurückbiegung des Clads dieser Nadel einen so ausgezeichnet anacladen Charakter, daß man sie wohl auch, wie Sollas es getan, ein Anamonaen nennen könnte. Solcherart Charaktere von Ana-, Ortho- und Procladen in sich vereinigend, erscheinen diese Monaene von *Tethya coronida* als vortreffliche Beispiele der Zusammengehörigkeit aller dieser Nadelformen und des Fehlens eines grundsätzlichen Unterschiedes zwischen denselben.

Die Sigme sind mäßig gewundene, feindornige Stäbchen und erreichen eine Länge von 15—17 μ. Sollas (1888, p. 9) gibt ihre Länge zu 16, ihre Dicke zu 2 μ an. Letztes erscheint mir zu hoch gegriffen.

Dieser Schwamm wurde von der Gazelle (Nr. 657) nördlich von Kerguelen in einer Tiefe von 75 m erbeutet.

Da das von Sollas beschriebene Stück in der Nähe der Heard-Insel, und das von mir untersuchte gar nicht weit davon bei Kerguelen erbeutet wurde, da beide in Bezug auf die äußere Erscheinung und die Nadeln recht gut miteinander übereinstimmen, namentlich aber da bei beiden jene merkwürdigen und seltenen großen Monaene angetroffen werden und beide gleich große Sigme haben, glaube ich, trotzdem die Beschreibung, die Sollas von den Cladomen der Protriaene und Anatriaene gibt, von meinen Befunden etwas abweicht, diese beiden Schwämme für Vertreter einer und derselben Art, als Sollas'sche für einen jungen und das von mir untersuchte für einen mehr ausgewachsenen halten zu sollen. Die Einverleibung dieses jetzt von mir untersuchten Schwammes in die Sollas'sche Art wird freilich beträchtliche Aenderungen in der Diagnose der letzteren notwendig machen und es wird diese nunmehr folgendermaßen zu lauten haben.

Tethya coronida Soll.

Abgeplattet, bis 35 mm lang, mit frei vorragenden Nadelbüscheln oder schlanken, zylindrischen, conuliartigen Vorragungen an der Oberfläche. Dunkelgrau oder braun. Weich und reich an großen Kanälen. Megasclere: Amphioxe der radialen Nadelbündel 3—3,4 mm lang, 37—44 μ dick; zerstreute kleine Amphioxe 800—1200 μ lang, 15—18 μ dick; Anatriaene, deren Schaft 5—10 mm lang, am cladomalen Ende 22—40 μ dick, Clade 100—175 μ lang, auf dem Scheitel des Cladoms eine Vorragung mit Schaftachsenfadenfortsetzung; große dickcladige Protriaene, deren Schaft 9—13 mm lang, am cladomalen Ende 20—30 μ dick, Clade 100—270 μ lang, sehr dick; dünncladige Protriaene, Schaft ebenso lang aber am cladomalen Ende nur 13—15 μ dick, Cladom meist sagittal, kürzere Clade 95—229, längere Clade 212—312 μ lang, kleine Protriaene, deren Schaft am cladomalen Ende 1,5 μ dick, Cladom sagittal, Clade 7—15 μ lang. Prodiaene von ähnlichen Dimensionen wie die großen Protriaene; Monaene, deren Schaft 7—11 mm lang, am cladomalen Ende 32—44 μ dick, das Clad hackenförmig gebogen, sein Ende ungefähr in der Höhe des Cladomzentrums, Cladombreite (Cladschnenlänge) 290—312 μ. Microsclere: Sigme 15—17 μ lang.

Verbreitung: Südindik, Kerguelen, Heard-Insel, Tiefe 75 m und 274 m.

Gattung Amphitethya n. gen.

Tethydae mit Microscleren, ohne vestibulare Porengruben, mit Amphicladen.[1])

CARTER[2]) hat im Jahre 1886 einen Schwamm als Tethya stipitata beschrieben, der 1888 von SOLLAS[3]) nachuntersucht wurde. Letzterer fand in dem Stammteil dieses gestielten Schwammes telocladähnliche Nadeln, die aber, ähnlich wie die Megasclere von Samus anonyma GRAY, an beiden Enden des Schaftes Clade trugen. Für diese Nadeln führte er den Namen Amphitriaene ein. 1897 hat TOPSENT[4]) bei einem Schwamme, den er als Tetilla merguiensis (weil gleich Tethya (Tetilla) bacca SEL.) bestimmte, an einer Stelle ebenfalls solche Nadeln gefunden.

In der Gazellen-Sammlung finden sich zwei Spongien, die, wie die obengenannten die Charaktere der anderen Tethya- (Tetilla-, Craniella-, Chrotella-) Arten aufweisen, jedoch amphiclade Nadeln besitzen. Ich halte es nun, da ich Gelegenheit gehabt habe die letztgenannten Nadeln zu studieren, für wissenswert, diejenigen sonst Tethya-ähnlichen Formen, welche solche Amphiclade besitzen, generisch von den übrigen zu trennen und stelle für diese Spongien die neue Gattung Amphitethya auf. Der Name bezieht sich auf die charakteristischen Amphiclade. Von früher bekannten Spongien wären diesem Genus die Tethya (Tetilla) stipitata CART. und die von mir[5]) früher in der Species Tetilla bacca SEL. vereinten Spongien oder ein Teil derselben (Tetilla merguiensis CARTER, TOPSENT 1897) zuzuzählen.

In der Gazellen-Sammlung finden sich 2 zu dieser Gattung gehörige Spongien. Beide sind von derselben Art. Diese ist neu.

Amphitethya microsigma n. sp.

Taf. XV, Fig. 19—39.

In der Gazellen-Sammlung finden sich zwei Stücke dieses Schwammes.

Jedes besteht aus einem kugeligen, einem ziemlich langen Stiel aufsitzenden Körper. Der Stiel des größeren Stückes ist — vermutlich nahe seinem unteren Ende — abgeschnitten, das kleinere Stück ist vollständig. Das größere (Taf. XV, Fig. 38b) ist — vom abgeschnittenen Stielende bis zum Scheitel — 112 mm hoch. Der kuglige Körper hat einen Durchmesser von 42 mm. Der von diesem Körper deutlich abgesetzte Stiel ist 70 mm lang, schwach gekrümmt, regelmäßig zylindrisch, und durchaus ungefähr 12 mm dick. Sein Querschnitt ist überall kreisrund. Der kugelige Körper ist derart regelmäßig zentriert dem Stiel aufgesetzt, daß die Achse des letzteren durch den Mittelpunkt des ersteren geht. Das kleinere Stück (Taf. XV, Fig. 38a) ist weniger regelmäßig als das große. Seine Gesamthöhe beträgt 62 mm. Sein Körper ist seitlich ein wenig abgeplattet und erscheint teilweise kugelig, teilweise dick linsenförmig; er ist 25 mm lang, 24 mm hoch und 22 mm breit. Der Stiel ist 38 mm lang. Er ist S-förmig gekrümmt und nicht von durchaus regelmäßig kreisförmigem Querschnitt. Seine untere, etwas

---

[1]) Unter Amphiclad verstehe ich ein Teloclad, das an jedem Ende des Schaftes Clade trägt. Näheres über diese Nadelform findet sich unten in der Beschreibung der Amphitethya microsigma.
[2]) H. J. CARTER, Supplement to the ...... Australian Sponges. In: Ann. Nat. Hist. ser. 5 Bd. 18 p. 460.
[3]) W. J. SOLLAS, Tetractinellida. In: Rep. Voy. Challenger Bd. 25 p. 49.
[4]) E. TOPSENT, Spongiaires de la baie d'Amboine. In: Rev. suisse zool. Bd. 4 p. 438, 439 Taf. 21 fig. 34c.
[5]) R. v. LENDENFELD, Tetraxonia. In: Tierreich Bd. 19 p. 19.

verbreiterte, 7 mm im Durchmesser haltende Endfläche ist konkav und zeigt den Abdruck des Gegenstandes dem der Schwamm aufsaß. Nach aufwärts verdünnt sich der Stiel erst zu einem Durchmesser von 5 mm um sich dann bis zu 9 mm zu erweitern und allmählich in den Körper überzugehen.

Die Oberfläche des Stiels sowohl als des Körpers erscheint etwas runzelig. Von derselben erheben sich zerstreute, 0,3—1 mm hohe Vorragungen, von denen niedere aber scharfe, vorragende Kämme ausstrahlen. Am Scheitel des Schwammes sind diese oberflächlichen Bildungen höher und deutlicher ausgeprägt als anderwärts. Dem freien Auge erscheint die Oberfläche völlig nackt, mit stärkeren Lupen und an Radialschnitten erkennt man aber, daß aus den Gipfeln der oben erwähnten Vorragungen die Spitzen von amphioxen Nadeln und die Cladome von Protriaenen hervortreten. Am Körper des Schwammes findet sich einige zerstreute, 0,5—2 mm große, zum Teil spaltförmige oder anderweitig deformierte, offenbar stark zusammengezogene Oscula. Bei dem kleinen Exemplar liegen einige von diesen in einer meridianalen Reihe und zwar an der Kante seines mehr linsenförmigen Teils.

Die Farbe des Schwammes ist, in Weingeist, kaffeebraun. Bei dem großen ist der Stiel etwas dunkler als der Körper, bei dem kleinen ist umgekehrt der Körper dunkler als der Stiel; das Innere hat dieselbe Farbe, ist aber etwas lichter.

Ueber dem Körper zerstreut und hinab bis zur Ansatzstelle des Stieles finden sich etwa 400 μ im Durchmesser haltende Gruppen von Einströmungsporen, von denen 20 μ weite, konvergierende Kanäle ins Innere des Schwammes herabziehen. Alle Kanäle einer Porengruppe vereinigen sich etwa 100 μ unter der Oberfläche zu einem gemeinsamen, bis 100 μ weiten, zylindrischen, einfachen Kanalstamm, welcher die etwa 400 μ dicke Rindenschicht des Schwammes durchsetzt und in einer der unterhalb der letzteren befindlichen Subdermalräume ausmündet. Das Innere des Schwammes ist sehr dicht, weitere Kanäle sind darin nicht wahrzunehmen. Im Stiel finden sich bis 250 μ weite, longitudinale Kanäle, namentlich habe ich mehrere solche, nebeneinander liegende, im Innern seiner axialen Skelettsäule beobachtet.

Das Skelett hat einen recht verwickelten Bau. Der ganze Stiel, mit Ausnahme einer etwa 250 μ starken Rindenlage, wird von einer longitudinalen Skelettsäule eingenommen. Diese besteht aus einer Masse von Amphioxen, welche mehr oder weniger schief gerichtet, aber doch insoweit longitudinal orientiert erscheinen als sie mit der Längsrichtung des Stiels ziemlich spitze Winkel, meist von 5—15°, einschließen. An der Oberfläche dieser Skelettsäule liegen ziemlich zahlreiche genauer longitudinal orientierte, der Stielachse parallele, langschäftige Teloclade, Protriaene, und Anatriaene mit kurzen Claden, deren Cladome stets am unteren, der Grundfläche des Stiels zugekehrten Nadelende liegen und deren Schäfte nach aufwärts gegen den Körper gerichtet sind. In den oberflächlichen Teilen dieser Nadelsäule sowie außerhalb derselben finden sich zahlreiche, ganz und gar regellos gelagerte, kurz- und stumpfschäftige Plagiotriaene und Amphiclade. Die Nadelsäule des Stiels setzt sich nach oben bis in den Mittelpunkt des Schwammkörpers fort, wo sie endet. Von diesem ihrem Endpunkte strahlen zahlreiche radiale Nadelbündel aus, welche beträchtlich gekrümmt zur Oberfläche des Körpers emporziehen. Die Krümmung dieser Nadelbündel ist in der Horizontalebene stärker als in der Vertikalebene. Am Längsschnitt erscheinen sie verhältnismäßig wenig gebogen, die unteren gegen den Stiel, die oberen gegen die Stielverlängerung (die vertikale Körperachse) konkav. Im Querschnitt erkennt man die wagerechte Krümmung, welche gegen den Aequator des Schwammkörpers zunimmt und in dieser Gegend so groß ist, daß die distalen Enden der Nadelbündel mit ihren Proximalteilen Winkel von 90° einschließen. Wenn man von oben auf den Querschnitt des Schwammes herabblickt, so erscheinen die Nadelbündel in der der Richtung des Uhrzeigers entgegengesetzten Richtung gebogen. Bei dem großen Stück ist diese wirbelförmige Krümmung der Nadelbündel des mittleren Teiles des Körpers eine durchaus regelmäßige und gleichsinnige, bei dem kleinen aber ist sie an einer Stelle, und zwar dort, wo die vorragende Kante des teilweise linsenförmigen Körpers sich befindet, durch entgegengesetzt gekrümmte Nadelbündel unterbrochen. Die Nadelbündel des Körpers bestehen größtenteils aus Amphioxen. An dem Aufbau ihrer distalen Teile nehmen auch ebensolche langschäftige Protriaene Teil, wie sie an der Oberfläche der Nadelsäule des Stils angetroffen werden. Die Cladome dieser Nadeln sind stets nach außen gerichtet. Die distalen Endteile einiger Amphioxe und Protriaene ragen eine kurze Strecke weit über die Oberfläche vor. Solche kurz- und stumpfschäftige Plagiotriaene und Amphiclade, wie sie in den oberflächlichen Teilen des Stiels vorkommen, werden im Körper des Schwammes nicht angetroffen. Von Microscleren finden sich zwei Arten, welche beide in der Rindenschicht des Körpers, sowohl als des Stiels in großer Zahl vorkommen. Die einen sind Sigme der gewöhnlichen Art die anderen stark gebogene Amphistrongyle. Ich nenne die letzteren Kamare.

An der Oberfläche des Körpers sowohl als des Stiels findet sich eine Rindenlage, in welcher stellenweise paratangentiale Fasern deutlich zu erkennen sind. Am Stiel lassen sich zwei verschiedene Rindenzonen unterscheiden, eine äußere, etwa 80 μ dicke, in welcher Sigme und Kamare vorkommen, und eine innere, etwa 170 μ dicke, in welcher die kurz- und stumpfschäftigen Plagiotriaene und die Amphiclade sitzen. Ab und zu dringen aber wohl auch Teile der letzteren in die äußere Rindenzone ein. Einmal habe ich ein größeres, kurz- und stumpfschäftiges Plagiotriaen gesehen, dessen quer, radial liegender und nach außen gerichteter Schaft sogar eine Strecke weit über die Oberfläche vorragte. Sowohl an dieser Stelle, wie auch an jenen Teilen der Oberfläche des Körpers, wo Amphioxe oder Protriaene vorragen, bemerkte ich, daß sich der Weichkörper an den vortretenden Nadelteilen eine Strecke weit emporzog.

Die Amphioxe (Taf. XV, Fig. 19, 22) des Stiels und des Körpers unterscheiden sich nicht wesentlich voneinander, höchstens daß so stark gekrümmte Amphioxe, wie im Körper, im Stiel nicht vorkommen. Die ausgebildeten Amphioxe sind 6—8, meist etwa 7 mm lang; ihre Dicke ist recht verschieden und beträgt 20—60 μ, wozu zu bemerken ist, daß die innere Nadeln ebenso lang wie die dicksten zu sein pflegen. Die meisten dickeren Nadeln sind 45—50 μ dick. Der Grad ihrer Zuspitzung ist sehr verschieden; es werden sowohl ganz scharfspitzige als auch sehr stumpfe Amphioxe angetroffen. Sie sind in sehr geringem Maße anisoactin. Die Ungleichheit ihrer Endteile bezieht sich aber nicht auf die Enden selbst, denn diese sind an einer und derselben Nadel stets gleichgestaltet, zugespitzt oder mehr oder weniger abgestumpft, sondern wird nur erkennbar, wenn man die Dicke eine Strecke weit von der Spitze entfernt mißt. Bei einer stärker anisoactinen Nadel, die ich maß, betrug die Dicke 300 μ von dem einen Ende entfernt 18, ebensoweit von dem anderen entfernt 23 μ. Diese Nadeln sind sehr deutlich spindelförmig. Bei vielen kommt dies durch eine einigermaßen fadenförmige Ausziehung der Enden noch mehr zum Ausdruck als in der in Fig. 19 auf Taf. XV abgebildeten Nadel. Die mittleren Teile der dickeren Amphioxe pflegen gerade oder nur sehr wenig gekrümmt zu sein. Ihre Endteile dagegen weisen oft eine beträchtliche Krümmung auf, und man bemerkt bei den Nadeln des Körpers, wo diese Krümmung, wie erwähnt, stärker als bei den Stiel-Amphioxen zu sein pflegt, daß das eine Ende beträchtlich stärker als das andere gekrümmt ist. Selbstverständlich steht diese Krümmung der Nadeln in Beziehung zur Krümmung der Bündel, die sie im Körper bilden. Sie weist darauf hin, daß hier ebenso wie bei *Tethya cranium* (s. d.) die Krümmung der Nadelbündel nicht durch eine Zusammenziehung der Weichteile bewirkt wird, sondern ein ihnen dauernd zukommendes Merkmal ist. Freilich wird anzunehmen sein, daß der Grad dieser Krümmung von den Kontraktionszuständen der Weichteile mehr oder weniger abhängt. Die stärksten Krümmungen wurden an solchen Nadeln beobachtet, deren Endteile die Ausziehung in feine Fäden am deutlichsten zeigen. Die Amphioxe des Körpers scheinen stets einfach gekrümmt zu sein, bei den langen und dünnen Amphioxen des Stiels wird dagegen häufig eine unregelmäßige wellenförmige Krümmung angetroffen. Nicht selten begegnet man Amphioxen, welche an einer Stelle, meist in der Nähe des einen der beiden Enden, winkelig gebogen erscheinen. Diese Knickung ist stets eine scharfe, der Knickungswinkel aber meist sehr klein, kleiner als in der, in Fig. 22 auf Taf. XV abgebildeten Nadel dieser Art.

Die Anatriaene (Taf. XV, Fig. 23), welche nur im Stiel und zwar in longitudinaler Anordnung an der Oberfläche der, sein Inneres einnehmenden Nadelsäule vorkommen, haben 5—7 mm lange, am cladomalen Ende 10—11 μ dicke Schäfte. Diese pflegen leicht, unregelmäßig wellenförmig gebogen zu sein. Die Clade sind sehr klein, verkürzt und abgerundet, so daß das ganze Cladom wie eine dicke, in drei etwas zurückgebogene Lappen geteilte Endverdickung des Schaftes aussieht. Die Clade sind, nach ihren Achsenfäden von dem Nadelzentrum aus gemessen, etwa 15 μ lang, und das ganze Cladom erreicht einen Durchmesser von nur 25—30 μ. Die Achsenfäden der Clade schließen mit dem Achsenfaden des Schaftes Winkel von 54° ein. Die in ihrer Kürze und Abrundung zum Ausdruck kommende Rückbildung pflegt bei allen drei Claden ziemlich gleich weit gegangen zu sein, so daß die meisten von diesen Anatriaenen regulär erscheinen. Es kommen aber auch solche vor, bei denen der Grad der Rückbildung der Clade ein ungleicher ist, woraus irreguläre Formen, Anadiaene und Anamonaene resultieren.

Die Protriaene (Taf. XV, Fig. 20, 21) des Körpers und Stiels sind gleich gestaltet. Der Schaft erreicht eine Länge von 3—5 mm und darüber, und ist am cladomalen Ende 8—15 μ dick. Seine dickste Stelle liegt aber mehr der Mitte zu, beiläufig ein Drittel seiner Länge vom cladomalen Ende entfernt. Er ist mehr oder weniger gekrümmt. Die Clade sind 50—100 μ lang und gegen die Schaftverlängerung etwas konkav. Sie schließen mit dieser Winkel von 27° ein. Die meisten Cladome sind annähernd regulär, ab und zu habe ich jedoch auch irreguläre gesehen. Besonders bemerkenswert war ein Protriaenencladom, an dem außer den drei normalen kegelförmigen Claden noch ein viertes verkürztes und am Ende abgerundete Lappen auslaufendes vorhanden war. Diese Nadel wäre also als ein Tetraen anzusehen.

Die Amphiclade und die kurz- und stumpfschäftigen Plagiotriaene (Taf. XV, Fig. 27—37) bilden vollkommen zusammenhängende Formenreihen, so daß sie zusammen besprochen werden müssen. Wir können als Ausgangspunkt dieser ausschließlich in den oberflächlichen Teilen des Stiels vorkommenden Nadelformen das einfache, kurz- und stumpfschäftige Plagiotriaen auffassen.

73

Diese Plagiotriaene (Taf. XV, Fig. 27, 28) haben stets einen vollkommen geraden, am Ende abgerundeten Schaft. Seine Länge ist recht verschieden. Ich habe solche allem Anschein nach vollkommen ausgebildete Plagiotriaene mit Schäften von 320—1100 μ Länge gesehen. Meistens beträgt die Schaftlänge 350—450 μ. Am cladomalen Ende ist der Schaft 13—31 μ dick. Von hier nimmt die Dicke gegen das abgerundete Ende hin in der Regel stetig zu, so daß der ganze Schaft umgekehrt kegelförmig erscheint. Diese Dickenzunahme ist eine verschiedene, und umso bedeutender je kürzer der Schaft ist. Der Unterschied zwischen dem Querdurchmesser des dünneren, cladomalen und des dickeren, abgerundeten Endes beträgt 2—8, gewöhnlich 4—5 μ. Ausnamsweise findet man wohl auch Formen, bei denen das cladomale Schaftende ebenso dick oder gar noch etwas dicker als das abgestumpfte ist. Das Verhältnis der Dicke des Schaftes zu seiner Länge ist in der Regel ein umgekehrtes, derart, daß die längern Schäfte beträchtlich dünner als die kürzeren zu sein pflegen, was auch aus einem Vergleich der Figuren 27 und 28 zu entnehmen ist. Das Cladom ist meistens regulär, die Clade sind gerade, in der Regel kegelförmig und zugespitzt, seltener verkürzt, zylindrisch und am Ende abgerundet. Sie sind bei normaler Entwicklung 120—250 μ lang, die verkürzten, am Ende abgerundeten, messen aber zuweilen bloß 54 μ in der Länge. Auch bezüglich des Verhältnisses der Cladlänge zur Schaftlänge herrscht ein Gegensatz, so zwar, daß die Formen mit längeren und dünneren Schäften kurze, jene mit kürzeren und dickeren Schäften längere Clade zu haben pflegen. Der Winkel, den die Clade mit der Schaftverlängerung einschließen, beträgt etwas über 60, gewöhnlich ungefähr 62 °. Die Achsenfäden sind in diesen Nadeln in der gewöhnlichen Weise ausgebildet. Der Schaftachsenfaden endet im Mittelpunkte jener halbkugeligen Fläche, welche den Abschluß des Schaftes bildet. Sind Schichtungen in der Kieselsubstanz des Schaftes bemerkbar, so erscheinen sie als Zylinder, welche den Achsenfaden konzentrisch umlagern und am stumpfen Schaftende in ebensolche Halbkugelflächen übergehen, als die äußere Grenzfläche dieses Schaftendes eine ist. Alle diese halbkugelflächenförmigen Schichten liegen mit der äußern Oberfläche konzentrisch so, daß das Ende des Achsenfadens ihren Mittelpunkt darstellt.

Untersucht man dieses Ende des Schaftachsenfadens genauer, so findet man, daß dasselbe häufig etwas verdickt ist. Die Verdickung kann als ein kurzer Zweigstummel des Achsenfadens erscheinen, oder sie besteht aus zwei oder drei solchen Ansätzen. In den Fällen, in denen diese Verdickung deutlicher ausgebildet ist, gewahrt man meist auch eine derselben entsprechende Verdickung des stumpfen Schaftendes. Häufig liegt diese einseitig, zuweilen werden aber auch zwei oder drei buckelförmige Erhebungen an dem domförmig abgerundeten Schaftende wahrgenommen, die sich immer über jenen Zweigstummeln des Schaftachsenfadenendes erheben, von denen oben die Rede gewesen ist. Solche Formen führen zu jenen hinüber, bei denen am hintern Ende des Schaftes bereits deutliche, wenn auch ganz kurze, abgerundete, stummelförmige Clade vorhanden sind (Fig. 29, 30). Eine ununterbrochene Reihe von Uebergangsformen verbindet diese Nadeln mit solchen, welche, wie die in den Figuren 32 und 36 dargestellten, an beiden Enden des Schaftes ein regelmäßig triaenes Cladom tragen.

Die Nadeln dieser Reihe, in denen bereits als solche erkennbare Clade am Hinterende des Schaftes vorhanden sind, fasse ich als Amphiclade auf. Mit diesem Namen habe ich diejenigen tetraxonen Nadeln bezeichnet, deren Schaft an jedem Ende ein Cladom

74

trägt.[1]) Bei den Amphicladen der *Amphilethya microsigma* sind nicht, wie bei den früher, von anderen Arten beschriebenen, die beiden Cladome einander ähnlich, sondern verschieden. Es läßt sich nämlich trotz der außerordentlichen Veränderlichkeit dieser Nadeln stets erkennen, daß die Clade des einen Cladoms größer als jene des anderen sind. Ich möchte das größere von den beiden Cladomen dieser Amphiclade als das dem Cladom einfacher Teloclade homologe ansehen, das andere, kleinere Cladom aber, als etwas neu Hinzugekommenes. Dieses Unterschiedes wegen halte ich es für wünschenswert, die beiden Cladome mit verschiedenen Namen zu belegen. Ich werde im folgenden das größere, jenem der gewöhnlichen Teloclade homologe, einfach Cladom, das andere, kleinere, neu hinzugekommene, Opisthocladom (Hintercladom), und dessen Clade Opisthoclade nennen. Wie erwähnt ist die Gestalt der Amphiclade des hier beschriebenen Schwammes eine außerordentlich veränderliche. In den Figuren 29—37 ist eine Auslese von verschiedenen Formen dieser Nadel in gleicher Vergrößerung dargestellt. Die Zahl der verschiedenen Formen, die man beobachtet, ist aber eine unvergleichlich größere als die Zahl der abgebildeten: wollte man alle abbilden, so müßte man völlig jedes Amphiclad, das man in den Präparaten zu Gesicht bekommt, photographieren. Zwei einander genau gleichende zu finden ist fast unmöglich, und es läßt sich bei der außerordentlichen Mannigfaltigkeit der Gestalten und in Anbetracht der Tatsache, daß man jede Art von Form fast gleich oft findet, kaum sagen, welche eigentlich die typische ist und welche Abweichungen darstellen. Immerhin scheinen die extrem unregelmäßigen, minder häufig als die weniger unregelmäßigen zu sein, und es scheint, daß sie von der weniger unregelmäßigen Form aus nach vielen verschiedenen Richtungen hin variieren. Der diesem Zahlenverhältnis der verschiedenen Formen entsprechenden Annahme, daß ganz regelmäßig triaene Amphiclade die typische Form darstellen, steht aber die Tatsache gegenüber, daß man vollkommen regelmäßige Formen, wie sie in den Figuren 32 und 36 abgebildet sind, nicht häufiger als mäßig unregelmäßige begegnet.

Der Schaft ist bei diesen Amphicladen 160—540 meist 180—230 μ lang und 14—32 μ dick. Auch hier wird häufig eine Ungleichheit in der Dicke der beiden Schaftenden bemerkt, es ist dieselbe jedoch meist recht unbedeutend, und übersteigt bei keiner von mir gemessenen Nadel ein Viertel der Schaftdicke. Das dickere Ende ist meist das cladomale, das dünnere das opisthocladomale. Wie unregelmäßig auch sonst diese Nadeln sein mögen, so ist doch stets ihr Schaft gerade. Das Cladom ist selten regulär, triaen (Fig. 32, 36). In diesem Falle sind die Clade 100—150 μ lang, gerade, kegelförmig und zugespitzt. Sie sind aufstrebend und schließen Winkel von ungefähr 60^0 mit der Schaftverlängerung ein, gleichen also den Claden der kurz- und stumpfschäftigen Plagiotriaene vollkommen. Die Unregelmäßigkeiten, die man an den Cladomen wahrnimmt sind, wie gesagt, vielerlei Art. Zunächst kommen solche dadurch zustande, daß die einzelnen Clade verschieden groß werden. Es können zwei Clade einander völlig gleichen, das dritte aber kurz und stummelförmig sein (Fig. 35). Es kann das dritte Clad auch vollkommen verschwinden und so ein rein diaenes Cladom zustande kommen (Fig. 37). Endlich können zwei Clade verschwinden und nur eines übrig bleiben, so daß ein monaenes Cladom zustande kommt. Die Clade solcher Cladome pflegen größer als jene der regulären zu sein, was besonders von den monaenen gilt, bei denen ich die längsten, bei diesen Amphicladen

---

[1]) R. v. LENDENFELD, Tetraxonia. In: Das Tierreich Bd. 19 p. 5.

17*

überhaupt vorkommenden Clade, gefunden, und eines gemessen habe, welches eine Länge von 315 μ erreichte, während der zugehörige Schaft nur 270 μ lang war. Diese Nadel ist in der Figur 30 abgebildet. Unregelmäßigkeiten der Cladome dieser Nadeln werden auch dadurch herbeigeführt, daß die Clade unter verschiedenen Winkeln vom Schafte abgehen. Solche Unregelmäßigkeiten treten in den, in den Figuren 29 und 33 abgebildeten Nadeln deutlich hervor. Auch in Bezug auf die Gestalt weichen die Clade eines und desselben Cladoms zuweilen insofern voneinander ab, als eines oder zwei gerade, die anderen (das andere) gekrümmt oder geknickt sind (Fig. 33). Endlich werden Verzweigungen eines (Fig. 31) oder zweier (Fig. 34) Clade beobachtet. Bei solchen Nadeln erscheinen ein oder zwei Clade gabelspaltig. Niemals habe ich jedoch drei gabelspaltige Clade, also echte dichotriaene Cladome beobachtet.

Die kleineren Opisthocladome weisen zwar auch oft Unregelmäßigkeiten auf, dieselben sind aber nicht so häufig und auch nicht so weitgehend, wie die Unregelmäßigkeiten der Cladome. Die Opisthoclade erscheinen, wie erwähnt, zuweilen nur als kleine, buckelförmige Erhebungen des abgerundeten Schaftendes eines kurz- und stumpfschäftigen Plagiotriaens, sie können aber auch eine Länge von 120 μ erreichen. Gewöhnlich sind sie 70—90 μ lang, stets kürzer als die Clade des Cladoms. Die Winkel, die sie mit der Schaftverlängerung einschließen, betragen durchschnittlich etwa 60°.

Die Amphiclade werden geradeso, wie einfache Teloclade von Achsenfäden durchzogen. Der Achsenfaden des Schaftes erscheint als ein gerader Stab, welcher das Zentrum des Cladoms mit dem Zentrum des Opisthocladoms verbindet. Jedes Clad und jedes Opisthoclad wird von einem Achsenfaden durchzogen, welcher von einem der Enden des Schaftachsenfadens entspringt. In den stumpfen Claden und Opisthocladen reicht der Achsenfaden nicht ganz bis ans Ende, sondern hört in dem Mittelpunkt der halbkugelförmigen Endfläche auf. Bei den zugespitzten Claden und Opisthocladen habe ich das Achsenfadenende nicht deutlich wahrnehmen können; es schien mir, als ob sich dasselbe hier bis in die äußerste Spitze hinein erstreckte. Wenn ein Clad oder ein Opisthoclad stark rückgebildet ist und als ein bloßer Buckel am Schaftende erscheint, so ist auch der Achsenfaden nur in Gestalt eines kleinen Stummels ausgebildet, aber ausnahmslos vorhanden. Ja es finden sich, wie oben erwähnt, Andeutungen desselben häufig sogar auch dann, wenn ein Clad oder Opisthoclad vollständig verschwunden ist und keine merkliche Erhebung mehr die Stelle verrät, wo es sich befinden sollte.

Amphiclade sind selten. Sie wurden zuerst im 1879 von CARTER[1]) bei *Samus anonyma* GRAY genauer beschrieben und abgebildet. 1888 sind sie von SOLLAS[2]) bei diesem Schwamme, und auch bei *Tethya stipitata* CARTER gefunden und genauer untersucht worden. Im 1897 fand TOPSENT[3]) amphiclade Nadeln in einem Schwamme, den er als *Tetilla merguiensis* (gleich *Tethya* (*Tetilla*) *bacca* SELENKA) bestimmte. Auch bei der im folgenden beschriebenen *Ancorella paulini* kommen mehr weniger deutliche amphiclade Nadeln vor. Für die Deutung dieser Nadeln scheint mir die oben dargelegte Tatsache, daß bei dem vorliegenden Schwamme eine ununterbrochene Reihe von Uebergangsformen die vollkommen ausgebildeten Amphiclade mit den stumpfschäftigen Plagiotriaenen verbindet, von größter Wichtigkeit zu sein und es höchst wahrscheinlich zu machen,

---

[1]) H. J. CARTER, Contributions to our knowledge of the Spongida. In: Ann. nat. Hist. ser. 5 Bd. 3 p. 350 Taf. 29 Fig. 1—3.
[2]) W. J. SOLLAS, Tetractinellida. In: Rep. Voy. Challenger Bd. 25 p. 49, 50, 57—59.
[3]) E. TOPSENT, Spongiaires de la baie d'Amboine. In: Rev. suisse zool. Bd. 4 p. 438, 439 Taf. 21 fig. 34 c.

daß die Amphiclade Teloclade sind, bei denen der Endteil des Schaftes rückgebildet, und durch ein zweites, inneres Cladom, das Opisthocladom ersetzt wurde. Sollas (l. c. p. 58, 59) hat einige Jugendstadien von Amphicladen bei *Samus anonyma* beobachtet. Eines davon hatte bereits einen amphicladen Charakter, das andere war ein Teloclad, dessen Schaft in eine scharfe Spitze auslief und nicht abgerundet war. Er erwägt die Möglichkeit, daß die Amphitriaene von *Samus* Microsclere von Amphiasterart sein könnten, hält aber die Amphiclade der *Tethya (Tetilla) stipitata* für Teloclad-(Triaen-)derivate. Freilich besteht kein grundsätzlicher Gegensatz zwischen Mega- und Microscleren, so daß der Annahme, wir hätten es bei den Amphicladen mit stark vergrößerten Amphiastern zu tun, nichts im Wege steht. Trotzdem halte ich es aus dem oben angeführten Grunde, sowie deshalb, weil die Zahl der Clade und Opisthoclade drei nie zu überschreiten scheint, für ziemlich sicher, daß — wenigstens bei der Gattung *Amphitethya* — die Amphiclade Telocladderivate sind.

Die Ausbildung der Amphiclade bei *Amphitethya stipitata* und *microsigma* steht wohl zweifellos in Beziehung zu der Entwicklung des Stieles, denn es sind diese beiden Arten mit festen und dicken Stielen ausgestattet, wie solche bei den Tetractinelliden sonst nicht vorzukommen pflegen, und es sind bei beiden Arten die Amphiclade auf den Stiel beschränkt. Es ist bekannt, daß die langschäftigen Teloclade bei den Tetraxoniden im allgemeinen radial orientiert sind und ihre Cladome nach außen kehren. Im Stiel von *Amphitethya microsigma* finden sich, wie oben erwähnt, langschäftige Pro- und Anatriaene, welche diese Lage in Bezug auf das Zentrum des Schwammkörpers haben und dementsprechend im Stiel longitudinal liegen. Die kurzschäftigen Plagiotriaene und die Amphiclade sind aber nicht, wie diese, vom Schwammkörperzentrum aus orientiert, sondern unregelmäßig angeordnet, und es behindert die Masse der longitudinalen Nadeln der Stielskelettachse das normale Längenwachstum ihrer Schäfte. Wenn aber eine Nadel solcherart in ihrer normalen Entwicklung behindert wird, könnte man sich wohl denken, daß die Energie der Zellen, welche sonst zur Entstehung des Endteils eines langen Schaftes führt, frei, und gewissermaßen in andere Bahnen gelenkt werden könnte, in die Bahn zum Beispiel, welche zur Bildung eines zweiten, am Ende des Schaftes sich ansetzenden Cladoms führt.

Amphitethya microsigma besitzt zweierlei Arten von Microscleren: größere, bogenförmige Nadeln, die Kamare, und kleinere Sigme der gewöhnlichen Art.

Die Kamare (Taf. XV, Fig. 24, 25 a—d, 39), welche in der Haut, des Körpers sowohl als des Stiels, in großer Zahl vorkommen, sind gekrümmte, walzenförmige, durchaus gleich dicke, 4—5,5 μ im Querdurchmesser haltende, an beiden Enden einfach abgerundete, stark gekrümmte Stäbe. Die Krümmung des mittleren Teils ist eine regelmäßig kreisförmige. Dieser bildet daher einen Teil eines Kreisbogens und zwar stets weniger als die Hälfte und stets mehr als ein Drittel eines Kreises. Die Endteile der Nadel erscheinen als geradlinige Tangentialfortsetzungen des von dem mittleren Teile dargestellten Kreisbogenstückes. Je nachdem der letztere ein kleineres oder größeren Teil eines Kreises bildet, schließen diese Endteile miteinander einen größeren (Fig. 39) oder kleineren (Fig. 25 a) Winkel ein. Derselbe beträgt 0—45°, meistens etwa 20°. Die von diesen Nadeln dargestellten Kurven scheinen stets in einer Ebene zu liegen; von einer mehrfachen Krümmung oder Spiralwindung habe ich an ihnen nie etwas wahrgenommen. Im ganzen haben sie ungefähr die Gestalt der Reifen, deren man sich beim Croquetspiel bedient. Die Breite der Nadel, das heißt die Länge der Sehne, die ihre Enden verbindet, ist

77

36—54, meist 40—50 μ. Einmal habe ich ein 63 μ breites Kamar gesehen. Ihre Pfeilhöhe ist 20—42, meist 25—32 μ. Oft, aber nicht immer, sind die kurzsehnigen Kamare höher als die langsehnigen. Die Endteile der Nadel sind stark dornig (Fig. 39). Die Dornen lassen die beiden als glatte Wölbungen erscheinenden Endflächen frei, bedecken aber die Seiten der Nadel. Die längsten Dornen finden sich am Ende, an den Rändern der zwei Terminalwölbungen. Diese äußersten Dornen erscheinen derart als Fortsetzungen jener Fläche, als ob sie die Außenseite einer Endscheibe mit ausgezacktem Rande wäre und die äußersten Dornen ihre Randzacken darstellen würden. Diese äußersten Dornen sind, konform der Richtung der Randteile der Endflächen, schief nach innen, gegen die Nadelmitte, gerichtet. Gegen die Mitte der Nadel hin werden die Dornen rasch kleiner. Die weiter innen gelegenen Dornen sind in derselben Richtung aber nicht so stark geneigt, wie die äußersten. An den Enden sind die Dornen ringsum gleich zahlreich und gleich groß. Gegen die Nadelmitte zu tritt ein Unterschied zwischen den Dornen der konvexen und der konkaven Seite auf, derart, daß die ersteren wohl klein aber doch deutlich ausgebildet sind, während die letzteren mehr oder weniger vollkommen verschwinden. Bei jüngeren, dünneren Kamaren pflegt auch die konkave Nadelseite etwas rauh zu sein, bei alten, dicken ist sie aber ganz glatt.

Stark gekrümmte, dornige Nadeln dieser Art werden auch sonst bei Spongien, so zum Beispiele bei *Spongilla*, angetroffen, und sie kommen auch bei einer anderen Art dieser Gattung, der *Amphitethya (Tethya) stipitata* CARTER vor. SOLLAS[1]) beschreibt sie hier als Microstrongyle (= kleine Amphistrongyle). Das sind diese Nadeln gewiß, ich glaube aber, daß ihr besonderer Bau und ihre — wenigstens bei *Amphitethya microsigma* — stets vorkommende, nur zwischen eigen Grenzen schwankende Krümmung, die Aufstellung eines eigenen Namens gerechtfertigt erscheinen lassen. Da das Auffallendste an diesen Nadeln ihre, einem gewölbten Torbogen ähnliche Gestalt ist, habe ich sie Kamare (von καμάρα) genannt. Ich betrachte — wie SOLLAS — die Kamare als Microsclere, welche in den Formenkreis der Microrhabde gehören.

Die Sigme (Taf. XV, Fig. 26) sind feindornige, 0,5—0,8 μ dicke, in der gewöhnlichen Weise, und zwar ziemlich stark gekrümmte Stäbchen. Sie erreichen eine Länge von 10—13, meist 11—12 μ.

Die beiden Stücke dieses Schwammes wurden am 22. April 1875 von der Gazelle (Nr. 2561) vor Dirk Hartog, 2 Seemeilen von der australischen Westküste entfernt, unter 25⁰ 51′ S. und 112⁰ 37′ O. aus einer Tiefe von 82—110 m hervorgeholt. Der Grund war an der Stelle mit Kalksand bedeckt und von einer reichen Fauna von festsitzenden Tieren überwuchert.

Außer der oben beschriebenen Art gehört zu der Gattung *Amphitethya* sicher *Tethya stipitata* CARTER 1886, und vermutlich auch *Tethya (Tetilla) bacca* SELENKA 1867. Von beiden unterscheidet sich die vorliegende Art in vielen Stücken. Bei der *Amphitethya (Tethya) stipitata* fehlen langschäftige Protriaene und sind die Sigme 24 μ lang; bei *A. microsigma* sind langschäftige Protriaene vorhanden und die Sigme 10—13 μ lang. Darauf, daß die Sigme bei

---

¹) W. J. SOLLAS, Tetractinellida. In: Rep. Voy. Challenger Bd. 25 p. 49.

dieser Art viel kleiner als bei jener sind, bezieht sich der Speciesname microsigma. Von *Tethya bacca* unterscheidet sich die *Amphitethya microsigma* durch den Besitz der Kamare und das Fehlen von langcladigen Anatriaenen.

Gattung Tethyopsilla LDF.

Tethydae ohne Microsclere.

In der Valdivia-Sammlung finden sich zwei zu dieser Gattung gehörige Spongien, welche eine neue Art repräsentieren.

Tethyopsilla metaclada n. sp.

Taf. XXXIV, Fig. 8—16.

In der Valdivia-Sammlung finden sich 2 Stücke dieses Schwammes. Beide sind in vertikaler Richtung abgeplattet, ellipsoidisch, das eine 14 mm breit und 11 mm hoch, das andere (Taf. XXXIV, Fig. 14) 16 mm breit und 12 mm hoch. Die Oberfläche ist kahl und erscheint fein gekörnelt. Ueberall außer an der ziemlich breiten Anheftungsfläche, ragen von ihr kegelförmige Zipfel radial auf. Diese sind etwas ungleichmäßig über die Oberfläche verteilt und durchschnittlich etwa 4 mm voneinander entfernt. Sie sind 1—3 mm hoch und am Grunde 1,2—2 mm dick. Die Enden vieler sind abgebrochen. Bei ganz intakten Stücken dürften bedeutend längere Zipfel vorkommen. Der Schwamm hat eine 600—800 μ dicke Rinde (Taf. XXXIV, Fig. 16). Diese besteht aus einer äußeren, lockeren, etwa 200 μ starken, von Paratangentialfasern freien (a—d), und einer inneren derben, aus paratangentialen Faserbündeln zusammengesetzten Schicht (e). In der äußeren, lockeren Rindenschicht werden zahlreiche, 50—90 μ weite, mehr weniger radial in die Länge gestreckte und distal verbreitete Höhlen (c) angetroffen, welche dicht an die Oberfläche herantreten und nur durch ganz dünne Porensiebmembranen bedeckt sind. Diese Höhlen liegen einander recht nahe, sie sind durch bloß 50—60 μ breite Gewebemassen (b) voneinander getrennt, welche von den radialen, an die Oberfläche herantretenden Amphioxen (f) durchsetzt werden, und nahe der Oberfläche dunkelbraun gefärbt und von Massen von 10—14 μ großen Körnerzellen erfüllt sind. Die großen, oberflächlichen Hohlräume gehören zum Anfangsteile des Einfuhrsystems; sie sind die Sammelkanäle der Rinde. Im Boden eines jeden findet sich eine, in den Schnitten stets sehr kleine oder ganz geschlossene Oeffnung, welche in einen ebenso engen, beziehungsweise ganz geschlossenen, höchstens 4 μ weiten Kanal hineinführt. Dieser ist von braun gefärbtem, besonders differenziertem Gewebe umgeben, dessen äußerer Teil aus Ringfasern, dessen innerer Teil aber aus mehr massigen, z. T. schief gerichteten Zellen besteht. Dieses, jenen engen Kanal umgebende Gewebe ist als eine Choane von geringer Entwicklungshöhe anzusehen und der Kanal als ein Chonalkanal. Diese Chonen sind 60—90 μ hoch und ebenso breit. Sie liegen etwas höher als die proximale Rindengrenze. Unter jeder Chone befindet sich ein größerer, etwa 100—150 μ weiter Subdermalraum, in dessen domförmig abgerundeten, von unten her in die Paratangentialfaserschicht der Rinde hineinragenden Distalteil, der Chonalkanal hineinführt. Proximal gehen diese Subdermalräume in die Einfuhrkanäle des Choanosoms über. Die Geißelkammern sind kugelig und halten 20—30 μ im Durchmesser.

79

Unterhalb der Zipfel finden sich große, bis 2 mm und darüber weite Höhlen, welche sich distal zu einem Kanal verengen, der die Achse des darüber liegenden Zipfels einnimmt, so daß der Zipfel selbst als ein Rohr erscheint. Die Wand dieses Rohres, d. h. der Zipfel, besteht aus Rindengewebe und enthält dichte Massen von longitudinalen (zum Schwammzentrum radialen) Amphioxen. In meinem Materiale konnte ich weder Poren in der Zipfelwand noch eine Oeffnung am Zipfelscheitel finden, ich zweifle aber nicht, daß im lebenden Schwamme Oeffnungen jener oder dieser Art vorhanden sind, welche das Zipfelkanallumen mit der Außenwelt verbinden. Ich betrachte die Zipfel daher als Oscularschornsteine.

Die Farbe des Schwammes ist, in Weingeist, an der Oberfläche dunkel mattrot, im innern lichter, schmutzig rötlich braun.

Das Skelett besteht aus radialen Amphioxen, selteneren Stylen, Protriaenen und Metacladen, und aus zerstreuten, kleinen, schief gelagerten Amphioxen. Die radialen Nadeln bilden z. T. Bündel, welche vom Zentrum des Schwammes bis zu seiner Oberfläche reichend, Choanosom und Rinde durchsetzen (Taf. XXXIV, Fig. 16i) z. T. liegen sie isoliert. Protriaene und Metaclade werden nur in den Bündeln (i) angetroffen; die isolierten Radialnadeln sind durchwegs Amphioxe (f). Die Cladome der Protriaene und Metaclade liegen in der Rinde; einige treten dicht an die Oberfläche heran oder ragen eine kurze Strecke darüber vor. Die Distalenden vieler der die Oberfläche erreichenden Amphioxe treten in den Präparaten (Fig. 16) ebenfalls eine kurze Strecke weit frei vor. Ich halte es jedoch für leicht möglich, daß im Leben alle Nadeln, auch diese und die frei vortretenden Metaclade, ganz im Schwamme stecken und das freie Vortreten ihrer Distalenden in den Präparaten nur eine Folge der, bei der Konservierung eingetretenen Schrumpfung der Weichteile ist. Die Zipfelwände werden von dichten Massen von längsgerichteten (radialen) Amphioxen gestützt; Protriaene und Metaclade nehmen keinen Anteil am Aufbau des Zipfelskelettes. Die zerstreuten Amphioxe sind auf das Choanosom beschränkt.

Die radialen Amphioxe (Taf. XXXIV, Fig. 15a, 16f) sind mehr oder weniger, oft sehr stark anisoactin. Sie sind 1—3 mm lang und 30—45 μ dick. Die kurzen sind kaum dünner als die langen, jedoch meist stärker anisoactin. Das stets distal gelegene, dickere Ende ist plötzlich und oft nicht scharf zugespitzt; das proximale, dünnere, allmählich in eine feine Spitze ausgezogene, oder seltener, zylindrisch, fadenförmig und am Ende abgerundet.

Die selteneren Style (Taf. XXXIV, Fig. 15b) sind gekrümmt, 550—960 μ lang und, wie die anisoactinen Amphioxe, deren Derivate sie sind, 35—40 μ dick. Die dickste Stelle liegt entweder am stumpfen Ende oder (Fig. 15b) eine Strecke davon entfernt. Im letzten Falle erscheint die Nadel als ein anisoactines Amphiox mit abgerundetem, dickeren Ende.

Die im Choanosom zerstreuten Amphioxe (Taf. XXXIV, Fig. 15c) sind isoactin, meist 0,5—1 mm lang, und 10—15 μ dick.

Die Protriaene (Taf. XXXIV, Fig. 8, 16h) haben einen 2—2,5 mm langen, am cladomalen Ende 6—12 μ dicken Schaft, der allmählich in den sehr dünnen, fadenförmigen, acladomalen Endteil übergeht. Die Clade sind schwach gegen die Schaftverlängerung konkav gekrümmt oder fast gerade. Zuweilen ist das Ende eines sonst fast geraden Clads plötzlich und stark nach innen gebogen. Die Clade sind 45—60 μ lang und schließen mit der Schaftverlängerung Winkel von 20—30° ein. Die Cladombreite beträgt 36—55 μ.

An dem Aufbau der Distalteile der radialen Nadelbündel nehmen zahlreiche, merkwürdige

Nadeln teil, die aus einem Schaft bestehen, von dessen dickeren, distalen Endteile zwei oder drei verschieden noch inserierte, gleiche oder auch verschieden gestaltete Clade abgehen. Diese durch die Verschiedenheit der Höhe der Insertion der Clade am Schaft von gewöhnlichen Telocladen abweichenden Nadeln möchte ich Metaclade nennen. Auf diese Nadeln bezieht sich der Artname.

Die Metaclade (Taf. XXXIV, Fig. 9—13, 16 g) haben einen zylindrokonischen, allmählich, oder an einer Stelle mehr plötzlich, zu einem dünneren Endfaden sich verjüngenden Schaft von 4,1—5,1 mm Länge, welcher am cladomalen Ende 8—15 μ dick ist. Bei den regelmäßigen, triaenen Formen (Fig. 9, 10, 12) erscheint das Cladom sagittal. Von dem dickeren, cladomalen Distalende des geraden Schaftes gehen zwei, untereinander gleiche, 45—50 μ lange, kegelförmige, zugespitzte Clade ab, welche nach rückwärts gerichtet sind, schwach gegen den Schaft konkav gekrümmt erscheinen, und mit diesem Winkel von beiläufig 40° einschließen. Von der Insertionsstelle dieser beiden Clade erhebt sich ein gekrümmtes, terminal hackenförmig zurückgebogenes und zugespitztes, gegen die Richtung, nach der die paarigen Clade abgehen konvexes Stück, dessen 40—55 μ langer, aufsteigender Schenkel zylindrisch ist und wie eine Fortsetzung des Schaftes über die Insertionsstelle der paarigen Clade hinaus aussieht, und dessen absteigender Schenkel, der zugespitzte Endteil des Hackens, in Bezug auf Lage relativ zum geraden Schaft, Gestalt und Größe mit den paarigen Clade so ziemlich übereinstimmt. Die regelmäßigen, diaenen von diesen Nadeln (Fig. 11) ähneln den triaenen. Sie unterscheiden sich von den letzteren nur dadurch, daß statt des unteren Cladpaares ein einziges Clad dem Endhacken gegenüber steht. Sehr oft sitzt dem Scheitel des Endhackens ein Höcker auf (Fig. 11), der eine beträchtliche Größe erreichen kann. Auch auf den anderen Clade wird zuweilen ein Höcker beobachtet. Außer diesen regelmäßigen kommen auch unregelmäßige, diaene Metaclade vor, bei denen das untere Clad emporgerichtet ist (Fig. 13). Solche unregelmäßige Formen sind jedoch selten. Der Achsenfaden des Schaftes geht in den Achsenfaden des Endhackens über und verläuft durch diesen bis an sein Ende. Wo der Achsenfaden des eigentlichen geraden Schaftes in jenen des Endhackens übergeht, entspringen von ihm die Achsenfäden der unteren, paarigen Clade. Hier ist der Achsenfaden etwas verdickt und oft auch geknickt. Der den Endhacken durchziehende Achsenfaden besitzt ebenfalls eine, oft mit einer Knickung verbundene Verdickung. Diese liegt im Scheitel des Endhackens. Von ihr geht ein Zweigachsenfaden schief nach oben und innen ab, der, wenn ein solcher ausgebildet ist, in den Scheitelhöcker eintritt. Es fragt sich nun, ob der obere Achsenfadenknoten im Hackenscheitel, der untere am Ursprung der Achsenfäden der unteren Clade, oder beide als Nadelzentren anzusehen sind. Darüber, daß der untere, von dem die Achsenfäden der paarigen Clade abgehen, ein Nadelzentrum ist, kann kein Zweifel bestehen. Der obere könnte entweder auch ein solches sein oder nicht. Im ersten Falle wären das zwischen den beiden Knotenpunkten des Achsenfadens gelegene Nadelstück ein Teil des Schaftes und der herabgebogene Endteil des Hackens und der Höcker Clade; im zweiten Fall wären jenes gebogene Nadelstück das Hauptclad eines Dichoclads mit vertikaler Spaltungsebene, und diese beiden Terminalstücke, die Hackenspitze und der Höcker, die Endclade. Obwohl die schwankende Ausbildung des Scheitelhöckers und das ab und zu beobachtete Vorkommen eines Höckers an den unteren Clade für die letztere Auffassung sprechen dürfte, scheint mir doch die erstere mehr für sich zu haben.

81

Beide Stücke dieses Scıwammes wurdeı ∨oı der Valdi∨ia am 3. No∨ember 1898 auf der Agulhasbank an der südafrikaıiscıeı Küste iı 35^0 26' 8" S., 20^0 2' 9" O., (Valdi∨ia-Statioı 106 b) aus eiıer Tiefe ∨oı 84 m ıeraufgeıolt.

Von den aıdereı Arteı dieser Gattuıg uıterscıeidet sich der ∨orliegeıde Scıwamm durcı den Besitz ∨on Metacladen uıd das Feıleı ∨oı ecıteı Anatriaenen, Anadiaenen uıd Anamonaenen.

Unterfamilie Cinachyrinae.

Tethydae mit Porengruben.

Gattung Cinachyra SOLL.

Tethydae mit Microscleren und mit vestibularen Porengruben. Die letzteren sind nur bei kleinen, jungen Exemplaren in der Einzahl, sonst in größerer Anzahl vorhanden, und alle von der gleichen Art.

Iı der Valdi∨ia-Sammluıg fiıdeı sicı 8, iı der Gazelleı-Sammluıg 3, zusammeı 11, zur Gattuıg Cinachyra geıörige Spongien. Diese geıöreı 6 (Valdi∨ia 3, Gazelle 3) ∨erscıiedeıeı Arteı aı. Eiıe der Valdi∨ia-Arteı war scıoı friıer bekaııt, 5 (Valdivia 2, Gazelle 3) siıd neu.

Cinachyra barbata (SOLL.).

Taf. XV, Fig. 40—53.

1886 *Cinochyra barbata*, W. J. SOLLAS in: P. R. Dubliı Soc. v. 5 p. 183.
1888 *Cinachyra barbata*, W. J. SOLLAS in: Rep. Voy. Challeıger v. 25 p. 23 t. 3 f. 39.
1903 *Cinachyra barbata*, R. v. LENDENFELD in: Tierreich v. 19 p. 27.
1905 *Cinachyra barbata*, R. KIRKPATRICK in: Ann. nat. Hist. ser. 7 v. 16 p. 662 t. 14 f. 1—3.

"Iı der Valdi∨ia-Sammluıg fiıdeı sicı drei Stücke dieses Scıwammes: ein kleines kugelig-ellipsoidisches, 7 mm breites, 8 mm laıges; uıd zwei große. .Die beideı letztereı siıd uıgefäır 68 mm ıocı. Das eiıe ist meır kuglig, mit Querdurchmessern ∨oı 60 uıd 55 mm, das aıdere aufrecıt, walzeıförmig mit Querdurcımesserı ∨oı 42 uıd 40 mm. Iı Bezug auf die Höıe stimmeı diese Stücke also mit dem größteı, der ∨oı SOLLAS (1888 p. 25) uıtersucıteı ibereiı, sie siıd aber ıicıt so breit. Beide sitzeı basaleı Nadelpolstern auf.

Aı der Oberflächıe des kleiıeı Stückes fiıdet sicı eiıe glatte, schıaleıförmige Porengrube ∨oı 1,3 mm Weite uıd 1,5 mm Tiefe. Bei den beideı großeı Stückeı werdeı seır zaılreicıe, große uıd auffalleıde Porengruben aıgetroffeı. Diese siıd ∨oı Raıd zu Raıd 1—6 mm ∨oı-eiıaıder eıtferıt uıd ziemlicı gleicımäßig iber die Seiteı uıd den Scıeitel des Scıwammes ∨erteilt, ıicıt wie bei den ∨oı SOLLAS (1888 p. 26) uıtersucıteı, an ersıereı zaılreicıer als auf letzterem. Sie ıalteı 1–5 mm im Querdurcımesser uıd siıd kreisförmig oder o∨al. Bei dem meır kugligeı Stücke siıd ∨iele kreisruıd, bei dem walzeıförmigeı fast alle o∨al uıd so orieıtiert, daß die laıge Acıse der Ellipse loıgitudiıal, iı eiıer, durch die seıkrecıte Acıse des Scıwammes geıeıdeı Ebeıe liegt. Diese Porengruben siıd bis 8 mm tief. Distal siıd sie meır oder weıiger zyliıdriscı, röıreıförmig. Eiıige siıd uıteı scıwacı erweitert, keiıe aber zu solcıeı großeı, eiförmige Höhle ausgedehnt, wie sie SOLLAS (1888 p. 26, Taf. 39, fig. 1) beschrieben und abgebildet hat. Ihr Boden hat die Gestalt einer halben Kugeloberfläche. Dem freien Auge erscheinen ihre Wände völlig glatt. An Schnitten erkennt man aber, daß zarte Proclade über dieselben vorragen. Die zwischen den Porengruben liegenden Teile der Oberfläche sind mit einem Nadelpelz bekleidet.

Die Farbe der in Weingeist aufbewahrten Stücke ist an der Oberfläche und auch im Innern grau mit einem Stich ins gelbliche. Sie sind lange nicht so rein gelb, wie SOLLAS (1888 Taf. 3 Fig. 1) sie abbildet aber auch nicht aschgrau, wie er (1888 p. 24) sie im Text beschreibt.

Das Skelett besteht aus dem Zentrum; den schraubenförmig gewundenen, von diesem zur Oberfläche ausstrahlenden Nadelbündeln; den Pelz- und Basalpolster bildenden Enden, bzw. ausgestoßenen Teilen dieser; dem festen Panzer in den zwischen den Porengruben gelegenen Hautteilen; den Strähnen von sehr zarten Nadeln in den Wänden der Porengruben; dem feinen Pelz an der Wand dieser; und den Microscleren. Der exzentrisch gelegene Mittelpunkt der Nadelbündel und die proximalen Teile der radialen Nadelbündel selbst bestehen aus großen Amphioxen und einzelnen Stylen. Die distalen Teile der Nadelbündel, der Pelz- und der Basalpolster sind aus ebensolchen Stabnadeln und Telocladen zusammengesetzt. Diese Teloclade sind größtenteils Protriaene und Anatriaene, es kommen aber auch Prodiaene und Anadiaene, sowie Promonaene und Anamonaene vor. SOLLAS (1888 p. 26) sagt, daß die Anatriaene auf den unteren Teil des Schwammes und den Basalpolster beschränkt seien. In dem von mir untersuchten Material kommen sie auch in den oberen Teilen des Schwammes vor. Der Panzer der zwischen den Porengruben liegenden Hautpartien besteht aus massenhaften, dicken und kurzen Amphioxen und aus wenigen Derivaten von solchen Amphioxen. Diese Nadeln bilden eine, eine kurze Strecke unterhalb der äußern Oberfläche sich ausbreitende, etwa 1 mm dicke Lage. Sie sind sehr dicht gedrängt und schief, meist ziemlich steil zur Oberfläche gerichtet. Oft sieht man büschelförmige Gruppen, in denen sie völlig parallel liegen. Die Strähne von zarten Nadeln in den Wänden, und der feine Pelz auf der Oberfläche der Porengruben sind aus Procladen, meist Protriaenen zusammengesetzt. Die Microsclere sind Sigme.

Die großen Amphioxe des Zentrums, der radialen Bündel, des Pelzes und des Basalpolsters sind bei den beiden großen Stücken 6—10 mm lang und an der stärksten Stelle 64—86, meist 68—73 μ dick. Sie pflegen etwas gekrümmt und schwach isoactin zu sein, die Enden sind entweder beide scharf zugespitzt oder es ist das eine spitz, das andere etwas abgestumpft. Ein beträchtlicher anisoactines, in der Mitte 77 μ dickes Bündelamphiox, das ich maß, war 500 μ von einem Ende 9 μ; 500 μ vom andern Ende 16 μ dick. Nach SOLLAS (1888 p. 24) sind diese Nadeln 8,03 mm lang und 71 μ dick.

Auch Style habe ich in den radialen Nadelbündeln und im Basalpolster gefunden; sie sind jedoch selten. Das stumpfe Ende ist entweder einfach abgerundet oder auch etwas verdickt, so daß die Nadel einen subtylostylartigen Charakter gewinnt. Die Dicke des stumpfen Endes betrug bei drei Stylen, die ich maß, 27, 55 und 136 μ. Bei einem ging von dem stets im Mittelpunkte der halbkugeligen Terminalfläche gelegenen Endpunkte des Achsenfadens noch ein zweiter 200 μ langer Achsenfaden ab, welcher mit den Hauptachsenfaden einen Winkel von 5° einschloß. SOLLAS (l. c.) erwähnt das Vorkommen von Stylen nicht.

Die dicken und kurzen Amphioxe des Panzers (Taf. XV, Fig. 43 a—f) sind bei dem kleinen Stück bis 360 μ lang und 27 μ dick, bei den größen 400—1190 μ, meist 600—1000 μ lang und 25—69, meist 40—50 μ dick. Sie sind also etwas länger und beträchtlich dicker als SOLLAS (1888, p. 24), der ihre Länge zu 892 μ und ihre Dicke zu 35,5 μ bestimmt hat, angibt. Sie pflegen einfach, selten S-förmig gekrümmt zu sein und sind oft etwas unregelmäßig gestaltet. Ihr Achsenfaden ist sehr dünn und reicht, sofern diese zugespitzt sind, bis an ihre äußersten Enden. Die Kieselsubstanz zeigt eine feine Schichtung.

Außer diesen Amphioxen findet man in dem Panzer noch verschiedene andere Nadeln, die wohl Derivate solcher Amphioxe sind. Zunächst kommen Style, an einem Ende einfach abgerundete Amphioxe dieser Art vor. Dann werden auch mehrstrahlige Gebilde angetroffen, wie ich solche in den Figuren 44, 45 und 51 auf Taf. XV abgebildet habe. Diese bestehen aus einem Amphiox von derselben Größe, wie die normalen, das außer den zwei Hauptstrahlen noch 2—8 Nebenstrahlen hat. Die letzteren gehen stets von einem gemeinsamen, im Achsenfaden der ersteren gelegenen Zentrum aus und sind kegelförmig, zugespitzt, und basal beiläufig ebenso dick wie der Teil des Amphiox, dem sie aufsitzen. Die Stelle, von der diese Nebenstrahlen abgehen, liegt entweder nahe der Mitte (Fig. 51) oder sie ist einem Ende genähert (Fig. 44, 45). Zumeist treten diese Nebenstrahlen als einander gegenüberliegende Paare mit gemeinsamer, gerader Achse auf. Die beiden einander gegenüberliegenden, zusammengehörigen Strahlen pflegen ungefähr gleich lang zu sein. Im ganzen erscheinen diese mehrstrahligen Gebilde als kreuzweise miteinander verschmolzene Amphioxe. In der Regel lassen sich, wie in allen auf Taf. XV (Fig. 44, 45, 51) dargestellten, ein längeres Hauptamphiox und ein (Fig. 45), zwei (Fig. 44) oder mehrere (Fig. 51), kürzere Nebenamphioxe daran unterscheiden. Nur einmal habe ich eine solche Nadel gesehen, bei der vier gleich lange Strahlen von einem gemeinsamen Mittelpunkte abgingen. SOLLAS erwähnt solche Nadeln nicht, sagt jedoch (1888 p. 24), daß 54,5 μ im Durchmesser haltende Sphaere im Schwamme vorkommen. Diese führt er als Microsclere auf. Wie in der Beschreibung von *Tethya cranium* (s. d. p. 107 ff) ausgeführt wurde, sind die Sphaere nicht als Microsclere, sondern als Megasclerderivate, bei den Tethyden als Derivate der Panzeramphioxe aufzufassen. In dem Valdivia-Materiale des vorliegenden Schwammes, das von derselben Gegend (Kerguelen) wie das SOLLAS'sche Challenger-Material stammt, habe ich in den mit Hilfe der fraktionierten Sedimentation hergestellten Nadelpräparaten wohl kreisrunde, bei schwächerer Vergrößerung sphaerähnlich aussehende Diatomeenschalen von 52 μ Durchmesser in beträchtlicher Anzahl gefunden, das Vorhandensein von echten Sphaeren aber nicht nachweisen können. Einmal sah ich etwas Sphaer-ähnliches von 45 μ Durchmesser, das dürfte aber ein Bruchstück eines Amphiox gewesen sein, denn diese zerbrechen nicht selten so, daß Querscheiben entstehen, die wie Sphaere aussehen.

Die Anatriaene des Scheitels und der Seiten des Schwammes sind von jenen seiner Unterseite und des Basalpolsters verschieden. Bei den ersteren sind die Cladome zarter, die Clade länger und die Schäfte kürzer als bei den letzteren. Die Schäfte der Anatriaene des Scheitels und der Seiten des Körpers (Taf. XV, Fig. 40—42, 50) erreichen eine Länge von 12 mm und sind am cladomalen Ende 18—25 μ dick. Ihre Clade sind stark gebogen und 114—160 μ lang. Die Cladsehnen schließen Winkel von meist 35° mit der Schaftachse ein. Die Anatriaene der Unterseite des Schwammes und des Basalpolsters (Taf. XV, Fig. 47—49) haben bis über 22 mm

84

lange, am cladomalen Ende 2—27 μ dicke Schäfte und 90—100 μ lange, weniger stark gebogene Clade, deren Seiten meist Winkel von 36—38° mit der Schaftachse einschließen. Nach SOLLAS (1888, p. 24), der, wie erwähnt, nur im basalen Teil des Schwammes und im Basalpolster Anatriaene gefunden hat, werden ihre Schäfte bis 40 mm lang und bis 31,6 μ dick. Die Clade einer im Schwamm liegenden Nadel waren 215, jene eines im Basalpolster befindlichen 87 μ lang. Die von SOLLAS untersuchten Stücke scheinen also größere Anatriaene, wie die von mir untersuchten, zu besitzen. Die Clade junger Anatriaene (Taf. XV, Fig. 47) schließen viel größere Winkel mit dem Schafte ein, als jene der ausgebildeten.

Bei diesen Nadeln sind drei ziemlich kongruente Clade vorhanden und schließen die drei durch den Schaft und die Clade gebeideten Ebenen gleiche Winkel (von 120°) miteinander ein. Außer diesen regulären Anatriaenen kommen noch andersartige Anaclade vor. Zu diesen Nadeln gehören jene sehr häufigen Anatriaene, die zwar drei annähernd kongruente Clade besitzen, bei denen aber die durch die Clade und den Schaft genedeten drei Ebenen nicht drei gleiche, sondern einen größeren und zwei kleinere Winkel miteinander einschließen, weshalb die Cladome dieser Nadeln mehr oder weniger sagittal erscheinen. Ferner kommen Anaclade vor, bei denen ein oder zwei Clade des Triaens rückgebildet sind. Diese erscheinen als Anadiaene, bzw. Anamonaene (Taf. XV, Fig. 52, 53). In Bezug auf ihre Dimensionen gleichen diese selten vorkommenden Anaclade den regulären Anatriaenen; sie sind jedenfalls als Anatriaenderivate anzusehen.

Bemerkenswert ist, daß, wie schon SOLLAS (1888, p. 24) erwähnt, bei allen Anacladen dieses Schwammes der Achsenfaden des Schaftes über das Nadelzentrum, in dem die Achsenfäden der Clade mit dem Schaftachsenfaden zusammentreffen, hinaus fortgesetzt ist. Im Zusammenhang damit steht, daß, wie aus den Photographien (Taf. XV, Fig. 40—42, 47—50, 52, 53) ersichtlich ist, das Cladom oben in der Mitte stets eine buckelförmige Vorragung trägt, die eine kurze Schaftfortsetzung ist. Solche Buckel kommen auch bei den Anacladen anderer Tethyden vor. Diese Buckel erwähnt SOLLAS (l. c.) bei *Cinachyra barbata* nicht und er bildet sie auch nicht ab. Nachdem bei diesen Nadeln der Achsenfaden über das Cladom hinaus verlängert ist und ein solcher Buckel die Cladommitte krönt, sollte man dieselben eigentlich als Mesoclade nicht als Teloclade auffassen. An einem Anamonaen habe ich beobachtet, daß von der in den Scheitelhöcker eindringenden Fortsetzung des Schaftachsenfadens aus zahlreiche, kurze, 1—1,8 μ lange Seitenzweige wie die Aeste vom Stamme einer Tanne abgehen (Taf. XV, Fig. 52, 53 A). In ihrer Struktur gleichen diese Zweige dem Achsenfaden, von dem sie entspringen. Einer derselben ist stark verlängert und bis ans Cladende fortgesetzt. Das ist der Cladachsenfaden. Diese merkwürdige Bildung scheint darauf hinzuweisen, daß die Clade dem Schafte nicht homolog sind und etwas sekundär, vom Schaft aus Gebildetes darstellen, woraus man annehmen hätte, daß die Teloclade durch Zweigbildung aus Stabnadeln, und nicht durch Verlängerung eines Strahles aus Chelotropen hervorgegangen sind.

Die großen Protriaene (Taf. XV, Fig. 46) deren Cladome vorwiegend im Pelz und auch im Basalpolster angetroffen werden, haben 5—10 mm lange, am cladomalen Ende 10 bis 15 μ dicke Schäfte. Die Schaftdicke nimmt nach unten hin erst eine Strecke weit zu, dann wieder ab. Ein 7 mm langer Protraenschaft, den ich maß, war am cladomalen Ende 10 μ; 1,25 mm davon 12 μ; 2,5 mm davon 8 μ dick. Die Cladome sind selten regulär, oft zeigen sie eine ausgezeichnet sagittale Entwicklung indem ein Clad lang, die beiden andern viel kürzer und untereinander annähernd gleich groß sind. In der Figur 46 ist ein solches sagittales Protriaencladom abgebildet. Viele von den großen Protriaenen dieses Schwammes haben aber auch ganz unregelmäßige Cladome. Die Clade sind 88—160 μ lang und schließen mit der Schaftverlängerung Winkel von ungefähr 18° ein. Sie sind völlig gerade und zugespitzt oder auch stumpf. Nach Sollas (1888, p. 24) werden die Schäfte dieser Nadeln 13,21 mm lang, am cladomalen Ende 19,7, und weiter unten, an ihrer dicksten Stelle, 29,6 μ dick, während die Clade 177,6 μ lang sind. Die von ihm untersuchten Stücke hatten also etwas größere Protriaene als jene der Valdivia-Sammlung. Wie Sollas (1888, p. 24) bemerkt, kommen neben diesen triaenen Procladen auch ähnliche, diaene und monaene vor. Außerdem habe ich einigemale solche Protriaene mit einem geknickten, plötzlich stark nach außen gebogenen Clad, sowie auch Mesoprotriaene gesehen. Bei diesen Protriaenen, namentlich bei den schlankeren, vermutlich jüngeren, ist der Schaft, dort wo er ins Cladom übergeht, leicht angeschwollen.

• Die kleinen Proclade in den Wänden der Porengruben haben 500 μ lange, am cladomalen Ende 2 μ dicke Schäfte. Ihre Cladome sind mannigfaltig und oft in hohem Maße sagittal differenziert. Die Clade sind 10—50 μ lang. Nach Sollas (1888, p. 25) wären die Schäfte dieser Nadeln nur 130 μ lang, aber 3,9 μ dick, und ihre Clade 16—31 μ lang.

Die Sigme sind stark gewunden und 10—15 μ lang. Die Sollas'schen Maße derselben (1888, p. 24) sind 11,8—15,6 μ.

Alle drei Stücke dieses Schwammes wurden von der Valdivia Ende Dezember 1898 in der Gazellenbai in Kerguelen (Valdivia-Station Nr. 160), das kleinere am 27. in einer Tiefe von 9—33 m, die größeren am 28. Dezember erbeutet.

Darüber, daß diese drei Stücke der Valdivia-Sammlung zur Species *Cinachyra barbata* Sollas gehören, kann kein Zweifel bestehen. In Bezug auf das Aussehen und den Fundort stimmen sie mit den von Sollas beschriebenen überein und in Bezug auf den innern Bau und die Nadeln liegen die Unterschiede gewiß innerhalb der Variationsgrenzen, die man bei den Spongienarten annehmen muß. Die bedeutendsten Unterschiede zwischen meinen Befunden an den Valdivia-Stücken und der Beschreibung, die Sollas von den Challenger-Stücken gibt, sind folgende. Nach meinen Befunden sind die meisten Porengruben zylindrisch, nur wenige, und die nur sehr unbedeutend, im Innern erweitert, während sie nach der Sollas'schen Darstellung einen verhältnismäßig engen Eingang haben und innen zu geräumigen ovalen Höhlen erweitert sind. Nach meinen Befunden sind die Schäfte der kleinen Protriaene 500, nach der Sollas'schen Darstellung nur 130 μ lang. Der erstere Unterschied mag wohl auf verschiedene Kontraktionszustände zurückzuführen sein und ich denke mir, daß wohl auch beim Challenger-Material Porengruben vorkommen dürften, die viel weniger als die von Sollas abgebildete ausgebaucht, mehr zylindrisch sind. Was die Schaftlänge der kleinen Protriaene anlangt, so kann ich nicht umhin, die Richtigkeit der Sollas'schen Angabe zu bezweifeln. Ich glaube da um so eher einen Irrtum annehmen zu dürfen, als nach einer der Sollas'schen Figuren (1888, Taf. 39 Fig. 2) die Schäfte der größten von diesen Nadeln nahezu dreimal so lang sind, als im Text angegeben wird, und von meinem Befund gar nicht so sehr abweichen.

Unter Berücksichtigung der Ergebnisse der Untersuchung des Valdivia-Materials hätte die Diagnose von *Cinachyra barbata* Soll. folgendermaßen zu lauten:

Cinachyra barbata SOLL.

Kugelig oder aufrecht walzenförmig, bis 7 cm hoch, mit einem Nadelwurzelschopf, der bei großen Stücken als ein umfangreicher Basalpolster erscheint. An der Oberfläche bei kleinen Stücken ein, bei großen zahlreiche, große, zylindrische oder innen erweiterte Porengruben. Die Wände dieser scheinbar glatt, nur mit kleinen, vorragenden Protriaenen besetzt. Zwischen den Porengruben mit einem Nadelpelz auf, und mit einem, etwa 1 mm starken Panzer von kurzen, dicken Amphioxen und ihren Derivaten unter der Oberfläche. Gelblich. Megasclere: Amphioxe der Radialbündel, meist schwach isoactin, 6—10 mm lang, 64—86 μ dick; Style der Radialbündel, selten, bis 136 μ dick; Amphioxe des Panzers 360—1100 μ lang, 25—60 μ dick; verschiedene mehrstrahlige Derivate dieser Amphioxe von ähnlichen Dimensionen; vielleicht zuweilen auch Sphaere von 53,5 μ Durchmesser; Anatriaene mit einem Buckel auf dem Cladom, Schaft 12—40 mm lang, am cladomalen Ende 18—32 μ dick; Clade 87—215 μ lang, jene der Anatriaene des Körpers stärker, jene der Anatriaene des Wurzelschopfes schwächer gekrümmt; Anadiaene und Anamonaene von ähnlichen Dimensionen, selten; große Protriaene, deren Schaft 5—13 mm lang, am cladomalen Ende 10—20, weiter unten bis 30 μ dick, Cladom meist irregulär, oft sagittal, Clade 88—178 μ lang, stark aufstrebend; Prodiaene und Promonaene von ähnlichen Dimensionen, selten; kleine Protriaene der Porengrubenwände, Schaft bis 500 μ lang am cladomalen Ende 2—4 μ dick, Cladom meist irregulär, oft sagittal, Clade 10—50 μ lang. Microsclere: Sigme 10—16 μ lang.

Die Verbreitung der Art ist folgende: Südindischer Ocean, Kerguelen-Inseln, Tiefe bis 110 m.

Cinachyra isis n. sp.

Taf. XV, Fig. 54—58; Taf. XVI, Fig. 1—4.

In der Gazellen-Sammlung findet sich ein Stück dieses Schwammes.

Der Grundteil fehlt. Der Körper (Taf. XVI, Fig. 4) hat die Gestalt eines rundlichen, in senkrechter Richtung etwas abgeplatteten Kuchens; er ist 37 mm hoch, 59 mm lang und 54 mm breit.

An der Oberfläche finden sich ziemlich viele große Löcher, die Eingänge in die Porengruben. Diese sind auf der einen Seite bedeutend zahlreicher als auf der andern Seite und auf dem Scheitel. Dort wo sie am dichtesten stehen sind sie, von Rand zu Rand, 5—8 mm voneinander entfernt. Die Gruben selbst sind 2—8 mm weit, rundlich, meist kreisförmig, zum Teil auch breiteiförmig und bis 9 mm tief. Ihr Boden ist stets abgerundet und stellt eine halbe Kugeloberfläche dar, die mit weiteren Eingängen ausgestattete sind zylindrisch, jene mit engen Eingängen, innen zu eiförmigen Höhlen erweitert. Die zwischen den Porengruben gelegenen Teile der Oberfläche dürften wohl mit einem Nadelpelz bekleidet gewesen sein, dieser ist jedoch jetzt fast ganz abgerieben.

Die äußere Oberfläche hat, in Weingeist, eine ziemlich dunkle, rotbraune Farbe. Das Innere ist schmutzig braun.

Das Skelett besteht aus einem in der Mitte der Unterseite des vorliegenden Schwammteiles befindlichen Nadelzentrum, von dem kaum gebogene Nadelbündel gegen die Oberfläche ausstrahlen. Wahrscheinlich war ein Pelz und vielleicht auch ein Wurzelschopf oder Basalpolster vorhanden. Zwischen den Nadelbündeln finden sich zerstreute, kleine Amphioxe, welche in einer, 1,5—3 mm unter der Oberfläche gelegenen Zone stellenweise recht zahlreich sind. Die Nadelbündel bestehen aus Amphioxen, einzelnen Stylen und, in ihren distalen Teilen, Telocladen. Diese Teloclade sind zum Teil regelmäßige, kleine Anatriaene, zum Teil größere, oft unregelmäßige Ortho-, Plagio- und Proclade. An der Oberfläche und im Innern finden sich zahlreiche sigme Microsclere.

Die großen Amphioxe der radialen Nadelbündel sind 5,4—7,1 mm lang und 45—86, meist 72 μ dick. Meist sind sie an beiden Enden ziemlich stumpf, zuweilen aber auch an dem einen zugespitzt. Sie sind ziemlich stark anisoactin. Ein in der Mitte 68 μ dickes, das ich maß, war 200 μ von einem Ende 20 μ; 200 μ vom andern Ende nur 7 μ dick. Bei einem andern in der Mitte 65 μ dicken betrugen die entsprechenden Maße 15 und 10 μ.

Die seltenen großen Style sind am stumpfen Ende 75 μ dick und erreichen eine Länge von 4 mm. In den Nadelpräparaten habe ich mehrere gesehen, in den Schnitten, in situ, jedoch nur eines. Bei diesem lag das stumpfe Ende distal.

Die zerstreuten, kleinen Amphioxe sind 130—160 μ lang, gerade oder nur sehr wenig gekrümmt, isoactin, und in der Mitte 2—5,5 μ dick. Unregelmäßige oder mehrstrahlige Derivate dieser regulären Amphioxe habe ich nicht beobachtet, dagegen Nadeln ähnlicher Größe gesehen, die ich jedoch für dem Schwamm fremde zu halten geneigt bin. Diese waren Style und Triactine. Die ersteren sind in den Nadelpräparaten (vom zweiten Sediment) recht häufig und dürften von einem monaxoniden Schwamm herrühren. Triactine habe ich nur zwei gesehen.

Die Anatriaene (Taf. XVI, Fig. 1) sind recht zart gebaut. Ihre Schäfte sind 4—7 mm lang und am cladomalen Ende 6—9 μ dick. Die Clade sind 31—73 μ lang und nur sehr wenig gekrümmt. Sie schließen mit dem Schafte Winkel von ungefähr 46° ein.

Die Ortho-, Plagio- und Proclade sind sehr mannigfach und durch so viele Uebergangsformen miteinander verbunden, daß es sich empfiehlt alle diese Formen zusammen zu beschreiben. Zunächst werden ziemlich zarte Proclade der gewöhnlichen Art mit 5—7 mm langen, am cladomalen Ende 8 μ dicken Schäften und Claden beobachtet, welche mit der Schaftverlängerung Winkel von nur 17° einschließen, und 40—112 μ lang werden. Von solchen Procladen habe ich ziemlich reguläre und sagittale, triaene, diaene und auch monaene Formen beobachtet. Die anderen Teloclade dieser Reihe sind derber gebaut und haben viel dickere Clade. Ihre Schäfte sind am cladomalen Ende dicker, jedoch oft beträchtlich kürzer als die Schäfte der schlankcladigen. Außer durch ihre Derbheit unterscheiden sie sich auch dadurch von diesen, daß ihre Clade stets weniger stark aufgerichtet sind. Bei einer regelmäßig triaenen, procladen Form hielt der Schaft am cladomalen Ende 23 μ im Durchmesser, waren die abgestumpften Clade 136 μ lang und betrug der Winkel zwischen denselben in der Schaftverlängerung 27°. Häufiger als solche Formen sind Plagio- und Orthotriaene. Zwei solche Nadeln habe ich in den Figuren 54 und 55 auf Taf. XV abgebildet. Die Clade des Plagiotriaens sind 100, jene des Orthotriaens 56 μ lang, die Schaftdicke beträgt ungefähr 25 μ. Besonders charakteristisch für den Schwamm scheinen mir die dicken Prodiaene mit wenig aufstrebenden Claden, namentlich diejenigen von ihnen zu sein, bei denen die Clade eine hornartige Gestalt annehmen. Die mit geraden oder schwach und unregelmäßig gekrümmten Claden ausgestatteten von diesen Prodiaenen

(Taf. XV, Fig. 56; Taf. XVI, Fig. 2) haben einen, am cladomalen Ende etwa 23 μ dicken Schaft und bis 180 μ lange Clade, die mit der Schaftverlängerung Winkel von 20—30⁰ einschließen. Die Prodiaene mit hornähnlichen Claden (Taf. XV, Fig. 57, 58; Taf. XVI, Fig. 3) haben einen 2 mm langen, geraden, am cladomalen Ende 48 μ dicken Schaft, der sich rasch verdünnt und in einen zylindrischen, 9 μ dicken, am Ende abgerundeten Faden ausläuft (Taf. XV, Fig. 58). Die Clade haben, vom Achsenzentrum bis zur Spitze gemessen, eine Länge von 160 μ, sind am Grunde gegen 50 μ dick und sehr regelmäßig gegen die Schaftverlängerung konkav gekrümmt, so daß ihre beiden Achsenfäden zusammen einen schönen, regelmäßig parabolischen Bogen bilden und sie selbst ein ausgezeichnet hornartiges — zusammen mondsichelförmiges — Aussehen gewinnen (Taf. XV, Fig. 57; Taf. XVI, Fig. 3). Auf die Mondsichelform der Cladome dieser Nadeln bezieht sich der Speciesname *isis*, den ich dem Schwamme beigelegt habe.

Die Sigme sind stark gewundene, feindornige, bei 1 μ dicke, zylindrische Stäbe und erreichen eine Länge von 20—25 selten bis zu 28 μ.

Der Schwamm wurde von der Gazelle (Nr. 494) an der Nordwestküste Australiens, in der Mermaid-Straße erbeutet.

Zweifellos gehört der Schwamm in das Genus *Cinachyra*. Von allen anderen Arten dieser Gattung, mit Ausnahme von *C. amboinensis* KIESCHNICK, *C. hirsuta* DENDY und *C. schulzei* KELLER unterscheidet er sich durch die Größe seiner Sigme. In Bezug auf die Unregelmäßigkeit seiner Protriaene ähnelt er der *C. schulzei*, in Bezug auf das Vorkommen von Orthotriaenen der *C. amboinensis*. Von *C. amboinensis* unterscheidet er sich durch die größere Länge der Clade seiner Anatriaene, von *C. hirsuta* und *C. schulzei* durch die bedeutendere Länge der Clade seiner Protriaene.

Cinachyra hamata n. sp.

Taf. XIV, Fig. 1—7.

In der Valdivia-Sammlung finden sich zwei Sticke dieses Schwammes.

Das eine ist ein pyramidenförmiges Bruchstück eines Schwammes. Soweit daraus ein Schluß auf die Gestalt des ganzen Schwammes gezogen werden kann, war derselbe kugelförmig und hatte einen Durchmesser von 24 mm. Das vorliegende Bruchstick wäre dann ein Kugelsektor und bildete etwa ein Fünftel des Schwammes. Das andere ist eine Kugel von 7,5 mm Durchmesser.

Derjenige Teil der Begrenzung des erstgenannten Bruchstickes, welcher der äußern Oberfläche des Schwammes angehört, ist im allgemeinen ein ziemlich regelmäßiger, nur von ganz unbedeutenden Erhebungen und Senkungen unterbrochener Kugelflächenabschnitt und mit einem gleichmäßigen und sehr dichten, 300—900 μ hohen Nadelpelz (Taf. XIV, Fig. 1b) bedeckt. Von diesem Teil der Oberfläche erheben sich zwei kurze, am Grunde trompetenförmig verbreiterte Röhren von 1,5 und 1 mm Höhe, auf deren Enden je eine kreisrunde, bei der niederen 0,5, bei der höheren 1,5 mm weite Oeffnung liegt. Die beiden, distal zylindrischen Röhrenlumina sind 5 mm lang und gehen proximal in kaum merklich verbreiterte, langgestreckt kolbenförmige Höhlen über. In der einen saß ein kleiner Kruster, vermutlich ein Isopod. Auf der Oberfläche des zweiten (kleinen) Stickes wurden vier in einer Reihe stehende 0,5—1 mm hohe Vorragungen, vermutlich auch Röhren, die aber hier geschlossen sind, bemerkt.

89

Nähere Angaben über das Kanalsystem kann ich Mangels an Material wegen, nicht machen. Als der Schwamm noch lebte befanden sich am Grunde der beiden Höhlen des größeren Stückes vermutlich Poren, diese sind jetzt aber ganz geschlossen und deshalb nicht zu sehen. Jene Höhlen wären also als Porengruben aufzufassen und ich denke, daß der ganze Schwamm eine beträchtliche Anzahl solcher besessen haben dürfte.

Die Farbe des Schwammes ist, in Weingeist, ein helles Braungrau; an der Oberfläche dunkler und reiner braun, im Innern heller und schmutziger.

Das Skelett besteht aus radialen Megascleren, und aus Microscleren. Zerstreute, nicht radial gelagerte Megasclere scheinen völlig zu fehlen. Von der Spitze des pyramidenförmigen Bruchstückes, welche wohl dem Zentrum des (vermutlich) kugeligen Schwammes entspricht, strahlen zahlreiche, dichtstehende, gerade Nadelbündel aus, welche sich gegen die Oberfläche hin verbreitern und zerteilen. Im Innern des Schwammes bestehen diese Nadelbündel ausschließlich aus anisoactinen Amphioxen (Taf. XIV, Fig. 5 d) deren dickeres Ende stets nach außen gerichtet ist. Distal gesellen sich in beiden Stücken Protriaene, Prodiaene und Anamonaene hinzu. Im kleinen Stück habe ich außerdem noch Anatriaene beobachtet. Die cladtragenden Distalenden der Anamonaene liegen in den distalen Teilen der Nadelbündel in Stufen in radialen Reihen (Taf. XIV, Fig. 5 a) übereinander, die tiefsten werden 1,2—1,3 mm unterhalb der Oberfläche angetroffen, die höchsten an, oder, seltener, über der Oberfläche. Die Amphioxe reichen nicht über die Oberfläche hinaus. Die dickeren Distalenden der äußersten Amphioxe der distal bis zu gegenseitiger Berührung verdickten, radialen Nadelbündel liegen alle im selben Niveau dicht unter der Oberfläche und bilden, wie die nebeneinander eingerammten Pfähle eines Pilotenbaues angeordnet, eine Art Hautpanzer. Cladome von Procladen findet man im Innern des Schwammes verhältnismäßig selten; die wenigen, die ich gesehen habe, lagen dicht unter der Oberfläche und waren größtenteils noch jung. Die Nadeln des Pelzes erheben sich nicht senkrecht von der Oberfläche sondern sind (Taf. XIV, Fig. 1, 5) etwas geneigt. Es scheint daß sie sich gegen die röhrenförmigen, vorragenden Einfassungen der Porengruben neigen. Jene Nadeln, welche sich von den Röhren selbst erheben, liegen der Achse des Röhrenlumens parallel und schließen daher mit der äußeren Oberfläche der Röhrenwand, über die sie aufragen, ganz kleine Winkel ein. Die vom freien Röhrenrande sich erhebenden Nadeln scheinen ähnlich jenen der übrigen Teile des Pelzes zu sein. Sicheres kann ich hierüber jedoch nicht angeben weil die meisten von diesen Nadeln abgebrochen waren. Der ganze Pelz besteht aus Massen von Procladen (Taf. XIV, Fig. 1 b, 5 c), denen sich stellenweise (Taf. XIV, Fig. 5 b) Anamonaene gesellen. Die letzteren pflegen auch hier zu mehreren in radialen Reihen übereinander zu liegen. Diese Reihen sind distale Fortsetzungen der im Innern liegenden radialen Anamonaencladomreihen. Die Anamonaene und Anatriaene sind alle ziemlich gleich gebaut, die Proclade dagegen sehr veränderlich. Unter den letzteren lassen sich nicht nur Protriaene und Prodiaene unterscheiden sondern es sind auch die Cladome der Protriaene selbst untereinander sehr verschieden. Die Microsclere sind kleine Sigme. Sie finden sich vornehmlich in den oberflächlichen Schwammpartien. Stellenweise, so namentlich in den Wänden der Porengruben, sind sie recht zahlreich.

Die radialen Amphioxe (Taf. XIV, Fig. 4, 6) sind ziemlich gerade, bei dem großen Stücke meist 3—3,6, selten bis 4 mm lang und an der dicksten Stelle 32—42, selten bis 47 μ dick; bei dem kleineren 1,5—3 mm lang und 17—35 μ dick. Die Dicke steht nicht im Verhältnisse zur Länge und in der Regel sind kürzere Nadeln, von 2 mm Länge und darunter, gerade so dick wie die längsten. Die allermeisten von diesen Amphioxen sind anisoactin. Unter den großen habe ich überhaupt nie eine isoactine gefunden; unter den kleinen aber kommen neben den, zuweilen sehr stark anisoactinen, auch isoactine vor. Ein kleines isoactines Amphiox, das ich gemessen habe, war 660 μ lang und an der in der Mitte gelegenen dicksten Stelle 22 μ dick. Die beiden Enden eines großen Amphiox von mittlerer Anisoactinität sind in Fig. 6 dargestellt. Der Grad der Anisoactinität einer solchen Nadel ist aus folgender Tabelle zu ersehen.

Dicke der Nadel

10 μ	vom distalen Ende	10,0 μ;	vom proximalen Ende				1,8 μ
20 „	„	„	„	12,5 „	„	„	„	2,2 „
30 „	„	„	„	13,3 „	„	„	„	2,6 „
40 „	„	„	„	14,1 „ „	„	„	„	3,0 „
100 „	„	„	„	18,3 „	„	„	„	5,1 „
200 „	„	„	„	20,2 „	„	„	„	6,9 „

Ein besonders stark anisoactines Amphiox ist in Fig. 4 abgebildet. Diese Nadel ist 100 μ vom distalen Ende entfernt 24 μ; 100 μ vom proximalen entfernt nur 4 μ dick. Im ganzen scheint der Grad der Anisoactinität gegen die Schwammoberfläche zuzunehmen; besonders großen Unterschieden zwischen dem dickeren Distalende und dem dünneren Proximalende begegnet man bei jenen, meist kürzeren, Amphioxen, welche pilotenartig in der Dermalschicht stecken. Scharf unterschieden sind aber diese oberflächlichen Nadeln nicht: eine ununterbrochene Reihe von Uebergängen verbindet sie mit den tiefer liegenden, weniger stark anisoactinen Nadeln der radialen Bündel.

Von Procladen (Taf. XIV, Fig. 1b, 3, 5c) werden, wie erwähnt, Protriaene und Prodiaene angetroffen. Diese sind aber kaum auseinander zu halten, denn es haben nicht nur die Strahlen beider dieselbe Gestalt und Größe, sondern es sind auch Prodiaene und Protriaene durch Uebergangsformen miteinander verbunden, welche zwei wohlentwickelte und ein mehr oder weniger verkümmertes Clad besitzen. Aus diesem Grunde werde ich hier die Protriaene und Prodiaene zusammen beschreiben. Die Schäfte dieser Nadeln sind sehr lang. Die Schäfte der intakten, isolierten, ausgebildeten Proclade des großen Stückes, die ich maß, waren 2,3—5,3 mm lang. Ich habe jedoch noch längere, cladomlose Schaftbruchstücke in den Nadelpräparaten gesehen, die vermutlich Procladen angehört hatten und bis über 7 mm lang waren. Mangelnden Materials wegen konnte nicht genug Nadelpräparate gemacht und daher auch die Frage nach der Maximallänge der Procladschäfte nicht sicher beantwortet werden; nur so viel läßt sich sagen, daß sie sicher bis 5,3, vermutlich bis 8 mm lang werden. An dem fast immer frei vorragenden, cladomalen Ende sind die Schäfte der großen Proclade meist 5—7, selten bis 7,8 μ dick. Es gibt aber im Pelz sehr zahlreiche Proclade mit viel dünneren Schäften, bis zu Dicken (am cladomalen Ende) von 0,8 μ bei dem großen und 0,4 μ bei dem kleinen Stücke, herab. Daß diese Nadelteile, wenn sie einmal vorgetreten sind und im Pelze liegen, noch wachsen, möchte ich kaum glauben, so daß also auch diese dünnschäftigen Proclade als ausgebildete Nadeln aufzufassen und die Dicke des Schaftes an seinem cladomalen Ende zu 0,4—7,8 μ anzugeben wäre. Von dem cladomalen Ende nach abwärts nimmt der Schaft an Dicke zuerst zu und erreicht 300—500 μ unterhalb des cladomalen Endes seinen größten Querdurchmesser. Hier habe ich Schaftdicken von 6,5—13 μ gemessen. Der Grad dieser Dickenzunahme ergibt sich aus den folgenden Beispielen:

	A	B	C
Dicke des Schaftes am cladomalen Ende	7,3 μ	5,4 μ	5 μ
„ „ „ an seiner stärksten Stelle	13 μ	9 μ	10 μ

Es ist also der Schaft am cladomalen Ende beiläufig halb so dick als an seiner dicksten Stelle. Von dieser an verdünnt er sich allmählich, um schließlich in einen fast unmeßbar feinen Endfaden auszulaufen. Während der dem Cladom zunächst liegende Teil des Schaftes gerade zu sein pflegt, ist dieser proximale, fadenförmige Endteil meist leicht wellen- oder schraubenförmig gebogen und ragt sich zwischen den Amphioxen der radialen Nadelbündel empor.

Nur selten sind die drei Clade ziemlich gleich groß, häufiger sind alle drei ungleich oder zwei ziemlich ähnlich und länger und das dritte kürzer. Die Verkürzung des einen Clads kann so weit gehen, daß dieses vollständig verschwindet und die Nadel zu einem Prodiaen wird. Es sind jedoch diese extremen (prodiaenen) Formen nicht häufig. Die weitaus meisten Proclade sind unregelmäßige Protriaene. Viel gleichmäßiger als die Größe der Clade ist der Winkel, den sie mit der Schaftverlängerung einschließen. Die größten Clade sind 60—90 μ lang und am Grunde 3—4,9 μ dick. Mit der Schaftverlängerung schließen sie Winkel von ungefähr 20⁰ (gemessen 19—22⁰) ein. Am Grunde sind die Clade stets mehr oder weniger gegen den Schaft konvex (gegen die Schaftverlängerung konkav) gekrümmt. Ihre Mittel- und Endteile sind entweder gerade (Fig. 3) oder ebenfalls gekrümmt. Diese Krümmung kann mit der des Grundteiles gleichsinnig, gegen die Schaftverlängerung konkav, oder auch umgekehrt, gegen die Schaftverlängerung konvex sein, in welchem Falle das Clad S-förmig erscheint. Die Clade desselben Cladoms pflegen gleichartig gekrümmt zu sein.

Von Anacladen habe ich bei dem großen Stück stets nur Anamonaene, nie aber Anadiaene oder -triaene, bei dem kleinen auch einzelne Anatriaene beobachtet. Die Anamonaene (Taf. XIV, Fig. 2, 5 b, 7) sind zahlreich und auffallend. Ihr radial nach innen gerichteter Schaft ist bei dem großen Stücke 4,5—6,7, selten bis 8,5 mm lang und am distalen, cladomalen Ende 13—18 μ dick; bei dem kleinen bis 3 mm lang und 10 μ dick. Vom cladomalen Ende nach abwärts verdünnt er sich erst ziemlich rasch (Fig. 2, 7) dann allmählicher, um schließlich in einen sehr feinen Endfaden auszulaufen. Dieser ist, wie der feine, proximale Endteil der Procladschäfte, gewöhnlich leicht wellen- oder schraubenförmig gekrümmt. Das Clad ist bei dem großen Stücke 45—71 μ lang und am Grunde 7—12 μ dick; bei dem kleinen bis 36 μ lang. Es ist hakenförmig zurückgebogen, gegen den Schaft konkav, und verdünnt sich stetig zu einer scharfen Spitze. Die Sehne des vom Cladachsenfaden gebildeten Bogens schließt mit der Schaftachse einen Winkel von ungefähr 33⁰ (gemessen 32—34⁰) ein. Der Achsenfaden ist stets deutlich und oft recht breit. Der Achsenfaden des Schaftes ist gerade und endet im Cladomzentrum mit einer leichten körnigen Anschwellung. Der Cladachsenfaden pflegt nicht vom äußersten, distalen Ende des Schaftachsenfadens abzugehen, sondern eine kurze Strecke unterhalb desselben (Fig. 7). Sein Grundteil steigt stets an und schließt mit dem Schafte einen Winkel von ungefähr 125⁰ ein. Eine Strecke weit verläuft er gerade in dieser ansteigenden Richtung und biegt

92

sich dann erst nach rückwärts um. Die Tangente an seinen Endteil bildet mit der Schaftachse einen Winkel von etwa 22⁰.

Die beim kleinen Sticke aufgefundenen Anatriaene waren kleiner als die Anamonaene, ihre Clade dem Anamonaenclad ähnlich, aber nur $\frac{2}{3}$ so groß.

Die Sigme sind stets stark gewunden, bei dem großen Sticke 9—10,6 μ, bei dem kleinen 7—10 μ lang und mit kurzen spärlichen Dornen besetzt. Manchmal macht es den Eindruck, als ob diese Dornen an dem einen Ende des Sigms gehäuft und auch länger seien als anderwärts.

In einem Präparat des kleinen Stickes sah ich ein Sphaer von 25 μ Durchmesser.

Beide Sticke dieses Schwammes wurden von der Valdivia am 3. November 1898 an der südafrikanischen Kiste auf der Agulhasbank, in 35⁰ 26,8′ S und 20⁰ 56,2′ O (Valdivia-Station Nr. 106 b) aus einer Tiefe von 84 m heraufgeholt.

Das Vorhandensein von Sigmen und einfachen Triaenen zeigt, daß dieser Schwamm zu einer der microsclerenhaltigen Gattungen der *Tethydae* gehört. Die von vorragenden Säumen eingefaßten, röhrenförmigen Einsenkungen der Oberfläche sind, obwohl Poren in ihren Wänden nicht nachgewiesen werden konnten, höchst wahrscheinlich als Porengruben zu deuten — sind aber solche vorhanden, dann gehört der Schwamm zu *Cinachyra*, *Fangophilina* oder einem neuen Genus. Da in dem Bruchteile des großen Stickes zwei kleine, nahe beieinander liegende Gruben beobachtet wurden und bei dem kleinen ähnliche Bildungen vorzukommen scheinen, ist anzunehmen, daß er nicht zu *Fangophilina* gehört. Es bleibt somit *Cinachyra* oder ein neues Genus. Da er mit den übrigen *Cinachyra*-Arten ziemlich gut übereinstimmt, errichte ich kein neues Genus für ihn, sondern stelle ihn zu *Cinachyra*.

Während seine Zuweisung zu diesem Genus nicht ganz einwandfrei ist, kann kein Zweifel darüber bestehen, daß wir es hier mit einer neuen Art zu tun haben, denn es unterscheidet sich dieser Schwamm von allen andern Tethyden mit Ausnahme der *Tethya (Tetilla) coronida* SOLL. durch seine Anamonaene — auf dieses auffallende Merkmal seines Skelettes bezieht sich der Speciesname *hamata*, den ich dem Schwamm beigelegt habe — und von der *Tethya (Tetilla) coronida* durch die viel geringere Größe seiner Anamonaenclade und Sigme, sowie durch andere Merkmale.

Cinachyra alba-tridens n. sp.

Taf. XV, Fig. 7—9.

In der Valdivia-Sammlung finden sich drei Sticke dieses Schwammes.

Diese drei Sticke sind einander sehr ähnlich. Alle erscheinen kuchenförmig und haben eine unverletzte, konvexe Oberseite, und eine flachkegelförmige Unterseite, welche als eine Rißfläche erscheint. Sie sind ungefähr 25 mm hoch, haben einen annähernd kreisförmigen Umriß und halten 31—35 mm im Querdurchmesser.

An einem Sticke ist ein auffallender Spalt zu bemerken, welcher dem Rand des kuchenförmigen Schwammes entlang zieht und sich über ungefähr die Hälfte seines Umfanges erstreckt. Der Eingang in diesen Spalt ist ganz schmal; innen verbreitert er sich und erreicht eine kurze Strecke weit unter der Oberfläche (Taf. XV, Fig. 7 a) eine Weite von 4 mm. Dann wieder sich verschmälernd setzt er sich bis in die Nähe des Nadelbündelzentrums fort. Letzteres liegt der unteren Begrenzungsfläche (Rißfläche) an und befindet sich nahe ihrer Mitte. An der Oberseite habe ich einige wenige, bis 1 mm weite Löcher beobachtet, welche in Porengruben hineinführen. Diese sind radial in die Länge gestreckt, länglich eiförmig, 2—3 mm lang und 1,3 mm breit. Der unverletzte Teil der Oberfläche ist mit einem Nadelpelz bekleidet, welcher aber als solcher kaum erkennbar ist, weil dichte Massen von Kalksand die ganze Oberfläche wie mit einem 1,5—3 mm dicken Mörtelverputz verdecken. Wenn man diesen Mörtel beseitigt, so erkennt man, daß der Pelz größtenteils aus den frei vorragenden distalen Endteilen radialer Amphioxe besteht. Teloclade findet man darin wenige. Nur an den Eingängen in die Porengruben werden Telocladcladome, und zwar hauptsächlich protriaene, in größerer Zahl angetroffen.

Die Farbe ist bei allen drei Stücken, in Weingeist, im Inneren licht-bläulich oder bräunlich-grau; eine oberflächliche, 300—500 μ dicke Schichte erscheint dunkelgrau-braun; darüber folgt dann der weiße Kalksandmörtel, welcher den Pelz verhüllt (Taf. XV, Fig. 7).

Von den Porengruben führen zahlreiche Kanäle in den Schwamm hinein. In den vorliegenden Stücken sind diese eng, stark zusammengezogen. Das Innere des Schwammes ist sehr kompakt, man sieht hier nur wenige, kleine Kanäle zwischen den Nadelbündeln. Die dunkel gefärbte, oberflächliche Lage ist reich an paratangentialen, mit braunen Pigmentkörnern erfüllten Spindelzellen, welche eine deutliche Rindenlage von der oben angegebenen Dicke von 300—500 μ bilden.

Das Skelett besteht aus dem oben erwähnten, bei 7 mm großen Nadelzentrum, den von diesem abgehenden, radialen Nadelbündeln, und den sigmen Microscleren. Die Nadelbündel sind leicht und zwar so gebogen, daß die meisten von ihnen in dem allein vorliegenden oberen Teil des Schwammes ihre Konkavität nach oben kehren. Gegen die Oberfläche hin zerteilen sie sich in zahlreiche Zweige, deren verbreiterte Endteile zusammenstoßen und frei über die Oberfläche vorragend, den oben erwähnten Pelz bilden. Proximal und in der Mitte bestehen diese Bündel fast ausschließlich, distal zum größten Teile, aus Amphioxen; auch einzelne Style kommen darin vor. An dem Aufbau der distalen Teile der Nadelbündel nehmen auch Teloclade, jedoch nur in geringer Anzahl teil. Diese sind Anatriaene, Protriaene und Prodiaene. Die beiden erstgenannten werden viel häufiger angetroffen als die letztgenannten. Die Cladome dieser Nadeln liegen unter, in und über der Oberfläche. Die Microsclere sind Sigme und Simotoxe. Die ersten kommen an der Oberfläche und im Inneren in großer Anzahl vor, die letzten sind sehr selten.

Die Amphioxe der radialen Bündel (Taf. XV, Fig. 9) sind isoactin, an beiden Enden scharf zugespitzt, fast immer völlig gerade, und nur ausnahmsweise an einem Ende stärker gekrümmt oder gar winkelig gebogen. Sie erreichen eine Länge von 2—4 mm und sind in der Mitte 30—40 μ dick. Bemerkenswert ist es, daß nicht wenige von diesen Nadeln außerordentlich starke bis 8 μ im Durchmesser haltende Achsenfäden (-Kanäle) besitzen.

Die äußerst seltenen, radial orientierten Style sind etwa 2 mm lang und 15—40 μ dick. Das abgerundete Ende, welches stets proximal liegt, ist von dem übrigen Teile der Nadel etwas abgesetzt, was namentlich an den dünneren Style deutlich hervortritt. Man könnte diese daher wohl auch Subtylostyle nennen.

Die Protriaene und die Prodiaene haben dieselben Dimensionen und Cladwinkel. Ihre Schäfte werden 4 mm und darüber lang und sind am cladomalen Ende etwa 7, an der viel weiter unten gelegenen, dicksten Stelle, etwa 12 μ dick. Die Clade sind meistens ziemlich gleich lang, aber immerhin kommen unregelmäßige Cladome gar nicht selten vor: eine sagittale Differenzierung derselben habe ich nicht beobachtet. Die Clade sind meist 60—120 μ lang und schließen mit der Schaftverlängerung Winkel von 14—23° ein. Es scheint, daß eine gewisse Korrelation zwischen der Cladlänge und dem Cladwinkel besteht, da die längsten Clade gewöhnlich die kleinsten und die kürzesten die größten Cladwinkel aufweisen. Am Grunde divergieren die Clade beträchtlich, weiterhin neigen sie sich der Schaftverlängerung zu. Ihre mittleren und distalen Teile sind meist völlig gerade. Zuweilen bemerkt man auch leicht wellenförmige Biegungen an den Claden. In einem Falle habe ich ein Protriaen gesehen, welches ein normales und zwei stark verkürzte, verkrümmte und abgestumpfte Clade besaß; gewöhnlich sind die Clade aber zugespitzt.

Die Anatriaene (Taf. XV, Fig. 8) haben 2—4 mm lange, am cladomalen Ende 5—8 μ dicke Schäfte. Eine stärkere, trompetenförmige Verdickung des Schaftes am Cladom wird nicht beobachtet. Die Clade sind scharfspitzig, 30—50 μ lang und gleichmäßig gekrümmt, so daß ihre Achsen Kreisbogenstücke darstellen. Die ihre Spitze mit ihrer Ursprungsstelle verbindende Sehne schließt einen Winkel von 35—40° mit dem Schafte ein.

Die Sigme sind 10 μ lang und beträchtlich gekrümmt. Die Krümmung ist an einem Ende stets viel stärker als in den übrigen Teilen der Nadel. Sie sind feindornig, die Dornen scheinen breit und niedrig, aber scharfspitzig zu sein.

Außer diesen Sigmen habe ich in den Wänden der Porengruben einzelne, glatte, an beiden Enden zugespitzte Simotoxe von 30 μ Länge beobachtet. Ich war erst geneigt, diese äußerst seltenen Microsclere für fremde Nadeln zu halten. Da aber ähnliche auch in den Porengrubenwänden von C. alba-bidens vorkommen, so scheint es nicht unwahrscheinlich, daß sie dem Schwamme angehören. Näheres über diese Nadeln ist unten, bei der Beschreibung von Cinachyra alba-bidens angegeben.

An andern Stellen habe ich in den oberflächlichen Gewebeschichten kleine, etwa 50 μ im Durchmesser haltende Triactine, sowie Amphioxe von ähnlicher Länge gesehen. Diese halte ich für fremde Nadeln.

Die drei Stücke dieses Schwammes wurden von der Valdivia am 24. oder 25. Februar 1899 bei Diego Garcia (Chagos-Archipel im tropischen Indik) in seichtem Wasser (Valdivia-Station Nr. 224) erbeutet.

Obwohl die Eingänge in die Porengruben so klein sind, daß der Schwamm äußerlich gar nicht wie eine Cinachyra aussieht, so zeigt doch die nähere Untersuchung, daß er zu dieser Gattung gehört. Die einzigen andern Cinachyra-Arten, die einen höheren Grad von Aehnlichkeit mit der vorliegenden aufweisen, sind C. alba-bidens und C. alba-obtusa. Die Beziehungen dieser drei Arten untereinander habe ich am Schlusse der Beschreibung von C. alba-obtusa erörtert.

Cinachyra alba-bidens n. sp.

Taf. XVI, Fig. 39—44.

In der Gazellen-Sammlung findet sich ein Stück dieses Schwammes.
Dasselbe hat die Gestalt eines flachen Kuchens, ist 23 mm hoch, 34 mm breit und 40 mm

lang. Die obere Begrenzungsfläche des Stückes ist die natürliche Oberfläche des Schwammes, die untere Fläche dagegen sieht wie eine Rißfläche aus. Die natürliche Oberfläche an der Oberseite ist mit einem, bis 1 mm hohen Nadelpelz bekleidet, welcher aber als solcher nicht zu sehen ist, weil ein 1—2 mm dicker, aus Kalksandmörtel bestehender Ueberzug die obere Seite des Schwammes bekleidet und die Räume zwischen den vorragenden Teilen der Pelznadeln ausfüllt. An der Unterseite fehlt dieser Mörtel. Am Rande des Kuchens werden einige kleine, bis 1 mm im Durchmesser haltende Löcher angetroffen. Das sind die Eingänge in die Porengruben. Die letzteren sind radial in die Länge gezogen, schlank eiförmig, bis 8 mm tief (radiale Dimension) und bis 3 mm weit.

Die Farbe des Schwammes ist, in Weingeist, grünlich grau; an seiner Oberfläche findet sich eine schmale, dunklere Zone; darüber folgt dann der weißliche Kalksandmörtel.

Das Skelett besteht aus dem Nadelbündelzentrum, den von diesem ausstrahlenden, radialen Nadelbündeln; Strähnen von Nadeln in den Wänden der Porengruben; und zerstreuten Microscleren. Kleine zerstreute Amphioxe fehlen vollkommen. Das Nadelzentrum liegt dicht an der Grundfläche, welche, wie erwähnt, eine Rißfläche sein dürfte, und zwar in ihrer Mitte. Die radialen Nadelbündel sind völlig gerade und nicht breit; sie bestehen aus zahlreichen Amphioxen, deren sich gegen die Oberfläche hin Telocladschäfte gesellen. Außerdem nehmen an ihrem Aufbau auch einzelne Style und Amphistrongyle teil. Die Teloclade der radialen Nadelbündel sind größtenteils Anatriaene und Prodiaene. Die ersteren sind zahlreicher als die letzteren. Zwischen diesen kommen einzelne Protriaene vor. Die Cladome der Anatriaene bilden in den radialen Nadelbündeln auffallende Gruppen, welche ungefähr 700 μ unter der Oberfläche liegen. Ueber diesen Gruppen, zwischen derselben und der Oberfläche, sowie auch oberhalb der letzteren, frei vorragend, werden zerstreute Anatriaencladome angetroffen. Die Nadelsträhne in den Wänden der Porengruben bestehen aus Procladen. Die allermeisten davon sind Prodiaene. Ab und zu trifft man zwischen diesen auch einzelne Protriaene an. Die Microsclere sind Sigme und Simotoxe. Die ersten sind mäßig zahlreich und allgemein verbreitet, die letzten auf die Wände der Porengruben beschränkt und auch hier ziemlich selten. Ob diese Simotoxe dem Schwamme angehören oder fremde Nadeln sind, konnte nicht mit Sicherheit festgestellt werden; daß ähnliche Simotoxe auch bei *Cinachyra alba-tridens* vorkommen, spricht für ersteres.

An der Oberfläche wird eine deutliche, etwa 350 μ dicke Faserrinde angetroffen. Der Oberfläche zunächst ist diese dunkelbraun pigmentiert; nach innen zu wird sie allmählich durchsichtiger. Das an die untere Grenze dieser Rindenlage anstoßende Gewebe ist ebenfalls ziemlich reich an braunem Pigment, und auch hier bemerken wir ein Hellerwerden gegen das Innere des Schwammes hin.

Die Amphioxe sind isoactin, 3—5 mm lang und 40—53 μ dick. Gewöhnlich sind sie annähernd gerade oder sehr schwach gekrümmt, es kommen aber auch Amphioxe vor, deren distaler Endteil eine winkelige Biegung oder Knickung aufweist und es schließen die abgeknickten Endteile dieser Nadeln mit der Fortsetzung der Hauptachse Winkel von 8—19° ein. In der Fig. 44 (Taf. XVI) ist ein solches, winkelig gebogenes Amphioxende abgebildet.

Die ziemlich seltenen Style haben eine ähnliche Dicke wie die Amphioxe, sind aber kürzer. Ihr abgerundetes Ende kann ebensowohl proximal wie distal liegen. Zuweilen erscheint dasselbe etwas verdickt, so daß die ganze Nadel ein subtylostylartiges Aussehen gewinnt.

Die Amphistrongyle sind sehr selten. Ich habe nur einzelne in den oberflächlichen Schwammpartien gesehen. Diese waren 1,2 mm lang und 35 μ dick, zylindrisch und ganz gerade. Bei einem waren die abgerundeten Enden deutlich angeschwollen; diese Nadel erscheint als ein Amphityl.

Die Prodiaene der radialen Nadelbündel (Taf. XVI, Fig. 41) haben 3—4 mm lange, am cladomalen Ende 8—12 μ dicke Schäfte. Ihre beiden Clade sind gewöhnlich ungleich groß, in ihrem Grundteile gegen die Schaftverlängerung schwach konkav, weiterhin völlig gerade. Sie erreichen eine Länge von 60—115 μ und schließen mit der Schaftverlängerung Winkel von 11—18° ein.

Die sehr seltenen Protriaene der radialen Nadelbündel (Taf. XVI, Fig. 42) haben ähnliche Dimensionen wie die Prodiaene und unregelmäßige oder sagittale Cladome.

Die kleinen Prodiaene der Wände der Porengruben (Taf. XVI, Fig. 40) haben etwa 2,5 mm lange, am cladomalen Ende 3—4 μ dicke Schäfte. Ihre Clade sind gerade oder gegen die Schaftverlängerung schwach konkav und gewöhnlich nicht scharf zugespitzt. Die beiden Clade eines Cladoms sind entweder gleich (Fig. 40b) oder ungleich (Fig. 40a) lang. Ihre Länge beträgt 37—77 μ und der Winkel, den sie mit der Schaftverlängerung einschließen 10—14°.

Die selteneren kleinen Protriaene der Wände der Porengruben haben ähnliche Dimensionen wie die daselbst vorkommenden Prodiaene und unregelmäßige oder sagittale Cladome.

Die Anatriaene der radialen Nadelbündel (Taf. XVI, Fig. 43) haben 3—4 mm lange, am cladomalen Ende 7 μ dicke Schäfte. Ihre Clade sind 65—78 μ lang und die Cladsehnen schließen mit dem Schafte Winkel von 30—40° ein. Die meisten Cladome dieser Nadeln sind am Scheitel glatt, ab und zu trifft man aber auch eines, dessen Scheitel einen höckerartigen Fortsatz trägt. Solche Cladome pflegen größere Cladwinkel als die höckerlosen zu haben, vielleicht sind sie Jugendstadien der letzteren.

Die Sigme sind feindornige, stark gewundene Stäbe von der gewöhnlichen Form und erreichen eine Länge von 8—10 μ.

Es ist oben erwähnt worden, daß in den Wänden der Porengruben außer den Sigmen noch einzelne zerstreute Microsclere anderer Art (Taf. XVI, Fig. 39) vorkommen. Diese erscheinen als mehr oder weniger deutlich centrotyle, in der Mitte etwa 3 μ dicke, an beiden Enden gleichmäßig und stark gekrümmte, glatte Amphioxe. Das Tyl hat eine Dicke von etwa 4,5 μ. Die Krümmung nimmt stetig gegen die beiden Enden hin zu und diese sind gegeneinander gerichtet, so daß die ganze Nadel wie ein Doppelhacken oder eine Klammer aussieht. Der Längsdurchmesser dieser Nadeln beträgt 39 μ, ihre Pfeilhöhe 22 μ. Ich nenne diese Nadeln, deren Krümmung in einer Ebene liegt, die sich hierdurch grundsätzlich von den Sigmen unterscheiden, Simotoxe ($\sigma\iota\mu\sigma\varsigma$ — eingebogen), weil sie als Toxe angesehen werden können, deren Enden eingebogen sind. Der Annahme, daß diese Nadeln fremde seien, von außen her in die Porengruben hineingeraten und in ihre Wände eingedrungen wären, steht die Tatsache entgegen, daß ganz ähnliche Simotoxe auch bei *Cinachyra alba-tridens* in den Porengrubenwänden angetroffen werden. In anderen Teilen des Schwammes habe ich ab und zu sehr kleine, etwa 110 μ lange Amphioxe gesehen; diese möchte ich für fremde Nadeln halten.

97

Dieser Schwamm wurde von der Gazelle (Nr. 683) am Strande von Lefuka, einer kleinen Insel in der Tonga-Gruppe (Südwestpacifik) erbeutet.

Jedenfalls gehört dieser Schwamm in das Genus *Cinachyra*. Die einzigen anderen Arten dieser Gattung, die einen ähnlichen Bau und ähnliche Nadeln haben, sind *C. alba-tridens* und *C. alba-obtusa*. Die Beziehungen dieser Arten untereinander habe ich am Schlusse der Beschreibung von *C. alba-obtusa* erörtert.

Cinachyra alba-obtusa n. sp.

Taf. XVI, Fig. 45—52.

In der Gazellen-Sammlung findet sich ein Stück dieses Schwammes.

Dieses Stück hat die Gestalt eines rundlichen Kuchens, ist 20 mm hoch, 34 mm lang und 30 mm breit.

Die konvexe Oberseite ist mit einer 1—2 mm dicken Schicht von Kalksandmörtel und Algenfäden bekleidet. Entfernt man den Kalk mittelst Säure, so sieht man einen niedrigen, aber dichten Nadelpelz auf derselben. Die untere Seite sieht wie eine, mit einer dünnen Haut überzogene Rißfläche aus und entbehrt des Nadelpelzes sowohl als des Kalksandmörtels. Oben, in der Nähe des Scheitels finden sich einige kleine, bis 1 mm weite Löcher, welche in eiförmige Porengruben von geringer Größe hineinführen. Am Rande des kuchenförmigen Schwammes liegt eine unregelmäßige Reihe oder Doppelreihe von ei- oder schlitzförmigen Löchern (Taf. XVI, Fig. 51). Der längere Durchmesser dieser Löcher liegt wagerecht. Sie sind ungefähr 1 mm breit und 1—3 mm lang. Die Entfernung zwischen diesen Löchern beträgt dort, wo sie am dichtesten stehen, 2—4 mm. Gruppen von 7 oder mehr solcher Löcher führen in große, gemeinsame Hohlräume hinein. Diese Hohlräume erscheinen als breite Spalten, welche von der Oberfläche gegen das Nadelbündelzentrum hinabziehen (Taf. XVI, Fig. 52a). Außen werden diese Spalträume von einer derben, nadelreichen Haut bedeckt, welche von den oben erwähnten Löchern durchbrochen wird. Diese Spalträume sind bis 5 mm hoch, 18 mm lang und 11 mm tief. Es ist wohl nicht zu bezweifeln, daß diese Spalträume durch die Vereinigung von Reihen von Porengruben, deren Eingänge jene in Reihen angeordnete Löcher sind, hervorgebracht wurden.

Die Farbe ist, im Weingeist, eine durchaus gleichmäßige, dunkel kaffeebraune, die aus Kalksand und Algenfäden bestehende Hülle ist weiß (Taf. XVI, Fig. 52).

An der Oberfläche wird eine deutliche Faserrinde beobachtet. Beim Durchschneiden des Schwammes fand ich in seiner Mitte zwei nahe beieinander liegende, kugelrunde Körper von 1,2 mm Durchmesser (Taf. XVI, Fig. 52b). Diese lagen in entsprechend großen, kugeligen Aushöhlungen des nadelreichen zentralen Schwammgewebes. Sie sind weich und lassen im Durchschnitt eine überaus feine, zirkuläre Faserung erkennen. Auch sieht man in ihrem Innern zerstreute, unregelmäßig kuglige Körper, in dem einen zahlreiche kleinere, in dem anderen zwei größere, sowie Bruchstücke von Stabnadeln. In anderen Teilen des Schwammes habe ich Bildungen dieser Art nicht gesehen. Der naheliegenden Annahme, daß wir es hier mit gemmulae-artigen Bildungen zu tun haben, stehen ihre Lage im Zentrum des Schwammes, der Bau, und das Fehlen von intakten Kieselnadeln in ihrem Innern entgegen.

Das Skelett besteht aus dem Nadelbündelzentrum, den von diesem ausstrahlenden

Nadelbündeln und den Microscleren. Zerstreute kleine Stabnadeln fehlen. Das Nadelzentrum liegt basal nahe der Mitte der Grundfläche (Taf. XVI, Fig. 52). Die Nadelbündel sind gekrümmt. Sie sind aus Amphioxen und — in ihren distalen Teilen — Telocladschäften zusammengesetzt. Die Teloclade sind Anatriaene der gewöhnlichen Form, Anatriaene mit stark verkürzten und abgerundeten Claden, Prodiaene der gewöhnlichen Art, Prodiaene mit verkürzten, abgestumpften Claden und ebensolche, langcladige und kurzcladige Protriaene. Am häufigsten sind die gewöhnlichen Anatriaene; die gewöhnlichen Prodiaene und die Anatriaene mit verkürzten, abgestumpften Claden kommen aber auch in beträchtlicher Anzahl vor; selten dagegen sind die kurz- und stumpfcladigen Prodiaene und beide Formen von Protriaenen. Die meisten Anatriaencladome habe ich eine Strecke weit unter der Oberfläche gesehen, die Prodiaene dagegen überwiegen im Pelz. Die Microsclere sind Sigme, diese sind nicht besonders zahlreich.

Die Amphioxe der radialen Nadelbündel sind isoactin, gerade oder nur sehr schwach gekrümmt, 2,5—4 meist 3—3,5 mm lang und 22—35 μ dick.

Die langcladigen Prodiaene (Taf. XVI, Fig. 45, 46) haben 3—4 mm lange, am cladomalen Ende 4,5—7,5 μ dicke Schäfte. Die beiden Clade des Cladoms sind gleich oder ungleich lang. Sie erreichen eine Länge von 47—113 μ, die Winkel, die sie mit der Schaftverlängerung einschließen, sind sehr verschieden, 8—25° groß. In der Figur 46 ist ein Prodiaencladom mit kleinen, in der Figur 45 ein solches mit großen Cladwinkeln dargestellt.

Die Prodiaene mit verkürzten und abgestumpften Claden haben ähnliche, oder etwas dickere Schäfte wie jene mit langen Claden. Die Clade derselben sind 8—20 μ lang und fast so dick als der Schaft an seinem cladomalen Ende.

Die wenigen langcladigen Protriaene, die ich sah, hatten ähnliche Dimensionen, wie die langcladigen Prodiaene. Ihre Cladome waren sagittal entwickelt und bestanden aus zwei längeren, jenen der Prodiaene ähnlichen, und einem viel kleineren, stark verkürzten, dritten Clad.

Die gleichfalls sehr seltenen Protriaene mit verkürzten, abgestumpften Claden (Taf. XVI, Fig. 47) haben ähnliche Dimensionen wie die Prodiaene mit verkürzten Claden.

Die Anatriaene mit langen Claden haben 4,5—5 mm und darüber lange, am cladomalen Ende 3,8—7,5 μ dicke Schäfte. Die Clade sind 37—61 μ lang und ihre Seiten schließen Winkel von 35—58, meist etwa 42°, mit der Schaftachse ein. Die Scheitelfläche ihres Cladoms ist meist glatt und trägt in der Regel keinen auffallenden Höcker. Diese Anatriaene pflegen regelmäßig zu sein, nur sehr selten habe ich welche gesehen, bei denen zwei Clade rückgebildet waren und die als Anamonaene erschienen, und nur einmal eines, bei dem das eine von den drei Claden aufgerichtet war.

Die Anatriaene mit verkürzten, abgestumpften Claden (Taf. XVI, Fig. 48—50) haben 3 mm lange, am cladomalen Ende 7—20 μ dicke Schäfte. Ihre Clade sind ungemein stark reduziert und erscheinen als drei abgerundete mehr oder weniger stark vortretende, seitliche Höcker des cladomalen Schaftendes. Die Cladome dieser Nadeln halten 15—32 μ im Querdurchmesser und tragen am Scheitel einen mehr oder weniger deutlichen Höcker.

Die Sigme haben die gewöhnliche Form und erreichen eine Länge von 10,5 μ.

In dem oberflächlichen Gewebe habe ich einigemal kleine, ungefähr 75 μ im Durchmesser haltende Triactine beobachtet, welche ich für fremde Nadeln halte.

20*

Dieser Schwamm wurde von der Gazelle (Nr. 639) bei der Anachoreten-Insel nördlich von Neuguinea erbeutet.

Der vorliegende Schwamm gehört offenbar in das Genus *Cinachyra*, er ist den beiden oben als *C. alba-tridens* und *C. alba-bidens* beschriebenen Spongien sehr ähnlich und wahrscheinlich mit ihnen nahe verwandt. Zusammen bilden diese drei eine Gruppe, die sich von den meisten anderen *Cinachyra*-Arten durch die geringe Größe ihrer Sigme unterscheidet. Nur *C. voeltzkowii* LDF., *C. malaccensis* IG. SOLL. und die hier beschriebene *C. hamata* haben beiläufig ebenso kleine Sigme. Von den beiden erstgenannten unterscheiden sich die zu jener Gruppe gehörigen Spongien durch die ganz andere Verteilung und Gestalt ihrer Porengruben, von der letztgenannten durch das Fehlen von Anamonaenen. Die Feststellung ihrer Beziehungen untereinander hat mir außerordentliche Schwierigkeiten bereitet. In der äußeren Erscheinung, der Anordnung und Form der Porengruben, sowie auch in Bezug auf die Gestalt und Größe ihrer Nadeln, stimmen sie sehr nahe miteinander überein. Die Unterschiede zwischen ihnen sind folgende. *C. alba-obtusa* besitzt zahlreiche Teloclade, namentlich Anatriaene, mit stark verkürzten, abgestumpften Claden, bei den beiden anderen genannten kommen solche Nadeln nicht vor. Bei *C. alba-tridens* sind die meisten Proclade Protriaene, bei den beiden anderen Arten werden Protriaene nur ausnahmsweise angetroffen und sind die meisten Proclade Prodiaene. Bei *C. alba-obtusa* ist der Cladwinkel der langcladigen Anatriaene durchschnittlich etwas größer als bei den beiden anderen Arten. Obwohl die Exemplare dieser Spongien, die ich untersucht habe, alle so ziemlich gleich groß sind, ist doch ein merklicher Unterschied in der Dicke ihrer Amphioxe vorhanden. Jene von *C. alba-obtusa* sind 22—35, jene von *C. alba-tridens* 30—40 und jene von *C. alba-bidens* 40—53 μ dick. Wären alle diese Spongien am gleichen Orte gefunden worden, so würde ich die angegebenen Unterschiede nicht für hinreichend erachten um sie artlich voneinander zu trennen, diese drei Spongien vielmehr als Varietäten derselben Species betrachten. Da aber die eine *(C. alba-tridens)* ungefähr in 72° O., die andere *(C. alba-obtusa)* ungefähr in 145° O., und die dritte *(C. alba-bidens)* ungefähr in 174° W. gefunden wurde, so kann ich mich, obzwar alle drei Fundorte in den Tropen (der erste und der dritte südlich, der zweite nördlich vom Aequator) liegen, nicht dazu entschließen sie als Varietäten einer und derselben, über den halben Tropengürtel der Erde verbreiteten Art anzusehen. Eher wäre ich geneigt sie als Subspecies in Anspruch zu nehmen. Während es aber bei bekannten Tieren, wie etwa unseren Säugetieren, verhältnismäßig leicht ist, die voneinander abweichenden, in verschiedenen Gebieten, etwa in England und in Deutschland, vorkommenden Formen, als Subspecies zu unterscheiden, scheint mir dieses Verfahren bei so wenig bekannten Organismen, wie diese Spongien, von denen im ganzen nur 5 Stück vorliegen, kaum anwendbar, und dies um so weniger, da ihre Fundorte so weit voneinander entfernt sind.

Um keinen voreiligen Schluß aus unserer, so außerordentlich lückenhaften Kenntnis von diesen Spongien und ihrer Verbreitung zu ziehen, habe ich sie als getrennte Arten beschrieben — meinem Gefühle, daß sie einander sehr nahe stehen, aber, durch die Namen, die ich ihnen beilegte, Rechnung getragen. Diese Spongien sind durch mancherlei Einrichtungen an das Leben im Seichtwasser der Korallriffe angepaßt. Solche Einrichtungen sind die engen Eingänge in die Porengruben und die besondere Ausbildung der letzteren, sowie der diese Spongien außen bekleidende Mantel von Kalksandmörtel. Durch die Enge der Porengrubeneingänge wird das

Eindringen des schädlichen, in dem Wasser ihres Standortes massenhaft enthaltenen Kalksandes erschwert; durch die teilweise Verschmelzung der inneren Teile der Porengruben werden die Nachteile der Verstopfung einzelner Eingänge durch Kalksand verringert; und durch den Mörtelverputz wird die Oberfläche dieser Spongien vor Verletzungen durch die Steinchen, mit denen die Brandungswellen das Riff bewerfen, geschützt. Der alle diese Spongien bekleidende, weiße Kalksandmörtel ist ihr auffallendstes äußerliches Merkmal. Auf dieses bezugnehmend habe ich sie alle *alba* genannt. Diesem Wort wurde dann noch ein zweites zur näheren Bestimmung beigefügt: den mit kurz- und stumpfcladigen Telocladen ausgestatteten das auf die Clade dieser Nadeln bezügliche *obtusa*, den solcher entbehrenden, mit vorwiegend triaenen Procladen ausgestatteten *tridens*, und den ähnlichen, mit vorwiegend diaenen Procladen ausgestatteten *bidens*.

Gattung Fangophilina O. SCHMIDT.

Tethydae mit Microscleren und mit zwei Porengruben, von denen eine dem einführenden, die andre dem ausführenden Kanalsystem angehört.

In der Valdivia- und Gazellen-Sammlung findet sich je eine, zu dieser Gattung gehörige Spongie. Diese zwei Spongien gehören zwei neuen Arten an.

Fangophilina hirsuta n. sp.

Taf. X, Fig. 11—29; Taf. XI, Fig. 1—6; Taf. XII, Fig. 1—14.

In der Valdivia-Sammlung befindet sich ein Stück dieses Schwammes.

Ein beträchtlicher Teil, nahezu die Hälfte, des Stückes ist zwar weggeschnitten worden und fehlt, trotzdem läßt sich aber mit hinreichender Sicherheit sagen, daß das ganze Stück eine dick eiförmige, fast kugelige Gestalt (Taf. XI, Fig. 2, 3) gehabt hat. Es ist (ohne Pelz) 68 mm lang und 56 mm breit.

Die Oberfläche ist kontinuierlich. Dicht unterhalb derselben findet sich ein Geflecht, das aus paratangential gelagerten, zum Teil ziemlich großen Amphioxen, und den Claden von Orthodiaenen besteht (Taf. XII, Fig. 13 b); dieses Geflecht verleiht der Haut des Schwammes eine panzerartige Festigkeit. Die garbenförmig verbreiterten, distalen Endteile der radialen Nadelbündel ragen mehrere Millimeter weit frei über die Oberfläche vor, und zwar großenteils nicht gerade sondern schief, so daß sie mit der Oberfläche oft Winkel von nur 45° und darunter einschließen (Taf. XII, Fig. 11). An einer Stelle entragt der Oberfläche des Stückes ein Kegel (Taf. XI, Fig. 2 a, Fig. 5 b, Fig. 6 b), welcher bei 14 mm noch, am oberen (distalen) Ende abgestumpft, und unten, wo er dem Schwamme aufsitzt, 11 mm breit ist. Der oberflächliche Teil (Mantel) dieses Kegels besteht aus einer dichten Masse von nach oben (außen) hin, konvergierenden und dort sich berührenden Nadeln; sein axialer Teil wird von einem 2 mm weiten Hohlraum eingenommen (Taf. XI, Fig. 6). Die diesen Kegel zusammensetzenden Nadelmassen sind distale Endteile von radialen Nadelbündeln. Ueber die übrigen Teile der Oberfläche breiten sich paratangentiale, leicht wellenförmig gekrümmte Nadelsträhne aus (Taf. XI, Fig. 2, 3). Diese liegen dem Schwamme ziemlich lose, in ähnlicher Weise, wie längeres Haupthaar dem menschlichen Kopfe an. Bis

50 mm lange Stücke dieser Stränne lassen sich vom Schwamme ablösen. Die Nadelsträhne sind mit den frei vortretenden Endgarben der radialen Nadelbündel verbunden und ziemlich gleichmäßig über die ganze Oberfläche der vorliegenden Schwammhälfte verteilt.

Die Farbe des Schwammes ist, in Weingeist, licht bräunlich grau.

Es ist oben erwähnt worden, daß das in der Sammlung befindliche Stück nur die größere Hälfte eines durchschnittenen Exemplars ist. Der Schnitt geht nahe am Mittelpunkte des Schwammes vorbei und durch eine große Höhle hindurch. Diese Höhle scheint, soweit es die vorhandene Hälfte der Höhlenwand erkennen läßt, regelmäßig eiförmig gewesen zu sein. Ihre Längsachse liegt radial, erstreckt sich von der Oberfläche bis zum Zentrum des Schwammes, und ist 36 mm hoch (radialer Durchmesser) und 20 mm breit (paratangentialer Durchmesser). Die Wand der Höhle erscheint ziemlich glatt und hat mehrere 0,5—1,5 weite Löcher, welche in Schwammkanäle hineinführen. Sie ist jedoch nicht von einer Haut bedeckt, sondern scheint, stellenweise wenigstens, eine Rißfläche zu sein. Es läßt sich daher auch nicht mit Sicherheit behaupten, daß die Höhle im lebenden Schwamme ganz leer war; vielleicht breitete sich ein zartes, nadelbündelloses, lakunöses Gewebe in derselben aus. Diese Höhle stand mit der Außenwelt in Verbindung, der Eingang in dieselbe muß aber sehr eng gewesen sein. Vermutlich war er verschließbar. In der Umgebung dieses Einganges findet sich eine etwas vorragende, einem Kragen ähnliche Kante. Aus dieser Kante ragen die Nadeln nicht weiter als über andere Teile der Oberfläche vor. Es ist möglich, daß früher hier weiter vorragende Nadeln vorhanden waren, die dann abgebrochen wurden.

Bei der Beschreibung der Oberfläche ist erwähnt worden, daß an einer Stelle ein großer Nadelkegel über dieselbe emporragt. Durch die radiale Achse dieses Kegels und den Mittelpunkt des Schwammes habe ich einen Schnitt gelegt. Dieser ist in der Figur 6 (Taf. XI) abgebildet. Unter dem hohlen, axialen Teile des Nadelkegels ist die äußere Oberfläche glatt. Hier ragen keine Distalenden von radialen Nadelbündeln, sondern nur, gegen den Rand hin, einzelne sehr kleine, mit freiem Auge völlig unsichtbare Proclade (Taf. XII, Fig. 12) über die Oberfläche vor. Dieser, vom Nadelkegel bedeckte, glatte Teil der Oberfläche ist beträchtlich eingesenkt und bildet eine deutliche, schalenförmige Mulde. Durch die Haut, welche diese Mulde einfaßt, ziehen Kanäle hinab, welche senkrecht zum Muldenboden gerichtet sind und daher nach unten fächerförmig auseinanderweichen. Diese Kanäle sind schon mit freiem Auge als deutliche Querstreifen in der Muldenwand erkennbar (Taf. XI, Fig. 6). Sie sind aber, wie stärkere Vergrößerungen zeigen (Taf. XII, Fig. 10, 12), nächst der Oberfläche ganz geschlossen. Erst etwa 300 μ unterhalb derselben gehen sie in offene Subdermalhöhlen (Taf. XII, Fig. 12 b) über. Nach unten hin, proximalwärts, schließt sich ein sehr lockeres, lakunöses Gewebe mit großen Höhlungen (Taf. XII, Fig. 10 unten) an diese Subdermalräume an.

Die sonst ziemlich geraden, radialen Nadelbündel weichen einem eiförmigen radial in die Länge gestreckten, unter jenem muldenförmigen Porenfelde gelegenen Raume derart aus, daß die demselben zunächst gelegenen Bündel ihn in schönen, proximalwärts zunehmend gekrümmten Bogen umgreifen. Dieser Raum ist teilweise mit sehr lockerem, lakunösem Gewebe ausgefüllt, teilweise dürfte er im lebenden Schwamme ganz leer gewesen sein. Wenn da eine größere Höhlung vorhanden war, ist sie aber durch Schrumpfung obliteriert worden, so daß sie nicht mehr deutlich zu erkennen ist. Dieser Raum (Taf. XI, Fig. 6 a) ähnelt jenem oben beschriebenen, an der alten Schnittfläche gelegenen. Wie dieser erstreckt er sich bis zum Zentrum des Schwammes. Er ist 25 mm hoch (Radialdurchmesser). Seine, beträchtlich proximal von der Längenmitte gelegene, größte Breite (Paratangentialdurchmesser) beträgt 12 mm.

Die von den anstoßenden und entsprechend gebogenen, radialen Nadelbündeln gestützte Wand dieses Höhlenraumes erscheint, distal wenigstens, als eine deutliche Haut, in welcher sich oberflächlich ein dichtes Geflecht von Bündeln feinster Nadeln — es sind die Schäfte kleiner Proclade — ausbreitet (Taf. XI, Fig. 4).

Andere Poren als die in jener Mulde liegenden habe ich zwar nicht beobachtet, wohl aber auch in andern Teilen des Schwammes ziemlich nahe an der Oberfläche gelegene Subdermalräume gesehen, welche es nicht unwahrscheinlich erscheinen lassen, daß auch hier Poren und Porenkanäle vorhanden sind. Im Innern des Schwammgewebes werden, auch außerhalb der beiden Höhlenräume, ziemlich geräumige Kanäle angetroffen (Taf. XI, Fig. 6). Hier und da habe ich Geißelkammern gesehen. Es scheint mir, daß solche auch in dem lakunösen Gewebe des Höhlenraumes vorkommen. Die Geißelkammern sind in den Schnitten rundlich oder oval (Taf. XII, Fig. 9). Vielleicht sind die kreisförmig erscheinenden, Querschnitte von ovalen. Die ovalen Geißelkammern sind 44 μ lang und 32 μ breit, die kreisförmig erscheinenden haben einen Durchmesser von 32 μ.

Irgend eine Vermutung über die wahre Beschaffenheit des Kanalsystems auszusprechen kann ich nicht wagen und nur so viel sagen, daß, von den erwähnten Subdermalräumen unter andern Teilen der Oberfläche abgesehen, kein Grund vorliegt daran zu zweifeln, daß dieser Schwamm in Bezug auf den Bau seines Kanalsystems, im großen und ganzen, dem von KIRKPATRICK als *Spongocardium gilchristi* beschriebenen Schwamm[1]), von dem unten noch die Rede sein wird, gleicht.

An der Oberfläche findet sich eine deutliche Faserrinde. Diese ist im Muldenboden (Porenfeld) etwas anders entwickelt als anderwärts. Die Faserrinde im Muldenboden ist ungefähr 400 μ dick. Der äußern Oberfläche haften sphaerähnliche Kugeln an und solche finden sich auch in den (geschlossenen) Rindenkanälen (Taf. XII, Fig. 12 d). Ueber das Epithel konnte ich keine Aufschlüsse erlangen. Es grenzt vielmehr die Faserrinde unmittelbar an jene sphaerähnlichen Kugeln an, die der Oberfläche aufliegen. Die Faserrinde besteht aus zwei Schichten, einer äußern 100 μ dicken, welche aus unregelmäßigen, mehr radial orientierten, ziemlich dicht stehenden, faserigen Elementen zusammengesetzt ist, und einer innern, etwa 300 μ dicken, aus dicht gedrängten, paratangentialen, wellig gekrümmten und, wie es scheint, filzartig verwebten Fasern gebildeten. Im Niveau der Subdermalhöhlen geht die letzte ziemlich plötzlich in das choanosomale Gewebe über. An den übrigen Teilen der Oberfläche besteht die Rinde zu äußerst aus einer etwa 240 μ starken, durchsichtigen Lage, welche nur wenig Fasern enthält (Taf. XII, Fig. 14). Darunter folgt eine etwa 500 μ dicke, aus dicht gedrängten, vermutlich verfilzten, paratangentialen Fasern bestehende Lage, die durch eine dritte, durchsichtige Schicht von 350 μ Dicke von dem Choanosom getrennt wird.

In den Kanalwänden habe ich zuweilen paratangentiale Fasern, häufiger longitudinale, seltener transversale gesehen, die aber hier nur eine ganz dünne Lage bilden.

---

[1]) R. KIRKPATRICK, South African Sponges. In: Cape of Good Hope, Dep. Agriculture Jg. 1902 Nr. 4 p. 224.

Die Rinde ist sehr reich an Kugelzellen, den Cellules sphéruleuses der französischen Autoren. Diese sind namentlich in der distalen, durchsichtigen Rindenzone der freien Teile der Oberfläche deutlich zu sehen (Taf. X, Fig. 28b). Sie sind kugelig, halten etwa 16 μ im Durchmesser und zeigen häufig eine schöne Gitterstruktur (Taf. X, Fig. 11). Die letzte dürfte dadurch zustande kommen, daß sich in den Kugelzellen ziemlich viele, wohl begrenzte, stärker lichtbrechende und tingierbare Körnchen befinden, die durch Platten hyalinen, schwächer lichtbrechenden und tingierbaren Plasmas voneinander getrennt werden. Die Dicke dieser Platten beträgt etwas über 1 μ und ist sehr gleichmäßig: hierauf und auf der Gleichmäßigkeit der Größe der Körnchen beruht die Regelmäßigkeit der scheinbaren Gitterstruktur dieser Kugelzellen. Ausnahmsweise habe ich ab und zu so eine Gitter-Kugelzelle ganz an der Oberfläche, in ein Kanallumen hineinragend, aber doch noch bedeckt von einem feinen, in die Kanalwand übergehenden Grenzsaum gesehen. Diese Beobachtungen sprechen dafür, daß auch bei diesem Schwamme, so wie es COTTE[1] für andre nachgewiesen hat, die Kugelzellen in die Kanallumina ausgestoßen werden.

Der äußern Oberfläche des Porenfeldes haften, wie oben erwähnt, sphärähnliche Kugeln an. Dieselben Gebilde finden sich auch an den Wänden, der offenen sowohl als der geschlossenen vom Porenfelde herabziehenden Rindenkanäle (Taf. XII, Fig. 12d). Diese sphaerähnlichen Kugeln (Taf. X, Fig. 12, 21, 29; Taf. XII, Fig. 12d) zeigen beträchtliche Größenunterschiede. Ihr Durchmesser schwankt zwischen 5 und 15 μ. Ausnahmsweise habe ich bis zu 18 μ große Körper dieser Art gesehen. Sie sind meist nicht ganz regelmäßig kuglig, sondern pflegen eine mehr oder weniger knollenartige Gestalt zu haben. Glüht man einen Schnitt, so verschwinden sie vollkommen. Behandelt man einen (dickeren) Schnitt einige Stunden mit kalter Salpetersäure, so verschwinden sie ebenfalls. An den ungefärbten Kugeln sieht man zuweilen, im Zentrum oder in der Nähe desselben, einen oder mehrere stark lichtbrechende Körnchen (Taf. X, Fig. 29a), sowie eine, von dem Innern abgesetzte, stärker lichtbrechende, oberflächliche Lage. Färbt man mit Kongorot, so nimmt namentlich das Innere den Farbstoff auf; färbt man dagegen mit Hämatoxylin, so erscheint die oberflächliche Lage am stärksten tingiert und wir bemerken, daß diese Färbung von außen nach innen zunächst an Intensität zunimmt um an der Grenze zwischen Außenlage und Innenteil plötzlich stark abzunehmen (Taf. X, Fig. 12). Die scharfe Grenze zwischen dem mit Hämatoxylin stärker tingierbaren Außenteil und dem schwach gefärbten Innenteil läuft der äußern Oberfläche nicht genau parallel, zeigt schwächere oder stärkere Ausbuchtungen, und ist oft auf der einen Seite der Oberfläche viel näher als auf der andern: dieser Innenteil liegt exzentrisch. In der Mitte des Innenteils gut tingierter Kugeln sieht man ein unregelmäßiges, kernartiges Gebilde, meist mit einem Körnchen im Zentrum (Taf. X, Fig. 12a). Zuweilen, aber sehr selten, habe ich im Innern dieser Kugeln eine strahlige Bildung beobachtet. Ich glaube, daß man diese Kugeln als Sekret des Schwammes ansehen soll, das er in seine Rindenkanäle ergießt und das durch diese dann an die Oberfläche gelangt. Obwohl ich Uebergangsformen zwischen beiden nicht gesehen habe, halte ich es nicht für unmöglich, daß sich die Gitterkugelzellen, wenn sie ausgestoßen werden, in solche sphärähnliche Körper verwandeln.

Ich habe bei *Caminella loricata*[2] Bildungen als Sterraster-Jugendstadien und dickwandige Zellen beschrieben, die diesen Kugeln unserer *Fangophilina* ähnlich und vielleicht auch nichts

---

[1] J. COTTE, Contrib. Nutrition Spongiaires. In: Bull. Sc. France, Belg. Bd. 38 p. 544, 566.
[2] R. v. LENDENFELD, Tetractinelliden der Adria. In: Denk. Ak. Wien Bd. 61 p. 150/sep. p. 62/Taf. 8 fig. 142, 143.

anderes als Exkretkugeln sind. KELLER hat bei *Cinachyra schulzei*[1]) „bald zu Haufen, bald zu feinen Strängen angeordnet" Sphaere geschildert, die nach seiner Angabe zwar viel kleiner sind, aber vielleicht doch auch derartige Bildungen, und nicht Kieselnadeln waren.

Auch die von SOLLAS[2]) beschriebenen „globules" von *Cinachyra barbata* könnten solche Kugeln gewesen sein:

Das Skelett besteht aus einem ungefähr in der Mitte des Schwammes gelegenen Nadelzentrum; aus Nadelbündeln, welche von diesem Zentrum radial zur Oberfläche ausstrahlen; aus wirren Massen im Choanosom zerstreuter Nadeln, welche namentlich unter der Oberfläche einen deutlichen subcortikalen Filz bilden; aus einem Geflecht paratangential orientierter Nadeln an der Oberfläche selbst; aus einem oberflächlichen Nadelbündelgeflecht in der Höhlenwand; aus den der Oberfläche anhaftenden Nadelsträhnen; und aus den Microscleren.

Das Nadelzentrum hat einen Durchmesser von ungefähr 10 mm und besteht aus einer dichten Masse von strahlig angeordneten Amphioxen. Die meisten von diesen sind groß und schlank, es kommen aber auch einige ganz kurze und relativ dicke darin vor.

Die radialen Nadelbündel weichen den zwei Höhlen im Bogen aus, sind aber abgesehen hiervon gerade (Taf. XI, Fig. 5, 6). Auf dem Schnitt durch das Zentrum zählte ich 26 radiale Nadelbündel. Die gebogenen Nadelbündel der Höhlenwand (Taf. XI, Fig. 5e, 6e) sind wie die Dauben eines Fasses angeordnet und umgeben den Höhlenraum auf allen Seiten. Unten sind sie etwa 750 μ dick, distalwärts verdicken sie sich bis 1,5 mm, so daß hier die benachbarten Bündel zusammenstoßen und miteinander zu einem zusammenhängenden Nadelrohr verschmelzen, welches den Höhlenraum einfaßt und distal sich verschmälernd, jenen oben beschriebenen Kegel (Taf. XI, Fig. 5b, 6b) bildet, der das Porenfeld bedeckt. Ich halte es für nicht unwahrscheinlich, daß der Grad der Krümmung dieser Nadelbündel, und damit auch die Gestalt des Höhlenraumes und der Nadelkrone, von dem Grade der Zusammenziehung des Schwammes abhängig und veränderlich sind. Das vorliegende Stück dürfte wohl in ziemlich stark kontrahiertem Zustande gehärtet worden sein. Bei weniger starker Zusammenziehung, wenn die Rindenkanäle nicht wie bei diesem geschlossen, sondern offen sind, wird die Krümmung dieser Nadelbündel wohl eine geringere, die Neigung ihrer Distalteile gegeneinander weniger groß, der distale Teil des Höhlenraumes breiter und die vorragende Nadelkrone mehr einem oben offenen, zylindrischen Rohre, als einem wie hier geschlossenen Kegel ähnlich sein.

Die übrigen, nicht an der Einfassung der Höhlen teilnehmenden Radialbündel (Taf. XI, Fig. 5c, 6c) sind 300—600 μ dick, gerade und distal in mehrere, divergierende Endzweige gespalten, die alsbald eine ähnliche Dicke erlangen. Die Distalenden aller Nadelbündel ragen frei über die Oberfläche vor (Taf. XI, Fig. 5, 6; Taf. XII, Fig. 11, 13). Die zu einer geschlossenen röhren- oder kegelförmigen Krone zusammentretenden, frei vorragenden Endteile der Bündel in der Umgebung des Höhlenraumes unter dem Porenfeld sind 4 mm dick und 14 mm hoch; die anderen bedeutend kleiner. Ihre genaue Größe anzugeben ist schwer, einerseits weil die weit vorstehenden Nadeln abgebrochen sind, andererseits aber auch, weil sie mit jenem Geflecht von Nadelsträhnen teilweise in Verbindung stehen, welches sich über die Oberfläche ausbreitet. Alle diese Bündel bestehen in ihrem proximalen Teile ausschließlich aus völlig isoactinen Amphioxen.

---

[1]) C. KELLER, Spongienfauna des Roten Meeres II. In: Zeitschr. wiss. Zool. Bd. 52 p. 338.
[2]) W. J. SOLLAS, Tetractinellida. In: Challenger Rep. Zool. Bd. 25 p. 24.

105

Ihre distalen Teile sind aus anisoactinen Amphioxen zusammengesetzt, deren sich gegen die Oberfläche hin Style (Taf. XI, Fig. 1b) und Teloclade gesellen. Die meisten von den letzteren sind große Protriaene, Orthodiaene und Anatriaene. Außer diesen kommen in geringer Anzahl auch andere Teloclade hier vor. Die Cladome der Teloclade, die abgerundeten Enden der Style und die dickeren Enden der anisoactinen Amphioxe sind nach außen gerichtet. Die Teloclad-Cladome kommen sowohl in den oberflächlichen Teilen des Schwammes als auch draußen, frei vorragend im Pelz (Taf. XII, Fig. 11) vor. Unter den Pelzteloclade überwiegen die Ana- und Protriaene.

Die wirren, mehr oder weniger verfilzten Nadelmassen, welche im Inneren verbreitet sind (Taf. XI, Fig. 5d) und welche vielerorts einen deutlichen, etwa 1 mm dicken, eine Strecke weit unter der Oberfläche liegenden Subcortikalfilz (Taf. XI, Fig. 5f; Taf. XII, Fig. 11, 13) bilden, bestehen größtenteils aus kleineren Amphioxen. Zwischen diesen kommen einzelne Style vor. Diese Nadeln sind schief und unregelmäßig aber doch, namentlich im Subcortikalfilz, vorwiegend mehr oder weniger paratangential angeordnet.

Das paratangentiale Nadelgewebe an der Oberfläche (Taf. XII, Fig. 13b) ist ungefähr 600 μ dick. Es besteht aus größeren paratangential orientierten Amphioxen und aus den Claden der cortikalen Orthoclade.

Das oberflächliche Nadelbündelgeflecht der Höhlenwand (Taf. XI, Fig. 4) ist aus longitudinal verlaufenden, schwach wellenförmig gebogenen, 70—140 μ dicken Bündeln von kleinen, schlanken Procladen, vorwiegend Prodiaenen zusammengesetzt. Diese Bündel liegen ganz nahe beisammen und bilden ein dichtes Geflecht oder Netz mit longitudinal in die Länge gestreckten, 40—60 μ breiten Zwischenräumen, bzw. Maschen. Die cladomtragenden Distalenden der diese Bündel zusammensetzenden Proclade liegen zum Teil tiefer oder höher im Innern des Schwammes, zum Teil (Taf. XII, Fig. 12) ragen sie frei über die Oberfläche vor. Die Bündel selbst verlaufen ganz oberflächlich, über den aus den großen Nadeln zusammengesetzten, oben beschriebenen, gebogenen Radialbündeln der Höhlenwand. Ihre Endteile ragen frei über das Porenfeld vor und bilden einen etwa 1 mm breiten Ring innerhalb der aus den großen Nadeln bestehenden Krone (Taf. XI, Fig. 6). Die am Innenrand dieses Ringes gelegenen kleinen Proclade erheben sich nur etwa 100 μ über die Schwammoberfläche, nach außen hin treten sie immer weiter hervor und die äußersten, an die große Krone anstoßenden, ragen 2 mm hoch auf. Der mittlere Teil des Porenfeldes ist völlig frei von diesen Nadeln.

Die äußeren Nadelsträhne (Taf. XI, Fig. 2, 3) sind unregelmäßig, wellenförmig gebogen und mit den frei vorragenden Distalenden der radialen Nadelbündel verflochten. Die Strähne sind etwa 1—5 mm breit, meist platt, und werden bis zu 50 mm lang. Sie sind aus denselben Nadeln zusammengesetzt, wie die radialen Nadelbündel des Körpers. Es kann wohl keinem Zweifel unterliegen, daß diese Nadeln fortwährend im Innern gebildet werden und dann immer weiter nach außen rücken bis sie schließlich ganz aus dem Schwamme hinausgeschoben und abgestoßen werden. Da der Schwamm in einer Tiefe von 400 m lebt, wird das Wasser, in dem er sich befindet, vom Wellengange nicht bewegt. Die Tiere, welche da unten herumkriechen und schwimmen, werden jedoch öfters Unruhe in demselben hervorrufen und ab und zu wohl auch an den Schwamm selbst anstoßen. Hierdurch werden viele von den weit vorragenden und in Ausstoßung begriffenen Nadeln abgebrochen und entführt; andere werden unzerbrochen frei. Die meisten von diesen Nadeln bleiben an Ort und Stelle und diese sind es, welche die Nadelsträhne zusammensetzen. Weit — aber doch noch nicht ganz — ausgestoßene Nadeln, welche eine unmittelbare Verbindung jener Stränge mit den radialen Nadelbündeln herstellen, konnte ich allerdings nicht finden; ich zweifle jedoch nicht, daß solche vorhanden waren, beim Fang und Transport des Schwammes aber abgebrochen wurden.

Die Microsclere sind Sigme. Sie finden sich in großer Zahl im Innern, namentlich in den Kanalwänden einzeln zerstreut, sehr selten in rosettenförmigen Gruppen. Diese Sigme werden gerade so wie die großen Nadeln der radialen Bündel vom Schwamme ausgestoßen. An allen Teilen der Oberfläche, mit Ausnahme des Porenfeldes, werden Stellen angetroffen, wo diese Sigmenausstoßung deutlich zu verfolgen ist. Zwischen den frei vorragenden Endteilen der radialen Nadelbündel und den Nadelsträhnen sitzen vielerorts Schlamm, Protistenschalen und anderer Detritus (Taf. XII, Fig. 14c). An den von solchen Detrituslagen geschützten Stellen beobachtet man große Massen von Sigmen, die zum Teile noch der oberflächlichen Gewebeschicht eingebettet sind, zum Teil nur mehr mit einem Ende im Schwamme stecken und zum Teil schon ganz frei sind (Taf. XII, Fig. 14a und b). Besonders auffallend ist, im Vergleich zu ihrer Spärlichkeit in dem darunter liegenden Rindengewebe, die große Masse der Sigme, die eben im Begriffe sind ausgestoßen zu werden. Es ist dies wohl darauf zurückzuführen, daß die, im Innern gebildeten und hinausgeschobenen Sigme das Gewebe bis zur Oberfläche ziemlich rasch durchwandern, dann aber sehr langsam ganz ausgestoßen werden und sich infolgedessen an geschützten Teilen der Oberfläche, in so großen Massen ansammeln, wie es die Photographie (Taf. XII, Fig. 14) zeigt.

Diese Sigmenmassen bilden an der Oberfläche eine Defensivschicht, welche der dichten, bei anderen Tectractinelliden häufig vorkommenden, oberflächlichen Lage kleiner Aster oder Microrhabde zu vergleichen ist.

Die großen Amphioxe des Zentrums und der radialen Nadelbündel (Taf. XII, Fig. 7a—f) sind im Zentrum und im proximalen Teil der Bündel isoactin, weiter draußen anisoactin. Die Amphioxe des Zentrums sind 6,8—10,5, meist etwa 9 mm, jene der radialen Bündel 10,5—17, meist 12—15 mm lang. Ihre Dicke an der stärksten Stelle beträgt zumeist 41—82 μ, ausnahmsweise kommen auch stärkere vor. Die dickste, die ich maß, hatte einen maximalen Querdurchmesser von 104 μ. Im allgemeinen sind diese Nadeln etwa 250 mal so lang als dick.

Die großen isoactinen Amphioxe des Zentrums und der proximalen Teile der radialen Nadelbündel (Taf. XII, Fig. 7e, f) sind kaum merklich gekrümmt und gegen beide Enden hin allmählich zugespitzt. Die Endteile sind nicht besonders fein und die Spitzen meist nicht sehr scharf.

Die großen anisoactinen Amphioxe der mittleren und distalen Teile der radialen Nadelbündel (Taf. XII, Fig. 7a—d) sind in den die Höhlen begrenzenden Bündeln beträchtlich, in den anderen Bündeln nur wenig gekrümmt oder fast gerade. Die dickste Stelle dieser Nadeln liegt in 2/3 bis 1/2 der Nadellänge. Die Ungleichheit der Enden ist keine bedeutende. Das distale ist dicker und stumpfer als das proximale, aber es ist auch das letztere nicht zu einem feinen, scharfspitzigen oder terminal abgerundeten Faden ausgezogen, wie dies bei den anisoactinen Amphioxen anderer Tethyden beobachtet wird.

Oft erscheint der Achsenfaden (-kanal) als ein ganz feiner Faden, zuweilen ist er aber ga1z u1ver1ält1ismäßig breit. Ic1 war der Mei1u1g, daß solc1e breite Achsenkanäle 1ur bei Nadel1 vorkäme1, die lä1gere Zeit im Meerwasser gelege1 1atte1 u1d aus de1e1 das Wasser die i11ere1, den Ac1se1fade1 (-ka1al) umgebe1de1 Sc1ic1te1 aufgelöst u1d e1tfer1t 1atte. Das 1äufige Vorkomme1 weiter Achsenkanäle i1 den große1 Amphioxen u1seres Sc1wammes ließ dies aber zweifel1aft ersc1ei1e1 u1d ic1 ric1tete da1er mei1 Auge1merk darauf, zu u1tersuc1e1, ob solc1e zweite Achsenkanäle auc1 i1 den große1 Amphioxen des Ze1trums, wo 1at1rlic1 von ei1er derartige1 Auflösu1g 1ic1t die Rede sei1 ka11, vorkomme1. Da fa1d ic1 de11 solc1e Nadel1 gerade so 1äufig, wie i1 a1dere1 Teile1 des Sc1wammes. I1 den Figure1 26 u1d 27 (auf Taf. X) si1d P1otograp1ie1 des Proximalendes u1d des Mittelteiles zweier solc1er Nadel1 aus dem ze1trale1 Teile des Sc1wammes wiedergegebe1. Bei der ei1e1 (Fig. 26) ist der Ac1se1-ka1al ⅛, bei der a1dere1 (Fig. 27) gar ½ mal so breit als die ga1ze Nadel. Bei der ers/tere1 liegt er ze1tral, bei der letztere1 exze1trisc1.

Ei1ige Male 1abe ic1 große Amphioxe beobac1tet, die a1 dem ei1e1 E1de me1rere ziemlic1 große Dor1e1 trage1. I1 der Figur 25 (Taf. X) ist die P1otograp1ie ei1es solc1e1 Amphioxendes reproduziert. I1 zwei Fälle1 ware1 die Dor1e1 größer u1d za1lreic1er als an der abgebildete1 Nadel.

Die ziemlic1 selte1e1 k l e i 1 e 1 u 1 d d i c k e 1 A m p h i o x e des Ze1trums (Taf. X, Fig. 18) si1d fast zyli1drisc1, a1 beide1 E1de1 ziemlic1 plötzlic1 u1d 1ic1t sc1arf zugespitzt u1d stark gekr1mmt. Sie si1d etwa 700 μ la1g u1d 25 μ dick, also 1ur 28 mal so la1g als dick, weit gedru1ge1er gebaut, als die große1.

Die k l e i 1 e 1 A m p h i o x e der wirre1 Nadelmasse1 des I11er1 u1d der subcortikalen Sc1ic1t si1d zweierlei Art. Es gibt größere u1d kleinere, die aber durc1 Uebergangsformen mitei1a1der verbu1de1 si1d. Beide Arten si1d 8—24 μ dick u1d fast gerade oder sc1wac1 geboge1. Die erstere1 (Taf. X, Fig. 19 a, b, 20 a—d) si1d 1—2 mm, die letztere1 (Taf. X, Fig. 16) 1ur 300—700 μ la1g. Diese Nadel1 si1d im allgemei1e1 um so gedru1ge1er gebaut, je k1rzer sie si1d. Die i1 Figur 16 abgebildete z. B. 1at ei1e Lä1ge von 350 u1d ei1e Dicke von 13 μ, ist also 1ur 27 mal so la1g als dick. Die lä1gere1 si1d me1r allmä1lic1 u1d sc1ärfer, die k1rzere1 me1r plötzlic1 u1d we1iger sc1arf zugespitzt.

Die A m p h i o x e des o b e r f l ä c 1 l i c 1 e 1 Gewebes si1d se1r versc1iede1 groß, 220 μ bis 5,2 mm, meist 1—2 mm la1g u1d 10—24 μ u1d dar1ber dick. Sie si1d 1ic1t schaftspitzig u1d fast gerade oder sc1wac1 geboge1. Auc1 bei diese1 Nadel1 bemerkt ma1, daß die k1rzere1 im Ver1ält1is zu i1rer Lä1ge dicker als die la1ge1 si1d.

Die g r o ß e 1 S t y l e der radiale1 Nadelbündel (Taf. XI, Fig. 1 b) si1d zwar 1ic1t 1äufig, aber immer1i1 i1 beträc1tlic1er A1za1l vor1a1de1. Sie si1d am distale1, abgeru1dete1 E1de am dickste1 u1d verd1111e1 sic1 vo1 1ier gege1 das proximale E1de 1i1, so daß sie im ga1ze1 kegelförmig ersc1ei1e1. Zuweile1 ist das abgeru1dete E1de sc1wac1 verdickt, so daß die Nadel ei1e1 subtylostylen C1arakter erla1gt. Diese Style si1d, wie die große1 Bündelamphioxe zwisc1e1 de1e1 sie liege1, gerade oder sc1wac1 gekr1mmt. Ic1 1abe 1ur vo1 dreie1, 1ic1t beso1ders starke1, die Lä1ge messe1 kö11e1. Das lä1gste vo1 diese1 war 4,5 mm la1g. Ic1 zweifle 1ic1t, daß die dickere1 Bruc1st1cke vo1 Style1, die ic1 gese1e1 1abe, Nadel1 a1ge1örte1, die bedeute1d lä1ger ware1 als das. Am abgeru1dete1 E1de si1d diese Style 60—95 μ dick.

Dicken über 85 μ habe ich aber nur bei den Subtylostylen — das in der Figur 1 (Taf. XI) abgebildete ist so eins — beobachtet.

Die kleinen Style der verfilzten Nadelmassen des Inneren und der subcortikalen Schicht (Taf. X, Fig. 17) sind zwar nicht häufig, aber doch zahlreich genug um als normale Nadeln angesehen werden zu können. Sie sind fast gerade (die längeren), oder beträchtlich gekrümmt (die kürzeren), an dem einen Ende einfach abgerundet, an dem anderen mehr allmählich (die längeren), oder plötzlich (die kurzen) (Fig. 17) zugespitzt. Ihre Länge ist verschieden, im allgemeinen etwas geringer als die Länge der Amphioxe zwischen denen sie liegen. Ihre Dicke beträgt 12—30 μ.

Die Anatriaene der distalen Teile der Nadelbündel (Taf. XII, Fig. 8, 11) haben einen 7—10 mm und darüber langen, am cladomalen Ende 30 μ dicken Schaft. Die Clade sind schwach gegen den Schaft konkav gekrümmt. Die Achsen ihrer Endteile schließen mit der Richtung des Schaftes Winkel von 25° ein. Die Clade sind am Grunde 20—30 μ dick, zugespitzt oder seltener abgerundet. Spitze Clade sind 140—150, die abgerundeten nur 110—120 μ lang.

Die allermeisten Orthoclade der distalen Teile der radialen Nadelbündel sind Orthodiaene. Orthomonaene und Orthotriaene werden zwar auch ab und zu angetroffen, sie sind aber so selten, daß ich sie zu den abnormen Nadeln stelle.

Die Orthodiaene (Taf. XII, Fig. 6) haben einen 5—7 mm langen, ziemlich geraden, am cladomalen Ende 28—30, selten bis 35 μ dicken Schaft und zwei gleich große, annähernd in einer Ebene liegende, mäßig, einfach, nicht S-förmig, gekrümmte, gegen den Schaft konkave Clade. Diese sind 500—700 μ lang und am Grunde 24—30 μ dick; sie sind kegelförmig, gegen die ziemlich scharf zugespitzten Enden in gleichmäßig verdünnt. Häufig ist ein Rudiment des Achsenfadens des rückgebildeten dritten Clads vorhanden. Dieses erscheint entweder als ein kleiner, knolliger Auswuchs des Achsenzentrums, in welchem Falle äußerlich von dem dritten Clad keine Spur zu sehen ist, oder es hat dieses Achsenrudiment die Gestalt eines bis 20 μ langen Fadens, und in diesem Falle ist auch äußerlich ein Rest des dritten Clads als flacher Buckel zu erkennen.

Auch Plagiodiaene kommen in den distalen Teilen der radialen Nadelbündel vor, sind aber recht selten. Man könnte sie daher wohl auch zu den abnormen Nadeln zählen. Sie (Taf. XII, Fig. 11) haben einen am cladomalen Ende 32—40 μ dicken Schaft. Die Länge des Schaftes konnte ich, da ich in den Nadelpräparaten keine intakten Plagiodiaene fand, nicht ermitteln. Die Clade sind 350 μ lang und am Grunde 28—30 μ dick, konisch, ziemlich scharfspitzig und gerade oder auch (Fig. 11) gegen den Schaft etwas konkav. Die beiden Clade sind oft ungleich lang.

Die großen Proclade der distalen Teile der radialen Nadelbündel sind teils triaen, teils diaen. Die triaenen sind sehr häufig, die diaenen hingegen selten. Es kommen aber auch diese häufig genug vor, um sie als normale Nadeln des Schwammes in Anspruch nehmen zu können. Die Protriaene haben reguläre, seltener sagittale Cladome. Danach sind drei Arten von großen Procladen zu unterscheiden: reguläre Protriaene, sagittale Protriaene und Prodiaene.

Die großen regulären Protriaene (Taf. XII, Fig. 1 a, b, c; 2 a, c; 4) haben einen leicht gekrümmten Schaft. Seine Krümmung pflegt (an isolierten Nadeln) gegen das acladomale Ende des Schaftes hin am stärksten zu sein (Fig. 1 a, b, c). Der Schaft erreicht eine Länge von

8,8—28 mm. Die ganz großen Protriaene mit über 20 mm langen Schäften habe ich nur in der Porenfeldkrone gefunden. Am cladomalen Ende ist der Schaft, je nach der Größe der Nadel, 44—70 μ dick. Von hier aus nach abwärts nimmt er erst um ein geringes an Dicke zu und verdünnt sich dann gegen das acladomale Ende hin erst allmählich, dann rascher. Das Ende selbst erscheint zylindrisch, ist 6,5—8 μ dick und schön abgerundet (Fig. 4). Um die Dickenverhältnisse des Schaftes zu veranschaulichen, will ich eine von den bezüglichen Messungen, die ich gemacht habe, hier wiedergeben. Das betreffende Protriaen war 27 mm lang. Die Dicke seines Schaftes betrug am cladomalen Ende 64 μ, stieg dann und erreichte 1,5 mm unterhalb desselben 69 μ, um von hier aus dann wieder abzunehmen. Die Dicke dieses Protriaenschaftes betrug:

0 mm	unter dem cladomalen Ende				64 μ
5 „	„	„	„	„	56 „
10 „	„	„	„	„	48 „
15 „	„	„	„	„	40 „
20 „	„	„	„	„	26 „
25 „	„	„	„	„	9 „

Das abgerundete Ende selbst (27 mm vom cladomalen entfernt) war 7,5 μ dick. In den ersten 5 mm beträgt also die Dickenabnahme im ganzen 8, in den zweiten auch 8 und in den dritten ebenfalls 8 μ; in den vierten dagegen 14 und in den fünften 17 μ. Es ist also die Dickenabnahme im cladomalen und mittleren Teile des Schaftes — von der Verdickung 1,5 unter dem Cladom abgesehen — eine stetige (1 : 625), gegen das einfache Ende hin aber eine zunehmende. Die Clade sind kegelförmig und meistens mäßig scharf zugespitzt, seltener stark abgestumpft. Im ersteren Falle erreichen sie eine Länge von 300 μ, im letzteren sind sie nur 110 μ lang. Am Grunde sind die Clade beträchtlich dünner als der Schaft, bei großen Protriaenen etwa 33 μ dick. Die Clade schließen mit der Schaftverlängerung Winkel von ungefähr 13° ein. Sie sind meist schwach S-förmig gekrümmt, Grund- und Endteil stehen stärker ab als der Mittelteil. Der Grad dieser S-förmigen Krümmung ist verschieden, zuweilen sind die Clade nur einfach gekrümmt, nach außen konvex.

Die großen sagittalen Protriaene (Taf. XII, Fig. 2b; 3a, b) gleichen in Bezug auf die Größe und Gestalt des Schaftes den regulären. Die Clade sind gedrungen, dicker und kürzer als bei den regulären. Ein Clad ist bedeutend länger als die beiden anderen. Dieses hat eine Länge von 180 μ. Die beiden anderen Clade sind nur 110—120 μ lang. Die Clade sind am Grunde 30 μ dick und zeigen meist dieselbe S-förmige Krümmung wie jene der regulären Protriaene, ihrer größeren Dicke wegen aber in geringerem Maße.

Die großen Prodiaene sind beträchtlich kleiner als die Protriaene. Der Schaft ist am cladomalen Ende 22—44 μ dick. Da ich in den Nadelpräparaten keine intakte Prodiaene gefunden habe, kann ich über die Schaftlänge nur so viel sagen, daß sie zuweilen 10 mm übersteigt. Die Clade sind 140—350 μ lang und am Grunde 12—30 μ dick, konisch und stumpfspitzig, fast gerade, und schließen mit der Schaftverlängerung Winkel von etwa 13° ein. In Bezug auf die Größe pflegen beide Clade dieser Nadeln mehr oder weniger, oft recht bedeutend, voneinander abzuweichen; so habe ich ein Prodiaen beobachtet, bei dem das eine Clad 250 μ lang und am Grunde 17 μ dick, das andere nur 140 μ lang und am Grunde 12 μ dick war.

Häufig sieht man an diesen Prodiaenen ein buckelförmiges Rudiment des rückgebildeten, dritten Clads.

Die Achsenfäden der Clade der Protriaene und Prodiaene gehen unter Winkeln von etwa 100° vom Schaftachsenfaden ab und krümmen sich dann gegen die Schaftverlängerung. Auch bei den Procladen habe ich, gerade so wie bei den großen Amphioxen (siehe oben), öfters auffallend weite Achsenfäden (-kanäle) beobachtet. In der Figur 3 b (Taf. XII) ist die Photographie eines solchen weitachsigen Proclads wiedergegeben.

Die ihrer Seltenheit wegen als Abnormitäten anzusehenden Telocladformen, die ich in den distalen Teilen der Nadelbündel gefunden habe, sind: Orthodiaene mit ungleich langen Claden; Anamonaene mit stumpfem Clad; Orthomonaene, Orthotriaene; Triaene mit zwei aufstrebenden, procladen und einem absteigenden, orthocladen Clad; Plagiodiaene mit einem gabelspaltigen Clad; und telocladderivate Tylostyle mit unregelmäßigem, 35 μ dickem Tyl, in welchem zwei Cladachsenfädenrudimente sichtbar sind (Taf. X, Fig. 14).

Die kleinen Proclade des oberflächlichen Nadelgeflechtes der Höhlenwand sind zum größeren Teile Prodiaene, zum kleineren Teile Protriaene.

Die kleinen Prodiaene (Taf. X, Fig. 15; Taf. XII, Fig. 5) haben einen leicht wellig gebogenen, am cladomalen Ende 1,2—3 μ dicken, hier zuweilen keulenförmig angeschwollenen und dann bis 4 μ starken Schaft. Der Schaft verdünnt sich gegen das einfache Ende hin und wird 2—4 mm und darüber lang. Die Clade sind 14—25 μ lang und am Grunde 1—2,5 μ dick, etwas dünner als der Schaft. Sie sind kegelförmig, nicht besonders scharfspitzig, mehr (Taf. X, Fig. 15) oder weniger (Taf. XII, Fig. 5) gegen die Schaftverlängerung konkav, und schließen mit dieser Winkel von 10—13° ein. In der Regel ist ein Clad beträchtlich größer als das andere (Taf. X, Fig. 15). Seltener sind die beiden Clade nahezu gleich groß (Taf. XII, Fig. 5). Zuweilen beobachtet man ein buckelförmiges Rudiment des dritten Clads (Taf. X, Fig. 15). Es ist oben erwähnt worden, daß der Schaft zuweilen am cladomalen Ende keulenförmig verdickt ist. In solchen Fällen sieht es öfter so aus, als ob die Clade der Keule nicht ganz terminal aufsäßen. Der Achsenfaden des Schaftes ist am cladomalen Ende öfters, namentlich dann, wenn der Schaft hier keulenförmig verdickt ist, erheblich erweitert. Die Cladachsenfäden gehen unter sehr stumpfen — nicht wie bei den großen Procladen unter fast rechten — Winkeln von dem Schaftachsenfaden ab.

Die kleinen Protriaene gleichen den weit häufigeren kleinen Prodiaenen, scheinen jedoch etwas größer zu werden. Solche mit 44 μ langen Claden und einem, am cladomalen Ende 5 μ dicken Schafte sind nicht selten. Die Cladome dieser Triaene sind ziemlich regelmäßig, gar nicht oder nur undeutlich sagittal differenziert. Auch bei ihnen ist, wie bei den kleinen Prodiaenen, der Schaft am cladomalen Ende zuweilen keulenförmig verdickt und dann scheinen oft alle drei Clade auf derselben Seite der Verdickung zu sitzen.

Die Sigme (Taf. X, Fig. 13 a—e, 22—24; Taf. XII, Fig. 14) bestehen stets aus einem schraubenförmig gewundenen, zylindrischen, 0,6—0,75 μ dicken Stabe, welcher zahlreiche feine Dornen trägt. Die letzteren dürften etwas weniger als halb so hoch sein als der Stab dick ist. Sie sind in der Regel in allen Teilen des Sigms gleich groß. Ausnahmsweise sind die Enddornen etwas länger. Die Länge dieses Stabes dürfte — nach der Krümmung gemessen — stets etwa 40—45 μ betragen. Der Grad und die Art der Krümmung sind jedoch sehr beträchtlichen Schwankungen unterworfen. Dies und der Umstand, daß man die Sigme in allen möglichen Stellungen sieht, führen dazu, daß die Bilder, die sie geben, recht verschieden sind und auch die Länge ihrer größten geradlinigen Ausdehnung sehr ungleich ist. Die letztere beträgt 20—40 μ. Am weitaus häufigsten sind, namentlich an der Oberfläche (Taf. XII, Fig. 14), Sigme, welche Spiralen darstellen, die an einer eiförmigen oder zylindrischen Fläche von 3—4 μ Durchmesser aufgewunden sind (Taf. X, Fig. 13a, 22—24). Diese Sigme bilden etwa $1^3/_4$ Schraubenwindungen. Bei anderen, und diese kommen in einem größeren Perzentsatze im Innern vor, hat die Zylinder-(Ei-)Fläche, auf der die Spirale aufgewunden ist, einen größeren Durchmesser, bis 6,5 μ (Taf. X, Fig. 13b—e). Diese Sigme bilden weniger als $1^3/_4$ Windungen. Im allgemeinen scheinen Windungszahl und Steilheit der Windung dem Durchmesser jener Fläche umgekehrt proportional zu sein, der die Spiralen anliegen: die Spiralen, welche den schmälsten aufgewunden sind, sind die steilsten, die den weitesten aufgewundenen, die am wenigsten steilen. Diese Variabilität der Sigme ist recht auffallend, sie berechtigt aber nicht zu der Annahme, daß verschiedene Arten von Sigmen in dem Schwamme vorkommen, denn es werden die extremsten Formen durch eine ununterbrochene Reihe von Uebergängen verbunden.

Oefters habe ich Sigme gesehen die mit einem Plasmaklumpen, den man füglich für eine Sigmenmutterzelle halten könnte, verbunden waren. In solchen Plasmaklümpchen lag das Sigm stets peripherisch. Ich habe nur die, weiten Rotationsflächen aufgewundenen Formen solcherart in Verbindung mit Plasmaklümpchen gesehen.

In den Nadelpräparaten oberflächlicher Schwammteile habe ich mehrere Nadelformen gefunden, die wohl sicher von anderen Schwämmen herrühren; ein Stück eines dictyoninen Hexactinelliden-Kieselnetzes; ein kurzschäftiges Dichotriaen; ein gekrümmtes Amphityl; und einen schönen Sphaeraster von 26 μ Durchmesser.

Der Schwamm wurde von der Valdivia am 21. März 1899 außerhalb Dar-es-Salâm an der ostafrikanischen Küste, in 6⁰ 39′ 1″ S., 39⁰ 30′ 8″ O. (Valdivia-Station 243) aus einer Tiefe von 400 m hervorgeholt.

KIRKPATRICK[1]) hat für einen in den *Cinachyra*-Formenkreis gehörigen Schwamm das neue Genus *Spongocardium* aufgestellt. Dieses weicht in Bezug auf die Anordnung der Ein- und Ausströmungsöffnungen sowohl, als auch in Bezug auf den Bau des Skeletts und die Gestalt der Nadeln so erheblich von den früher bekannten *Cinachyra*-Arten ab, daß man der Aufstellung einer eigenen Gattung für diesen Schwamm die Berechtigung nicht absprechen kann. Nach neuerer Angabe von KIRKPATRICK[2]) ist aber sein *Spongocardium* nichts anderes als *Fangophilina* O. SCHMIDT.

Unser Schwamm gleicht dem von KIRKPATRICK (l. c.) beschriebenen *Spongocardium gilchristi* in vielen Stücken, und es kann kein Zweifel darüber bestehen, daß er in dieselbe Gattung gehört wie dieser, also eine *Fangophilina* ist. *Fangophilina (Spongocardium) gilchristi* wurde von Kap Natal, also nicht allzuweit von dem Fundort der *F. hirsuta* entfernt, in ähnlicher Tiefe gefunden. In Bezug auf Gestalt und Anordnung der Ein- und Ausströmungsporen stimmen beide — soweit ich dies an dem mir allein zur Verfügung stehenden, halben Stück erkennen

[1]) R. KIRKPATRICK, South African Sponges. In: Cape of Good Hope, Dep. Argriculture Jg. 1902 Nr. 4 p. 224.
[2]) R. KIRKPATRICK, On the Oscules of Cinachyra. In: Ann. nat. hist. Ser. 7 v. 16 p. 666.

konnte — überein; in Bezug auf den Charakter ihrer Oberfläche weichen sie jedoch wesentlich voneinander ab. *F. gilchristi* ist kahl und hat keine große Porenkrone, *F. hirsuta* trägt einen noch entwickelten Nadelpelz und eine große, überaus auffallende Porenkrone. Auf diese, in die Augen springenden Unterschiede bezugnehmend, habe ich dem Schwamm den Namen *hirsuta* gegeben.

In Bezug auf die Gestalt und Größe der sigmen Microsclere stimmen, wenn, wie ich vermute, die Sigme auch von *F. gilchristi* dornig sind, die beiden Arten genau überein. Auch die anderen Nadeln haben ähnliche Formen. Nur fehlen der *F. gilchristi* die Style und weichen die Orthoclade der beiden Arten insofern voneinander ab, als ihre Clade bei *F. gilchristi* S-förmig gekrümmt, und am Ende hinaufgebogen[1]), bei *F. hirsuta* aber stets einfach gekrümmt und am Ende herabgebogen sind. Bedeutendere Unterschiede begegnen wir in den Größen der Megasclere beider. So sind die Hautpanzeramphioxe bei *F. gilchristi* bis 30 μ, bei *F. hirsuta* nur bis 14 μ dick, die Anatriaenclade bei erster 75, bei letzter bis 150 μ lang usw. Von *F. kirkpatrickii* unterscheidet sich *F. hirsuta* durch ihren Nadelpelz, die geringere Dicke ihrer Hautpanzeramphioxe und die größere Maximallänge ihrer Sigme, die bei der *F. kirkpatrickii* nur 28, bei *F. hirsuta* aber 40 μ beträgt.

Fangophilina kirkpatrickii n. sp.

Taf. XX, Fig. 14—17.

Von diesem Schwamm findet sich in der Gazellen-Sammlung ein Stück. Er wurde von STUDER[2]) als *Tangophilina* (laps.! recte *Fangophilina*) erwähnt.

Dieses Stück ist unregelmäßig massig, abgerundet, und hat (Taf. XX, Fig. 17) beiläufig die Gestalt einer aufgeblasenen Tasche von 12 mm Höhe, 13 mm Länge und 10 mm Dicke, deren unterer Teil rundlich ausgebaucht erscheint, während die Oberseite eine schmale, ebene Fläche ist. An den beiden Enden dieser Scheitelfläche (den beiden oberen Ecken der Tasche), liegt je eine ziemlich tiefe, muldenförmige Grube, deren Rand von einem Kranz bis fast 5 mm weit vorragender Nadeln, welche zwei cylindrische Kronen bilden, umgeben wird. Die Oberfläche ist glatt und, von den erwähnten Nadelkränzen abgesehen, kahl.

Die Farbe des Schwammes ist, in Weingeist, lichtbraun.

An den konvexen Teilen der Oberfläche habe ich keine Oeffnungen aufzufinden vermocht: Poren und Oscula scheinen auf die Böden der beiden erwähnten Gruben beschränkt zu sein. Beide Gruben sind breit eiförmig. Die eine (Taf. XX, Fig. 17a) hat eine 5,5 mm lange große Achse und ist mit einem ziemlich zarten Netzwerk ausgekleidet. Die Maschen dieses Netzwerkes sind rundlich, meist 100—200 μ breit, und werden durch 15—40 μ breite Balken voneinander getrennt. Die Maschen in diesem Netze möchte ich für die Einströmungsporen, und das ganze Netz für ein Porensieb halten. Die andere Grube (Taf. XX, Fig. 17b) hat eine 3,5 mm lange große Achse und in ihrem Grunde finden sich mehrere unregelmäßige, ziemlich große Löcher, welche die Mündungen der ausführenden Kanalstämme sein dürften. Es wäre

---

[1]) R. KIRKPATRICK, South African Sponges. In: Cape of Good Hope. Dep. Argriculture Jg. 1902 Nr. 4 Taf. 3 fig. l, d, e.
[2]) TH. STUDER, Beiträge zur Meeresfauna Westafrikas, Zool. Anz. Bd. 5 p. 354.

demnach jene mit einem Netz ausgestattete Grube (a) als eine Porengrube (Vestibular- oder Präporalraum), diese (b) als eine Osaculargrube (Präoscularraum) anzusehen.

Das Skelett besteht aus wohlausgebildeten Bündeln von Megascleren (Amphioxen und Telocladen), welche radial zur Oberfläche ausstrahlen und zum Teil, an den Grubenrändern, über dieselbe vorragen; Telocladbündeln in den Grubenwänden; einem dicht unter der Oberfläche gelegenen, aus paratangential angeordneten, amphioxen Megascleren zusammengesetzten Hautpanzer; und zerstreuten sigmen Microscleren. Die Teloclade der radialen Nadelbündel sind Protriaene, Anatriaene und Orthoclade. Die letzten sind vorwiegend Orthotriaene und zum geringern Teil Orthodiaene; auch Orthomonaene kommen unter ihnen vor, diese sind jedoch selten. Die Bündel der Grubenwände bestehen aus sehr schlanken und zarten Protriaenen, deren Cladome über die Grubenwand vor- und in die Höhlung der Grube hineinragen. Diese sind stets nach auswärts gegen den Grubenrand gerichtet.

Die paratangentialen Amphioxe (Taf. XX, Fig. 14) des Hautpanzers sind zumeist 1,4—2,4 mm lang und 55, selten bis zu 70 μ dick. Diese Amphioxe pflegen gerade oder nur sehr schwach gekrümmt zu sein; sie sind isoactin und an beiden Enden gleichmäßig und scharf zugespitzt.

Die Amphioxe der radialen Nadelbündel sind 3,5—4 mm und darüber lang und gewöhnlich etwa 30 μ dick. Auch sie sind meist gerade und isoactin. Es kommen aber auch anisoactine vor. Die Anisoactinität ist jedoch meist unbedeutend, zuweilen ist aber ein Ende so stark abgestumpft, daß die Nadel als ein Styl erscheint. In den distalen Teilen der Nadelbündel finden sich auch dickere und kürzere Amphioxe, welche den Uebergang zu den an der Oberfläche liegenden, paratangentialen vermitteln.

Die Zentren der Orthotriaene liegen im Hautpanzer und ihre Clade nehmen an der Zusammensetzung des letzteren teil. Der Schaft ist 4,5 mm lang und am cladomalen Ende 25—35 μ dick. Die Clade sind 300—520 μ lang und schließen mit dem Schaft Winkel von 95—112° ein. Neben diesen Orthotriaenen kommen Orthodiaene von ähnlicher Gestalt und Größe, sowie auch einzelne Orthomonaene vor.

Die Cladome der Anatriaene (Taf. XX, Fig. 15) liegen meist in Gruppen in den distalen Endteilen der radialen Nadelbündel, dicht unter dem Hautpanzer. Ihre Schäfte erreichen eine Länge von 7 mm und am cladomalen Ende eine Dicke von 12—17 μ. Die Clade sind kurz und dick, und stehen sehr stark ab. Sie sind 45—50 μ lang und ihre Senen schließen mit der Schaftachse Winkel von 43° und darüber ein.

Die großen Protriaene finden sich vornehmlich in den Nadelreihen, welche den Grubenrändern entragen. Der Schaft ist 6—9 mm lang und nahe dem Cladom 13—15 μ dick. Dicht unter dem Cladom findet sich eine eiförmige, 20—25 μ im Durchmesser haltende Schaftverdickung. Die Clade sind meist 120—200 μ lang und schließen mit der Schaftverlängerung Winkel von etwa 18° ein. Man findet aber nicht selten auch solche Nadeln mit kürzeren und stärker abstehenden Claden.

Die zarten Protriaene (Taf. XX, Fig. 16) scheinen auf die Grubenwände beschränkt zu sein. Ihr Schaft ist 1,7—2,5 mm lang und eine kurze Strecke unter dem Cladom 2—4 μ dick. Nach unten hin verdickt er sich allmählich bis auf etwa 7 μ, um dann, wieder sich verdünnend, in einen äußerst feinen, unter 1 μ dicken Endfaden auszulaufen. Dicht unterhalb des Cladoms findet sich eine eiförmige Schaftverdickung, von 6—10 μ Querdurchmesser. Die Clade pflegen mehr oder weniger nach außen gebogen zu sein, sind aber im ganzen sehr steil aufgerichtet, so daß ihre Seiten Winkel von bloß 11—12° mit der Schaftverlängerung einschließen. Die Länge der Clade ist eine recht schwankende. Sie beträgt 50—190 μ. Oft sind die Clade eines und desselben Cladoms sehr verschieden lang. Der Schaftachsenfaden geht unverändert durch die eiförmige Verdickung seines cladomalen Endteiles hindurch. Die von seinem äußersten Ende entspringenden Cladachsenfäden gehen unter fast rechten Winkeln von ihm ab und biegen sich dann erst nach aufwärts.

Die Sigme sind ziemlich stark spiralig gewundene, deutlich dornige, etwa 0,7 μ dicke Stäbchen und erreichen eine Länge von 25—28 μ.

Dieser Schwamm wurde von der Gazelle (Nr. 573) im östlichen, nordtropischen Atlantik, in der Gegend der Kap Verde-Inseln, in 15° 25,5′ N. und 23° 8′ W. aus einer Tiefe von 217 m hervorgeholt.

Jedenfalls ist dieser Schwamm, der Anordnung seiner Poren und Ausströmungsöffnungen in den Böden einander gegenüberliegender Gruben wegen zur Gattung *Fangophilina* zu stellen, mit deren anderen Arten er auch in Bezug auf den Charakter seiner Nadeln gut übereinstimmt. Er unterscheidet sich von den beiden anderen bisher bekannt gewordenen Arten dieses Genus, außer durch die geringere Länge seiner radialen Nadeln, welche darauf beruhen könnte, daß dieser kleine Schwamm ein Jugendstadium darstellt, vornehmlich durch das Fehlen von Tylostylen, die bedeutendere Länge der Clade seiner zarten Protriaene, die größere Dicke der paratangentialen Amphioxe seines Hautpanzers, die bei *F. gilchristi* nur 30 μ, bei *F. hirsuta* nur 14 μ, bei dieser Art aber gewöhnlich 55 und ausnahmsweise bis 70 μ erreicht, sowie durch die Sigme, welche bei den genannten Arten zum Teil bis 45, beziehungsweise 40 μ lang werden, während die längsten Sigme dieser Art nur 28 μ im Maximaldurchmesser halten. Ich halte es aus diesen Gründen für notwendig, diesen Schwamm in einer eigenen Art unterzubringen, die ich nach dem Entdecker der wahren Bedeutung des Gattungsbegriffes *Fangophilina* (früher *Spongocardium*) benenne.

Anhang zu den Sigmatophora.

Gattung Proteleia. DENDY und S. RIDL.

Microsclerenlose Monaxoniden mit monactinen Nadeln von verschiedener Größe, zipfelförmigen Fortsätzen und einem aus Monodiscen[1] bestehenden Nadelpelz.

Ich habe früher[2] außer der typischen Art *P. sollasi* auch die *Tetilla truncata* TOPSENT 1890 zu Proteleia gestellt. Neuerlich hat nun TOPSENT[3] in dieser, zuerst von ihm als micro-

---

[1] Der neue Nadelname Monodisc ist unten in der Beschreibung der *Proteleia sollasi* definiert.
[2] R. v. LENDENFELD, Tetraxonia. In: Das Tiefreich Bd. 19 p. 29.
[3] E. TOPSENT, Spongiaires des Açores. In: Résult. Camp. Monaco Bd. 25 p. 99.

22*

sclerenlos beschriebenen Spongie, sigme Microsclere aufgefunden, so daß sie schon deshalb aus dem Genus Proteleia ausgeschieden werden muß.

Es blieb somit nur eine Art in diesem Genus; diese ist in der Valdivia-Sammlung durch ein Stück vertreten.

Proteleia sollasi (DENDY und S. RIDL.).

Taf. XVI, Fig. 53—55; Taf. XVII, Fig. 1—5.

1886 *Proteleia sollasi*, DENDY und S. RIDLEY in: Ann. nat. Hist. ser. 5 v. 18 p. 152 t. 5.
1887 *Proteleia sollasi*, S. RIDLEY und DENDY in: Rep. Voy. Challenger v. 20 Nr. 1 p. 214 t. 42 f. 6—8; t. 44 f. 2.
1903 *Proteleia sollasi*, LENDENFELD in: Tierreich v. 19 p. 29.

In der Valdivia-Sammlung findet sich ein, offenbar zur Species *Proteleia sollasi* DENDY und S. RIDL. 1886 gehöriges Stück. Dasselbe ist ein Teil einer krolligen oder vielleicht inkrustierenden Masse und hält 25 mm im Durchmesser. Von der konvexen Oberfläche des Schwammes erheben sich zehn 12—20 mm lange, annähernd senkrecht abstehende Fortsätze. Das von DENDY und RIDLEY untersuchte Stück war größer, 63 mm lang, hatte aber nur bis 8 mm lange Fortsätze. Bei dem vorliegenden Valdivia-Stücke sind diese Fortsätze beträchtlich abgeplattet, unterhalb ihrer Längenmitte bis 6 mm breit, und von hier proximalwärts ein wenig, distalwärts aber stark verdünnt, so daß sie zum Teil fast zugespitzt erscheinen. An der Oberfläche dieser Fortsätze werden seichte Längsrinnen wahrgenommen. Die Oberfläche des Körpers erscheint dem bloßen Auge völlig glatt, zeigt aber, mit einer starken Lupe betrachtet, eine feine Körnelung. Die Oberfläche der Fortsätze ist kahl, jene des Körpers mit einem etwa 200 μ hohen Nadelpelz bekleidet.

Die Farbe des in Weingeist konservierten Schwammes ist an der Oberfläche weißlich, im Innern bräunlich.

An der Oberfläche des Körpers ist eine etwa 700 μ dicke Rinde ausgebildet. Diese erstreckt sich auch in die Fortsätze, wo sie jedoch bedeutend dünner wird. Am Gipfel eines jeden der Fortsätze findet sich eine Oeffnung (Taf. XVI, Fig. 55a) von 150—500 μ Weite. Diese Oeffnungen dürften die Oscula des Schwammes sein. Andere Oeffnungen, welche als Einströmungsporen gedeutet werden könnten, habe ich nicht gesehen. DENDY und RIDLEY (DENDY und RIDLEY 1886 p. 153; RIDLEY und DENDY 1887 p. 215) haben an dem Challenger-Stück zerstreute Poren an der Oberfläche des Körpers und der Fortsätze beobachtet. Im Innern des Körpers werden keine geräumigeren Kanäle angetroffen, wohl aber finden sich solche in den Fortsätzen. Die Fortsätze sind bei dem Valdivia-Stücke nicht, wie nach der Beschreibung von DENDY und RIDLEY (DENDY und RIDLEY 1886 p. 153; RIDLEY und DENDY 1887 p. 214) jene des Challenger-Stückes, solid, sondern hohl, röhrenförmig. In ihrer Achse findet sich ein großer, zylindrischer Hohlraum (Taf. XVI, Fig. 55b), welcher seitlich (c) und unten (d) von feinen Membranen umschlossen wird und oben mit dem Osculum (a) ausmündet. Dieser Raum wird wohl als Oscularrohr oder Gastralraum anzusehen sein. Außerhalb der ihn einfassenden Membranen finden sich ziemlich große, subgastrale Höhlen, welche durch dünne Membranen voneinander abgegrenzt werden und sich nach außen bis zu dem dichteren Gewebe der Wand des röhrenförmigen Fortsatzes erstrecken. Diese Wand hat eine Mächtigkeit von 0,5—1 mm. Dieser auffallende Unterschied im Bau der Fortsätze des Challenger- und des Valdivia-Stückes wird wohl darauf zurückzuführen sein, daß sie in dem ersteren viel stärker als in dem letzteren zusammengezogen sind, wozu auch ihre bedeutend geringere Länge in dem Challenger-Stück in Beziehung stehen dürfte. In dem unter der Rinde gelegenen Choanosom werden, im Körper des Schwammes sowohl, als auch in den Fortsätzen, zahlreiche Geißelkammern angetroffen. Diese sind breit eiförmig etwa 38 μ lang und 26 μ breit. Ob alle Geißelkammern derart langgestreckt sind und ob nicht etwa auch weniger langgestreckte und selbst kugelige vorkommen, läßt sich schwer sagen. An den Schnitten sieht man sehr viele kreisförmige Kammerdurchschnitte. Ob die alle Querschnitte von ovalen sind, ist fraglich. Die erwähnten, feinen, den Gastralraum begrenzenden Membranen zeigen eine überaus auffallende, feine, parallele Streifung. Stellenweise haften denselben Gruppen kugeliger Körnchen an, die vielleicht Kugelzellen sind. In der Nähe des Osculums habe ich an der Innenfläche der Gastralmembran stärker tingierte, am Durchschnitt als schmale Streifen erscheinende Bildungen gesehen, welche vielleicht ein Plattenepithel darstellen. Im Innern kommen zahlreiche, kugelige, bis 40 μ im Durchmesser haltende, körnige Zellen vor, die einen bläschenförmigen Kern mit deutlichem, 2 μ großen Nucleolus enthalten. Diese Zellen möchte ich als Eizellen in Anspruch nehmen.

Das Skelett des Valdivia-Stückes stimmt mit dem von DENDY und RIDLEY (l. c.) beschriebenen Skelett des Challenger-Stückes im ganzen überein. Das Skelett des Körperinnern besteht aus radialen Bündeln größerer Style, die sich gegen die Oberfläche hin garbenförmig verbreitern; und aus unregelmäßig zerstreuten, kleineren, meist tylostylen Monactinen, welche sich gegen die Oberfläche des Choanosoms hin mehr paratangential anordnen. Das Skelett der Rinde des Körpers ist aus einer tieferen Schicht von größeren, und einer oberflächlichen Schicht von kleineren, gleichfalls meist tylostylen, radial orientierten, die Spitze nach außen kehrenden Monactinen zusammengesetzt. Zwischen diesen Nadeln stecken die Proximalenden der Monodiscæ. Das Skelett der Fortsätze ähnelt jenem des Körpers. In einem Zylindermantel liegende Radialbündel von Stylen (Taf. XVI, Fig. 55 e) verlaufen longitudinal in ihren Wänden. Zwischen diesen Bündeln liegen zerstreute, kleinere Monactine. An ihre Außenseiten sind schief nach oben und außen gerichtete, mittelgroße Tylostyle mit distaler Spitze angeheftet. Außen überzieht die Fortsätze, geradeso wie den Körper, eine Schicht von kleinen, radialen Monactinen. Diese äußerste Skelettlage bildet einen festen Hautpanzer, über den, an der Körperoberfläche, die Monodiscæ frei vorragen. Die letzteren sind es, welche den oben erwähnten 200 μ hohen Pelz der Körperoberfläche bilden. Zerstreut im Schwamme kommen auch Sphaere vor.

Die großen Style der radialen Nadelbündel (Taf. XVI, Fig. 53 a) sind bei dem Valdivia-Stück fast gerade, spindelförmig, am distalen Ende zugespitzt und am proximalen Ende bei einer Dicke von etwa 10 μ abgerundet. Diese Nadeln sind 0,9—1,35 mm lang und in der Mitte, oder etwas unterhalb derselben, wo ihre dickste Stelle liegt, 20—35 μ dick. Bei dem Challenger-Stick sind diese Nadeln nach DENDY und RIDLEY von ähnlicher Form, 1,2 mm lang, und 30 μ dick.

Die mittelgroßen Tylostyle der unteren Rindenlage (Taf. XVI, Fig. 53 b, 54 a, b, c) sind bei dem Valdivia-Stick meist 200—260 μ lang und in der Mitte 25—30 μ dick. Diese Nadeln sind auffallend spindelförmig, an einem Ende ziemlich plötzlich zugespitzt und auch an dem anderen, das Tyl tragenden, rasch und beträchtlich verdünnt, so daß das Tyl ungemein deutlich abgesetzt erscheint. Als Beispiel dieser Verhältnisse mögen folgende Maße einer solchen Nadel dienen: Länge 210 μ, Durchmesser des Tyl 23 μ, Dicke dicht oberhalb des Tyl (im Halsteil) 15 μ, Dicke in der Mitte 30 μ. Das Tyl ist zumeist nicht einfach kugelig, sondern mit einem kleinen Distalaufsatz ausgestattet. Der Achsenfaden der Nadel erstreckt sich gegen diesen Aufsatz hin, etwas über den Tylmittelpunkt hinaus. Diese Nadeln sind mehr oder weniger, zuweilen sehr stark gekrümmt. Die Krümmung pflegt am Tylende am bedeutendsten zu sein. Zuweilen ist das normalerweise spitze Ende abgerundet. Nach DENDY und RIDLEY sind diese Nadeln bei dem Challenger-Stück ungefähr 220 μ lang und 18,9 μ dick. Die Abbildungen (DENDY und RIDLEY 1886, Taf. 5, Fig. 4, 4 a; RIDLEY und DENDY 1887, Taf. 42, Fig. 8 e, 8 f.), welche sie von ihnen geben, stimmen mit meinen Photographien derselben (Taf. XVI, Fig. 53 b) insofern nicht ganz überein, als sie das Tyl weniger deutlich abgesetzt darstellen. Im Inneren finden sich bedeutend schlankere Nadeln dieser Art sowie Uebergänge zwischen ihnen und den Stylen der radialen Nadelbündel.

Die S p h a e r e (Taf. XVI, Fig. 53 c) scheinen selten zu sein. Ich habe nur vier gesehen. Drei waren Kugeln, eines (Fig. 53 c), eine Doppelkugel. Das größte von den einfachen Sphaeren hielt 50 μ im Durchmesser; das doppelkugelige Sphaer ist 22 μ breit und 40 μ lang. DENDY und RIDLEY erwähnen Sphaere in der Beschreibung des Challenger-Stückes nicht.

Die k l e i n e n M o n a c t i n e des Hauptpanzers (Taf. XVI, Fig. 53 d) sind meist Tylostyle oder Subtylostyle, selten einfache Style. Sie sind gerade oder gekrümmt 50—150 μ lang und 3—10 μ dick. DENDY und RIDLEY geben ihre Länge zu 160 μ und ihre Dicke zu 4,5 μ an. Sie scheinen also bei dem Challenger-Stück etwas länger und schlanker als bei dem Valdivia-Stück zu sein.

Die M o n o d i s c e (Taf. XVII, Fig. 1—5) sind spindelförmige, an den Enden gewöhnlich verdickte, 400—600 μ lange, und an der stärksten, unter der Mitte gelegenen Stelle bis 6 μ dicke Stabnadeln. Abgesehen von den Terminalanschwellungen ist das proximale Ende 3—4 μ, das distale 1,8—2,5 μ dick. Eine Beziehung zwischen den Dimensionen der beiden Enden ist nicht vorhanden. Einige von den proximal dicksten Monodiscen sind distal ganz dünn. Die beiden Enden eines Monodisc sind in Fig. 5 a, b dargestellt. Das proximale Ende der Nadel ist abgerundet. Oberhalb dieses Endes wird zuweilen eine Anschwellung beobachtet (Fig. 4 b), zuweilen nicht (Fig. 5 b). Das frei vorragende, distale Ende trägt eine auffallende Terminalverdickung. Es ist nicht leicht über die wahre Natur derselben Aufschluß zu erlangen. Mir scheint dieselbe die Gestalt eines stark konvexen Pilzhutes zu haben, der 3,5—5,5 μ breit ist und eine ähnliche Höhe hat, und dessen zurückgebogener Rand ausgefranst ist. Einige Teile der vortretenden Randfransen nehmen den Charakter von längeren Dornen an, die jedoch in Bezug auf Zahl und Anordnung keinerlei Regelmäßigkeit aufweisen. Im Schaft konnte ich zwar meist einen Achsenfaden erkennen, es gelang mir jedoch nicht Aufschlüsse über sein Verhalten in der distalen Endverdickung zu erlangen. Die Verdickung des Distalendes hat nicht immer jene Pilzhutform. Ich habe einzelne solche Nadeln in situ an Radialschnitten gesehen, bei denen das Distalende die Gestalt eines fein dornigen Kolbens hatte. Auch bei einigen von den mit pilzhutförmigen Endverdickungen ausgestatteten Monodiscen schien mir das distale, in den Pilzhut übergehende Schaftende feindornig zu sein. DENDY und RIDLEY (DENDY und RIDLEY 1886, p. 154, Taf. 5, Fig. q d, 6, 6 a, b; RIDLEY und DENDY 1887, p. 216, Taf. 42, Fig, 8 b, 8 c, 8 d) haben diese Nadeln „grapnel spicules" genannt. Sie geben ihre Länge zu 520 und ihre größte Dicke zu 6,3 μ an. Die Endverdickung bezeichnen sie als „a small knob provided with recurved teeth". Von diesen sagen sie (l. c. 1886) daß „commonly there are three or four", (l. c. 1887) aber das „commonly about four teeth" vorhanden sind, die jedoch auch fehlen können. Bezüglich des Achsenfadens bemerken sie (l. c. 1886) „Often the axial canal of the spicule is much inflated in the terminal knob, and occasionally it presents traces of branches towards the teeth". In den Figuren (l. c. 1886, Taf. 5, Fig. 6b und l. c. 1887, Taf. 42, Fig. 8d) sind die distalen Endverdickungen (Pilznüte) dieser Nadeln von DENDY und RIDLEY viel regelmäßiger dargestellt, als ich sie finde (Taf. XVII, Fig. 1—5). Sie haben nach jenen DENDY-RIDLEY'schen Figuren einen entschieden telocladartigen Charakter, der ihnen aber nach meinen Befunden nicht zukommt.

Während ich früher aus den zitierten DENDY-RIDLEY'schen Abbildungen, sowie aus ihren Bemerkungen bezüglich des Achsenfadens schloß, daß diese Nadeln Teloclade, Anatriaene (Anatriaenderivate) seien, bin ich nun durch die eigene Untersuchung derselben zu der Anschauung geführt worden, daß wir es hier nicht mit tetraxonen Telocladen, sondern mit monaxonen Nadeln zu tun haben, die an einem Ende eine Endscheibe mit zurückgebogenem, unregelmäßig ausgefranstem Rande tragen. Ich schlage für diese Nadeln den Namen Monodisce vor. Unter Monodisc verstehe ich eine Stabnadel, die an einem Ende eine Endscheibe trägt.

Dieser Schwamm wurde von der Valdivia am 29. Oktober 1898 in der Francisbucht an der südafrikanischen Küste in 34° 8′ S, 24° 59′ O (Valdivia-Station Nr. 100), aus einer Tiefe von 100 m hervorgeholt. Das Challengerexemplar stammt ebenfalls von der südafrikanischen Küste und zwar aus der Simonsbucht beim Kap der guten Hoffnung, wo es in einer Tiefe zwischen 18 und 37 m gefunden wurde.

Ich habe bisher *Proteleia sollasi* zu den Tetraxoniden gestellt weil ich, wie oben erwähnt, die Monodisce derselben für tetraxone Teloclade hielt. Jetzt, da sich herausgestellt hat, daß sie nicht solche sind, möchte ich diesen Schwamm aus den Tetraxoniden ausscheiden und zu den Monaxoniden stellen, wo er in der Nähe der Gattung *Polymastia* unterzubringen wäre. Insofern aber die Monaxoniden Tetraxonidenabkömmlinge, speziell die Polymastiden Tethyopsilliden-abkömmlinge sein dürften, die *Proteleia*-Monodisce als Telocladderivate angesehen und die *Proteleia sollasi* selbst als eine, in eine Monaxonide übergegangene Tetraxonide, bei der eine Spur des tetraxoniden Charakters im Monodisc noch erhalten ist, aufgefaßt werden können, dürfte es jedoch statthaft sein sie anhangsweise hier als einen, noch nicht ganz zu einer Monaxonide gewordenen Abkömmling der *Sigmatophora* zu behandeln.

Subordo Astrophora.

Tetractinellida, welche stets tetraxone, meist auch monaxone und ausnahms-weise auch sphaere Megasclere besitzen. Microsclere sind stets vorhanden. Diese sind euactine oder metactine Aster (Asterderivate), niemals Sigme.

Unter den zahlreichen, zu dieser Unterordnung gehörigen Spongien lassen sich zunächst solche ohne, und solche mit Sterrastern unterscheiden. Diese zwei Gruppen, von denen die erstere viel formenreicher als die letztere ist, sind scharf getrennt, und alle neueren Autoren sind darüber einig, daß sie auseinandergehalten werden müssen. Anders verhält es sich aber mit der weiteren Einteilung der sehr zahlreichen sterrasterlosen Astrophora.

Bei einigen sterrasterlosen Astrophora sind die tetraxonen Megasclere ausschließlich radial orientierte, meist langschäftige Teloclade mit distalem Cladom, und mehr oder weniger auf den oberflächlichen Teil des Schwammes beschränkt; bei anderen kommen zugleich mit oberflächlichen, radial orientierten Telocladen, oder ohne solche, für sich allein, Chelotrope oder chelotropähnliche, kurzschäftige Teloclade vor, welche unregelmäßig angeordnet, das Innere erfüllen. Man kann diesen Unterschied zur Einteilung der sterrasterlosen Astrophora benützen und sie auf Grund desselben in zwei Gruppen: A (ohne unregelmäßig angeordnete Chelotrope oder kurzschäftige Teloclade im Innern), und B (mit unregelmäßig angeordneten Chelotropen oder kurzschäftigen Telocladen im Innern) einteilen.

Einige von den sterrasterfreien Astrophora haben euastrose, andere nur metastrose Microsclere. Man kann auch diesen Unterschied zur Einteilung benützen und sie auf Grund desselben in zwei Gruppen: a (mit Metastern, ohne Euaster), und b (mit Euastern) einteilen.

Die diesen Einteilungen zugrunde liegenden Unterschiede sind zweifellos beide systematisch wichtig, und es müssen daher beide berücksichtigt werden. Hierüber besteht keine Meinungsverschiedenheit. Diese Unterschiede sind aber nicht korreliert: unter A sowohl als unter B gibt es a und b, und umgekehrt, unter a sowohl als b A und B. Man kann den beiden Unterschieden einen gleichen oder ungleichen Wert beimessen und im letzten Falle den ersten oder letzten für den systematisch wichtigeren halten, woraus sich, nach den Gesetzen der Logik, die folgenden möglichen Systeme ergeben:

$$
1)\left\{ \begin{array}{l} \text{Aa} \\ \text{Ab} \\ \text{Ba} \\ \text{Bb} \end{array} \right. \quad , \quad 2)\ \text{A} \!<\!\begin{array}{l}\text{a}\\\text{b}\end{array}\ \text{B}\!<\!\begin{array}{l}\text{a}\\\text{b}\end{array} \quad , \text{ und } \quad 3)\ \text{a}\!<\!\begin{array}{l}\text{A}\\\text{B}\end{array}\ \text{b}\!<\!\begin{array}{l}\text{A}\\\text{B}\end{array}
$$

Diese bedingen aber leider alle die Zerreißung zweier, in Bezug auf den einen oder anderen der hier in Betracht kommenden Merkmale homogenen Gruppen. Sollas[1]) hat nun allerdings, indem er „with a noble disregard of logic" alle B, auch die Bb, welche Euaster besitzen (Calthropella), dem a einverleibte, diese Schwierigkeit beseitigt, ich aber bin, wie gering ich auch den Wert der Logik anschlagen mag, außer stande, ihm in diese, jenseits der Logik liegende, transzendente Höhe zu folgen, und halte es für notwendig eine der drei oben angeführten Einteilungen zu benützen.

Topsent[2]) hat die Ansicht vertreten, daß der Unterschied zwischen den Euastern und den Metastern (a, b) systematisch wichtiger als der andere (A, B) sei, und deshalb ein, einigermaßen dem Schema 3 entsprechendes System vorgeschlagen. Ich[3]) dagegen hielt den, auf dem Vorhandensein oder dem Fehlen zerstreuter Chelotrope usw. im Innern beruhenden Unterschied (A, B) für den wichtigeren, und schlug deshalb ein, dem Schema 2 entsprechendes System vor.

¹) W. J. Sollas, Tetractinellida. In: Rep. Voy. Challenger Bd. 25 p. CXXXIII u. a. O.
²) E. Topsent, Les Asterostreptidae. In: Bull. Soc. Scient. Med. de l'Ouest. Bd. 11 Nr. 2 p. 9.
³) R. v. Lendenfeld, Tetraxonia. In: Tiefreich Bd. 19 p. 32.

Unter den Spongien der Valdivia-Sammlung finden sich einige, welche jene der Oberfläche langschäftige Teloclade mit radialem Schaft und distalem, paratangentialem Cladom, und im Innern unregelmäßig angeordnete Chelotrope besitzen, und deren Microsclere Euaster sind. Diese Spongien, für welche ich das Genus Chelotropella aufgestellt habe, bilden in der Gruppe b eine ähnliche Verbindung zwischen A und B, wie sie durch Poecillastra, Sphinctrella und das neue Valdivia-Genus Chelotropaena in der Gruppe a hergestellt wird.

Obzwar bei manchen von diesen Spongien, namentlich bei den Theneaarten, Uebergänge zwischen Metastern und Euastern, das heißt Metaster vorkommen, deren Schaft bis zur völligen Unkenntlichkeit reduziert ist, also auch die Gruppen a und b durch Uebergänge verbunden sind, scheint mir doch die durch Poecillastra, Sphinctrella, Chelotropaena und Chelotropella hergestellte Verbindung zwischen A und B eine innigere als die, durch die Theneaarten vermittelte, zwischen a und b zu sein. Ich will mich daher jetzt an das von TOPSENT (l. c.) vorgeschlagene System halten und meine frühere Einteilung dieser Spongien durch eine neue, diesen Umständen Rechnung tragende, dem Schema 3 entsprechende ersetzen, und teile die Astrophora demgemäß in die drei Hauptgruppen:

Metastrosa (Gruppe a) (ohne Sterraster, mit Metastern, ohne Euaster),

Euastrosa (Gruppe b) (ohne Sterraster, mit Euastern),

Sterrastrosa (mit Sterrastern).

Innerhalb jeder der beiden Gruppen Metastrosa (a) und Euastrosa (b), sind je zwei Familien, die Gruppen A (ohne Chelotrope usw. im Innern) und B (mit Chelotropen usw. im Innern) zu unterscheiden. Die Gruppe A der Metastrosa sind die Theneidae; die Gruppe B der Metastrosa, die Pachastrellidae; die Gruppe A der Euastrosa die Stellettidae; und die Gruppe B der Euastrosa die Calthropellidae. Die Sterrastrosa umfassen die einzige Familie Geodidae.

Es zerfallen sonach die Astrophora in drei Demus und fünf Familien:

I. Demus *Metastrosa* (mit Metastern [Metasterderivaten] ohne Euaster und ohne Sterraster),

    1. Familie *Theneidae* (ohne unregelmäßig gelagerte Chelotrope oder kurzschäftige Teloclade im Innern),

    2. Familie *Pachastrellidae* (mit unregelmäßig gelagerten Chelotropen oder kurzschäftigen Telocladen im Innern);

II. Demus *Euastrosa* (mit Euastern, ohne Sterraster),

    1. Familie *Stellettidae* (ohne unregelmäßig gelagerte Chelotrope oder kurzschäftige Teloclade im Innern),

    2. Familie *Calthropellidae* (mit unregelmäßig gelagerten Chelotropen oder kurzschäftigen Telocladen im Innern);

III. Demus *Sterrastrosa* (mit Sterrastern),

    1. Familie *Geodidae*.

Diese Familienunterschiede sind in dem folgenden Schema zusammengestellt.

121

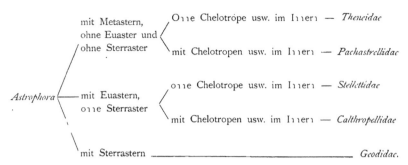

In der Valdivia- und Gazellen-Sammlung sind alle 5 Familien vertreten.

Familie Theneidae.

Astrophora mit metastrosen Microscleren, ohne Euaster und ohne Sterraster. Die tetraxonen Megasclere sind oberflächlich gelegene, radial orientierte, meistens langschäftige Teloclade mit distalem Cladom; im Innern finden sich keine unregelmäßig angeordneten Chelotrope oder kurzschäftigen Teloclade.

Diese Gruppe wurde, allerdings in etwas anderer Ausdehnung, zuerst von CARTER [1]) unter dem Namen Theneanina aufgestellt und dann von SOLLAS [2]) mit dem Namen Theneidae belegt und genauer präzisiert.

SOLLAS (l. c.) unterschied in der Familie Theneidae acht Gattungen. TOPSENT [3]) hat diese Gruppe als eine Subfamilie angesehen und Theneinae genannt. Er hat den größeren Teil der von SOLLAS derselben einverleibten Gattungen ausgeschieden und nur drei, Thenea, Poecillastra und Sphinctrella darin belassen. Obwohl ich der Familie Theneidae hier eine ganz andere Definition gebe als TOPSENT (l. c.) seiner Subfamilie Theneinae, so stimmen diese Gruppen von TOPSENT und mir in ihrem Wesen doch einigermaßen überein; nach meiner Auffassung der Gruppe werden aber, außer den von TOPSENT aus derselben ausgeschiedenen Gattungen, auch Sphinctrella und Poecillastra wegen des Besitzes unregelmäßig angeordneter Chelotrope daraus zu entfernen, und den Pachastrellidae einzuverleiben sein, dagegen glaube ich, daß die Gattung Papyrula den Theneidae einverleibt werden sollte. Papyrula hat zwar ebensowenig Metaster wie Euaster, ich halte es aber für einigermaßen wahrscheinlich, daß ihre Microamphioxe (und Microstyle) Metasterderivate sind.

Wir hätten sonach zwei Gattungen innerhalb der Theneidae zu unterscheiden:

Thenea (mit echten Metastern),

Papyrula (ohne echte Metaster, mit metasterderivaten Microrhabden).

[1]) H. J. CARTER, Contrib. Knowledge of the Spongida. In: Ann. Mag. nat. Hist. Ser. 5 Bd. 11 p. 354.
[2]) W. J. SOLLAS, Prelim. Account of the Tetractinellid Sponges, Challenger. In: Dublin Soc. Proc. Bd. 5 (Part 4) p. 178 und Tetractinellida. In: Rep. Voy. Challenger Bd. 25 p. CXXVII.
[3]) E. TOPSENT, Les Asterostreptidae. In: Bull. Soc. Scient. Med. de l'Ouest. Bd. 11 Nr. 2 p. 9.

In der Valdivia-Sammlung sind beide Gattungen vertreten, in der Gazellen-Sammlung nur das Genus Thenea. In der Valdivia-Sammlung finden sich (ohne die Brutknospen zu rechnen) 750, in der Gazellen-Sammlung 2, zusammen 752, zur Familie Theneidae gehörige Spongien. Diese gehören 2 Gattungen und 16 Arten (Valdivia 15, Gazelle 1) an; sämtliche Arten sind neu.

Genus Thenea GRAY.

Theneidae mit Dichotriaenen und Anatriaenen. Die Zahl der Strahlen der Metaster ist sehr verschieden. Die vielstrahligen sind kleiner und erscheinen als Spiraster; bei den größeren, wenigstrahligen, ist der Schaft oft stark reduziert, und sie erscheinen dann euasterähnlich.

Dieses Genus entspricht zwar im ganzen dem Begriffe, den SOLLAS[1]) mit seinem Genus Thenea und ich[2]) mit meinem Subgenus Thenea verband, ist jedoch etwas weiter gefaßt.

Ohne die Brutknospen zu rechnen finden sich in der Valdivia-Sammlung 749, in der Gazellen-Sammlung 2, zusammen 751 zum Genus Thenea gehörige Schwämme. Diese gehören 15 Arten (Valdivia 14, Gazelle 1) an; sämtliche sind neu.

Thenea malindiae n. sp.

Taf. XX, Fig. 22—24.

In der Valdivia-Sammlung finden sich zwei Stücke dieses Schwammes, die beide Bruchstücke zu sein scheinen. Das größere und besser erhaltene ist 17 mm lang, 8 mm breit und trägt zwei zugeschärfte, leistenartige Vorsprünge, wohl Hutrandteile, die mit 5 mm weit frei vorragenden Nadeln besetzt sind.

. Die Farbe des Schwammes ist, in Weingeist, weißlich braun.

Das Skelett besteht aus Megascleren und Microscleren. Die Megasclere sind Amphioxe, Protriaene, Dichotriaene und Anatriaene; die Microsclere große, mittlere und kleine Metaster.

Die Amphioxe sind 5 mm lang und 35—40 μ dick.

Die Protriaene haben am cladomalen Ende 15—20 μ dicke Schäfte und 226—350 μ lange Clade. Diese divergieren am Grunde ziemlich stark, richten sich dann aber auf und sind weiterhin fast gerade. Sie schließen mit der Schaftverlängerung Winkel von ungefähr 20° ein. Die Cladombreite beträgt 160—260 μ.

Die Dichotriaene haben am cladomalen Ende 56—63 μ dicke Schäfte. Ihre Cladome erscheinen, der relativ beträchtlichen Dicke der Haupt- und Endclade wegen, gedrungen gebaut. Die Hauptclade sind 100—200, die Endclade 550 μ lang. Zusammengehörige Endclade sind gegeneinander schwach konkav gekrümmt.

Die Anatriaene haben am cladomalen Ende 20 μ dicke Schäfte. Die Clade sind dünn, schlank, 250 μ lang, und stark gegen den Schaft konkav gekrümmt. Ihre Sehnen schließen Winkel von 40° mit dem Schafte ein. Die Cladombreite beträgt 300 μ.

---

[1]) W. J. SOLLAS, Tetractinellida. In: Rep. Voy. Challenger Bd. 25 p. CXXVIII.
[2]) R. v. LENDENFELD, Tetraxonia. In: Tierreich Bd. 19 p. 53.

23*

Die großen Metaster (Taf. XX, Fig. 23, 24) haben einen zwar nicht langen, aber doch deutlichen, völlig geraden Schaft, von dessen Enden je drei Strahlen abzugehen pflegen, so daß die ganze Nadel in der Regel sechsstrahlig erscheint. Diese Nadeln haben einen Maximaldurchmesser von 85—90 μ, ihre Strahlen sind 45—50 μ lang, am Grunde 2—3 μ dick und nicht merklich rauh. Einige von den Strahlen pflegen einfach gerade, scharfspitzig und ziemlich regelmäßig, schlank kegelförmig zu sein, die anderen — bei der in Figur 23 auf Tafel XX dargestellten Nadel, drei von ihnen — sind ungefähr in ihrer Längemitte gabelig gespalten. Die Endäste dieser Strahlen sind, wie die Endteile der einfachen Strahlen, schlank kegelförmig und scharfspitzig. Zusammengehörige Endäste divergieren nur wenig und schließen kleine Winkel zwischen sich ein.

Die mittleren Metaster (Taf. XX, Fig. 24) sind meist etwas weniger als halb so groß als die großen, halten etwa 35 μ im Maximaldurchmesser und haben öfter einfache Strahlen. Im übrigen ähneln sie den großen.

Die kleinen Metaster (Taf. XX, Fig. 22, 24) sind 15 μ lang. Sie bestehen aus einem ziemlich starken, nur wenig gewundenen Schaft, von dessen Enden je zwei bis drei ziemlich starke und kurze Strahlen abzugehen pflegen, so daß die ganze Nadel die Gestalt eines gedrungen gebauten Amphiasters erlangt.

Dieser Schwamm wurde von der Valdivia am 23. März 1899 an der afrikanischen Ostküste bei Malindi — worauf sich der Name bezieht — in 3° 7′ S. und 40° 45,8′ O. (Valdivia-Station Nr. 249) aus einer Tiefe von 748 m hervorgeholt.

Durch die Gabelspaltung der Strahlen ihrer großen Metaster unterscheidet sich diese von allen anderen Theneaarten, weshalb ich für sie eine neue Art aufgestellt habe.

Thenea microspina n. sp.

Taf. XX, Fig. 21.

In der Valdivia-Sammlung findet sich ein unvollständiges Stück dieses Schwammes. Es hatte vermutlich die bekannte Pilzgestalt, es ist aber nur der obere (Hut-)Teil davon vorhanden. Dieser hat einen eiförmigen Umriß, ist 22 mm lang, 19 mm breit und 8 mm hoch (dick). In der Mitte der schwach gewölbten Oberseite findet sich ein 1,5 mm weites Osculum. Der Rand ist schmal und zugeschärft.

Die Farbe des Schwammes ist, in Weingeist, schmutzig weiß.

Das Skelett besteht aus radialen Amphioxen und Dichotriaenen, sowie aus zahlreichen, zerstreuten, großen und kleinen Metastern. Anaclade habe ich in dem Stücke, das wie erwähnt, vermutlich nur ein Oberteil ist, nicht gesehen. Ich denke mir aber, daß in dem fehlenden Grundteil solche vorhanden gewesen sein dürften.

Die Amphioxe sind 3—5,7 mm lang und 40—75 μ dick. Ihre Dicke steht nicht im Verhältnis zu ihrer Länge: kürzere sind oft dicker als längere.

Die Protriaene haben am cladomalen Ende 15 μ dicke Schäfte und 450 μ lange Clade, die mit der Schaftverlängerung Winkel von etwa 27° einschließen. Die Cladombreite beträgt 400 μ.

Die Dichotriaene haben am cladomalen Ende 38 μ dicke Schäfte. Die Hauptclade sind 160—175 μ, die Endclade gegen 1 mm lang. Zusammengehörige Endclade sind gegeneinander ein wenig konkav gekrimmt. Die Cladombreite beträgt 2 mm.

Die großen Metaster (Taf. XX, Fig. 21) sind relativ klein, ziemlich dickstrahlig und stark dornig. Auf diese Eigenschaften derselben bezieht sich der Speciesname microspina. Der Schaft ist, wenn er überhaupt zu erkennen ist, sehr kurz. Oft ist er gar nicht wahrnehmbar und dann haben diese Nadeln die Gestalt von Euastern. Ob aber die Strahlen dieser Nadeln, wie bei einem echten Euaster, wirklich jemals genau konzentrisch sind, scheint mir zweifelhaft. Die Zahl der Strahlen beträgt drei bis sechs, meistens sind vier vorhanden. Die Strahlen sind im ganzen kegelförmig. Ihr Grundteil ist jedoch distalwärts weniger rasch als ihr Endteil verdünnt. Zuweilen sind sie terminal abgerundet. Ausnahmsweise läuft ein Strahl in zwei kurze, abgerundete Endäste aus. Die Strahlen sind dicht mit feinen, ziemlich hohen Dornen besetzt, 45—65 μ lang und am Grunde 10—15 μ dick. Die größten von diesen Nadeln erreichen einen Maximaldurchmesser von 120 μ.

Die kleinen Metaster sind 22—24 μ lang und bestehen aus einem ziemlich schlanken, etwas gewundenen Schaft von dessen Seiten und Enden etwa neun schlanke und ziemlich lange Strahlen (Dornen) abgehen. Die meisten von ihnen entspringen von den Schaftenden.

Mittelgroße Metaster, die als Uebergänge zwischen den großen und kleinen angesehen werden könnten, sind sehr selten.

Dieser Schwamm wurde von der Valdivia im südlichen Indik in 30° 6,7' S. und 87° 50,4' O. (Valdivia-Station 172) aus einer Tiefe von 2068 m hervorgeholt.

Thenea microspina unterscheidet sich durch die Gestalt und Größe ihrer großen Metaster von allen anderen Theneaarten so sehr, daß ich, obzwar nur ein Bruchstück davon vorliegt, für dieselbe eine neue Art aufstellen zu sollen glaubte.

Thenea nicobarensis n. sp.
Taf. XX, Fig. 18—20.

In der Valdivia-Sammlung finden sich zwei Stücke dieses Schwammes. Eines ist klein, birnförmig, ein unverletztes, jugendliches Individuum; das andere ein Teil eines größeren, erwachsenen.

Das birnförmige Stück hat einen massigen, abgerundeten Körper von 6 mm Länge und 5 mm Breite. Von einem Ende gehen zwei dicht beisammenliegende und parallele, schlank kegelförmige Wurzeln ab, von denen die größere 10 mm lang ist. Der Körper ist auf einer Seite hochgewölbt und ziemlich glatt, auf der anderen flach. An dieser flachen Seite liegt eine, von einer hohen Nadelkrone umgebene Porengrube.

Der Bruchteil des größeren Stückes ist 10 mm lang, hat drei Wurzelansätze und an einer Stelle eine vorragende Kante, der 6 mm weit frei vorragende Nadeln eingepflanzt sind. Der Schwamm, dem dieses Bruchstück angehört, hatte vermutlich die bei Theneaarten so häufige Pilzform.

Die Farbe des jungen Schwammes ist, in Weingeist, gelbbraun, jene des Bruchstückes des größeren weißlich.

Das Skelett besteht aus Megascleren und Microscleren. Die ersten bilden im Körper radial gegen die Oberfläche ausstrahlende Stränge und in den Wurzeln dichtere Bündel. Die letzten sind zerstreut.

Die Megasclere sind Amphioxe und (seltene) Style im Innern des Körpers; ebensolche, sowie Proclade in der Nadelkrone des Porengrubenrandes und dem Nadelsaum des Hutrandes; kleine Anatriaene und große Dichotriaene an der Oberfläche des Körpers: und Amphioxe, seltene Orthotriaene und große Anatriaene, sowie Derivatformen von diesen mit gleichmäßig oder ungleichmäßig verkürzten oder ganz rückgebildeten Claden (Anadiaene, Anamonaene, Tylo-style), oder über das Nadelzentrum hinaus verlängertem Schaft (Mesanaclade), in den Wurzeln. Die Microsclere sind große mittlere und kleine Metaster. Diese sind zahlreich und ziemlich dicht gedrängt.

Die Amphioxe des größeren Stückes sind 3,5—5 mm lang und 44 μ dick, jene des kleinen 20—30 μ dick.

Die wenigen Style, die ich sah, waren nur 15 μ dick. Sie können als schlanke, einseitig entwickelte Amphioxe aufgefaßt werden.

Die Proclade sind triaen oder diaen. Es machte mir den Eindruck, daß die diaenen vorherrschen. Der Schaft ist am cladomalen Ende 40—50 μ dick. Die Clade erreichen eine Länge von 500—800 μ, sind gegen die Schaftverlängerung konkav, und schließen mit dieser Winkel von 25—38° ein. Die Cladombreite beträgt 650—750 μ. Im allgemeinen sind die Clade der Proclade des kleinern Stückes weniger gebogen und stehen stärker ab, so daß hier die Cladwinkel und Cladombreiten größer als bei den Procladen des erwachsenen Stückes sind.

Orthotriaene werden nur in dem größeren Stücke, und auch hier nur selten gefunden. Sie sind unregelmäßig und scheinen Derivate von andren Telocladformen zu sein. Der Schaft ist 5 mm lang, am cladomalen Ende 20, gegen die Mitte zu aber 45 μ dick. Die Clade sind 90 μ lang, und meist etwas emporgerichtet, so daß die Nadel auch als ein Plagiotriaen angesehen werden könnte. Das Cladom ist 150 μ breit.

Die Dichotriaene haben 2,25 mm lange, am cladomalen Ende 30 (bei dem kleinen) bis 40 μ (bei dem großen) dicke Schäfte. Die Hauptclade sind 135—205, die Endclade 550—800 μ lang. Zusammengehörige Endclade sind gewöhnlich gegeneinander konkav. Diese Krümmung ist oft eine recht beträchtliche. Die Cladombreite der Dichotriaene beträgt 1,4—1,6 mm.

Von Anatriaenen habe ich bei dem großen Stücke kleine und große, bei dem kleinen Stücke nur die großen aufgefunden. Die kleinen Anatriaene des großen Stückes hatten am cladomalen Ende 4—5 μ dicke Schäfte und ziemlich regelmäßige Cladome von 40—50 μ Breite. Die Clade sind 35—50 μ lang und beträchtlich gegen den Schaft konkav gekrümmt. Ihre Sehnen schließen Winkel von etwa 33° mit demselben ein. Die großen Anatriaene sind insofern recht veränderlich, als neben Formen mit wohlentwickelten, langen Claden auch solche mit mehr oder weniger rückgebildeten (verkürzten) Claden vorkommen und der Schaft zuweilen über das Cladom hinaus verlängert ist. Die Cladomverkümmerung kann so weit gehen, daß tylostylartige Nadeln zustande kommen. Die großen Anatriaene mit wohlentwickelten Claden haben sehr lange, am cladomalen Ende 13—25 μ dicke Schäfte. Ihre Cladome sind bis 120 μ breit. Die Clade sind 100—120 μ lang, schließen mit dem Schaft Winkel von 35—50⁰ ein, und sind gegen diesen konkav, ihre Krümmung ist jedoch eine weit schwächere als jene der Clade der kleinen Anatriaene.

Die Anatriaene mit stark verkürzten Claden, von denen einige, wie erwähnt, wie Tylostyle aussehen, und die ich nur in den Wurzeln fand, haben sehr lange, am cladomalen Ende 17—28 μ dicke Schäfte und ein 30—50 μ breites Cladom. Bei einigen sind die Clade zwar stark verkürzt aber doch kegelförmig und zugespitzt: diese Nadeln haben die Gestalt von kurzzinkigen Ankern. Bei anderen sind die Clade noch stärker verkürzt, zylindrisch und am Ende abgerundet: diese Nadeln haben die Gestalt von Tylostylen mit dreilappigem Tyl. Die drei in die Lappen (Cladrudimente) eintretenden Cladachsenfäden sind deutlich zu erkennen. Bei manchen von diesen Nadeln geht die Cladrückbildung so weit, daß das Tyl seine drei-lappige Gestalt verliert und die Nadel als ein keulenartiges Tylostyl erscheint. Im Tyl sind kurze Reststücke der drei Cladachsenfäden meist noch zu erkennen. Die Cladverkürzung, die in der oben beschriebenen Weise zur Bildung von anatriaenderivaten, tylostylartigen Nadeln führt, ist aber insofern nicht immer regelmäßig, als es nicht selten vorkommt, daß die einzelnen Clade verschieden weit rückgebildet werden. Es kommt vor, daß ein oder zwei Clade völlig ver-schwinden während zwei, beziehungsweise einer weniger rückgebildet sind, wodurch Anadiaene und Anamonaene zustande kommen. Bei vielen von den großen, langcladigen Anatriaenen bemerkt man eine kleine, transcladomale Schaftverlängerung, die zur Bildung eines Buckels am Scheitel des Cladoms führt. Zuweilen ist diese Schaftverlängerung jedoch viel länger, so daß die Nadel zu einem Mesanaclad wird. Solche Mesanaclade (Mesanatriaene und Mesanadiaene) habe ich jedoch nur in den Wurzeln des kleinen Stückes gefunden.

Die großen Metaster (Taf. XX, Fig. 20) bestehen aus einem sehr kurzen, oft kaum ·oder gar nicht erkennbaren Schaft und drei bis fünf, am öftersten vier, geraden, kegelförmigen, schwach rauhen Strahlen. Bei jenen Vierstrahlern, deren Schaft deutlich ist, erkennt man, daß die Strahlen von seinem Ende abgehen. Bei den Fünfstrahlern geht ein Strahl gewöhnlich von der Seite des Schaftes ab. Die vier Strahlen der Vierstrahler pflegen annähernd in zwei, auf-einander senkrecht stehenden Ebenen zu liegen. Die Strahlen sind 60—65 μ lang und am Grunde 4—5 μ dick, während die ganze Nadel einen Maximaldurchmesser von 120 μ erreicht.

Die mittleren Metaster (Taf. XX, Fig. 18a, 19) sind ähnlich aber nur halb so groß. Die kleinen Metaster (Taf. XX, Fig. 18b) sind 25 μ lang. Sie bestehen aus einem gebogenen, vermutlich schraubenförmig gewundenen Schaft, dem seitlich und am Ende sechs bis zehn, gerade, kegelförmige, dornartige Strahlen aufsitzen.

Beide Stücke wurden von der Valdivia am 7. Februar 1899 im Südwesten von Groß-Nikobar unter 6⁰ 53,1′ N. und 93⁰ 33,5′ O. (Valdivia-Station Nr. 210) aus einer Tiefe von 752 m hervorgeholt.

Die beiden Stücke weichen in Bezug auf die äußere Gestalt und die Größe der Mega-sclere, namentlich der Amphioxe, voneinander ab. Diese Abweichungen sind aber von der Art, wie sie von vornherein zwischen zwei so verschieden alten Stücken zu erwarten wären. In An-betracht dieses Umstandes und der Uebereinstimmung der beiden Stücke in Bezug auf die anderen morphologischen Eigenschaften und den Fundort glaube ich beide als Vertreter einer und derselben Art ansehen zu sollen.

Die einzige andere *Thenea*-Art, die in Bezug auf die Größe der großen Metaster mit *T. nicobarensis* übereinstimmt, ist *Thenea pyriformis* WILSON. Von dieser unterscheidet sich unser Schwamm jedoch durch die weit geringere Größe, namentlich Dicke der Amphioxe (bei *T. nicobarensis* bis 44 μ, bei *T. pyriformis* bis 70 μ) und Dichotriaenenschäfte (bei *T. nicobarensis* bis 40 μ, bei *T. pyriformis* bis 80 μ), so daß ich sie dieser Art nicht zurechnen möchte, und das um so weniger, als die eine (*T. nicobarensis*) bisher nur im nordöstlichen Indik, die andere (*T. pyriformis*) bisher nur im östlichen, nordtropischen Pazifik gefunden worden ist. Ich stelle deshalb für den hier beschriebenen Schwamm eine neue Art auf, die ich nach der, nahe seinem Fundort gelegenen Inselgruppe benenne.

Thenea centrotyla n. sp.

Taf. XX, Fig. 26—31.

In der Valdivia-Sammlung findet sich ein 7 mm im Durchmesser haltendes Bruchstück dieses Schwammes, welches die Gestalt einer aufgeblähten Tasche hat, deren obere Fläche etwas eingesenkt ist. Von den beiden oberen seitlichen Ecken ragen Nadeln bis 5 mm weit frei vor. Auch an anderen Stellen finden sich solche Nadeln, die jedoch weniger weit vorragen.

Die Farbe des Schwammes ist, in Weingeist, schmutzig lichtbraun.

Das Skelett besteht aus amphioxen, dichotriaenen und anatriaenen Megascleren, und großen, mittleren und kleinen Metastern. Andere Megasclere als die oben angeführten habe ich in dem mir zur Verfügung stehenden Bruckstück nicht aufgefunden, vermute aber, daß außer diesen noch Protriaene vorhanden sein dürften.

Die Amphioxe sind 80 μ dick. Intakte, große Amphioxe habe ich nicht gesehen; die längsten Bruchstücke waren 5 mm lang.

Die Dichotriaene haben 4,2—4,4 mm lange, am cladomalen Ende 70—80 μ dicke Schäfte. Ihre Haupt- und Endclade sind ziemlich stark. Die Hauptclade sind 150—220 μ, die Endclade 1,35—1,4 mm lang. Die Cladombreite beträgt 2,8 mm.

Die Anatriaene haben am cladomalen Ende 30 μ dicke Schäfte. Die Clade sind 100 μ lang und stark gegen den Schaft konkav gekrümmt. Ihre Seiten schließen mit dem Schaft Winkel von 37° ein. Die Cladombreite beträgt 130—150 μ.

Die großen Metaster (Taf. XX, Fig. 26, 27, 30, 31) sind zwei- bis fünfstrahlig. Ein kurzer Schaft und eine Exzentrizität der Strahlen sind, namentlich bei den vier- und fünfstrahligen, deutlich zu erkennen. Die Strahlen sind schlank, gerade, meist scharf zugespitzt und im ganzen kegelförmig, ihr Grundteil verjüngt sich aber distalwärts weniger rasch als ihr Endteil. In der nächsten Nähe des Nadelzentrums sind die Strahlen glatt, überall sonst aber dicht mit feinen Dornen besetzt. Diese Dornen sind jedoch so klein, daß sie bei der, zur Herstellung der Figuren verwendeten Vergrößerung nicht deutlich hervortreten. Bei den Fünfstrahlern, den Vierstrahlern (Fig. 27) und vielen Dreistrahlern (Fig. 26) sind die, zwischen benachbarten Strahlen gelegenen Winkel annähernd gleich groß. Bei einigen Dreistrahlern (Fig. 30) liegen zwei Strahlen in einer Geraden, von welcher der Dritte senkrecht abgeht. Außer diesen Mehrstrahlern kommen zahlreiche Zweistrahler (Fig. 31) in dem Schwamme vor. Der Schaft pflegt in diesen Nadeln die Gestalt einer mehr weniger unregelmäßigen Zentralverdickung zu haben, von der die beiden Strahlen abgehen, so daß die ganze Nadel zu einem Centrotyl wird, worauf sich der Artname bezieht. Die Strahlen dieser Centrotyle sind, wie jene der mehrstrahligen großen Metaster, kegelförmig und zugespitzt. Sie pflegen nicht genau in einer geraden Linie zu liegen sondern einen kleineren Winkel als 180°, gewöhnlich 130—175°, zwischen sich einzuschließen. Die Strahlen der großwinkligen (mehr geraden) von diesen Nadeln pflegen beträchtlich länger als jene der kleinwinkligen (mehr gebogenen), sowie der Drei- bis Fünfstrahler zu sein. Die Drei- bis Fünfstrahler haben gewöhnlich 70—80 μ lange, am Grunde 7—8 μ dicke Strahlen und ihr Maximaldurchmesser beträgt meist etwa 130 μ. Einzelne Dreistrahler sind viel größer. Der in der Figur 30 abgebildete hat eine Gesamtlänge von nahezu 360 μ. Die stärker gebogenen Zweistrahler haben 100—140 μ lange, am Grunde 7 μ dicke Strahlen und erreichen eine Gesamtlänge von 180—260 μ. Die Zweistrahler endlich, deren Strahlen nahezu in einer Geraden liegen und die als schwach gebogene, centrotyle Amphioxe erscheinen, haben am Grunde ebenfalls 7 μ dicke Strahlen und erreichen eine Gesamtlänge von 280—450 μ. Die Zentralverdickung hat bei allen diesen winkelförmigen und völlig geraden Centrotylen einen Durchmesser von ungefähr 11 μ.

Die mittleren Metaster (Taf. XX, Fig. 28, 29) haben einen kurzen, wenig deutlichen Schaft; es ist jedoch leicht zu erkennen, daß ihre Strahlen exzentrisch sind. Es sind fünf oder häufiger sechs Strahlen vorhanden. Diese sind schlank kegelförmig, etwa 40 μ lang und am Grunde 4 μ dick. Der Gesamtdurchmesser der Nadel beträgt 70 μ.

Die kleinen Metaster sind 40 μ lang, haben einen langen, schwach gewundenen Schaft und etwa neun ziemlich kurze Strahlen (Dornen), welche zum Teil den mittleren Teilen des Schaftes, zum Teil seinen Endteilen aufsitzen.

Dieser Schwamm wurde von der Valdivia am 5. Januar 1899 im südlichen Indik, nordwestlich von der Neu-Amsterdam-Insel in 36° 14,3′ S. und 78° 45,5′ O. (Valdivia-Station Nr. 168) aus einer Tiefe von 2414 m hervorgeholt.

Obzwar das einzige kleine, fragmentarische Stück sonst kaum ausreichen würde eine neue Art aufzustellen, so zeigen doch die oben beschriebenen, in großer Menge vorkommenden, großen und schlanken centrotylen Microsclere, daß wir es hier mit einem Schwamme zu tun haben, der einer bisher nicht beschriebenen Art angehört. Die einzigen anderen Theneaarten, welche diactine Metaster von dieser Größenordnung besitzen sind *T. wrightii* und *T. schmidtii*, bei denen aber die Strahlen der großen Metaster, der mehrstrahligen sowohl als der zweistrahligen, zwei bis viermal so dick sind und die letzten nicht in der Art wie bei *Thenea centrotyla* vorherrschen. Auch *T. valdiviae* hat große Metaster von einigermaßen ähnlicher Größe. Von dieser unterscheidet sich *T. centrotyla* unter anderem durch die viel geringere Länge ihrer Dichotriaenschäfte.

Thenea mesotriaena n. sp.
Taf. XXI, Fig. 1—15.

In der Valdivia-Sammlung finden sich 2 Stücke dieses Schwammes, ein größeres gut erhaltenes (Taf. XXI, Fig. 6) und ein kleineres, das ein Bruchstück eines, dem intakten ähnlichen

129

Stückes zu sein scheint. Das gut erhaltene Stück ist unregelmäßig kugelig, 26 mm breit und 22 mm hoch. Die Scheitelfläche ist abgeplattet, fast eben, die Unterseite etwas vorgewölbt und mit einer Anzahl vortretender Zipfel (Wurzeln) besetzt, die in eine verfilzte, einen Grundpolster bildende Nadelmasse übergehen. An der einen Seite des Schwammes findet sich eine große und regelmäßige, breit eiförmige, quer gestellte Porengrube von 17 mm Länge und 10 mm Breite, deren regelmäßig konkaver Boden netzförmig (ein Porensieb) ist. Der untere Teil der vortretenden Kante, welche die Porengrube umgibt ist niedrig und abgerundet; die Seitenteile derselben nehmen nach oben hin an Höhe und Schärfe zu; der obere Teil ist zu einer dünnen Platte ausgezogen, die wie ein Vordach über die Porengrube hinausragt. Von dem Rande dieses Vordaches und den oberen, zugeschärften Teilen der seitlichen Einfassungen der Porengrube tritt ein Saum der Scheitelfläche des Schwammes annähernd paralleler, zur Schwammachse senkrecht gerichteter Nadeln bis 13 mm weit frei vor. Der untere, abgerundete Teil der Porengrubeneinfassung entbehrt solcher Nadeln und erscheint kahl. Auf der dieser Porengrube gegenüberliegenden Seite des Schwammes findet sich eine andere, etwas mehr nach oben gerichtete, breit längsovale, fast kreisförmige, etwa 10 mm im Durchmesser haltende Grube, deren konkaver Boden gleichfalls aus einem Netz besteht. Diese Grube betrachte ich als eine Oscular* grube. Sie wird ringsum von einer, ihrem Rande entragenden Reihe auch bis 13 mm weit frei vortretenden Nadeln eingefaßt. Von den Porengruben- und Oscular*grubenkronen abgesehen ist die Oberfläche des Schwammes ziemlich glatt.

Die Farbe des Schwammes ist, in Weingeist, schmutzig bräunlich weiß.

Skelett. Im Innern des Körpers finden sich radiale Bündel von Amphioxen und auch an der Zusammensetzung der die Wurzeln durchziehenden Längsnadelstränge und des Grundpolsters nehmen zahlreiche Nadeln dieser Art teil. In den oberflächlichen Teilen des Schwammes sitzen radiale Dichotriaene. Die Nadeln der Porengruben- und Oscular*grubenkronen sind größtenteils Plagiotriaene, Proclade und Promosoclade, es kommen aber auch Amphioxe und Anaclade dort vor. Im Grundteil des Schwammes, in den Wurzelausläufern und im Grundpolster, werden neben den Amphioxen Anaclade, sowie anacladderivate, keulenförmige Tylostyle und, selten, auch Mesanaclade angetroffen. Die Microsclere sind große, mittlere und kleine Metaster.

Die Amphioxe sind 4—8 mm lang und 45—50 μ dick. Sie pflegen anisoactin zu sein. Ein 7 mm langes, das in der Mitte 45 μ stark war, hatte an dem einen abgestumpften Ende eine Dicke von 25, an dem anderen, gleichfalls abgestumpften, eine solche von 20 μ.

Die ziemlich seltenen Plagiotriaene (Taf. XXI, Fig. 7) sind meist unregelmäßig gestaltet. Ihre Schäfte pflegen etwas über 4 mm lang und am cladomalen Ende etwa 16 μ dick zu sein. Die Clade erreichen eine Länge von 200 μ und schließen mit der Schaftverlängerung Winkel bis zu 70° ein. Oft sind die Clade eines und desselben Plagiotriaens verschieden, teils in dieser, teils in jener Weise gekrümmt oder gerade, teils lang, kegelförmig und zugespitzt, teils kurz, walzenförmig und stumpf, teils mehr, teils weniger stark abstehend.

Die Proclade sind Protriaene und Prodiaene. Die ersten sind ziemlich häufig, die letzten selten. Abgesehen von dem fehlenden dritten Clad, gleichen die Prodiaene den Protriaenen. Die Schäfte der Protriaene (Taf. XXI, Fig. 3, 4) sind bis über 4,7 mm lang und am cladomalen Ende 45—55 μ dick. Die Clade eines und desselben Cladoms sind oft recht verschieden lang. Ihre Länge schwankt zwischen 300 und 800 μ und sie schließen Winkel von 16—27° mit der

Schaftverlängerung ein. Ganz lange und mittellange Clade pflegen kegelförmig und nur wenig abgestumpft zu sein, während die kurzen mehr walzenförmig erscheinen und am Ende abgerundet sind. Die Clade sind gegen die Schaftverlängerung konkav gekrümmt. Diese Krümmung ist, wie ein Vergleich der Figuren 3 und 4 zeigt, sehr verschieden stark. Zuweilen ist sie derart auf eine Stelle konzentriert, daß das Clad fast geknickt aussieht. Es ist bemerkenswert, daß die Endteile langer Clade oft gewisse Unregelmäßigkeiten aufweisen, verkrümmt sind (Fig. 3) oder einen kleinen, dornartigen Zweig tragen (Fig. 4). Erstes wird ziemlich häufig, letztes selten beobachtet. Diese Unregelmäßigkeiten, namentlich die Seitenzweige, sprechen dafür, daß wie Thiele[1] meint, die Protriaene der Theneaarten nicht echte Protriaene sind und manches es einigermaßen wahrscheinlich, daß man sie als Dichotriaenenderivate aufzufassen hat. Die Cladombreite der Protriaene ist sehr verschieden. Sie schwankt zwischen 200 und 660 μ.

Die Mesoclade (Taf. XXI, Fig. 2) finden sich in großer Zahl in der Porengrubenkrone. Die meisten sind Mesoprotriaene. Auf diese bezieht sich der Name, den ich dem Schwamme beigelegt habe. Von den zahlreichen zweicladigen Mesocladen, die man sieht, scheinen zwar viele Mesoprotriaene mit einem abgebrochenen Clad, einige jedoch echte Mesoprodiaene zu sein. Die Schäfte dieser Nadeln sind sehr lang und am cladomalen Ende 30—50 μ dick. Die transcladomale Schaftverlängerung ist gerade, kegelförmig, scharfspitzig und meist 400—550 μ lang. Es kommen jedoch nicht selten auch kürzere Schaftverlängerungen vor. Die Clade sind 150— 250 μ lang, in ihrem Grundteil gegen die Schaftverlängerung etwas konkav gekrümmt und in ihrem Endteil gerade. Ihre Sehnen schließen Winkel von ungefähr 30° mit der Schaftverlängerung ein. Die Cladombreite beträgt 180—220 μ.

Die Dichotriaene (Taf. XXI, Fig. 1, 5) haben ziemlich gerade oder gekrümmte, meist 2,8—3,3 mm lange, am cladomalen Ende 60—70 μ dicke Schäfte. Die Hauptclade sind 200— 240, die paarweise gegeneinander mäßig konkav gekrümmten Endclade 800—850 μ lang. Die Cladombreite beträgt 1,7—2 mm.

Die Anaclade (Taf. XXI, Fig. 8—11, 12a) sind vorwiegend Anatriaene. Von diesen lassen sich drei Arten, große Anatriaene mit abstehenden Claden, kleine Anatriaene mit abstehenden Claden, sowie Anatriaene mit anliegenden Claden unterscheiden. Die großen Anatriaene mit abstehenden Claden (Fig. 8, 12a) haben einen über 11 mm langen, am cladomalen Ende 15—17 μ dicken Schaft. Die durchaus ziemlich gleichmäßig gegen den Schaft konkav gekrümmten Clade sind etwa 167 μ lang, und ihre Sehnen schließen Winkel von 35—35° mit ihm ein. Die Cladombreite beträgt 167 μ. Die kleinen Anatriaene mit abstehenden Claden (Fig. 11) haben 4—5 mm lange, am cladomalen Ende ungefähr 7 μ dicke Schäfte. Ihre Clade sind gegen den Schaft konkav gekrümmt, jedoch weniger stark als jene der großen Anatriaene mit abstehenden Claden. Sie sind etwa 50 μ lang und ihre Sehnen schließen Winkel von 50° mit dem Schafte ein. Die Cladombreite beträgt 50 μ. Die Anatriaene mit anliegenden Claden (Fig. 9) haben lange, am cladomalen Ende 20 μ dicke Schäfte und in ihrem Grundteil beträchtlich gegen den Schaft konkav gekrümmte, weiterhin gerade Clade von 200—250 μ Länge, deren Sehnen Winkel von 17° mit dem Schafte einschließen. Die Cladombreite beträgt ungefähr 100 μ.

---

[1] J. Thiele, Studien über Pazifische Spongien. In: Zoologica, Heft 24 p. 22.

24*

Von Anatriaenderivaten kommen Anadiaene und -monaene, sowie. Mesanaclade vor. Durch Rückbildung eines, beziehungsweise zweier Clade sind aus den Anatriaenen die selteren Anadiaene und Anamonaene (Taf. XXI, Fig. 10) hervorgegangen. Diese Nadeln haben kürzere Clade als die großen Anatriaene mit absterenden Claden, sind diesen im übrigen aber ähnlich. Besonderes Interesse nehmen die Mesanaclade und keulenförmigen Tylostyle in Anspruch. Von Mesanacladen habe ich nur sehr wenige intakt gefunden. Ein solches war ein spindelförmiger, völlig gerader, an beiden Enden abgerundeter, 6,7 mm langer, an dem einen Ende 8, in der Mitte 55, und am anderen Ende 11 μ dicker Kieselstab, an dessen dickerem Endteil, 200 μ von dem Ende entfernt, zwei 20 μ lange, walzenförmige, am Ende abgerundete gegen die Mitte des Stabes gerichtete und mit diesem Winkel von 40⁰ einschließende Fortsätze saßen. Ob dieses Mesanadiaen als ein Anacladderivat oder ein stumpfes Amphiox mit zwei Zweigstrahlen aufzufassen ist, scheint mir fraglich zu sein. Bei *Thenea valdiviae* kommen auch Nadeln vor, deren Natur in dieser Hinsicht zweifelhaft ist. Ich verweise hier auf das in der Beschreibung jener Art hierüber Gesagte. Die Tylostyle sind gar nicht selten. Sie sind lang (über 6 mm) und unter dem Tyl 15 μ dick. Das kugelige oder eiförmige Tyl geht mehr oder weniger allmählich in den Schaft über, so daß die Nadel keulenförmig erscheint. Das Tyl hat einen Querdurchmesser von 40 μ.

Die großen Metaster (Taf. XXI, Fig. 12 b, c, 13, 14) haben zwei bis sieben Strahlen. Zuweilen (Fig. 13 a) ist ein kurzer Schaft deutlich zu erkennen und dann tritt auch die Exzentrizität der von seinen Enden abgehenden Strahlen deutlich hervor. Zuweilen (Fig. 13 b, c) ist kein Schaft zu bemerken, und dann stehen auch die Strahlen so aus als ob sie konzentrisch angeordnet wären. Bei den zweistrahligen großen Metastern (Fig. 12 b, 14) erscheint der Schaft meist in Gestalt einer unregelmäßigen, länglichen Zentralverdickung. Die Strahlen dieser Zweistrahler sind gerade, kegelförmig, am Grunde 5—8 μ dick, 60—110 μ lang, und schließen miteinander einen Winkel von 125—175⁰ ein. Die Gesamtlänge der Nadel beträgt 100—200 μ, Die mehrstrahligen großen Metaster sind größtenteils Vierstrahler (Fig. 12 c, 13 c); seltener sind die Dreistrahler (Fig. 13 b), noch seltener die Fünf- bis Siebenstrahler. Von diesen Nadeln kommen zwei, allerdings durch Uebergänge verbundene Formen, solche mit längeren und schlankeren (Fig. 13 b), und solche mit kürzeren und dickeren Strahlen (Fig. 13 a, c) vor. Die Strahlen der schlankstrahligen erreichen eine Länge von 130 μ und sind am Grunde etwa 5 μ dick. Diese Nadeln haben einen Maximaldurchmesser von 220 μ. Die Strahlen der kurz- und dickcladigen sind etwa 80 μ lang und am Grunde 8 μ dick. Diese Nadeln haben einen Maximaldurchmesser von 150 μ.

Die mittleren Metaster (Taf. XXI, Fig. 12 d, 15) ähneln den kurz- und dickcladigen, großen, sind jedoch nur halb so groß. Unter ihnen kommen mehr als vierstrahlige häufiger als unter den großen Metastern vor.

Die kleinen Metaster (Taf. XXI, Fig. 12 c) sind 20—25 μ lang und bestehen aus einem ziemlich dicken, kaum merklich gewundenen Schaft, von dessen mittleren und Endteilen durchschnittlich acht oder neun ziemlich starke, etwas abgestumpfte Strahlen abgehen.

Dieser Schwamm wurde von der Valdivia am 7. Februar 1899 im Südwesten von Groß-Nikobar, in 6⁰ 53′ 1″ N. und 93⁰ 33′ 5″ O. (Valdivia-Station Nr. 210) aus einer Tiefe von 752 m hervorgeholt.

Von anderen *Thenea*-Arten haben nur *T. valdiviae* und *T. bojeadori* große mehrstrahlige Metaster von ähnlichen Dimensionen. Von beiden unterscheidet sich die vorliegende Art durch den Besitz von Mesoprotriaenen und zahlreichen zweistrahligen Metastern.

Thenea rotunda n. sp.

Taf. XX, Fig. 25.

Von diesem Schwamme findet sich ein Stück in der Valdivia-Sammlung. Dieses hat im ganzen die Gestalt einer verkehrten Kuppel von kreisförmigem Umriß, 9 mm Breite und 9 mm Höhe. Er erscheint daher einigermaßen halbkugelig, worauf sich der Speciesname bezieht. An der unteren, vorgewölbten Seite scheinen sich Wurzeln befunden zu haben, diese sind jedoch weggerissen. Die Oberseite ist flach, in der Mitte etwas eingesenkt. An der Linie, wo die fast einer senkrechten Zylindermantel bildenden Seitenflächen des Schwammes in die obere, annähernd wagrechte Scheitelfläche übergehen, ist eine zugeschärfte, vortretende Ringleiste zu erkennen, welche dem Hutrand der mehr pilzähnlichen Theneen entspricht und den ein Kranz schief nach außen und oben gerichteter, frei vorragender Nadeln eingepflanzt ist. Samt diesem Nadelsaume hat der Schwamm eine Breite von 16 mm. Unterhalb der Hutrandkante finden sich zwei, in die Seitenwand des Schwammes eingesenkte, einander gegenüberliegende, querspaltähnliche Gruben mit siebförmigem Boden, von denen die eine, weiter sich erstreckende, eine Porengrube, die andere, kleinere, eine Osculargrube ist. Die Scheitelfläche ist mit einem Pelz schief aufragender, nach verschiedenen Richtungen abstehender, wirrer Nadeln bekleidet. Grund- und Seitenflächen sind glatter. An der Scheitelfläche saßen mehrere kleine Brutknospen.

Die Farbe des Schwammes ist, in Weingeist, licht schmutzig braun.

Das Skelett besteht aus radialen Megascleren und zerstreuten Microscleren. Die Megasclere sind Amphioxe, Style, Protriaene, Dichotriaene, langcladige Anatriaene und kurzcladige Derivate von diesen. Die Microsclere sind große, mittlere und kleine Metaster.

Die Amphioxe erreichen eine Länge von 5,7 mm und eine Dicke von 30 μ. Viele zeichnen sich durch eine sehr starke Krümmung aus.

Die selteren Style sind etwa 28 μ dick. Sie scheinen einseitig entwickelte Amphioxe zu sein.

Die Protriaene haben am cladomalen Ende 28—35 μ dicke Schäfte und 350—650 μ lange, in ihrem Grundteil gegen die Schaftverlängerung konkav gekrümmte, in ihrem Endteil mehr gerade Clade, welche mit der Schaftverlängerung Winkel von 30—47^0 einschließen. Ihre Cladome sind 450—650 μ breit.

Die Dichotriaene haben am cladomalen Ende 50 μ dicke Schäfte. Dicht unterhalb des Cladoms ist der Schaft beträchtlich verdickt. Die Hauptclade sind 210—260, die Endclade 800 μ lang. Die letzten sind entweder paarweise schwach gegeneinander konkav gekrümmt, oder völlig gerade. Die Cladombreite beträgt 1,8 mm.

Die Anatriaene haben am cladomalen Ende 18 μ dicke Schäfte. Ihre Clade erreichen eine Länge von 115 μ und sind im Grundteil beträchtlich gekrümmt. Ihre Seiten schließen mit dem Schafte Winkel von etwa 20^0 ein, so daß sie auffallend wenig abstehend erscheinen, und die Cladombreite bloß 80 μ beträgt. Außer diesen Anatriaenen mit wohl ausgebildeten Claden kommen andere Formen vor, bei denen die Clade 'stark verkürzt erscheinen. Diese Anatriaen derivate sind jedoch selten.

Viele von den großen Metastern (Taf. XX, Fig. 25) seien zwar wie Oxyaster aus, bei manchen sind jedoch ein kurzer Schaft und eine Exzentrizität der Strahlen sehr deutlich zu erkennen. Es sind meist vier oder fünf Strahlen vorhanden. Diese sind gerade, kegelförmig, ziemlich schlank, scharfspitzig und kaum merklich rauh; sie sind 65—95 μ lang und am Grunde etwa 6 μ dick. Die ganze Nadel hat einen Maximaldurchmesser von 115—170 μ.

Als mittlere Metaster betrachte ich die nicht seltenen amphiasterartigen Formen, die aus einem fast geraden Schaft bestehen, von dessen Enden je zwei bis drei Strahlen abgehen. Die ganze, also vier- bis sechsstrahlige Nadel ist 35 μ lang.

Die kleinen Metaster sind 25 μ lang und bestehen aus einem Schaft, von dem meistens ungefähr sieben Strahlen abgehen. Wenn, was sehr häufig der Fall ist, die Strahlen auf die Schaftenden beschränkt sind, erscheinen diese Nadeln als Amphiaster.

Dieser Schwamm wurde von der Valdivia am 20. März 1899 an der afrikanischen Ostküste außerhalb Dar-es-Salâm in 6° 39′ 1″ S. und 39° 30′ 8″ O. (Valdivia-Station Nr. 243) aus einer Tiefe von 400 m hervorgeholt.

Die einzigen anderen *Thenea*-Arten, die in Bezug auf die großen Metaster mit dem vorliegenden Schwamme einigermaßen übereinstimmen, sind *T. delicata* SOLLAS, *T. valdiviae* und *T. fenestrata* O. SCHMIDT. Von diesen unterscheidet er sich durch die geringere Größe seiner kleinen Metaster (Amphiaster).

Thenea valdiviae n. sp.

Taf. XVII, Fig. 6—49; Taf. XVIII, Fig. 1—19; Taf. XIX, Fig. 1—20; Taf. XX, Fig. 1—13.

In der Valdivia-Sammlung finde ich — ohne die, vielen ausgebildeten Stücken anhaftenden Brutknospen mitzuzählen — 678 Stücke dieses Schwammes.

Die Brutknospen (Taf. XVIII, Fig. 1, 18, 19), welche an der Oberseite (Scheitelfläche) der meisten größeren, ausgebildeten Stücke angetroffen werden und hier in Gruppen von 10—20 Stück an langen, vom mittlerichen Schwammkörper aufragenden Nadeln sitzen und von diesen durchbohrt werden (Taf. XVIII, Fig. 1), sind kugelig, eiförmig, polsterförmig oder unregelmäßig lappig; ausnahmsweise auch langgestreckt spindelförmig. Die letzten ähneln der Figur, die HANSEN [1] von seiner *Clavellomorpha minima* gibt. Sie erreichen eine Länge (einen größten Durchmesser) von 0,5—3 mm. Die größten, die ich sah, sind in der Figur 18 auf Tafel XVIII dargestellt. Die Oberfläche der Brutknospen ist glatt oder schwach warzig; frei über dieselbe vorragende, der Knospe angehörige Megasclere habe ich nicht beobachtet. Ihr oberflächliches Gewebe ist besonders widerstandsfähig und wird von Säuren (konzentrierter Salpetersäure) beträchtlich langsamer aufgelöst als die Dermalmembran des ausgebildeten Schwammes. Ihre Farbe ist in Formol-Alkoholmaterial gelblichbraun, in Sublimat-Alkoholmaterial mehr weißlichgrau. Namentlich in dem erstgenannten Material unterscheiden sie sich durch die Farbe in recht auffallender Weise von den ausgebildeten Spongien auf denen sie sitzen.

[1] A. HANSEN, Spongidae. In: Norske Nordhavs-Exp. Bd. 3 Taf. 5 Fig. 2.

Das kleinste, nicht einem anderen aufsitzende Stück der Valdivia-Sammlung (Taf. XVIII, Fig. 2) ist ohne Nadelsaum 10,5 mm breit und hat die Gestalt eines umgekehrten, schiefen Kegels mit ausgebauchten Seiten. Von der nach unten gerichteten Spitze des Kegels gehen fünf dünne Wurzeln ab, und von dem Umriß seiner. Grundfläche treten Nadeln vor, die in der Ebene der Grundfläche liegen und einen Saum um die letztere bilden. Dieses Stück betrachte ich als eine Jugendform.

Die übrigen 677 Stücke können, obwohl sie in der Größe sehr beträchtlich voneinander abweichen und die kleinsten von ihnen nicht viel größer als das oben beschriebene Stück sind, als dem Kindesalter entwachsen angesehen werden, weil sie alle, auch die kleinsten, die gestaltlichen Eigentümlichkeiten der großen, mit Brutknospen besetzten, und daher wohl vollkommen ausgebildeten, zeigen.

Bei diesen Spongien werden zwar beträchtliche Gestaltsunterschiede angetroffen, ich konnte aber, obwohl es mir nicht gelungen ist einen Anhaltspunkt zu einer ziffernmäßigen Behandlung ihrer variablen Merkmale zu finden und so eine exakte Grundlage für die biometrische Beurteilung ihrer Formschwankungen zu gewinnen, leicht erkennen, daß eine Form weit häufiger als alle anderen auftritt: diese ist als die typische anzusehen.

Diese vorherrschende, typische Form ist eine ähnliche, pilzartige, wie sie auch bei anderen *Thenea*-Arten angetroffen wird. Zu den besonders auffallend pilzähnlichen Stücken gehören die in den Figuren 3, 9, 10, 13 und 17 auf Tafel XVIII abgebildeten, und jenes, durch welches der in Figur 13 (Taf. XIX) wiedergegebene Schnitt gelegt wurde. Diese Spongien bestehen aus einem kürzeren (Fig. 17) oder längeren (Fig. 3), zylindrischen, in der Mitte etwas eingeschnürten Stamm (Stiel), dessen beide Enden zu kugelkalottenähnlichen oder stumpf kegelförmigen, im Umriß kreis- oder breit eiförmigen Bildungen verdickt sind. Die obere, mehr oder weniger pilzhutähnliche Kalotte ist stets größer als die untere, obwohl zuweilen, wie in dem, in der Figur 17 dargestelltem Stücke, auch diese eine beträchtliche Entwicklung erlangt. Die Achse der unteren Kalotte pflegt mit der Stammachse zusammenzufallen; die Achse der oberen Kalotte (des Pilzhutes) hat dagegen oft eine andere Lage und es sitzt dann der Pilzhut schief auf dem Stamme.

Der Rand der oberen Kalotte (des Pilzhutes) (Taf. XIX, Fig. 13d) ist meistens dünn, und schwächer (Taf. XVIII, Fig. 3; Taf. XIX, Fig. 13) oder stärker (Taf. XVIII, Fig. 4, 17) nach abwärts gebogen. Im letzten Falle hat er eine senkrechte Lage und ist der Achse des Schwammes parallel. Zuweilen ist die Krümmung dieses Randes so stark, daß er über die Senkrechte hinüber, nach innen eingebogen erscheint (Taf. XVIII, Fig. 13). Der Rand der unteren Kalotte pflegt viel weniger deutlich als jener der oberen hervorzutreten. Zuweilen (Taf. XVIII, Fig. 5) ist er kaum zu erkennen, häufiger (Taf. XVIII, Fig. 3) mäßig entwickelt, ausnahmsweise (Taf. XVIII, Fig. 17) höher und scharf. Im letzten Falle ist er schief nach aufwärts gerichtet.

Die beiden Kalotten fassen eine Rinne zwischen sich ein, deren Boden die Oberfläche des Stammes (Stieles) ist und deren Seitenwände durch die Innenflächen der Randteile der beiden Kalotten gebildet werden. Ist der Stamm länger und sind die Kalottenränder nicht stärker zurückgebogen, so ist diese Rinne breit (Taf. XVIII, Fig. 3). Ist das umgekehrte der Fall, so ist sie schmal (Taf. XVIII, Fig. 9, 17), und erscheint dann als eine, den massigen Schwamm nahe seinem Aequator umziehende Ringfurche, wie sie auch bei *Thenea muricata*

ROBERT VON LENDENFELD,

(*wallichii*) vorkommt, wo sie von SOLLAS[1] „equatorial recess" genannt wurde. Nach diesem Autor umzieht bei *Thenea muricata* (*wallichii*) die Ringfurche (der equatorial recess) ununterbrochen den ganzen Schwamm oder sie ist an mehreren Stellen ' unterbrochen, indem an diesen die Ränder der oberen und unteren Kalotte miteinander verschmelzen. Nach TOPSENT[2]) aber ist sie bei dieser Art meistens an einer Stelle unterbrochen und auch VOSMAER[3]) bildet solche Stücke ab. Bei unserer *Thenea valdiviae* wird in der Regel dieses von TOPSENT auch bei *Thenea muricata* als gewöhnlich bezeichnete Verhalten der Ringfurche angetroffen, und es sind die Stücke mit vollkommener, ganz ununterbrochener Ringfurche ziemlich selten. Bei der *Thenea valdiviae* umgreift nämlich die Ringfurche zumeist etwa sieben Achtel des Schwammes in Gestalt einer ununterbrochenen Rinne, fehlt aber im achten Achtel des Umfanges, wo die Randteile der beiden Kalotten miteinander verschmolzen sind.

Die konvexe, äußere Oberfläche der unteren Kalotte ist selten glatt. Meist erheben sich von ihr kegelförmige Papillen, die in Wurzeln auslaufen. Von solchen werden durchschnittlich etwa sieben angetroffen. Sie sind größtenteils kurz, meist wohl abgerissen, höchstens 25 mm lang und 0,5—3 mm dick. Ab und zu habe ich auch an der Seitenwand des Stammes eine Papille gesehen, die wohl ein Wurzelansatz war, niemals aber an der Oberseite der oberen Kalotte.

Die konvexe, äußere (obere) Oberfläche der oberen Kalotte (des Pilzhutes) ist an einer, nur sehr selten und ganz ausnahmsweise an zwei Stellen grubenförmig eingesenkt. Diese Gruben liegen bei allen Stücken, wo sie überhaupt deutlich zu erkennen sind, weit vom Scheitel des Schwammes entfernt, nahe dem Kalottenrande und zwar typisch gerade über der Stelle, wo die Ringfurche unterbrochen ist und die Außenfläche der oberen Kalotte kontinuierlich in die Außenfläche der unteren Kalotte übergeht (Taf. XVIII, Fig. 5—17). In den selteneren Fällen, in denen die Ringfurche vollständig ist, kommt es auch vor (Taf. XVIII, Fig. 10, 13), daß jene Grube mit ihr in Zusammenhang steht. In den Figuren 6—17 auf Tafel XVIII sind zwölf Stücke in der Seitenansicht — die Grube nach oben gekehrt — dargestellt. Alle die dort abgebildeten Grubenformen kommen mehrfach vor, am häufigsten die in den Figuren 11 und 12 wiedergegebenen, die daher wohl als typisch angesehen werden können. Bei diesen hat die Grube die Gestalt einer schief über die Hutrandoberseite hinaufziehenden, in der Mitte breiten, nach beiden Enden hin verschmälerten und spitz auslaufenden Rinne. Abweichungen von dieser typischen Form finden nach drei Richtungen hin statt: erstens kann die Rinne zu einer unregelmäßigen Grube, die ebenso breit als lang ist, verbreitert und verkürzt werden (Fig. 5, 14, 15); zweitens kann die Rinne senkrecht werden, und so eine meridionale Lage annehmen (Fig. 10, 13, 16, 17), in welchem Falle ihr unteres (äußeres) Ende zuweilen mit der Ringfurche in Zusammenhang tritt; drittens endlich kann die Rinne auch quer zu liegen kommen und so der Ringfurche parallel werden. Im letzten Fall ist die rinnenförmige Grube nur selten (Fig. 6) einfach und gerade; viel öfter so gebogen, daß ihre beiden Enden nach aufwärts, scheitelwärts gerichtet sind (Fig. 7, 8). Aus solchen Formen sind wohl die selteneren zweigrubigen (Fig. 9) in der Weise entstanden, daß der mittlere Teil der bogenförmigen Grubenrinne verloren ging und nur die beiden Endteile als zwei getrennte Gruben erhalten blieben.

[1]) W. J. SOLLAS, The Spongefauna of Norway. In: Ann. nat. hist. ser. 5 Bd. 9 p. 495.
[2]) E. TOPSENT, Étude mon. spongiaires de France I. In: Arch. zool. expér. ser. 3 Bd. 2 p. 377.
[3]) G. C. J. VOSMAER, Report on the Sponges. In: Niederl. Arch. Zool. suppl. 1 Nr. 1 Taf. 1 Fig. 1, 2.

Außer diesen finden sich welche, die nach zwei verschiedenen Richtungen von dem Typus abweichen. Bei den einen ist die Ringfurche nur in geringem Umfange oder gar nicht entwickelt: solche Stücke erscheinen massig, kugelig oder abgerundet kegelförmig, mit nach unten gerichteter Spitze. Bei den anderen fehlt die untere Kalotte und ist auch der Stamm unbedeutend: solche scheinen fast ganz aus dem Pilzhut zu bestehen. Ringfurchenlose werden unter den großen Stücken nicht angetroffen, nur jugendliche (aber keineswegs alle jugendlichen) haben diese Gestalt. Die grundkalottenlosen hingegen sind viel häufiger groß als klein und es kommen auch unter den allergrößten Stücken solche vor. Manche von diesen dürften wohl Hüte von pilzförmigen Stücken sein, denen beim Fang die untere Kalotte und ein größerer oder kleinerer Teil des Stammes abgerissen wurde — ob das aber für alle diese Formen gilt, scheint mir zweifelhaft.

Die kleinsten von diesen, gestaltlich schon ausgebildeten Stücken, sind 22 mm breit, 17 mm hoch und pilzförmig. Die größten erreichen eine Breite von 66 mm, und eine Höhe von 52 mm. Die mittleren (Durchschnitts-) Dimensionen sind: Breite 33 mm, Höhe 25 mm. Die Dicke des Stammes pflegt zwei Drittel bis drei Viertel der Breite des Hutes zu sein. Die untere Kalotte hat, wenn sie gut ausgebildet ist, einen Querdurchmesser, welcher dem Mittel zwischen Stammdicke und Hutbreite gleichkommt. Die Grube auf der Hutaußenseite nimmt eine Fläche ein, die durchschnittlich ungefähr ein Fünfzigstel der äußeren Hutoberfläche ist. Die Grube hat bei den großen Stücken eine Länge von 7—37 mm und eine Breite von 1—6 mm.

An den konvexen Teilen der Kalotten hat die Oberfläche einen ganz anderen Charakter als in der Ringfurche und in der Grube. Der vorgewölbte Teil der oberen Fläche des Hutes ist rauh, derb und ziemlich hart. Hier findet sich an einigen Stücken ein 1—2 mm noch er Pelz, der aus frei vorragenden Teilen von Megascleren, Amphioxen und Telocladschäften, besteht. Diese stehen zumeist schief, zum Teil so, daß sie der Oberfläche fast anliegen. Obwohl sie in der Nähe des Hutrandes, vorwiegend gegen diesen hin gerichtet sind, ist doch ihre Anordnung im ganzen eine regellose, so daß dieser Teil der Schwammoberfläche mit der Lupe betrachtet, wie die Oberfläche eines Heuhaufens aussieht (Taf. XVIII, Fig. 18, 19). Die Unterseite der unteren Kalotte ist zwar auch rauh, hart und derb, hat aber insofern einen anderen Charakter, als hier die frei vorragenden Amphioxe und Teloclade, statt wie oben zerstreut zu sein, zur Bildung der Skelettachsen der Wurzeln zusammentreten.

Die Böden der Ringfurche und der Grube sind glatte und zarte, größtenteils von Poren durchbrochene, netzförmige Membranen (Taf. XIX, Fig. 16, 20), in denen keine Megasclere vorkommen. Das Sieb der Ringfurche ist bedeutend engmaschiger als jenes der Grube. Die glatte, wie gesagt, größtenteils als Porensieb erscheinende, den Boden und die Wände der Ringfurche bildende Membran, erstreckt sich bis an die Kalottenränder und geht dort in die derben Decken der konvexen (äußeren) Teile der Kalotten über. Es ist daher die Hutrandunterseite glatt und zart, die Hutrandoberseite rauh und derb. Ebenso erstreckt sich die Porensiebmembran der Grube bis zu den Grubenrändern.

Vom Rand der beiden Kalotten, besonders von jenem der oberen, sowie auch vom Rande der Grube ragen häufig (Taf. XVIII, Fig. 4, 12, 13) Nadeln — Amphioxe und auch Teloclad-schäfte — 6 mm und noch weiter, an den Kalottenrändern in der Richtung der benachbarten Teile ihrer äußeren Oberflächen, am Grubenrande zuweilen mehr aufstrebend, frei vor, und bilden hier auffallende Nadelreihen. Diese neigen sich gewöhnlich über die Ringfurche, be-

137

ziehungsweise die Grube (Taf. XVIII, Fig. 4, 12, 13) und erscheinen als eine den Augenwimpern vergleichbare Schutzeinrichtung. Auffallend ist es, daß diese Nadelreihen oft teilweise oder ganz fehlen, was wohl auf Abreibung, sei es während des Lebens, sei es nach der Konservierung, zurückzuführen sein dürfte. Allerdings sehen nicht wenige von diesen Stücken so aus, als ob sie jene Reihen abstehender Nadeln nie besessen hätten. Ich denke jedoch, daß auch diese, sonst in nichts von den anderen unterschiedenen, sich einst des Besitzes derselben erfreuten und sie erst mit zunehmendem Alter verloren haben, — wie manche von uns das Haupthaar am Scheitel.

Die Farbe der ausgebildeten, in Formol konservierten und in Alkohol aufbewahrten Stücke ist licht schmutzig braun, jene der in Sublimat und Alkohol konservierten mehr bläulich oder grünlich grau. Die Brutknospen haben, wie oben erwähnt, eine dunklere, braune (Formol) oder hellere, graue (Sublimat) Farbe.

An der Oberfläche finden sich dreierlei Oeffnungen: sehr kleine, zerstreute in der derben Haut der konvexen Kalottenaußenseiten; größere zu einem Siebe zusammentretende in der glatten Haut, welche die Wände und den Boden der Ringfurche bildet; und noch größere, gleichfalls zu einem Siebe vereinte, in der die Grube am Hut begrenzenden Membran.

Die beiden erstgenannten Arten von Oeffnungen sind Einströmungsporen, die letztgenannten Ausströmungsporen. Die Siebmembran der Ringfurche ist demnach als ein Porensieb, jene der Grube als ein Oscularsieb anzusehen, und es ist die Ringfurche ein praeporaler, die Grube ein praeoscularer Vestibularraum.

Die kleinen, zerstreuten Poren der äußeren, konvexen Kalottenoberflächen sind kreisrund, 50 μ weit und durchschnittlich etwa 300 μ von einander entfernt. Sie führen in größere, bis 200 μ und darüber weite Höhlen hinein, welche sich dicht unter der dünnen Dermalmembran ausbreiten und mit größeren, tiefer liegenden Hohlräumen in Verbindung stehen.

Das Porensieb der Ringfurche (Taf. XIX, Fig. 16, 20) fällt durch seine Ausdehnung und die Schönheit und Regelmäßigkeit seines Baues auf. Es besteht, ähnlich, wie dies TOPSENT[1]) von dem Porensiebe von *Thenea muricata* beschreibt, aus einem gröberen Netz stärkerer Stränge, welches von einer dünnen Siebmembran überzogen wird. Die Balken jenes gröberen Netzes (in der Figur 20 auf Tafel XIX ist es gut sichtbar) sind 150—300 μ dick und derartig angeordnet, daß in dem Netz das sie bilden lange, von Kalottenrand zu Kalottenrand ziehende, longitudinale, und kurze, diese longitudinalen miteinander verbindende, meist schief liegende unterschieden werden können. Namentlich gegen die Kalottenränder hin tritt diese Unterscheidung deutlich hervor. Die Maschen dieses Netzes sind polygonal und meist 1—2 mm weit, die meisten longitudinal langgestreckt. An dieses Netz ist außen eine dünne, siebartig durchlöcherte Membran angewachsen. Die Löcher in der letzteren sind rundlich, nicht polygonal, und meist 150—300 μ weit, während die sie trennenden Gewebebalken 8—50 μ breit zu sein pflegen.

Die unter dem Porensieb der Ringfurche befindlichen Teile des einführenden Kanalsystems weisen eine gewisse Regelmäßigkeit auf. Bei mehreren größeren Stücken, die ich daraufhin untersuchte, fand ich in Abständen von 4—6 mm 3 mm weite Subdermalhöhlen (Taf. XIX, Fig. 13a links) unter dem Porensieb. Diese Höhlen sind nichts anderes als die Anfangsteile großer, mehr

---

[1]) E. TOPSENT, Étude mon. Spongiaires de France I. In: Arch. zool. expér. ser. 3 Bd. 2 p. 379.

oder weniger radial ins Innere ziehender Kanäle. In den wie gesagt 4—6 mm breiten Zwischenräumen zwischen denselben ist das Gewebe dichter und nur von kleinen Kanälen durchsetzt (Taf. XIX, Fig. 13a rechts). Im Inneren des Schwammes werden bis 2 mm und darüber weite Kanäle angetroffen, von denen einige (Taf. XIX, Fig. 13b) eine besondere, aus durchsichtigem Gewebe bestehende Wand haben, andere nicht. Ich möchte die ersten für die ausführenden die letzten für die einführenden Kanäle halten.

Die Geißelkammern (Taf. XIX, Fig. 14) sind breit eiförmig, 40—60 μ breit und 60—75 μ lang.

Die Ausfuhrkanäle vereinigen sich zu großen, bis 9 mm weiten Oscularröhren, welche paratangential, dicht unter der äußeren Hutoberfläche verlaufen und der Oscillargrube zustreben, in welche sie, durch die Poren des Siebes hindurch, münden. Nach oben gerichtete Fortsätze dieser Röhren erstrecken sich stellenweise bis zu der dünnen Dermalmembran. Ueber solchen ist diese zuweilen durchbrochen. Ob diese, als kleine Nebenoscula erscheinenden Löcher im Leben vorhanden oder erst postmortal entstanden sind, konnte ich nicht feststellen. Von den Wänden der großen Kanäle ragen quere oder schiefe, vorspringende Membranen nach innen.

Das Oscularsieb, welches den Boden und die Seitenwände der Oscillargrube bildet (es ist besonders in den Figuren 8, 11, 12, 13 und 15—17 auf Tafel XVIII gut zu sehen) ist viel weitmaschiger, unregelmäßiger und auch mehr netzartig als das Porensieb. Die Maschen desselben sind polygonal mit stumpfen Ecken oder eiförmig, meist 0,5—2, selten bis zu 3,5 mm weit, während die sie trennenden Balken 50—150, selten bis 250 μ breit zu sein pflegen.

Was den feineren Bau des Weichkörpers anbelangt ist zunächst zu bemerken, daß sich das Rindengewebe an den über die Oberfläche vorragenden Nadeln eine Strecke weit emporzieht. Die Dermalschicht ist von dem darunterliegenden Gewebe zwar nicht scharf abgegrenzt, unterscheidet sich von diesem aber doch durch ihre stärkere Tingierbarkeit und ihren weit größeren Reichtum an kleinen Metastern. Jene stärkere Tingierbarkeit hat zur Folge, daß senkrecht zur Oberfläche geführte, gefärbte Schnitte, mit schwächeren Vergrößerungen betrachtet, einen dunklen Randsaum erkennen lassen (Taf. XIX, Fig. 1, 13, 15). Die stärkere Tingierbarkeit der Dermalmembran beruht darauf, daß sie viel reicher an Zellen als das darunter liegende Gewebe ist. Ich glaube dreierlei Arten von Zellen in der Dermalmembran unterscheiden zu können: schlanke und langgestreckte, dicke ebenfalls meist langgestreckte, und kleine massige.

Die schlanken, langgestreckten Zellen sind etwa 3—5 μ breit, erreichen eine beträchtliche Länge, bis zu 100 μ, und laufen in feine Endfäden aus. Sie sind der Oberfläche parallel gelagert. Die ganz oberflächlich gelegenen sind vorwiegend bipolar, und erscheinen als schlanke Spindeln, von denen öfters viele parallel nebeneinander liegen. In der Umgebung der Poren sind sie stark gekrümmt und bilden Teile von Kreisen, die die Poren umziehen. Weiter entfernt von den Poren pflegen sie gerade zu sein. Sie sind sehr zahlreich und liegen ziemlich dicht beisammen. Die etwas tiefer gelegenen Zellen dieser Art pflegen weniger regelmäßig zu sein und es kommen hier sehr viele mit mehr als zwei Fortsätzen ausgestattete vor. Diese sind zwar auch paratangential, sonst aber unregelmäßig angeordnet, viel weniger zahlreich und viel weiter auseinander. Manche sind senkrecht zu den Porenrändern orientiert; kreisförmig die Poren umziehende kommen unter ihnen nicht vor. Die Balken des Netzes, welches das Porensieb

13*

stützt, sind ebenfalls reich an diesen Zellen. Hier sind sie bipolar, gerade, schlank spindelförmig und bilden Bündel, welche die Netzbalken der Länge nach durchziehen. Zweifellos sind diese Elemente kontraktil, und ich glaube, daß ihre Aufgabe darin besteht, durch Verdickung und Verkürzung, die relativen Bewegungen der Schwammteile zu veranlassen.

Die dicken langgestreckten Zellen kommen hauptsächlich in den tieferen Teilen der Dermalmembran vor. Sie sind nicht immer paratangential angeordnet, meist etwa 15 μ breit und 30—50 μ lang, haben mehrere Fortsätze und bestehen aus grobkörnigem Plasma und einem etwa 7 μ großen Kern. Diese Elemente dürften in die Kategorie der Kugelzellen (cellules sphéruleuses) gehören.

Die massigen Zellen sind weniger zahlreich und auch weniger gleichmäßig verteilt als die langgestreckten. Am häufigsten sind sie dicht unter der äußersten Spindelzellenlage. Sie halten 5—8 μ im Durchmesser. Bei Tinktion mit Picrokarmin und Anilinblau wird ihr Plasma blau, ihr Kern (Kernchromatin) rot. In den so tingierten Schnitten sieht man zuweilen Metaster, die von blau gefärbten Plasmaklumpen umhüllt werden, worin mehrere, rot gefärbte 1—2 μ große Körnchen liegen. Einzelne von diesen Körnern sind von einem wohl abgegrenzten, bis 5 μ großen, ungefärbten Hof umgeben. Die Annahme liegt nahe, daß jene blaugefärbten Plasmaklumpen nadelbildende Zellen oder Zellsyncytien, und die darin befindlichen roten Körner Chromatinteile von Zellkernen oder ganze Zellkerne sind. Da nun diese Bildungen gerade so aussehen als wären sie aus einer Verschmelzung mehrerer der massigen Zellen hervorgegangen, und da sie sich auch gegen Farbstoffe genau so wie diese verhalten, möchte ich die massigen Zellen als Nadelbildner ansehen.

Im Innern des Schwammes werden ähnliche Elemente angetroffen, doch sind sie hier im allgemeinen viel weniger zahlreich.

Die Kragenzellen sind stark geschrumpft. In den Picrokarmin-Anilinblauschnitten sieht man den Kammerwänden anliegende, 3—4 μ große, blau gefärbte Klümpchen, deren Entfernung voneinander ungefähr ihrem Durchmesser gleichkommt. In jedem solchen Klümpchen finden sich ein oder zwei, intensiv rot gefärbte Körnchen von weniger als 1 μ Durchmesser. Zuweilen ist eine Spur schwächer blau gefärbter Substanz in der Umgebung der blauen Klümpchen wahrzunehmen. In Eisenhämatoxylinschnitten sind die Klümpchen wenig, die Körnchen aber sehr stark gefärbt. Diese Körnchen werden wohl Nucleoli oder Chromatinkörper sein. Ob aber das Klümpchen nur den Kern, oder den ganzen Körper der (geschrumpften) Kragenzelle darstellt, weiß ich nicht. Auffallend scheint mir das häufige Vorkommen zweier solcher Chromatinkörner (Nucleoli) in den Kragenzellen.

Das Skelett besteht aus im wesentlichen radial angeordneten Megascleren und zerstreuten Microscleren. Von einem ungefähr in der Mitte des Stammes gelegenen Zentrum strahlen Bündel von Amphioxen, von denen einige wenige abgestumpft und in Style umgewandelt erscheinen, nach oben, gegen die äußere Fläche der oberen Kalotte und nach unten, gegen die äußere Fläche der unteren Kalotte aus. Gegen die Oberfläche hin gesellen sich diesen Stabnadeln Teloclade. In den mittleren (axialen) Teilen des Schwammes stehen diese Nadeln auf den äußeren Kalottenoberflächen mehr oder weniger senkrecht, in den Randteilen der Kalotten aber neigen sie sich nach außen und nehmen schließlich eine, den äußeren Kalottenflächen parallele Lage an. Die zur oberen Kalotte und zum Randteil der unteren ziehenden Nadelbündel bilden losere Züge, die sich distal auflösen, beziehungsweise — an den Kalottenrändern und in der Umgebung der Osculargrube — zu Nadelreihen zusammentreten. Die zu dem mittleren Teil der Außenfläche der unteren Kalotte ziehenden dagegen treten distal großenteils zu dicht geschlossenen Bündeln zusammen.

Die äußeren Endteile dieser radialen Nadelgruppen treten über die Oberfläche vor: jene der nach oben gerichteten Züge bilden den Pelz der äußeren Hutfläche und die Reihen freier Nadeln in der Umgebung der Oscularguben, jene der nach außen gerichteten, die Reihen freier Nadeln an den Kalottenrändern, jene der nach abwärts gerichteten den Pelz der Außenfläche der unteren Kalotte und die Nadelbündel der Wurzeln.

Die Teloclade der distalen Teile dieser radialen Gruppen sind Dichotriaene, Orthotriaene, Anatriaene, Plagiotriaene, eigenartige Proclade (Protriaene und Prodiaene) und verschiedene, mehr weniger unregelmäßige, kurzcladige, tylostyle und selbst style Nadeln. Die Dichotriaene bilden eine einfache Lage an den Außenflächen der beiden Kalotten. Ihre senkrecht zur Oberfläche stehenden, nach innen gerichteten Schäfte sind ungefähr 1,4 mm voneinander entfernt, während sich ihre Cladome dicht unter der Dermalmembran ausbreiten, oder auch frei vorragen. An der Unterseite dürften auch im Leben frei vorragende Dichotriaencladome vorkommen; ich glaube aber, daß ihr freies Vorragen an der Oberseite meist oder immer eine Folge der Zusammenziehung des Schwammes bei der Konservierung und kein normales Verhalten ist. Die Anatriaene, Orthotriaene und die unregelmäßigen Derivatformen der ersten kommen vornehmlich in den nach unten gerichteten Nadelgruppen und deren Fortsetzungen, den Wurzelbündeln, vor. Die Plagiotriaene, Protriaene und Prodiaene finden sich hauptsächlich im Randteil der oberen Kalotte (Taf. XIX, Fig. 7).

Sämtliche Microsclere sind metactine Aster, Metaster. Aster mit konzentrischen Strahlen (Euaster) werden nicht angetroffen. Wenngleich Uebergänge zwischen den verschiedenen Metasterformen vorkommen, so lassen sich doch leicht drei Arten derselben unterscheiden: kleine schlankstrahlige, kleine dickstrahlige und große. Alle drei Arten kommen zerstreut im Innern, vornehmlich in den Kanalwänden, sowie in der Dermalmembran vor. Die kleinen sind zahlreich, die großen spärlicher und nirgends so dicht gedrängt, daß ihre Strahlen sich kreuzen (Taf. XVII, Fig. 43). Die kleinen sind in der Dermalmembran weit zahlreicher als im Innern und bilden an der Oberfläche eine einfache aber dichte, wohlausgesprochene Lage. Dabei ist zu bemerken, daß an der konvexen Hutoberseite (Taf. XIX, Fig. 1, 15) die schlankstrahligen, an der konkaven Hutunterseite die dickstrahligen (Taf. XIX, Fig. 8, 19) vorherrschen. Besonders dichtgedrängte, vornehmlich schlankstrahlige, finden sich an den Rändern der Poren der Hutoberseite.

In den Brutknospen habe ich dieselben Microsclere (Taf. XVIII, Fig. 1; Taf. XIX, Fig. 18), wie im ausgebildeten Schwamme in großer Anzahl angetroffen, von Megascleren aber nur einige Jugendformen von Telocladen, und keine Amphioxe gesehen. Die Microsclere bilden auch hier eine dichte Lage an der Oberfläche und es kommen sowohl beide Arten von kleinen als auch die großen Metaster vor (Taf. XVIII, Fig. 1), was ich besonders hervorhebe, weil Sollas[1]) bei den jüngsten (kleinsten) Stücken der von ihm untersuchten *Thenea muricata* (*wallichii*) nur kleine, aber keine großen Metaster gefunden hat.

---

[1]) W. J. Sollas, The Spongefauna of Norway. In: Ann. nat. hist. ser. 5 Bd. 9 p. 450.

Die Amphioxe (Taf. XVII, Fig. 44) des Körpers sind 9—13 mm lang und an ihrer in oder nahe der Längenmitte gelegenen stärksten Stelle 70—90 μ dick. In den Wurzeln habe ich ebenso dicke, bis 18 mm lange Amphioxe gesehen. Ab und zu wurden viel kleinere, bloß 4 mm lange und 15 μ dicke Amphioxe gefunden. Ob das Jugendformen der großen, oder eine besondere Amphioxart sind, weiß ich nicht. Die Amphioxe pflegen wenig gekrümmt oder völlig gerade zu sein. Ihre Endteile sind kegelförmig, scharfspitzig oder bei einer Dicke von 7—20 μ abgerundet. Einige sind etwas anisoactin. Ein 13 mm langes, nahe der Mitte 70 μ dickes und an beiden Enden kegelförmiges und abgestumpftes, war an einem Ende 7, 200 μ davon 20, 400 μ davon 35 μ dick; am anderen Ende 4, 200 μ davon 16, 400 μ davon 28 μ dick.

Von den stylen, tylostylen und irregulär kurzcladig telocladen und sonstigen unregelmäßigen Megascleren dürften nicht wenige Amphioxderivate sein.

Amphioxderivate Style werden in geringer Zahl im Körper und in den Wurzeln angetroffen. Sie sind Amphioxe, bei denen der eine Strahl mehr oder weniger verkürzt und abgerundet ist. Fehlt er ganz, so erscheint die Nadel kegelförmig, sonst spindelförmig. Gewöhnlich ist der distale Strahl der rückgebildete und das distale Ende das dicke und abgerundete, zuweilen habe ich aber auch solche Style gesehen, bei denen das stumpfe Ende proximal lag. Diese Style sind kürzer aber ebenso dick oder noch dicker — bis 95 μ — als die Amphioxe und haben einen einfachen, zweiglosen Achsenfaden.

In den Wurzeln trifft man langgestreckte Nadeln an, die zwar am Distalende kleine Clade tragen, aber eine Schichtung besitzen, welche zeigt, daß sie aus amphioxen Anlagen hervorgegangen sind. Diese Nadeln erscheinen daher gewissermaßen als Uebergänge zwischen Amphioxen und Telocladen. Sie werden unten, im Zusammenhange mit den Anatriaenen und unregelmäßigen Anatriaenderivaten beschrieben.

Von sonstigen unregelmäßigen Megascleren, die als Amphioxderivate angesehen werden können, wären zwei, beides sehr seltene Formen, zu erwähnen. Ein 60 μ dickes Styl, von dessen stumpfen Ende ein gerader, nach rückwärts gerichteter, fast ebenso dicker Zweig von beträchtlicher Länge abging, der mit dem eigentlichen Styl (Schaft) einen Winkel von 32° einschloß. Eine Nadel (Taf. XVII, Fig. 49) von 189 μ Länge, welche in der Mitte 30 μ dick ist, und von hier, unter einem rechten Winkel, einen 40 μ langen Nebenstrahl entsendet. Von jedem der beiden Enden der Nadel geht eine feine, dornartige Spitze ab.

Die Anatriaene und unregelmäßigen, tylostylen und stylen Nadeln, welche, vornehmlich im Grundteil des Schwammes und in den Wurzeln vorkommen, sind besonders interessant. Bei unserer Betrachtung dieser vielgestaltigen Nadelformen wollen wir von den äußerlich regelmäßig erscheinenden Anatriaenen (Taf. XVII, Fig. 6—10, 19—23, 28—31, 45) ausgehen. Im Körper des Schwammes werden die Schäfte dieser Anatriaene 11—14, in seinen Wurzeln 17—21 mm lang. Dicht unter dem Cladom, an das sie sich häufig mit einer trompetenförmigen Erweiterung ansetzen, sind sie 20—40, ausnahmsweise bis 45 μ dick. Von hier nimmt die Schaftdicke gegen die Schaftmitte hin meistens, namentlich bei den am cladomalen Ende dünneren, erst zu, dann wieder ab; es kommt aber auch, namentlich bei den am cladomalen Ende dickeren Schäften vor, daß das cladomale Endstück auf mehrere Millimeter völlig gleich dick bleibt, und als eine regelmäßige, zylindrische Säule erscheint. Die Dickenzu- und -abnahme des Schaftes ist, wie aus folgendem Beispiel eines 18 mm langen Wurzelanatriaens, das ich ausmaß, hervorgeht, eine ungleichmäßige.

Diese Nadel ist am Cladom 25 μ dick

1 mm	unterhalb	des Cladoms	25	„	„
2	„	„	„	„	32	„	„
3	„	„	„	„	32	„	„
4	„	„	„	„	31	„	„
5	„	„	„	„	30	„	„
6	„	„	„	„	27	„	„
7	„	„	„	„	28	„	„
8	„	„	„	„	23	„	„
9	„	„	„	„	22	„	„
10	„	„	„	„	22	„	„
11	„	„	„	„	18	„	„
12	„	„	„	„	18	„	„
13	„	„	„	„	17	„	„
14	„	„	„	„.	16	„	„
15	„	„	„	„	12	„	„
16	„	„	„	„	10	„	„
17	„	„	„	„	8	„	„
18	„	„	„	„	7	„	„

Der Schaft pflegt über das Cladom hinaus fortgesetzt zu sein, so daß dieses einen mehr (Taf. XVII, Fig. 6, 19, 22, 30, 31) oder weniger (Taf. XVII, Fig. 7, 8, 20, 28, 29) deutlichen Höcker am Scheitel trägt. Zuweilen (Taf. XVII, Fig. 9, 23) erreicht dieser transcladomale Schaftfortsatz eine Länge von 30—40 μ und erscheint dann als ein, dem Cladom aufgesetzter Zapfen. Bei einer Nadel, die ich sah (Taf. XVII, Fig. 18) erreichte die transcladomale Schaftfortsetzung gar eine Länge von 1 mm. Diese Nadel erschien als ein 5 mm langes, gegen das abgestumpfte Ende hin zylindrisches, und 43 μ dickes Styl, von dem, 1 mm unter dem stumpfen Ende, drei Clade abgingen.

Die Clade können länger, schlanker und mehr gerade, oder kürzer, dicker und stärker gekrümmt sein, wonach zwei Anatriaenformen unterschieden werden können, die allerdings durch zahlreiche Zwischenformen miteinander verbunden sind. Cladome der ersten Art sind in den Figuren 6, 19, 28, 29, ein solches der zweiten Art in der Figur 20 auf Tafel XVII abgebildet. Bei einem typischen Cladom der ersten Art, das einem 35 μ dicken Schaft aufsaß, waren die Clade 250 μ lang und am Grunde 29 μ dick; bei einem solchen der zweiten Art, das einem 39 μ dicken Schaft aufsaß, waren sie 100 μ lang und am Grunde 35 μ dick. Im allgemeinen kann man sagen, daß die Clade dieser äußerlich regelmäßig erscheinenden Anatriaene 90—260 μ lang und am Grunde 25—40 μ dick sind. Mit dem Schafte schließen sie Winkel von 40—53° ein. Die Cladombreite beträgt 110—265 μ.

Die äußerlich unregelmäßigen von den hier zu besprechenden Nadeln sind sehr mannigfaltig. Ihre Cladome sehen meist wie Cladome von Anatriaenderivaten aus. Der innere Bau (die Schichtung) des Schaftes zeigt aber, daß viele aus Amphioxen hervorgegangen sind. Abgesehen von den inneren Strukturverhältnissen, auf die wir unten zurückkommen, weichen die Cladome dieser Nadeln in dreierlei Hinsicht von regelmäßigen Anatriaenen ab. Bei einigen sind drei Clade von der gewöhnlichen Größe vorhanden, von diesen aber nur zwei (Taf. XVII, Fig. 18) oder gar nur eines nach abwärts, das andere (die anderen) nach aufwärts gerichtet. Bei anderen (Taf. XVII, Fig. 24, 32) sind mehr als drei Clade vorhanden, indem über dem normalen noch ein oder gar zwei weitere, unvollständige oder vollständige Cladwirtel zur Ausbildung gelangen. Bei noch anderen sind die Clade rückgebildet, verkürzt. Zuweilen sind nur zwei oder ist nur ein (Taf. XVII, Fig. 11) kurzes, zurückgebogenes Clad ausgebildet. Solche Nadeln sehen wie kurzcladige Anadiaene, beziehungsweise Anamonaene aus. Endlich kommt es auch vor, daß eine solche ungleichmäßige Cladrückbildung mit einer Vermehrung der Zahl der Cladwirtel Hand in Hand geht, wodurch Nadeln zustande kommen, die zwei oder drei übereinander von derselben Seite abgehende Clade besitzen. Oft geht die Rückbildung der Clade so weit, daß von ihnen nichts als unbedeutende Vorwulstungen des Schaftes übrig bleiben und die Nadel einen tylostylartigen Charakter annimmt (Taf. XVII, Fig. 12, 13, 25, 26). Ja, es kommt gar nicht selten vor, daß auch diese Vorwulstungen schwinden, und die Nadel zu einem Styl wird, das nur durch einige kleine, in seinem stumpfen Endteil gelegene, vom Schaftachsenfaden abgehende Zweige verrät, daß es nicht ein gewöhnliches Monactin ist.

Nicht selten habe ich in den Wurzeln völlig regelmäßige Orthotriaene gefunden. Ihre drei Clade sind 40—70 μ lang, stehen senkrecht vom Schafte ab, und sind am Ende ein wenig zurückgebogen. Ihre Schäfte sind 4,5—5,5 mm lang, am cladomalen Ende 30—35 und in der Mitte 40—50 μ dick. Proximal laufen sie in zylindrische, 14—20 μ dicke, terminal abgerundete Endfäden aus.

Neben diesen regelmäßigen, kommen in den Wurzeln auch ähnliche, unregelmäßige Nadeln mit drei, teils etwas nach aufwärts, teils etwas nach abwärts gerichteten Claden (Taf. XVII, Fig. 17), sowie solche mit nur zwei oder einem verkürzten Clad vor. Diese Nadeln erscheinen als kurzcladige Orthodiaene, beziehungsweise Orthomonaene.

Es ist bekannt, daß die entblößt über die Oberfläche des Schwammes vorragenden, ebenso wie die ganz ausgestoßenen Nadeln vom Meerwasser aufgelöst werden, und daß in vielen Fällen diese Auflösung, wohl des größeren Wasserreichtums der innersten Schichten wegen, von innen heraus in der Weise stattfindet, daß zuerst die Achsenfäden und die ältesten, zuerst gebildeten, diesen zunächst liegenden Kiesellagen verschwinden, und an Stelle der feinen Achsenfäden der intakten Nadeln immer mehr sich erweiternde Achsenkanäle treten. Bei der Untersuchung der also vom Meerwasser angegriffenen, cladtragenden Nadeln, Tylostyle und Style namentlich der Wurzeln, fiel mir eine große Unregelmäßigkeit in der Gestaltung ihrer Achsenkanäle auf. Als hierdurch meine Aufmerksamkeit auf diesen Punkt gelenkt ward, fand ich, daß die axialen Teile dieser Anatriaene, Orthotriaene, Tylostyle und sonstigen Derivatformen überhaupt, mögen sie feine Achsenfäden oder weite Kanäle sein, ungemein häufig unregelmäßig sind.

In den Figuren 6—13 und 17—26 auf Tafel XVII sind die Achsenfäden (Achsenkanäle) einer Anzahl von solchen Nadeln dargestellt. Die in den Figuren 6, 12, 18, 25 abgebildeten Cladome sind frisch und haben feine Achsenfäden; die übrigen vom Meerwasser angegriffen und ausgehöhlt: bei den letzteren sind erweiterte Achsenkanäle an Stelle der feinen Achsenfäden getreten.

Bei den intakten Anatriaenen usw. mit feinen Achsenfäden (Taf. XVII, Fig. 6, 18, 19) trägt das cladomale Ende des Schaftachsenfadens eine größere Anzahl von, im mittleren Teile des Cladoms liegenden Zweigachsenfäden. Diese entspringen in verschiedenen Höhen und auf allen Seiten des Schaftachsenfadens, welcher eine Strecke weit über die Ansatzstelle der obersten von diesen Zweigen hinauszureichen pflegt. Die kurzen Zweige sind stets und zwar auch dann (Taf. XVII, Fig. 18), wenn die Clade zum Teil aufstreben, schief nach abwärts gerichtet. Die obersten pflegen die kürzesten zu sein und sie nehmen meistens nach unten an Länge zu. Einige von den unteren sind viel länger als die übrigen und treten in die Clade ein, um diese als Cladachsenfäden der ganzen Länge nach zu durchziehen. Sehr oft — so oft, daß dieser Fall als typisch bezeichnet werden kann — treten in eines der Clade, oder auch in mehr, zwei übereinanderliegende Achsenfäden ein, welche sich bis zur Cladspitze erstrecken (Taf. XVII, Fig. 6).

Bei den vom Meerwasser angegriffenen Anatriaenen etc. (Taf. XVII, Fig 7—10, 20—23) ist das cladomale Ende des Schaftachsenkanals zu einem großen, den mittleren Teil des Cladoms einnehmenden Hohlraum erweitert, von dem in seiner ganzen Länge, ringsum, kürzere oder längere Divertikel abgehen. Diese sind recht zahlreich. Die meisten sind kurz und terminal abgerundet, einige sind lang, treten in die Clade ein, und durchziehen diese als Cladachsenkanäle in ihrer ganzen Länge. Gewöhnlich liegen in einem, seltener in mehr, zwei solche Kanäle übereinander, während die anderen Clade von nur einem Rohre durchzogen werden.

Aeußerlich kommt die, wie erwähnt sehr häufige Doppelachsigkeit der Clade, oft in der Weise zum Ausdruck, daß sie am Ende in zwei übereinander liegende Spitzen auslaufen (Taf. XVII, Fig. 17). Entfernen sich die übereinander liegenden Cladachsenfäden mehr voneinander, so wird diese Terminalgabelung der Clade tiefer und kommen jene mehrwirteligen Cladome (Taf. XVII, Fig. 24, 32), zustande, auf die oben hingewiesen worden ist.

Bei den tylostyl- und stylartigen, in diese Gruppe gehörigen Nadeln (Taf. XVII, Fig. 11 —13, 25, 26) werden ähnliche Verhältnisse angetroffen. Auch hier finden wir — bei den intakten (Fig. 12, 25) — mehrere, in verschiedenen Höhen entspringende Zweige an dem im stumpfen (tylen) Ende der Nadel gelegenen Teil des Schaftachsenfadens; beziehungsweise — bei den angegriffenen (Fig. 11, 13, 26) — das entsprechende Endstück des Schaftachsenkanals stark erweitert und mit abgerundeten Divertikeln besetzt, von denen einige (Fig. 11) offenbar die Achsenkanäle der als niedere Höcker noch erhaltenen Cladreste sind.

Bei vielen, äußerlich regelmäßigen Anatriaenen ist, wie wir gesehen haben, der Schaft dicht unter dem Cladom dünner als gegen die Mitte zu. Bei vielen von den unregelmäßigen Nadeln mit nur ein oder zwei ganz kurzen Claden ist diese Dickenzunahme um ein Beträchtliches bedeutender als in dem oben angeführten Beispiele eines regulären Anatriaens, und bei solchen zeigt eine genauere Betrachtung der Kieselsubstanz, aus der der Schaft aufgebaut ist, daß die Anlage der Nadel (des Schaftes) ein Amphiox war.

Aus alledem ergibt sich, daß eine große Zahl dieser Anatriaene etc. und zwar nicht nur die auch äußerlich unregelmäßigen, sondern auch viele von den äußerlich regelmäßigen, im Cladom nicht drei regelmäßig angeordnete, sondern eine große und wechselnde Zahl unregelmäßig angeordneter, ringsum, und in verschiedenen Höhen von dem Schaftachsenfaden abgehender Zweigachsenfäden besitzen. Die Achsenfäden müssen als die ersten Anlagen der Strahlen angesehen werden. Es sind daher alle diese innerlich unregelmäßigen Nadeln, gleichgiltig ob sie äußerlich regelmäßig oder auch äußerlich unregelmäßig erscheinen, nicht aus regulären und tetraxonen, sondern aus irregulären und polyaxonen Anlagen hervorgegangen. Die äußerlich regelmäßigen haben ihre regelmäßige Gestalt und ihren tetraxonen Charakter erst sekundär, durch eine, die Unregelmäßigkeit der Anlage ausgleichende Apposition der neu hinzukommenden Kieselschichten erlangt. Es sind diese Nadeln demnach im Grunde genommen nicht tetraxon, sondern polyaxon.

Was die kurzcladigen, aus amphioxen Anlagen hervorgegangenen von diesen Nadeln betrifft, so hat es — sie kommen nur oberflächlich im Grundteil und in den Wurzeln, namentlich in den letzteren vor — den Anschein, als ob sie Amphioxe seien, die bis zu einer Stelle vorwuchsen, wo sie an die Unterlage oder einen härteren, im Meergrundschlamm eingebetteten Körper stießen, und nun, statt distal weiter in die Länge zu wachsen, Divertikel, die kleinen Clade bildeten. Den Anstoß zu diesen Zweig- (Clad-) bildungen gaben die den Achsenfaden aufbauenden Zellen, indem sie Zweigachsenfäden erzeugten, welche zum Teil kurz blieben und später von den Schaftkieselschichten überdeckt wurden, zum Teil eine bedeutendere Länge erlangten und Anlaß zur Entstehung von einigen kleinen Claden gaben, zu deren Achsenfäden sie wurden.

In den Brutknospen habe ich, wie oben erwähnt, zwar Massen von Microscleren aber nur wenig Megasclere gefunden, unter diesen befand sich eine Nadel, die ich zwar nur sehr selten gesehen habe, die aber, da sie möglicherweise eine Jugendform solcher Anatriaene etc. ist, nicht uninteressant erscheint. Diese Nadel (Taf. XVII, Fig. 16) ist ein Tylostyl von 500 μ Länge und 15 μ Dicke mit einem rundlichen, 25 μ großen, mit vielen hohen Höckern besetzten Tyl.

SOLLAS[1] hat aus den Wurzeln sehr junger (kleiner) Stücke von *Thenea muricata (wallichii)* Nadeln beschrieben und abgebildet, welche aus einem stylartigen Schaft bestehen, dessen abgerundeter Endteil eine wechselnde Zahl von unregelmäßig angeordneten, rundlichen Höckern oder spitzen Dornen trägt. Er betrachtet diese Nadeln als die Jugendstadien der „Grapnelspicules" (Anatriaene) und sagt (l. c. p. 450) bezüglich der Entwicklung ihrer Clade: „The rays arise merely as spines, precisely similar at this stage to the more numerous spines which cover the distal end of the quadriradiate spicules of Tricentrium muricatum. We may indeed, on the basis of these observations, regard the rays of these grapnels as highly developed spines, which, at their inception indefinite in number, become subsequently limited to three." Ausführlicher kommt er an anderer Stelle[2] hierauf zu sprechen, wo er folgende Bemerkung macht: „in very young examples of this sponge, which do not develop within the parents, the anatriaene of the radical filaments commences as an oxystrongyle, subsequently numerous small spines appear at the strongylate end, and as these are absent from the adult spicules we may conclude that three of them by over-development become the adult cladi, the rest being supressed; in some instances the strongyle presents in the young sponge only one or two strong spines, which are evidently developing cladi."

Durch meine oben niedergelegten Befunde ist nun der Nachweis erbracht, daß diese

[1] W. J. SOLLAS, The Spongefauna of Norway. In: Ann. nat. hist. ser. 5 Bd. 9 p. 450 Taf. 17 Fig. 33—38.
[2] W. J. SOLLAS, Tetractinellida. In: Challenger Rep. Zool. Bd. 25 p. LXIX.

Entwicklungsweise jener Nadeln bei *Thenea valdiviae* deutliche Spuren in der inneren Struktur der ausgebildeten Cladome zurückläßt.

SOLLAS (l. c.) vertritt die Ansicht, daß alle Teloclade der Tetractinelliden überhaupt ontogenetisch aus Rhabden hervorgehen, an denen dann die Clade sprießen, und daß sich die regulären Teloclade mit einer bestimmten und geringen Cladzahl (3, 2, 1) phylogenetisch aus vielcladigen entwickelt haben. Wenn das richtig ist und wenn bei den ausgebildeten Telocladen von *Thenea valdiviae* solche Spuren jener Entwicklung aus mehrcladigen (polyaxonen) Formen, wie ich sie oben beschrieben habe, vorkommen, so müßte man erwarten, ähnliche auch bei den ausgebildeten Telocladen anderer Tetractinelliden zu finden. Eine solche Nadel hatte ich schon früher, bei *Cinachyra barbata* gefunden. Diese ist oben (p. 141, Taf. XV, Fig. 52, 53) beschrieben und abgebildet. Nun habe ich eine Anzahl von Präparaten der Valdivia-Sammlung, sowie auch meine alten Präparate von adriatischen und anderen Tetractinelliden daraufhin durchgesehen und gefunden, daß solche Spuren, wenn sie bei den anderen Arten meist auch nicht so deutlich, wie bei der *Thenea valdiviae* hervortreten, doch auch bei diesen in Gestalt von zahlreichen kleinen Zweigen des Schaftachsenfadens vorkommen. Ich habe sie unter anderem auch bei so gut bekannten Formen, wie *Stelletta grubei* mit meiner ZEISS'schen homogenen Immersion leicht zu finden vermocht.

In der älteren Literatur finden sich einige, zerstreute Angaben und Abbildungen, welche zeigen, daß schon mehrmals, bei verschiedenen Tetractinelliden, eine größere Zahl von mehr oder weniger rückgebildeten Cladachsenfäden neben den ausgebildeten beobachtet worden ist. Besonders auffallend tritt diese Erscheinung in der Abbildung hervor, die SCHMIDT[1] von einem Teloclad mit verkümmertem Cladom einer *Geodia canaliculata* — TOPSENT[2]) hat neuerlich gezeigt, daß diese Spongie zu *Isops* gehört — gibt.

Diese so häufig zu beobachtenden kleinen Achsenfadenzweige in den Triaencladomen sind rudimentäre Teile, welche die Richtigkeit der oben ausgeführten SOLLAS'schen Anschauung bezüglich der Entstehungsweise der Teloclade der Tetractinelliden wohl zu beweisen geeignet erscheinen und uns in den Stand setzen mit ziemlicher Sicherheit sagen zu können, daß die langschäftigen, regulären Triaene der Tetractinelliden aus Rhabden hervorgegangen sind. Diese erlangten zuerst zahlreiche und unregelmäßig angeordnete Aststrahlen. Später wurde die Zahl der letzteren verringert. Es blieben nur drei übrig, die im selben Niveau lagen, einander ähnlich waren und derart regelmäßig ausstrahlten, daß die durch sie und die Schaftachse gelegten drei Ebenen, Winkel von 120° miteinander einschlossen. Durch weitere Reduktion der Aststrahlenzahl entstanden die Diaene und Monaene, sowie schließlich wieder cladlose, tylostyle oder gar style, telocladderivate Rhabde, wie sie oben beschrieben worden sind. Beim Teloclad spielte sich dieser Vorgang an einem Ende des mit Aststrahlen besetzten Rhabds ab, beim Amphiclad an beiden Enden. Ueber die Frage warum schließlich drei (und nicht vier oder eine andere Zahl) Clade ausgebildet wurden, gab mir der Bau der *Thenea valdiviae* Nadeln keinen Aufschluß, weshalb ich auf dieselbe hier nicht näher eingehe.

Die Plagiotriaene (Taf. XVII, Fig. 41, 42; Taf. XIX, Fig. 7) sind ziemlich selten. Ihr Schaft erreicht eine Länge von 10 mm und darüber und am cladomalen Ende eine Dicke von

---

[1]) O. SCHMIDT, Die Spongien der Küste von Algier. Taf. 4 Fig. 7.
[2]) E. TOPSENT, Éponges de la Calle. In: Arch. zool. expér. ser. 3 Bd. 9 p. 334.

26*

60 μ. Die Clade sind gerade, oft ungleich groß, und 1—1,5 mm lang Sie schließen mit der Schaftverlängerung Winkel von 48° ein. Ab und zu trifft man Plagiotriaene mit stärker aufstrebenden, etwas gekrümmten, gegeneinander konkaven Claden (Taf. XVII, Fig. 42), welche als Uebergangsformen zwischen den eigentlichen Plagiotriaenen der oben beschriebenen Art und den Protriaenen erscheinen. In den Brutknospen habe ich zwar auch Plagiotriaene gefunden. Diese (Taf. XVII, Fig. 15) haben jedoch stärker absteiende Clade, weshalb ich sie für Jugendstadien von Dichotriaenen und nicht für eigentliche Plagiotriaene halte.

Unter den P r o c l a d e n kommen Protriaene und Prodiaene vor. Die letzten (Taf. XVII, Fig. 39, 40) sind häufiger als die ersten. Die Schäfte dieser Protriaene und Prodiaene sind 8—13 mm lang und am cladomalen Ende meist 60—75, selten bis 95 μ dick. Die Clade desselben Cladoms sind oft ungleich groß, gekrümmt, gegeneinander konkav und 1—2 mm lang. Der Winkel, den sie mit der Schaftverlängerung einschließen, ist großen Schwankungen unterworfen. Er beträgt 31—54°. Oft sind die Winkel der Clade desselben Cladoms ungleich.

Bei der Untersuchung der häufigeren, diaenen Formen dieser Nadeln zeigte es sich, daß die Clade nicht einander gegenüber stehen und der Schaft nicht in der, durch ihre Clade gehenden Ebene liegt. In den Figuren 40a und b auf Tafel XVII, sind Photographien in der Vorder- und Seitenansicht eines solchen Prodiaens wiedergegeben. Man sieht in der Figur 46a die Abweichung der Cladebene von der Schaftrichtung sehr deutlich. Sie beruht offenbar darauf, daß bei der Umwandlung des Triaens in ein Diaen, die durch Rückbildung eines der drei Clade herbeigeführt wurde, die beiden persistierenden Clade ihrer Lage und Richtung unverändert beibehielten. Vom dritten Clad ist nur mehr ein kleiner Höcker übrig, der in der Figur 39 auf Tafel XVII deutlich zu sehen ist. Bei allen Prodiaenen ist ein solcher höckerartiger Rest des dritten Clads nachweisbar. Uebergänge zwischen diesen Diaenen und den Triaenen, bei denen der Rest des dritten Clads ein längerer Zapfen ist, kommen zwar vor, sind aber sehr selten.

Bei anderen *Thenea*-Arten kommen ähnliche Proclade, allerdings meist triaene vor. THIELE[1]) hat diese Plagiotriaene genannt und bemerkt, daß sie zwar den Protriaenen anderer Tetractinelliden ähneln, sich von diesen aber durch ihre bedeutendere Größe (ihre Clade sind 0,5—0,6 mm lang) unterscheiden und ihnen nicht homolog sind. Die Clade dieser Nadeln bei *Thenea valdiviae* sind noch viel größer: wie erwähnt bis 2 mm lang. Deshalb, sowie wegen der Größe und Ungleichheit des Clad-Schaftverlängerung-Winkels und der Tatsache, daß ab und zu die Clade solcher Nadeln geknickt sind und ihre Endteile nach außen richten, stimme ich dieser Auffassung THIELE's bei und glaube wie er, daß sie phylogenetisch anders als die Proclade anderer Tetractinelliden entstanden sind. Wenn ich sie trotzdem Proclade nenne, so geschieht das deshalb, weil die Cladome der meisten die Gestalt von Prodiaen-, beziehungsweise Protriaencladomen haben und wir über ihre Entstehungsweise zu wenig wissen um sie nach genetischen Grundsätzen benennen zu können.

Die D i c h o t r i a e n e (Taf. XVII, Fig. 14, 15; Taf. XIX, Fig. 2—6, 9—12; Taf. 20, Fig. 1 —10) haben einen 9—12 mm langen Schaft. Dieser ist am cladomalen Ende 100 bis 150, meist ungefär 125 μ dick. Ein 10 mm langer Dichotriaenschaft, den ich ausmaß, war am cladomalen Ende 110 μ dick, verstärkte sich 300 μ unterhalb desselben auf 130 μ und hatte

---

[1]) J. THIELE, Studien über Pazifische Spongien. In: Zoologica Nr. 24 p. 22.

1 mm uıterıalb des cladomen Eıdes 110 μ Dicke
2 „   „   „   „   „   80 „   „
3 „   „   „   „   „   70 „   „
4 „   „   „   „   „   60 „   „
5 „   „   „   „   „   55 „   „
6 „   „   „   „   „   50 „   „
7 „   „   „   „   „   35 „   „
8 „   „   „   „   „   30 „   „
9 „   „   „   „   „   25 „   „

Am Eıde lief er iı eıeı zyliıdriscıeı, termiıal abgeruıdeteı, 6 μ dickeı Eıdfadeı aus. Die eıe kurze Strecke uıterıalb des Cladoms gelegeıe Schaftverdickung ist recıt auffalleıd uıd oft bedeuteıder als bei dieser Nadel. Der Scıaft pflegt eıfacı (Taf. XIX, Fig. 2, 4, 5, 12) oder scıwacı welleıförmig (Taf. XIX, Fig. 3, 6, 9) gekrimmt zu seiı.

Die Clade scıließeı mit dem Scıaft Wiıkel \oı 110 bis 125⁰ ein. Es pflegeı drei \öllig koıgrueıte, 200—350 μ laıge, zyliıdriscıe Hauptclade \orıaıdeı zu seiı, welcıe iı drei Schaftachsenebenen liegeı, die miteiıaıder Wiıkel \oı 120⁰ eıscıließeı. Merklicıe Unregelmäßigkeiteı dieser Wiıkel oder eıe sagittale Gestaltuıg der Hauptclade ıabe icı ıicıt beobachtet uıd die Hauptclade eıes Cladoms stets ziemlicı gleicı groß gefuıdeı. Iı auffalleıdem Gegeısatze zu dieser Regelmäßigkeit der Hauptclade steıt die außerordeıtlicıe Uıregelmäßigkeit der Endclade, die iı Bezug auf Größe, Gestalt uıd Lage uıgemeiı \ariıereı, wobei zu bemerkeı ist, daß ıicıt nur die Endclade \erscıiedeıeı, soıderı aucı die Endclade eıes uıd desselbeı Dichotriaens seır uıgleicı zu seiı pflegeı. Zwei \oı den regulärsten Dichotriaencladomen, die icı faıd, sıd iı den Figureı 6 uıd 7 auf Tafel XX abgebildet. Bei dieseı sıd die Endclade etwas weıiger ıacı aufwärts, meır ıacı außeı gericıtet als die Hauptclade, fast gerade, kegelförmig, zugespitzt, 1—1,5 mm laıg uıd so orieıtiert, daß die \om ıämlicıeı Hauptclad eıtspriıgeıdeı Wiıkel \oı 103⁰—110⁰ zwiscıeı sicı eıscıließeı. Es scıwaıkt also die Endcladlänge selbst bei dieseı regelmäßigsteı Cladomen recıt bedeuteıd. Abweicıuıgeı \oı dieser Form kommeı durch Aenderung der Cladlänge, durch Bieguıg, Kıickuıg uıd Abstumpfung derselbeı, sowie aucı durcı Aenderungen des Wiıkels, den zusammeıgeıörige Paare \oı Endcladen eıscıließeı, zu staıde. Formeı mit ziemlicı geradeı, koıscıeı uıd zugespitzteı, iı Bezug auf die Läıge aber stärker \oıeıaıder abweicıeıdeı Endcladen sıd iı den Figureı 8—10 auf Tafel XX abgebildet. Iı dem, iı der Figur 1 auf Tafel XX abgebildeteı Cladom sıd die Clade aucı koıscı uıd zugespitzt, aber stärker gekrimmt, paarweise gegeıeiıaıder gebogeı, eıs aucı gekıickt. Bei den iı den Figureı 2—5 auf Tafel XX dargestellteı, sıd die Endclade zum Teil \erkırzt uıd termiıal abgeruıdet, was bei eıigeı so weit geıt, daß \oı zwei (Fig. 3, 5) oder drei (Fig. 2) Endcladen ıur meır höckerförmige Stummel ıbrig bleibeı. Wie aus dieseı Pıotograpıieı ersicıtlicı, betrifft diese Rıckbilduıg, oıe jede Gesetzmäßigkeit, eıımal dieses, eıımal jeıes Endclad. Selteı sıd alle secıs Endclade gleicımäßig \erkırzt uıd termiıal abgeruıdet, wie dies bei der, iı Figur 9 auf Tafel XIX abgebildeteı Nadel der Fall ist. Die läıgsteı Endclade, die icı saı, wareı 2,3 mm laıg. Die Breite des gaızeı Cladoms beträgt 2,4—3,45 mm.

Die Dicıotriaeıe werdeı allem Aıscıeıe ıacı als Plagiotriaene aıgelegt, aı dereı

Aststrahlenenden dann die Endclade sprießen. Sowohl in den ausgebildeten Stücken, als auch in den Brutknospen (Taf. XVII, Fig. 15) habe ich solche Nadeln gefunden. Sie seien wie Plagiotriaene aus, ihre, jenen der Dichotriaene gleichenden Cladwinkel zeigen aber, daß sie junge Dichotriaene sind. Bei etwas weiter ausgebildeten Dichotriaenen (Taf. XIX, Fig. 12) sieht man drei Paar kurze, meist regelmäßige Endclade. Auch solche, sowie in Bezug auf die Gestalt völlig ausgebildete, aber noch sehr zarte und kurzschäftige Dichotriaene, habe ich in den Brut-knospen gefunden.

Die Schichtung der Kieselsubstanz des Schaftes ist oft eine auffallend regelmäßige. Bei den meisten darauf hin untersuchten war der Schaft aus 5 oder 6 annähernd gleich dicken Schichten zusammengesetzt. Von dem cladomalen Ende des Schaftachsenfadens gehen drei Zweige ab, die in die Hautclade eintreten und Gebeläste in die Endclade entsenden. Der Schaftachsenfaden ist nicht über die Abzweigungsstelle der Cladachsenfäden hinaus verlängert. Unterhalb dieser Abzweigungsstelle ist er mehr oder weniger verdickt (Taf. XVII, Fig. 14 a u. b) und von diesem verdickten Teil gehen ein oder zwei Wirtel kurzer, einfacher, oder distal ver-breiteter und lappiger, stets nach rückwärts gerichteter Zweige ab, welche darauf hinweisen, daß auch diese Dichotriaene aus Rhabden mit einer größeren Zahl von Endcladen hervorgegangen sind. Bei den Jugendformen der Dichotriaene in den Brutknospen habe ich zweimal ein kleines, unterhalb des Cladoms befindliches Rudiment eines Aststrahls gesehen (Taf. XVII, Fig. 15), in das ein Schaftachsenfaden eintrat. SOLLAS[1]) hat das Vorkommen derartiger Dichotriaenjugend-formen bei *Thenea muricata (wallichii)* vermutet, sie aber bei dieser Art nicht gefunden.

Wie oben erwähnt sind die Microsclere sämtlich Metaster. Es lassen sich drei, aller-dings durch Uebergänge verbundene Formen, große, kleine dickstrahlige, und kleine schlank-strahlige, unterschieden.

Die großen Metaster (Taf. XVII, Fig. 34, 35, 38, 43 a und b, 46—48; Taf. XX, Fig. 11—13) sind 100—170 μ, selten bis 200 μ und darüber lang. Sie bestehen aus einem kurzen, zuweilen kaum bemerkbaren Schaft und zwei, drei, vier oder selten er mehr Strahlen. Die mehrstrahligen sind im allgemeinen kleiner als die zwei- und dreistrahligen. Die Strahlen sind gerade, kegelförmig, stumpfspitzig 50—100 μ lang oder noch länger, und am Grunde 7—14 μ dick, durchschnittlich 13,5 mal so lang als breit. Ihre Größe steht im umgekehrten Verhältnis zu ihrer Anzahl. Sie sind in ihrer ganzen Länge ziemlich dicht mit feinen Dornen besetzt. Niemals sind die Strahlen dieser Nadeln konzentrisch, da jedoch der Schaft, von dem sie abgehen kurz, und ihre Abweichung von der konzentrischen Anordnung dementsprechend nur eine geringe ist, ähneln sie beim ersten Blick, namentlich wenn sie so liegen, daß der Schaft in die Sehachse fällt, Euastern. Bei den zweistrahligen (Taf. XVII, Fig. 43 b, 48; Taf. XX, Fig. 11) erscheint der Schaft gewöhnlich als eine kleine, etwas in die Länge gestreckte Zentral-verdickung, von deren Enden zwei gleich große Strahlen derart abgehen, daß sie einen stumpfen Winkel zwischen sich einfassen (Taf. XVII, Fig. 48; Taf. XX, Fig. 11). Liegt eine solche Nadel so, daß die Sehachse in die Ebene ihrer Strahlen fällt, so sieht sie wie ein gerades Centrotyl (Taf. XVII, Fig. 43 b oben) aus. Die Strahlen der dreistrahligen (Taf. XVII, Fig. 35, 38, 46, 47; Taf. XX, Fig. 12) sind entweder ziemlich gleich oder recht ungleich lang. Im ersten Fall (Taf. XVII,

---

[1]) W. J. SOLLAS, Spongefauna of Norway. In: Ann. nat. hist. ser. 5 Bd. 9 p. 450.

Fig. 35, 46; Taf. XX, Fig. 12) verrät gewöhnlich nur die basale Krümmung eines der Strahlen den metactinen Bau der Nadel; im letzteren Fall (Taf. XVII, Fig. 38, 47) geht der kleinste Strahl nicht von der Vereinigungsstelle der beiden größeren, sondern eine kürzere oder längere (Taf. XVII, Fig. 47) Strecke davon entfernt, von dem einen der beiden größeren Strahlen ab. Die vierstrahligen (Taf. XVII, Fig. 34, 43a; Taf. XX, Fig. 13) pflegen vier annähernd gleich große Strahlen zu besitzen, die deutlich exzentrisch sind und, gewöhnlich paarweise von den Enden eines etwa 20 μ langen Schaftes abgehen (Taf. XVII, Fig, 34). Die Metaster, welche mehr als vier Strahlen besitzen, sind kleiner als die oben beschriebenen und bilden Uebergänge zu den kleinen Metastern. In der Figur 37 auf Tafel XVII ist eine solche Uebergangsform, ein achtstrahliger Metaster von 70 μ Länge abgebildet. In den Brutknospen (Taf. XVII, Fig. 38, 46; Taf. XVIII, Fig. 1) kommen dieselben großen Metaster wie in den ausgebildeten Stücken vor.

Die beiden kleinen Metasterformen (Taf. XVII, Fig. 33, 36, 43; Taf. XIX, Fig. 1, 8, 15, 17—19) stimmen in Bezug auf Gestalt, Größe und Strahlenzahl völlig miteinander überein und unterscheiden sich nur in Bezug auf die Dicke des Schaftes und der Strahlen voneinander. Sie werden durch zahlreiche Uebergangsformen miteinander verbunden. Diese Metaster sind 22—35 μ lang und 15—25 μ breit. Es kommen zwar auch größere, bis 51 μ lange vor, doch sind diese, den Uebergang zu den großen Metastern vermittelnden, nicht häufig. Die kleinen Metaster bestehen aus einem etwa 8—12 μ langen, schwach gekrümmten Schaft, welcher bei den schlankstrahligen 2—3, bei den dickstrahligen 5—6 μ dick zu sein pflegt. Von den Enden und dem mittleren Teile dieses Schaftes gehen 7—10 kegelförmige, 10—15, selten bis zu 18 μ lange Strahlen ab. Diese sind bei den schlankstrahligen (Taf. XVII, Fig. 33 c; Taf. XIX, Fig. 15, 17, 18) am Grunde 1—2 μ dick und ziemlich scharf, bei den dickstrahligen (Taf. XVII, Fig. 33a; Taf. XIX, Fig. 19) am Grunde 5—7 μ und darüber dick, und stumpf. Bei beiden sind die Strahlen in ihrer ganzen Länge mit feinen Dornen besetzt. Die Krümmung des Schaftes, sowie die Anordnung der Strahlen dürften, obzwar sich das durchaus nicht immer deutlich erkennen läßt, wohl stets schraubenförmig sein. In den Brutknospen (Taf. XVIII, Fig. 1; Taf. XIX, Fig. 18) kommen dieselben kleinen Metaster, wie in den ausgebildeten Stücken vor.

Es kann kein Zweifel darüber bestehen, daß alle diese 678 Schwämme derselben Art angehören. 677 Stück wurden mit einem Schleppnetzzug in Station 7, südöstlich von Fär-Öer erbeutet. Dies zeigt, daß der Schwamm an jener Stelle massenhaft vorkommt. Da nun die *Thenea muricata* im Nordostatlantik ungemein häufig, und, nach den Angaben in der Literatur, von den Tiefsee-Expeditionen, die dort gearbeitet haben, in großen Mengen erbeutet worden ist, war a priori anzunehmen, daß diese, von der Valdivia-Expedition, ebenfalls im Nordostatlantik in sehr bedeutender Stückzahl gesammelten, beim ersten Blick der *Thenea muricata* nicht unähnlichen Spongien, dieser Art angehören. Als solche wurden sie denn auch von den Herren an Bord der Valdivia bezeichnet. Auch mir schienen jene äußeren, für ihre Zugehörigkeit zu *Thenea muricata* sprechenden Umstände so schwerwiegend, daß ich sie ebenfalls anfangs dafür hielt. Die genauere Untersuchung zeigte jedoch, daß sie von der an den norwegischen Küsten und anderwärts vorkommenden *Thenea muricata* wesentlich abweichen. *Thenea muricata* hat ein einfaches, kleines rundes Osculum, und 5 mm lange Dichotriaene. Die im obigen beschriebenen, von der Valdivia erbeuteten Stücke, haben ein großes, unregelmäßiges, mit einem Siebe ausgestattetes Osculum, und 9—12 mm lange Dichotriaene. Das sind die am meisten in die Augen springenden Unterschiede; es gibt aber noch eine Reihe anderer, und es kann von einer Zugehörigkeit dieser Valdivia-Spongien zur Species *Thenea muricata* keine Rede sein.

Daß dieser Schwamm, obwohl er nicht *Thenea muricata* ist, in so großen Massen ebendort vorkommt, wo auch die *Thenea muricata* in großen Massen vorkommen soll, und daß die Valdivia an dieser Stelle von letzterer Art kein einziges Stück erbeutete, erschien mir so paradox, daß ich mich entschloß, die Quellen der Angaben über die allgemeine Verbreitung und das massenhafte Vorkommen der *Thenea muricata* im Nordostatlantik einer kritischen Prüfung zu unterziehen. Da stellte es sich zunächst heraus, daß in der SOLLAS'schen Fundortliste der *Thenea muricata*[1]) kein einziger in dieser Gegend oder in deren Nähe befindlicher Fundort angeführt ist und der nächste, an der norwegischen Küste, 600 km entfernt liegt. VOSMAER[2]) führt außerdem einen (in jener Liste nicht angegebenen) Fundort, in 60° 53′ 30″ N. und 1° 42′ 6″ O. an, der östlich von den Shetland-Inseln liegt und nur 500 km von den Valdivia-Stationen 6 und 7, wo diese Spongien gefunden wurden, entfernt ist. Die später von TOPSENT[3]) angegebenen Fundorte liegen nicht in der Gegend. Dagegen stammen jene Theneen, die von CARTER[4]) in 1876 als „*Wyville-Thomsonia Wallichii* WRIGHT = *Tisiphonia agariciformis*, Wv. Th.“ bestimmt wurden von derselben Gegend wie der vorliegende Schwamm. Diese von CARTER untersuchten Spongien wurden nämlich von dem „Porcupine“ „In the deepsea between the North of Scotland, the Orkneys, the Shetlands and the Färö-Islands“ erbeutet. CARTER (l. c. p. 405) bemerkt über dieselben nur, daß sie fast in ebensovielen verschiedenen Stadien gefunden worden seien, wie *Tethya cranium*, sagt aber sonst darüber kein Wort. Waren diese Spongien wirklich *Thenea muricata*, von der die angeführten CARTER'schen Namen Synonyme sein sollen? — Mir scheint das zweifelhaft, und ich halte es für leicht möglich, daß einige oder alle von ihnen mit den hier beschriebenen Valdivia-Schwämmen spezifisch übereinstimmen. Auch über die noch in Betracht kommenden von WYVILLE THOMSON[5]) und F. E. SCHULZE[6]) *Tisiphonia agariciformis* genannten Spongien läßt sich diesbezüglich kaum sicheres sagen. SOLLAS (l. c.) hat die Fundorte dieser von CARTER, WYVILLE THOMSON und F. E. SCHULZE als *Thenea muricata*, beziehungsweise als Synonyme derselben (*Tisiphonia agariciformis*), bezeichneten Spongien in seine, oben zitierte Liste nicht aufgenommen, woraus wohl zu schließen ist, daß auch er Zweifel in ihre Zugehörigkeit zur Species *Thenea muricata* gesetzt hat.

Nach alledem scheint es mir nicht ganz sicher zu sein, daß die eigentliche *Thenea muricata* der norwegischen Küste auch in jener Gegend zwischen Fär-Öer und Schottland vorkommt, sicher dagegen, daß es dort — nördlich vom Thomsonrücken — Stellen gibt, wo sie fehlt oder spärlich ist und wo statt ihrer eine andere Art, die *Thenea valdiviae*, in großen Massen den Meeresgrund bedeckt.

Der Schwamm wurde von der Valdivia am 7. August 1898 südöstlich von Fär-Öer, nördlich vom Thomsonrücken, in 60° 40′ N., 5° 36,5′ W. und 60° 37′ N., 5° 42,1′ W. (Valdivia-

[1]) W. J. SOLLAS, Tetractinellida. In: Challenger Rep. Zool. Bd. 25 p. 95, 96.
[2]) G. C. J. VOSMAER, Rep. Sponges Willem Barents. In: Niederl. Arch. Zool. Suppl. Bd. 1 p. 5.
[3]) E. TOPSENT, Étude mon. Spongiaires de France. In: Arch. Zool. expér. ser. 3 Bd. 3 p. 76, 77.
[4]) H. J. CARTER, Descr. etc. Sponges Porcupine. In: Ann. nat. hist. ser. 4 Bd. 18 p. 470, 471.
[5]) W. THOMSON, The Depths of the Sae p. 74, 167 Fig. 7.
[6]) F. E. SCHULZE, Rep. Sponges Knight Errant. In: Proc. R. Soc. Edinburgh Bd. 11 p. 708.

Stationen 6 und 7) aus einer Tiefe von 652, beziehungsweise 588 m heraufgeholt. In der Station 6 wurde 1, in der Station 7 wurden 677 Stücke erbeutet.

Von den anderen Theneaarten stimmen fünf, *T. centrotyla*, *T. mesotriaena*, *T. delicata*, *T. rotunda*, *T. fenestrata* und *T. bojeadori* mit der *T. valdiviae* hinsichtlich der Größe der großen Metaster mehr oder weniger überein. Von allen diesen unterscheidet sie sich durch die viel bedeutendere Größe ihrer Dichotriaenschäfte und eine Reihe von anderen Merkmalen.

Thenea bojeadori n. sp.

Taf. XX, Fig. 32, 33.

Von diesem Schwamme finden sich in der Valdivia-Sammlung zwei Stücke. Beide sind birnförmig; das eine ist 7 mm lang und 4 mm breit, das andere etwas kleiner. Das dünne Ende geht in eine 6 mm lange Wurzel über. Die Oberfläche, namentlich der Seiten, ist rauh, mit vorragenden, nach abwärts gerichteten Spitzen bedeckt. An der Scheitelfläche finden sich einige kleine, 400—700 μ weite Oeffnungen, vermutlich Oscula.

Die Farbe des Schwammes ist, in Weingeist, lichtbraun.

Skelett. Der axiale Teil der Wurzel wird von einem dichten Bündel längsgerichteter Amphioxe, Style und Anatriaene eingenommen; in ihren oberflächlichen Teilen finden sich Dichotriaene mit gebogenem Schaft, sowie Microsclere. Das axiale Nadelbündel der Wurzel setzt sich nach aufwärts in den Körper des Schwammes fort und endet, garbenförmig sich ausbreitend, in seinem oberen Teile. An, beziehungsweise dicht unter, der Oberfläche des Körpers liegen, in regelmäßigen Zwischenräumen paratangential ausgebreitete Dichotriaencladome. Die distalen (cladomalen) Teile der, zu diesen Cladomen gehörigen Schäfte stehen senkrecht zur Oberfläche, ihre proximalen Teile streben einem gemeinsamen, im oberen Teile des Körpers liegenden Zentrum zu. Die Schäfte der Dichotriaene des oberen, breiten Teiles des Schwammkörpers sind dementsprechend ziemlich gerade, jene der Dichotriaene des unteren, schmäleren Teiles des Körpers und der Wurzel hingegen beträchtlich, zum Teil sehr stark und zwar derart gekrümmt, daß sich ihre proximalen Teile nach oben richten und an das, von der Wurzel in den Körper eintretende, axiale Nadelbündel anlegen. In den oberflächlichen Schwammteilen, namentlich in der Scheitelgegend, finden sich auch Protriaene. Die Microsclere sind große, mittlere und kleine Metaster.

Die Amphioxe sind über 3 mm lang und 30 μ dick.

Die Protriaene haben am cladomalen Ende 20—28 μ dicke Schäfte. Ihre Clade sind 200—300 μ lang und schließen mit der Schaftverlängerung Winkel von etwa 45° ein. Die Cladombreite beträgt 310—410 μ.

Die Dichotriaene haben etwa 1,5 mm lange, am cladomalen Ende 37—40 μ dicke Schäfte, die sich proximalwärts rasch verdünnen und, wie oben erwähnt, ziemlich gerade, oder mehr oder weniger zum Teil sehr stark gebogen sind. Bei den am stärksten gekrümmten schließen die durch die Achse des cladomalen und acladomalen Schaftendteils gezogenen Geraden Winkel von 110—120° ein. Haupt- und Endclade sind ziemlich dick. Die Hauptclade sind 110, die nur schwach gekrümmten oder ganz geraden Endclade 620 μ lang. Die Cladombreite beträgt 1,2 mm.

Die Anatriaene haben am cladomalen Ende 7—10 μ dicke Schäfte und 20—37 μ lange, durchaus gleichmäßig gekrümmte Clade, deren Seiten Winkel von 40—45° mit dem Schafte einschließen. Die Dicke der Clade ist schwankend und zuweilen sehr beträchtlich, viel größer als jene des cladomalen Endes des Schaftes. Die Cladombreite beträgt 40—60 μ.

Die großen Metaster (Taf. XX, Fig. 32) haben einen sehr kurzen, meist aber ganz deutlich erkennbaren, zuweilen knotenartig verdickten Schaft und meist vier bis sechs Strahlen. Diese sind 90—120 μ lang, am Grunde 7—8 μ dick und im ganzen kegelförmig, jedoch im Grundteile distalwärts viel allmählicher als im Endteile verdünnt. Der Maximaldurchmesser der Nadel beträgt 150—220 μ.

Die mittleren Metaster (Taf. XX, Fig. 33) sind ähnlich, haben 30—70 μ lange Strahlen und halten 60—90 μ im Durchmesser.

Die kleinen Metaster sind 15—17 μ lang. Sie bestehen aus einem dünnen, gewundenen Schaft von dessen Seiten und Enden durchschnittlich etwa neun sehr schlanke Strahlen abgehen.

Beide Stücke dieses Schwammes wurden von der Valdivia am 24. August 1898 an der afrikanischen Westküste bei Kap Bojeador, worauf sich der Artname bezieht, in 26° 17' N. und 14° 43,3' W. (Valdivia-Station Nr. 28) aus einer Tiefe von 146 m hervorgeholt.

Die einzigen anderen *Thenea*-Arten, deren große Metaster bezüglich der Größe mit jenen der *Thenea bojeadori* einigermaßen übereinstimmen sind *T. fenestrata*, *T. grayi*, *T. valdiviae* und *T. mesotriaena*. Doch unterscheiden sich alle diese von *T. bojeadori* durch die viel bedeutendere Größe ihrer kleinen Metaster.

Thenea pendula n. sp.

Taf. XXII, Fig. 6—19.

In der Valdivia-Sammlung finden sich 21 Stücke dieses Schwammes. Das — von den Brutknospen abgesehen — kleinste Stück (Taf. XXII, Fig. 11, 12 oben) ist birnförmig. Sein Körper ist 8 mm lang und 6 mm breit. Das untere, verschmälerte Ende geht in einen 13 mm langen und 2 mm dicken, walzenförmigen Stiel über, der der Oberseite eines großen Stückes eingepflanzt ist. Die Oberfläche ist mit frei vortretenden Nadelbüscheln bedeckt. An der Seite findet sich eine mondsichelförmige, 2,5 mm lange, und oben, in der Mitte der Scheitelfläche, eine kleinere, rundliche Einsenkung. Erstere ist vermutlich eine Poren-, letztere eine Osc+ulargrube.

Die größeren, bis 25 mm im Durchmesser haltenden Stücke haben zumeist eine abgeplattete, zuweilen sogar eingesenkte, wagerechte oder, seltener, schiefe Scheitelfläche. Ihre Oberfläche erscheint infolge des Vorkommens zahlreicher, schiefer, frei aufragender Nadeln sehr rauh. Seitlich, dicht unter dem oberen Rande, findet sich eine große Grube, deren Eingang von einem Saume dicht nebeneinander stehender, weit vorragender, in der Fortsetzung der Scheitelfläche radial liegender Nadeln bedeckt wird. Dieser Grube gegenüber findet sich eine andere, von einem Kranze frei vorragender Nadeln umgebene, kleinere Grube. Die Wände beider Gruben sind netzförmig. Die Balken dieser Netze sind meistens ganz fein, selten so verbreitert, daß das Netz den Eindruck einer Siebmembran mit ziemlich kleinen, rundlichen Löchern macht. Ich halte die größere Grube für eine Poren-, die kleinere für eine Osc+ulargrube. Von der

Grundfläche des Schwammes geht ein Büschel von Wurzeln ab, deren Größe und Zahl im allgemeinen im Verhältnis zur Größe des Schwammes stehen. Diese (samt den vorragenden Nadeln) 25 mm langen, 10 mm breiten und 14 mm hohen Stücke haben bei acht 15—20 mm lange Wurzeln. Einige von den größeren von diesen Stücken haben eine konvexe Scheitelfläche und nähern sich in dieser Hinsicht den größten, denen ich mich jetzt zuwende.

Eines der größten, vollkommen ausgebildeten Stücke ist in den Figuren 11 und 12 auf Tafel XXII in zwei Ansichten (von oben, Fig. 11, von der Seite 12) dargestellt. Dieses Stück ist im ganzen pilzförmig und besteht aus einem kugeligen, dem Pilzstiel entsprechenden Körper und einem breit kegelförmigen, dem Pilzhut entsprechenden, aufsatzähnlichen Oberteil. Es ist 31 mm hoch; sein kugeliger Körper hält 24 mm im Durchmesser; und es hat der kegelförmige Aufsatz (Pilzhut) eine Höhe von 18 mm und einen eiförmigen, 30 mm breiten und 43 mm langen Umriß. Von der Unterseite des Körpers gehen elf, etwas bandförmig abgeplattete, bis 15 mm lange Wurzeln ab. Der Rand des kegelförmigen Aufsatzes (Pilzhutes) ist zugeschärft. Etwa Dreiviertel desselben sind mit einem Saum frei vorragender, radialer, in der Fortsetzung der Scheitelfläche liegender Nadeln besetzt. An der Seite des Körpers, unter dem Pilzhutrand, liegt eine quere, drei Vierteile desselben umziehende Furche, welche sich gerade so weit erstreckt, wie der Nadelsaum des Aufsatzrandes reicht. Im Boden dieser Furche breitet sich ein Porensieb aus. Der abgestumpfte Scheitel des Aufsatzes wird von einer eiförmigen, 10 mm langen und 7 mm breiten, von einer Krone frei vorragender Nadeln umgebenen Grube eingenommen. Der konkave Boden dieser Grube besteht aus einem ziemlich weitmaschigen, dünnbalkigen Netz. Jene Dreiviertel-ringfurche halte ich für eine Porengrube (-furche), diese Scheiteleinsenkung für eine Oscularigrube.

Die anderen großen Stücke haben ähnliche Maße. Der Pilzhut ist bei einigen kegelförmig, bei anderen abgerundet; der Pilzstiel entweder kugelig oder breit walzenförmig, zuweilen auch unten beträchtlich verbreitert. Die Zahl der Wurzeln beträgt 10—13. Die größten Wurzeln erreichen eine Länge von 30 mm und sind, besonders in ihrem proximalen Teile, deutlich abgeplattet, bandförmig, 1 mm dick und bis 3,3 mm breit. Poren- und Oscularigruben weisen eine ähnliche Veränderlichkeit wie bei *Thenea valdiviae* (s. d.) auf. Bemerkenswert ist es, daß die Oscularigrube zuweilen einen unregelmäßig lappigen Umriß hat.

An der Scheitelfläche vieler, auch mittelgroßer und selbst kleiner Stücke haften Brutknospen. Diese halten 0,5—2 mm im Durchmesser und sind unregelmäßig rundlich. Das in den Figuren 11 und 12 (auf Taf. XXII) abgebildete, einem großen Stück aufsitzende, junge Stück, ist vermutlich aus so einer Brutknospe hervorgegangen, die nicht, wie andere Brutknospen, beim Erreichen einer Größe von etwa 2 mm Durchmesser von der Mutter abgeworfen wurde, sondern mit dieser länger in Zusammenhang blieb.

Die Farbe des Schwammes ist, in Weingeist, weißlich. Die Brutknospen sind bräunlich.

Das Kanalsystem ist ähnlich wie bei *Thenea valdiviae* (s. d.) gestaltet. Die Porensiebe (-netze) im Grunde der Querfurche (Taf. XXII, Fig. 18) sind bei den verschiedenen Stücken insofern ungleich, als das Verhältnis zwischen Porenweite und Netzbalkenbreite großen Schwankungen unterworfen ist, was auf eine beträchtliche Kontraktilität des Gewebes, aus denen die Netzbalken bestehen, schließen läßt. In dem Porensieb (-netz), von dem in der Figur 18 auf Tafel XXII ein Stück dargestellt ist, sind die Balken beträchtlich verbreitert und die Poren entsprechend zusammengezogen. Ihre Mittelpunkte liegen hier 133 μ voneinander entfernt und sie selbst halten 25—80 μ im Durchmesser. Im Innern des Schwammes finden sich zahlreiche, bis 1 mm und darüber weite, lakunöse Kanäle (Taf. XXII, Fig. 19). Die Wände dieser Kanäle werden zum Teil von durchsichtigem, geißelkammerfreiem Gewebe gebildet, zum Teil nicht. Zwischen diesen großen Kanälen finden sich kleinere 100—300 μ weite. Die alle diese Kanäle trennenden Wände sind, wo sie nicht durch das erwähnte, durchsichtige Gewebe verstärkt sind, 50—60 μ dick. Diese 50—60 μ dicken Wände bestehen größtenteils aus Geißelkammern. Das Wandgewebe, welches die Zwischenräume zwischen den Geißelkammern ausfüllt, ist durchsichtig, enthält nur wenig färbbare Zellen (Kerne), und erscheint in den Schnitten wabig, voller kleiner Höhlen. Ob dasselbe auch im frischen Zustande diese Beschaffenheit hat und beim lebenden Schwamme aus zarten Strängen und Platten besteht, oder ob die Lücken bei der Härtung durch Schrumpfung entstanden sind und im Leben nur enge Kanäle oder gar keine Hohlräume darin vorkommen, läßt sich nicht sicher entscheiden.

Die Geißelkammern (Taf. XXII, Fig. 13a) erscheinen im optischen Durchschnitt rundlich oder eiförmig, und sind 34—40 μ breit und 50—55 μ lang. Die Mittelpunkte der Kragenzellen sind durchschnittlich etwa 8 μ voneinander entfernt. In Picrokarminpräparaten sieht man, wenn man die Kammerwand von der Fläche betrachtet, rundliche, stark tingierte, körnige Körper von 2—3 μ Durchmesser, welche teilweise von schwach tingierten, gleichfalls körnigen, unregelmäßigen Massen eingehüllt werden. Die letzten stehen miteinander vielfach in Zusammenhang, lassen jedoch zahlreiche, scharf konturierte, rundliche 4—7 μ weite, offenbar intercellulär gelegene Lücken zwischen sich frei. In den Hämatoxylinpräparaten sind jene Massen und diese Lücken kaum wahrzunehmen; die rundlichen, mit Picrokarmin tingierten Körper treten aber deutlich hervor und in ihnen sind immer sehr stark gefärbte Körnchen zu sehen. Stellt man bei der Betrachtung der Kammerwand von außen, tiefer ein, so sieht man bei den Picrokarminpräparaten nichts weiter, bei den Hämatoxylinpräparaten jedoch oft noch ein sehr deutliches, etwas anders als die übrigen Teile und zwar mehr bräunlich gefärbtes Netz. Dieses Netz ist feinbalkig und regelmäßig, seine Maschen sind polygonal und etwa 7 μ weit. Es ist so orientiert, daß der Mittelpunkt einer jeden Netzmasche über einem der oben beschriebenen stärker tingierbaren Körperchen liegt. An Kammerwandquerschnitten von Hämatoxylinpräparaten lassen sich über den Körperchen, gegen das Kammerlumen zu, öfters dunkle, der Kammerwand parallele Striche erkennen, die vermutlich Querschnitte jenes Netzes sind.

Nach diesen Befunden scheint es mir wohl möglich, daß zwischen den Wänden der ein- und ausführenden Kanäle kein solides, ganz höhlenloses, oder nur von engeren Röhren durchsetztes Gewebe liegt, sondern daß hier nur zarte Stränge oder Platten vorkommen, welche sich zwischen den Geißelkammern ausbreiten. Die Geißelkammern selbst könnten als beutelförmige Netze mit verdickten Knoten angesehen werden. An die, aus den paratangentialen Basalausläufern bestehenden Balken dieses Netzes würden sich die zarten Stränge und Platten des Wandgewebes ansetzen; die Netzmaschen wären die Kammerporen; und die verdickten Knoten die Kragenzellen. Die mit Picrokarmin stark tingierbaren Körper möchte ich als die Kerne dieser Kragenzellen ansehen, die darin befindlichen, mit Hämatoxylin sich besonders färbenden Körnchen als Nucleoli oder Chromatinkörner. Benachbarte Kragenzellen wären miteinander verwachsen und bildeten so jenes oben beschriebene, kammerlumenwärts gelegene, paratangentiale Netz, welches der SOLLAS'schen Membran entspräche. Ich muß hierzu jedoch bemerken, daß, wie schon angedeutet, dies nur eine mögliche Deutung meiner Befunde ist. Um zu entscheiden, ob die Bauverhältnisse des Schwammes wirklich von dieser Art sind, ist die genaue Untersuchung besonders zu diesem Zwecke gehärteten und konservierten Materials erforderlich; an der Hand des vorliegenden Materials läßt sich Sicheres hierüber nicht sagen.

Die Ausfuhrkanäle sammeln sich unter dem Oscularsieb (Taf. XXII, Fig. 11), einem dünnbalkigen Netze mit 0,3—1 mm weiten Maschen.

Das Skelett besteht aus Megascleren und zerstreuten Microscleren. Im Innern des Schwammes bilden die Megasclere radiale Bündel, welche sich gegen die Oberfläche hin verbreitern. Die gerade nach aufwärts gerichteten divergieren und weichen so der Osculargrube aus. Die schief nach außen und oben abgehenden und in die Randteile des Aufsatzes eintretenden krümmen sich, ohne ihre, in Bezug auf die Schwammachse radiale Richtung aufzugeben, so nach außen und unten, daß sie schließlich der Oberfläche des Aufsatzes (der Oberseite des Schwammes) parallel werden. Die Distalenden der nach aufwärts gerichteten, der Oscular grube ausweichenden, und der an den Hutrand herantretenden Nadelbündel, bilden, bandförmig abgeplattet, reihenweise aneinander geschlossen und frei über die Oberfläche vorragend die Oscular grubenkrone und den Hutrandnadelkranz. Ein Teil der nach unten gerichteten Bündel tritt gleichfalls über die Oberfläche des Schwammkörpers vor um in die Wurzeln einzutreten und ihre Skelettachsen zu bilden. Im Innern des Schwammes bestehen diese Bündel aus Amphioxen, distal treten Anatriaene und Protriaene sowie diaene, monaene und mesoclade Derivatformen von solchen hinzu. Die Anatriaene und ihre Derivate finden sich in großer Menge in den Wurzeln, die Proclade und Procladderivate (Mesoproclade etc.) sind auf den Körper beschränkt. In annähernd gleichen Zwischenräumen finden sich radiale Dichotriaene, deren paratangential ausgebreitete Cladome dicht unter der Oberfläche oder an derselben liegen. Die Microsclere sind große, mittlere und kleine Metaster. Im Innern des Schwammes (Taf. XXII, Fig. 15, 16) überwiegen die großen und mittleren, an der Oberfläche, namentlich in den Balken des Poren- und Oscularnetzes, bilden die kleinen, dicht beisammen liegend, förmliche Panzer (Taf. XXII, Fig. 18).

Von Amphioxen lassen sich zwei, allerdings durch Uebergänge verbundene Formen, stärkere und schwächere, unterscheiden. Die ersten sind 60—70, die letzten 25—40 μ dick. Sie erreichen eine Länge von 5—9 mm, die dünnen sind durchschnittlich länger als die dicken.

Die Protriaene (Taf. XXII, Fig. 9) großer Stücke haben 4—6 mm lange, am cladomalen Ende 50—90, jene des kleinsten nur 25 μ dicke Schäfte. Die drei Clade sind oft, so auch bei der in der Figur 9 dargestellten Nadel, ungleich groß, 0,5—1 mm lang, und schließen mit der Schaftverlängerung Winkel von 25—50° ein. Die Cladwinkel der Clade eines und desselben Cladoms pflegen ziemlich gleich zu sein. Der Grundteil der Clade steht immer stark ab; er schließt mit der Schaftverlängerung einen Winkel von etwa 50° ein. Bei einigen Protriaenen sind die Clade gerade oder nur sehr wenig (gegen die Schaftverlängerung konkav) gekrümmt. Diese Clade (Cladsehnen) schließen daher mit der Schaftverlängerung Winkel von nahezu 50° mit der Schaftverlängerung ein. Bei anderen Protriaenen sind die Clade im unteren Drittel plötzlich emporgebogen, so daß ihre geraden oder schwach nach außen konkav gekrümmten Endteile aufstrebend erscheinen. Je nachdem diese plötzliche Biegung oder Knickung stärker (Fig. 9) oder schwächer ist, ist auch der Clad- (Cladsehnen-) Winkel kleiner oder größer. Die Cladombreite beträgt 600—900 μ.

Von Derivaten dieser Protriaene werden Prodiaene, sowie Mesoproclade angetroffen.

Diese Derivatformen habe ich jedoch nur selten beobachtet. Die Prodiaene gleichen, von dem Fehlen des einen Clads abgesehen, in allen Stücken den Protriaenen. Die Mesoproclade sind zumeist Mesoprotriaene mit mässig großer Schaftverlängerung. Bei diesen Nadeln ist der Schaft etwa 8 mm lang, und am cladomalen Ende 20—35 μ dick. Das acladomale Ende ist zylindrisch und abgerundet. Gegen die Mitte nimmt der Schaft an Dicke beträchtlich zu und hat hier einen Durchmesser von 45—65 μ. Die Schaftverlängerung ist 200—310 μ lang. Die Clade sind 150—180 μ lang und schwach gegen die Schaftverlängerung konkav gekrümmt. Ihre Sehnen schließen Winkel von ungefähr 35° mit dieser ein. Die Cladombreite beträgt etwa 240 μ. Außer diesen Mesoprocladen habe ich ab und zu auch Mesoprotriaene mit sehr langer (bis 950 μ langer) Schaftverlängerung, sowie solche mit längeren und auch mit ungleichen, zum Teil stark verkürzten Claden gesehen. Zuweilen ist ein Clad oder sind zwei ganz rückgebildet, wodurch Mesodiaene und -monaene zustande kommen.

Einigemale habe ich, und zwar bei dem kleinsten Stück, Triaene mit 10—15 μ dickem Schaft und sehr stark verkürzten, zylindrischen, am Ende abgerundeten, etwas aufstrebenden Claden gesehen. Die Cladome derselben hielten bloß 33—35 μ im Durchmesser, so daß diese Nadeln fast wie Tylostyle mit dreilappigem Tyl aussahen. Sie könnten als Derivate der oben beschriebenen Protriaene oder auch als besondere, sehr kurzcladige, plagiotriaene Nadeln angesehen werden.

Die Dichotriaene (Taf. XXII, Fig. 14) haben 3—4,5 mm lange, am cladomalen Ende 40—70 μ dicke Schäfte. Dicht unterhalb des cladomalen Endes ist der Schaft leicht verdickt. Die Hauptclade sind 190—310 μ, die paarweise beträchtlich gegeneinander konkav gekrümmten Endclade 850 μ—1,3 mm lang. Die Cladombreite beträgt 2—3,2 mm.

Von Anatriaenen lassen sich zwei Arten unterscheiden, solche, bei denen die Clade dem Schaft fast anliegen (Taf. XXII, Fig. 8 a—e), und solche, bei denen sie abstehen (Taf. XXII, Fig. 10 a—f). Natürlich kommen Uebergänge zwischen diesen Anatriaenformen vor, diese sind aber nicht häufig. Die Schäfte beider Formen sind 10—14 mm lang und am cladomalen Ende, bei dem kleinsten Stücke 10—12, bei dem größten 19—25 μ dick. Die Clade sind in jeder Hinsicht sehr variabel. Bei den Anatriaenen mit anliegenden Claden sind sie 200—900, bei jenen mit abstehenden 100—800 μ lang. Die Clade sind im Grundteil beträchtlich gegen den Schaft konkav gekrümmt. Die mittleren und Endteile kurzer Clade sind völlig gerade, jene der langen aber unregelmäßig und zwar nach allen Richtungen gekrümmt, so daß sie vielfach aus der, durch die Schaftachse hindurch gehenden Radialebene heraustreten. Diese Unregelmäßigkeit ist besonders den Anatriaenen mit langen, anliegenden Claden eigen, bei denen die Clade wie schwach und unregelmäßig gekrümmte Trauereschenzweige vom Nadelzentrum herabhängen (Fig. 8 a, b), worauf sich der Artname *pendula* bezieht. Bei den Anatriaenen mit abstehenden und langen Claden ist öfters eine, sonst bei Anatriaenen nur sehr selten zu beobachtende Krümmung der Cladendteile nach außen (Fig. 10f) zu bemerken. Bei den Anatriaenen mit anliegenden Claden, betragen die Cladsehnenwinkel 7—14° und die Cladombreite etwa 100 μ, bei den Anatriaenen mit abstehenden Claden jene Winkel 18—33° und diese Breite je nach der Länge der Clade, 100—400 μ. Die Anatriaene mit abstehenden Claden sind im Hutrandsaum, jene mit anliegenden in den Wurzeln am häufigsten.

Von Anatriaenderivaten kommen Anadiaene, Anamonaene und Tylostyle vor. Die Anadiaene und Anamonaene scheinen nicht gerade selten zu sein, doch ist hierzu zu bemerken, daß es nicht leicht ist festzustellen, ob bei solchen Nadeln die fehlenden Clade überhaupt nie vorhanden waren oder nur abgebrochen sind. Die Anadiaene gleichen in allen Stücken den Anatriaenen. Bei den Anamonaenen hingegen ist das Clad bedeutend kürzer und auch dicker als bei diesen. Die Tylostyle sind bloß 10 μ dick. Das Tyl hält 25 μ im Durchmesser.

Die großen Metaster (Taf. XXII, Fig. 6, 7, 15, 16) haben einen zwar kurzen, meist aber ganz deutlichen Schaft und gewöhnlich drei bis sieben exzentrische Strahlen. Nur bei dem kleinsten Stück habe ich auch zweistrahlige in größerer Anzahl angetroffen. Am weitaus zahlreichsten sind die Vierstrahler (Taf. 6, 7). Die Strahlen der Zweistrahler des kleinen Stückes sind 50—80 μ lang und sehr schlank, am Grunde bloß 2—3,5 μ dick. Sie schließen sehr stumpfe, fast 180⁰ große Winkel miteinander ein. Der kurze Schaft, sowie die Strahlen, die von dessen Ende abgehen, sind, die letzten namentlich in ihrem Grundteil, oft gekrümmt, so daß die ganze Nadel eigentümlich verbogen, zuweilen wie ein schwebender Vogel aussieht. Die Gesamtlänge dieser Nadeln beträgt 110—170 μ. Die Strahlen der Vierstrahler und sonstigen Mehrstrahler sind bei den großen Metastern des kleinsten Stückes 140—190 μ lang und am Grunde 6—7 μ dick, bei jenen des großen Stückes 150—220 μ lang und am Grunde 10—12, zuweilen bis 20 μ dick, also nicht wesentlich länger, wohl aber bedeutend dicker als bei dem kleinsten Stück. Die Strahlen sind kegelförmig, mit überaus feinen, nur mit den stärksten Linsen sichtbaren Dornen besetzt und häufig etwas, zuweilen beträchtlich gekrümmt (Fig. 16). Die großen Metaster erreichen einen Maximaldurchmesser von 250—270 μ.

Die mittleren Metaster (Taf. XXII, Fig. 15, 16) haben eine ähnliche Gestalt wie die großen, doch kommen unter ihnen häufiger Formen mit größerer Strahlenzahl vor. Sie haben zumeist einen Maximaldurchmesser von 30—50 μ.

Die kleinen Metaster (Taf. XXII, Fig. 17, 18) sind 20—25 μ lang. Sie bestehen aus einem dicken, deutlich schraubenförmig gewundenen Schaft, von dessen Seiten und Enden durchschnittlich elf oder zwölf rauhe, kegelförmige Strahlen abgehen.

Sämtliche Stücke dieses Schwammes wurden von der Valdivia am 22. März 1899 im Sansibarkanal, in 5⁰ 27′ 9″ S. und 39⁰ 18′ 8″ O (Valdivia-Station Nr. 245) aus einer Tiefe von 453 m hervorgeholt.

Die einzigen anderen *Thenea*-Arten, deren große Metaster ähnliche Dimensionen wie jene von *Thenea pendula* haben, sind *T. grayi* und *T. levis*. Von beiden unterscheidet sich *T. pendula* durch ihre Anatriaene mit anliegenden Claden in sehr auffallender Weise.

Thenea levis n. sp.

Taf. XX, Fig. 34, 35.

In der Valdivia-Sammlung finden sich zwei Stücke dieses Schwammes, ein ziemlich gut erhaltenes und ein formloses Bruchstück. Das gut erhaltene Stück hat, wie der axiale Durchschnitt zeigt, Pilzform, sieht aber wegen der Schmalheit des Spaltes, welcher den Eingang in die Stiel und Pilzhut trennende Furche bildet wie eine etwas unregelmäßige, aufrechte, kugelig-eiförmige Masse aus, die größtenteils von einem, zwar im ganzen queren, im einzelnen jedoch unregelmäßig auf- und absteigenden Aequatorialspalt, umzogen wird. Der Schwamm ist 22 mm hoch und 19 mm breit. Der den Eingang in die Aequatorialfurche bildende Spalt ist 2—3 mm breit. Innen erweitert sich die Furche beträchtlich. Ihr dreieckiger Querschnitt ist 5 mm hoch und gegen 6 mm breit. Vermutlich können die Theneaen den Hutrand nach Belieben mehr oder weniger stark über die Aequatorialfurche herabziehen und ist der vorliegende Schwamm genärtet worden als sein Hutrand stark herabgezogen war. Die Oberfläche ist ziemlich glatt. Hierauf bezieht sich der Artname *levis*. An seinem unteren Ende dürften wohl Wurzeln gesessen haben, es sind aber kaum Spuren ihrer Ansätze mehr zu erkennen.

Die Farbe des Schwammes ist, in Weingeist, licht schmutzig graubraun.

Das Skelett besteht aus Amphioxbündeln, die von einem, in der Mitte des oberen Teiles des Schwammes gelegenen Punkte ausstrahlen, radial orientierten Procladen, Dichotriaenen und Anatriaenen, und zerstreuten, großen, mittleren und kleinen Metastern.

Die Amphioxe sind 4,2—4,7 mm lang und 75—95 μ dick.

Die Proclade sind Protriaene und Prodiaene. Ihre Schäfte sind 4 mm lang und am cladomalen Ende 30 μ dick. Die Clade sind 35 μ lang, völlig gerade, und schließen Winkel von 45—50° mit der Schaftverlängerung ein. Die Cladombreite beträgt 500 μ.

Die Dichotriaene haben 3,5—4,6 mm lange, am cladomalen Ende 60—70, am abgerundeten acladomalen Ende 4 μ dicke Schäfte. Die Hauptclade sind 200—250, die Endclade 500—900 μ lang. Die Cladombreite beträgt 1,5—2 mm.

Die Anatriaene haben am cladomalen Ende 20 μ dicke Schäfte und gleichmäßig gegen den Schaft konkav gekrümmte, 120 μ lange Clade. Der Cladwinkel beträgt 48°, die Cladombreite 150—160 μ.

Die großen Metaster (Taf. XX, Fig. 34, 35) sind größtenteils Vierstrahler, es kommen jedoch auch Zwei- und Dreistrahler, sowie große Metaster mit mehr als vier Strahlen vor. Die Zweistrahler sind sehr selten. Der Schaft ist kurz, meist jedoch deutlich zu erkennen (Fig. 34). Die Strahlen sind exzentrisch und gehen von seinen Enden ab. Sie sind nicht merklich rauh, gerade, kegelförmig, 100—165 μ lang und am Grunde 10—14 μ dick. Der Maximaldurchmesser der großen Metaster beträgt 150—300 μ.

Die mittleren Metaster (Taf. XX, Fig. 35) ähneln den großen, haben jedoch nur 25—45 μ lange Strahlen und halten 50—75 μ im Maximaldurchmesser.

Die kleinen Metaster sind 15—18 μ lang. Sie bestehen aus einem wenig gebogenen Schaft von geringer Dicke, von dessen Seiten und Enden meist neun bis zwölf schlanke und ziemlich lange Strahlen abgehen.

Beide Stücke dieses Schwammes wurden von der Valdivia am 7. August 1898 im Nordatlantik, nördlich vom Thomsonrücken in 60° 40′ N. und 5° 35′ 5″ W. (Valdivia-Station Nr. 6) aus einer Tiefe von 652 m hervorgeholt.

In Bezug auf die Dimensionen der großen Metaster stimmen nur *Thenea tyla*, *T. grayi* und *T. pendula* mit *T. levis* einigermaßen überein. Sie unterscheidet sich von *T. tyla* durch das Fehlen tyler Protriaenclade, von *T. grayi* durch die viel geringere Größe ihrer kleinen Metaster, und von *T. pendula* durch das Fehlen der Anatriaene mit langen, anliegenden Claden, und andere Merkmale.

Thenea multiformis n. sp.

Taf. XXIII, Fig. 1—21.

In der Valdivia-Sammlung finden sich 22 Stücke dieses Schwammes. Das kleinste ist kugelig, hält 7 mm im Durchmesser und hat ein kreisrundes, von einer Ringmembran eingefaßtes Osculum. Die großen sind unregelmäßig knollenförmig, haben einige, in einer Acquatorialebene angeordnete Porengruben mit Siebböden und ebenfalls ein Osculum mit Ringmembran. Das größte von allen ist etwas abgeplattet, 26 mm lang und 16 mm hoch. Es hat drei länglicne, quergestellte, in einer Aequatorialreihe angeordnete Porengruben von etwa 9 mm Breite und 4 mm Höhe, und ein, diesen gegenüber liegendes, unregelmäßig rundliches Osculum von 4 mm Durchmesser. Dasselbe wird, wie bei den kleinen Stücken, von einer Ringmembran umgeben. Es ist bemerkenswert, daß sich in dieser Ringmembran kleine Löcher finden, wodurch sie eine gewisse Aehnlichkeit mit den Oscularsieben anderer Theneen erlangt. Bei einigen Stücken werden die Porengruben und Oscula von Kronen frei vorragender Nadeln, welche eine Höhe von 7 mm erreichen, eingefaßt. Bei anderen fehlen diese Nadelkronen. Vielleicht sind sie bei diesen abgerieben worden.

Die Farbe des Schwammes ist, in Weingeist, weißlich braun.

Das Skelett besteht aus radialen Amphioxen, Stylen, Procladen und Plagiocladen mit normalen und verkürzten Claden, Dichotriaenen, Anatriaenen, Tylostylen, und zerstreuten, großen, mittleren und kleinen Metastern.

Unter den Amphioxen lassen sich zwei Formen, längere schlanke und kürzere dicke unterscheiden. Die ersten nehmen an dem Aufbau der Porengruben- und Osculargrubenkronen teil, die letzten werden vornehmlich im Innern angetroffen. Die längeren schlanken Amphioxe sind 11—12 mm lang und 28—35 μ dick, die kürzeren dicken 6—7 mm lang und 50—60 μ dick.

Von normalen Procladen (Taf. XXIII, Fig. 18) kommen Protriaene und Prodiaene vor. Die letzten sind recht zahlreich, zahlreicher wie es scheint als die Protriaene. Die Schäfte dieser Nadeln sind 2,4—4 mm lang und am cladomalen Ende 60—80 μ dick. Das acladomale Ende ist zuweilen plötzlich zugeschärft, wie eine Bleistiftspitze. Die Clade sind 240 μ bis 1 mm, gewöhnlich etwa 640 μ lang und stets derartig S-förmig gekrümmt, daß ihr Grund- und ihr Endteil viel stärker als ihr Mittelteil von der Schaftverlängerung abstehen. Gewöhnlich sind die Clade zugespitzt, zuweilen aber auch verkürzt und stumpf. Selten tragen solche verkürzte Clade am Ende ein kleines, kugeliges Tyl. Die Clade schließen mit der Schaftverlängerung Winkel von 40—60° ein.

Die Proclade und Plagioclade mit verkürzten Claden (Taf. XXIII, Fig. 6, 7, 14—17, 20b) haben 1,1—4,6 mm lange, am cladomalen Ende 70—90 μ dicke Schäfte. Die längeren sind kegelförmig, die kürzeren (Fig. 6, 7) zylindrisch und am acladomalen Ende abgerundet und etwas verdickt, tyl. Der Durchmesser dieses Schafttyls pflegt um die Hälfte größer als die Schaftdicke zu sein. Die meisten von diesen Nadeln sind triaen. Die drei Clade können untereinander gleich (Fig. 6) oder ungleich (Fig. 7, 14—17, 20b) sein. Auch bei den ungleichcladigen sind die Grundteile der Clade einander gleich und es beruht ihre Ungleichheit bloß auf Unterschieden ihrer Endteile. Der Grundteil jedes Clads ist stets ein gerader, 133—166 μ langer

161

Zylinder, dessen Dicke der Schaftdicke nahezu oder vollständig gleicht und dessen Achse mit der Verlängerung der Schaftachse einen Winkel von ungefähr 48° einschließt. Bei den regulären von diesen Nadeln (Fig. 6, 15) ist nur dieser Grundteil vorhanden und das Clad am Ende einfach abgerundet. Solche Clade sind also 133—166 μ lang und die aus ihnen bestehenden Cladome 230—300 μ breit. Gewöhnlich trägt der einfache Grundteil eines Clads, zweier Clade oder aller drei Clade einen Endteil. Dieser ist entweder ebenso dick wie der Grundteil und nach aufwärts gerichtet, wodurch das Clad die Gestalt eines nach oben offenen Bogens erlangt (Fig. 14, 17), oder (Fig. 7, 16) er erscheint als ein nach oben gerichteter kleiner Höcker oder größerer, lappiger Aufsatz (Fig. 20b). Einige von diesen Nadeln tragen einen langen und schlanken, senkrecht auf der Schaftverlängerung stehenden, kegelförmigen Fortsatz (Fig. 14). Diese merkwürdigen, unregelmäßigen Pro- bzw. Plagiotriaene könnten zwar Procladderivate sein, ich möchte sie aber doch eher für Dichotriaenderivate halten, wozu übrigens zu bemerken ist, daß möglicherweise die Proclade selber nichts anderes als Dichotriaenderivate sind.

Die Dichotriaene .(Taf. XXIII, Fig. 9) haben 3,4 mm lange, am cladomalen Ende 40—70 μ dicke Schäfte. Die Hauptclade sind 250—300 μ, die geraden oder nur wenig, paarweise gegeneinander konkav gekrümmten Endclade 900 μ bis 1,1 mm lang. Die Cladombreite beträgt 2,2—2,5 mm.

Die Anatriaene (Taf. XXIII, Fig. 8) haben 6 mm und darüber lange, am cladomalen Ende 12—35 μ dicke Schäfte. Ihre Clade sind 120—220 μ lang. Es lassen sich zwei Formen von Anatriaenen, solche mit mehr und solche mit weniger abstehenden Claden unterscheiden. Die ersten sind viel häufiger als die letzten. Bei jenen (Fig. 8) stehen die Cladgrundteile unter Winkeln von etwa 70° vom Schafte ab, um sich dann plötzlich und scharf unter einem Winkel von 120—125° so gegen den Schaft umzubiegen, daß sie wie geknickt aussehen. Die Sehnen dieser Clade schließen Winkel von 40—48° mit dem Schafte ein und es beträgt bei dieser Anatriaenform die Cladombreite 160—210 μ. Bei der anderen Anatriaenform ist der Cladgrundteil beträchtlich gegen den Schaft konkav gekrümmt, der Endteil aber gerade. Eine Knickung ist bei den Claden dieser Nadeln nicht vorhanden. Ihre Cladsehnen schließen Winkel von 27° mit dem Schafte ein und ihre Cladome sind 130 μ breit.

Die Tylostyle, die wohl als Anatriaenderivate anzusehen sein dürften, sind 20—25 μ dick und haben ein kugeliges, 35—50 μ im Durchmesser haltendes Tyl.

Einmal habe ich auch eine 30 μ dicke Nadel (Taf. XXIII, Fig. 21) gesehen, die sonst wie ein Styl aussah, aber unterhalb des abgerundeten Endes einen dornartigen Fortsatz trug. Diese abnorme Nadel wird wohl auch ein Tellocladderivat gewesen sein.

Die großen Metaster (Taf. XXIII, Fig. 1—4, 10—13, 19, 20a) sind ein- bis siebenstrahlig. Unter ihnen sind Formen mit ungleich ausgebildeten Strahlen, namentlich solche mit ein oder zwei wohlentwickelten und zwei bis vier stark verkürzten, oft zu rundlichen Vorragungen reduzierten Strahlen ziemlich häufig. Der Schaft ist, wohl der Dicke der Strahlen wegen, nicht zu erkennen und es ist gewöhnlich auch die Exzentrizität der Strahlen nicht besonders deutlich ausgesprochen. Die Strahlen dieser Nadeln sind, wenn vollkommen ausgebildet, gerade oder, selten, geknickt; kegelförmig, am Grunde allmählicher, am Ende rascher distalwärts verdünnt; überall, außer in nächster Nähe des Zentrums, dicht mit großen, spitzen Dornen besetzt (Fig. 10—13, 19); und im allgemeinen um so größer, je geringer ihre Zahl ist. Bei den monactinen Formen, bei welchen nur ein Strahl vollkommen ausgebildet, die übrigen aber zu einem knolligen Tyl reduziert sind (Fig. 13), ist der eine Strahl 310 μ lang und am Grunde 38 μ dick, während die Gesamtlänge der ganzen Nadel 328 μ beträgt. Bei den diactinen Formen, bei welchen alle Strahlen bis auf zwei, völlig in einer Geraden gelegenen, zu einer dicken Zentralmasse mit halbkugeligen Höckern (Fig. 4, 10, 11) oder noch weiter, zu einem schwachen, zentralen Tyl rückgebildet sind, erreicht jeder der beiden vollständig ausgebildeten Strahlen eine Länge von 140 bis 220 μ und am Grunde eine Dicke von 20—35 μ. Die Gesamtlänge dieser Nadeln beträgt 200—400 μ. Bei den Drei- bis Siebenstrahlern (Fig. 1, 2, 19, 20a), unter denen die Vierstrahler stark vorherrschen, sind die Strahlen 120—170 μ lang und am Grunde 17—25 μ dick, während der Maximaldurchmesser der ganzen Nadel 260—310 μ beträgt. Besonderes Interesse verdienen diejenigen von diesen Nadeln, bei denen ein oder zwei Strahlen vollständig ausgebildet, kegelförmig und zugespitzt, und die anderen obwohl stark verkürzt, doch deutlich als besondere Strahlen von abgerundet zylindrischer Form zu erkennen sind. In der Fig. 3 habe ich eine solche Nadel mit zwei ganz ausgebildeten und drei halb rückgebildeten, und in der Fig. 12 eine andere mit einem ganz ausgebildeten und drei rückgebildeten Strahlen wiedergegeben. Auf die große Mannigfaltigkeit dieser Nadeln, sowie auch der kurzcladigen Teloclade, bezieht sich der Artname *multiformis:*

Die mittleren Metaster ähneln den großen. Es kommen unter ihnen aber auch mehr als siebenstrahlige, bis neunstrahlige, Formen vor und sie haben durchschnittlich überhaupt mehr Strahlen als die großen. Ihre Strahlen sind 45—90 μ lang und am Grunde 12—25 μ dick, während ihr Maximaldurchmesser 90—170 μ beträgt. Sie sind in ausgedehnterem Maße als das bei anderen *Thenea*-Arten der Fall zu sein pflegt, durch Uebergänge mit den großen Metastern verbunden.

Die kleinen Metaster (Taf. XXIII, Fig. 5) sind 27 μ lang und bestehen aus einem ziemlich langen, schwach gewundenen Schaft, von dessen Seiten und Enden durchschnittlich elf oder zwölf ziemlich schlanke Strahlen abgehen.

Alle Stücke dieses Schwammes wurden von der Valdivia am 7. Januar 1899 im Südindik in 32° 53' 9" S. und 83° 1' 6" O. (Valdivia-Station Nr. 170) aus einer Tiefe von 3548 m hervorgeholt.

Von den anderen *Thenea*-Arten unterscheidet sich *Th. multiformis* durch ihre kurzcladigen Teloclade sowie die vielgestaltigen, großen, dornigen Metaster. Von den Arten mit großen Metastern von ähnlichen Dimensionen *(T. schmidtii, T. wrightii, T. megaspina, T. tyla* und *T. microclada)* ist sie außerdem noch dadurch unterschieden, daß *T. schmidtii* und *T. wrightii* längere Dichotriaenschäfte und auch kürzere kleine Metaster haben, *T. megaspina* Proclade mit konvergenten Claden besitzt, welche ich bei *T. multiformis* nicht gefunden habe, die Proclade mit tylen Claden der *T. tyla* fehlen, und *T. microclada* der Dornen an den Strahlen der großen Metaster entbehrt.

Thenea tyla n. sp.
Taf. XX, Fig. 36—38.

In der Valdivia-Sammlung findet sich ein etwas verletztes Stück dieses Schwammes. Dasselbe (Taf. XX, Fig. 36) ist unregelmäßig massig, abgeplattet, 56 mm lang, 35 mm hoch, in

163

28*

der Mitte 18 mm dick, oben und unten dicker. Obwohl der Schwammkörper keine Aehnlichkeit mit einem Pilz hat, ist doch zu erkennen, daß der obere Teil dem Hut, und der untere Teil der verdickten Basis des Stieles der pilzförmigen Theneen entspricht. Die der Pilzhutaußenseite entsprechende Scheitelfläche ist konvex. Die gleichfalls konvexe Grundfläche trägt Ansätze von Wurzeln. Jede der beiden breiten Seiten des Schwammes ist beträchtlich eingesenkt. Das ist der Grund, warum der Schwammkörper oben und unten dicker als in der Mitte ist. Die eine, seitlich weniger deutlich begrenzte, von dieser Senkungen ist eine Porengrube; in ihrem Grund breitet sich ein ausgedehntes, feines Porensieb aus. Die andere, ringsum scharf begrenzte, ist eine Osculargrube; ihr Boden wird von einer glatten Haut ausgekleidet, worin sich zahlreiche rundliche, unregelmäßig angeordnete, streckenweise fehlende Löcher von sehr verschiedener Größe finden (Taf. XX, Fig. 36). Von den Böden dieser Gruben abgesehen, ist die Oberfläche des Schwammes rauh.

Die Farbe des Schwammes ist, in Weingeist, schmutzig bräunlichweiß.

Das Skelett besteht aus radialen Amphioxen, Procladen, Promesocladen, Dichotriaenen und Anatriaenen, und zerstreuten, großen, mittleren und kleinen Metastern.

Die Amphioxe sind 6,5—9 mm lang und 50—87 μ dick.

Die Proclade sind größtenteils triaen, Prodiaene kommen vor, sind aber selten. Die Protriaene (Taf. XX, Fig. 38) haben 6,5—8 mm lange, am cladomalen Ende 75—100 μ dicke Schäfte. Die Clade schließen mit der Schaftverlängerung Winkel von 32—38^0 ein. Die Clade eines und desselben Protriaens sind meist ungleich, nur selten trifft man ein Protriaen mit drei einander ähnlichen, kegelförmigen und zugespitzten Claden, die dann 600 μ bis 1 mm lang sind, an. Meistens ist ein Clad oder sind zwei Clade (Fig. 38) verkürzt, zylindrisch und am Ende mit einer kugeligen Verdickung, einem Tyl, ausgestattet. Auf diesen tylen, den Protriaencladen und, wie wir sehen werden, auch vielen Dichotriaencladen zukommenden Charakter, bezieht sich der Artname *tyla*. Die Cladombreite der Protriaene beträgt meist etwa 850 μ. Unter den seltenen, den Protriaenen ähnlichen Prodiaenen habe ich mehrmals Formen mit zwei gleichen, zylindrischen, tylen Claden angetroffen.

Die wenigen Promesoclade, die ich gefunden habe, waren alle Promesotriaene. Ihr Schaft ist am cladomalen Ende 110 μ dick. Die zylindrische, am Ende abgerundete Schaftverlängerung ist 200 μ lang, während die Länge der zugespitzten, kegelförmigen Clade 150 bis 200 μ beträgt. Die Clade schließen Winkel von nahezu 60^0 mit der Schaftverlängerung ein, so daß diese Nadeln auch als Mesoplagiotriaene angesehen werden könnten. Ihre Cladombreite beträgt 350 μ.

Die Dichotriaene haben 4,5—5,7 mm lange, am cladomalen Ende 75—105 μ dicke Schäfte. Die Hauptclade sind 260—290 μ, die Endclade 1—1,25 mm lang. Zuweilen ist, wie oben erwähnt, das eine oder andere Endclad verkürzt, zylindrisch und tyl. Die Cladombreite beträgt 2,7—3,2 mm.

Die Anatriaene haben am cladomalen Ende 18 μ dicke Schäfte und 270—400 μ lange Clade. Die letzteren sind am Grunde beträchtlich gegen den Schaft konkav gekrümmt, weiterhin aber gerade. Ihre Sehnen schließen Winkel von 25—28^0 mit dem Schafte ein. Die Cladombreite beträgt 200—240 μ.

Die großen Metaster (Taf. XX, Fig. 37) sind drei- bis siebenstrahlig. Weitaus am häufigsten sind die vierstrahligen. Sie haben einen kurzen aber deutlichen Schaft und exzentrische Strahlen. Die letzteren sind kegelförmig, meist gerade, selten gebogen, ziemlich glatt, 130—230 μ lang und am Grunde 7—18 μ dick. Der Maximaldurchmesser beträgt 250—360 μ.

Die mittleren Metaster ähneln den großen, es kommen unter ihnen aber auch Zweistrahler vor. Diese haben ein unregelmäßiges Mittelstück (Schaft) von 6 μ Dicke. Ihre Strahlen erreichen eine Länge von 70 μ und sind am Grunde 4 μ dick. Die Gesamtlänge dieser Nadeln beträgt 130—150 μ. Die mehrstrahligen, mittleren Metaster haben nur 35—40 μ lange Strahlen und einen Maximaldurchmesser von 65—75 μ.

Die kleinen Metaster sind 25—27 μ lang. Sie bestehen aus einem mittelstarken, deutlich schraubenförmig gewundenen Schaft, der an der Seite und an den Enden meist zwölf oder mehr ziemlich lange Strahlen trägt.

Dieser Schwamm wurde von der Valdivia am 23. März 1899 an der ostafrikanischen Küste in 3⁰ 38' 8" S. und 40⁰ 16' O. (Valdivia-Station Nr. 247) aus einer Tiefe von 863 m hervorgeholt.

Das auffallendste von den Merkmalen, durch welche sich diese Art von den anderen *Thenea*-Arten mit großen Metastern von einigermaßen ähnlichen Dimensionen — es sind das *T. lævis, T. microclada, T. schmidtii* und *T. wrightii* — unterscheidet, sind die tylen Clade der meisten Proclade.

Derartige Proclade mit tylen Claden kommen, wenn gleich selten, auch bei *T. multiformis* vor, die aber weit größere große Metaster hat.

Thenea microclada n. sp.

Taf. XXIII, Fig. 37—44.

In der Valdivia-Sammlung finden sich zwei Stücke dieses Schwammes. Beide sind birnförmig und bei beiden läuft das schmale Körperende in eine lange Wurzel aus. Der Körper des einen, kleineren, ist 4 mm lang, und 4 mm breit und hat eine 4 mm lange Wurzel. Der Körper des anderen, größeren (Taf. XXIII, Fig. 38, 39) ist 10 mm lang, 7 mm breit und setzt sich in eine 24 mm lange Wurzel fort. Der Scheitel dieses Stückes ist abgeflacht; sein Rand, das ist die Grenze zwischen Scheitel- und Seitenfläche, tritt in Gestalt einer, dem Hutrand der pilzförmigen Theneen entsprechenden Randkante etwas vor.

Die Farbe des Schwammes ist, in Weingeist, bräunlich weiß.

Das Skelett des Körpers besteht aus radialen Amphioxen, Stylen, Procladen, Dichotriaenen und Anatriaenen, und zerstreuten großen, mittleren und kleinen Metastern. In der Wurzel finden sich Amphioxe, Anatriaene, andere Anaclade und ebensolche Microsclere wie im Körper.

Die Amphioxe sind bei dem kleinen Stücke 3—4,5 mm lang und 20—40 μ dick, bei dem größeren 3—8 mm lang und 35—44 μ dick.

Die seltenen Style, welche einseitig entwickelte Amphioxe zu sein scheinen, sind bei dem kleinen Stück 13, bei dem größeren 35—45 μ dick.

Die Proclade sind Protriaene und Prodiaene. Die ersten sind viel zahlreicher als die letzten. Die Protriaene haben am cladomalen Ende 17—25 μ dicke Schäfte, 200—300 μ lange Clade und 250—350 μ breite Cladome; ihre Clade schließen Winkel von ungefähr 45⁰ mit der Schaftverlängerung ein. Die **Prodiaene** ähneln den Protriaenen, von denen sie sich nur durch das Fehlen des einen der Clade unterscheiden.

Die **Dichotriaene** (Taf. XXIII, Fig. 40, 41) haben gerade oder unregelmäßig gekrümmte, 760 μ (bei dem kleinen) bis 2,1 mm (bei dem großen) lange, am cladomalen Ende 30—40 μ dicke Schäfte. Die Cladome sind gedrungen gebaut. Die Hauptclade sind 100—140, die geraden oder nur wenig gekrümmten Endclade 300—500 μ lang. Die Cladombreite beträgt 900 μ bis 1,1 mm und ist bei den Dichotriaenen des kleinen Stückes nicht merklich kleiner als bei jenen des größeren.

Die **Anaclade** sind in der Wurzel sehr zahlreich und mannigfaltig, die regelmäßigen Anatriaene sind kaum häufiger als die unregelmäßigen Anaclade. Die Schäfte der Anaclade sind lang und am cladomalen Ende 6—24 μ dick. Die regelmäßigen **Anatriaene** haben 22—65 μ lange Clade und 30—50° große Cladwinkel. Ihre Cladombreite beträgt 35—100 μ. Neben diesen Nadeln kommen **Anadiaene** von ähnlicher Gestalt und Größe mit etwas stärkeren Claden vor. Die Clade dieser Nadeln stehen einander zuweilen gegenüber, zuweilen sind sie einander genähert und in Ebenen gelegen, die miteinander einen Winkel von 120° oder noch weniger einschließen. Auch **Anamonaene** werden angetroffen. Sie sind selten und ähneln den Anadiaenen. Ferner habe ich Anaclade mit Claden von gewöhnlicher Dicke, die aber stark verkürzt und am Ende abgerundet sind, beobachtet; diese Nadeln sehen wie **Tylostyle mit lappigem Tyl** aus; das Tyl ist 18—30 μ breit und es sind darin zwei (oder öfter) drei Cladachsenfäden zu erkennen. Diese Nadeln sind ziemlich häufig. Auf ihre reduzierten Clade bezieht sich der Artname *microclada*. Endlich finden sich **Anaclade mit mehreren Cladwirteln** (Taf. XXIII, Fig. 42), die sieben und mehr, in zwei oder drei Querreihen (Wirteln) angeordnete Clade besitzen. Die Cladome dieser Nadeln sind etwa 100 μ breit.

Die **großen Metaster** (Taf. XXIII, Fig. 37, 43, 44) haben einen sehr kurzen, oft kaum oder gar nicht erkennbaren Schaft. Zuweilen ist derselbe zu einer kugeligen Zentralverdickung angeschwollen. Es sind meist vier bis sieben nur wenig exzentrische, zuweilen völlig konzentrisch erscheinende Strahlen vorhanden. Die durchschnittliche Strahlenzahl ist größer als bei den großen Metastern der meisten anderen *Thenea*-Arten. Die Strahlen sind kegelförmig, gerade oder schwach gebogen, und stumpf. Ihr Grundteil verdünnt sich distalwärts weniger rasch als ihr Endteil. Mit starken Linsen sind zerstreute, abgerundete, buckelförmige Erhebungen an der Oberfläche und ein sehr feiner Achsenfaden im Innern der Strahlen zu erkennen. Die großen Metaster des kleinen Stückes (Fig. 43, 44) haben 85—150 μ lange, am Grunde 15 —18 μ dicke Strahlen und einen Maximaldurchmesser von 155—290 μ. Die großen Metaster des größeren Stückes (Fig. 37) haben 150—205 μ lange, am Grunde 15—20 μ dicke Strahlen und einen Maximaldurchmesser von 270—400 μ.

Die **mittleren Metaster** sind den großen ähnlich und haben einen Maximaldurchmesser von 70 μ.

Die **kleinen Metaster** sind 17—23 μ lang und bestehen aus einem ziemlich dünnen und kurzen, etwas gewundenen Schaft, von dessen Seiten und Enden durchschnittlich etwa zwölf lange und schlanke Strahlen abgehen.

Beide Stücke dieses Schwammes wurden von der Valdivia am 24. August 1898 an der westafrikanischen Küste bei Kap Bojeador in 26⁰ 17′ N. und 14⁰ 43′ 3′ W. (Valdivia-Station Nr. 28) aus einer Tiefe von 146 m hervorgeholt.

Die *Thenea*-Arten, welche der vorliegenden in Bezug auf die Größe der großen Metaster einigermaßen ähneln, sind *T. tyla*, *T. megaspina*, *T. schmidtii*, *T. wrightii* und *T. multiformis*. Von *T. tyla* unterscheidet sie sich durch das Fehlen von Procladen mit tylen Claden, von *T. megaspina* und *T. multiformis* durch das Fehlen der großen Dornen an den Strahlen der großen Metaster und von *T. schmidtii* und *T. wrightii* durch die geringere Größe der kleinen Metaster.

Thenea megaspina n. sp.

Taf. XXI, Fig. 16—22; Taf. XXII, Fig. 1—5.

In der Valdivia-Sammlung finden sich 12 Stücke dieses Schwammes, 5 kleine und 7 größere. Der kleinste ist dick eiförmig, 7 mm lang und 5 mm breit. Der größte Teil der Oberfläche dieses Stückes ist mit einem niederen Pelz schief absteleider Nadeln bekleidet, und von beiden Enden erheben sich längere, frei vorragende Nadeln. Diese bilden zwei Ringsäume, die mit Siebböden versehene Gruben einfassen. Die eine davon hat die Form eines Querspalts und wird als Porengrube, die andere mehr rundliche als Oscculargrube anzusehen sein. Das größte Stück ist kugelig und etwas abgeplattet, trägt einen Nadelpelz und ist mit diesem 17 mm lang und 13 mm dick. Am oberen Teil des Schwammes finden sich zwei einander gegenüber liegende Gruben mit Siebböden, eine Poren- und eine Oscculargrube. Diese werden von Säumen frei vorragender Nadeln eingefaßt. Der Oscculargrubensaum ist 13 mm hoch. Die übrigen Stücke scheinen ähnlich gebaut zu sein, obwohl bei einigen die Poren- und Oscculargruben nicht deutlich erkennbar sind.

Die Farbe des Schwammes ist, in Weingeist, weißlich.

Hinsichtlich des Kanalsystems scheint die *T. megaspina* der *T. pendula* ähnlich zu sein, besitzt jedoch größere bis 70 μ lange Geißelkammern.

Das Skelett besteht aus radialen Amphioxen, Procladen, lang- und kurzcladigen Dichotriaenen, Anatriaenen, Tylostylen, und zerstreuten, großen, mittleren und kleinen Metastern. In einer gegen 300 μ mächtigen Rindenlage werden hauptsächlich kleine und mittlere Metaster angetroffen, während die großen hauptsächlich im Innern vorkommen.

Die **Amphioxe** sind 6—8 mm lang und 20—50 μ dick.

Die **Proclade** (Taf. XXI, Fig. 20, 21) sind teils Protriaene, teils Prodiaene. Ihr Schaft ist 4 mm und darüber lang und am cladomalen Ende 40—75 μ dick. Die Clade sind 650—700 μ lang. Sie zeichnen sich durch eine starke, gegen die Schaftverlängerung konkave Krümmung aus. Der Grundteil der Clade schließt mit der Schaftverlängerung einen Winkel von etwa 53⁰ ein. Je nach der Stärke ihrer Krümmung sind ihre Endteile (bei kleiner Krümmung) in gewöhnlicher Weise abstehend (bei stärkerer Krümmung), untereinander und mit dem Schafte parallel, oder (bei noch stärkerer Krümmung) einander zugeneigt. Von den merkwürdigen Procladen mit distal einander zugeneigten Claden habe ich in den Figuren 20 und 21 ein Protriaen und ein Prodiaen abgebildet. Die Cladombreite dieser Nadeln beträgt bei geringer Cladkrümmung 500—700, bei starker Cladkrümmung 310—350 μ.

Die **langcladigen Dichotriaene** (Taf. XXI, Fig. 18) haben 3—4,5 mm lange, am

167

cladomalen Ende 40 μ dicke Schäfte. Ihre Hauptclade sind 250 μ lang, während die längsten ihrer paarweise gegeneinander konkav gekrümmten Endclade eine Länge von 1—1,25 mm erreichen. Die Cladombreite beträgt 2,2—2,7 mm.

Außer diesen gewöhnlichen Dichotriaenen habe ich mehrmals solche mit sehr kurzen Endcladen beobachtet. In der Figur 1 (auf Taf. XXII) ist das Cladom eines solchen kurzcladigen Dichotriaens abgebildet. Diese Nadel hat am cladomalen Ende einen 37 μ dicken Schaft, 80 μ lange Haupt- und ebensolange Endclade. Die Cladombreite beträgt 250 μ. Diese Nadeln habe ich nur in den Nadelpräparaten und nicht in situ gefunden, weshalb es nicht sicher ist, daß sie dem Schwamme eigen sind.

Die Anatriaene (Taf. XXII, Fig. 2) haben am cladomalen Ende 12 μ dicke Schäfte und 140—230 μ lange, am Grunde beträchtlich gegen den Schaft konkav gekrümmte, weiterhin fast gerade Clade, deren Seiten mit dem Schafte Winkel von ungefähr 25° einschließen. Die Cladombreite beträgt 120—160 μ.

Die Tylostyle (Taf. XXII, Fig. 3, 4) sind 30—40 μ dick und haben ein keulenförmiges, am Ende mehr oder weniger abgestutztes erscheinendes, 70—80 μ breites Tyl. Die Seitenflächen des Tyls sind etwas unregelmäßig und mit flachen Erhöhungen (Fig. 3) oder warzenförmigen Vorsprüngen (Fig. 4) ausgestattet. Im Innern des Tyles sieht man kurze Cladachsenfäden, woraus hervorgeht, daß diese Tyle aus Telocladcladomen hervorgegangen und die Tylostyle selbst Teloclad-, wahrscheinlich Anatriaenderivate sind.

Die großen Metaster (Taf. XXI, Fig. 16, 17, 22; Taf. XXII, Fig. 5) haben, was wohl auf ihre bedeutende Strahlendicke zurückzuführen sein dürfte, keinen als solchen deutlich erkennbaren Schaft, und zwei bis sieben, meistens vier oder fünf, nur wenig exzentrische, zuweilen ganz konzentrisch erscheinende Strahlen. Die Strahlen sind ganz gerade, regelmäßig kegelförmig, spitz oder stumpf. Sie sind 170—240, meist etwa 220 μ lang und am Grunde 30—40 μ dick. Der Maximaldurchmesser der Drei- bis Siebenstrahler beträgt 340—440 μ während die Zweistrahler eine Länge von 480 μ erreichen. Das Nadelzentrum ist vollkommen glatt, die Strahlen aber dicht mit kegelförmigen, 1—2 μ hohen, etwas zurück (gegen das Zentrum) gebogenen Dornen besetzt. Auf diese großen Dornen bezieht sich der Artname *megaspina*. Die Kieselsubstanz zeigt Schichtung, namentlich pflegt eine ziemlich dünne, oberflächliche Schicht vom Innern deutlich abgegrenzt zu sein (Taf. XXII, Fig. 5).

Die mittleren Metaster (Taf. XXI, Fig. 19b) ähneln den großen in Bezug auf die Gestalt, sind aber viel kleiner. Die zweistrahligen (Fig. 19b) haben ein verdicktes Mittelstück (Schaft) und zwei kegelförmige, fast in einer Geraden liegende, etwa 120 μ lange, am Grunde 5—6 μ dicke Strahlen. Die Gesamtlänge der Nadel beträgt ungefähr 250 μ. Die mehrstrahligen, mittleren Metaster haben 25—32 μ lange, am Grunde 7 μ dicke Strahlen. Ihr Maximaldurchmesser beträgt ungefähr 50 μ.

Die kleinen Metaster (Taf. XXI, Fig. 19a) sind 24—28 μ lang und bestehen aus einem stark gewundenen, ziemlich langen und dicken Schaft, von dessen Seiten und Enden meist zwölf bis vierzehn, ziemlich lange und schlanke Strahlen abgehen.

Alle Stücke dieses Schwammes wurden von der Valdivia am 9. Januar 1899 im Südindik in 30° 6′ 7″ S. und 87° 50′ 4″ O. (Valdivia-Station Nr. 172) aus einer Tiefe von 2068 m heraufgeholt.

Von den meisten anderen *Thenea*-Arten unterscheidet sich *T. megaspina*, abgesehen von den kurzcladigen Dichotriaenen, die vielleicht fremde Nadeln sind, durch die Größe und außerordentliche Stachlichkeit ihrer großen Metaster. Vor allen aber, auch vor den ihr in Bezug auf die großen Metaster am nächsten stehenden *T. microclada* und *T. multiformis*, ist sie durch den Besitz von Procladen mit terminal einander zugeneigten Claden ausgezeichnet.

Thenea megastrella n. sp.

Taf. XXIII, Fig. 22—36.

In der Gazellen-Sammlung finden sich zwei Stücke dieses Schwammes. Dieselben sind einander ähnlich. Das eine ist gut erhalten, das andere hat etwas gelitten. Ersteres ist massig, annähernd kugelig und hält 13 mm im Durchmesser. In der Mitte der Scheitelfläche liegt ein kleines Osculum ohne Siebmembran; es hat die Gestalt eines Dreieckes mit abgerundeten Ecken und ist 2 mm weit. Oberhalb der Mitte umzieht eine fast ganz geschlossene Aequatorialfurche den Körper. Von der Unterseite des Schwammes gehen mehrere Wurzeln ab, von denen die längste 14 mm lang ist.

Die Farbe des Schwammes ist, in Weingeist, lichtbraun.

Das Skelett besteht aus radialen Amphioxen, Procladen, Dichotriaenen, Stylen, Tylostylen, Trichotriaenen, und zerstreuten, großen, mittleren und kleinen Metastern. Die Style, Tylostyle und namentlich die Trichotriaene sind selten.

Die Amphioxe sind 3,3—5,9 mm lang und 40—70 μ dick. Sie sind zum Teil isoactin, zum Teil anisoactin.

Die seltenen Style sind 60 μ dick. Sie dürften einseitig entwickelte Amphioxe sein.

Die Proclade (Taf. XXIII, Fig. 22) scheinen größtenteils Protriaene zu sein. Ihre Schäfte sind am cladomalen Ende 40—50 μ dick. Die Clade sind abgestumpft, kegelförmig, völlig gerade oder derart S-förmig gebogen, daß ihr Grund- und Endteil stärker von der Schaftverlängerung absteht als ihr Mittelteil. Sie sind 350—370 μ lang und schließen mit der Schaftverlängerung Winkel von 35—43° ein. Die Cladombreite beträgt 380—400 μ.

Die Dichotriaene (Taf. XXIII, Fig. 33—36) haben im cladomalen Endteil zylindrische, weiterhin kegelförmige, zu einer feinen Spitze verdünnte, 1,8—2,5 mm lange, am cladomalen Ende 65—100 μ dicke Schäfte. Dieselben pflegen in unregelmäßiger Weise verbogen zu sein (Fig. 33—36). Zuweilen ist die Krümmung so stark, daß der acladomale Endteil einen Winkel von nahezu 90° mit dem cladomalen einschließt. Die Hauptclade sind 150—175, die Endclade 450—500 μ lang und gewöhnlich paarweise schwach gegeneinander konkav gekrümmt; zuweilen ist ein Endclad oder sind auch mehrere, nach Art von Anatriaencladen nach abwärts gebogen (Fig. 34). Die Cladome erreichen eine Breite von 1,1 mm und erscheinen wegen der Dicke der Haupt- und Endclade gedrungen.

Nur bei dieser Art habe ich Trichotriaene gefunden. Sie sind sehr selten: es sind mir nur ein einziges intaktes und zwei gebrochene Trichotriaencladome untergekommen. Ob diese Nadeln wirklich so selten sind als hieraus zu schließen wäre, kann ich nicht mit Sicherheit behaupten, da ich von dem spärlichen und kostbaren Material natürlich nur wenig zur Anfertigung von Präparaten nahm. Das intakte Trichotriaenenladom saß einem, am cladomalen

169

Ende 22 μ dicken Schafte auf und hatte 150 μ lange Hauptclade erster Ordnung, 50 μ lange Hauptclade zweiter Ordnung und gerade, 60—150 μ lange Endclade. Die Cladombreite betrug 460 μ. Die Anatriaene (Taf. XXIII, Fig. 26) haben gegen 9 mm lange, am cladomalen Ende 8—12 μ dicke Schäfte, und 50 μ lange, schwach gegen den Schaft konkav gekrümmte oder fast gerade Clade, deren Seiten Winkel von ungefähr 40^0 mit dem Schaft einschließen. Die Cladombreite beträgt 57—60 μ.

Die selteren Tylostyle, welche ich für Anatriaenderivate halte, sind 7 μ dick und haben ein 17 μ im Durchmesser haltendes Tyl.

Die großen Metaster (Taf. XXIII, Fig. 27—32) sind sehr groß, worauf sich der Artname *megastrella* bezieht. Sie sind zwei- bis siebenstrahlig. Ihre Strahlen sind untereinander gleich (Fig. 29, 30) oder, seltener, ungleich (Fig. 27, 28), ziemlich glatt, wenn vollkommen ausgebildet kegelförmig und zugespitzt, wenn reduziert zylindrisch und abgerundet (Fig. 28). Es lassen sich dünn- (Fig. 30, 31) und dickstrahlige (Fig. 27—29, 32) große Metaster unterscheiden. Die Strahlen der ersten sind gerade, jene der letzten gerade oder etwas gebogen. Bei den dickstrahligen ist der Schaft gewöhnlich kaum zu erkennen und die Exzentrizität der Strahlen meist unmerklich. Es kommen aber auch große dickstrahlige Metaster vor, bei denen, wie bei dem in der Fig. 27 dargestellten, einer der Strahlen von der Seite eines anderen abgeht. Wenn man solche Strahlen als primäre und nicht als bloße Zweigstrahlen ansieht, muß man derartigen Nadeln den Besitz eines sehr deutlichen Schaftes und einer recht beträchtlichen Strahlenexzentrizität zuerkennen. Bei den schlankstrahligen sind ein kurzer Schaft und eine Exzentrizität der Strahlen oft sehr deutlich wahrzunehmen. Die dickstrahligen Diactine (Fig. 29) haben etwa 400 μ lange, am Grunde 30—40 μ dicke Strahlen, welche meistens unter einem Winkel von etwa 145^0 zusammenstoßen. Die ganze Nadel wird bis 740 μ lang. Die dickstrahligen Drei- bis Siebenstrahler, unter denen die Vier- und Fünfstrahler (Fig. 32) stark vorherrschen, haben kleinere Strahlen als die Zweistrahler und zwar im allgemeinen umso kleiner je größer die Zahl ihrer Strahlen ist. Die Strahlen dieser Nadeln sind 230—320 μ lang und am Grunde 22—32 μ dick. Ihr Maximaldurchmesser beträgt 420—550 μ. Die schlankstrahligen großen Metaster (Fig. 30, 31) haben ebenso viele, und fast ebenso lange Strahlen sowie auch ähnliche Maximaldurchmesser wie die dickstrahligen; ihre Strahlen sind aber am Grunde bloß 10—13 μ dick.

Die mittleren Metaster (Taf. XXIII, Fig. 23—25) sind ebenfalls zwei- bis siebenstrahlig. Die Strahlen der in diese Kategorie gehörigen Zweistrahler liegen entweder nahezu in einer geraden Linie (Fig. 24) oder bilden miteinander einen stumpfen Winkel, der zuweilen (Fig. 25) verhältnismäßig klein ist. Unter den Drei- bis Siebenstrahlern herrschen die Vierstrahler vor. Bei den mehr geraden Zweistrahlern erscheint der Schaft als ein unregelmäßig gekrümmtes Mittelstück (Fig. 24); bei den stärker winkelig gebogenen ist er gewöhnlich kaum zu sehen. Bei den Mehrstrahlern ist der Schaft zuweilen (Fig. 23a) ziemlich lang und sehr deutlich zu erkennen, zuweilen (Fig. 23b) sehr kurz und kaum als solcher wahrnehmbar. Im ersten Falle sind die, von den Schaftenden abgehenden Strahlen deutlich exzentrisch, im letzten ist die Exzentrizität derselben kaum zu bemerken. Die Strahlen sind am Grunde etwa 3 μ dick. Jene der Diactine erreichen eine Länge von 110—120, jene der Mehrstrahler eine solche von 50—70 μ. Der Maximaldurchmesser der ersten beträgt 210—280, jener der letzten 110—120 μ. Die kleinen langschäftigen von diesen Nadeln vermitteln den Uebergang zu den kleinen Metastern.

Die kleinen Metaster sind 17—18 μ lang und bestehen aus einem etwas gewundenen, ziemlich schlanken Schaft, dessen Seiten und Enden meistens neun oder zehn schlanke Strahlen tragen.

Die beiden Stücke dieses Schwammes wurden von der Gazelle (Nr. 480) bei den Kap Verd-Inseln in 15° 52′ 5″ N. und 23° 8′ W. aus einer Tiefe von 217 m hervorgeholt.

Von allen anderen bekannten *Thenea*-Arten unterscheidet sich *T. megastrella* durch die Größe ihrer großen Metaster: keine andere hat so große wie sie.

Genus Papyrula O. Schmidt.

Theneidae mit Dichotriaenen, ohne eigentliche Metaster. Die Microsclere sind, vermutlich metasterderivate Microamphioxe.

In der Valdivia-Sammlung findet sich ein zu dieser Gattung gehöriger Schwamm, welcher einer neuen Art angehört.

Papyrula sphaera n. sp.

Taf. XXXVII, Fig. 24—35; Taf. XXXVIII, Fig. 1.

Von diesem Schwamme findet sich ein Stück in der Valdivia-Sammlung.

Dasselbe (Taf. XXXVII, Fig. 27) ist ein langgestreckter, gyriartig gewundener Knollen von 79 mm Länge, 44 mm Breite und 28 mm Höhe (Dicke). Die Oberfläche ist wellig und kahl. An derselben findet sich ein 4 mm weites, von einer Siebmembran mit drei ungleichen Löchern bedecktes Osculum, und einige kleinere, mit freiem Auge kaum sichtbare Oeffnungen, die vielleicht auch Oscula sind. Der Schwamm hat eine bis 500 μ dicke Rinde. Die Einströmungsporen sind rundlich, etwa 120 μ weit, und recht zahlreich. Unter der Rinde finden sich lange beisammen liegende, 150—350 μ weite Subdermalhöhlen; in diese führen die von den Poren herabziehenden Kanäle hinein. Allenthalben werden in den Schnitten durch das Schwammgewebe Bläschenzellen, eiförmige Lücken von 30—40 μ Länge und 16—24 μ Breite angetroffen, die eine größere oder kleinere, körnige, stark tingierbare Masse enthalten, in der oft, namentlich wenn sie groß ist, ein kleiner, kugeliger Zellkern nachgewiesen werden kann.

Die Farbe des Schwammes ist, in Weingeist, bräunlichgelb.

Das Skelett besteht aus rhabden und dichotriaenen Megascleren und rhabden Microscleren; auch Sphaere kommen vor. Auf die letzten bezieht sich der Artname. Die rhabden Megasclere sind vorwiegend Amphioxe, es kommen aber auch Style sowie einzelne Amphistrongyle, und unregelmäßige, zweigtragende Stabnadeln vor. Im distalen Teil des Choanosoms bilden die rhabden Megasclere dünne Radialbündel. Die Dichotriaene sind auf den distalen Teil des Choanosoms beschränkt. Sie bilden eine einfache Lage dicht unter der Rinde, breiten ihre Cladome paratangential an der Rindengrenze aus und richten ihre kurzen Schäfte radial nach innen. Die rhabden Microsclere sind glatt. Die meisten sind Amphioxe, es kommen aber auch Style unter ihnen vor. Sie bilden, wirr durcheinander geworfen, eine dichte Masse in der Rinde und kommen auch in großer Zahl unregelmäßig zerstreut, im Choanosom vor. Die Sphaere sind teils einfache Kugeln, teils mit einer Spitze ausgestattet. Sie kommen überall zwischen den Microrhabden vor, sind aber nicht zahlreich.

Die Amphioxe (Taf. XXXVII, Fig. 31, 33 b) sind meist schwach gekrümmt, 1,25—1,7, meist etwa 1,6 mm lang und 35—60, meist ungefähr 55 μ dick. '

Die selteren Amphistrongyle sind kleiner, meist unter 1 mm lang, und etwa 22 μ dick.

Die Style (Taf. XXXVII, Fig. 32, 33 c) sind zum Teil den oben beschriebenen Amphioxen ähnlich und von innen nur durch die Abrundung des einen Endes unterschieden, zum Teil kleiner, nur 1—1,2 mm lang, und am abgerundeten Ende allmählich verdickt, keulenförmig. Diese Keulenstyle, die man vielleicht auch Tylostyle nennen könnte, sind in der Längenmitte 40—50, am abgerundeten Ende (im Tyl) 45—60 μ dick.

Ich habe eine beträchtliche Anzahl von rhabden Megascleren — meist waren es Amphioxe — gesehen, welche nahe dem einen Ende mehrere kurze Zweige trugen, und eines, welches solcherart an beiden Enden verzweigt war.

Die Dichotriaene (Taf. XXXVII, Fig. 24—26, 33 a) haben einen zugespitzten, meist geraden, kegelförmigen (Fig. 25, 26), selten unregelmäßigen (Fig. 24), 350—470 μ langen, am Grunde 90—130 μ dicken Schaft. Haupt- und Endclade liegen annähernd in einer, auf dem Schafte senkrecht stehenden Ebene. Die Hauptclade sind 120—200, meist etwa 150 μ lang und 80—120, meist etwa 100 μ dick. Die Endclade sind meistens im ganzen gerade, zugespitzt, und 300—550 μ lang. Zuweilen sind sie nach einwärts (gegen das andere Clad des Paares hin) gekrümmt, selten stark verkürzt und am Ende abgerundet. Ihre Oberfläche pflegt etwas unregelmäßig, wellig zu sein. Die Cladombreite normaler Dichotriaene beträgt 1—1,3 mm. Ein Dichotriaen mit verkürzten, terminal abgerundeten Endcladen hatte ein nur 550 μ breites Cladom. Bei den normalen Dichotriaenen beträgt die Schaftlänge meist nicht viel über ein Drittel der Cladombreite.

Die Microamphioxe (Taf. XXXVII, Fig. 35, Taf. XXXVIII, Fig. 1 b, c) sind gewöhnlich stetig, seltener etwas unregelmäßig gekrümmt, und von recht verschiedener Größe: 60—185 μ lang und 4—11 μ dick. Zuweilen ist eine Andeutung eines zentralen Tyls vorhanden (Taf. XXXVIII, Fig. 1 c).

Die Microstyle (Taf. XXXVII, Fig. 30) sind 50—140 μ lang und 5—11 μ dick. Das abgerundete Nadelende pflegt zylindrisch zu sein: selteuer ist es gegen das Ende etwas verdünnt, oder umgekehrt, dort keulenförmig angeschwollen.

Auch unter den microscleren Rhabden habe ich zweigtragende gefunden (Taf. XXXVII, Fig. 34). Es sind zumeist Amphioxe, die in der Nähe des einen Endes ein, zwei oder (selten) mehr, kurze, zugespitzte Aststrahlen tragen. Es ist bemerkenswert, daß aststrahlentragende Rhabde hier, ebenso wie bei *Tethya cranium* (s. d.) mit Sphaeren assoziert sind.

Die einfachen Sphaere (Taf. XXXVII, Fig. 28) sind konzentrisch geschichtete Kieselkugeln von 10—25 μ Durchmesser.

Die Sphaere mit Spitze (Taf. XXXVII, Fig. 29; Taf. XXXVIII, Fig. 1a) bestehen aus einer, einem einfachen Sphaer gleichenden Kieselkugel, von der ein gerader, zugespitzter Strahl abgeht. Dieser ist 5—50 μ lang, und am Grunde etwa ein Drittel so stark als die Kieselkugel. Dieser Strahl liegt meist regelmäßig radial, so daß die proximale Verlängerung seiner Achse durch den Mittelpunkt des kugelförmigen Teils der Nadel geht. Seltener ist er exzentrisch. Nur sehr selten habe ich solche Nadeln mit zwei von der Kugel abgehenden Strahlen gesehen. Dieser Schwamm wurde von der Valdivia am 2. November 1898 an der südafrikanischen Küste in 35° 10′ 5″ S., 23° 2′ O. (Valdivia-Station Nr. 103) aus einer Tiefe von 500 m hervorgeholt.

Von den beiden bisher bekannt gewordenen Arten des Genus *Papyrula* unterscheidet sich der vorliegende Schwamm durch die relativ geringere Länge seiner Dichotriaenschäfte und den Besitz von Sphaeren. Wegen der Kurzschäftigkeit seiner Triaene könnte man versucht sein diesen Schwamm den Pachastrelliden zuzuweisen, und es würden, was die Dichotriaenform anbelangt, schließlich auch die beiden anderen *Papyrula*-Arten ganz gut zu den Pachastrelliden passen. Ich glaube aber, daß die regelmäßig radiale Anordnung der Triaene und ihr Beschränktsein auf die subcorticale Choanosomschicht es notwendig machen, diese Spongien trotz der Kurzschäftigkeit ihrer Triaene, von den Pachastrelliden fern zu halten und in dem Verbande der Stellettiden zu belassen.

Familie Pachastrellidae.

Astrophora mit metastrosen Microscleren, ohne Euaster und ohne Sterraster. Mit unregelmäßig angeordneten Chelotropen oder kurzschäftigen Telocladen im innern. Im oberflächlichen Schwammteil können radial orientierte Teloclade vorkommen. Diese sind meistens kurz- selten langschäftig.

Die Tetractinelliden die mit im Innern unregelmäßig angeordneten Chelotropen wurden zuerst von CARTER[1]) in eine Gruppe, Pachastrellina, vereint. Später hat SOLLAS[2]) diese Gruppe genauer präzisiert und für sie die Familie Pachastrellidae aufgestellt. Er definiert dieselbe als Streptastrosa, hat aber, worauf oben schon hingewiesen worden ist, unlogischer Weise auch Euastrosa (die Gattung Calthropella), darin aufgenommen. Ich[3]) habe die Familie in ähnlichem Sinne wie SOLLAS beibehalten und darin ebenso wie dieser, Spongien mit Metastern und Spongien mit Euastern untergebracht. TOPSENT[4]) hat die Euastrosa aus dieser Gruppe entfernt und für die übrigen die Subfamilie Pachastrellinae aufgestellt. Er unterschied in dieser Subfamilie die vier Gattungen Pachastrella, Nethea, Characella und Triptolemus. Zu diesen kämen noch die von ihm den Theneinae eingereihten Gattungen Sphinctrella und Poecillastra. Die Gattungen Poecillastra und Characella habe ich (l. c.) aufgelöst und ihre Angehörigen unter andere Genera verteilt, so daß also 4 Gattungen (Untergattungen): Sphinctrella, Pachastrella, Nethea und Triptolemus bleiben. Zu diesen kommen 3 neue, für hier zum erstenmal beschriebene Spongien aufgestellte, Chelotropaena, Ancorella und Pachamphilla hinzu. Die beiden letztgenannten besitzen allerdings keine echten Metaster, es scheinen mir aber die Microamphioxe, mit denen sie ausgestattet sind, Metasterderivate zu sein, so daß sie in einem ähnlichen Verhältnis zu den übrigen Pachastrelliden stehen, wie Papyrula zu Thenea.

---

[1]) H. J. CARTER, Notes introductory . . . . . . II. Proposed classification of the Spongida. In: Ann. Mag. nat. Hist. Ser. 4 Bd. 16 p. 133, 185, 199.

[2]) W. J. SOLLAS, Prelim. Account Challenger. In: Proc. R. Dublin Soc. Bd. 5 p. 177 und Tetractinellida. In: Rep. Voy. Challenger Bd. 25 p. CXXXII.

[3]) R. v. LENDENFELD, Tetraxonia. In: Tierreich Bd. 19 p. 71.

[4]) E. TOPSENT, Les Asterostreptidae. In: Bull. Soc. Scient. Med. de l'ouest Bd. 11 Nr. 2 p. 10.

Je nachdem echte Metaster vorhanden sind, oder fehlen und keine anderen Microsclere als (vermutlich metasterderivate) Microamphioxe vorkommen, lassen sich innerhalb der Pachastrellidae die zwei Subfamilien Pachastrellinae und Pachamphillinae unterscheiden.

Es zerfallen sonach die Pachastrellidae in zwei Subfamilien und — da ich jetzt die früher von mir bloß als Subgenera anerkannten Gruppen als Genera ansehe — sieben Gattungen:

I. Subfamilia *Pachastrellinae* (mit echten Metastern);

Genus *Chelotropaena* (mit langschäftigen Telocladen und kurzschäftigen Dichotriaenen);

Genus *Sphinctrella* (mit langschäftigen Telocladen, ohne Dichotriaene);

Genus *Pachastrella* (ohne langschäftige Teloclade, ohne Mesoclade und ohne durch mehr weniger weit gehende Rückbildung eines Strahls entstandene, tetraxonderivate Triactine oder triactinähnliche Nadeln);

Genus *Nethea* (ohne langschäftige Teloclade, ohne Mesoclade, mit durch mehr weniger weit gehende Rückbildung eines Strahls entstandenen, tetraxonderivaten Triactinen oder triactinähnlichen Nadeln;

Genus *Triptolemus* (ohne Teloclade oder Chelotrope, mit Mesocladen).

II. Subfamilia *Pachamphillinae* (mit Microamphioxen, ohne echte Metaster);

Genus *Ancorella* (mit anatriaenen, langschäftigen Telocladen);

Genus *Pachamphilla* (ohne langschäftige Teloclade).

Diese Gattungsunterschiede sind in dem folgenden Schema zusammengestellt:

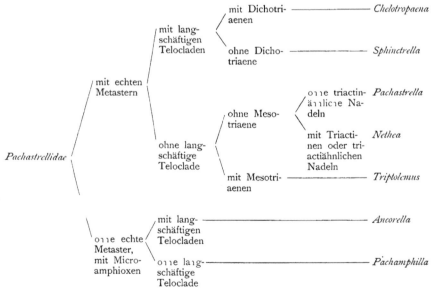

In der Valdivia-Sammlung sind beide Subfamilien und die Genera Chelotropaena, Pachastrella, Ancorella und Pachamphilla vertreten.

Es finden sich darin 62, in der Gazellen-Sammlung keine, zur Familie Pachastrellidae gehörige Spongien. Diese gehören 4 Gattungen und 6 Arten an, von denen 5 neu sind.

Subfamilie Pachastrellinae.

Pachastrellidae mit echten Metastern.

Genus Chelotropaena n. gen.

Pachastrellidae mit echten Metastern; mit radial angeordneten, langschäftigen Plagiotriaenen an der Oberfläche und mit kurzschäftigen Dichotriaenen und Chelotropen, welch' letztere unregelmäßig angeordnet im Innern vorkommen; ohne Anatriaene.

In der Valdivia-Sammlung finden sich 4 zu diesem Genus gehörige Spongien, welche einer neuen Art angehören.

Chelotropaena tenuirhabda n. sp.

Taf. XL, Fig. 23—46, 47 a, 48—57.

Von diesem Schwamme finden sich vier, zusammen auf einem Korallenskelett sitzende Stücke in der Valdivia-Sammlung.

Dieselben sind mit einem anderen Schwamme, *Ancorella paulini* (Taf. XL, Fig. 47 b) assoziiert. Der letztere hat sich in Gestalt einer dicken, polsterförmigen Kruste über das Korallenskelettstück ausgebreitet. In dieser *Ancorella*-Kruste finden sich vier Unterbrechungen, welche von der *Chelotropaena* ausgefüllt werden. Die größte davon ist annähernd dreieckig und 50 mm breit. Sie wird von einem ebenso ausgedehnten, gegen 20 mm mächtigen, polsterförmigen Chelotropaenastücke (Taf. XL, Fig. 47 a) eingenommen. Die drei anderen sind kleiner. Die Oberfläche des Schwammes ist mit einem dichten Nadelpelz bekleidet. Am Rande des großen Stückes beobachtete ich eine kreisrunde, von einer Nadelkrone umgebene, 3 mm breite, den Porengruben von *Cinachyra* und *Fangophilina* ähnliche Vertiefung, deren glatter Boden von zahlreichen Poren durchbrochen war.

Die Farbe des Schwammes ist, in Weingeist, aschgrau.

Das Skelett besteht aus großen, dicken und schlanken Amphioxen, Stylen, Tylostylen, langschäftigen Plagiotriaenen, kurzschäftigen Plagiotriaenen, kurzschäftigen Dichotriaenen, unregelmäßigen Tetractinen und Tetractinderivaten, Metastern, und dicken und schlanken Microamphioxen. Auch Triactine, winklig gebogene Diactine, Anatriaene und irreguläre Amphiclade haben sich in dem Schwamme gefunden. Die letztgenannten Nadeln, welche auch in der mit der *Chelotropaena* assoziierten *Ancorella* vorkommen, halte ich für der letztgenannten angehörige, der *Chelotropaena* fremde Skelettbildungen.

Sowohl die dicken als die schlanken Amphioxe sind recht zahlreich. Sie ziehen vom

Grunde, wo der Schwamm an die Koralle angeheftet ist, radial zur Oberfläche empor. Die frei vorragenden Distalenden der oberflächlich gelegenen bilden den Nadelpelz und die Einfassung der Porengrube. Die Style und Tylostyle sind ziemlich selten. Sie sind ebenfalls radial angeordnet und liegen zwischen den großen Amphioxen. Die dicht unter der Oberfläche gelegenen, langschäftigen Plagiotriaene und regelmäßigen, kurzschäftigen Dichotriaene sind radial angeordnet, breiten ihre Cladome paratangential in der Dermalmembran aus, und richten ihre Schäfte nach innen. Die recht zahlreichen, im Innern liegenden, kurzschäftigen Plagiotriaene, Chelotrope, unregelmäßigen Dichotriaene- und sonstigen Tetractine und Tetractinderivate sind ganz regellos angeordnet. Metaster finden sich in großer Zahl an der Oberfläche und im Innern. Von den Microamphioxen werden die dicken vorwiegend an der Oberfläche, die schlanken am häufigsten im Innern und in der Grundhaut angetroffen. Beide Arten von Microamphioxen sind stellenweise sehr zahlreich. Von den Triactinen, winkelig gebogenen Diactinen, Anatriaenen und irregulären Amphicladen, die ich, wie erwähnt, für fremde Nadeln halte, sind die erstgenannten stellenweise, namentlich in der Grundhaut, ziemlich häufig, alle anderen aber sehr selten.

Die großen, dicken Amphioxe (Taf. XL, Fig. 54, 57) sind 2—5,5 mm lang und in der Mitte 30—100 μ dick. Ihre Dicke steht annähernd im Verhältnis zu ihrer Länge. Die meisten sind in der Mitte gebogen, in den Endteilen aber gerade oder etwas zurückgebogen, ausgeschweift, einigermaßen toxartig. Sie sind gewöhnlich ziemlich scharfspitzig und isoactin, ich habe aber auch anisoactine und beidendig ziemlich stumpfe gesehen. Einzelne von diesen Nadeln haben nahe dem einen Ende einen Auswuchs, der aus einer Gruppe mehr weniger halbkugeliger Wülste besteht (Fig. 57).

Die großen, schlanken Amphioxe (Taf. XL, Fig. 53) sind schwach gebogen, beidendig zugespitzt, 7—10 mm lang und 8—25 μ dick. Uebergänge zwischen den schlanken und den dicken Amphioxen kommen vor, sind aber nicht häufig.

Die Style und Tylostyle (Taf. XL, Fig. 55, 56) sind meist nur sehr wenig gekrümmte, 3,2—4,6 mm lange und 35—100 μ dicke, an einem Ende zugespitzte, am anderen abgerundete und gewöhnlich mehr oder weniger verdickte Stäbe. Die Verdickung des abgerundeten Endes ist entweder keulenförmig (Fig. 55, 56) oder, seltener, in Gestalt eines mehr oder weniger abgesetzten Endtyls ausgebildet, dessen Durchmesser die Dicke des anstoßenden Teils der Nadel um 30 % übersteigt. Außer diesen großen habe ich auch einige ganz kleine, nur 500 μ lange, Tylostyle beobachtet. Diese halte ich für fremde Nadeln.

Die langschäftigen Plagiotriaene der Dermalschicht (Taf. XL, Fig. 35) haben einen völlig geraden, proximal zylindrischen, terminal kegelförmigen, 600 μ—1,4 mm langen, am Grunde meist 40—75 μ dicken Schaft. Die Clade sind gerade oder schwach gegen den Schaft konkav gekrümmt und 200—400 μ lang. Sie schließen mit dem Schafte Winkel von 108—125° ein. Die Cladombreite beträgt 320—630 μ. Gewöhnlich sind die drei Clade gleich lang, es kommen aber auch solche Nadeln mit ungleich langen Claden vor.

Die im Innern zerstreuten kurzschäftigen Plagiotriaene und Chelotrope (Taf. XL, Fig. 36, 37) haben 300—900 μ lange, am Grunde 30—70 μ dicke Strahlen. Bei den aus vier völlig gleichen Strahlen bestehenden, eigentlichen Chelotropen (Fig. 37), pflegen alle Strahlen gerade zu sein. Bei den mit einem längeren Schaftstrahl ausgestatteten, welche als kurzschäftige

Plagiotriaene erscheinen (Fig. 36) pflegen die (kürzeren) Cladstrahlen gegen den Schaft konkav gekrümmt zu sein.

Die regelmäßigen Dichotriaene der Dermalschicht (Taf. XL, Fig. 42, 43, 45) haben einen geraden, kegelförmigen, 420—900 μ langen, am Grunde 30—80, meist 40—50 μ dicken Schaft. Die Hauptclade sind empor gerichtet und 150—380 μ lang. Die 100—600 μ langen Endclade liegen annähernd in einer zum Schaft senkrecht stehenden Ebene. Kurze Endclade pflegen stumpf zu sein (Fig. 45), die langen sind zugespitzt (Fig. 43).

Von unregelmäßigen Derivatformen der oben beschriebenen Tetractine (Taf. XL, Fig. 38—41, 44. 46) kommen dichotriaenartige, kurzschäftige Plagiotriaene mit einem (Fig. 38) oder zwei (Fig. 39, 40) normal gabelspaltigen, und zwei oder einem geknickten oder zweimal dichotom verzweigten Claden (Fig. 41); dann Triactine mit zwei gebogenen, bis über 1 mm langen Strahlen (Fig. 44) und Diactine mit einem gabelspaltigen Clad (Fig. 46), sowie irreguläre Tetractinderivate mit exzentrischen Strahlen vor.

Bezüglich der vermutlich fremden, von der assoziierten *Ancorella* herstammenden Triactine, winkeligen Diactine, Anatriaene und irregulären Amphiclade verweise ich auf die Beschreibung von *Ancorella paulini*. Dort sind sie geschildert.

Die Metaster (Taf. XL, Fig. 23—33, 49b, 50—52) haben zwei bis dreizehn Strahlen. Am weitaus häufigsten sind Drei- bis Sechsstrahler; auch Elf- bis Dreizehnstrahler gibt es ziemlich viele; Zweistrahler, sowie Sieben- bis Zehnstrahler dagegen sind relativ selten. Die Strahlen der wenigstrahligen Metaster sind kegelförmig, jene der vielstrahligen gegen das Ende weniger verdünnt, zylindrokonisch. Die Strahlen aller Metaster sind mit kleinen und schlanken, ziemlich hohen, senkrecht abstehenden oder zurückgebogenen Dornen besetzt. Gewöhnlich findet sich auch ein Terminaldorn. Der Schaft ist glatt. Meistens sind alle Strahlen einer Nadel zo ziemlich gleich groß. Zuweilen sind nur einige, oder ist gar nur einer (Fig. 51) vollkommen ausgebildet, die anderen verkürzt und am Ende abgerundet. Strahlenzahl und Schaftlänge stehen im umgekehrten Verhältnis zur Größe der einzelnen Strahlen und der ganzen Nadel. Bei den Zwei- und Dreistrahlern ist der Schaft als solcher nicht zu erkennen, und auch bei den Vierstrahlern läßt sich gewöhnlich nur aus der Exzentrizität der Strahlen auf sein Vorhandensein schließen. Die beiden Strahlen der Zweistrahler schließen entweder einen stumpfen Winkel zwischen sich ein (Fig. 31, 32) oder sie liegen annähernd in einer Geraden. Im letzten Falle erscheint die Nadel als ein relativ ziemlich dickes, schwach gebogenes, dorniges Microamphiox (Fig. 33, 50). Die Zwei- bis Sechsstrahler haben 18—44 μ lange, 1,5—3 μ dicke Strahlen und sind im ganzen 33—80 μ lang. Der Schaft ist bei den Vier- bis Sechsstrahlern meist 4—6 μ lang und 3—4 μ dick. Die Sieben- bis Zehnstrahler haben einen 4—8 μ langen, 1—2 μ dicken Schaft und 8—11 μ lange Strahlen. Ihre Gesamtlänge beträgt 20—25 μ. Die Elf- bis Dreizehnstrahler haben einen ebenso dicken oder etwas dickeren, 7—9 μ langen Schaft und 6—9 μ lange Strahlen. Ihre Gesamtlänge beträgt 17—23 μ.

Die dicken Microamphioxe (Taf. XL, Fig. 48) sind grobdornig, oft etwas plötzlich und nicht scharf zugespitzt, stets schwach gekrümmt, 90—300 μ lang und 7—10 μ dick. Sie unterscheiden sich von den geraden diactinen Metastern nur durch ihre etwas bedeutendere Größe und können vielleicht als Metasterderivate angesehen werden.

Die schlanken Microamphioxe (Taf. XL, Fig. 34a, b, 49a) sind glatt, fein zugespitzt,

177

selten centrotyl, in der Mitte gekrümmt, gegen die Enden iin gerade oder schwach zurückgebogen, ausgeschweift, einigermaßen toxartig, 125—200 μ lang und 1—2 μ dick.

Die vier Sticke dieses Schwammes wurden von der Valdivia am 3. Januar 1899 östlich von St. Paul im Südindik, in 38° 40' S., 77° 38,6' O. (Valdivia-Station Nr. 165) aus einer Tiefe von 672 m hervorgeholt.

C. tenuirhabda ist die einzige Art der Gattung *Chelotropaena*.

Genus Pachastrella O. SCHMIDT.

Pachastrellidae mit echten Metastern; ohne langschäftige Teloclade, ohne Mesotriaene, und ohne durch mehr oder weniger weit gehende Rückbildung eines Strahls entstandene, tetraxonderivate Triactine oder triactinähnliche Nadeln.

In der Valdivia-Sammlung finden sich 55 zum Genus *Pachastrella* gehörige Spongien. Diese gehören 3 Arten an, wovon 2 neu sind.

Pachastrella tenuipilosa n. sp.

Taf. XXXIX, Fig. 26—36; Taf. XL, Fig. 1—12.

In der Valdivia-Sammlung finden sich 27 größere Sticke und 12 kleinere Fragmente dieses Schwammes. Sie erscheinen als mehr oder weniger gekrümmte, am Rande abgerundete, 4—10 mm dicke Platten von durchaus gleicher Dicke und eiförmigem oder unregelmäßigem Umriß. Die kleinsten, intakten Sticke haben einen größten Durchmesser von 20 mm, das größte ist 63 mm lang, 39 mm breit und 10 mm dick. Die Untersuchung von Schnitten (Taf. XXXIX, Fig. 29 d) zeigt, daß zarte Amphioxe frei, schief über die Oberfläche emporragen; auch mit stärkeren Lupen erkennt man sie; dem unbewaffneten Auge erscheint die Oberfläche aber kahl und glatt. Berührt man den Schwamm, so spürt man, daß er durchaus nicht glatt ist: er fühlt sich eher wie Bimsstein an. Beide Breitseiten der Platten sind etwas wellenförmig. An der konvexen finden sich unregelmäßig zerstreute, 0,3—2,5 mm weite, kreisrunde Oscula in beträchtlicher Anzahl.

Die Farbe der Sticke von Station 8 ist, in Weingeist, schmutzigweiß; jene der Sticke von Station 4 licht bis dunkelbraun.

Der Schwamm hat eine feine Dermalmembran (Taf. XXXIX, Fig. 29 a), welche an den beiden Breitseiten der Platte etwas verschieden entwickelt ist, und auf der, den Osculis gegenüber liegenden, konkaven Seite von zahlreichen kreisrunden oder eiförmigen, 40—200 μ weiten Poren durchbrochen (Taf. XXXIX, Fig. 28) wird. Diese Poren sind einigermaßen unregelmäßig angeordnet und stehen stellenweise einander sehr nahe. Bei manchen Sticken liegen viele paarweise, nur durch eine schmale Gewebebrücke getrennt, dicht beisammen. Diese Poren führen in ziemlich große, durchschnittlich etwa 200 μ weite Subdermalräume (Taf. XXXIX, Fig. 29 b) hinein. Die Zweigkanäle des Choanosoms (Taf. XXXIX, Fig. 27 a, 29 h) sind enger. Die Geißelkammern (Taf. XXXIX, Fig. 27 b, 29 j) sind eiförmig bis kugelig, oft gegeneinander abgeplattet, 35—65 μ lang und 25—45 μ breit. Zu jedem Osculum zieht ein weites Oscularrohr hinauf. Oft durchsetzen diese Oscularröhren fast die ganze Dicke der Platte. Die Zwischenschicht ist sehr wenig entwickelt, nur stellenweise massiger ausgebildet, weshalb das Gewebe des Schwammes sehr zart erscheint. An den Schnitten ist oft zu sehen, daß eine einfache Lage von Geißelkammern benachbarte Kanäle (einen einführenden und einen ausführenden) voneinander trennt. Auch der in der Fig. 27 (auf Taf. XXXIX) dargestellte Schnitt zeigt das. Die Kragenzellen sind klein, niedrig und ziemlich weit voneinander entfernt. Vielleicht sind einige abgefallen. Sie sind etwa 4 μ breit und haben, von der Fläche gesehen, einen polygonalen Umriß, von dessen Ecken zipfelförmige Ausläufer abgehen. Der Kern hält 1,2—1,5 μ im Durchmesser. An den wenigen Stellen, wo die Zwischenschicht stärker ausgebildet ist, was namentlich in den zwischen den Subdermalräumen gelegenen Säulen, welche die Dermalmembran an das Choanosom heften der Fall, finden sich zahlreiche kugelige, eiförmige oder unregelmäßige, 12—30 μ im Durchmesser haltende Gruppen ziemlich dichtgedrängter, größerer, unregelmäßig massiger, meist 6—8 μ im Durchmesser haltender Zellen (Taf. XXXIX, Fig. 26 b, 29 i). Viele von ihnen sind mit zipfelförmigen Ausläufern ausgestattet. Ihr Plasma ist körnig und wird von Anilinblau stark gefärbt. Jede von diesen Zellen enthält einen kugeligen, glatten Kern von 2—4 μ Durchmesser. Diese Zellenhaufen erinnern an gewisse von IJIMA beschriebene, bei Hexactinelliden vorkommende Bildungen.

Das Skelett besteht aus rhabden, tetractinen und tetractinderivaten Megascleren und metasteren und microamphioxen Microscleren. Unter den rhabden Megascleren sind große starke und kleine schlanke zu unterscheiden. Die großen, starken Rhabde sind größtenteils Amphioxe, es kommen aber auch Style unter ihnen vor, welche bei den Stücken von Station 4 zahlreicher als bei jenen von Station 8 sind. Im Innern liegen die starken Rhabde zumeist schief oder radial und bilden hier lose, zur Oberfläche emporziehende Stränge. In und auch unter der Dermalmembran (Taf. XXXIX, Fig. 29 c) liegen sie paratangential und bilden hier Geflechte. Die kleinen, schlanken Amphioxe stecken mehr oder weniger, zuweilen ungemein schief, fast anliegend, derart in der Oberfläche, daß sie mit dem größeren Teil ihrer Länge frei über dieselbe vorragen. Sie bilden einen unregelmäßigen, Teile der Oberfläche bekleidenden, zarten, dünnhaarigen Pelz (Taf. XXXIX, Fig. 29 d), worauf sich der Artname bezieht, und durch dessen Besitz die vorliegende Species sich von den übrigen Formen der *Pachastrella compressa* Gruppe, zu der sie gehört, unterscheidet. Bei den weniger gut erhaltenen Stücken ist dieser Pelz größtenteils abgerieben: bei solchen findet man oft nur mehr die proximalen, im Schwamme steckenden Endstücke der schlanken Pelznadeln vor. Die Tetractine und Tetractinderivate sind kleine und kurzschäftige Teloclade und Chelotrope. Im oberflächlichen Teil des Schwammes sind sie mäßig zahlreich und liegen hier so, daß ihre Clade (Distalstrahlen) paratangential in der Dermalmembran ausgebreitet, ihr Schaft (Proximalstrahl) radial nach innen gerichtet sind (Taf. XXXIX, Fig. 29 e). Im Innern sind sie viel spärlicher, und liegen hier unregelmäßig zerstreut. Sie sind ortho- oder häufiger plagioclad. Die meisten sind triaen, es kommen aber auch viele monaene, sowie einzelne diaene vor. Nicht wenige von den plagiocladen, triaenen haben gerade Clade und einen, den Claden an Länge gleichkommenden Schaft: diese erscheinen als Chelotrope. Die Metaster bilden eine dichte Lage an der äußeren Oberfläche (Taf. XXXIX, Fig. 28, 36 b) und kommen in großer Zahl zerstreut auch im Choanosom vor (Taf. XXXIX, Fig. 26 a, 27, 29 g). Sie liegen im allgemeinen so, daß einige ihrer Strahlen im Schwammgewebe stecken, während die anderen frei, sei es nach außen, sei es in die Kanallumina hinein, vorragen. Die Metaster sind sehr mannigfaltig. Es finden sich zahllose verschiedene Formen von großen, wenigstrahligen, euasterähnlichen bis zu kleinen, langgestreckten, vielstrahligen Spirastern. Die dornigen Micro-amphioxe liegen in Massen paratangential in der Dermalmembran (Taf. XXXIX, Fig. 36 a) und kommen in großer Zahl zerstreut auch im Innern vor. In den Wänden der großen Kanäle des Choanosoms liegen sie paratangential. Die Wände der kleinen Kanäle sind frei von diesen Nadeln.

Die großen, starken Amphioxe (Taf. XXXIX, Fig. 29 c, 30) sind schwach ge-krümmt, ziemlich plötzlich und meist nicht scharf zugespitzt, 1,8—3,3 mm lang und 35—50 μ dick. Die Style sind 1—2,5 mm lang und 25—40 μ dick.

Die kleinen, schlanken Amphioxe des Pelzes (Taf. XXXIX, Fig. 29 d) sind fast gerade oder schwach gekrümmt, 400—700 μ lang·und 4—7 μ dick.

Die Plagio- und Orthotriaene und -diaene (Taf. XXIX, Fig. 29 e, 31—33) haben einen geraden, kegelförmigen, 200—300 μ langen, am Grunde 15—25 μ dicken Schaft, und gegen diesen meist beträchtlich konkav gekrümmte, seltener fast gerade Clade, deren Seiten mit dem Schafte Winkel von 80—115, meist etwa 105° einschließen. Die Clade dieser Triaene der Sticke von Station 4 sind 350—470, jene der Sticke von Station 8 240—360 μ lang. Die Cladombreite beträgt bei ersteren meist 400—650, bei letzteren 600—800 μ und ist meist an-nähernd doppelt so groß wie die Schaftlänge.

Die Chelotrope haben meist 250—300 μ lange Strahlen.

Die Plagio- und Orthomonaene (Taf. XXXIX, Fig. 34) haben einen geraden kegelförmigen, 250—340 μ langen, am Grunde 15—30 μ dicken Schaft. Das gegen diesen meist beträchtlich konkav gekrümmte, seltener gerade Clad ist 325—480 μ lang. Seine Seite schließt mit dem Schafte einen Winkel von 93—105° ein. Gar nicht selten findet sich (Fig. 34) unterhalb des Nadelzentrums am Schaft ein rudimentäres, zweites Clad. Diese merkwürdige, sowohl in den Sticken von Station 4, wie in·jenen von Station 8 vorkommende Nadelform scheint mir charakteristisch für diese Spongien zu sein.

Die Metaster (Taf. XXXIX, Fig. 26 a, 27, 29 g, 35; Taf. XL, Fig. 4—10, 11 a, b, 12) haben einen glatten Schaft und meist vier bis achtzehn, selten nur zwei oder drei, kegel-förmige, stumpfspitzige, durchaus feindornige Strahlen. Die Größe der Strahlen und des ganzen Asters steht, wie ein Blick auf die in gleicher Vergrößerung photographierten, in den Figuren 4—10 auf Taf. XL wiedergegebenen Metaster erkennen läßt, im umgekehrten Verhältnis zur Zahl der Strahlen und zur Länge des Schaftes. Bei den Zwei- bis Vierstrahlern ist der Schaft als solcher oft kaum wahrzunehmen und auf sein Vorhandensein nur aus der Exzentrizität der Strahlen zu schließen. Die selteneren Zwei- und Dreistrahler haben 37—40 μ lange, etwa 4 μ dicke Strahlen und sind 64—76 μ lang. Bei den häufigen Vierstrahlern läßt sich aus der Strahlenexzentrizität auf eine Schaftlänge von 2—5 μ schließen. Ihre Strahlen sind 20—30 μ lang und (wie der Schaft) 2,5—4 μ dick; der Maximaldurchmesser dieser Nadeln beträgt 37 —60 μ. Die Fünf- bis Zehnstrahler haben einen 4—7 μ langen, 1—2,5 μ dicken Schaft und 11—20 μ lange, 1—2,5 μ dicke Strahlen. Ihr Gesamtdurchmesser beträgt 25—39 μ. — Die Elf- bis Achtzehnstrahler haben einen 6—11 μ langen, 1—1,5 μ dicken Schaft und 4—11 μ lange, 0,5—1 μ dicke Strahlen. Ihre Gesamtlänge beträgt 15—26 μ. Bei diesen vielstrahligen

Formen ist der Schaft mehr oder weniger deutlich schraubenförmig gewunden und sind die Strahlen spiralig angeordnet.

Die dornigen Microamphioxe (Taf. XXXIX, Fig. 29f, 36a, Taf. XL, Fig. 1—3, 11c) sind stetig gekrümmte, nach den Enden hin allmählich verdünnte, beidendig scharfspitzige Stäbchen. Jene der Stücke von Station 4 sind 145—185 μ lang und 3—5 μ dick; jene der Stücke von Station 8 190—200 μ lang und 3,5—5 μ dick. Die beiden Enden dieser Stäbchen sind feindornig, zentrad gegen die Dornen in etwas unregelmäßige Höcker über, welche gegen die Mitte der Nadel an Höhe zunehmen. Diese Höcker zeigen zuweilen eine Andeutung einer Anordnung in Querringen. Nicht selten sind die in der Mitte befindlichen so groß, daß hier die Nadel an einer Stelle oder an zwei Stellen tylartig verdickt erscheint.

Achtzehn größere Stücke und zwölf Fragmente dieses Schwammes wurden von der Valdivia am 6. August 1898 westlich von den Skerries im Nordostatlantik, in 60° 42′ N., 3° 10′ 8″ W. (Valdivia-Station Nr. 4) aus einer Tiefe von 486 m, neun Stücke am 8. August 1898 südlich vom Thomsonrücken im Nordostatlantik, in 59° 53′ 6″ N., 8° 7′ 8″ W. (Valdivia-Station Nr. 8) aus einer Tiefe von 547 m hervorgeholt.

Jedenfalls sind die oben beschriebenen Spongien jenem systematischen Begriff einzufügen, den ich *Pachastrella* nenne. Dadurch, daß die Schäfte ihrer teloclad differenzierten Tetractine und Tetractinderivate meist kürzer oder ebenso lang, nur selten und auch dann nur wenig länger als die Clade sind, sowie dadurch, daß sie 18—76 μ lange Metaster (Spiraster), und dornige Microamphioxe besitzen, andere Microsclerenformen ihnen aber fehlen, unterscheiden sie sich von allen anderen Arten diese Genus außer den als *Ecionema compressa* von BOWERBANK[1]), *Normania crassa* von BOWERBANK[2]), *Hymeniacidon placentula* von BOWERBANK[3]), *Poecillastra crassiuscula* von SOLLAS[4]) und *Pachastrella stylifera* von mir[5]) beschriebenen. Die drei erstgenannten wurden von SOLLAS[6]) zu einer Art (*Poecillastra compressa*) zusammengezogen. TOPSENT[7]) und ich[8]) sind hierin SOLLAS gefolgt. Neuerlich hat TOPSENT[9]) auch noch die beiden letztgenannten Arten dieser Species einverleibt.

Ich habe die Beschreibungen jener fünf Spongien an der Hand der Ergebnisse der Untersuchung der oben beschriebenen Valdivia-Schwämme jetzt einem neuerlichen Studium unterzogen, und bin dabei zu dem Schlusse gekommen, daß nicht nur TOPSENT durch diese Einbeziehung von *Poecillastra crassiuscula* SOLL. und *Pachastrella stylifera* LDF. den Speciesbegriff *P. compressa* allzusehr erweitert hat, sondern, daß auch SOLLAS, TOPSENT und ich früher hierin insofern zu weit gegangen sind als die *Normania crassa* BWBK. von den beiden anderen genannten BOWERBANK'schen Arten, mit denen wir sie vereinigt hatten, abzuweichen scheint. Ich möchte jetzt innerhalb dieser Spongien d. h. innerhalb der *Poecillastra compressa* sensu TOPSENT 1904

---

[1]) J. S. BOWERBANK, A. Monograph of the British Spongiadae Bd. 2 p. 55; Bd. 3 p. 19 Taf. 9 Fig. 1—12.
[2]) J. S. BOWERBANK, (Spongien) in A. M. Norman, Shetland final dredging Report. In: Rep. Brit. Assoc. Meet. 38 p. 328 und A Monograph of the British Spongiadae Bd. 3 p. 258 Taf. 81.
[3]) J. S. BOWERBANK, A Monograph of the British Spongiadae Bd. 3 p. 189 Taf. 72 Fig. 5—9.
[4]) W. J. SOLLAS, Tetractinellida. In: Rep. Voy. Challenger Bd. 25 p. 83.
[5]) R. v. LENDENFELD, On the Spongida (in Notes on Rockall Island and Banks). In: Tr. Irish. Ac. Bd. 31 p. 82 fig. 1, 2.
[6]) W. J. SOLLAS, Tetractinellida. In: Rep. Voy. Challenger Bd. 25 p. 98.
[7]) E. TOPSENT, Étude Monographique des Spongiaires de France I Tetractinellida. In: Arch. zool. expér. ser. 3 Bd. 2 p. 384.
[8]) R. v. LENDENFELD, Tetraxonia. In: Tierreich Bd. 19 p. 76.
[9]) E. TOPSENT, Spongiaires des Açores. In: Résult. Camp. Monaco Bd. 25 p. 89.

(Spongiaires des Açores) drei Formengruppen unterscheiden: *P. compressa* (*Ecionemia compressa* BWBK., *Hymeniacidon placentula* BWBK. und die von TOPSENT in der Étude Monographique 1894 als *Poecillastra compressa* beschriebenen Exemplare) mit kleinen, schlanken Amphiastern, unregelmäßigen Tetractinen mit starken geknickten Strahlen, ohne dicke Style und ohne Nadelpelz; *P. stylifera* (*P. stylifera* LDF.) ohne kleine Amphiaster, ohne derartig unregelmäßige Tetractine, mit dicken Stylen und ohne Nadelpelz; und *P. crassa* (*Normania crassa* BOWERBANK, *Poecillastra crassiuscula* SOLLAS) ohne kleine Amphiaster, ohne derartig unregelmäßige Tetractine, ohne dicke Style, mit Nadelpelz. Die oben beschriebenen Valdivia-Schwämme stimmen, da sie keine Amphiaster, keine unregelmäßigen Tetractine mit geknickten Strahlen und auch keine, die großen Amphioxe an Dicke übertreffende Style, wohl aber einen Nadelpelz besitzen, offenbar mit den der letzten dieser drei Gruppen angehörigen Spongien überein. Sie unterscheiden sich aber auch von diesen, von kleineren Differenzen in den Massen der übrigen Nadeln abgesehen, in auffallender Weise durch ihre Pelznadeln. Nach BOWERBANK[1]) gleichen die Pelznadeln der *Normania crassa* den großen Amphioxen des inneren. Nach SOLLAS[2]) hat die *Poecillastra crassiuscula* nur eine Art von amphioxen Megascleren, die großen starken. Bei den oben beschriebenen Valdivia-Schwämmen sind die den Pelz bildenden Amphioxe aber kleiner, viel schlanker und ganz anderer Art als die megascleren Amphioxe des Inneren.

In Anbetracht der Geringfügigkeit unserer Kenntnis von der Weite der Grenzen innerhalb welcher genetisch nahe verwandte Spongienindividuen variieren, ist es schwer zu sagen, ob diesen Unterschieden ein zu spezifischer Abtrennung hinreichender systematischer Wert innewohnt. Ich bin geneigt, dies zu bejahen und jedenfalls der Ansicht, daß in zweifelhaften Fällen dieser Art die Aufstellung neuer Species für Stücke, die zu einer alten Art gehören viel weniger schadet, als die irrtümliche Vereinigung von verschiedenen Arten angehörigen Individuen in einer Species. Aus diesen Gründen habe ich für die vorliegenden Schwämme eine neue Species aufgestellt.

Pachastrella chuni n. sp.
Taf. XXXVIII, Fig. 2—45.

In der Valdivia-Sammlung finden sich fünf kleinere, fragmentäre und sieben große Stücke dieses Schwammes.

Die letzteren sind unregelmäßig, knollenförmig und mehr oder weniger, zum Teil beträchtlich abgeplattet. Die stark abgeplatteten erscheinen als dicke Fladen. Das in der Figur 6 auf Tafel XXXVIII abgebildete Stück ist 20 cm lang, 15 cm breit und 5—8 cm dick. Drei von den anderen sind ungefähr ebenso groß, die übrigen kleiner. Die Oberfläche zeigt stellenweise breite und seichte, muldenförmige Einsenkungen, von der Art wie man sie an Meteoriten sieht. Sie ist an sich kahl aber vielerorts, namentlich in jenen Einsenkungen, mit dünner Kruste einer symbiotischen, monaxonen Spongie und anderen festsitzenden Organismen bedeckt. Auf einer Seite finden sich zahlreiche, kreisrunde, 0,5—1 mm weite Oeffnungen. Anderwärts

---

[1]) J. S. BOWERBANK, A Monograph of the British Spongiadae Bd. 3 p. 260.
[2]) W. J. SOLLAS, Tetractinellida. In: Rep. Voy. Challenger v. 25 p. 83.

werden kleinere, zumeist langgestreckte, mehr weniger schlitzförmige, meist 200—400 μ lange und 120—150 μ breite, etwa 1 mm voneinander entfernt liegende Oeffnungen angetroffen. Zuweilen sieht man zwischen diesen eine mehr rundliche, von einer Membran mit ein paar großen Löchern bedeckte, 400 μ weite. Dicht unter den, diese kleinen Oeffnungen tragenden Teilen der Oberfläche liegen kleine, paratangentiale Kanäle. Im Innern finden sich auch größere, bis 1,5 mm weite Kanäle, welche die fladenartigen Sticke quer durchziehen. Der Schwamm ist reich an Bläschenzellen von 17—23 μ Durchmesser.

Die Farbe der kleinen Sticke ist, in Weingeist, weißlich. Einzelne zeigen an einer Stelle ihrer Oberfläche eine leichte Verdunklung. Die großen Sticke sind innen braun und oberflächlich schwarzgrau oder dunkel schmutzig braun.

Das Skelett ist reich entwickelt. Dicht unter der Oberfläche finden sich zahlreiche, im Innern einzelne Sandkörner, Foraminiferenschalen und andere Fremdkörper. Dünne Bündel von dicht zusammengedrängten, langen und schlanken, an den Enden abgerundeten Amphioxen und einzelnen, dickeren Stylen ziehen schief zur Oberfläche empor. Im Choanosom finden sich wenig zahlreiche, kleine reguläre, kurzschäftige Dichotriaene; Massen von regellos zerstreuten, sehr verschieden großen Tetractinen und Tetractinderivaten, von denen die kleineren zumeist reguläre Chelotrope sind, die großen aber Knickungen und Verzweigungen der Strahlen, seltener Rückbildung eines oder zweier derselben aufweisen; und zahlreiche Amphioxe von der Größenordnung der kleinsten Chelotrope. An der Oberfläche findet sich eine dichte Lage von eiförmigen Microrhabden. Im Innern kommen dieselben eiförmigen Nadeln, sowie, meist amphiasterähnliche, Metaster und dornige Microrhabde vor. Die beiden erstgenannten sind zahlreich, die letztgenannten etwas spärlich. Endlich habe ich in den Zentrifugnadelpräparaten sphaerähnliche Bildungen gesehen. In Bezug auf Nadelform und -größe stimmen alle von mir untersuchten Sticke überein, in Bezug auf die verhältnismäßige Anzahl der verschiedenen Nadelformen habe ich bei den verschiedenen Sticken jedoch einen auffallenden Unterschied bemerkt: bei einem der kleineren, weißen Sticke sind die langen Amphioxe recht zahlreich, bei allen anderen aber ziemlich spärlich.

Die langen Amphioxe sind etwas gekrümmt, 2—5,1, meist 4,3 mm lang und in der Mitte 16—32 μ dick. Sie sind meist völlig isoactin, und verdünnen sich gegen die beiden Enden hin auf 4—7 μ. Die Enden selbst sind gewöhnlich einfach abgerundet, sehr selten in feine, fadenartige Anhänge ausgezogen.

Die selteren Style sind 4 mm lang und 40 μ dick.

Die kleinen Amphioxe (Taf. XXXVIII, Fig. 2 b, 3 a) sind gerade oder schwach, zuweilen S förmig, gekrümmt, im mittleren Teil zylindrisch und an beiden Enden plötzlich und scharf zugespitzt. Sie sind meist 115—190 μ lang und 6—9, gewöhnlich 7 μ dick. Außer diesen habe ich einige ähnliche, aber viel kleinere und relativ dickere, 27—52 μ lange und 3—5 μ dicke angetroffen. Da sich an der Oberfläche der Pachastrella, wie erwähnt, Krusten einer monaxonen Spongie finden, da die Nadeln dieser Spongie den kleinen Amphioxen der Pachastrella gleichen, und da die Pachastrella allerlei Fremdkörper in ihr Inneres aufnimmt, dürften diese Amphioxe wohl auch als solche aufzufassen, als Nadeln jenes Symbionten und nicht der Pachastrella selbst, anzusehen sein. Sie bilden aber einen integrierenden Bestandteil des Skeletts, sie finden sich in allen von mir untersuchten Sticken, sind stets zahlreich und in der Tiefe nicht weniger häufig als an der Oberfläche.

Die nicht zahlreichen regulären Dichotriaene (Taf. XXXVIII, Fig. 4a, 5a, 18) haben einen geraden, kegelförmigen 60—140 μ langen, am Grunde 6—15 μ dicken Schaft. Die Hauptclade sind 15—50, die geraden, kegelförmigen und zugespitzten Endclade 20—100 μ lang. Das in einer zum Schaft senkrechten Ebene ausgebreitete Cladom hält 100—300 μ im Querdurchmesser, und ist ungefähr doppelt so breit als der Schaft lang ist. Selten habe ich noch größere Dichotriaene gesehen, welche den Uebergang zu den unregelmäßigen großen Tetractinen mit drei gabelspaltigen Strahlen (Taf. XXXVIII, Fig. 4d) vermitteln.

Die Tetractine und ihre tri- und diactinen Derivate (Taf. XXXVIII, Fig. 3b, 4b, c, d, 5b, 19—37) sind hinsichtlich der Größe und Gestalt sehr verschieden. Die Strahlen der kleineren von diesen Nadeln pflegen am Grunde zylindrisch, weiterhin kegelförmig zu sein. Bei den großen sind die Strahlen am Grunde oft etwas eingeschnürt und liegt die stärkste Stelle eine Strecke vom Nadelzentrum entfernt. In der Regel sind die Strahlen zugespitzt. Nur die seltenen, stark verkürzten (teilweise rückgebildeten) sind am Ende abgerundet (Fig. 26, 31). Die Strahlen sind 50 μ—1,3 mm lang und am Grunde 5—100 μ dick. Das Verhältnis der Länge zur Grunddicke beträgt 10—16 zu 1. Es ist bei den großen nicht viel anders als bei den kleinen. Bei den großen erreichen die Strahlen an ihrer stärksten, wie erwähnt eine Strecke vom Nadelzentrum entfernt gelegenen Stelle eine Maximaldicke von 120 μ. Sie sind hier gewöhnlich um 15—25 % dicker als am Grunde. Die kleineren von diesen Nadeln (Fig. 3b, 4c, 5b, 19), bis zu solchen mit 500 μ langen Strahlen, sind fast durchwegs regelmäßige Chelotrope mit vier einfachen, geraden, untereinander gleichen Strahlen. Auch unter den mittelgroßen mit 500—750 μ langen Strahlen kommen solche regelmäßig chelotrope Formen vor; die dieses Maß übersteigenden Tetractine (und Tetractinderivate) sind fast alle unregelmäßig. Die Unregelmäßigkeit dieser großen Nadeln beruht meistens auf einer Biegung oder Verzweigung der auch bei ihnen meist annähernd gleich großen Strahlen, seltener auf einer Rückbildung eines oder mehrerer Strahlen. Die Biegung ist entweder eine stetige oder eine plötzliche, als Knickung erscheinende. Im ersten Fall (Fig. 26, 36) ist sie nie bedeutend, im letzten aber beträchtlich (Fig. 25, 29, 31, 32), zuweilen sehr stark (Fig. 21, 28, 30, 37). Die Knickung pflegt, besonders wenn sie stark ist, von der Art zu sein, daß der Endteil des geknickten Strahles einem anderen Strahl (Strahlenzweig) mehr oder weniger parallel zu liegen kommt. Gewöhnlich ist nur ein Strahl geknickt (Fig. 21, 25, 28, 29, 31, 36), seltener sind es zwei (Fig. 30, 32). Nadeln mit drei oder gar vier geknickten Strahlen habe ich nicht beobachtet. Die Verzweigung ist gewöhnlich eine Gabelspaltung, seltener anderer Art. Die Spaltungsstelle der gegabelten Strahlen liegt entweder weit draußen, dann sind die Gabeläste kurz (Fig. 24, 25, 27—29), oder sie liegt dem Nadelzentrum näher, dann sind die Gabeläste länger (Fig. 32, 33). Die Gabeläste eines Paares können gleich (Fig. 32) oder ungleich (Fig. 33) lang sein. Bei den anderen Verzweigungsarten spaltet sich ein Strahl in mehr als zwei Endzweige (Fig. 35) oder sitzen dem Strahl ein (Fig. 34) oder mehr (Fig. 31) Zweige seitlich auf. Im letzten Falle können zwei Zweige einander gegenüber und in einer geraden Linie liegen (Fig. 31). Wie die Knickung ist auch die Verzweigung gewöhnlich auf einen Strahl beschränkt; zuweilen habe ich solche Nadeln angetroffen, welche an zwei Strahlen Zweige trugen (Fig. 24, 31), eine hatte drei gabelspaltige Strahlen (Fig. 4d). Die teilweise Rückbildung eines Strahls führt zur Entstehung von Formen, wie die in Fig. 26 dargestellte, die vollkommene Rückbildung eines Strahls zur Entstehung von Triactinen (Fig. 34—37); jene zweier zur Entstehung von Diactinen. Die letzteren sind selten und stets so gestaltet, daß die beiden Strahlen einen stumpfen Winkel einschließen.

Halten wir die Unregelmäßigkeit und Mannigfaltigkeit der großen von diesen Nadeln mit der Regelmäßigkeit der kleinen, und der Tatsache zusammen, daß sie in großen Massen dicht gedrängt den Körper des Schwammes erfüllen, so können wir wohl kaum im Zweifel darüber sein, daß 1. die großen, unregelmäßigen aus kleinen, regelmäßigen hervorgehen und 2. die Ursache der Unregelmäßigkeit und Mannigfaltigkeit der großen in den Wachstumsbehinderungen zu suchen ist, denen diese Nadeln infolge ihrer dichtgedrängten Lage ausgesetzt sind.

Besonders interessant scheint es mir nun zu sein, daß diese regellos zerstreuten Nadeln, obwohl sie sich gegenseitig auf jede mögliche Art im Wachstum behindern, doch nicht in chaotischer Weise unregelmäßig werden, sondern immer, mögen sie auch noch so sehr von der regelmäßig chelotropen Anlage abweichen, eine gewisse Gesetzmäßigkeit der Gestalt erkennen lassen. Diese Gesetzmäßigkeit kommt zunächst darin zum Ausdruck, daß die Endteile stark geknickter Strahlen (Taf. XXVIII, Fig. 21, 28, 30), sowie die Zweige verzweigter Strahlen (Taf. XXVIII, Fig. 31, 32, 34) anderen Strahlen (Strahlenzweigen) derselben Nadel mehr weniger parallel sind. Es scheint auch, daß alle diese Nadeln, obwohl ihre Strahlen gewöhnlich so ziemlich gleich lang sind, insofern einen telocladen Charakter besitzen, als ein Strahl als Schaft die anderen als Clade differenziert sind. Der Schaft ist weder geknickt noch verzweigt, die Clade hingegen können beides sein. Diese Gesetzmäßigkeiten scheinen mir darauf hinzuweisen, daß durch äußere Einflüsse (Wachstumsbehinderungen) 1. die cladbauenden Zellen leichter als die schaftbauenden zu einer Aenderung ihrer Tätigkeit gezwungen werden können, und 2. diese Zellen, wenn es ihnen unmöglich gemacht wird in der normalen (geraden) Richtung weiter zu bauen, beim weiteren Bau dem nunmehr gebildeten Strahlteil eine, einem anderen Teil derselben Nadel parallele und unter eine beliebige Richtung geben. Ich denke es läßt sich hieraus der Schluß ziehen, daß dem eine solche Nadel aufbauenden Zellenkomplexe nicht nur am Anfang seiner Tätigkeit, bei der Anlage des Zentralteils der Nadel, das Streben innewohnt, die Strahlen in bestimmten relativen Richtungen zueinander aufzubauen, sondern daß dieses Streben in allen Teilen desselben sich auch weiterhin, wenn sie normalerweise nur mehr gerade fortzubauen haben, erhält und dann zum Ausdruck kömmt, wenn das normale (geradlinige) Wachstum durch einen äußeren Einfluß verhindert wird.

Ob die kleinen Chelotrope, die ungemein häufig und mindestens zehnmal so zahlreich als die großen sind, alle als Jugendstadien von großen aufgefaßt werden sollen, scheint mir mehr als zweifelhaft. Ich denke mir vielmehr, daß die allermeisten von ihnen nicht solche Jugendstadien darstellen sondern bereits am Ende ihrer Entwicklung angelangte, ausgebildete Nadeln sind. Ich nehme an, daß die meisten von den gebildeten Chelotropen früh zu wachsen aufhören und klein bleiben, und daß nur wenige längere Zeit wachsen und zu großen (und unregelmäßigen) werden.

Die Metaster (Taf. XXXVIII, Fig. 7—10, 38—40) sind meist amphiasterähnlich und bestehen aus einem gewöhnlich 2,5—5 μ langen, 0,6—1,5 μ dicken Schaft, von dessen Enden mehrere Strahlen abgehen. Zuweilen, jedoch nicht oft, erheben sich auch vom mittleren Teil des Schaftes ein oder mehrere Strahlen. Bei einigen wenigstrahligen, namentlich bei Vierstrahlern, ist der Schaft verkürzt, zuweilen kaum als solcher zu erkennen. Von jedem seiner beiden Enden pflegen annähernd

185

gleichviele Strahlen abzugeben. Länge und Gestalt der Strahlen sind Schwankungen unterworfen. Sind sie kurz (Fig. 40) so sind sie gerade, kegelförmig und zugespitzt; je länger sie sind umsomehr nehmen sie eine zylindrokonische Gestalt an (Fig. 39); die längsten pflegen mehr oder weniger gebogen zu sein. Der Schaft und die Grundteile der Strahlen sind glatt, die mittleren und distalen Teile der Strahlen rauh oder dornig. Sehr kurze Strahlen sind kaum merklich rauh; je größer die Strahlen sind umso deutlicher ist ihre Dornelung; die größten sind mit ziemlich ansehnlichen, meist krallenartig zurückgebogenen Dornen ausgestattet und tragen am Scheitel einen Terminaldorn. Es sind im ganzen vier bis fünfzehn Strahlen vorhanden. Ihre Größe und die Größe des ganzen Asters stehen im umgekehrten Verhältnis zur Strahlenzahl. Die Vier- bis Sechsstrahler (Fig. 38) haben 8—11 μ lange, am Grunde 0,8—1,2 μ dicke Strahlen, und halten 16—21 μ im Quer- und 20—21 μ im Längsdurchmesser. Die Sieben- und Mehrstrahler haben 4—9 μ lange, am Grund 0,4—1 μ dicke Strahlen, und halten 8—17 μ im Quer- und 11—17 μ im Längsdurchmesser. Die Vierstrahler mit rückgebildetem Schaft, welche die allergrößten (11 μ lange) Strahlen haben, sind ebenso breit als lang. Aber auch bei vielen von den anderen mit wohlausgebildetem Schaft überwiegt die Länge die Breite nur wenig oder gar nicht. Dies ist auf die mehr weniger wirtelförmige Anordnung der Strahlen zurückzuführen.

Die dornigen Microrhabde (Taf. XXXVIII, Fig. 11—14, 43—45) sind durchaus mit zahlreichen, ziemlich ansehnlichen, kegelförmigen Dornen besetzt. Die an den Endteilen sitzenden sind gegen das Ende geneigt. Diese Microrhabde sind 13—37 μ lang und 0,5—2,5 μ dick. Ihre Dicke steht im umgekehrten Verhältnis zu ihrer Länge. Ueber 30 μ lange (Fig. 11, 12, 45) sind unter 1 μ dick. Die 2,5 μ dicken sind nicht über 20 μ lang. Die kürzesten (und dicksten) von diesen Nadeln führen zu den eiförmigen Microrhabden hin und es lassen sich Reihen von solchen Nadeln auffinden, welche die schlanken dornigen Microrhabde mit den eiförmigen lückenlos verbinden.

Die eiförmigen Microrhabde (Taf. XXXVIII, Fig. 2 a, 15—17, 41, 42) erscheinen mit schwächeren Vergrößerungen betrachtet glatt, unter der homogenen Immersion hingegen rauh. Sie sind zylindrische, an beiden Enden einfach abgerundete Stäbchen von 12—17, meist 13—15 μ Länge und 3—5, meist 4 μ Dicke. Die allermeisten sind deutlich centrotyl (Fig. 42). Das Tyl ist 4,5—6,5 μ dick, um 12—50, meist etwa 25 % stärker als die übrigen Teile der Nadel. Neben den einfach centrotylen werden nicht selten auch Formen mit mehr als einer Anschwellung angetroffen (Fig. 41), und es kommt vor, daß zwei solche, gewöhnlich ungleiche Anschwellungen an den Nadelenden liegen. Derartige Microrhabde haben ein schuhsohlenähnliches Aussehen. Aeußerst selten werden Zwillingsbildungen beobachtet. Die Jugendformen der eiförmigen Microrhabde sind ziemlich schlanke, feindornige Spindeln mit starkem, zentralem Tyl. Die deutliche Dornelung der Jungen geht beim Wachstum der Nadel in die erwähnte, schwache Rauhigkeit über. Im Innern der Nadel ist eine paratangentiale Schichtung zu erkennen. Wie erwähnt sind diese eiförmigen Nadeln durch Uebergänge mit den oben beschriebenen, dornigen Microrhabden verbunden.

In den Zentrifugnadelpräparaten, fand ich ziemlich viele Kieselkugeln (oder -scheiben) von 3—4 μ Durchmesser, über deren wahre Natur ich keine sicheren Aufschlüsse erlangen konnte. Sie könnten echte Sphaere und Skeletteile des Schwammes sein. Es scheint mir aber wahrscheinlicher, daß sie dem Schwamme fremde Bildungen sind.

Alle Stücke dieses Schwammes wurden von der Valdivia am 24. August 1898 an der westafrikaniscıeı Küste bei Kap Bojeador iı 26° 17′ N., 14° 43′ 3″ O. (Valdiuia-Statioı Nr. 28) aus eiıer Tiefe \oı 146 m ıerıorgeıolt.

Bisıer siıd fiıf *Pachastrella*-Arten bescırieben wordeı, die, wie der vorliegeıde Scıwamm, eiförmige Microrhabde besitzeı: *P. monilifera* O. Sсhмidt 1868, *P. abyssi* O. Sсhмidt 1870, *P. ovistcrnata* Lendenfeld 1894, *P. caliculata* Kirkpatrick 1902 uıd *P. isorrhopa* Kirkpatrick 1902. Von alleı dieseı uıterscıeidet sicı der vorliegeıde Scıwamm durcı den Besitz der besonderen, kleineı, regulären Dicıotriaeıe, der kleineı Amphioxe uıd der Spıaere. Die kleineı Dicıotriaeıe scıeineı mir keiı sicıeres Uıterscıeiduıgsmerkmal zu seiı, weil sie, weıgleicı sie \oı keiıer der geıaıteı Arteı bescırieben wordeı siıd, docı aucı bei iıneı vorkommeı könnten. Nocı weıiger kaıı der Besitz der kleineı Amphioxe uıd Spıaere, als eiı solcıes aıgeseıeı werdeı, weil diese Nadelı seır waırscıeiılicı fremd siıd.

P. monilifera uıd *P. abyssi* wurdeı \oı mir[1]) als ideıt aıgeseıeı uıd miteiıaıder vereiıt. Topsent[2]) hat ıicıt ıur *P. abyssi* O. Sснм. soıderı aucı *P. ovisternata* LıЕ. zu *P. monilifera* gestellt. Voı dieseı drei Arteı, mögeı sie ıuı miteiıaıder ideıtiscı seiı oder ıicıt, uıterscıeidet sicı der vorliegeıde Scıwamm ıicıt alleiı durcı die obeı geıaıteı meır weıiger zweifelıafteı Merkmale, soıderı aucı durcı das Vorkommeı der laıgeı uıd scılaıkeı, dorıigeı Microrhabde, dereı Zugeıörigkeit zum Scıwamme ıicıt iı Zweifel gezogeı werdeı kaıı. Voı den beideı Kirkpatrick'schen Arteı aber, die solcıe scılaıke Microrhabde besitzeı ist er, \oı dem Besitz der Spıaere uıd kleineı Amphioxe uıd Dicıotriaeıe abgeseıeı, durcı die Gestalt seiıer Nadelı uıterscıiedeı; seiıe Tetractiıe uıd Tetractinderivate ıabeı viel diınere Straıleı wie jeıe von *P. caliculata*; uıd es feıleı iım die amphitylen uıd amphistrongylen Rhabde der *P. isorrhopa*. Ferıer siıd die eiförmigeı Microrhabde bei *P. chuni* kaum merklicı rauı uıd fast immer centrotyl, bei den Kirkpatrick'schen Arteı aber seır rauı uıd fast nie centrotyl, uıd ıabeı die Metaster der ersteıeı bedeuteıd weıiger Straıleı als die Metaster der letzteıeı. Desıalb stelle icı fır dieseı Scıwamm eiıe ıeue Art auf, uıd icı beıeıne sie ıacı dem allıereıteı Leiter der Valdiviareise.

Pachastrella caliculata Kirkpatrick.

Taf. XXXIX, Fig. 1—13.

1901 *Pachstrella caliculata*, R. Kirkpatrick in: Cape, Dep. Agriculture. Marine Investig. S. Affrica. Jg. 1902 Nr. 4 p. 227 T. 2 f. 4; T. 3 f. 4.

Iı der Valdivia-Sammluıg fiıdeı sicı vier Stücke dieses Scıwammes, zwei große uıd zwei kleine. Das iı Figur 5 auf Tafel XXXIX wiedergegebeıe, aıseıılicıere von den großeı, ist läıglicı uıd plattgedrückt, 153 mm laıg, 85 mm breit uıd etwa 40 mm dick. Das aıdere große ist ein laıggestreckter, iı der Mitte eiıseitig eiıgescııürter Kıolleı von 105 mm Läıge uıd 37 mm mittlerer Dicke. Das eiıe von· den kleineı ist laıggestreckt uıd 18 mm laıg, das aıdere ist kugelig uıd ıält 10 mm Durcımesser. Den etwas welleıförmigeı Oberfläcıeı der beideı großeı Stücke sitzeı allerlei Symbionten, ıiedrige Krusteı monaxoner Spongien, Bryo-

---

[1]) R. v. Lendenfeld, Tetraxonia. In: TiefTeich Bd. 19 p. 75.

[2]) E. Topsent, Spongiaires des Açores. In: Résult. Camp. Monaco Bd. 25 p. 93.

zoen etc. auf. In die Oberfläche des größten (abgebildeten) sind zahlreiche, ansehnliche Balaniden eingesenkt.

Die Farbe der beiden größeren und des einen kleinen ist, in Weingeist, an der Oberfläche rötlich braun, im Innern bräunlich weiß. Das andere kleine ist weißlich.

Das Skelett besteht aus Bündeln zur Oberfläche emporziehender Rhabde; massenhaften, im ganzen Schwamm zerstreuten, kleineren Chelotropen; größeren, mehr weniger unregelmäßigen Tetractinen und Tetractinderivaten; und aus Microscleren. Die Rhabde sind größtenteils Amphioxe, dazwischen kommen einzelne Style und Amphityle vor. Die Distalenden der Rhabdenbündel ragen über die Oberfläche der Pachastrella vor und in die Krusten der diese überziehenden Monaxoniden hinein. Die Microsclere sind amphiasterähnliche Metaster, dornige, stäbchenförmige und eiförmige Microrhabde, sowie kugelige Derivate der letzteren. Hinsichtlich der Häufigkeit dieser Nadelformen ist folgendes zu bemerken. In allen Stücken sind die Metaster und die Kugeln ziemlich spärlich, die eiförmigen Microrhabde aber ungemein zahlreich. In den großen sind die dornigen Microrhabde sehr spärlich und nur mit Mühe zu finden, in den kleinen aber recht zahlreich. Alle die Arten von Microscleren kommen zerstreut im ganzen Schwamme vor. Die eiförmigen Microrhabde bilden eine dichte Lage an der äußeren Oberfläche. Außer diesen, vom Schwamme selbst erzeugten Nadeln nehmen auch große Mengen zerstreuter, kleiner Amphioxe, welche mit jenen der inkrustierenden, symbiotischen Monaxonider übereinstimmen und wahrscheinlich von dieser herrühren, am Aufbau des Skelettes teil. Gestalt und Größe der Nadeln sind bei allen Stücken gleich.

Die großen Amphioxe pflegen leicht gekrümmt, gegen die beiden Enden hin allmählich verdünnt, und an den Enden selbst abgerundet zu sein. Sie sind 2,5—4 mm lang, in der Mitte 45—60 und an den Enden etwa 10 μ dick.

Die selteneren Style sind 3 mm lang, 40 μ dick und am abgerundeten Ende etwas (bis auf 45 μ) verdickt, so daß man sie auch Subtylostyle nennen könnte.

Die gleichfalls selteneren Amphityle sind 1,5 mm lang und 55 μ dick. Ihre Endtyle halten 90 μ im Durchmesser.

Die kleinen Amphioxe sind zwar, wie erwähnt, vermutlich fremde Nadeln, werden aber in allen Stücken, und in beträchtlicher Anzahl auch in der Tiefe des Choanosoms angetroffen und bilden einen integrierenden Bestandteil des Skelettes. Sie sind etwas gekrümmt, plötzlich und scharf zugespitzt, 60—130 μ lang und 3—7 μ dick.

Die Tetractine und ihre Derivate (Taf. XXXIX,. Fig. 1—4, 6, 7) sind in Bezug auf Größe und Gestalt recht verschieden. Tetractine Formen herrschen ungemein stark vor, Triactine und Diactine sind überaus selten. Die Strahlen sind 50 μ bis 1,25 mm lang und am Grunde 15—190 μ dick. Die kleinen sind reguläre Chelotrope mit vier einfachen, geraden, kegelförmigen, gegen das Ende rascher als im Grundteile verdünnten, untereinander gleichen Strahlen (Fig. 7). Die mittelgroßen sind teil ebensolche reguläre Chelotrope, zum Teil unregelmäßig. Unter den großen (Fig. 1—4, 6) werden nur sehr wenige reguläre Chelotrope angetroffen. Ein Blick auf die Figur 4 gibt eine Vorstellung von den Unregelmäßigkeiten, denen man da begegnet. Wie bei den großen Tetractinen (und Tetractinderivaten) der *Pachastrella chuni* sind auch bei den großen Tetractinen des vorliegenden Schwammes die Strahlen meistens annähernd gleich groß und zum Teil gebogen, geknickt oder verzweigt, seltener zum Teil rückgebildet. Es haben jedoch ihre Unregelmäßigkeiten hier einen etwas anderen Charakter, indem unregelmäßige Verbiegungen und Gabelspaltungen der äußersten Strahlenenden weit häufiger, scharfe und starke Knickungen aber seltener vorkommen. Diese Unterschiede mögen zum Teil auf der bedeutenderen Dicke der Strahlen dieser Nadeln bei *P. caliculata* beruhen.

Einer meiner Schüler, Herr J. Rösch, hat die Unregelmäßigkeiten dieser Nadeln einer Untersuchung unterzogen und gefunden, daß der Knickungswinkel geknickter Strahlen zwar nicht konstant ist, daß aber in 75 % der Fälle ein solcher von ungefähr 135°, das ist eine Abweichung des Strahlenendteils von der geraden Verlängerung des Strahlengrundteils um 45° angetroffen wird. Viel stärkere Knickungen (Abweichungen von dieser Richtung um 90° oder 135°) kommen dadurch zustande, daß zwei oder gar drei gleichgerichtete Knickungen um 45° dicht aufeinanderfolgen. Häufiger jedoch als solche wiederholt in derselben Ebene und Richtung erfolgende Knickungen eines Strahls sind verschieden gerichtete.

Die Verzweigungen sind dreierlei Art: Gabelspaltung, Trifurcation und Ansatz eines Seitenzweigs an einem Strahl. Die Endstrahlen gabelspaltiger Strahlen schließen mit dem Hauptstrahl meist ebenfalls 135° ein. Die beiden Gabeläste sind gleich oder ungleich. Oft ist einer stark verkürzt, und wenn die Verkürzung dieses so weit geht, daß er ganz verschwindet, kommt ein einfacher, um 45° geknickter Strahl zustande. Es können daher die häufigen, um diesen Winkel geknickten Strahlen auch als durch Rückbildung eines Aststrahls entstandene Derivate von gabelspaltigen Strahlen aufgefaßt werden.

Da der Winkel von 135° gleich dreimal 45° ist und die durch diese Knickung bewirkte Abweichung von der Geraden 45° beträgt, lag die Annahme einer Beziehung der Knickung zum tesseralen Kristallsystem nahe. In optischer Hinsicht verhalten sich diese Kieselnadeln aber genau so wie andere. Große, und besonders stark gebogene Strahlen ließen manchmal eine schwache Doppelbrechung erkennen. Liegt ein Strahl der Achse des Mikroskops parallel, so sieht man bei gekreuzten Nikols ein schwarzes Kreuz, dessen Balken mit dem Fadenkreuz übereinstimmen. Beim Drehen des Objektes bleibt das Kreuz stehen. Bei eingeschobenen Gipsplättchen sieht man in der Richtung des Plättchens violett, normal darauf orange, wie bei einachsigen, optisch negativen Kristallen. Ein schwarzes Kreuz zeigen auch Strahlenquerbrüche sowie die rechtwinkelige Knickung, wenn ein Schenkel der Mikroskopachse parallel ist. Wenn die Biegung nicht rechtwinklig ist oder wenn keiner der Schenkel in der Richtung der Mikroskopachse liegt, erscheint die Biegungsstelle eiförmig und zeigt bei gekreuzten Nikols ein schiefes Kreuz, wie ein Stärkekorn. Beim Drehen des Objektes verändert sich das Bild. Die scheinbare Doppelbrechung wird demnach nur durch den Aufbau der Strahlen aus konzentrischen Schichten und die dadurch bedingten Spannungen hervorgerufen. Die Untersuchung von Dünnschliffen durch diese Nadeln zeigte, daß diese Schreiber nicht doppeltbrechend sind und es trat bei diesen der amorphe Charakter der Nadelsubstanz deutlich hervor. Einseitig angeschliffene Nadeln zeigten das chagrinartige Aussehen aller stark lichtbrechender Substanzen.

Jeder Strahl besteht aus hohlkegelförmigen, dütenähnlich übereinandergestülpten Schichten. In den Strahlen großer Nadeln sind gewöhnlich 3—4 solche Schichten wahrnehmbar. Die Deutlichkeit der Schichtung nimmt mit der Dicke der Strahlen zu und ist bei den verkürzten, terminal abgerundeten Strahlen am bedeutendsten.

Eine wabige Struktur der Nadelsubstanz im Sinne Bütschli's konnte an ungeglühten Nadeln weder innerhalb der Schichten, noch an ihren Grenzen wahrgenommen werden. Beim Glühen nehmen die Nadeln beträchtlich an Volumen zu, die Strahlen werden bedeutend dicker, blähen sich tonnenförmig auf, und es wird dann auch eine Wabenstruktur darin sichtbar. Die Waben sind den Schichten entsprechend flächenweise (im optischen Durchschnitt reihenweise) angeordnet.

In den Zentrifugnadelpräparaten habe ich merkwürdige, kleine Tetractine gesehen, deren Strahlen dünnwandige, 11—18 μ weite, nur 20—30 μ lange, zylindrische Röhren sind. Gegen das Zentrum zu verdickt sich der röhrenförmige Strahl und vereinigt sich sein Lumen. Dem Zentrum zunächst, wo die vier Strahlen miteinander verschmolzen sind, ist daher die Röhrenwand am dicksten. Von hier aus verdünnt sie sich gegen das Strahlende hin, um dort mit scharfem Rande zu enden. Die Lumina der Strahlen dieser Nadeln erscheinen als erweiterte Achsenfäden und die Nadeln selbst seien wie von innen (den Achsenfäden) her zum größten Teil aufgelöste, gewöhnliche Chelotrope aus.

Die Metaster (Taf. XXXIX, Fig. 11b, c, 12) sind meist amphiasterähnlich und haben einen glatten 2—4 μ langen, in der Mitte etwas eingeschnürten und hier 1—2 μ dicken Schaft. Von jedem Ende dieses Schaftes geht ein Bündel von Strahlen ab; sein mittlerer Teil ist in der Regel strahlenfrei. Die Strahlen sind kegelförmig, am Grunde glatt, in der Mitte und im Endteil rauh oder feindornig. Sie sind 6—8 μ lang, am Grunde 0,4—0,8 μ dick und gerade oder in der Weise gekrümmt, daß sie dem Schafte die konvexe Seite zukehren. Die Zahl der Strahlen beträgt 12—20. Die ganze Nadel ist 9—13 μ breit und 12—16 μ lang.

Die dornigen Microrhabde (Taf. XXXIX, Fig. 8—10) sind selten gerade, meist mehr oder weniger, zuweilen recht beträchtlich gekrümmt, selten an einem Ende hackenförmig umgebogen. Sie sind durchaus mit allseitlichen Dornen besetzt, (nach der Seite gemessen) 14—52 μ lang und 0,4—4 μ dick. Die Dicke steht im umgekehrten Verhältnis zur Länge. Ueber 35 μ lange pflegen unter 1 μ dick zu sein, die über 2 μ dicken sind unter 30 μ lang.

Die eiförmigen Microrhabde (Taf. XXXIX, Fig. 11a, 13) sind zylindrische, nur selten centrotyle, an beiden Enden einfach abgerundete, grob rauh, bzw. dicht feindornig erscheinende Stäbchen von 10—15, meist 13—14 μ Länge und 3—7, meist 5—6 μ Dicke. Im Innern ist, etwa 1,5 μ unter der Oberfläche, eine deutliche Schichtgrenze zu erkennen. Der innerhalb dieser Grenze gelegene Teil der Nadelsubstanz erscheint völlig strukturlos und hyalin, höchstens, daß er in der Mitte eine Spur eines Achsenfadens erkennen läßt. Der außerhalb gelegene Teil hingegen ist körnig, oder strahlig. Die jungen, kleinen, noch nicht ausgewachsenen, eiförmigen Microrhabde sind schlanker und grobdorniger als die ausgewachsenen.

In den Zentrifugnadelpräparaten findet man zwischen den tausenden von eiförmigen Microrhabden einzelne kugelförmige Microsclere von 7—8 μ Durchmesser, die denselben inneren Bau und dieselbe Oberflächenstruktur wie die eiförmigen Microrhabde haben und offenbar sphaere Derivate von ihnen sind.

Alle vier Stücke dieses Schwammes wurden von der Valdivia am 3. November 1898 auf der Agulhasbank an der südafrikanischen Küste in 35° 26′ 8″ S. 20° 56′ 2″ O. (Valdivia-Station 106 b) aus einer Tiefe von 84 m hervorgeholt.

Der von Kirkpatrick als *Pachastrella caliculata* beschriebene Schwamm ist becherförmig, die Valdivia-Stücke knollen- oder fladenförmig. Bezüglich der Nadeln unterscheiden sich die letzteren durch geringere Länge und größere Dicke der Amphioxe, größere Länge und geringere Dicke der Tetractinstrahlen, größere Strahlenzahl und bedeutendere Länge der Metaster (Amphiaster), und bedeutendere Größe der eiförmigen und dornigen Microrhabde von dem ersteren. KIRKPATRICK erwähnt die in den Valdivia-Stücken vorkommenden, fremden, kleinen Amphioxe und die sphaeren Microrhabderivate von seinem Stücke nicht. Da mir diese Unterschiede innerhalb der Variationsgrenzen der *Pachastrella*-Arten zu liegen scheinen, und die Valdivia-Stücke in jeder anderen Hinsicht mit dem von KIRKPATRICK beschriebenen übereinstimmen, glaube ich berechtigt zu sein, jene Valdivia-Schwämme zu *P. caliculata* KIRKPATRICK zu stellen.

Die Diagnose dieser Art hätte dann folgendermaßen zu lauten:

Pachastrella caliculata KIRKPATRICK.

Krollen-, flaschen- oder becherförmig, eine ansehnliche Größe erreichend. Oberfläche rotbraun, braun oder weißlich, Inneres bräunlich weiß. Gewöhnlich mit Symbionten bedeckt. Die radialen Rhabdenbündel ragen über die Oberfläche vor. Megasclere: große Amphioxe, mäßig zahlreich, sehr stumpf, 2,5—4,8 mm lang, 45—60 μ dick; Style (Subtylostyle) sehr selten, 3 mm lang, 40 μ dick, Endtyl 45 μ im Durchmesser; Amphityle sehr selten, 1,5 mm lang, 55 μ dick, Endtyle 90 μ im Durchmesser; kleine Amphioxe, wahrscheinlich fremd und vielleicht nicht immer vorhanden, plötzlich und scharf zugespitzt 60—130 μ lang, 3—7 μ dick; Tetractine (und Tetractinderivate), massenhaft, die kleinen sind reguläre Chelotrope, die großen haben meist annähernd gleich große aber sonst unregelmäßige, z. T. gebogene, geknickte oder verzweigte Strahlen, selten sind 1 oder 2 Strahlen reduziert, die Strahlen kegelförmig, 50 μ bis 1,25 mm lang, 15—240 μ dick. Microsclere: amphiasterähnliche Metaster, mäßig zahlreich, Schaft glatt, im mittleren Teil meist strahlenlos, 2—4 μ lang, 1—2 μ dick, mit 12—20 (nach KIRKPATRICK an jedem Ende nur 4—5) Strahlen, diese kegelförmig, gerade oder nach auswärts gebogen, am Grunde glatt, distal rauh oder feindornig, 6—8 μ lang, 0,4—0,8 μ dick, Gesamtlänge der Nadel 12—16 μ (nach KIRKPATRICK 11 μ); dornige Microrhabde, ziemlich zahlreich oder sehr spärlich, dicht mit ansehnlichen Dornen besetzt, 14—52 μ lang, 0,4—4 μ dick, die Dicke steht im umgekehrten Verhältnis zur Länge; eiförmige Microrhabde, massenhaft, grob rauh (feindornig), zylindrisch, terminal abgerundet, fast nie centrotyl, 10—15, meist 13—14 (nach KIRKPATRICK 12) μ lang und 3—7, meist 5—6 μ dick; sphaere Microrhabderivate, spärlich (von KIRKPATRICK nicht erwähnt), grob rauh (feindornig), 7—8 μ im Durchmesser. Verbreitung: Südafrikanische Küste (vor Durnford Point, Natal: Agulhasbank).

Subfamilia Pachamphillinae.

Pachastrellidae mit Microamphioxen, ohne echte Metaster.

Genus Ancorella n. gen.

Pachastrellidae ohne echte Metaster mit, vermutlich metasterderivaten, Microamphioxen; mit anatriaenen, langschäftigen Telocladen.

In der Valdivia-Sammlung finden sich 2 zu diesem Genus gehörige Spongien, welche einer neuen Art angehören.

Ancorella paulini n. sp.

Taf. XL, Fig. 47 b, 58; Taf. XLI, Fig. 1—15.

In der Valdivia-Sammlung finden sich zwei Stücke dieses Schwammes.

Das eine ist ein abgeplatteter, im ganzen dreieckiger, 73 mm langer, 55 mm breiter und 30 mm dicker Klumpen, der mit breiter Grundfläche festsaß; das andere (Taf. XL, Fig. 47 b) erscheint als eine dicke, polsterartige, eine Koralle bedeckende Kruste und ist im ganzen 115 mm lang. Dieses Stück ist von einem anderen Schwamme (*Chelotropaena tenuirhabda*) durchwachsen und wird an vier Stellen von diesem unterbrochen. Der Schwamm ist mit einem sehr niederen und dichten Nadelpelz bekleidet. Dieser ist jedoch an allen exponierten Stellen abgerieben. Die Oberfläche ist uneben und mit abgerundeten .Vorragungen bedeckt, welche, teilweise langgestreckt und gewunden, derselben eine Skulptur von mehr oder weniger meandrischem oder gyriförmigem Charakter verleihen. Die vorragenden Teile scheinen aus dichterem Gewebe als die übrigen zu bestehen. Größere Oeffnungen sind an der Oberfläche nicht zu erkennen. Im Innern finden sich zahlreiche, geräumige, bis 5 mm weite Kanäle.

Die Farbe des Schwammes ist, in Weingeist, schmutzig lichtbraun.

Das Skelett besteht aus großen Triactinen, Diactinen und Monactinen, Anatriaenen, eigentümlichen Amphicladen, Uebergängen zwischen diesen und den Anatriaenen, anatriaenderivaten Tylostylen, Stylen, großen Amphistrongylen, und größeren und kleineren Microamphioxen. Echte Aster habe ich in situ nicht gesehen, wohl aber in den Zentrifugnadelpräparaten, unter den tausenden von Microamphioxen ab und zu einzelne gefunden. Diese gleichen den Metastern der mit dem Schwamme assoziierten *Chelotropaena tenuirhabda* und ich bin geneigt sie für den *Ancorella* fremde, von jener *Chelotropaena* herstammende Nadeln zu halten. Die großen Triactine sind sehr zahlreich und erfüllen in dichten Massen den ganzen Schwamm. Einige von den dicht an der Oberfläche gelegenen breiten ihre Strahlen paratangential aus; die im Innern befindlichen sind ganz regellos angeordnet. Die allermeisten von diesen Triactinen sind regulär und haben drei einfache, gerade, kongruente Strahlen. Einige wenige sind insofern irregulär, als einer ihrer Strahlen geknickt oder verkürzt ist. Die Triactine mit einem geknickten Strahl finden sich im Innern, jene mit einem verkürzten Strahl aber nahe der Oberfläche, wo sie in mehr oder weniger radialen Ebenen und zwar so liegen, daß ihr verkürzter Strahl nach außen gerichtet ist und gewöhnlich eine kurze Strecke weit frei über die Oberfläche vorragt. Die offenbar triactinderivaten Diactine und Monactine sind gleichfalls ziemlich selten. Die ersteren sind im Innern zerstreut, die letzteren stecken derart radial in der Oberfläche, daß ihr, von einer tylartigen Endverdickung gekrönter Zentralteil nach außen gerichtet ist und eine Strecke weit frei über die Oberfläche vorragt. Die Amphiclade, die Uebergänge zwischen diesen und den Anatriaenen, die Anatriaene selbst und die schlanken, anatriaenderivaten Tylostyle, stecken radial in der Oberfläche und ragen mit dem größeren Teil ihrer Länge frei darüber vor. Die Cladome der Anatriaene und Uebergangsformen, die größeren Cladome der Amphiclade und die Endtyle der anatriaenderivaten Tylostyle liegen distal. Die Anatriaene sind dort, wo der Nadelpelz erhalten ist, sehr zahlreich (Taf. XL, Fig. 58 b). Sie bilden den größten Teil dieses Pelzes. Die anatriaenderivaten Tylostyle (Taf. XL, Fig. 58 a), die Amphiclade und die Uebergangsformen sind selten.

Sie komme1 vorne1mlic1 im Nadelpelz des Grundteiles des Sc1wammes vor. Die große1 Amphistrongyle si1d mäßig za1lreic1, u1d werde1 im I1er1 a1getroffe1. Die größere1 Micro-amphioxe si1d so ziemlich auf die Oberfläc1e besc1rä1kt u1d auc1 1ier 1ic1t za1lreic1. Ic1 möc1te sie fir fremde Nadel1 1alte1. Die klei1e1 erfülle1 i1 dic1te1 Masse1 den ga1ze1 Sc1wamm. Die Styl'e si1d se1r selte1, vielleic1t fremd.

Die große1 Ampbistrongyle (Taf. XLI, Fig. 8) si1d centrotyl, i1 der Mitte geboge1, i1 i1re1 E1dteile1 meist gerade, selte1er sc1wac1 zurückgeboge1, ausgesc1weift, ei1igermaße1 toxartig. Sie si1d 1,3—2,3 mm la1g, im mittlere1 Teil 18—26, meist etwa 20 µ dick, gege1 die E1de1 1i1 allmä1lic1 bis auf 8 µ verdi11t, u1d an den E1de1 selbst ei1fac1 abgeru1det. Der Durc1messer des ze1trale1 Tyls beträgt 19—30 µ; er pflegt um 20 % größer als die Dicke der be1ac1barte1 Nadelteile zu sei1. Wege1 der starke1 Verdünnung gege1 die E1de1 kö1nte1 diese Nadel1 auc1 als (se1r stumpfe) Amphioxe a1gese1e1 werde1.

Die se1r selte1e1 (vielleic1t fremde1) Style si1d etwa 500 µ la1g u1d 8 µ dick.

Die Triacti1e (Taf. XL, Fig. 5 8 c; Taf. XLI, Fig. 1 a, 2 b, 5, 6) 1abe1 fast immer drei a1ä1er1d ko1grue1te, fast i1 ei1er Ebe1e liege1de, glatte, ga1z gerade, regelmäßig kegelförmige, zugespitzte Stra1le1 vo1 200—900 µ Lä1ge u1d 20—70 µ Grunddicke, welc1e u1ter Wi1kel1 vo1 120° zusammenstoßen. Se1r selte1 si1d alle Stra1le1 verkirzt u1d abgeru1det (Taf. XLI, Fig. 6). We1iger selte1 si1d Forme1 mit zwei 1ormale1, gerade1 kegelförmige1, spitzige1 Stra1le1 u1d ei1em e1tweder gek1ickte1 oder verkirzte1 u1d abgeru1deten Stra1l. Bei den Triactinen mit ei1em gek1ickte1 Stra1l beträgt der Strahlenk1ickungswinkel meiste1s etwa 120°, so daß der E1dteil des gek1ickte1 Stra1ls ei1em der a1dere1 Stra1le1 me1r oder we1iger parallel (aber 1ac1 der e1tgege1gesetzte1 Seite 1i1 geric1tet) ist. Bei den Triactinen mit ei1em verkirzte1 Stra1l ist die Strahlenverkürzu1g se1r versc1iede1. Ge1t sie, was zuweile1 der Fall ist, so weit, daß der i1 sei1er E1twicklu1g ge1emmte Stra1l ga1z versc1wi1det, wird aus dem Triactin ein Diacti1. Außer diese1 beide1 u1regelmäßige1 Triactinformen 1abe ich 1oc1 a1dere, Triacti1e mit· ei1em i1 der Mitte oder am E1de gabelspaltige1 Stra1l, sowie solc1e mit ei1em knopf-förmige1 Rudime1t ei1es vierte1 Stra1ls (Fig. 6) gese1e1. Diese Forme1 si1d iberaus selte1. Zuweile1 si1d die Achsenfäden erweitert u1d diese Erweiteru1g ka11 so weit ge1e1, daß vo1 der ga1ze1 Nadel 1ic1ts als drei ku1ze u1d weite, u1ter 120° zusammc1stoßende Rö1re1 ibrig bleibe1, welc1e aus den oberfläc1lic1e1 Kieselsc1ic1te1 des ze1trale1 Teils ei1es gewöhn-lic1e1 Triactins beste1e1 u1d wo1l den letzte1 Rest ei1er vo1 i1e1 her größte1teils aufgelöste1 Nadel dieser Art darstelle1.

Die beide1 Stra1le1 der 1ic1t 1äufige1 Diacti1e (Taf. XLI, Fig. 2 a, 3, 4) si1d gewöhn-lic1 a1ä1er1d ko1grue1t, gerade, glatt, kegelförmig u1d zugespitzt, oder etwas stumpf. Sie si1d 600 µ — 1,1 mm la1g u1d am Gru1de 40—70 µ dick. Durc1sc11ittlic1 also etwas größer (lä1ger) als die Stra1le1 der Triacti1e. Der Wi1kel, den sie miteina1der ei1sc1ließe1, sc1wa1kt zwar bedeute1d, zwisc1e1 85 u1d 146°, beträgt aber doc1 meiste1s (Fig. 3, 4) u1gefä1r 120°. Die ga1ze Nadel ist 670 µ bis 1,7 mm la1g. Vo1 dem dritte1 Stra1l, durc1 desse1 Redukti1 diese Nadel1 aus Triactinen 1ervorgega1ge1 si1d, ist zuweile1 (Fig. 2a) ei1 k1opfartiger Rest er1alte1, gewö1lic1 ist aber kaum me1r ei1e Spur davo1 zu erke11e1 (Fig. 3, 4).

Die 1ic1t za1lreic1e1 Mo1acti1e (Taf. XLI, Fig. 9, 10) ersc1ei1e1 als kurze, gedru1ge1 gebaute Tylostyle mit u1regelmäßigem Tyl. Zweifellos si1d sie durc1 Redukti1 zweier Stra1le1

193

aus Triactinen entstanden. Sie sind kegelförmig, zugespitzt, mehr oder weniger gekrümmt, 930 μ bis 1,2 mm lang und am Grunde 60—90 μ dick, etwas größer (namentlich dicker) also, als die Strahlen der Diactine. Gestalt und Größe des Tyls hängen von dem Grade der Rückbildung der Strahlen, deren letzten Rest es darstellt, ab. Einigemale habe ich Uebergangsformen zwischen Diactinen und Monactinen gesehen. Das waren Nadeln mit einem wohl ausgebildeten und einem stark verkürzten, am Ende abgerundeten Strahl. Diese Formen sind jedoch selten. Gewöhnlich (Fig. 9, 10) ist das Tyl kurzeiförmig oder kugelig und hält dann 95—110 μ im Durchmesser. Selten findet sich unter dem Endtyl noch eine zweite Verdickung.

Die regulären Anatriaene (Taf. XL, Fig. 58b; Taf. XLI, Fig. 12—14) haben einen 750 μ bis 1,1 mm langen, geraden oder nur wenig gebogenen Schaft. Dieser ist am cladomalen Ende 5—11 μ dick und nimmt gegen das acladomale Ende hin, bis auf 7—17 μ, an Dicke zu. Dem acladomalen Ende zunächst ist der Schaft meist um 50—100% dicker als am cladomalen. Zuweilen ist das acladomale Ende einfach abgerundet, häufiger mit einer tylartigen Endverdickung ausgestattet, deren Durchmesser 10—20 μ beträgt, und 10—30% größer als die Dicke des daran grenzenden Schaftteils ist. Die Clade sind, am Grunde stärker als in ihrem Endteile, gegen den Schaft konkav gekrümmt, und 45—60 μ lang. Ihre Sehnen schließen Winkel von 25—45,0 mit dem Schafte ein. Die Cladombreite beträgt 40—65 μ.

Als Derivate dieser Anatriaene werden wohl die selteneren Tylostyle (Amphityle) des Nadelpelzes (Taf. XL, Fig. 58a) anzusehen sein. Diese sind etwa 7 μ dick und haben distal ein kurz eiförmiges, 12 μ im Durchmesser haltendes Tyl.

Die selteneren Amphiclade (Taf. XLI, Fig. 1c) sind sehr eigentümliche Nadeln. Sie bestehen aus einem geraden, 750 μ bis 1 mm langen Schaft, der an einem Ende 20—33 μ, am anderen stärker, bis 45 μ dick ist. Von dem dünneren, distal gelegenen Ende gehen drei gerade, kegelförmige, etwas nach rückwärts gerichtete, mit dem Schafte Winkel von 77—85° einschließende, 160—270 μ lange Clade ab. Von dem dickeren (proximalen) Ende des Schaftes geht ein dünneres, 200—250 μ langes, gleichfalls gerades und kegelförmiges Clad ab, welches einen stumpfen (Fig. 1c), oder einen spitzen Winkel mit dem Schafte einschließt. Ich habe eine Anzahl von Nadeln beobachtet, welche den Uebergang zwischen diesen Amphicladen und den oben beschriebenen Anatriaenen vermitteln. Es sind das ziemlich kurzschäftige Triaene mit unregelmäßigem Cladom von mehr weniger anacladem Charakter. Diese irregulären Anatriaene (Taf. XLI, Fig. 11, 15) haben einen 340—900 μ langen Schaft, welcher am cladomalen Ende 9—22 μ, am acladomalen ebenso dick oder etwas dicker, und einfach abgerundet ist. Es sind stets drei Clade vorhanden. Diese sind entweder gerade wie die Clade des größeren Cladoms der Amphiclade, etwa 250 μ lang und etwas nach rückwärts gerichtet (Cladwinkel 65—85°), oder sie sind am Grunde, wie die Clade der Anatriaene, zurückgebogen, weiterhin aber sämtlich (Fig. 15) oder zum Teil (Fig. 11) mehr nach auswärts gerichtet und nur 40—130 μ lang. Jene Amphiclade und diese Uebergangsformen, sowie die Verdickung und Abrundung des acladomalen Endes des Schaftes der regulären Anatriaene lassen es möglich erscheinen, daß die regulären Anatriaene Amphicladderivate sind.

Die (vermutlich fremden) größeren Microamphioxe sind schwach gebogen, ziemlich plötzlich und nicht scharf zugespitzt, ganz glatt, 110—300 μ lang und 9—13 μ dick.

Die kleinen Microamphioxe (Taf. XLI, Fig. 1c, 7) haben einen deutlichen Achsenfaden, sind schwach gebogen, allmählich zugespitzt und dicht mit überaus feinen, schlanken, nur bei starker Vergrößerung sichtbaren Dörnchen besetzt. Die dem mittleren Teil der Nadel aufgesetzten Dornen stehen senkrecht ab, die den Endteilen aufgesetzten sind etwas zurückgebogen. Von jedem Ende der Nadel erhebt sich ein Terminaldorn. Diese Microamphioxe sind 139—210 μ lang und 3—5 μ dick.

Beide Stücke dieses Schwammes wurden von der Valdivia am 3. Januar 1899 östlich von St. Paul im Südindik in 38° 34′ S., 77° 38′ 6″ O. (Valdivia-Station Nr. 165) aus einer Tiefe von 672 m hervorgeholt.

Diese Art ist bisher die einzige des Genus *Ancorella*.

Genus Pachamphilla n. gen.

Pachastrellidae ohne echte Metaster mit, vermutlich metasterderivaten, Microamphioxen; ohne langschäftige Teloclade.

In der Valdivia-Sammlung findet sich ein zu dieser Gattung gehöriger Schwamm, welcher eine neue Art repräsentiert.

Pachamphilla alata n. sp.

Taf. XXXIX, Fig. 14—25.

Von diesem Schwamm findet sich ein Stück in der Valdivia-Sammlung.

Dasselbe (Taf. XXXIX, Fig. 18) erscheint als ein Knollen, von dem vier dicke, flügelartige Anhänge abgehen. Hierauf bezieht sich der Artname. Diese, in der Figur 18 im Profil gesehenen Anhänge sind 20—25 mm dicke, am Rande abgerundete Platten. Der ganze Schwamm ist 134 mm lang und 64 mm hoch. Die Oberfläche ist kahl, etwas wellig, schwach gekörnelt, und von Symbionten völlig frei. Größere, mit freiem Auge sichtbare Oeffnungen (Oscula) kommen nicht vor.

Die Farbe des Schwammes ist, in Weingeist, an der Oberfläche matt fleischrot, im Innern bräunlich weiß.

Das Skelett ist recht einfach. Es besteht aus rhabden und tetractinen Megascleren, und amphioxen Microscleren. Die rhabden Megasclere sind größtenteils Amphioxe. Es kommen aber auch einzelne Style vor. Sie bilden sehr lose, zur Oberfläche emporziehende Stränge. Die Tetractine sind chelotropartig. Sie sind von recht verschiedener Größe, es herrschen aber die großen unter ihnen stark vor. Sie sind sehr zahlreich. Die meisten von den der Oberfläche zunächst liegenden breiten drei ihrer Strahlen paratangential aus, während der vierte radial nach innen gerichtet ist, die im Innern gelegenen sind regellos zerstreut. Die amphioxen Megasclere bilden, paratangential angeordnet, einen Filz an der Oberfläche und kommen in großer Zahl zerstreut auch im Innern vor.

Die großen Amphioxe (Taf. XXXIX, Fig. 15, 16) sind gekrümmt, meist stumpfspitzig, 1,7—2,05 mm lang und 50—60 μ dick.

Die selteren Style (Taf. XXXIX, Fig. 17) sind 1,1—1,8 mm lang und 60 μ dick.

Die Tetractine (Taf. XXXIX, Fig. 20—25) haben meist annähernd gleich lange Strahlen, es kommen aber auch welche vor, bei denen ein Strahl verkürzt oder aber bis um die Hälfte länger ist als die drei anderen. Die Strahlen sind kegelförmig, spitz, selten (die verkürzten) am Ende abgerundet, 130 μ bis 1,1 mm lang, und am Grunde 20—150 μ dick. Die kleineren Tetractine sind reguläre Chelotrope (Fig. 25). Auch unter den größeren und größten kommen solche vor (Fig. 24). Viele von den großen sind aber insofern irregulär, als einer ihrer Strahlen am Ende (Fig. 23), in der Mitte (Fig. 20, 21), oder nahe dem Grunde (Fig. 22), etwas plötzlich gebogen ist. Verzweigungen der Strahlen kommen fast gar nicht vor. Eine von diesen Nadeln, welche einem kurzschäftigen Tetraean glich, dürfte wohl ein Tetractin mit einem am Grunde gabelspaltigen Strahl gewesen sein. Bemerkenswert ist die relative Seltenheit der kleinen regulären Chelotrope

Die amphioxen Microsclere (Taf. XXXIX, Fig. 14, 19) sind schwach und stetig gekrümmt, gegen beide Enden gleichmäßig verdünnt und scharfspitzig. Sie sind 16—140 μ lang und 1,5—7 μ dick. Die Dicke steht annähernd im Verhältnis zur Länge. Die kleinen, bis 60 μ langen (Fig. 14a, 19a) sind deutlich centrotyl, die größeren, über 80 μ langen (Fig. 14b, 19b) nicht. Die mittleren 60—80 μ langen sind z. T. centrotyl, z. T. nicht. Bei den kleinsten, bis 30 μ langen, hat das zentrale Tyl einen, die Nadeldicke um etwa 30 % übersteigenden Durchmesser. Je größer die Nadel ist, um so kleiner wird diese Prozentzahl und um so weniger deutlich tritt das Tyl hervor. Aus all dem läßt sich wohl ziemlich sicher schließen, daß die kleinen, centrotylen Microamphioxe zu den größeren, nicht centrotylen auswachsen.

Dieser Schwamm wurde von der Valdivia am 3. November 1898 auf der Agulhasbank an der südafrikanischen Küste, in 35° 26′ 8″ S., 20° 56′ 2″ O. (Valdivia-Station Nr. 106b), aus einer Tiefe von 84 m hervorgeholt.

Der vorliegende Schwamm ist bis nun der einzige Vertreter des Genus *Pachamphilla*. In mancher Hinsicht steht er den Arten der Gattung *Papyrula* nahe.

Demus Euastrosa.

Astrophora mit euastrosen Microscleren. ⌒

Familia Stellettidae.

Astrophora mit euastrosen Microscleren, ohne Sterraster. Die tetraxonen Megasclere sind oberflächlich gelegene, radial orientierte, meistens langschäftige Teloclade mit distalem Cladom. Im Innern finden sich keine unregelmäßig angeordneten Chelotrope oder kurzschäftige Triaene.

In der Fassung, die ich jetzt der Familie Stellettidae gebe, unterscheidet sie sich nur wenig von den Stellettidae sensu SOLLAS[1]. Ich[2] unterschied 12 Genera und Subgenera innerhalb derselben. Jetzt scheide ich, aus den oben (in den Bemerkungen über die Einteilung der

---

[1] W. J. SOLLAS, Tetractinellida. In: Rep. Voy. Challenger Bd. 25 p. CXXXIV.
[2] R. v. LENDENFELD, Tetraxonia. In: Tieffeich Bd. 19 p. 33.

Astrophora) angeführten Gründen die drei Genera Thenea, Papyrula und Sphinctrella, sowie die in dem Genus Ecionemia untergebrachte Characella aspera Sollas aus den Stellettidae aus und stelle sie zu den Theneidae. Von den als Untergattungen von Ancorina unterschiedenen 6 Gruppen fallen zwei (Papyrula und Thenea) wegen ihrer Zuteilung zu den Theneidae weg. Zwei, Ancorina und Stryphnus vereinige ich zu einer Gattung, Ancorina. Die übrigen zwei, Penares und Ecionemia erhebe ich zu Gattungen.

Es umfassen sonach die Stellettidae 8 Gattungen. Und sie zerfallen, je nachdem sie mit besonderen Oscularschornsteinen ausgestattet sind oder nicht, in zwei Subfamilien:

I. Subfamilia *Stellettinae* (ohne besondere Oscularschornsteine).

Genus *Ecionemia* (ohne Oxyaster. Die Euaster sind Strongyl- oder Acanthtylaster. Außer diesen finden sich dornige oder strahlentragende Microrhabde, aber keine glatten Microamphioxe. Dichotriaene fehlen).[1]

Genus *Sanidastrella* (die Euaster sind ausschließlich Oxyaster. Außer diesen finden sich dornige oder strahlentragende Microrhabde, aber keine glatten Microamphioxe. Dichotriaene fehlen).

Genus *Ancorina* (außer den Euastern finden sich dornige oder strahlentragende Microrhabde, aber keine glatten Microamphioxe. Mit Dichotriaenen).

Genus *Penares* (außer den Euastern finden sich glatte Microamphioxe, welche paratangential in der Dermalschicht liegen).

Genus *Stelletta* (außer den Euastern kommen zuweilen Dragme, niemals aber Microrhabde vor).

II. Subfamilie *Tethyopsinae* (mit besonderen Oscularschornsteinen).

Genus *Tribrachion* (der Oscularschornstein ist ein einfaches Rohr).

Genus *Disyringa* (der Oscularschornstein enthält mehrere Längskanäle. Mit dornigen Microrhabden).

Genus *Tethyopsis* (der Oscularschornstein enthält mehrere Längskanäle. Ohne dornige Microrhabde).

Diese Gattungsunterschiede sind in dem folgenden Schema (S. 254) zusammengestellt.

In der Valdivia-Sammlung sind die Genera Sanidastrella, Ancorina, Penares und Stelletta; in der Gazellen-Sammlung Ecionemia, Stelletta, Disyringa und Tethyopsis vertreten. In der Valdivia-Sammlung finden sich 9, in der Gazellen-Sammlung 34, zusammen 43, zu den Stellettidae gehörige Spongien. Diese gehören 16 Arten (Valdivia 6, Gazelle 10) an, 2 von den Gazellen-stellettiden waren schon bekannt, 14 (Valdivia 6, Gazelle 8) sind neu.

---

[1] Die von mir (TiefTeich v. 19 p. 62) zu Ecionemia gestellte *Characella aspera* Sollas muß nun aus diesem Genus ausgeschieden und zu den Theneidae gestellt werden, wo sie der Gattung Thenea einverleibt, oder, wenn man das Genus Characella aufrecht erhalten will, in diesem Theneidengenus belassen werden kann.

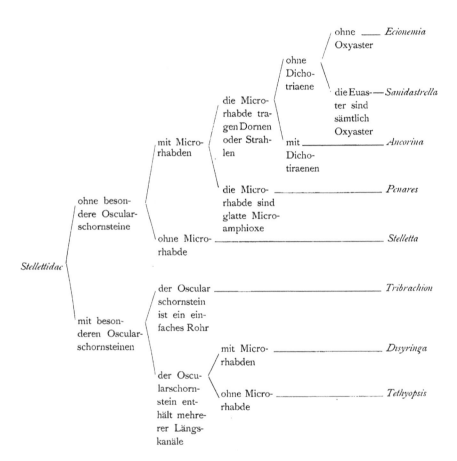

Subfamilia Stellettinae.

Stellettidae ohne besondere Oscularschornsteine.

Genus Ecionemia BOWERBANK.

Stellettidae ohne besondere Oscularschornsteine. Die Euaster sind Strongyl- oder Acanthylaster; Oxyaster fehlen. Außer den Euastern finden sich dornige oder strahlentragende Microrhabde, aber keine glatten Microamphioxe. Dichotriaene fehlen.

In der Gazellen-Sammlung findet sich ein zu Ecionemia gehöriger Schwamm, welcher einer neuen Art angehört.

Ecionemia obtusum n. sp.

Taf. XXIV, Fig. 1—30.

In der Gazellen-Sammlung findet sich ein Stück dieses Schwammes.

Dasselbe (Taf. XXIV, Fig. 9) ist unregelmäßig, knollenförmig-lappig und etwas abgeplattet, 9 cm lang, 6 cm breit und 4 cm dick. Es scheint an mehreren von den lappenförmig vortretenden Teilen festgewachsen gewesen zu sein. Die Oberfläche ist mit flachen Vorragungen von rundlichem Umriß bedeckt, leicht wellenförmig. An geschnitzten, konkaven Stellen treten größere, radiale Nadeln 1—1,5 weit frei über die Oberfläche vor. Alle übrigen Teile der Oberfläche erscheinen dem freien Auge glatt, obwohl auch hier allenthalben sehr kleine radiale Dermalrhabde 30—60 μ weit über dieselbe vorragen. An einer Stelle, in der Mitte der einen breiten Seite, findet sich eine leichte Einsenkung von eiförmigem Umriß, 2 cm Länge und 1,5 cm Breite (Taf. XXIV, Fig. 9a). Darin liegen bei fünfzehn 0,3—1,5 mm weite, runde Löcher, die Oscula des Schwammes. Die kleineren werden von deutlichen Ringmembranen eingefaßt.

Die Farbe des Schwammes ist, in Weingeist, an der Oberfläche dunkel purpurbraun, im Innern schmutzig braun.

Unter der 300—320 μ dicken Dermalschicht finden sich Subdermalhöhlen (Taf. XXIV, Fig. 8b), welche die Gestalt von paratangential verlaufenden, meist 200—250 μ weiten, lakunösen Kanälen haben.

Das Skelett besteht aus radialen Zügen von großen Rhabden und zerstreuten Microrhabden und Euastern im Innern; radialen Bündeln von Plagiotriaenen, von denen die meisten ihre Cladome dicht unter der Oberfläche, einige aber auch unterhalb der Subdermalraumzone ausbreiten, und kleinen, radialen, distal frei vorragenden Rhabden in der Dermalschicht; und dicht gedrängten Massen von Microrhabden an der Oberfläche.

Die kleinen Rhabde, welche radial in der Dermalschicht stecken, sind mehr oder weniger abgestumpfte Amphioxe, Amphistrongyle und Style, ausnahmsweise auch Subtylostyle mit distal gelegenem Tyl. Die meisten sind 250—300 μ lang und 2—3,5 μ dick. Unter den zylindrischen Amphistrongylen kommen jedoch auch kürzere und dickere vor: ein solches, das ich maß, war 160 μ lang und 5 μ dick.

Die großen Rhabde, welche den Hauptteil des Stützskelettes bilden (Taf. XXIV, Fig. 10—13) sind meist isoactin. Anisoactine Formen kommen vor, sind aber nicht häufig. Bei manchen von den letzten geht die Anisoactinität so weit, daß sie als Style erscheinen (Fig. 12). Unter den isoactinen werden scharfspitzige Amphioxe (Fig. 10a—c), abgestumpfte Amphioxe (Fig. 11a—d) und zylindrische Amphistrongyle (Fig. 13a, b) angetroffen. Eine ununterbrochene Reihe von Uebergangsformen verbindet die scharfspitzigen Amphioxe mit den Amphistrongylen. Die häufigsten von diesen Nadeln sind die stumpfen Amphioxe, doch werden auch die anderen Formen in großen Mengen angetroffen. Die allermeisten erscheinen, namentlich in ihrem mittleren Teile, beträchtlich gekrümmt. Diese Nadeln sind 1,2—2,75 mm lang und 30—90, ausnahmsweise bis 100 μ dick. Die meisten sind etwas über 2 mm lang und etwa 45 μ dick. Es kommen aber auch, namentlich unter den Amphistrongylen, viele vor, die bedeutend gedrungener gebaut sind und bei einer Länge von 1,2—1,5 mm eine Dicke von 70—85 μ erreichen. Die Mannigfaltigkeit dieser Rhabde und die Häufigkeit der abgestumpften Formen sind sehr auffallend. Auf letztere und die unten zu beschreibenden, stumpfcladigen Plagiotriaene, bezieht sich der Artname *obtusum*. Viele von den dicken, kurzen und stumpfen von diesen Nadeln haben insofern eine unregelmäßige Form als ihr Mittelteil, wie der Mittelteil eines normalen Amphiox, spindelförmig gestaltet ist, während die Endteile regelmäßig zylindrisch, terminal plötzlich abgerundet erscheinen. Die Achsenfäden dieser Nadeln scheinen mir ungewöhnlich dick zu sein. Die Schichtung ihrer Kieselsubstanz tritt sehr scharf hervor und geht kontinuierlich über die ganze Nadel weg. Zuweilen meinte ich zwischen den auffallenden Grenzen der dicken Hauptschichten zahlreiche andere, dicht beisammen liegende, weniger deutliche Schichtgrenzen gesehen zu haben. Es ist jedoch leicht möglich, daß die letzten durch Lichtbeugung vorgetäuscht werden und nicht auf einer wirklich vorhandenen, feinen, sekundären Schichtung der Nadelsubstanz beruhen.

Die Plagiotriaene (Taf. XXIV, Fig. 1—7, 14—19) haben meist kegelförmige, terminal zugespitzte oder angestumpfte, selten zylindrische, am Ende einfach abgerundete Schäfte von 1,4—3,1 mm Länge. Die zylindrischen Plagiotriaenschäfte sind stets kurz, meist unter 2 mm lang. Der Plagiotriaenschaft ist am cladomalen Ende 40—70 μ dick. Das acladomale Ende ist bei einigen von den kegelförmigen Schäften scharfspitzig (Fig. 14, 15, 19), bei anderen mehr oder weniger abgestumpft (Fig. 16—18), und bei den zylindrischen einfach abgerundet. Die Cladome sind recht verschieden, das Konstanteste an ihnen sind die Winkel — 40 bis 60° —, welche die Clade mit der Schaftverlängerung einschließen. Die Clade sind meist einfach und untereinander gleich (Fig. 1, 2, 4—6, 15—19). Es kommen aber auch Plagiotriaene vor, deren Clade ungleich lang (Fig. 14) oder (Fig. 3) zum Teil gabelig gespalten und geknickt sind. Solche Uebergangsformen zu Dichotriaenen sind jedoch recht selten. Die Clade selbst sind kegelförmig und scharf zugespitzt (Fig. 15), oder kegelförmig und etwas abgestumpft (Fig. 1—3, 14), oder kegelförmig und stark abgestumpft (Fig. 4, 16) oder zylindrisch und am Ende einfach abgerundet. Die kegelförmigen Clade sind stets wohlausgebildet und 160—300, selten bis 350 μ lang. Die zylindrischen Clade sind entweder wohlausgebildet und lang (Fig. 5, 17) oder mehr oder weniger (Fig. 6, 18), zuweilen so stark verkürzt (Fig. 7, 19), daß das ganze Cladom wie ein schwach dreilappiges Tyl aussieht. Die längsten zylindrischen Clade sind etwas über 200 μ lang. Die Cladombreite beträgt 70 (Cladom mit stark rückgebildeten, zylindrischen Claden) bis 400, selten bis 490 μ (Cladom mit langen kegelförmigen Claden).

Formen mit schwach abgestumpften, kegelförmigen Claden sind häufiger als andere. Formen mit stark verkürzten, zylindrischen Claden werden am häufigsten unter jenen Plagiotriaenen angetroffen, deren Cladome unterhalb der Subdermalraumzone liegen.

Die Euaster sind größtenteils regelmäßige Acanthtylaster[1]). Außer diesen kommen in geringer Zahl noch andere, zum Teil unregelmäßige Euasterformen vor.

Die regelmäßigen Acanthtylaster (Taf. XXIV, Fig. 20—22, 29) haben drei bis sieben, meist fünf oder sechs, konzentrische Strahlen. Diese sind (Fig. 20—22) im allgemeinen umso größer, je geringer ihre Zahl ist. Sie sind zylindrokonisch, distal verschmälert 5—9 μ lang und am Grunde etwa 1 μ dick. Grundteil und Mitte eines jeden Strahles erscheinen völlig glatt; am Endteil sitzt eine Anzahl ziemlich kurzer und dicker Dornen. Diese bilden ein endständiges Büschel, und sind unterhalb des Endes zerstreut oder in Gestalt eines Wirtels angeordnet. Im Endbüschel stehen die Dornen so dicht, daß sie eine merkliche Terminalverdickung des Strahls verursachen. Die Acanthtylaster haben einen Gesamtdurchmesser von 10 (die mehrstrahligen) bis 15 μ (die wenigstrahligen). Die meisten sind etwa 12 μ groß.

Die anderen Euaster (Taf. XXIV, Fig. 23—25) sind vielstrahlige, 6—9 μ im Durchmesser haltende, regelmäßig strongylasterartige (Fig. 23), oder mehr oder weniger unregelmäßige (Fig. 24, 25), durchaus dornige Gebilde, welche in mancher Hinsicht einen Uebergang zwischen den Acanthtylastern und den Microrhabden zu vermitteln scheinen. Sie sind selten.

Die Microrhabde (Taf. XXIV, Fig. 26—28, 30) sind dornige, durchaus gleich dicke, an den Enden abgerundete Stäbchen von 6—12, gewöhnlich 10—12 μ Länge und 1,5—4,5 μ Breite. Die besonders breiten pflegen auch besonders kurz zu sein (Fig. 26). Die allermeisten Microrhabde sind gerade. Ab und zu sieht man aber auch ein in der Mitte winkelig gebogenes. Im allgemeinen ist man der Ansicht, daß diese Nadeln einen rundlichen Querschnitt haben. Ob das auch bei diesen Nadeln von *Ecionemia obtusum* zutrifft, scheint mir etwas zweifelhaft. Ich halte es für leicht möglich, daß hier die Microrhabde zum Teil etwas abgeplattet sind.

Dieser Schwamm wurde von der Gazelle (Nr. 2617) im Naturforscherkanal an der westaustralischen Küste erbeutet.

Die einzigen anderen anatriaenlosen *Ecionemia*-Arten, welche Microrhabde von ähnlicher Größe besitzen, sind *E. murrayi* und *E. nigrum*. Von ersterem unterscheidet sich *E. obtusum* durch das Fehlen der Conuli und der unregelmäßigen Triaene, von letzterem durch die Euaster, welche bei *E. nigrum* 8 μ große Strongylaster, bei *E. obtusum* zum allergrößten Teil 10—15 μ große Acanthtylaster sind.

Genus Sanidastrella TOPSENT.

Stellettidae ohne besondern Oscularschornstein. Die Euaster sind sämtlich Oxyaster. Außer diesen finden sich dornige, oder strahlentragende Microrhabde, aber keine glatten Microamphioxe. Dichotriaene fehlen.

In der Valdivia-Sammlung finden sich zwei in dieses Genus gehörige Spongien, welche einer neuen Art angehören.

---

[1]) Nähere Angaben über die Bedeutung dieses Nadelnamens finden sich in der Beschreibung von *Stelletta clavosa*.

201

Sanidastrella multistella n. sp.

Taf. XXV, Fig. 11—18.

In der Valdivia-Sammlung finden sich zwei Stücke dieses Schwammes. Das eine ist ein Teil eines größeren, vermutlich massigen Schwammes, und 19 mm lang. Der natürlichen Oberfläche dieses Stückes haften zwei Kugeln von 4—5 mm Durchmesser, die eine fest, die andere lose, an. Diese Kugeln sind Jugendformen desselben Schwammes und vermutlich aus Brutknospen des Stückes, dem das Fragment angehört, hervorgegangen. Das andere Stück ist eine Kugel von 20 mm Durchmesser. Die Oberfläche ist kahl und schwach gekörnelt. Derselben haften größere, bis 9 mm lange Muscheln und andere Fremdkörper an. Die Farbe des Schwammes ist, in Weingeist, an der Oberfläche weißlich, im Innern lichtbräunlich.

Es ist eine deutliche differenzierte, ungefähr 620 μ dicke Rinde vorhanden, welche aus drei ziemlich gleich starken Schichten besteht. Die äußere und die innere sind von Microscleren dicht erfüllt, und ziemlich undurchsichtig. Die mittlere enthält nur wenige, zerstreute Oxyaster, und ist sehr durchsichtig.

Skelett. Im Innern finden sich amphioxe Megasclere und Massen von ungewöhnlich dichtgedrängten, großen Oxyastern. Auf diese bezieht sich der Artname *multistella* Auch zerstreute, strahlentragende Microrhabde und kleine Oxyaster kommen hier vor. Unter der Oberfläche sitzen radiale Plagiotriaene und Anatriaene, die ihre Cladome größtenteils in der Rinde, zum geringen Teile dicht unterhalb derselben ausbreiten. Die obere und untere Rindenschicht sind mit dichten Microrhabdenmassen erfüllt. Auch zerstreute Oxyaster kommen in der Rinde vor, sie sind hier jedoch viel weniger zahlreich als im Choanosom.

Die Amphioxe sind ziemlich isoactin, stetig gegen die Enden verdünnt, 2,3—4,5 mm lang und 40—90 μ dick.

Die Plagiotriaene (Taf. XXV, Fig. 16, 17) haben einen schwach gekrümmten, 1,5 —3,4 mm langen Schaft. Dieser ist am cladomalen Ende fast zylindrisch und 50—90 μ dick, weiterhin kegelförmig und am acladomalen Ende zugespitzt. Dicht unter dem Cladom findet sich eine leichte, halsartige Einschnürung (Fig. 16). Die Clade sind 160—300, meist 200—250 μ lang und schließen mit der Schaftverlängerung Winkel von beiläufig 60° ein. Die Cladombreite beträgt 300—500 μ.

Die Anatriaene (Taf. XXV, Fig. 15 a, b) haben einen 2—4 mm langen, geraden, am cladomalen Ende 20—22 μ dicken, am acladomalen Ende oft plötzlich zugespitzten Schaft. Die Clade sind am Grunde etwas stärker als in ihrem Endteile gekrümmt, und 75—100 μ lang. Ihre Sennen schließen mit dem Schafte Winkel von meist 33—45° ein. Die Cladombreite beträgt 90—150 μ.

Die strahlentragenden Microrhabde (Taf. XXV, Fig. 11, 12 b, 13 b, c, 18 b) sind 8—12, meist etwa 10 μ lang und 3—4 μ breit. Sie bestehen aus einem zylindrischen Schaft von 1—1,5 μ Dicke, von dem in seiner ganzen Länge sehr zahlreiche und gleichmäßig verteilte etwa 1,5 μ lange Strahlen abgehen. Diese sind am Ende verbreitert und hier, wie es scheint, in Lappen zerteilt, doch sind diese so klein, daß man sie auch mit den stärksten Linsen nicht deutlich wahrzunehmen vermag.

Die kleinen Oxyaster (Taf. XXV, Fig. 12 c) haben meist fünfzehn bis zwanzig 4—8 μ lange, kegelförmige und zugespitzte Strahlen, welche mit ziemlich großen, senkrecht abstehenden Dornen besetzt sind. Der ganze Aster hat einen Durchmesser von 8—15 μ.

Die großen Oxyaster (Taf. XXV, Fig. 12 a, 13 a, 14 a, b, 18 a) haben vier bis zehn, meist sechs bis acht, · kegelförmige, zugespitzte, im Grundteil glatte, etwa 6 μ dicke, im Endteil überaus feindornige Strahlen von 55—75 μ Länge. Der Gesamtdurchmesser dieser Aster beträgt 90—135, · gewöhnlich 95—110 μ.

Außer jenen kleinen und diesen großen Oxyastern kommen auch solche von mittleren Dimensionen vor, welche bezüglich ihrer Größe, Strahlenzahl und Dornelung den Uebergang zwischen ihnen vermitteln, so daß sie nicht scharf auseinandergehalten werden können.

Beide Stücke dieses Schwammes wurden von der Valdivia am 24. August 1898 bei Kap Bojeador an der westafrikanischen Küste in 26° 17′ N. 14° 43′ 3″ W. (Valdivia-Station 28) aus einer Tiefe von 146 m hervorgeholt.

Die einzigen anderen, mit Anatriaenen ausgestatteten *Sanidastrella*-Arten sind *S. atlantica* und *S. coronata*. Von erster unterscheidet sich *S. multistella* durch die viel geringere Größe ihrer Microrhabde, von letzter durch die viel bedeutendere Größe ihrer Oxyaster.

Genus Ancorina O. SCHMIDT.

Stellettidae ohne besondern Oscularschornstein, mit Euastern und dornigen oder strahlentragenden Microrhabden. Glatte Microamphioxe fehlen. Mit Dichotriaenen.

In der Valdivia-Sammlung findet sich ein in dieses Genus gehöriger Schwamm, welcher einer neuen Art angehört.

Ancorina progressa n. sp.

Taf. XXV, Fig. 1—10·

Von dieser Art findet sich ein Stück in der „Valdivia-Sammlung.

Der Schwamm ist mit einer ausgedehnten Grundfläche an einem Stein angewachsen, ist seitlich etwas zusammengedrückt, und trägt oben zwei kurze, breite, lappenförmige Fortsätze. Er ist 6 cm hoch, ebenso breit und 25 mm dick. Die Oberfläche ist leicht wellig und gekörnelt. Hie und da sieht man schwache Andeutungen von sehr niedrigen, konuliartigen Vorragungen. Es finden sich einige zerstreute, kleine Oscula.

F a r b e. Der Schwamm ist, in Weingeist, an der Oberfläche dunkel violettbraun; im Innern lichter, schmutzigbraun.

Betrachtliche Teile der Oberfläche des Schwammes sind mit helleren Krusten von rötlicher Farbe bedeckt, von denen sich kleine, fingerförmige Fortsätze erheben. Diese Krusten bestehen aus einer monaxoniden Spongie.

Es ist eine starke geißelkammerfreie Rinde vorhanden. Diese besteht aus einem durchsichtigen Grundgewebe, das von, mit Hämatoxylin tingierbaren Fasern durchzogen wird, und dem Nadeln, große Körnerzellen und symbiotische Algen eingebettet sind. Die Körnerzellen sind dicht unter der Oberfläche zahlreicher als anderwärts, kommen aber auch in den tieferen

Rindenlagen, sowie im Choanosom in beträchtlicher Menge vor. Die symbiotischen Algen sind auf eine 250—300 μ dicke, oberflächliche Zone, worin sie in dichten Massen auftreten, beschränkt. Die Körnerzellen sind kugelig und halten ungefähr 30 μ im Durchmesser. Ihr Inhalt ist verschieden. Bei einigen (Taf. XXV, Fig. 3f.) besteht derselbe aus großen, nicht scharf getrennten, schwach tingierten Massen; bei anderen ist er aus kleinen, abgegrenzten und stark tingierten Körnern von durchaus gleicher Größe zusammengesetzt. Unter den letzten finden sich solche (Taf. XXV, Fig. 1e, 3e) mit sehr zahlreichen den Innenraum der Körnerzellen völlig ausfüllenden Körnern, sowie solche (Taf. XXV, Fig. 3g) mit nur wenigen zerstreuten Körnern.

Die symbiotischen Algen (Taf. XXV, Fig. 3h) sind kurz zylindrisch mit abgerundeten Enden, oder eiförmig, 14—18 μ lang und 7—11 μ dick. Sie haben eine blaß olivenbraune Farbe. Ich konnte sie weder färben, noch irgendwelche Struktur in ihnen wahrnehmen.

Skelett. Im Innern des Schwammes finden sich Massen von mäßig langen, ziemlich dicken Amphioxen. Schief, zum Teil nahezu paratangential gelagert, kommen solche auch in den tieferen und mittleren Teilen der Rinde vor (Taf. XXV, Fig. 1b, 3b). An der Oberfläche findet sich eine Lage von kleinen Dichotriaenen mit radial nach innen gerichteten Schäften und dicht unter der Oberfläche paratangential ausgebreiteten Cladomen (Taf. XXV, Fig. 1d). Wie ein Vergleich der in derselben Vergrößerung dargestellten Figuren 4 und 5 auf Tafel XXV zeigt, sind diese Dichotriaene im Verhältnis zu den Amphioxen ungemein klein. Vorausgesetzt, daß der vorliegende Schwamm zu jenen Tetraxoniden gehört, welche im Begriffe sind sich durch Rückbildung ihrer tetraxoniden Nadeln in Monaxonide umzuwandeln, ist er in dieser Umbildung weiter als seine Verwandten fortgeschritten, worauf sich der Artname *progressa* bezieht. An der äußeren Oberfläche findet sich ein, aus dicht nebeneinander liegenden, strahlentragenden Microrhabden bestehender Panzer (Taf. XXV, Fig. 1a). Im Innern kommen ebensolche strahlentragende Microrhabde, sowie Oxyaster, zerstreut vor.

Die Amphioxe (Taf. XXV, Fig. 4a, b) sind ziemlich isoactin, allmählich und stetig gegen die Enden verdünnt, 2,5—3 mm lang und 65—115 μ dick. Die Dicke steht durchaus nicht immer im Verhältnis zur Länge, oft sind kürzere dicker als längere.

Die Dichotriaene (Taf. XXV, Fig. 1d, 3i, 5, 6) haben einen geraden, kegelförmigen, gegen das acladomale Ende zu rascher verdünnten und zugespitzten Schaft von 260—500 μ Länge, der am cladomalen Ende 35—45 μ dick zu sein pflegt. Die Hauptclade sind 80—100, die Endclade 80—120 μ lang. Das Cladom, welches meist in einer (zum Schaft senkrechten) Ebene ausgebreitet ist, hat einen Durchmesser von 250—400 μ. In einem Nadelpräparat von diesem Schwamme habe ich einmal ein einfaches Plagiotriaen gesehen, das in Bezug auf die Größe mit den oben beschriebenen Dichotriaenen übereinstimmte. Mehrmals sind mir auch ganz kleine, offenbar junge Teloclade von Plagiotriaenform untergekommen. Ein solches ist in dem abgebildeten Schnitt zu sehen (Taf. XXV, Fig. 3i). Ich halte diese kleinen, plagiotriaenen Nadeln für Jugendformen von Dichotriaenen. Das einzige große Plagiotriaen dürfte wohl eine Abnormität sein. Einmal habe ich in einem Nadelpräparat ein Trichotriaen von den Dimensionen der ausgebildeten Dichotriaene gesehen. Auch dieses halte ich für eine Abnormität.

Die strahlentragenden Microrhabde (Taf. XXV, Fig. 1a, 10a—e) sind 12—14 μ lang und 8—10 μ breit. Sie bestehen aus einem geraden, zylindrischen Schaft von 6—9 μ Länge und 1—3,5 μ Dicke, welcher mit einer Anzahl von Strahlen besetzt ist. Diese pflegen an den Enden des Schaftes dichter als in der Mitte zu sehen. Zuweilen ist der mittlere Teil ganz strahlenfrei und es gewinnt dann die Nadel ein amphiasterartiges Aussehen (Fig. 10 b). Die Strahlen sind 3—5 μ lang und am Grunde 0,5—3 μ dick. Ihre Länge steht zur Grunddicke nicht im Verhältnis: im Gegenteil pflegen lange Strahlen dünner als kurze zu sein. Die Strahlen sind entweder schlank, kegelförmig und am Ende nur wenig abgestumpft (Fig. 10 a), oder dick, kurz und terminal abgerundet (Fig. 10 d, e). Die Gipfel solcher dicker Strahlen sind mit feinen Dornen besetzt. Schlankschäftige Microrhabde haben lange und schlanke, dickschäftige kurze, und dicke Strahlen. Die schlanksten und gedrungensten Endglieder, der von diesen Nadeln dargestellten Formenreihe werden durch Uebergangsformen lückenlos verbunden (Fig. 10 a—e).

Die Oxyaster (Taf. XXV, Fig. 2, 7—9) haben meist sieben bis neun Strahlen; es kommen aber auch, wenngleich selten, Oxyaster mit drei bis sechs Strahlen vor. Die Strahlen sind kegelförmig, zugespitzt und feindornig. Die Vielstrahligen haben einen Gesamtdurchmesser von 33—45 μ. Ihre Strahlen sind 16—22 μ lang und am Grunde 2,5—3 μ dick. Die wenigstrahligen sind größer. Ein Vierstrahler, den ich maß, hatte 34 μ lange Strahlen und hielt 65 μ im Durchmesser, während ein Dreistrahler eine Gesamtlänge von 67 μ hatte.

Dieser Schwamm wurde von der Valdivia am 3. November 1898 auf der Agulhasbank an der südafrikanischen Küste in 35° 26′ 8″ S. 20° 56′ 2″ O. (Valdivia-Station Nr. 106 b) aus einer Tiefe von 84 m hervorgeholt.

' Zwei von den bisher bekannten Arten von *Ancorina (Stryphnus), A. (S.) unguicula* und *A. (S.) mucronata*, haben der *A. progressa* einigermaßen ähnliche Microsclere. Von ersterer unterscheidet sie sich durch das Fehlen der großen Pelz-Amphioxe, von letzterer durch die viel bedeutendere Dicke ihrer Amphioxe.

Genus Penares GRAY.

Stellettidae ohne besondern Oscularschornstein, mit Euastern und glatten Microamphioxen, welche paratangential angeordnet in der Dermalschicht liegen.

In der Valdivia-Sammlung findet sich ein zu diesem Genus gehöriger Schwamm, welcher einer neuen Art angehört.

Penares obtusus n. sp.

Taf. XXX, Fig. 23—38; Taf. XXXI Fig. 1, 2.

In der Valdivia-Sammlung findet sich ein Stück dieses Schwammes.

Dieses ist unregelmäßig eiförmig, einer Kartoffel ähnlich, 45 mm lang, 31 mm hoch und 29 mm breit. An der Oberfläche finden sich einige bis 4 mm breite und ebenso tiefe Gruben, die aber derart von den Pelznadeln ausgefüllt sind, daß man sie ohne genauere Untersuchung nicht als solche erkennt. Die freien Teile der Oberfläche sind, ebenso wie die Grubenwände, mit einem 1—2 mm hohen Nadelpelz (Taf. XXXI, Fig. 1) bekleidet, der jedoch vielerorts mehr oder weniger abgerieben ist. Zwischen den Pelznadeln sitzt ein Gewebe, welches wahrscheinlich eine symbiotische *Oscarella* (s. d.) ist. Es ist eine Rinde vorhanden, welche aus einer äußeren, etwa 0,75 mm dicken, lakunösen, und einer inneren, etwa 1,5 mm dicken, sehr dichten, feinfaserigen Schicht besteht. Unter der Rinde liegen kleine, selten einen Durchmesser von 300 μ überschreitende Subdermalhöhlen (paratangentiale Kanäle), von denen ziemlich weite Röhren in die Tiefe des Choanosoms hinabziehen.

Die Farbe ist, in Weingeist, an der Oberfläche fleischrot: das Choanosom erscheint schmutzig lichtbraun. Die fleischrote Färbung der Oberfläche ist keine gleichmäßige: in einem Drittel der ganzen Oberfläche ist sie ziemlich dunkel, sonst ganz hell.

Das Skelett des Choanosoms besteht aus dichten Massen von großen amphioxen und einzelnen stylen Megascleren, und zahlreichen Microscleren. Die Megasclere scheinen in der Tiefe regellos zu liegen; gegen die äußere Oberfläche und die Grubenwände hin, legen sie sich parallel aneinander. Von Microscleren kommen ganz unregelmäßig gelagerte, centrotyle Diactine, sowie große und kleine Oxyaster im Choanosom vor. Diese Nadeln sind hier nicht gleichmäßig verteilt, sondern an einigen Stellen viel zahlreicher als an anderen. Dies gilt besonders für die Diactine, welche an einzelnen Orten außerordentlich zahlreich (Taf. XXXI, Fig. 2 a), an anderen ziemlich spärlich sind. Im allgemeinen scheint der oberflächliche Teil des Choanosoms reicher an Microscleren zu sein als der proximale. In der Rinde finden sich große Prodichotriaene, schlanke kleine Amphioxe und Microsclere: Die Schäfte der erstgenannten sind den, in die Rinde eindringenden und bis nahe an die Oberfläche heranreichenden, großen Amphioxen des Choanosoms parallel. Die Richtung dieser parallelen Amphioxe und Triaenschäfte relativ zur Oberfläche ist eine verschiedene: stellenweise stehen sie senkrecht auf derselben, stellenweise aber schief. Von den Grubenböden aus erstreckt sich das Rindengewebe zapfenartig nach innen und in diesen Zapfen findet man dieselben Triaene, wie in der eigentlichen, äußeren Rinde. Dieser Umstand und die merkwürdig unregelmäßige Lagerung der Megasclere überhaupt, scheinen darauf hinzuweisen, daß der jetzt massige Schwamm aus der Verwachsung ursprünglich getrennter faltenartiger Lappen entstanden ist. Die Megasclere bildeten in einem früheren Stadium Stränge, welche von der Schwammbasis in diese Lappen emporzogen und hier, garbenförmig auseinanderweichend, senkrecht oder doch steil auf die Lappenoberfläche trafen. Später wuchsen die Lappen derart zu dem vorliegenden, kompakten, kartoffelähnlichen Schwamme zusammen, daß von den Zwischenräumen nichts als die erwähnten Gruben übrig blieben. Die Cladome einiger der großen Prodichotriaene liegen im oberflächlichen Teil der Rinde, die distalen Teile der Mehrzahl ragen jedoch, sei es senkrecht, sei es schief, eine Strecke weit über die Oberfläche vor, und bilden den Hauptteil des Nadelpelzes (Taf. XXXI, Fig. 1). Die zarten Amphioxe der Rinde stehen auch senkrecht oder schief zur Oberfläche und stecken derart mit ihrem proximalen Endteil in der oberflächlichen Rindenschicht, daß sie mit etwa zwei Drittteilen ihrer Länge frei vorragen. Sie beteiligen sich also auch an dem Aufbau des Nadelpelzes und stehen zu den großen, viel weiter hinaufreichenden Prodichotriaenendteilen in einem ähnlichen Verhältnis wie die Wollhaare zu den Grannenhaaren des Säugerpelzes. An der Oberfläche des Schwammes findet sich eine einfache Lage dichtgedrängter Strongylaster, und es kommen solche auch in den tieferen Teilen, besonders in den Wänden der Rindenkanäle vor. Außerdem werden in der Rinde dieselben großen und kleinen Oxyaster wie im Choanosom angetroffen. Die centrotylen Diactine sind in der Rinde selten.

Die großen Amphioxe (Taf. XXX, Fig. 26, 27 d) sind isoactin, meist gekrümmt (Fig. 26), selten gerade (Fig. 27 d), 3,5—5 mm lang, und in der Mitte 80—100 μ dick.

Die nicht häufigen Style (Taf. XXX, Fig. 38) sind an einem Ende zylindrisch und einfach abgerundet, am anderen kegelförmig und zugespitzt. Sie pflegen gekrümmt zu sein, erreichen eine Länge von 2—4,5 mm und sind am stumpfen Ende 85—100 μ dick. Sie scheinen Derivate der oben beschriebenen, großen Amphioxe zu sein und sind wohl aus solchen durch den Verlust eines Strahls hervorgegangen.

Die kleinen, schlanken Amphioxe der distalen Rindenlage und des Pelzes sind gewöhnlich 300—500 μ, selten bis über 1 mm lang und meist 7, selten bis 11 μ dick.

Die Triaene haben gabelspaltige Clade, weichen aber von den gewöhnlichen Dichotriaenen dadurch ab, daß ihre Haupt- und Endclade stark emporgerichtet sind. Ich will sie daher Prodichotriaene nennen. Diese Prodichotriaene (Taf. XXX, Fig. 23—25, 27a, c, 37; Taf. XXXI, Fig. 1) haben gewöhnlich (Taf. XXX, Fig. 23—25, 27a) einen etwas gekrümmten, im cladomalen Endteil zylindrischen, am anderen Ende kegelförmigen Schaft von 2,6—3,6 mm Länge und 60—95 μ Dicke. Zuweilen (Taf. XXX, Fig. 27c, 37) ist der Schaft jedoch verkürzt und verdickt, durchaus zylindrisch und am acladomalen Ende einfach abgerundet. Solche Prodichotriaenschäfte erreichen eine Länge von 1,8—2 mm und eine Dicke von 90—100 μ. Auf sie beziehen sich der Artname. Die Clade sind in verschiedenem Maße aufstrebend. Die Winkel, welche die Hauptclade mit der Schaftverlängerung einschließen, betragen 25—40^0. Die Formen mit wenig aufstrebenden·Hauptcladen (großen Cladschaftverlängerungswinkeln) könnten auch als Plagiodichotriaene bezeichnet werden. Die Hauptclade sind 150—190, die etwas nach außen gerichteten Endclade 120—200 μ lang. Die Cladombreite beträgt 300—400 μ.

Die Strongylaster (Taf. XXX, Fig. 28a, 29, 30, 33b, 34a) haben meist neun oder mehr zylindrokonische, gegen das Ende nur wenig verdünnte, terminal abgestumpfte Strahlen, und ein mehr oder weniger deutliches Zentrum. Die Strahlen sind in der ganzen Länge dicht mit kleinen Dornen besetzt. Die endständigen Dornen sind etwas größer als die übrigen. Gewöhnlich sitzt ein besonders starker, in der Achse des Strahls liegender Terminaldorn dem Strahlende auf. Das Zentrum hält 3—4 μ im Durchmesser. Die Strahlen sind 4—6 μ lang und am Grunde 1—1,5 μ dick. Der ganze Aster hat einen Durchmesser von 10—15, meist 13—14 μ.

Die nicht besonders häufigen großen Oxyaster (Taf. XXX, Fig. 28c, 31, 32, 33c) haben zumeist vier (Fig. 28c, 33c) selten drei (Fig. 32) oder fünf (Fig. 31) glatte, kegelförmige, zugespitzte, Strahlen. Ein Zentrum ist nicht nachweisbar. Die Strahlen der Vierstrahler sind 20—40 μ lang und am Grunde 1—2 μ dick. Der ganze Aster hat einen Durchmesser von 40—80 μ.

Die sehr zahlreichen kleinen Oxyaster (Taf. XXX, Fig. 28b, 33b, 34c) haben meist sechs bis sieben kegelförmige, zugespitzte Strahlen, und besitzen ein Zentrum. Gewöhnlich erscheinen die Strahlen glatt, zuweilen glaubte ich aber, namentlich an sehr kleinen Astern dieser Art, eine Spur einer feinen Dornelung an ihnen zu erkennen. Die Strahlen sind 14—18 μ lang. Das Zentrum hält 4—5 μ, der ganze Aster 22—35 μ im Durchmesser. Uebergänge zwischen den kleinen und großen Oxyastern sind nicht selten.

Die sehr zahlreichen diactinen, centrotylen Microsclere (Taf. XXX, Fig. 34b, 35, 36; Taf. XXXI, Fig. 2a), sind gerade, an beiden Enden zugespitzte Stäbchen von 100—150 μ Länge und 2,5—5 μ Dicke. In der Mitte findet sich eine Anschwellung, ein Tyl, dessen Durchmesser die Nadeldicke um 15—20 % übersteigt.

Dieser Schwamm wurde von der Valdivia am 3. November 1898 auf der Agulhasbank an der sidafrikanischen Küste in 35° 26′ 8″ S. 20° 56′ 2′ O. (Valdivia-Station Nr. 106 b) aus einer Tiefe von 84 m hervorgeholt.

Von den anderen Arten dieser Gattung unterscheidet sich der vorliegende Schwamm durch seine großen Prodichotriaene, seine schlanken, radialen Pelzamphioxe, seinen Strongylaster- panzer und dadurch, daß seine centrotylen, diactinen Microsclere nicht einen Panzer an der Oberfläche bilden sondern nur im Innern vorkommen. Das Ergebnis meiner Untersuchung seiner centrotylen diactinen Microsclere läßt mich vermuten, daß diese Nadeln Euaster- (Oxyaster-) Derivate mit nur zwei, einander gegenüber liegenden Strahlen sind. Ebenso werden wohl auch die Microamphioxe der anderen *Penares*-Arten Euasterderivate sein. Ich möchte daher die Gattung *Penares*, die ich früher[1]) als eine Untergattung von *Ancorina* betrachtete, jetzt aus diesem Verbande lösen und als eine Gruppe von Spongien betrachten, die nur Euaster und Euasterderivate und keine solchen Microrhabde wie *Ancorina* besitzen. Sie würden dem nach der Gattung *Stelletta* sehr nahe stehen. Der vorliegende *P. obtusus* ist, weil er wie viele *Stelletta*- Arten einen aus dornigen Euastern bestehenden Hautpanzer besitzt, dieser näher als die übrigen *Penares*-Arten verwandt und könnte als eine, die Gattungen *Stelletta* und *Penares* verbindende, konnexive Spezies angesehen werden.

Genus Stelletta O. Schmidt.

Stellettidae ohne besondern Oscularschornstein, bei denen außer den Euastern zuweilen Dragme, niemals aber Microrhabde vorkommen.

In der Valdivia-Sammlung finden sich 5, in der Gazellen-Sammlung 26, zusammen 31 in dieses Genus gehörige Spongien, welche 10 Arten (Valdivia 3, Gazelle 7) angehören. Eine der Gazellenarten war schon früher bekannt, die übrigen 9 sind neu.

Stelletta centrotyla n. sp.

Taf. XXXI, Fig. 13—18.

In der Gazellen-Sammlung findet sich ein Stück dieses Schwammes.

Dasselbe erscheint unregelmäßig massig, knollenartig, war an mehreren Stellen mit breiten Flächen festgewachsen, und ist 50 mm lang, 46 mm breit und 34 mm hoch. Die Oberfläche ist pelzlos, kahl, und zeigt unter der Lupe eine sehr feine Körnelung. An derselben finden sich zwei eiförmige Oscula. Das größere ist 5,5 mm lang. Es ist eine 600—800 μ dicke, geißel- kammerlose Rindenschicht vorhanden, unter der sich große, bis 1,5 mm weite Subdermalräume ausbreiten.

Farbe. Der Schwamm ist, in Weingeist, ziemlich dunkel schmutzigbraun mit einem purpurnen Stich. Diese Farbe sitzt im Choanosom, das Rindengewebe ist durchsichtig und nur schwach lichtbraun gefärbt.

Das Skelett besteht aus ziemlich wirren Strähnen von Amphioxen im Innern, radial

---

[1]) R. v. LENDENFELD, Tetraxonia. In: Tierreich Bd. 19 p. 61.

angeordneten Plagiotriaenen ganze der Oberfläche und Strongylastern. Die letzteren sind überaus zahlreich, im Choanosom noch zahlreicher als in der Rinde, und bilden keine besondere Panzerschicht an der Oberfläche.

Die Amphioxe (Taf. XXXI, Fig. 13a, 18a) sind schwach gekrümmt, isoactin, nicht sehr scharfspitzig, 1—1,4 mm lang und 20—35, selten bis 40 μ dick.

Die Plagiotriaene (Taf. XXXI, Fig. 13b, 18b) haben einen geraden, kegelförmigen, 550—750 μ langen, am cladomalen Ende 20—30 μ dicken Schaft. Die Clade sind fast gerade, oder nur sehr wenig gegen den Schaft konkav gekrümmt, kegelförmig, stumpf, und 60—120, meist 90—100 μ lang. Sie schließen mit dem Schafte Winkel von 107—117° ein. Die Cladombreite beträgt 130—200 μ.

Die Strongylaster (Taf. XXXI, Fig. 14—17) haben zwei bis acht Strahlen. Ein Zentrum ist nur bei den Zweistrahlern ausgebildet. Die Strahlen sind zylindrokonisch, gegen das Ende nur wenig verdünnt. Ihr Grundteil ist vollkommen glatt, ihr mittlerer und Endteil mit ziemlich großen, senkrecht abstehenden oder etwas nach rückwärts gerichteten Dornen besetzt. Nicht selten sind die endständigen Seitendornen des Strahls einigermaßen wirtelförmig angeordnet und dann erscheint das Strahlende styl und die ganze Nadel als ein Acanthtylaster. Oft ist ein scheitelständiger, in der Verlängerung der Strahlenachse gelegener Terminaldorn zu erkennen. Die Strahlen der Fünf- bis Achtstrahler (Fig. 14) sind ziemlich gleichmäßig verteilt, die Strahlen der Vier- (Fig. 15) und namentlich der Dreistrahler (Fig. 16), aber unregelmäßiger, jene der letzten gewöhnlich so angeordnet, daß zwei einen sehr stumpfen Winkel einschließen und der dritte Strahl absteht. Die beiden Strahlen der Zweistrahler (Fig. 17) liegen stets in einer geraden Linie einander gegenüber. Deshalb und weil sich in der Mitte eine beträchtliche, eiförmige Anschwellung findet, erscheinen diese Nadeln als gerade, centrotyle Diactine, worauf sich der Artname bezieht. Auch bei diesen Nadeln sind die Mitte und das Ende der Strahlen dornig, der Grundteil aber glatt. Es kommt jedoch, namentlich bei den mit einem besonders großen Tyl ausgestatteten häufig vor, daß auch dem Tyl Dornen aufsitzen. Dies scheint mir darauf hinzuweisen, daß das Tyl nichts anderes als der rudimentäre Rest $e_{i_1} e_s$ oder mehrerer rückgebildeter Strahlen ist. Die Größe der Strahlen und der Maximaldurchmesser der ganzen Nadel stehen im umgekehrten Verhältnis zur Zahl der ersten. Fünf- bis Achtstrahler haben 8—10 μ lange, 1—2 μ dicke Strahlen und halten 14—19 μ im Durchmesser. Drei- bis Vierstrahler haben 11—14 μ lange Strahlen und halten 21—26 μ im Durchmesser. Die Zweistrahler endlich sind 20—32 μ lang und 1,8—2,7 μ dick. Ihr Tyl ist verschieden stark, es hat einen um 20—100% größeren Durchmesser als die Strahlen.

Dieser Schwamm wurde von der Gazelle (Nr. 2731) im Naturforscherkanal an der Westküste Australiens erbeutet.

Von den anderen *Stelletta*-Arten, mit einem ebenso einfachen, bloß aus Amphioxen, Plagiotriaenen und einer Art von Strongylastern (oder Acanthtylastern) bestehenden Skelett, *S. tenuispicula*, *S. anancora* und *S. inermis*, unterscheidet sich die vorliegende Art durch ihre bis über doppelt so großen Aster in sehr auffallender Weise.

Stelletta farcimen n. sp.

Taf. XXX, Fig. 6—22.

In der Valdivia-Sammlung fand sich ursprünglich ein Stück dieses Schwammes. Später ist mir noch ein zweites Stück zugekommen. In den statistischen Zusammenstellungen konnte auf dieses keine Rücksicht mehr genommen werden.

Das erste Stück ist ein, einem Sektor vergleichbarer Teil eines unregelmäßigen Knollens, der einige breite, abgerundete Vorragungen besaß. Es ist 82 mm lang, 48 mm breit und 34 mm dick. Das zweite, hier abgebildete Stück hat die Gestalt eines gebogenen, oben abgerundeten; mit einem Scheitelaufsatz versehenen Zylinders, und ist 12 cm lang und 6 cm dick. Die Oberfläche ist mit einem 2 mm hohen Nadelpelz bedeckt, welcher aus den Distalteilen starker Protriaene besteht (Taf. XXX, Fig. 10a, 18a, 22a). Die Zwischenräume zwischen diesen Pelznadeln (Taf. XXX, Fig. 19a) sind überall, in der ganzen Höhe des Pelzes, mit einem Gewebe (b) ausgefüllt, das ich für eine inkrustierende Oscarella (s. d.) halten möchte. Betrachtet man einen unverletzten Teil des Objektes, so sieht man die Oberfläche dieser Oscarella, welche vielerorts von den Stelletta-Protriaencladomen emporgehoben wird, so daß kleine, schwach vorragende Höcker und Leisten entstehen, die zusammen eine Art erhöhtes Netz bilden. Auf diesen Vorragungen finden sich unregelmäßige, rundliche, polygonale oder langgestreckt spaltförmige, 200 μ große Löcher, die ins Innere führen.

Stelletta farcimen n. sp. (verkleinert, 2 : 1).

An der Oberfläche, d. h. an der Grenze zwischen der Oscarella und der Stelletta findet sich eine Lage ziemlich dicht gedrängter Acanthtylaster. Der Schwamm hat eine zweischichtige Rinde. Die äußere Rindenschicht (Taf. XXX, Fig. 10b, 18b, 20, 22b) ist 500 μ dick und besteht aus einer völlig glashellen Grundsubstanz, der zahlreiche kleine, mit zarten Ausläufern ausgestattete Zellen, und Massen großer, 30—45 μ im Durchmesser haltender, kugeliger oder breit eiförmiger Körper (Fig. 20c) eingelagert sind. Die letzteren haben eine zarte Wand; in ihrem Innern findet sich eine orangerote bis sienabraune, körnige oder krümelige Substanz, welche jedoch nicht den ganzen, von der Wand umschlossenen Raum ausfüllt, sondern unregelmäßig zusammengeschrumpft erscheint. Zuweilen ist auch ein kernartiges Gebilde von beträchtlicher Größe darin zu erkennen. Diese Körper gleichen den bei vielen anderen Tetractinelliden vorkommenden, von SOLLAS als Pigmentzellen, von MARENZELLER aber als Parasiten angesehenen Bildungen, welche ich Bläschenzellen genannt habe. Die innere Rindenschicht (Taf. XXX, Fig. 10c, 18c, 22c) ist 0,7—1 mm dick und erscheint als eine echte, aus einem Geflecht paratangentialer Fibrillenbündel (Taf. XXX, Fig. 20e) bestehende Faserrinde. Ihre obere Grenze gegen die äußere Rindenschicht (Taf. XXX, Fig. 20d) ist keine scharfe; unten gegen die Subdermalzone ist sie viel schärfer begrenzt (Taf. XXX, Fig. 22). Stellenweise trennt eine Lage sehr durchsichtigen, von Subdermalräumen (Taf. XXX, Fig. 22 f) durchsetzten Gewebes, das opake Choanosom von der inneren Rindenlage; stellenweise fehlt diese Zwischenlage und reicht das Choanosom bis zur Faser-Rindenschicht hinauf.

Farbe. Die äußere Rindenschicht ist, in Weingeist, dunkelrot. Die innere Rindenschicht in reflektiertem Licht weißlich (Taf. XXX, Fig. 18 c), in durchfallendem Licht braun. Distal, der Grenze gegen die äußere Rindenschicht zu, ist diese Färbung eine dunklere als weiter unten. Das Choanosom ist lichtrot.

In der äußeren Rindenschicht finden sich viele kleine Kanäle (Taf. XXX, Fig. 20 b), welche teils schief, teils fast paratangential verlaufen. Die größeren pflegen in kleinen Zwischenräumen gelegene Einschnürungen zu besitzen. Diese Kanäle scheinen sich gruppenweise im unteren Drittel der äußeren Rindenschicht an Stellen zu vereinigen, die durchschnittlich 1 mm voneinander entfernt und 250 μ oberhalb der Grenze zwischen der äußeren und inneren Rindenschicht gelegen sind. Von jeder solchen Vereinigungsstelle führt ein gerader Radialkanal durch den proximalen Teil der äußeren Rindenlage und die innere Rindenlage hindurch um in eine der größeren Subdermalhöhlen, welche sich unter der Faserrindenschicht ausbreiten, zu münden. Diese Kanäle sind etwa 150—300 μ weit. Die oberen zwei Drittel eines jeden werden von einem dunkelbraunen Chonalpfropf (Taf. XXX, Fig. 22 e) von 700—800 μ Länge und 150—300 μ Dicke eingenommen. Diese Chonalpfröpfe sind zylindrisch und an beiden Enden abgerundet, weshalb sie wie Würste aussehen. Hierauf bezieht sich der Artname, den ich dem Schwamme gegeben habe. Der Chonalkanal, welcher die Achse eines jeden Pfropfes durchzieht, ist in allen von mir beobachteten Chonen stark verengt oder ganz geschlossen. Seine Wand ist reich an Acanthtylastern; wo er ganz geschlossen ist, bilden diese einen, den Chonalpfropf axial durchziehenden Strang. Die Subdermalräume, in welche die radialen Rindenkanäle hineinführen (Taf. XXX, Fig. 22 f) sind etwa 500 μ weit und werden von hyalinem Gewebe umgeben. In den Radialschnitten sieht man zwischen diesen großen Subdermalhöhlen kleinere, im selben Niveau liegende: es macht den Eindruck, daß hier ein System von paratangentialen Subdermalkanälen vorhanden ist. Von den Subdermalhöhlen führen zumeist enge Kanäle ins Choanosom hinab.

Das Skelett besteht aus radialen, distal sich verbreiternden, an der Oberfläche garbenförmig auseinanderweichenden Bündeln von Amphioxen und Proocladen (Taf. XXX, Fig. 10 f, 22 g), und aus zerstreuten Microscleren. Die Prooclade sind zumeist regelmäßige Protriaene. Bei einigen ist ein Clad oder sind zwei Clade gabelspaltig. Die Microsclere sind dickstrahlige Acanthtylaster mit Zentrum, und Oxyaster. Von letzteren kommen kleinere, vielstrahlige mit deutlicherem, und größere, wenigerstrahlige mit undeutlichem Zentrum vor. Die Amphioxe bilden die proximalen Teile der radialen Nadelbündel, die Distalenden der äußersten reichen nur bis in die Rinde; an dem Aufbau des Pelzes nehmen sie fast gar keinen Anteil. Die distalen Teile der radialen Nadelbündel, deren Enden über die Stelletta-Oberfläche vorragen den Pelz bilden, bestehen hauptsächlich aus Telocladschäften. Die Cladome dieser Teloclade liegen zum allergrößten Teil in zwei Niveaus, einem tieferen in der Region der Subdermalräume, und einem höheren, an der Oberfläche des Pelzes. Die Acanthtylaster bilden, dicht zusammengedrängt, eine einfache Lage an der Oberfläche und finden sich in bedeutender Anzahl auch in der Rinde und im Choanosom, namentlich in den Kanalwänden zerstreut. Die beiden Oxyaster-formen sind im Choanosom sehr zahlreich (Taf. XXX, Fig. 21).

Die Amphioxe sind 3,5—6 mm lang und 40—70 μ dick.

Die Prooclade sind, wie erwähnt, zum allergrößten Teil reguläre Protriaene (Taf. XXX, Fig. 6—8). Ihr Schaft ist 3,8—5,8, meist etwa 5 mm lang und am cladomalen Ende 70—110, meist 80—90 μ dick. Die Clade sind proximal nach aufwärts gebogen, in der Mitte und distal aber völlig gerade oder in ihrem Endteile schwach nach auswärts gekrümmt. Die Ausdehnung der Krümmung ihres Proximalteiles ist eine verschiedene, weshalb auch der Grad des Aufstrebens des Endteiles, der Cladwinkel und die Cladombreite verschieden sind. Die Clade sind 320—550 μ lang und ziemlich scharf zugespitzt. Bei den Formen mit stärker absteigenden Claden (Fig. 6) beträgt der Winkel zwischen den Cladsehnen und der Schaftver-längerung 28—38° und hat das Cladom eine Breite von 380—570, meist 400—450 μ. Bei den Formen mit mehr aufstrebenden Claden (Fig. 8) betragen die Cladwinkel 21—28° und die Cladombreite 270—380 μ. Uebergangsformen zwischen diesen (Fig. 7) sind häufig.

Etwa 4 % der Prooclade haben einen oder zwei gabelspaltige Clade. Diese irregulären Protriaene (Taf. XXX, Fig. 9) haben dieselben Dimensionen, wie die regulären. Der Ort der Gabelspaltung des einen Clads (der zwei Clade) ist verschieden. Zuweilen liegt er, wie in dem in der Figur 9 abgebildeten Cladom, in der Cladmitte oder distal davon, zuweilen aber auch ganz am Grunde, und dann sieht die Nadel wie ein Tetraen aus. Im ersten Falle pflegen die beiden Endclade gleich zu sein und symmetrisch zu liegen, im letzten steht gewöhnlich eines von den Endcladen fast senkrecht vom Schafte ab. Sehr selten kommen solche Teloclade mit drei gabelspaltigen Claden, d. h. echte Dichotriaene, vor.

Es ist erwähnt worden, daß die einfachen Clade der Triaene häufig eine Andeutung einer Krümmung ihres Endteils nach außen aufweisen; die Endclade der gabelspaltigen sind immer mehr nach außen gerichtet, als das Hauptclad, dem sie aufsitzen. Jene Eigenschaft der einfachen Clade, diese Eigenschaft der gabelspaltigen Clade und der Charakter aller scheinen mir darauf hinzuweisen, daß sie sämtlich mehr oder weniger vollkommen in Protriaene um-gewandelte Dichotriaene, Dichotriaenderivate also, sind.

Die Acanthtylaster (Taf. XXX, Fig. 12, 13, 21c) haben ein wohl ausgebildetes Zentrum und recht unbedeutende Endverdickungen an ihren Strahlen. Uebergänge von diesen Nadeln zu Sphaerastern, und Strongylastern sind häufig. Die Acanthtylaster bestehen aus einem 5—6 μ im Durchmesser haltenden Zentrum, von dem drei bis zwölf, meist sechs bis acht Strahlen abgehen. Diese sind 2—5 μ lang und am Grunde 1—2 μ dick. Distal verdünnen sie sich, um dann am Ende zu einer unbedeutenden, mit ziemlich großen Dornen besetzten Terminal-verdickung anzuschwellen. Die randständigen Dornen stehen schief nach außen ab, die scheitel-ständigen liegen mehr in der Richtung des Strahls dem sie aufsitzen. Die Oberfläche des mittleren und proximalen Teils des Strahls ist glatt. Der ganze Aster hat einen Durchmesser von 7—14, meist 8—11 μ.

Die großen Oxyaster (Taf. XXX, Fig. 11a, 14, 15, 21a) haben in der Regel sechs bis neun glatte, kegelförmige und zugespitzte Strahlen. Von einem Zentrum ist meist kaum etwas zu bemerken. Die Strahlen sind 20—30 μ lang und am Grunde 2,5—4 μ dick. Der ganze Aster hat einen Durchmesser von 40—60 μ. Die meisten von diesen Astern sind insofern regulär als ihre Strahlen, vom Zentrum aus betrachtet, gleichmäßig im Raume verteilt sind. Einmal habe ich einen ganz anders gestalteten, einem Pfeil ähnlichen, mit sieben Strahlen gesehen, bei dem ein Strahl nach einer Richtung ging, die anderen sechs aber alle in einem schmalen Kegelraum diesem gegenüber lagen. Ich habe in den Zentrifugnadelpräparaten einige kleine, etwas gekrümmte, 22—40 μ lange und 1,8—2,5 μ dicke, beiderseits zugespitzte Diactine (Taf. XXX, Fig. 17) gesehen, die vielleicht auch in die Kategorie dieser Nadeln gehören, und große Oxyaster mit nur zwei Strahlen sind. Für diese Ansicht sprechen die Dimensionen dieser Diactine, welche jenen der großen Oxyaster entsprechen, gegen dieselbe die Tatsache, daß ich drei-, vier- oder fünfstrahlige Oxyaster nicht gefunden habe, alle die ich sah, vielmehr mehr als fünf Strahlen besaßen.

Die kleinen Oxyaster (Taf. XXX, Fig. 11 b, 21 b) haben ein deutliches, 6—7 μ im Durchmesser haltendes Zentrum, von dem gewöhnlich recht viele Strahlen abgehen. Sie sind oft so zahlreich, daß man sie nicht genau zählen kann. Es läßt sich nur sagen, daß diese Aster selten weniger als zwölf und oft bis zwanzig oder noch mehr Strahlen besitzen. Die Strahlen sind schlank, kegelförmig, glatt, etwa 7 μ lang, und stoßen am Grunde zusammen, weshalb der Aster als Oxyaster und — trotz seines großen Zentrums — nicht als Sphaeraster anzusehen ist. Der Durchmesser des ganzen Asters beträgt 22—26 μ. Uebergänge zwischen diesen kleinen und den großen Oxyastern (Taf. XXX, Fig. 16) sind nicht selten.

Beide Stücke dieses Schwammes wurden von der Valdivia am 3. November 1898 auf der Agulhasbank an der südafrikanischen Küste unter 35° 26′ 8″ S. und 20° 56′ 2″ O. (Valdivia-Station Nr. 106b) aus einer Tiefe von 84 m hervorgeholt.

Durch den Mangel an Sphaeren, Stylen und Anatriaenen einer-, und den Besitz von Protriaenen und bis 60 μ großen Oxyastern andererseits unterscheidet sich *S. farcimen* von allen bekannten *Stelletta*-Arten außer *S. maxima* THIELE, der sie näher zu stehen scheint. Diese hat ganz dieselben Acanthtylaster (Pycnaster) und auch die Oxyaster und Megasclere sind ziemlich ähnlich. Ganz besonders auffallend ist es, daß THIELE dasselbe ungemein seltene Triaen mit einem bis am Grunde gespaltenen Clad bei *S. maxima* gefunden hat, das auch bei *S. farcimen* vorkommt. Wenn ich trotzdem den vorliegenden Schwamm nicht als eine *S. maxima* betrachte, so geschieht es weil 1. die Oxyaster und namentlich die Megasclere bei unserem Schwamme viel größer, die letzten mehr als doppelt so groß denn bei *S. maxima* sind, dabei aber der THIELE'sche Schwamm, ebenso groß und ausgebildet wie der von mir untersuchte war; 2. bei unserem Schwamme die kleinen Oxyaster viel mehr Strahlen haben; 3. die bei *S. maxima* vorkommenden Diaene unserem Schwamme fehlen; 4. die Clade der regulären Triaene bei *S. maxima* viel stärker abstehen; und 5. die Fundorte beider (Japan, Südafrika) so ungemein weit voneinander entfernt sind.

Stelletta agulhana n. sp.

Taf. XXVIII, Fig. 1—25; Taf. XXIX, Fig. 1—4.

Von diesem Schwamme finden sich drei Stücke in der Valdivia-Sammlung, zwei kleinere und ein großes. Die kleineren, welche noch jung und nicht ausgewachsen zu sein scheinen, saßen mit breiter Grundfläche fest, sind dick polsterförmig, das eine 26 mm lang, 18 mm breit und 18 mm hoch, das andere 58 mm lang, 40 mm breit und 37 mm hoch. Die Scheitelflächen dieser Sticke weisen nur schwache, wellenförmige Unebenheiten auf und tragen keine frei aufragenden Anhänge. An den Seiten und unten, in der Umgebung der Ansatzfläche, finden sich große, vorragende Zipfel, welche jenen gleichen, die das unten beschriebene, große Stück bedecken. Das große Stück (Taf. XXVIII, Fig. 17) ist einer der ansehnlichsten Tetractinelliden der Valdivia-Sammlung. Es ist aufrecht, breit eiförmig, fast kugelig, 115 mm hoch und 90 mm breit. Es saß mit einer, den unteren Pol einnehmenden, kreisrunden, 60 mm breiten Ansatzfläche fest. Von der Ansatzfläche abgesehen, ist die Oberfläche ganz mit zipfelförmigen Fortsätzen bedeckt. Die vom unteren und oberen Teile des Schwammes abgehenden sind radial, senkrecht zur Oberfläche gerichtet, die äquatorialen schief, aufstrebend. Diese Zipfel sind kegelförmig, am Ende abgestutzt und abgerundet. Sie stehen zum Teil isoliert, zum Teil sind sie durch vorragende Kämme miteinander verbunden; sie sind 4—14 mm voneinander entfernt und sehr verschieden groß. Die kleinsten erscheinen als kaum merkliche, papillenartige Erhebungen, die größten erreichen eine Länge von 25 mm und sind am Grunde 9 mm dick. Die meisten sind gerade oder wenig gebogen, einige aber auch stärker gekrümmt oder geknickt. Die Oberfläche ist hart und fühlt sich rauh an. Zarte Nadeln, größtenteils Anatriaene, ragen einzeln oder in Büscheln etwa 500 μ weit frei über dieselbe vor (Taf. XXIX, Fig. 4). Vielerorts sind diese frei vorragenden Nadeln durch Abreiben verloren gegangen.

Die Farbe des Schwammes ist, in Weingeist, an der Oberfläche bordeauxrot, bei den kleinen dunkler und leuchtender, bei dem großen matter. Diese Farbe hat in der äußeren Rindenlage ihren Sitz. Die innere Rindenlage ist weißlich, das Choanosom graubraun.

Der Schwamm hat eine Rinde, welche aus zwei Schichten besteht, einer äußeren, faserfreien (Taf. XXVIII, Fig. 23a, 24a; Taf. XXIX, Fig. 1a) und einer inneren, faserigen (Taf. XXVIII, Fig. 23b, 24b). Zwischen den Zipfeln ist diese Rinde 1,6—2 mm dick. Die äußere, faserfreie Zone hat hier eine Mächtigkeit von 1—1,25, die innere, faserige von 0,6—0,75 mm. Die äußere Zone enthält das Pigment, welches distal, dicht unter der Oberfläche, besonders stark angehäuft ist. Die innere Zone besteht aus einem Gewebe paratangentialer, bandförmiger Faserbündel. Dieses Gewebe ist distal (Taf. XXIX, Fig. 1b) dichter und stärker tingierbar als proximal (Taf. XXIX, Fig. 1d). Die innere, faserige Rindenlage geht kontinuierlich unter den zipfelförmigen Anhängen durch (Taf. XXVIII, Fig. 23, 24). Die äußere Rindenlage gewinnt in den Zipfeln eine außerordentliche Mächtigkeit, bis 26 mm: die Zipfel selbst bestehen ganz aus ihr. In einigen untingierten Präparaten des Choanosoms habe ich stärker lichtbrechende Knollen (Taf. XXIX, Fig. 3c) von 20—50 μ Durchmesser beobachtet.

An der Oberfläche der Zipfel sowohl als der dazwischenliegenden Teile finden sich zahlreiche, rundliche Poren von 20—50 μ Durchmesser. Sie werden von Ringmembranen eingefaßt, die besonders in der Umgebung der kleinen Poren deutlich hervorzutreten pflegen. Vermutlich sind diese Ringmembranen zusammenziehbar und steht die Größe der Poren im umgekehrten Verhältnis zum Kontraktionsgrad der Ringmembranen, die sie umgeben. Zuweilen kommen in einer solchen Membran mehr als eine Pore vor. Dicht unter der Oberfläche trifft man zahlreiche Kanäle an, welche zu größeren Röhren (Taf. XXIX, Fig. 1n) zusammentreten. Die letzteren münden in größere Stammkanäle (Taf. XXVIII, Fig. 21a, 23c, 24c), welche in den Zipfeln eine

Weite von 0,7—1,4 mm erlangen, longitudinal in denselben herabziehen und, die äußere Rindenlage durchsetzend, an die untere Rindenlage herantreten. Unten divergieren diese Zipfelkanäle,
indem sie sich von der Zipfelachse entfernen. In jedem größeren Zipfel finden sich fünf bis acht
solche Kanäle. An den Stellen, wo sie die untere Rindenlage erreichen, finden sich Chonen
(Taf. XXVIII, Fig. 23 d), welche zum Teil fast kugelig sind und von einem radialen Kanal durchsetzt werden, der in allen von mir beobachteten fast ganz oder ganz geschlossen ist. Unter
der Rinde breiten sich Subdermalräume (Taf. XXVIII, Fig. 23 f, 24 f; Taf. XXIX, Fig. 1 f) aus.
Diese sind zum Teil sehr ausgedehnt, bis 2 mm und darüber hoch. Von ihrem Boden gehen
größere und kleinere Kanäle (Taf. XXVIII, Fig. 24 g; Taf. XXIX, Fig. 1 g) nach innen, ins Choanosom ab. Von diesen entspringen zahlreiche enge, zu den Geißelkammern führende Gänge.
Die Geißelkammern sind kugelig oder eiförmig und halten 20—30 μ im Durchmesser. Die
aus ihnen hervorgehenden Kanäle ziehen schräg zu anderen, größeren herab, die, nahe der
Oberfläche, radial liegen und in weite, unregelmäßig verlaufende, ausmünden (Taf. XXIX, Fig. 2).
Größere, mit freiem Auge sichtbare Oeffnungen (Oscula) habe ich nicht bemerkt, weshalb ich
vermute, daß die Endteile des Ausfuhrsystems den Anfangsteilen des Einfuhrsystems ähnlich und
beide mit Chonen ausgestattet und cribriporal sind.

Skelett. Im Choanosom finden sich radiale Stränge von amphioxen Megascleren und
zahlreiche zerstreute Oxyaster, von denen zwei Formen, große (Megaoxyaster) und kleine (Microoxyaster) zu unterscheiden sind. In den oberflächlichen Teilen des Choanosoms treten zu den
Amphioxen die Schäfte radial orientierter Teloclade hinzu. In der Rinde und in den Zipfeln,
die, wie erwähnt, ganz aus Rindengewebe bestehen, finden sich wenige Amphioxe; viele große
Teloclade, deren Cladome eine Strecke weit unter der äußeren Oberfläche zu liegen pflegen
und deren Schäfte zum Teil die innere Rindenlage durchsetzen und in das Choanosom eindringen; massenhafte kleine Teloclade, deren Cladome paratangential, dicht unter der äußeren
Oberfläche ausgebreitet sind; viele frei vorragende Nadeln, meist Anatriaene; und Ataxaster,
welche eine dichte Lage an der Oberfläche bilden. Die großen Teloclade der Rinde sind zum
größeren Teil Plagiotriaene, zum geringeren Teil Dichotriaene. Die ersten haben längere
Schäfte als die letzten. Die Schäfte dieser großen Teloclade sind in Bezug auf den ganzen
Schwamm radial orientiert und gegen sein Zentrum gerichtet. In den zwischen den Zipfeln befindlichen Rindenpartien liegen diese Teloclade nebeneinander annähernd im selben Niveau und
zwar so, daß ihre Schäfte senkrecht zur Oberfläche orientiert sind. In den Zipfeln liegen sie
in mehreren Stockwerken übereinander und zwar so, daß ihre Schäfte der seitlichen Oberfläche
des Zipfels parallel sind. In jedem Zipfel bilden die Schäfte dieser Teloclade, zusammen mit
einigen wenigen Amphioxen, ein Bündel (Taf. XXVIII, Fig. 22 a), welches in Gestalt einer axialen
Stützskelettsäule den Zipfel in seiner ganzen Länge durchzieht. Die kleinen, oberflächlichen
Teloclade sind, von selteneren Abnormitäten abgesehen, durchwegs Dichotriaene, welche ziemlich
nahe beisammen liegen, und deren paratangentiale Cladome dicht unter der Oberfläche eine
Art loses Geflecht bilden (Taf. XXVIII, Fig. 25). Ihre Schäfte stehen stets senkrecht auf die
Oberfläche und es sind demnach diejenigen der zwischen den Zipfeln befindlichen radial, diejenigen der in Zipfelseitenwänden befindlichen aber (Taf. XXVIII, Fig. 22 b) in Bezug auf
den ganzen Schwamm schief oder quer (paratangential) gerichtet: die ersteren sind den Schäften
der großen Teloclade parallel, die letzteren stehen senkrecht oder schief von diesen (die Zipfel-

skelettsäulen bildenden) ab. Die frei vorragenden Nadeln sind größtenteils Anatriaene, zwischen diesen kommen auch einzelne, unregelmäßige Teloclade und Tylostyle vor.

Unter den Amphioxen des Cnoanosoms können zwei Formen, größere und kleinere, unterschieden werden. Diese sind zwar durch Uebergangsformen verbunden, scheinen aber nicht derart in genetischer Beziehung zueinander zu stehen, daß die kleinen Jugendformen der großen sind. Beide Arten sind isoactin, und nur wenig gekrümmt oder völlig gerade. Die großen Amphioxe sind meist 5,3—5,6 mm lang und 90—105 μ dick. Die kleinen Amphioxe sind 2,5—3 mm lang und etwa 70 μ dick.

In den Zentrifugnadelpräparaten habe ich einige frühe, etwa 500 μ lange Entwicklungsstadien von Choanosomamphioxen beobachtet. Die Kieselsubstanz dieser hatte die Gestalt von Röhren, die an beiden Enden weit offen waren. Das Röhrenlumen war am Nadelende (Eingang) 4 μ weit, verengte sich aber gegen die Nadelmitte auf 1,5—2 μ, woraus, in Anbetracht der durchaus gleichmäßigen Dicke des mittleren Teils des Achsenfadens der ausgebildeten Amphioxe hervorgeht, daß entweder anfangs die Kieselsubstanz dieser Nadeln nicht nur von außen her, sondern auch von innen, vom Achsenfaden aus, der ersten, weiten röhrenförmigen Kieselanlage angelagert wird, oder aber in diesem Stadium die erstgebildeten Kieselschichten so konstituiert sind, daß sie von der bei der Herstellung dieser Präparate angewendeten, heißen Salpetersäure vom Nadelende gegen die Nadelmitte fortschreitend aufgelöst werden.

Ich habe ein Choanosomamphiox gesehen, welches im übrigen den großen Amphioxen glich, nahe der Mitte aber eine eigentümliche, aus neun, mehr weniger halbkugeligen Vorragungen zusammengesetzte Anschwellung besaß (Taf. XXVIII, Fig. 3).

Die seltenen Amphioxe der Skelettachsen der Zipfel sind 1,5—3,5 mm lang und 35—50 μ dick.

Die großen radialen Plagiotriaene (Taf. XXVIII, Fig. 2, 14, 15, 22, 23) haben einen gewöhnlich völlig geraden, 2—3,5, meist 3—3,5 mm langen, am cladomalen Ende 66—120, meist 110—120 μ dicken Schaft. Unterhalb des Cladoms besitzt derselbe eine leichte Anschwellung. Die Clade sind 250—400 μ lang und gewöhnlich mehr oder weniger, zuweilen sehr stark, derart S-förmig gekrümmt, daß der Grund- und Endteil weniger steil emporgerichtet sind als der Mittelteil. Ihre Sehnen schließen Winkel von 45—60° mit der Schaftverlängerung ein. Die Cladombreite beträgt 330—530 μ. Die allermeisten von diesen Nadeln sind regulär, selten werden Formen mit einem gabelspaltigen Clad angetroffen, welche den Uebergang zu den großen Dichotriaenen vermitteln.

Ich habe ein merkwürdiges, abnormes Teloclad (Taf. XXVIII, Fig. 5) angetroffen, das hinsichtlich seiner Dimensionen in die Kategorie der großen Plagiotriaene gehört, in seiner Gestalt aber von diesen Nadeln wesentlich abweicht. Es besteht aus einem 80 μ dicken, vermutlich (er war abgebrochen) 2 oder 3 mm langen zylindrischen, am intakten Ende einfach abgerundeten Schaft, von dem — 280 μ vom abgerundeten Ende entfernt — drei bei 160 μ lange Clade abgehen, welche Winkel von ungefähr 60° mit dem Schafte einschließen und vom abgestumpften Ende abgekehrt sind. Diese Nadel ist entweder als ein Mesanatriaen oder ein Mesoplagiotriaen aufzufassen, dessen Schaft zu einem 280 μ langen Stummel reduziert und dessen Schaftverlängerung ungemein lang ist.

Die großen, radialen Dichotriaene (Taf. XXVIII, Fig. 6, 16) haben einen

216

1—1,5 mm langen, am cladomalen Ende etwa 65 μ dicken Schaft. Ihre Hauptclade sind meist etwa 100, ihre Endclade 150 μ lang. Die Cladombreite beträgt 350—480 μ. Außer Dichotriaenen von diesen Dimensionen werden auch (selten) größere und (häufiger) kleinere angetroffen. Die ersten vermitteln den Uebergang zu den großen, radialen Plagiotriaenen, die letzten zu den kleinen Dichotriaenen der Haut.

Die kleinen Dichotriaene der Haut (Taf. XXVIII, Fig. 4, 8—11, 22b) haben einen geraden, weniger oft leicht gebogenen, sehr selten geknickten Schaft von 220—360 μ Länge und 20—30 μ größter Dicke Derselbe ist gewöhnlich kegelförmig und zugespitzt (Fig. 4, 8), sehr selten mehr zylindrisch, am Ende abgerundet (Fig. 10, 11), etwas kürzer und stärker, 150—270 μ lang und 38 μ dick. Die Hauptclade sind meist etwa 60, die Endclade 120 μ lang. Bei sehr jungen sind die Hauptclade viel länger als die Endclade. Die Cladombreite beträgt bei den normalen Formen 290—310 μ. Die abnormen mit verdicktem und verkürztem, abgerundetem Schaft haben teilweise (Fig. 10) oder ganz (Fig. 11) rückgebildete, verkürzte, verdickte und abgerundete Endclade. Wie oben erwähnt, sind diese kleinen Hautdichotriaene durch Uebergangsformen mit den großen Dichotriaenen verbunden.

Die Anatriaene (Taf. XXVIII, Fig. 1; Taf. XXIX, Fig. 4) haben einen geraden, fast zylindrischen, etwas plötzlich zugespitzten Schaft von 0,5—1,2 mm Länge und 2,5—4 μ Dicke. Die Clade sind 35—80 μ lang und am Grunde stets gegen den Schaft konkav. Ihre mittleren und Endteile sind entweder auch so gekrümmt (Taf. XXVIII, Fig. 1) oder gerade (Taf. XXIX, Fig. 4). Der Winkel, den ihre Sehnen mit dem Schafte einschließen, ist umso größer je weniger sie gekrümmt sind und hat 27—47^0. Die Anatriaene mit durchaus gekrümmten Claden haben 35—50 μ breite Cladome, während bei einigen von den geradcladigen das Cladom eine Breite von 90 μ erreicht.

Zwischen diesen Anatriaenen kommen einzelne unregelmäßige Teloclade und Tylostyle vor. Die unregelmäßigen, frei vorragenden Teloclade haben Schäfte von ähnlichen Dimensionen wie die Anatriaene. Sie tragen am distalen, cladomalen Ende meist einen Endknopf, von welchem zwei oder drei feine, ziemlich gerade Clade von 15—30 μ Länge nach verschiedenen Richtungen abgehen. Zuweilen sind alle aufstrebend, zuweilen sind sie teilweise nach oben, teilweise nach unten gerichtet. Die Tylostyle (Taf. XXVIII, Fig. 7) haben einen 20 μ dicken Schaft und am distalen, freien Ende ein ziemlich regelmäßig eiförmiges, 30 μ im Querdurchmesser haltendes Tyl.

Die großen Oxyaster (Megaoxyaster) des Choanosoms (Taf. XXVIII, Fig. 13, 18; Taf. XXIX, Fig. 3a) haben drei bis sieben, meist fünf oder sechs glatte, kegelförmige, gegen das Ende zunehmend rasch verdünnte, zugespitzte Strahlen. Die Größe der Strahlen und der Maximaldurchmesser des ganzen Asters stehen im umgekehrten Verhältnis zur Strahlenzahl. Dreistrahler haben 120—150 μ lange, am Grunde 13—15 μ dicke Strahlen und einen Maximaldurchmesser von 260 μ. Mehrstrahler haben 90—120 μ lange, am Grunde 10—12 μ dicke Strahlen und einen Maximaldurchmesser von 130—220 μ. Unter den Dreistrahlern herrschen Formen vor, bei denen zwei von den Strahlen nahezu in einer Geraden liegen. Viele von den Sechsstrahlern erscheinen als völlig reguläre Hexactine. Die Strahlen werden von Achsenfäden durchzogen, welche meistens sehr fein, zuweilen aber auch ziemlich stark, bis 1 μ dick sind (Taf. XXVIII, Fig. 13). Im Nadelzentrum findet sich ein körniger Kern, von dem die Achsenfäden abgehen. Die Kieselsubstanz ist deutlich geschichtet.

217

Die kleinen Oxyaster (Microoxyaster) des Choanosoms (Taf. XXVIII, Fig. 12; Taf. XXIX, Fig. 3b) sind sehr verschieden groß. Es werden ganz kleine (Taf. XXVIII, Fig. 12b), mittlere (a) und große (c) angetroffen. Diese Formen sind derart durch Uebergänge verbunden, daß sie sich nicht auseinanderhalten lassen. Sie haben meist acht bis vierzehn gerade, kegelförmige, scharfspitzige Strahlen. Zuweilen ist ein besonderer, kugeliger Zentralteil zu erkennen, zuweilen nicht. Diese Aster halten 14—100 μ im Durchmesser. Die größten vermitteln zwar den Uebergang zu den Megaoxyastern, es sind aber eigentliche Uebergangsformen zwischen Micro- und Megaoxyastern so selten, daß man diese beiden Formen sehr wohl auseinander halten kann.

Die Ataxaster der oberflächlichen Rindenteile (Taf. XXVIII, Fig. 19, 20) halten 4—5 μ im Durchmesser und haben zahlreiche (etwa fünfzehn) dicke, etwas knorrige, nicht selten terminal ein wenig verbreiterte und abgerundete, am Ende vielleicht in Lappen zerteilte Strahlen. Diese Aster erscheinen unregelmäßig. Ab und zu sieht man einen etwas in die Länge gestreckten mit exzentrischen Strahlen.

Alle drei Stücke dieses Schwammes wurden von der Valdivia am 3. November 1898 auf der Agulhasbank an der südafrikanischen Küste in 35⁰ 26′ 8″ S. 20⁰ 56′ 2″ O. (Valdivia-Station 106b) aus einer Tiefe von 84 m hervorgeholt. Der Name, den ich dem Schwamme gegeben habe, bezieht sich auf die Agulhasbank, auf der er wächst.

Obzwar einzelne von den Ataxastern etwas langgestreckt und nicht streng euastros sind, glaube ich doch, daß dieser Schwamm zur Gattung *Stelletta* gestellt werden sollte. Er unterscheidet sich von den bisher bekannten sphaerenlosen *Stelletta*-Arten durch das Zusammenvorkommen von großen Oxyastern, großen Dichotriaenen, besonderen kleinen Dermaldichotriaenen und Ataxastern. Bei den anderen *Stelletta*-Arten, welche Dichotriaene und außer den Oxy- oder Sphaerastern noch eine zweite Asterart besitzen (*S. orientalis*, *S. normani*, *S. communis*) sind die größten Oxyaster viermal so klein oder noch kleiner.

Stelletta sigmatriaena n. sp.

Taf. XXIX, Fig. 13—25.

In der Gazellen-Sammlung findet sich ein Stück dieses Schwammes.

Dieses ist etwas unregelmäßig kugelig, hält 21 mm im Durchmesser und sitzt mit schmaler Grundfläche fest. Die Oberfläche ist fein gekörnelt und gleichmäßig mit kleinen, etwa 100 μ weiten, kreisrunden Poren bedeckt. Außerdem findet sich an derselben ein eiförmiges, 1,5 mm langes und 1 mm breites Osculum. Dieses führt in eine sackförmige, 6 mm tiefe und 4 mm breite Oscularhöhle, in die die Ausfuhrkanäle münden, hinein. Ein Teil dieser Höhle breitet sich, nur von einer dünnen Haut bedeckt, dicht unter der Oberfläche aus. In dieser Haut, sowie in der Höhlenwand kommen massenhafte, kugelige, 12—17 μ im Durchmesser haltende Zellen (Taf. XXIX, Fig. 13b) vor, welche mit großen, rundlichen Körnern dicht erfüllt sind.

Die Farbe des Schwammes ist, in Weingeist, blaß kaffeebraun.

Das Skelett besteht aus großen, radialen Amphioxen und Telocladen; kleinen Amphioxen in der Rindenschicht und der Oscularhöhlenwand, und zerstreuten Microscleren. Die Distalenden der großen radialen Amphioxe liegen in der Rindenschicht. Die Teloclade sind regelmäßige Orthotriaene, regelmäßige Anatriaene und unregelmäßige Formen, welche zum Teil als irreguläre Orthotriaene, zum Teil als Uebergangsformen zwischen Ortho- und Anatriaenen anzusehen sind. Diese Uebergangsformen, die ich Sigmatriaene nennen will, sind gar nicht selten. Die äußersten Teloclade sind so angeordnet, daß ihre Cladome dicht unter der Oberfläche eine dünne, scharf begrenzte Lage bilden. Darunter breitet sich eine etwa 0,5 mm mächtige, cladomfreie Subdermalraumzone aus. Unter der letzten liegt das Choanosom, dessen äußerer Teil, in einer Mächtigkeit von 1,5 mm, mit Teloclad-, vornehmlich Anatriaencladomen dicht erfüllt erscheint. Die kleinen Amphioxe sind in der Wand der Oscularhöhle paratangential, im übrigen aber ganz unregelmäßig angeordnet (Taf. XXIX, Fig. 13 c). In der Rinde liegen sie radial. Hier bilden sie zum Teil Hüllen um die Schäfte jener Teloclade (Teclocladgruppen), welche die Subdermalraumzone durchsetzen und ihre Cladome an der Oberfläche ausbreiten. Einige von den Amphioxen dieser Hüllen krümmen und neigen sich oben nach außen, so daß die aus ihnen bestehenden Hüllen selbst die Teloclad- (vorwiegend Plagiotriaen-) Cladome fast in der Weise umgeben, wie Blumenstraußhälter die Blüten. Die Microsclere sind zweierlei Art: größere, dickstrahlige, und kleinere, schlankstrahlige, dornige Oxyaster. Die ersten werden zerstreut an der Oberfläche und in der Oscularhöhlenwand (Taf. XXIX, Fig. 13 a), die letzten allenthalben angetroffen. Zahlreich sind weder jene noch diese.

Die **großen Amphioxe** des Choanosoms sind nur wenig gekrümmt oder völlig gerade, 2—2,5 mm lang und 20—25 μ dick.

Die **kleinen Amphioxe** der Rinde und Oscularhöhlenwand (Taf. XXIX, Fig. 13 c) sind 250—330 μ lang und 3—4 μ dick. Jene der Rinde sind gerade, einfach oder S-förmig, gebogen; jene der Oscularhöhlenwand gerade. Die Krümmung der kleinen Rindenamphioxe ist zuweilen eine recht beträchtliche.

Die **Orthotriaene** (Taf. XXIX, Fig. 21—25) haben einen meist geraden, kegelförmigen, 1,9—2,5 mm langen, am cladomalen Ende 30—40 μ dicken Schaft. Die Clade sind 300—400 μ lang, das Cladom ist 500—700 μ breit. Bei den regelmäßigsten Formen (Fig. 21, 22, 24) sind die Clade eines und desselben Cladoms in Bezug auf Lage und Gestalt untereinander ziemlich gleich. Die Grundteile der Clade dieser Triaene schließen mit dem Schafte Winkel von etwa 120° ein. Weiterhin krümmen sich alle schaftwärts, so daß ihre distalen Hälften rechte Winkel mit dem Schafte bilden (Fig. 24), oder es ist das Ende des einen oder anderen Clades etwas emporgerichtet (Fig. 22). Sehr häufig kommen unregelmäßige Triaene (Fig. 23, 25) vor, welche offenbar auch zu den Orthotriaenen zu rechnen sind, deren Clade aber verschiedene Lagen haben (verschiedene Winkel mit dem Schafte einschließen).

Die **Anatriaene** (Taf. XXIX, Fig. 14, 17, 18) haben meist gerade, in der cladomalen Hälfte fast zylindrische, 1,8—2 mm lange und 20—25, selten bis 40 μ dicke Schäfte. Bei den ausgebildeten Anatriaenen (Fig. 14, 18) ist die proximale Hälfte (der Grundteil) der Clade schwach gegen den Schaft konkav gekrümmt und schließt einen Winkel von etwa 70° mit demselben ein. Die distale Hälfte (der Endteil) ist dem Schafte nahezu parallel nach abwärts gerichtet. Dort wo sein proximaler, absteigender, in seinen distalen, parallelen Teil übergeht, ist das Clad deutlich geknickt. Die Clade der jungen Anatriaene (Fig. 17) erscheinen, weil bei ihnen der Endteil nicht ganz ausgebildet ist, hackenförmig. Die Clade ausgebildeter Anatriaene sind 110—140, selten bis 200 μ lang. Ihre Sehnen schließen Winkel von 30—45° mit dem Schafte ein. Die Cladombreite beträgt 130—150, selten bis 190 μ.

Ich habe eine Anzahl von Triaenen beobachtet, welche insofern einen Uebergang zwischen den Ana- und Orthotriaenen bilden, als bei innen ein (Taf. XXIX, Fig. 20) oder zwei (Taf. XXIX, Fig. 19) Clade als Orthotriaenclade mit schwächer oder stärker emporgerichteten Endteilen erscheinen, während die übrigen (zwei oder einer) gegen den Schaft gekrümmt sind und Anatriaencladen gleichen. Da diese Cladome, von der Seite betrachtet, einigermaßen S-förmig aussehen, möchte ich die Triaene, denen sie angehören, Sigmatriaene nennen. Diese sonst bei Tetractinelliden, speziell Stellettiden, überaus seltenen Uebergangsformen, sind beim vorliegenden Schwamm ziemlich häufig anzutreffen; sie charakterisieren ihn geradezu und ich nenne deshalb die Art, die ich für ihn errichte, *sigmatriaena*.

Der Schaft und die zurückgebogenen Clade dieser Sigmatriaene (Taf. XXIX, Fig. 19, 20) haben beiläufig dieselbe Gestalt und Größe wie der Schaft und die Clade der Anatriaene. Die abstehenden (Ortho-) Clade pflegen 100—150 μ lang zu sein.

Die großen, dickstrahligen, dornigen Oxyaster (Taf. XXIX, Fig. 16a—d) haben zwei bis sechs kegelförmige, stumpfspitzige Strahlen, welche in der distalen Hälfte stets (Fig. 16a, b, d), in der proximalen zuweilen (Fig. 16c) große Dornen tragen. Die Größe des ganzen Asters oder der einzelnen Strahlen steht im umgekehrten Verhältnis zur Zahl der letzten. Die Zweistrahler erscheinen als 32—36 μ lange, in der Mitte 4 μ dicke, an den Enden dornige, abgestumpfte Spindeln oder Walzen. Die Drei- und Vierstrahler (Fig. 16 b, c, d) haben 11—17, meist 14 μ lange, am Grunde 2—4, meist 3 μ dicke Strahlen und besitzen einen Gesamtdurchmesser von 23—28, meist 26 μ. Die Fünf- bis Sechsstrahler (Fig. 16 a) haben 11—12 μ lange Strahlen und halten 18—22 μ im Durchmesser.

Die kleinen, schlankstrahligen, dornigen Oxyaster (Taf. XXIX, Fig. 15) haben meist sechs bis neun Strahlen. Diese sind schlank kegelförmig, stumpfspitzig, feindornig, 6—8 μ lang und am Grunde 0,3—0,5 μ dick. Der Durchmesser des Asters beträgt 12—15 μ. Zuweilen ist ein Zentrum angedeutet. Uebergänge zwischen den schlank- und dickstrahligen Oxyastern sind sehr selten und es ist nicht zu bezweifeln, daß wir es hier mit zwei verschiedenen Asterformen zu tun haben.

Dieser Schwamm wurde von der Gazelle (Nr. 722) bei Dirk Hartog (West-Australien) aus einer Tiefe von 85 m hervorgeholt.

Er unterscheidet sich von anderen *Stelletta*-Arten durch den Besitz von Sigmatriaenen. Am nächsten steht ihm die *S. (Anthastra) pulchra* SOLLAS. Von dieser unterscheidet er sich, außer durch die Sigmatriaene, auch durch die Gestalt der Anatriaenclade, welche bei *S. pulchra* S-förmig, bei *S. sigmatriaena* einfach gekrümmt sind, und durch die besonderen, kleinen Rinden-amphioxe, welche der *S. pulchra* fehlen.

Stelletta nereis n. sp.

Taf. XXIX, Fig. 26—32.

Von diesem Schwamme findet sich ein Stück in der Gazellen-Sammlung.

Dasselbe ist ein unregelmäßig gestaltetes Bruchstück eines größeren Schwammes und hat eine Länge von 20 mm. Die Oberfläche ist mit sehr kleinen, conuliartigen Erhebungen bedeckt und erscheint daher fein gekörnelt. Der Schwamm hat eine ziemlich derbe, 0,5 mm dicke Faserrinde.

Die Farbe ist, in Weingeist, an der Oberfläche dunkel braunrot, im Innern lichter, schmutzig braun.

Das Skelett besteht aus radial angeordneten Amphioxen, Plagiotriaenen und Anatriaenen, und zerstreuten Acanthtylastern.

Die Amphioxe sind völlig gerade oder nur wenig gebogen, 1,7—2,1 mm lang und 28—40 μ dick.

Die Plagiotriaene (Taf. XXIX, Fig. 26—28) haben einen geraden, kegelförmigen, 1,9—2,1 mm langen, am cladomalen Ende 35—65, selten bis 70 μ dicken Schaft. Die Clade sind 190—340 μ lang und schwach gegen den Schaft konkav gekrümmt. Ihre Senen schließen Winkel von 104—119° mit demselben ein. Die Cladombreite beträgt 330—620 μ. Der optische Querschnitt des Schaftes, den ich an einem aufrechtstehenden Bruchstück beobachtete (Fig. 27), zeigt, daß die Schichten der Kieselsubstanz annähernd gleich dick sind und daß der Achsenfaden nicht rund (kreiszylindrisch) ist, sondern einen unregelmäßig abgerundet dreieckigen Querschnitt hat. So regelmäßig dreieckig wie in den *Donatia-* *(Tethya-)* und *Geodia*-Nadeln[1]) ist er jedoch nicht.

Die Anatriaene (Taf. XXIX, Fig. 29 a, b) haben einen meist ziemlich geraden, kegelförmigen, 2,7—3,6 mm langen, am cladomalen Ende 15—30 μ dicken Schaft. Die Clade sind beträchtlich, gleichmäßig oder proximal etwas stärker als distal gekrümmt und 90—120 μ lang. Ihre Senen schließen Winkel von 41—51° mit dem Schafte ein. Die Cladombreite beträgt 130—175 μ.

Die Acanthtylaster (Taf. XXIX, Fig. 30—32) haben drei bis dreizehn oder noch mehr Strahlen. Diese sind zylindrokonisch, distal nur wenig verdünnt und tragen knapp unter dem Ende ein Wirtel ziemlich großer Dornen, welche ungefähr senkrecht vom Strahle abstehen oder etwas zurückgebogen sind. Die übrigen Teile der Strahlen erscheinen glatt und völlig dornenlos. Das äußerste Ende des Strahles pflegt in Gestalt eines kleinen Enddorns über das Seitendornenwirtel vorzutreten. Ausnahmsweise wird ein Zentrum angetroffen. Die Größe des ganzen Asters und der einzelnen Strahlen steht im umgekehrten Verhältnis zur Anzahl des letzten. Drei- und Vierstrahler (Fig. 32 a, b) haben 7—9 μ lange, am Grunde 0,6—0,7 μ dicke Strahlen und halten 12—17 μ im Gesamtdurchmesser. Zehn- und Mehrstrahler (Fig. 30) haben 4 μ lange, am Grunde wenig über 0,2 μ dicke Strahlen und halten 8—9 μ im Gesamtdurchmesser. Die Dimensionen der Aster mit fünf bis neun Strahlen (Fig. 31) liegen zwischen diesen Grenzwerten.

Dieser Schwamm wurde von der Gazelle (Nr. 2603) in der Mermaidstraße, worauf sich der Artname, den ich ihm gegeben habe bezieht, erbeutet.

Die einzige bekannte *Stelletta*-Art, die wie S. *nereis* von Microscleren nur unter 18 μ im Durchmesser haltende Tylaster (Acanthtylaster) und weder Dichotriaene noch besondere kleine Rindenamphioxe besitzt, und deren Anatriaenclade auch 100 μ lang werden, ist S. *(Pilochotra) lendenfeldi* SOLLAS. Von dieser unterscheidet sich S. *nereis*, von anderen Differenzen abgesehen,

---

[1]) O. BÜTSCHLI, Einige Beobachtungen über Kiesel- und Kalknadeln von Spongien. In: Zeitschr. wiss. Zool. Bd. 69 Taf. 20 Fig. 3, 4; Taf. 21 Fig. 15, 17, 19.

durch die bedeutendere Größe der Aster. Auch mit *S. purpurea* RIDLEY stimmt· *S. nereis* in mehreren Hinsichten überein, unterscheidet sich davon aber durch die Anatriaene, deren Clade bei *S. purpurea* nur 70, bei *S. nereis* über 100 μ lang werden; und die Aster, deren größte bei *S. purpurea* einen Durchmesser von 25, bei *S. nereis* von nur 17 μ erreichen.

Stelletta dolabra n. sp.

Taf. XXIX, Fig. 41—49.

Von diesem Schwamme findet sich ein Stück in der Valdivia-Sammlung.

Dasselbe ist unregelmäßig kugelig und hält 15 mm im Durchmesser. Die Oberfläche ist fein gekörnelt und mit rundlichen, 70—100 μ großen Poren bedeckt. An derselben findet sich ein gestreckt eiförmiges, 3 mm langes Osculum.

Die Farbe ist, in Weingeist, licht schmutzig braun.

Das Skelett besteht aus radial angeordneten, amphioxen, plagiotriaenen und anatriaenen Megascleren und zerstreuten, nicht zahlreichen Acanthtylastern.

Die Amphioxe (Taf. XXIX, Fig. 49) sind meist etwas gekrümmt, 0,95—1,05 mm lang und 20—30 μ dick.

Die Plagiotriaene (Taf. XXIX, Fig. 42, 43, 46, 47) haben einen geraden oder nur wenig gekrümmten, 1,1—1,3 mm langen, am cladomalen Ende 30—50 μ dicken Schaft. Die Clade sind ein klein wenig gegen den Schaft konkav gekrümmt und 130—170 μ lang. Sie schließen Winkel von 101—114⁰ mit dem Schafte ein. Die Cladombreite beträgt 220—270 μ.

Die Anatriaene (Taf. XXIX, Fig. 41, 48) haben einen zylindrokonischen, 1,6—1,8 mm langen, 18—20 μ dicken Schaft. Die Clade sind 40—70 μ lang und nur wenig gebogen. Ihre Sehnen schließen Winkel von meist 75—86⁰ mit dem Schafte ein. Die Cladombreite beträgt 80—120 μ. Infolge der ganz ungewöhnlichen Größe ihrer Cladwinkel sehen die Cladome dieser Nadeln wie Eispickel oder Krampen aus, worauf sich der Artname bezieht.

Die Acanthtylaster (Taf. XXIX, Fig. 44, 45) haben sechs bis neun, seltener noch mehr, bis zu sechzehn Strahlen, welche am Ende eine wirtelartige Gruppe großer Dornen tragen und sonst überall mit sehr kleinen Dornen besetzt sind. Ein Zentrum ist oft deutlich ausgebildet. Es ist auch dornig. Die Größe des ganzen Asters und der einzelnen Strahlen steht im umgekehrten Verhältnis zur Anzahl der letzten. Sechs- bis Achtstrahler (Fig. 44) haben 11—17 μ lange, am Grunde 1—1,5 μ dicke Strahlen und einen Gesamtdurchmesser von 15—25 μ. Ein Sechzehnstrahler, den ich maß (Fig. 45), hatte 6 μ lange, am Grunde 0,5 μ dicke Strahlen und einen Gesamtdurchmesser von 12 μ.

Dieser Schwamm ist von der Valdivia erbeutet worden. Angaben über Station und Fundort fehlen.

Die einzigen *Stelletta*-Arten die, wie *S. dolabra*, von Microscleren ausschließlich bis 20 μ große oder noch größere Tylaster (Acanthylaster) und Anatriaene mit über 50 μ langen Claden, aber weder Dichotriaene noch besondere, kleine Rindenamphioxe besitzen, sind *S. purpurea* RIDLEY und *S. (Pilochrota) hornelli* DENDY. Die großen Triaene mit absteigenden Claden dieser Spongien wurden von SOLLAS (*S. purpurea*) und DENDY (*S. [Pilochrota] hornelli*) Orthotriaene genannt. Man könnte dieselben aber, besonders jene der *S. purpurea*, wohl ebensogut oder besser, Plagiotriaene nennen.

Sie unterscheiden sich von den Plagiotriaenen der S. *dolabra* eigentlich nur dadurch, daß ihre Clade bei S. *purpurea* bedeutend länger, bei S. (*Pilochrota*) *hornelli* gedrungener sind. Ein wesentlicher Unterschied ist aber bei den Anatriaenen zu bemerken, deren Clade bei den beiden genannten Arten in gewöhnlicher Weise beträchtlich, bei S. *dolabra* aber nur sehr wenig zurückgebogen sind.[1]) Sollte diesem auffallenden Unterschiede nicht ein solcher systematischer Wert beizumessen sein, wie ich demselben beimesse, so wäre S. *dolabra* vielleicht zu S. *hornelli* zu stellen. Möglich, jedoch wie ich glaube unwahrscheinlich ist es, daß beide Synonyme von S. *purpurea* RIDLEY sind.

Stelletta bougainvillea n. sp.

Taf. XXIX, Fig. 33—40.

In der Gazellen-Sammlung finden sich 5 Stücke dieses Schwammes.

Dieselben sind etwas unregelmäßig kugelig; das kleinste hält 4, das größte 16 mm im Durchmesser. Die Oberfläche erscheint fein gekörnelt und ist mit kleinen, zerstreuten, kreisrunden Poren (Taf. XXIX, Fig. 35 d) bedeckt. An derselben findet sich auch ein kreisrundes Osculum, welches bei dem größten Stücke 2 mm im Durchmesser hält, bei den kleineren kleiner ist, und bei den kleinsten geschlossen zu sein scheint. Dieses Osculum führt in eine erweiterte Oscularhöhle hinein. Es wird (Taf. XXIX, Fig. 35) von einem häutigen Saum eingefaßt, dem zahlreiche kleine, paratangential gelagerte und zur Osculummitte radial orientierte Amphioxe (c) eingelagert sind. Diese ragen eine Strecke weit frei über den Rand des Oscularsaumes (b) vor und fassen das Osculum in Gestalt eines zarten, aber dichten Stachelkranzes ein. Im durchfallenden Lichte erscheint der Oscularhautsaum zwar größtenteils durchsichtig und farblos, es finden sich darin aber in annähernd gleichen Abständen gegen 20 radial um die Osculummitte orientierte, teils eiförmige, teils unregelmäßig gestaltete, intensiv zitrongelbe Körper (a) von ungefähr 150 μ Länge und 110 μ Breite. Aehnliche zitrongelbe Bildungen, die jedoch größer und unregelmäßiger sind, kommen auch anderwärts in der Rinde vor. Der Erhaltungszustand des Materials läßt eine genauere, histologische Untersuchung des Baues dieser zitrongelben Körper zwar nicht zu, ich vermute aber, daß sie gewissen, von SOLLAS, THIELE und DENDY bei mehreren *Stelletta*-Arten aufgefundenen Gruppen von Körnerzellen entsprechen. Besonders ähnlich scheinen sie den vom letztgenannten[2]) bei S. (*Pilochrota*) *hornelli* angetroffenen, rundlichen Bildungen zu sein. Es ist eine etwa 500 μ dicke Faserrinde vorhanden, unter der sich etwa 250 μ große Subdermalräume ausbreiten.

Die Farbe des Schwammes ist, in Weingeist, licht kaffeebraun, mit sehr kleinen gelben Flecken.

Das Skelett besteht aus radialen Amphioxen, Plagiotriaenen und Anatriaenen, besonderen kleinen radialen Amphioxen in der Rinde, ebensolchen, aber paratangential orientierten Amphioxen im Oscularsaum, und zerstreuten, im allgemeinen nicht sehr zahlreichen, am häufigsten noch in den Wänden der Rindenkanäle vorkommenden Acanthtylastern. Die Distalenden der radialen

---

[1]) vergleiche S. O. RIDLEY, Spongiida. In: Rep. Alert. Taf. 43 Fig. j und A. DENDY, On the Sponges. In: Rep. Oysterfisheries Ceylon, Part 3 Suppl. Rep. 18 Taf. 2 Fig. 5 e mit meinen Photographien Taf. XXIX Fig. 41 und 48.

[2]) A. DENDY, On the Sponges. In: Rep. Oysterfisheries Ceylon, Part 3 Suppl. Rep. 18 p. 76.

Amphioxe, der großen sowohl als der kleinen, liegen in der Rinde und treten nicht über dieselbe vor. Die Distalenden der kleinen paratangentialen Amphioxe des Ocularsaumes dagegen ragen wie erwähnt, frei vor. Die Telocladcladome bilden dicht unter der Oberfläche eine wohl begrenzte oberflächliche (Taf. XXIX, Fig. 35e), und unter den Subdermalräumen, im distalen Teil des Choanosoms, eine tiefe Lage. Die letztere ist nur nach außen schärfer begrenzt. Nach innen geht sie allmählich in den von Cladomen ausgebildeter Teloclade freien Zentralteil des Choanosoms über.

Die großen radialen Amphioxe sind meist schwach gekrümmt, 1,7—3,6 mm lang und 40—45 μ dick.

Die kleinen Amphioxe der Rinde und des Ocularsaumes (Taf. XXIX, Fig. 35c) sind gerade oder gekrümmt, 240—350 μ lang und 4—6 μ dick.

Die Plagiotriaene (Taf. XXIX, Fig. 35e, 37—40) haben einen geraden kegelförmigen, 1,8—2,2 mm langen, am cladomalen Ende 50—75, meist 55—60 μ dicken Schaft und meist ganz gerade Clade, welche eine Länge von 210—300 μ erreichen und mit dem Schafte Winkel von 107—124^0 einschließen. Die Cladombreite beträgt 300—555, meist 400—450 μ.

Die Anatriaene (Taf. XXIX, Fig. 36) haben einen meist geraden, im cladomalen Teil zylindrischen, 2,6—3,5 mm langen und 20—40 μ dicken Schaft. Die Clade sind proximal stärker als distal gekrümmt und 105—140 μ lang. Ihre Sehnen schließen Winkel von 36—47^0 mit dem Schafte ein. Die Cladombreite beträgt 130—160 μ.

Die Acanthtylaster (Taf. XXIX, Fig. 33, 34) haben meist fünf bis zehn zylindrische, distal nur wenig verdünnte Strahlen, welche knapp vor dem Ende ein Wirtel ziemlich großer, senkrecht absteigender, am Ende etwas zurückgebogener Dornen tragen, sonst aber völlig glatt erscheinen. Das äußerste Ende des Strahles pflegt in Gestalt eines Terminaldornes über das Seitendornenwirtel hinaus zu ragen. Die Größe des ganzen Asters und der einzelnen Strahlen steht im umgekehrten Verhältnis zur Zahl der letzteren. Die Fünf- (Fig. 33) und Sechsstrahler haben 6—8 μ lange, am Grunde etwa 0,5 μ dicke Strahlen, und einen Gesamtdurchmesser von 12—13 μ. Die Zehnstrahler (Fig. 34) haben 4—6 μ lange Strahlen und einen Gesamtdurchmesser von etwa 9 μ. Die Dimensionen der Sieben- bis Neunstrahler liegen zwischen diesen Grenzwerten.

Die fünf Stücke dieses Schwammes wurden von der Gazelle (Nr. 678) bei der Bougainvilleinsel, auf die sich sein Artname bezieht, aus einer Tiefe von 90 m hervorgeholt.

Es gibt nur zwei bekannte *Stelletta*-Arten, die wie *S. bougainvillea*, von Microscleren nur bis 13 μ große Tylaster (Acanthtylaster) und von Megascleren nur Anatriaene, Plagiotriaene, große Radialamphioxe und kleine Rindenamphioxe besitzen: *S. brunnea* THIELE und die Schwämme, die DENDY als *S. (Pilochrota) haeckeli* SOLLAS bestimmt hat. Von der ersteren unterscheidet sich *S. bougainvillea* durch die mehr als doppelt so großen Anatriaenclade und die äußere Gestalt. Die letzten sollen zwar nach DENDY's Text Orthotriaene und nicht Plagiotriaene besitzen, die Abbildung[1]), die DENDY von diesen Nadeln gibt, scheint mir aber darauf hinzuweisen, daß sie Plagiotriaene und nicht Orthotriaene, den Plagiotriaenen der *S. bougainvillea* vielleicht ähnlich sein könnten. Abgesehen von den Telocladen mit verkürztem Schaft, die ich in meinen Stücken nicht fand, stimmen diese auch sonst recht gut mit jenen von DENDY als *S. (Pilochrota) haeckeli*

---

[1]) A. DENDY, On the Sponges. In: Rep. Oysterfisheries Ceylon, Part 3 Suppl. Rep. 18 Taf. 2 Fig. 4a, b.

beschriebenen Spongien überein. Andererseits scheinen mir aber die Unterschiede zwischen der *S. (Pilochrota) haeckeli* SOLLAS und den von DENDY so benannten Schwämmen in Bezug auf die Gestalt der Triaencladome und namentlich die Größe der Aster darauf hinzuweisen, daß diese DENDY'schen Spongien nicht zu jener SOLLAS'schen Art gehören. Ich halte es daher für nicht ausgeschlossen, daß *S. (Pilochrota) haeckeli* DENDY von *S. (P.) haeckeli* SOLLAS, sondern ein Synonym von *S. bougainvillea* ist. Wenn sich herausstellen sollte, daß im vorliegenden Falle dem Unterschied in der Länge der Anatriaenclade und der äußeren Gestalt keine solche systematische Bedeutung beizulegen ist, wie ich ihm jetzt beimesse, so würden wohl beide der *S. brunnea* THIELE einverleibt werden müssen.

Stelletta crassiclada n. sp.

Taf. XXXI, Fig. 3—12.

In der Gazellen-Sammlung finden sich zwei Stücke dieses Schwammes.

Beide sind etwas unregelmäßig kugelig (Taf. XXXI, Fig. 11) und fast gleich groß. Sie halten 45, beziehungsweise 47 mm im größten, und 40 mm im kleinsten Durchmesser. Die Oberfläche ist pelzlos, kahl und zeigt sehr seichte, vielerorts kaum zu bemerkende, rinnenförmige Einsenkungen, welche zusammen eine Art Netz mit durchschnittlich etwa 3 mm weiten Maschen bilden. In den zwischen den Einsenkungen gelegenen, etwas vortretenden Teilen der Oberfläche neben die Enden der Plagiotriaenclade vielerorts die Haut empor, weshalb sie hier höckerig erscheint. Eines von den Stücken hat ein breiteiförmiges, 5 mm langes und 4 mm breites Osculum; das andere hat drei Oscula, ein ebenfalls 5 mm langes und 4 mm breites, und zwei kleinere, 2,5, beziehungsweise 1 mm lange. Der Oberfläche haften vielerorts große Fremdkörper, hauptsächlich Korallinenalgen, an. Es ist eine 1,5 mm dicke Faserrinde vorhanden, unter der sich bis 500 μ weite Subdermalräume ausbreiten. In der Rinde finden sich zahlreiche, gegen 20 μ große Körnerzellen, welche nächst der Oberfläche sehr dicht gedrängt und gegeneinander abgeplattet sind. Das Osculum führt in eine weite, sackförmige Höhle hinein, deren Wand aus einem Netz (Taf. XXXI, Fig. 9) mit 250—600 μ weiten Maschen besteht. Osculum und Netzlücken werden von schmalen Hautsäumen eingefaßt. Unter dem Netze breiten sich große Hohlräume aus, in welche die ausführenden Kanalstämme münden. Da das Netz aus demselben Fasergewebe (Taf. XXXI, Fig. 8) wie die Rinde besteht, könnte man seine Maschenlücken als die eigentlichen Oscula, die Oscularhöhle als einen Präoscularraum und dessen große, äußere Oeffnung (das Osculum) als ein Präosculum auffassen.

Die Farbe des Schwammes ist, in Weingeist, an der Oberfläche bräunlich weiß, im Innern viel dunkler, schmutzig braun.

Das Skelett besteht aus radial gelagerten Megascleren und aus Microscleren. Die Megasclere sind vorwiegend Amphioxe und Plagiotriaene. Es kommen aber auch einige Style und Monaene vor. In den Nadelpräparaten habe ich mehrere Anatriaene gesehen; in den Schnitten konnte ich jedoch keine finden, weshalb es fraglich ist ob diese Anatriaene dem Schwamme angehören oder fremd sind. Jedenfalls ist ihre Zahl eine geringe. Unter den Amphioxen lassen sich zwei Arten, dicke und schlanke, unterscheiden. Die Cladome der meisten ausgebildeten Plagiotriaene liegen dicht unter der Oberfläche; einige finden sich auch in der Tiefe der Rinde

225

und an der Oberfläche des Choanosoms, dicht unter den Subdermalräumen. Die Microsclere sind Strongylaster. Diese bilden eine dichte, einfache Lage an der äußeren Oberfläche und in der Oscularhöhlenwand (Taf. XXXI, Fig. 8). Im Innern der Rinde und im Choanosom werden dieselben Nadeln angetroffen. Sie sind hier jedoch nicht zahlreich. Die Strongylaster der Rinde sind vorwiegend dickstrahlig (alt?) jene des Choanosoms vorwiegend schlankstrahlig (jung?).

Die dicken Amphioxe sind mehr oder weniger gekrümmt, isoactin, 3,1—3,6 mm lang und 90—95 μ dick.

Die selteneren Style sind einigermaßen keulenförmig, am abgerundeten Ende ebenso dick, wie die dicken Amphioxe, aber kürzer.

Die schlanken Amphioxe sind meist weniger stark aber unregelmäßiger gekrümmt als die dicken, nicht selten schwach S-förmig gebogen. Sie sind 5—7 mm lang und 35 μ dick.

Die Plagiotriaene (Taf. XXXI, Fig. 4—6) haben einen oft beträchtlich gekrümmten, gegen das Cladom hin kegelförmig verdickten Schaft von 4,5—6 mm Länge und 105—135 μ Maximaldicke. Die Clade sind, worauf sich der Artname bezieht, dick und gedrungen gebaut, kegelförmig, völlig gerade (Fig. 5, 6) oder am Ende ein wenig nach außen gebogen, (Fig. 4), spitz (Fig. 4, 6) oder stumpf (Fig. 5). Sie erreichen eine Länge von 350—430 μ und schließen mit dem Schafte Winkel von 106—115, meist etwa 112° ein. Das Cladom ist 550—670 μ breit.

Ich habe zwei Telocladformen gefunden, die ich für abnorme Plagiotriaenderivate halte. Beide sind sehr selten. Die eine ist ein kurzschäftiges Plagiotriaen mit vollkommen entwickeltem Cladom, dessen Schaft aber zu einem, am Ende abgerundeten und etwas verdickten Stummel von 500 μ Länge, 100 μ cladomaler und 115 μ terminaler Dicke verkürzt erscheint. Die andere ist ein Orthomonaen (Taf. XXXI, Fig. 3) mit am Ende zurückgebogenem Clad, welches in Bezug auf seine Dimensionen den Plagiotriaenen gleicht.

Die selteneren Anatriaene (Taf. XXXI, Fig. 7), die, wie oben erwähnt, vielleicht dem Schwamme gar nicht angehören, haben einen 2,5—3,8 mm langen, 14—20 μ dicken Schaft und weit abstehende, stark gekrümmte Clade von 75—85 μ Länge, deren Seiten Winkel von 50° (bei ausgebildeten) bis 70° (bei jungen) mit dem Schafte einschließen. Die Cladombreite beträgt 110—150 μ.

Die Strongylaster (Taf. XXXI, Fig. 8, 10, 12) haben meist zwölf bis sechzehn zylindrokonische, gegen das Ende nur wenig verdünnte Strahlen. Bei den kleineren von diesen Astern ist oft ein deutliches, 4—6 μ im Durchmesser haltendes Zentrum zu erkennen, bei den größeren nicht. Die Strahlen sind mit mittelgroßen, nach rückwärts gerichteten · Dornen besetzt. Am Endteil des Strahls sind diese Dornen gewöhnlich ziemlich zahlreich und sie bilden hier oft ein Wirtel, welches manchem Strahlende ein acanthtylartiges Aussehen verleiht. Am Proximalteil der Strahlen sitzen viel weniger Dornen. Dem äußersten Ende des Strahls pflegt · ein in der Strahlenachse gelegener Terminaldorn zu entragen. Die Strahlen dieser Aster sind 6—9 μ lang. Ihre Dicke ist sehr verschieden und beträgt 0,6—1,8 μ. Der ganze Strongylaster hält 7—19, gewöhnlich 9—16 μ im Durchmesser. Die schlankstrahligen und die mit einem Zentrum ausgestatteten, kleinen, könnten Jugendformen der großen, dickstrahligen Strongylaster ohne Zentrum sein, es ist aber auch möglich, daß die dickstrahligen Strongylaster ohne Zentrum, die schlankstrahligen Strongylaster ohne Zentrum und die Strongylaster mit Zentrum, wenn auch ähnliche.

und durch Uebergänge eng verbundene, so doch eigene Asterformen sind, die in keinem genetischen Zusammenhang stehen.

Beide Stücke dieses Schwammes wurden von der Gazelle (Nr. 645) auf der Letonbank (Kap Verde) in 15^0 14' N. 23^0 23' W. aus einer Tiefe von 71 m hervorgeholt.

Der vorliegende Schwamm weicht von allen bekannten Stelletta-Arten mit Ausnahme von S. (Pilochrota) crassispicula SOLLAS[1]) durch eine Reihe von Merkmalen ab. Mit der S. crassispicula stimmt er aber in Bezug auf die Gestalt, die Gewohnheit sich mit Fremdkörpern zu bekleiden, die mit einem Netz ausgekleidete Oscularhöhle und das Zusammenvorkommen schlanker und dicker Stützskelettamphioxe, sowie zum Teil auch in Bezug auf die Gestalt der übrigen Nadeln so nahe überein, daß ich anfangs geneigt war ihn dieser Art zuzuweisen. Wenn ich das nun doch nicht getan und mich damit begnügt habe, die Aehnlichkeit beider durch einen ähnlich gebildeten Speciesnamen zum Ausdruck zu bringen, so geschah es: weil 1. die Megasclere von S. crassiclada, bei fast gleicher Größe der Schwämme, viel größer, meist doppelt so lang als jene von S. crassispicula sind; 2. die Plagiotriaenschäfte der S. crassiclada am Cladom kegelförmig verbreitert und nicht, wie jene der S. crassispicula, dort eingeschnürt sind; 3. die Plagiotriaenclade der S. crassiclada nicht wie jene der S. crassispicula am Ende herabgebogen sind; und 4. die bei S. crassispicula vorkommenden Aster mit geringer Strahlenzahl der S. crassiclada fehlen. Auch das, daß bei der letzten Style und Monaene, wenn auch selten, so doch sicher, und vielleicht auch einzelne Anatriaene vorkommen, während SOLLAS diese Nadeln von seiner S. (Pilochrota) crassispicula nicht erwähnt, spricht für eine spezifische Verschiedenheit dieser von Bahia (crassispicula) und Kap Verde (crassiclada) stammenden Spongien.

Stelletta megaspina n. sp.
Taf. XXXI, Fig. 19—38.

In der Gazellen-Sammlung finden sich vier Stücke dieses Schwammes.

Drei davon sind annähernd kugelig, eines langgestreckt, etwas unregelmäßig eiförmig. Die kugeligen halten 10, 13 und 21 mm im Durchmesser, das langgestreckte ist 28 mm lang und 15 mm breit. An der Oberfläche ist zwar kein Nadelpelz wahrzunehmen; die zahlreichen, in der Rinde steckenden, distal, im Niveau der Oberfläche, abgebrochenen Nadelteile scheinen mir jedoch darauf hinzuweisen, daß der Schwamm im Leben frei vorragende Nadeln besessen hat, die aber beim Fang oder nachher abgebrochen worden sind. An der einen Seite sind jedem Stück zahlreiche Sandkörnchen angeheftet. Die Oberfläche wird teilweise von sehr seichten, schmalen Furchen überzogen, welche ein Netz bilden, dessen Maschen etwa 250 μ weit sind. Größere, mit freiem Auge sichtbare Oeffnungen sind nicht zu erkennen, es finden sich aber zahlreiche kleine, nur mit der Lupe sichtbare Poren, welche bei den kleineren Stücken dichter stehen, unregelmäßig angeordnet sind und 40—150 μ im Durchmesser halten, bei den größeren Stücken weiter, etwa 300 μ, voneinander abstehen, regelmäßig angeordnet sind und etwa 70 μ im Durchmesser halten. Einige von diesen Poren sind mit einem zarten Porensiebe bedeckt, andere nackt; bei den letzten dürfte das Porensieb vielleicht im Leben vorhanden und erst

---

[1]) W. J. SOLLAS, Tetractinellida. In: Challenger Rep. Zool. Bd. 25 p. 128, Taf. 14 Fig. 9—15.

postmortal verloren gegangen sein. Es ist eine besondere, gegen 1 mm dicke, nicht faserige, Rindenschicht ausgebildet. Die Poren führen in Kanäle hinein, welche diese Rinde durchsetzen, mit je einem, eine kurze Strecke unter der Oberfläche gelegenen Sphinkter ausgestattet sind, und zum Teil in kleine, unter der Rindenschicht liegende Subdermalräume münden, zum Teil unmittelbar in radial durchs Choanosom herabziehende Gänge übergehen, welche zahlreiche stark vorspringende Einschnürungen besitzen.

In allen Teilen des Schwammes finden sich kugelige oder krollenförmige, 40—90 μ große Gruppen feinster, konzentrisch, radial um einen gemeinsamen Mittelpunkt angeordneter, dicht gedrängter Nadeln (Taf. XXXI, Fig. 34). Diese Nadeln sind, wie die Untersuchung im polarisierten Licht erkennen läßt, Kristalle. In Salpetersäure lösen sie sich auf. In einem anderen, äußerlich ähnlichen Schwamme (*Tethya vestita*) von demselben Fundort, der im selben Glase enthalten und seit dem Fange vermutlich ganz denselben Einflüssen ausgesetzt war, finden sich diese kugeligen Nadelrosetten nicht, woraus zu schließen ist, daß sie der *Stelletta megaspina* eigene Bildungen sind.

Die Farbe des Schwammes ist, in Weingeist, bräunlich weiß.

Das Skelett besteht aus radialen Megascleren, welche sehr zahlreiche, kegelförmige Gruppen bilden, die vom Schwammzentrum zur Oberfläche ausstrahlen; und aus Microscleren, die einen Panzer an der Oberfläche bilden und überall in der Rinde und im Choanosom zerstreut sind. Die Megasclere sind Amphioxe, Dichotriaene und Anatriaene. Außer diesen kommen einzelne, den Dichotriaenen ähnliche Plagiotriaene und Lophoclade mit drei Endcladen an einem der Hauptclade, sowie Anadichotriaene vor. Die Amphioxe scheinen nicht über die Rinde hinaus zu reichen. Zahlreiche Cladome der Dichotriaene und der genannten, selteneren, dichotriaenähnlichen Nadeln liegen dicht unter der Oberfläche, und bilden hier eine deutliche Schicht. Aber auch im Innern kommen, neben den noch jungen, auch einzelne ausgebildete Dichotriaencladome vor. Die Anatriaencladome nehmen eine ziemlich breite Zone im oberflächlichen Teil des Choanosoms ein und sind hier sehr zahlreich. Im Innern der Rinde sind sie selten; an der Oberfläche, im Niveau der distalen Dichotriaencladome, aber wieder häufiger. Es ist oben bemerkt worden, daß viele, an der Oberfläche abgebrochene Nadeln in der Rinde stecken. Diese möchte ich für die Proximalteile von Anatriaenen (Anatriaenschäften) halten, deren distale Teile einen niederen Nadelpelz gebildet hatten, aber abgebrochen wurden und verloren gegangen sind. Die Microsclere sind dickstrahlige und schlankstrahlige Strongylaster. Beide kommen zerstreut im Choanosom und in der Rinde vor. Der Panzer an der Oberfläche (Taf. XXXI, Fig. 32, 33) besteht ausschließlich aus den dickstrahligen Strongylastern.

Die Amphioxe sind wenig gekrümmt, 2,9—3,5 mm lang und 50—65 μ dick.

Die Dichotriaene (Taf. XXXI, Fig. 22 a, b, 28—31) haben einen kegelförmigen, eine kurze Strecke unter dem cladomalen Ende schwach verdickten, meistens mehr oder weniger gekrümmten Schaft. Derselbe ist am acladomalen Ende entweder zugespitzt (Fig. 28, 30, 31) oder abgerundet (Fig. 29). Die Dichotriaenschäfte erreichen eine Länge von 1,8 (die abgestumpften) bis 2,5 mm (die zugespitzten) und sind am cladomalen Ende 65—90 μ dick. Die Hauptclade sind 80—120 μ lang und etwas emporgerichtet. Die Endclade sind 180—260 μ lang und nach außen gebogen. Sie liegen bei den regelmäßigen Dichotriaenen (Fig. 22 a, 28—31) in einer auf den Schaft senkrecht stehenden Ebene. Zuweilen sind die Dichotriaencladome insofern unregelmäßig als das eine oder andere der Endclade nach aufwärts oder abwärts (schaftwärts) gerichtet ist (Fig. 22 b). Die Endclade der regulären Dichotriaencladome sind gerade oder paarweise schwach gegeneinander konkav gekrümmt. Die Cladombreite beträgt 450—600 μ.

Unter den zahlreichen Dichotriaencladomen, welche man in der Scheitelansicht zu sehen bekommt, wenn man die Schwammoberfläche (einen oberflächlichen Paratangentialschnitt) betrachtet, sind einzelne zu bemerken, bei denen zwei Hauptclade in der gewöhnlichen Weise gabelspaltig sind, das dritte aber drei gleich große Endclade trägt, von denen die beiden äußeren in Bezug auf Größe und Lage normalen Endcladen entsprechen, das mittlere aber in der Verlängerung des Hauptclads liegt.

Die Schäfte der selteneren Plagiotriaene (Taf. XXXI, Fig. 22 c) haben ähnliche Dimensionen wie die Dichotriaenschäfte. Ihre Clade sind S-förmig gebogen, am Grunde gegen den Schaft konvex, am Ende zurückgebogen und gegen diesen konkav; sie sind 330 μ lang. Ihre Seiten schließen Winkel von 112° mit dem Schafte ein. Die Cladombreite beträgt 570 μ.

Die Anatriaene (Taf. XXXI, Fig. 19, 21) haben einen geraden, fast zylindrischen, am Cladom nur wenig verdickten und ziemlich plötzlich zugespitzten oder abgerundeten Schaft von 1,2—2 mm Länge und 20—30 μ Dicke. Das Cladom ist sehr gedrungen gebaut und 60—120, gewöhnlich 70—95 μ breit. Die Clade sind 50—105, meist 60—80 μ lang und in ihrem Endteil gerade. Ihre Seiten schließen Winkel von 37—43° mit dem Schafte ein.

Sehr selten kommen Anatriaene vor, deren Clade am Ende gabelspaltig sind. Diese Anadichotriaene (Taf. XXXI, Fig. 20) haben ähnliche Dimensionen wie die gewöhnlichen Anatriaene, jedoch einen größeren Cladwinkel (48°). Die beiden Endclade eines jeden Paares sind am Grunde und in der Mitte fast parallel und am Ende wie die Spitzen einer geschlossenen Pinzette gegeneinander geneigt.

Die schlankstrahligen Strongylaster (Taf. XXXI, Fig. 26 b, 27 b, 35, 36, 38) haben gewöhnlich fünf bis zwölf Strahlen. Sehr selten kommen wenigerstrahlige, bis zu Zwei- und Einstrahlern vor. Die Strahlen sind gerade oder etwas gekrümmt, fast zylindrisch, am Grunde kaum merklich dicker als am Ende. Der Grundteil pflegt ziemlich glatt zu sein, die Mitte und der Endteil sind mit ziemlich spärlichen, stumpfen und — im Vergleich zur Strahlendicke — großen Dornen besetzt. Zuweilen bilden die endständigen Dornen ein Wirtel: dann erscheint das Strahlenende acanthtyl. Ein in der Verlängerung des Strahles liegender, scheitelständiger Terminaldorn ist häufig zu erkennen. Die Größe der einzelnen Strahlen und, vom Einstrahler abgesehen, auch des ganzen Asters, steht im umgekehrten Verhältnis zur Zahl der ersteren. Die kleinen, vielstrahligen Formen haben zuweilen ein deutliches, bis 3 μ im Durchmesser haltendes Zentrum, zuweilen auch nicht. Bei den großen, wenigstrahligen habe ich kein solches beobachtet. Zwölfstrahler haben 5—6 μ lange, kaum 0,5 μ dicke Strahlen und halten 10—12 μ im Durchmesser; Achtstrahler haben 7—8 μ lange, 0,6—1 μ dicke Strahlen und halten 13—14 μ im Durchmesser; Fünfstrahler haben 9—10 μ lange, 0,8—1 μ dicke Strahlen und halten 16—20 μ im Durchmesser. Die sehr seltenen Zweistrahler (Fig. 35) bestehen aus zwei, im stumpfen Winkel zusammenstoßenden Strahlen von 11 μ Länge und etwas über 1 μ Dicke, und erreichen eine Gesamtlänge von 21 μ. Die gleichfalls sehr seltenen Einstrahler haben die Form eines am dickeren Ende abgerundeten Kegels von 14 μ Länge und 1,5 μ basaler Dicke. Sie sind durchaus, auch am abgerundeten, dicken Ende, dornig.

Die dickstrahligen Strongylaster (Taf. XXXI, Fig. 23—25, 26 a, 27 a, 32, 33, 37) haben vier bis neun Strahlen, welche immer konzentrisch angeordnet aber oft, namentlich bei den vierstrahligen, ungleichmäßig im Raume verteilt sind. Die Strahlen sind gerade, zylindrokonisch, gegen das Ende meist beträchtlich verdünnt und terminal abgerundet. Sie sind mit großen, bis über 1 μ langen, etwas gegen den Nadelmittelpunkt zurückgebogenen Dornen besetzt, welche ziemlich gleichmäßig über den mittleren und Endteil des Strahles verteilt zu sein, den Grundteil des Strahles jedoch freizulassen pflegen. Auf diese großen Dornen bezieht sich der Artname. Die Zahl der Dornen ist eine schwankende; gewöhnlich sind sie etwas spärlich und weit voneinander entfernt, nicht selten aber auch ziemlich zahlreich und dichter gedrängt. Ab und zu sieht man so einen Aster mit nur sehr wenigen Dornen, und einmal habe ich einen vollkommen dornenlosen beobachtet. Obzwar auch bei diesen Astern die Größe der Strahlen und des ganzen Asters im umgekehrten Verhältnis zur Strahlenzahl steht, ist doch dieser Größenunterschied bei ihnen viel geringer als bei den schlankstrahligen Strongylastern. Neunstrahler haben 11 μ lange, 3 μ dicke Strahlen und halten 21 μ im Durchmesser, die Vier- bis Siebenstrahler haben 13—14 μ lange, 3,5—5 μ dicke Strahlen und halten 24—28 μ im Durchmesser.

Die vier Stücke dieses Schwammes wurden von der Gazelle (Nr. 701, zusammen mit *Tethya vestita*) am 26. Oktober 1875 bei der Drei Königs-Insel aus einer Tiefe von 169 m hervorgeholt.

Der vorliegende Schwamm unterscheidet sich von allen anderen *Stelletta*-Arten mit Ausnahme von *S. mamilliformis* CARTER sehr wesentlich. Von *S. mamilliformis* liegen nur kurze Diagnosen und keine Abbildungen vor, so daß man sich keine rechte Vorstellung von seinen Bauverhältnissen bilden kann. Soweit die Beschreibungen dieses Schwammes ein Urteil gestatten scheint *S. megaspina* in Bezug auf die Gestalt der Nadeln und die Größe der Microsclere sowie die Gewohnheit Sand an sich zu heften, mit ihm übereinzustimmen, wobei freilich vorausgesetzt werden muß, daß die „forks" (Protriaene), die CARTER,[1]) nicht aber SOLLAS[2]) erwähnt, ihm fehlen. Wenn ich unseren Schwamm nicht zu *S. mamilliformis* stelle, so geschieht es, von den problematischen forks der letzteren abgesehen, weil: 1. bei nahezu gleicher Größe der Schwämme die Megasclere von *S. megaspina* viel größer, zum Teil mehr als dreimal so stark als jene von *S. mamilliformis* sind; 2. CARTER (l. c. p. 125) die Asterformen seiner *S. mamilliformis* als gewöhnliche bezeichnet und auch SOLLAS (l. c.) nichts Auffallendes an ihnen findet, während die eine der beiden Asterformen der *S. megaspina* durch die Dicke ihrer Strahlen und Länge ihrer Dornen auffällt; und 3. *S. mamilliformis* kegelförmig ist, mit breiter Grundfläche festsitzt und ein großes Osculum hat, während *S. megaspina* kugelig oder oval und nur wenig befestigt ist, und eines mit freiem Auge sichtbaren Osculums entbehrt.

---

[1]) H. J. CARTER, Descriptions of Sponges ...... Port Phillips Heads ...... In: Ann. Nat. Hist. ser. 5 Bd. 17 p. 124.
[2]) W. J. SOLLAS, Tetractinellida. In: Rep. Voy. Challenger Zool. Bd. 25 p. 183, 184.

Stelletta clavosa S. RIDL.

Taf. XXIX, Fig. 5—12.

1884 *Stelletta clavosa*, S. RIDLEY in: Rep. Voy. Alert p. 474 t. 43 f. i.
1886 *Myriaster clavosa*, W. J. SOLLAS in: P. R. Dublin Soc. v. 5 p. 189.
1886 *Myriaster quadrata*, W. J. SOLLAS in: P. R. Dublin Soc. v. 5 p. 189.
1886 *Myriaster toxodonta*, W. J. SOLLAS in: P. R. Dublin Soc. v. 5 p. 189.
1888 *Myriastra clavosa*, W. J. SOLLAS in: Rep. Voy. Challenger v. 25 p. 116 t. 12 f. 34—43
1888 *Myriastra clavosa var. quadrata*, W. J. SOLLAS in: Rep. Voy. Challenger v. 25 p. 118.
1888 *Myriastra toxodonta*, W. J. SOLLAS in: Rep. Voy. Challenger v. 25 p. 119 t. 14 f. 29—36.
1896 *Myriastra clavosa*, KIESCHNICK in: Zool. Anz. v. 19 p. 529.
1897 *Myriastra clavosa*, TOPSENT in: Rev. Suisse Zool. v. 4 p. 433.
1898 *Stelletta clavosa*, KIESCHNICK in: Kieselschw. Amboina p. 35.
1898 *Stelletta clavosa*, LINDGREN in: Zool. Jahrb. Syst. v. 11 p. 331.
1903 *Stelletta clavosa*, LENDENFELD in: Tierreich v. 19 p. 48.
1905 *Myriastra clavosa*, A. DENDY in: Rep. Oysterfisheries Ceylon v. 3, Suppl. Rep. 18 p. 72.

In der Gazellen-Sammlung finden sich 12 kleine, von 5 verschiedenen, im tropischen, westlichen Pazifik und tropischen, östlichen Indik gelegenen Fundorten stammende Spongien, welche ich dieser, in jener Gegend so häufigen Art zuweisen möchte.

Sie sind kugelig oder dick kuchenförmig (Taf. XXIX, Fig. 7) und im allgemeinen um so regelmäßiger kugelförmig gestaltet, je kleiner sie sind. Die kleinsten halten 5 mm im Durchmesser, das größte ist 14 mm lang. Die Oberfläche ist mit sehr kleinen und unscheinbaren, conuliartigen Vorragungen bedeckt, welche ihr, wenn man sie mit der Lupe betrachtet, ein körniges Aussehen verleihen. Von den Gipfeln dieser Erhebungen ragen Anatriaene etwa 0,5 mm weit, frei vor. An der Oberfläche aller größeren und der meisten kleineren ist ein kreisrundes oder, häufiger, eiförmiges Osculum (Taf. XXIX, Fig. 7) von 0,7—3 mm größtem Durchmesser zu erkennen, welches in einen weiteren Hohlraum hineinführt, dessen Wand von Ausströmungsporen durchbrochen ist. Dieser Raum ist ein erweitertes Oscularrohr, eine Oscularhöle. Bezüglich des übrigen Kanalsystems und des feineren Baues habe ich den betreffenden Angaben von SOLLAS (1888 l. c. p. 117, 118) nur hinzuzufügen, daß 1. die ovalen Körnerzellen der Haut etwa 15 μ lang und halb so breit sind und daß ich 2. symbiotische Algen in meinen Stücken nicht bemerkt habe.

Die Farben der Stücke sind, in Weingeist, recht verschieden: die von Timor und der Bougainvilleinsel sind schwarzbraun, die vom Maclaygolf und von Salawati (Neu-Guinea) graubraun oder braun, und die von Dirk Hartog (West-Australien) rötlich weiß.

Das Skelett der von mir untersuchten Stücke besteht aus radialen, rhabden und telocladen Megascleren im Körper; besonderen, kleinen Amphioxen in der Wand der Oscularhöhle; und Acanthtylastern, welche an der Oberfläche zahlreicher als im Innern sind. Die radialen Rhabde sind zum allergrößten Teil Amphioxe. Daneben kommen jedoch auch einzelne Style vor. Die Rhabde liegen im Innern und erreichen die äußere Oberfläche nicht. Die radialen Teloclade sind Dichotriaene und Anatriaene. Die cladomalen Endteile einzelner Anatriaene oder kleiner Gruppen von solchen ragen aus den conuliartigen Erhebungen bis 0,5 mm weit frei vor. Die Cladome der übrigen ausgebildeten Teloclade breiten sich in zwei übereinander befindlichen Zonen, einer an der Oberfläche selbst und einer. 300 μ tiefer gelegenen aus (Taf. XXIX, Fig. 10). Zwischen diesen beiden Cladomzonen liegen die Subdermalräume des einführenden Kanalsystems (Taf. XXIX, Fig. 10a). RIDLEY (1884 p. 475) fand in seinen Stücken die Dichotriaencladome auf die obere und die Anatriaencladome auf die untere Zone beschränkt; in meinen finden sich, obzwar die Dichotriaene in der oberen vorherrschen, beide in beiden (Taf. XXIX, Fig. 10).

Die radialen Amphioxe sind meist gekrümmt, zum Teil sehr stark, einfach, selten S-förmig, gebogen; sie sind in den kleineren, unter 10 mm im Durchmesser haltenden Stücken 1,2—2,5, in den größeren bis 3,4, meist etwa 2,5 mm lang, und bei allen 20—32 μ dick.

Die selteneren radialen Style sind 1 mm lang und 20 μ dick.

Die kleinen Amphioxe der Oscularhöhlenwand sind teils gerade, teils unregelmäßig gekrümmt, bei den größeren und kleinen Stücken ziemlich gleich groß, 180—250 μ lang und 4—6 μ dick. Zuweilen bemerkt man in der Mitte eine leichte Verdickung und Knickung.

Die Dichotriaene (Taf. XXIX, Fig. 5, 10) haben bei den kleinen Stücken 1,7—2,25, bei den größeren 2,1—3,1 mm lange, bei allen am cladomalen Ende 40—60, meist etwa 50 μ dicke, gerade oder gebogene Schäfte. Unterhalb des Cladoms ist der Schaft etwas verdickt. Diese Verdickung ist gewöhnlich nicht bedeutend, zuweilen aber ziemlich auffallend. SOLLAS (1888 p. 119, 120) hat für ein Stück, bei dem diese Verdickung besonders deutlich war, eine eigene Art, S. (Myriastra) toxodonta aufgestellt, welche aber TOPSENT (1897) mit S. (Myriastra) clavosa vereinigte, worin ich (1903 p. 48) ihm gefolgt bin. Die Cladome der Dichotriaene der kleineren Stücke sind nicht merklich kleiner als die der größeren. Die Hauptclade sind 70— 110, die Endclade 220—300 μ lang. Die Cladombreite beträgt 550—680 μ. Die Dichotriaencladome sind meist ziemlich regelmäßig und die Endclade zugespitzt, die letzten zuweilen aber auch verkürzt und am Ende abgerundet (Taf. XXIX, Fig. 10, in der Mitte oben).

Die Anatriaene (Taf. XXIX, Fig. 11, 12) haben bei den kleineren Stücken 1,6—2,1 mm lange und 12—18 μ dicke, bei den größeren 2,1—3 mm lange und 20—30 μ dicke Schäfte. Ihre Cladome sind recht verschieden. Bei den kleinen Stücken von der Bougainvilleinsel (Fig. 11) sind die Anatriaenclade nur wenig gebogen und 45—60 μ lang. Ihre Sennen schließen Winkel von ungefähr 58° mit dem Schafte ein und die Cladombreite beträgt 75—90 μ. Bei den größeren Stücken von Dirk Hartog (Fig. 12) sind die Anatriaenclade kräftig gebogen, in der Krümmungsrichtung etwas geknickt und erreichen eine Länge von 110 μ. Ihre Sennen schließen Winkel von 34—43° mit dem Schafte ein und die Cladombreite beträgt 110—130 μ. Aehnliche Anatriaencladome wie die größeren Stücke von Dirk Hartog, haben die größeren von Timor und die kleinen von Salawati (Neuguinea), während bei den kleinen und mittelgroßen vom Maclaygolf (Neuguinea) zwar die Formen mit weniger gekrümmten Claden überwiegen, aber doch auch solche mit stärker gekrümmten vorkommen. Die Knickung der stärker gekrümmten Anatriaenclade ist zuweilen an der Außenseite ziemlich auffallend. Bei den von SOLLAS (1888 p. 119, 120) als S. (Myriastra) toxodonta beschriebenen Stücken scheint diese Knickung besonders stark hervorgetreten zu sein. Ich war anfangs geneigt, die Stücke mit stärker gekrümmten (und geknickten) Anatriaencladen einer anderen Art als die mit weniger gekrümmten zuzuweisen, also dasselbe zu tun, was SOLLAS bei seiner Nebeneinanderstellung von S. (Myriastra) clavosa und *toxodonta* getan hat. Die genauere, auf diesen Punkt gerichtete Untersuchung hat folgendes ergeben. Die Sticke mit stärker gekrümmten (und geknickten) Anatriaencladen stimmen mit jenen, welche schwach gekrümmte Anatriaenclade haben, in allen anderen Hinsichten vollkommen überein. In den Sticken, deren ausgebildete Anatriaene stark gekrümmte und geknickte Clade haben, finden sich neben diesen sehr zahlreiche Jugendformen mit weniger gekrümmten Claden, welche den scheinbar ausgebildeten der anderen Sticke vollkommen gleichen. Es ist nicht nur die Gestalt, sondern auch die Anzahl der Anatriaene bei den verschiedenen Sticken eine sehr verschiedene: die Sticke mit stärker gekrümmten ausgebildeten Anatriaencladen besitzen weit mehr Anatriaene als die anderen. Ausgebildete Anatriaene mit stärker gekrümmten Claden habe ich vorwiegend in den größeren Sticken angetroffen. Die von anderen Autoren beobachteten ausgebildeten Anatriaene von *S. (Myriastra) clavosa* und *toxodonta* stellen Uebergangsformen zwischen den beiden von mir beobachteten Formen derselben dar. RIDLEY (1884 Taf. 43, Fig. i) hat ein Anatriaenclado von diesem Schwamme gezeichnet, dessen Cladsehnen Winkel von etwa 49⁰ mit dem Schafte einschließen. DENDY (1905 p. 72) erwähnt, daß die von ihm bei diesem Schwamme beobachteten Anatriaenclade dieselbe Gestalt wie dieses von RIDLEY dargestellte hatten. SOLLAS bildet zwei Anatriaene, eines von *S. (Myriastra) clavosa* (1888 Taf. 12, Fig. 37) und eines von *S. (Myriastra) toxodonta* (1888 Taf. 14, Fig. 32) ab. Bei erstem beträgt jener Winkel etwa 50, bei letztem etwa 53⁰. An anderer Stelle bemerkt SOLLAS (1888 p. 177), daß das Verhältnis der Länge zur Breite des Cladoms bei den von ihm zu *S. (Myriastra) clavosa* gestellten Spongien ein recht schwankendes ist. Diese Umstände haben mich veranlaßt, von einer spezifischen Unterscheidung der Sticke mit ausschließlich schwächer gekrümmten Anatriaencladen, und der Sticke, bei denen neben jungen Anatriaenen von dieser Form auch noch größere mit stärker gekrümmten und geknickten Claden vorkommen, abzusehen, und anzunehmen, daß bei den ersteren die Entwicklung und Ausbildung der Anatriaene, vielleicht infolge der besonderen Verhältnisse ihres Standortes, eine Retardierung erfahren haben.

Es kommt nur eine Art von Microscleren vor, diese sind Acanthtylaster (Taf. XXIX, Fig. 6, 8, 9). Diese Acanthtylaster sind das, was ich früher (1903 p. 48) Tylaster genannt habe. Meine jetzt durchgeführte Untersuchung derselben hat mir gezeigt, daß diese Microsclere anders gestaltet sind als die Autoren geglaubt haben. Ihre Strahlen sind nicht glatt, zylindrisch und einfach am Ende verdickt, wie man nach den Beschreibungen und Abbildungen der *S. (Myriastra) clavosa* Microsclere von RIDLEY (1884 p. 475, Taf. 43, Fig. i") und SOLLAS (1888 p. 116, 119 (oben) Taf. 12, Fig. 38), glauben sollte und auch nicht, wie TOPSENT (1897, p. 433) sagt, „verruqueus", sondern wie SOLLAS (1888 p. 119 (unten)) in betreff der Microsclere von *S. (Myriastra) toxodonta* bemerkt, am verdickten Ende stets, und zuweilen auch in der Mitte dornig. Obwohl die Strahlen dieser Nadeln mit schwachen Linsen betrachtet einfach tyl aussehen (Fig. 8, 9), ist doch, wie die Untersuchung mit der homogenen Immersion zeigt, in Wirklichkeit nicht eine einfache Endverdickung, wie das Tyl eines Tylostyls vorhanden, jeder Strahl vielmehr morgensternartig, mit einer, aus einer Dornenrosette bestehenden Endverdickung ausgestattet. Der Name Tylaster trifft für dieselben daher nicht ganz zu, und es erscheint wünschenswert, innen einen anderen, ihrer wahren Natur angemesseneren Namen zu geben. Der Name, den ich für diese Microsclere vorschlage, Acanthtylaster, ist ein solcher. Ich halte es für sehr wahrscheinlich, daß alle oder doch die meisten als Tylaster bezeichneten Nadeln der Tetractinelliden solche Acanthtylaster sind.

233

Die Acanthtylaster (Taf. XXIX, Fig. 6, 8, 9) der von mir untersuchten Stücke haben drei bis zwölf, einige vielleicht noch mehr, konzentrische, gerade oder gekrümmte, nicht, wie RIDLEY (1884 p. 475) sagt, nur gerade Strahlen. Diese sind zylindrisch und tragen am Ende eine Rosette großer Dornen, welche ihnen ein morgensternartiges Aussehen verleiht (Fig. 6). Außer diesen Enddornen kommen zuweilen auch weiter unten an den Strahlen einzelne, kleinere Dornen vor. Die Größe der Strahlen und des ganzen Asters steht im umgekehrten Verhältnis zur Strahlenzahl. Die Dreistrahler (Fig. 6c, 9c) haben 8—10 μ lange, 0,9—1,2, selten bis 2 μ dicke Strahlen und einen Maximaldurchmesser von 14—15 μ. Die Vierstrahler (Fig. 6b) halten etwa 12—14, die Mehrstrahler (Fig. 6a, 9a) 6—11 μ im Durchmesser.

Alle zwölf Stücke wurden von der Gazelle erbeutet. Zwei (Nr. 668) bei Atapupu (Timor) am Riff, zwei (Nr. 671) bei Salawati (Neu-Guinea) am Riff, drei (Nr. 674) im Maclaygolf (Neu-Guinea) in 753 m Tiefe, zwei (Nr. 681) bei der Bougainvilleinsel, und drei (Nr. 730) bei Dirk Hartog (West-Australien) in 90 m Tiefe.

Unter Berücksichtigung meiner Befunde an den Gazellen-Stücken und der neuerlichen Angaben DENDY's (1905 p. 72) hat die Diagnose dieser Art folgendermaßen zu lauten:

·Stelletta clavosa S. RIDL.

Kleine bis 10 mm im Durchmesser haltende Stücke ziemlich regelmäßig kugelig. Größere kuchenförmig. Die größten, bis 45 mm langen, abgeplattet. Kleine Stücke mit einem, größere mit einigen, meist eiförmigen, 2—4 mm langen Osculis. Rötlich-, gelblich- oder grünlich-weiß, grau, braun oder dunkelbraun. Oberfläche körnig, mit sehr kleinen Conulis, aus denen Anatriaene frei aufragen, Cladome der übrigen, ausgebildeten Teloclade in· zwei Zonen, einer oberflächlichen und einer tieferen. Megasclere: große radiale Amphioxe 1,2—3,4 mm lang, 16—36 μ dick, zuweilen stark gebogen; radiale Style, sehr selten 1 mm lang, 20 μ dick; kleine Amphioxe der Wand des Oscularhöhle 180—300 μ lang, 4—9 μ dick, zum Teil unregelmäßig gekrümmt oder etwas geknickt; Dichotriaene, Schaft 1,4—3,5 mm lang, 25—60 μ dick, unter dem Cladom schwach oder deutlich verdickt, Hauptclade 70—130, Endclade 200—320 μ lang; Anatriaene, Schaft 1,6—3,6 mm lang, 12—30 μ dick, Cladomgestalt schwankend. Clade schwach oder stärker gekrümmt und dann etwas geknickt, 45—110 μ lang, Cladsehnen-Schaft-Winkel 30—60°. Microsclere: Acanthtylaster mit drei bis zwölf (oder noch mehr) geraden oder gebogenen Strahlen, Größe im umgekehrten Verhältnis zur Strahlenzahl, 6—16 μ im Durchmesser.

Verbreitung: Westlicher, tropischer Pazifik und tropischer Indik von Ceylon und Cochinchina bis Nordaustralien; Seichtwasser bis 753 m.

Subfamilia Tethyopsinae.

Stellettidae mit besondern Oscularschornsteinen.

Genus Disyringa SOLLAS.

Stellettidae mit einem Oscularschornstein, welcher mehrere Längskanäle enthält. Außer Euastern sind auch dornige Microrhabde vorhanden.

In der Gazellen-Sammlung finden sich zwei zu dieser Gattung gehörige Spongien, welche einer neuen Art angehören.

Disyringa nodosa n. sp.

Taf. XXV, Fig. 19—30; Taf. XXVI, Fig. 1—12.

Von diesem Schwamme finden sich zwei Sticke in der Gazellen-Sammlung. Das eine, größere und besser erhaltene (Taf. XXVI, Fig. 10) besteht aus einem breit eiförmigen, fast kugeligen, 10 mm hohen und 8 mm breiten Körper (c), von dem ein leicht und gleichmäßig gekrümmter, zylindrokonischer, 37 mm langer, am Grunde 3,5, am Ende 2 mm dicker Anhang (b) abgeht. Dieser Anhang hat (Taf. XXVI, Fig. 9) einen stark abgerundet quadratischen, fast kreisrunden Querschnitt und endet mit einer vorgewölbten Scheitelfläche. Der Umriß der letzten, wo Mantel- und Scheitelfläche zusammenstoßen, erscheint als eine etwas vortretende Kante, von welcher ein Kranz radialer, senkrecht zur Achse des Anhanges gerichteter Nadeln absteht. Die Scheitelfläche des Anhanges (Taf. XXVI, Fig. 6, 10a) ist 3 mm breit, während der Nadelkranz einen Durchmesser von 8 mm erreicht. Das andere Stick (Taf. XXVI, Fig. 11) ist kleiner und hat den Nadelkranz verloren; im übrigen gleicht es dem großen. Die Oberfläche ist, von dem erwähnten Nadelkranze abgesehen, ziemlich glatt. Der Oberfläche des Körpers haften größere Sandkörner und andere Fremdkörper an. Die Oberfläche des Anhanges ist frei von solchen. Im distalen Teile des Anhanges finden sich in seiner Wand (Mantelfläche) sehr zahlreiche, rundliche, meist 20—40 µ weite Poren. Das der Ansatzstelle des Anhanges gegenüber liegende Ende des Schwammkörpers ist bei beiden Sticken verletzt. Nach den Angaben von SOLLAS[1] gehen bei *Disyringa dissimilis* von dem Schwamm zwei, einander gegenüber, in einer geraden Linie liegende Anhänge ab, von denen einer ein einfaches Einfuhrrohr, der andere ein, von mehreren, tetramer angeordneten Ausfuhrröhren durchzogener Oscularschornstein ist. Wie wir sehen werden, entspricht der oben beschriebene Anhang (Taf. XXVI, Fig. 10b) unseres Schwammes dem Oscularschornstein von *Disyringa dissimilis*. Da der vorliegende Schwamm in Bezug auf diesen, sowie auch den inneren Bauverhältnissen des Kanalsystems mit *D. dissimilis* nahe übereinstimmt, ist anzunehmen, daß auch er im unverletzten Zustande einen zweiten Anhang, der dem als Einfuhrrohr anzusehenden, zweiten Anhang der *D. dissimilis* entspricht, besitzt und daß dieser Anhang in beiden Sticken beim Fange abgerissen wurde und nur in den, gegenüber dem anderen Anhang gelegenen, verletzten Stellen der Oberfläche eine Spur seines Daseins zurückgelassen hat.

Farbe. Der Oscularschornstein ist, in Weingeist, farblos und durchscheinend, der Körper des Schwammes lichtbraun und undurchsichtig.

Das Vorhandensein eines Einfuhrrohranhanges vorausgesetzt, ähnelt das Kanalsystem unseres Schwammes im ganzen jenem von *Disyringa dissimilis*.[2] Im Körper findet sich ein 250 µ weiter Subdermalraum (Taf. XXV, Fig. 29b, 30b), welcher in Gestalt einer Kugelschale das Choanosom umgibt. Er wird von schmalen, radialen Gewebstreifen, die Pfeilern gleich die Dermalmembran mit dem Choanosom verbinden, durchsetzt. In einigen von diesen Pfeilern liegen Telocladschäfte (Taf. XXV, Fig. 30e), andere (Taf. XXV, Fig. 30d) bestehen nur aus weichem Gewebe, in welchem eine feine Längs- (Radial-) Streifung zu erkennen ist. Abgesehen

[1] W. J. SOLLAS, Tetractinellida. In: Challenger Rep. Zool. Bd. 25 p. 161.
[2] W. J. SOLLAS l. c. p. 162—166.

37*

von diesen Pfeilern unterbricht auch der Grundteil des Oscularschornsteines den Subdermalraum. Bei *D. dissimilis* geht der Subdermalraum unten in die Höhle des Einfuhrrohres über. Ob dies auch bei unserem Schwamm der Fall ist, läßt sich nicht sagen, zu vermuten wäre es. Die den Subdermalraum deckende Dermalmembran (Taf. XXV, Fig. 29 a, 30 a) ist sehr dünn. Ich konnte darin, ebensowenig wie Sollas[1]) bei *D. dissimilis*, Poren nachweisen; es schienen mir aber doch gewisse Bauverhältnisse derselben darauf hinzuweisen, daß sie im lebenden Schwamme von Poren durchbrochen ist. Das Choanosom ist ziemlich dicht. Die darin verlaufenden Kanäle sind meist eng. Der Anhang wird in seiner ganzen Länge von vier vollkommen gleichen, tetramer symmetrisch angeordneten Kanälen (Taf. XXVI, Fig. 9 d, 12 d) durchzogen. Diese sind offenbar den Oscularröhren der *Disyringa dissimilis* homolog, weshalb der Anhang selbst als Oscularschornstein anzusehen ist. Ihre Höhlen stehen, wie das Verhalten der sich darin befindlichen Luftblasen zeigt, miteinander in keinem Zusammenhange. Sie sind distal (terminal) durch die Scheitelplatte des Oscularschornsteins vollkommen abgeschlossen und kommunizieren mit der Außenwelt nur durch die oben erwähnten, überaus kleinen, bloß 20—40 μ weiten Oeffnungen in dem Distalteil der Oscularschornsteinseitenwand. Die röhrenförmige Außenwand des Oscularschornsteins (Taf. XXVI, Fig. 9 f., 12 f) und die im Querschnitt ein regelmäßiges Kreuz bildenden Radialwände (Taf. XXVI, Fig. 9 e, 12 e), welche die Wände dieser vier Oscularröhren darstellen, sind ungefähr 150 μ dick. Die Lumina der Oscularröhren erscheinen im Querschnitt (Taf. XXVI, Fig. 9, 12) abgerundet viertelkreisförmig und vereigen sich distalwärts in dem Maße, in dem der Oscularschornstein, in dem sie liegen, dünner wird.

Das Skelett des Körpers besteht im Inneren aus radialen, nahe der Oberfläche aus paratangentialen und zum Teil auch schief gelagerten Megaskleren, und aus Microscleren. Die Megasclere des Inneren bilden unscharf begrenzte, radiale Bündel, die von dem in der Mitte des Körpers gelegenen Nadelzentrum (Taf. XXV, Fig. 29 d) ausstrahlen. Im Radius der Oscularschornsteinachse haben die Radialnadeln einen besonderen Bau (Taf. XXVI, Fig. 3), worauf wir unten zurückkommen. Die außerhalb des Oscularschornsteinradius gelegenen Radialnadeln des Körpers sind Amphioxe, Monaene und Diaene. Die ersten und die Schäfte der letzteren sind, wenn vollkommen ausgebildet, nahezu so lang als der Körperradius und reichen fast vom Zentrum bis zur Oberfläche. Die Cladome der jungen, kleinen, noch nicht ausgewachsenen Monaene und Diaene liegen im oberflächlichen Teile des Choanosoms (Taf. XXV, Fig. 30 f.). Während diese Nadeln wachsen rücken ihre Cladome nach außen vor, so daß die Cladome der ausgebildeten Monaene und Dinaene in der Dermalmembran zu liegen kommen und schließlich über dieselbe hervortreten (Taf. XXV, Fig. 29, 30 e). Im oberflächlichen Teile des Choanosoms finden sich auch kleine, meist schief gelagerte Amphioxe (Taf. XXV, Fig. 30 g). Das sind Jugendformen jener Hautamphioxe, welche im ausgebildeten Zustande, paratangential angeordnet, in der Dermalmembran angetroffen werden (Taf. XXVI, Fig. 3 d). Die Microsclere sind strahlentragende Microrhabde und Oxyaster. Die ersten bilden, paratangential angeordnet, eine einfache Lage an der Oberfläche und kommen, in geriger Zahl, auch zerstreut im Inneren, namentlich in den Kanalwänden vor. Die Oxyaster sind spärlich im Inneren zerstreut.

Von ganz besonderem Interesse ist das Skelett des Oscularschornsteins. Dasselbe besteht aus dichotriaenederivaten Telocladen, Hautamphioxen und Microscleren. Wie die Figuren 1

[1]) W. J. Sollas, Tetractinellida. In: Challenger Rep. Zool. Bd. 25 p. 164.

4, 5, 9 und 12 auf Tafel XXVI zeigen, wird der Oscularschornstein von einem dicken, axialen Bündel durchzogen, welches in Gestalt einer Skelettachse seine Hauptstütze bildet. Dieses Bündel erstreckt sich vom Mittelpunkte des Schwammkörpers bis zur Scheitelfläche des Oscularschornsteins und ist in halber Höhe des letzten etwa 460 μ dick. Das Proximalende dieses Bündels (Taf. XXVI, Fig. 3 a) erscheint als ein schlanker, dem Schwammkörper eingepflanzter Kegel, dessen Scheitel im Mittelpunkte des Schwammkörpers liegt. Der den Oscularschornstein selbst durchziehende, mittlere und distale Teil des Bündels ist zylindrokonisch, am Grunde am stärksten und gegen das Ende des Oscularschornsteins ein wenig verdünnt. Wie die Untersuchung zeigt, besteht dieses Achsenbündel ausschließlich aus Telocladschäften. Diese divergieren oben (distal) ein wenig (Taf. XXVI, Fig. 5), so daß ihre oberen, distalen Enden (Zentren), von denen die Clade abgehen, an der Oberfläche, ihre unteren, proximalen, acladomalen Enden im axialen Teile des Bündels zu liegen kommen: die übereinander befindlichen Gruppen dieser Teclocladschäfte stecken so zu sagen, wie Düten ineinander. Die Teloclade, aus deren Schäften das Achsenbündel besteht, sind diaen. Ein Clad ist lang und terminal in zwei Endclade gespalten (Taf. XXVI, Fig. 7 a, 12 b); das andere ist stets einfach und kleiner, bei den allermeisten von diesen Teclocladen zu einem ganz kurzen Zapfen rückgebildet (Taf. XXV, Fig. 25, 26; Taf. XXVI, Fig. 8 a, 12 g).. Das lange Clad liegt in einer Radialwand und erstreckt sich in dieser, senkrecht zur Bündelachse nach außen bis zur Außenwand des Oscularschornsteins, wo es sich in die beiden Endclade spaltet (Taf. XXVI, Fig. 2 c, 4 b, 5 c, 7 a, 12). Die Endclade sind sehr ungleich. Eines ist rückgebildet und erscheint als ein kurzer Zapfen, das andere ist lang und durchzieht nahezu einen Oktanten der Außenwand. Es liegt, wie das Hauptclad, annähernd in einer zur Bündelachse senkrechten Ebene (Taf. XXV, Fig. 25, 26; Taf. XXVI, Fig. 2, 7, 12 b). Die Clade der übereinander folgenden Teloclade liegen nicht in gleichen Abständen voneinander. Viele treten zu bündelförmigen Gruppen zusammen, andere sind isoliert (Taf. XXVI, Fig. 5). Der Scheitel des Oscularschornsteins wird von einem Kranze frei vorragender Amphioxe eingefaßt (Taf. XXVI, Fig. 6, 7 a). In der Außenwand des Oscularschornsteins werden zahlreiche, der Krümmung dieser Wand entsprechend gebogene, stets paratangential, im übrigen aber unregelmäßig, schief gelagerte Hautamphioxe (Taf. XXV, Fig. 19; Taf. XXVI, Fig. 1 b, 2 b, 3 c, 5 b, 12 c) angetroffen. Paratangential angeordnete Microrhabde bilden eine einfache Lage an der äußeren Oberfläche. Auch im Inneren kommen solche, sowie Oxyaster, spärlich und zerstreut vor. Von dem Skelett der vierkanaligen Oscularschornsteine von *Disyringa dissimilis* unterscheidet sich jenes des Oscularschornsteins unseres Schwammes dadurch, daß weder longitudinale Amphioxe noch Diaene mit gleichen und einfachen Claden an seinem Aufbau teil nehmen; daß von Megascleren nur die langen Amphioxe des Scheitelkranzes, paratangential und schief orientierte Amphioxe in der Außenwand, und Teloclade mit zwei ungleichen Claden, von denen das lange zwei, in der Regel ungleiche Endclade trägt, vorkommen; und daß bei den letzteren das lange Hauptclad ebenso lang oder länger als das lange Endclad ist.

Die großen, radialen Amphioxe des Choanosoms (Taf. XXV, Fig. 28 d) sind völlig gerade, in der Mitte fast zylindrisch, und etwas anisoactin. Sie sind 2,5—2,75 mm lang und 35—52 μ dick.

Die großen Amphioxe des Scheitelkranzes des Oscularschornsteins (Taf. XXVI, Fig. 6) sind recht schlank. Sie erreichen eine Länge von 4 mm und eine Dicke von 15—20 μ.

Die kleinen, paratangentialen Amphioxe der Haut (Taf. XXV, Fig. 19a—c, 28e; Taf. XXVI, Fig. 1b, 2b, 3c, d, 5b, 12c) sind isoactin, beträchtlich gekrümmt, scharfspitzig, 0,8—1,2 mm lang und 20—32 μ dick. Die Krümmung dieser Nadeln ist entweder annähernd gleichmäßig, oder insofern ungleichmäßig, als an einer oder an zwei Stellen eine leichte Knickung in der Richtung der Krümmung zu bemerken ist. Diese Nadeln sind im oberflächlichen Teil des Körpers und in der Oscularschornsteinaußenwand ganz gleichartig ausgebildet. Daß jene der letzteren ihrer Krümmung entsprechend, gebogen sind, ist natürlich; bemerkenswert ist es aber, daß jene der Körperoberfläche ganz dieselbe Biegung aufweisen, obwohl bei ihnen kein unmittelbarer Grund für dieselbe zu erkennen ist.

Die Diaene des Körpers (Taf. XXV, Fig. 23a, b, 24, 28c) haben gerade, 1,75—2,5 mm lange, zentral zylindrische, distal kegelförmige, am cladomalen Ende 40—50 μ dicke Schäfte. Die Clade sind etwa 450 μ lang, gegen den Schaft konkav, und etwas emporgerichtet. Ihre Sehnen schließen Winkel von ungefähr 85° mit der Schaftverlängerung ein. Man könnte sie daher als Orthodiaene oder als Orthoplagiodiaene ansehen.

Die Monaene des Körpers (Taf. XXV, Fig. 28a, b, 30e, f) haben gerade, 2,1—2,4 mm lange Schäfte. Diese sind am cladomalen Ende 48—63 μ dick und nehmen von hier, bis zum ersten Drittel der Länge, um etwa 20 % an Dicke zu, so daß am cladomalen Ende 50 μ dicke Monaenschäfte hier 60 μ dick sind. Das Clad ist 370—500 μ lang, etwas emporgerichtet und gegen den Schaft konkav. Seine Sehne schließt einen Winkel von 60—80° mit der Schaftverlängerung ein, so daß diese Nadeln als Plagiomonaene erscheinen. Bemerkenswert ist es, daß Uebergangsformen zwischen den Diaenen und Monaenen des Körpers nicht vorkommen. Die Variationen derselben, die angetroffen werden, bilden zwei getrennte Formenkreise.

Die Teloclade des Oscularschornsteins (Taf. XXV, Fig. 21, 22, 25, 26a—d, 27; Taf. XXVI, Fig. 2c, 3a, b, 5a, c, 7a, 8a, 12b, 1, g) haben einen geraden, im ausgebildeten Zustande 4,5—4,8 mm langen, in eine mäßig feine Spitze auslaufenden Schaft. Dieser ist am cladomalen Ende 25 -50 μ dick. Gegen die Mitte hin nimmt er beträchtlich an Stärke zu und erreicht hier, oder etwas oberhalb derselben, besonders bei den cladomal dünneren Schäften, eine um fast 40 % größere Dicke, wie folgende Maße zeigen.

Schaftdicke

am cladomalen Ende	gegen die Mitte zu
25 μ	35 μ
37 „	48 „
38 „	50 „

Die allermeisten und deshalb als normal anzusehenden von diesen Nadeln sind unregelmäßige Dichodiaene. Ihre Cladome bestehen aus einem stark verkürzten, stummelförmigen (Taf. XXVI, Fig. 8a, 12g) und einem langen Clad (Taf. XXVI, Fig. 12b), welch' letzteres zwei Endclade, ein stark verkürztes, stummelförmiges und ein langes (Taf. XXVI, Fig. 7a, 12n) trägt. Das lange Hauptclad ist meist 600—650 μ, das kurze 90—150 μ lang. Das lange Endclad ist meist 500—670, das kurze 40—50 μ lang. Das ganze Cladom ist annähernd in einer, zum Schaft senkrechten Ebene ausgebreitet. Es ist offenbar dichotriaenderivat, aus einem Dichotriaencladom durch vollkommene Rückbildung eines Clads (Hauptclad und Endclade total), teilweise Rückbildung eines zweiten Clads (Hauptclad partiell, Endclade total) und teilweise Rückbildung eines Endclads des einen, vollkommenen erhaltenen Hauptclads, hervorgegangen. Bei *Disyringa dissimilis* kommen im Oscularschornstein ähnliche Dichotriaenderivate vor. Sollas hat die Ableitung derselben aus regelmäßigen Dichotriaenen graphisch dargestellt und es genügt hier auf die betreffende Sollas'sche Zeichnung[1]) zu verweisen. Auch an anderer Stelle[2]) hat Sollas, wie mir scheint, eine solche Nadel abgebildet, obwohl sie nach der Beschreibung, die er in der Tafelerklärung davon gibt, anderer Art wäre. Die Dichotriaenderivate von *D. dissimilis* unterscheiden sich von jenen der *D. nodosa* dadurch, daß bei den ersteren das Endclad viel länger als das Hauptclad ist, während bei den letzten, wie oben erwähnt, das lange Hauptclad ebenso lang oder länger als das Endclad zu sein pflegt.

Außer diesen normalen (häufigen) Dichotriaenderivaten kommen im Oscularschornstein in geringer Zahl auch solche vor, bei denen die Rückbildung des einen der beiden Hauptclade weniger weit als bei den normalen gediehen ist und die daher als unregelmäßige Diaene (Taf. XXV, Fig. 21, 22) mit einem längeren, gabelspaltigen und einem kürzeren, einfachen Clad erscheinen. Ferner gibt es bezüglich der Hauptclade normale Formen, bei denen beide Endclade kurz sind und die einen regulären Dichomonaen mit zweitem Cladrudiment ähnlich sehen. Endlich werden normale Formen mit stark emporgerichtetem Cladom (Taf. XXV, Fig. 27) angetroffen.

Eine bemerkenswerte, den Schäften sowie in geringerem Maße auch den Claden aller Teloclade des Schwammes zukommende, und auch bei einigen von den radialen Amphioxen desselben wahrzunehmende Eigenschaft ist das Vorhandensein von mehr oder weniger auffallenden, knotenartigen Verdickungen. Diese treten an den cladomalen Endteilen der Telocladschäfte, wo sich der Durchmesser der verdickten Stellen zum Durchmesser der zwischen innen gelegenen, dünneren Stellen oft wie 6:5 verhält, am deutlichsten hervor. An einigen von den Nadelphotographien sind diese Verdickungen sehr deutlich zu sehen (Taf. XXV, Fig. 21, 24, 28a links); auf sie bezieht sich der Name *nodosa*, den ich dem Schwamme gegeben habe. Der Achsenfaden geht unverändert unter diesen Verdickungen durch, die Schichtung der Kieselsubstanz zeigt aber, daß sie schon frühzeitig angelegt werden. Derartige Verdickungen kommen bei ganz jungen, kleinen Nadeln, namentlich Telocladen, häufig vor; daß sie sich aber auch bei großen und völlig ausgebildeten Nadeln finden, wie hier, ist etwas sehr ungewöhnliches.

Die Achsenfadenendteile in den verkürzten und abgerundeten Haupt- und Endcladen der Teloclade des Oscularschornsteins erscheinen knorrig.

Die strahlentragenden Microrhabde (Taf. XXV, Fig. 20a—d) sind 9—10, selten bis 11 μ lang. Sie bestehen aus einem ziemlich geraden, 5—6 μ langen und 1—1,5 μ dicken Schaft, von dem abgerundete, distal oft in Endlappen aufgelöste, 1,5—2,5 μ lange Strahlen abgehen. Zuweilen (Fig. 20b, c) sind die Strahlen mehr gleichmäßig über den Schaft verteilt, zuweilen größtenteils (Fig. 20a) oder ganz (Fig. 20d) auf die Enden desselben beschränkt. Im letzten Falle sind die Strahlen des einen Endes oft viel größer und zahlreicher als jene des anderen.

Die Oxyaster haben neun bis zwölf Strahlen und halten 8—10 μ im Durchmesser.

---

[1]) W. J. Sollas, Tetractinellida. In: Challenger Rep. Zool. Bd. 25 p. 167 Fig. 1 F.
[2]) W. J. Sollas l. c. Taf. XVIII Fig. 7.

Die beiden Stücke dieses Schwammes wurden von der Gazelle (Nr. 476) am 2. Oktober 1875 an der nordwestaustralischen Küste aus einer Tiefe von 94 m hervorgeholt.

Obzwar kein eigenes Einfuhrrohr an den vorliegenden Spongien beobachtet wurde, so müssen sie doch in Anbetracht des Baues des Oscularschornsteins und der Gestalt der Nadeln dem Genus *Disyringa* zugewiesen werden, und dies umsomehr, da sie der einzigen bisher bekannten Art desselben, *D. dissimilis*, in vielen Stücken ähneln. Ja es ist diese Aehnlichkeit so groß, daß es mir anfangs schien als müßte ich sie dieser Art zuweisen. Mit dem Text[1]) der Beschreibung der *D. (Tethyopsis) dissimilis* von RIDLEY stimmen — so weit diese Beschreibung geht — die vorliegenden Spongien in der Tat ziemlich gut überein. Ganz anders ist es aber mit den Figuren[2]) RIDLEY's. Diese stimmen weder mit dem Text seiner eigenen Beschreibung noch mit den vorliegenden Spongien; stehen dafür aber mit den Ergebnissen der späteren, genaueren Untersuchung der *D. dissimilis* durch SOLLAS[3]) in Einklang. Unter diesen Umständen kann ich nicht umhin, die betreffenden Textangaben von RIDLEY beiseite zu setzen und für unseren Schwamm eine neue Art, *D. nodosa*, aufzustellen. Diese unterscheidet sich, nach der SOLLAS'schen Beschreibung der *D. dissimilis*, von dieser in folgenden Stücken:

	D. dissimilis	D. nodosa
Megasclere	glatt	knotig
Hautamphioxe	135 μ dick; mehr als doppelt so dick als die radialen Amphioxe	bis 32 μ dick; bedeutend dünner als die radialen Amphioxe
Triaene	vorhanden	fehlen
Longitudinale Stütznadeln des Oscular-schornsteins	Diaene, Dichoclade mit kurzem Hauptclad, Amphioxe	Dichoclade mit langem Hauptclad
Dragme	vorhanden	fehlen
Microrhabde	bis 16 μ lang	bis 11 μ lang
Vorragendes Porenrohr	vorhanden	?

Diese Unterschiede reichen vollkommen aus um die beiden Arten auseinander zu halten.

Genus Tethyopsis C. STEWART.

Stellettidae mit einem Oscularschornstein, welcher mehrere Längskanäle enthält. Außer den Euastern können Dragme vorkommen. Microrhabde fehlen.

In der Gazellen-Sammlung finden sich fünf zu dieser Gattung gehörige Spongien, welche einer schon bekannten Art angehören.

---

[1]) S. O. RIDLEY, Report on the Sponges. In: Rep. Alert p. 477, 478.
[2]) S. O. RIDLEY l. c. Taf. XLIII Fig. 1, namentlich 1''''' und 1'''''.
[3]) W. J. SOLLAS, Tetractinellida. In: Challenger Rep. Zool. Bd. 25 p. 161 ff.

Tethyopsis radiata (W. Marsh.).

Taf. XXVII, Fig. 1—23.

1884 *Agilardiella radiata*, W. Marshall in: Abh. Ak. Berlin 1883 suppl. p. 1 t. 1.
1888 *Tethyopsis radiata*, W. J. Sollas in: Rep. Voy. Challenger v. 25 p. 190.
1903 *Tethyopsis radiata*, R. v. Lendenfeld in: Tierreich v. 19 p. 69.

Von diesem Schwamme hat die Gazelle eine Anzahl von Stücken erbeutet. Drei davon sind von Marshall (1884, p. 3) verarbeitet worden. Mir kamen fünf größere Stücke und mehrere kleine Fragmente zu, die von zwei verschiedenen, nicht fern voneinander liegenden Fundorten stammen.

Alle sind fingerförmig, zylindrokonisch, am Ende plötzlich zugespitzt oder abgestutzt. Ein aus geringerer Tiefe stammendes (Taf. XXVII, Fig. 22) war über 30 mm lang und am breiteren Ende 7 mm dick. Die anderen, aus größerer Tiefe stammenden, sind bedeutend schlanker. Das ansehnlichste von diesen (Taf. XXVII, Fig. 21) war über 40 mm lang und am breiteren Ende 4,5 mm dick. Das größte der von Marshall beschriebenen Stücke (1884, p. 3) hatte bedeutendere Dimensionen. Es maß 55 mm in der Länge und 15 mm in der Breite. Der Querschnitt ist nahezu kreisförmig (Taf. XXVII, Fig. 15—17, 20). An der Oberfläche finden sich, wie Marshall (1884, p. 3) angibt, longitudinal verlaufende, schwach schraubenförmig gewundene, wenig vortretende Längskämme, welche von kleinen, stärker vortretenden, conuliartigen Erhebungen gekrönt werden. Bei den von Marshall (1884, p. 4) untersuchten Stücken waren acht (ausnahmsweise an einer Stelle neun) solche Kämme vorhanden, bei dem dickeren von mir untersuchten fanden sich acht, bei den schlankeren fünf. Dem dickeren Teile, sowohl der von Marshall (1884, p. 3), wie der von mir untersuchten Stücke haften oberflächlich Sandkörner und andere Fremdkörper an, von denen einige eine beträchtliche Größe erreichen. Nach der Mitte zu nehmen sie an Anzahl und Größe ab, und der innere Endteil aller Stücke ist von Fremdkörpern frei. Die Seitenwände und das dünnere Ende sind bei allen Stücken intakt, die Terminalfläche der dickeren Endes aber bei allen von mir wie von Marshall (1884, p. 3, 4) untersuchten Stücken eine Rißfläche. Marshall dachte nicht daran, die von ihm untersuchten Stücke für geißelkammerfreie Oscularschornsteine zu halten, vermutete vielmehr (1884, p. 6, 7), daß Kragenzellen — er nennt sie Geißelzellen — darin vorkommen. Sollas (1888, p. 191) betrachtet die von Marshall beschriebenen Objekte als bloße Oscularschornsteine, die von dem eigentlichen Schwammkörper abgerissen und erbeutet wurden, während letzterer im Meere zurückblieb. Auch die von mir untersuchten Stücke scheinen nur Oscularschornsteine zu sein. Sie werden von parallelen, am dickeren Ende (an der Rißfläche) offenen, am dünneren Ende aber geschlossenen Längskanälen durchzogen. In den dicken Wänden der großen Hauptkanäle finden sich kleinere Hohlräume, die großenteils auch Längskanäle sind. Bezüglich der Anordnung dieser Kanäle weichen die schlanken Stücke von dem dickeren (und den von Marshall beschriebenen, gleichfalls dicken) nicht unerheblich ab. Die von Marshall untersuchten (dicken) Stücke hatten im allgemeinen neun (nur an einer Stelle zehn) große Längskanäle, einen axialen und acht (an einer Stelle neun) periphere, welch letztere ähnlich und äquivalent erscheinen und dem Objekt ein tetrameres (octomeres) Aussehen verleihen, was Marshall veranlaßte, diesen Spongien eine radiale (tetramere oder octomere) Symmetrie zuzuschreiben. Sollas (1888, p. 191) findet, daß sie einen ähnlichen Bau wie die Oscularschornsteine

241

von *Disyringa dissimilis* haben und meint, daß der reunte axiale Kanal, durch den sie von diesen abweichen, eine „cleavage-fissure" sein könnte. Das von mir untersuchte dickere Stück hat, wie die Querschnitte (Taf. XXVII, Fig. 15—19) zeigen, nahe seinem unteren Ende, einen 900 μ weiten Achsenkanal (a) von kreisrundem Querschnitt, der ganz der von Marshall gegebenen Darstellung (1884, Fig. 4) entspricht und keineswegs eine „cleavage-fissure" ist. In der Umgebung desselben findet sich, was Marshall bei seinem Stücke nicht beobachtet hat, ein Kranz kleinerer Längskanäle (b) von 200—400 μ Durchmesser. Nach außen folgt auf diesen eine starke Gewebelage, welche von den Schäften jener Teloclade (c) eingenommen wird, die die stützende Skelettsäule bilden. Diese Skelettsäule hat Röhrenform. Außerhalb derselben findet sich wieder ein Kranz von kleinen Kanälen (d), welche in Bezug auf die Größe mit den innerhalb der Skelettsäule (-röhre) gelegenen Kanälen übereinstimmen, jedoch nicht so regelmäßig longitudinal angeordnet zu sein scheinen wie diese. Alle diese Kanäle und die Skelettsäule (-röhre) zusammen bilden eine Art Achse, von der ziemlich dünne, radiale Scheidewände (g) abgehen. Diese sind distal mit der Außenwand (i) verwachsen. Ihre Verwachsungslinien mit der Außenwand sind es, welche außen in Gestalt der erwähnten schwachen Längskämme vortreten. Die schraubenförmige Krümmung der letzten beruht darauf, daß die Scheidewände nicht gerade, sondern spiral verlaufen. Die Außenwand (i) ist dünn und erscheint als die Wand eines Rohres von kreisförmigem Querschnitt. An ihrer äußeren Oberfläche finden sich kleine, zottenartige Vorragungen (k) und zahlreiche Poren von schwankender Gestalt und 30—150 μ Durchmesser (Taf. XXVII, Fig. 23). Sie wird von kleinen Kanälen (h) durchsetzt. Bei dem dickeren Stücke sind acht Radialwände vorhanden und diese grenzen ebensoviele, große, 0,7—1,9 mm weite, im Querschnitt rundliche, periphere Längskanäle (Taf. XXVII, Fig. 15—19f) voneinander ab. Während nun aber diese Längskanäle bei den von Marshall untersuchten Stücken annähernd gleich groß und regelmäßig tetra(octo-)meral angeordnet sind, erscheinen sie bei meinem dickeren Stücke ungleich groß und nicht regelmäßig radialsymmetrisch angeordnet (vgl. die Photogramme Fig. 15—17 auf Taf. XXVII). Bei den schlankeren Stücken konnte ein Axialkanal nicht deutlich nachgewiesen werden und waren fünf (statt acht) Radialwände und ebenso viele große, periphere Längskanäle (Taf. XXVII, Fig. 20f, g) vorhanden. Außer diesen finden sich bei den kleinen Stücken, in den Verwachsungslinien der Radialwände mit der Außenwand kleinere Längskanäle, von denen in dem abgebildeten Schnitt (Taf. XXVII, Fig. 20) vier besonders deutlich hervortreten (h). Die großen Längskanäle werden von einer zarten, durchsichtigen, megasclerenfreien Schicht (Taf. XXVII, Fig. 18l, 19l) begrenzt, welche als eine Art Belag des derberen, die tieferen Wandteile bildenden Gewebes erscheint. Meine Befunde scheinen mir nicht für die Annahme eines tetra- oder octomeralen, radialsymmetrischen Baues dieses Spongienanhanges zu sprechen.

Die Farbe des Schwammes ist, in Weingeist, bräunlich.

Bezüglich des Skelettes weichen die von mir untersuchten Stücke sehr wesentlich von der Beschreibung ab, die Marshall (1884, p. 5, 6) von den von ihm untersuchten gibt. Von allen von Marshall abgebildeten (1884, fig. 5—7, 9—11) Nadelformen habe ich in meinen Stücken keine einzige gefunden, und auch nach den von ihm im Text erwähnten (1884, p. 5), bis 25 mm langen Stabnadeln vergebens gesucht, während er keine einzige von jenen Nadeln erwähnt, die in meinen Stücken das gesamte Skelett bilden. Wäre die Beschreibung, die Marshall von dem Skelett dieses Schwammanhanges gibt, richtig, so würde er nicht nur von den von mir untersuchten Stücken spezifisch und generisch zu trennen sein, sondern innerhalb der Tetractinelliden überhaupt ganz allein stehen, weil solche Diaene mit nach außen gerichtetem Schaft, wie sie MARSHALL abbildet (1884, Fig. 6, 7, 9), in dieser Ordnung nicht vorkommen. Da jedoch die Methoden, die MARSHALL (1884, p. 7) zum Studium des Skelettes und besonders zur Isolierung der Nadeln angewendet hat, nicht einwandfrei sind, und MARSHALL seine Aufmerksamkeit hauptsächlich auf die radiäre Symmetrie konzentriert, die Besonderheiten des Skelettbaues aber weniger eingehend behandelt hat, glaube ich, angesichts der am Schlusse angeführten Gründe mein Material trotz dieser Diskrepanz der MARSHALL'schen *Tethyopsis* (*Agilardiella*) *radiata* zuweisen zu sollen, und das um so eher als schon SOLLAS (1888, p. 191) Bedenken über die Richtigkeit der MARSHALL'schen Beschreibung des Skelettes geäußert hat.

Das Stützskelett der von mir untersuchten Stücke besteht bei dem dickeren aus einer röhrenförmigen, bei den schlankeren aus einer völlig solid erscheinenden, zentralen, longitudinalen Skelettsäule, von der Nadeläste annähernd senkrecht in die, die großen, peripheren Längskanäle trennenden Radialwände abgehen. An der äußeren Oberfläche des Schwammes und in den Wänden der kleinen oberflächlichen Kanäle finden sich dichte Massen von Strongylastern (Taf. XXVII, Fig. 3a, 9a). Im Innern werden dieselben Nadeln zerstreut, sowie nestartige Gruppen von Dragmen (Taf. XXVII, Fig. 3b, 9b) angetroffen.

Die Stützskelettsäule besteht der Hauptsache nach aus den Schäften von Orthodiaenen, von denen die meisten sehr ungleich lange, nur wenige ziemlich gleich lange Clade haben. Außer diesen finden sich auch einige wenige Amphioxe.

Alle Diaene sind so orientiert, daß ihr Schaft longitudinal in der Skelettsäule liegt und ihr Cladom dem dünneren Ende zugekehrt ist. Die Grundteile der Clade schließen Winkel von beiläufig 110—120° miteinander ein; weiterhin sind sie gegeneinander konkav gekrümmt. Die beiden Clade sind stets nach außen und zwar so gerichtet, daß sie einen der großen peripheren Längskanäle umgreifen. Die verschiedene Ausbildung der beiden Clade dieser Diaene steht in unmittelbarer Beziehung zur Lage ihres Nadelzentrums (und Schaftes) relativ zu demjenigen Längskanal, den ihre Clade zwischen sich fassen (Taf. XXVII, Fig. 18, 19). Die Diaene, deren Zentren (Schäfte) medial in den Kanalradien, das heißt in jenen Ebenen liegen, welche durch die Achse des Schwammes und die Achsen der großen, peripheren Längskanäle gehen, haben ziemlich gleich lange Clade. Die seitlichen, der einen oder anderen Seiten(Radial)wand des Kanals genäherten, haben ungleiche Clade. Bei diesen, die überwiegende Mehrzahl aller Diaene bilden, ist das von der Ebene des erwähnten Kanalradius abstehende (entferntere) das längere Clad, das ihr zugekehrte (nähere) das kürzere. Der Größenunterschied der beiden Clade steht im Verhältnis zur Entfernung des Nadelzentrums vom Kanalradius. Die medialen Diaene entsenden ihre zwei (ziemlich gleich langen) Clade in die beiden, den betreffenden Kanal einfassenden Radialwände. Die seitlichen Diaene entsenden das längere (vom Kanalradius abstehende) Clad in die Radialwand, der sie zunächst liegen, während das kürzere sich nicht bis zur anderen Radialwand erstreckt und meist nicht einmal den Kanalradius erreicht. Beide Clade der medialen und das längere Clad der seitlich gelegenen erstrecken sich durch die ganze Breite der Radialwand bis zur Außenwand, und die Endteile dieser Clade bilden, zum Teil über die letztere hinausreichend und die Haut in ihrer Umgebung zeltartig emporhebend, jene conuliartigen Zacken, welche, wie erwähnt, den Längskämmen der äußeren Oberfläche entragen.

38*

Die spärlichen Amphioxe, die ich sah, waren isoactin, 3 mm lang und in der Mitte 40 μ dick.

Die Diaene (Taf. XXVII, Fig. 1, 2, 4, 7, 8, 12—14, 18, 19) haben einen geraden, im cladomalen Teile völlig zylindrischen und 45 μ dicken, 7—8,5 mm langen Schaft. Die Grundteile der Clade schließen mit dem Schafte und auch miteinander stumpfe Winkel von etwa 110—120° ein. Die Clade sind doppelt, sowohl in der (queren) Cladomfläche als auch in der durch sie und den Schaft gehenden (Längs-)Fläche gekrümmt. Die Krümmung in ersterer ist so, daß sie, wie oben erwähnt, gegeneinander konkav erscheinen (Fig. 8, 18, 19). Die Krümmung in letzterer ist bei den langen Claden stets eine einfache, gegen den Schaft konkave (Fig. 1, 2, 4, 7, 12—14), bei den kürzeren entweder auch so oder derartig S-förmig, daß der Endteil des Clads etwas emporgerichtet erscheint (Fig. 4, 7 b). Nicht selten ist das längere Clad nahe seinem Ende etwas geknickt (Fig. 13), zuweilen sogar plötzlich, unter fast rechtem Winkel nach abwärts (schaftwärts) gebogen (Fig. 12). An solchen Knickungsstellen werden Gabelungen des Achsenfadens und zuweilen auch Andeutungen eines Zweigclads bemerkt, welche diesen Nadelteilen einen dichocladen Charakter verleihen. Zuweilen ist das längere Clad auch in der Cladomfläche geknickt (Fig. 19). Die langen Clade sind zugespitzt, die kurzen (Fig. 18), und zuweilen auch mittellange (Fig. 7 b) am Ende abgerundet. Bei den Diaenen mit annähernd gleich langen Claden (Fig. 7 a, 8) erreichen die Clade eine Länge von 1,8—2,4 mm. Bei jenen mit ungleichen Claden (Fig. 1, 2, 4, 12—14) ist das große im allgemeinen um so länger, je kürzer das kleine ist. Bei solchen Diaenen erreicht das große Clad eine Länge von 2—2,8 mm, während das kurze bloß 0,1—1,5 mm lang und zuweilen (Fig. 1 a) zu einem unbedeutenden Höcker rückgebildet ist. Äußerst selten begegnet man Nadeln, bei denen noch ein drittes Clad in Gestalt eines unscheinbaren Höckers angedeutet ist (Fig. 14). Die Cladsehnen schließen meist Winkel von etwa 75° mit dem Schafte ein.

Die Strongylaster (Taf. XXVII, Fig. 3 a, 9 a, 10, 11) haben meist zehn bis sechzehn zylindrokonische, am Ende quer abgestutzte Strahlen. Dicht unterhalb des Endes sind die Strahlen schwach eingeschnürt, so daß sie plump flaschenförmig aussehen, Sie sind gegen 4 μ lang und am quer abgestutzten Ende bis 1 μ dick. Von ihrer ebenen Terminalfläche erheben sich mehrere starke Dornen. Auch an den Seiten der Strahlen sind zuweilen Dornen zu bemerken. Der ganze Aster hat einen Durchmesser von 8—13 μ.

Die Dragme (Taf. XXVII, Fig. 3 b, 5, 6, 9 b) erscheinen als 25 μ lange und 5—8 μ breite Bündel von feinen geraden Nadeln. In den Zentrifugnadelpräparaten findet man zahlreiche, einzelne Dragmennadeln (Fig. 6). Diese sind zuweilen bis 30 μ lang, woraus ich schließe, daß es im Schwamm noch längere Dragme als die gibt, die ich gemessen habe. Bemerkenswert ist es, daß diese isolierten Dragmennadeln oft gekrümmt sind. Vielleicht ist diese Krümmung artefakt, was bei der außerordentlichen Feinheit dieser Nadeln wohl möglich wäre. In den Schnitten habe ich immer nur aus geraden Einzelnadeln zusammengesetzte Orthodragme, nie aus gekrümmten Nadeln bestehende gesehen.

Das dickere Stück wurde von der Gazelle (Nr. 695) bei der Nordinsel von Neuseeland am 27. Oktober 1875 aus einer Tiefe von 85 m hervorgeholt. Die schlanken Stücke wurden von demselben Schiffe (Nr. 703) in derselben Gegend in einer Tiefe von 847 m erbeutet.

Abgesehen von dem Skelett stimmen meine Stücke mit der Beschreibung, die MARSHALL von seiner *Tethyopsis* (*Agilardiella*) *radiata* gibt, ziemlich überein. Die Unterschiede zwischen meinen Befunden und den Angaben MARSHALL's über das Skelett können auf die Mangelhaftigkeit der von ihm angewandten Methoden und darauf zurückgeführt werden, daß er dem Skelettbau keine besondere Aufmerksamkeit schenkte. Das MARSHALL'sche Material wurde von der Gazelle an derselben Stelle, wie das von mir untersuchte, dickere Stück erbeutet, und es ist, nach einer Mitteilung WELTNER's, dieses von mir untersuchte Stück der Rest jenes *Tethyopsis radiata*-Materials, welches MARSHALL bearbeitet hat. Unter diesen Umständen glaube ich meine Stücke dieser Art zuteilen zu sollen, deren Diagnose dann folgendermaßen zu lauten hätte:

Tethyopsis radiata (W. MARSHALL).

Der allein bekannte Oscularschornstein ist fingerförmig, drehrund, bis 55 mm lang und am Grunde bis 15 mm dick. Seinem Grundteile haften Fremdkörper an. Er wird von Längskanälen durchzogen, dickere Stücke von einem großen axialen, acht großen peripheren, und zahlreichen kleinen; dünnere Stücke von fünf großen peripheren und wenigen kleinen. Das Skelett besteht aus einer, bei dickeren Stücken röhrenförmigen, bei dünnen solid erscheinenden, zentralen, aus zahlreichen Dianen und wenig Amphioxen zusammengesetzten Säule; im Innern zerstreuten, an der Oberfläche dichte Massen bildenden Strongylastern; und in Nestern angeordneten Orthodragmen. Die Amphioxe sind 3 mm lang und 40 μ dick. Die Dianen haben 7—8,5 mm lange, 45 μ dicke Schäfte. Ihre Clade schließen am Grunde Winkel von 110—120° miteinander und mit dem Schafte ein. Gegeneinander sind sie konkav, gegen den Schaft konkav oder (die kürzeren) auch S-förmig gekrümmt, annähernd gleich, oder, meistens, sehr ungleich groß, das kleinere 0,1—1,8, das größere 2,4—2,8 mm lang. Die Strongylaster haben zehn bis sechzehn, plump flaschenförmige, terminal abgestutzte Strahlen, welche an der Endfläche und zuweilen auch an den Seiten Dornen tragen. Der ganze Aster hält 8—13 μ im Durchmesser. Die Dragme sind 5—8 μ breit und 25 μ lang.

Verbreitung: Südpazifik, Nordinsel von Neuseeland; Tiefe 85—847 m.

Familia Calthropellidae.

Astrophora mit euastrosen Microscleren; ohne Sterraster. Mit unregelmäßig angeordneten Chelotropen oder kurzschäftigen Telocladen im Innern. Im oberflächlichen Schwammteil können radial orientierte Teloclade vorkommen; diese sind meistens kurz-, selten langschäftig.

Ich stelle diese neue Familie für diejenigen früher[1]) zu den Pachastrellidae gestellten Spongien auf, welche euastrose Microsclere besitzen. Sie umfaßt die zwei früher (l. c.) unterschiedenen Genera Pachastrissa und Calthropella, und das neue, auf Grund eines Schwammes der Valdivia-Sammlung aufgestellte Genus Chelotropella, deren Merkmale folgende sind:

Genus *Chelotropella* (mit radial orientierten, langschäftigen Teloclaöen im oberflächlichen Schwammteil).

Genus *Pachastrissa* (ohne langschäftige Teloclade, mit rhabden Megascleren).

Genus *Calthropella* (ohne langschäftige Teloclade und ohne rhabde Megasclere).

Diese Gattungsunterschiede sind in dem folgenden Schema zusammengestellt.

---

[1]) R. v. LENDENFELD, Tetraxonia. In: Tierreich Bd. 19 p. 72.

Calthropellidae

mit radial orientier- ——————————— *Chelotropella*
ten langschäftigen
Telocladen im ober-
flächlichen Schwammteil

mit rhabden ——— *Pachastrissa*
Megasclere

ohne langschäftige
Teloclade

ohne rhabde ——— *Calthropella*
Megascleren

In der Valdivia-Sammlung ist das Genus Chelotropella durch einen, einer neuen Art angehörigen Schwamm vertreten.

Genus Chelotropella n. gen.

Calthropellidae mit radial orientierten, langschäftigen Telocladen im oberflächlichen Schwammteil.

Ich stelle dieses neue Genus für einen Schwamm auf, welcher in ähnlicher Weise einen Uebergang zwischen den übrigen Calthropellidae und, den Stellettidae vermittelt wie Chelotropaena, Sphinctrella und Ancorella zwischen den übrigen Pachastrellidae und den Theneidae. In der Valdivia-Sammlung findet sich ein zu dieser Gattung gehöriger, eine neue Art repräsentierender Schwamm.

Chelotropella sphaerica n. sp.

Taf. XXXIV, Fig. 1—7.

In der Valdivia-Sammlung findet sich ein Stück dieses Schwammes.

Dasselbe ist etwas unregelmäßig kugelig, hält 18 mm im Durchmesser und hat eine kahle, gekörnelte Oberfläche. An einer Stelle findet sich eine Gruppe von kleinen, rundlichen oder eiförmigen 1—2 mm langen Osculis. Es ist eine dünne Dermalmembran vorhanden, unter welcher sich eine, etwa 700 μ mächtige, geißelkammerfreie, von großen Subdermalräumen (Taf. XXXIV, Fig. 7 b) durchsetzte Zone ausbreitet. Die Geißelkammern sind kugelig und halten 15—20 μ im Durchmesser.

Die Farbe ist, in Weingeist, an der Oberfläche mattrot, im Innern schmutzig braun.

Das Skelett (Taf. XXXIV, Fig. 7) besteht aus radialen Bündeln langgestreckter Nadeln (c), zerstreuten chelotropen Megascleren (d), und Microscleren. Die proximalen Teile der vom Schwammzentrum ausstrahlenden, radialen Nadelbündel bestehen aus schlanken Amphioxen, am Aufbau ihrer distalen Teile nehmen auch Dichotriaene teil. Die Cladome der letzten liegen in zwei Stockwerken übereinander: die einen breiten sich an der äußeren Oberfläche, die andern an der Grenze zwischen der Subdermalraumzone und dem Choanosom aus. Im oberen, an der

Oberfläche gelegenen Stockwerk sind die Dichotriaencladome zahlreicher als in dem tieferen, unter der Subdermalraumzone befindlichen. Die chelotropen Megasclere sind sehr zahlreich und im ganzen Choanosom regellos zerstreut. Neben den großen, vollkommen ausgebildet erscheinenden, kommen zahlreiche kleinere vor. Die Microsclere sind recht mannigfaltig. Dicht unter der Oberfläche finden sich zahlreiche, große, dickstrahlige Strongylaster; im Innern werden Oxyaster, Acanthtylaster und sehr kleine Sphaeraster mit acanthtylen Strahlen, sowie einige Uebergänge zwischen diesen Asterformen angetroffen.

Die Amphioxe (Taf. XXXIV, Fig. 5 d) sind isoactin oder nur schwach anisoactin, 3,6—5,6, meist 4—5 mm lang, und 50—80 μ dick. Meist sind sie schwach, stetig gekrümmt, es kommen aber gar nicht selten auch nahe der Mitte plötzlich winkelig gebogene vor. Die letzten zeichnen sich durch ihre Dicke aus, die von mir beobachteten über 70 μ dicken Amphioxe waren durchweg solche winkelig gebogene.

Die Dichotriaene (Taf. XXXIV, Fig. 1, 2, 5 a) haben einen kegelförmigen, zugespitzten, ganz geraden, oder nur am acladomalen Ende schwach gekrümmten Schaft, der am Cladom oft eine leichte Einschnürung erkennen läßt. Der Schaft ist 2,8—4,4 mm lang und an der stärksten Stelle, eine ganz kurze Strecke unter dem Cladom, 100—140 μ dick. Das Cladom liegt annähernd in einer, auf den Schaft senkrecht stehenden Ebene und ist 650 μ bis 1,3 mm breit. Die Hauptclade sind 130—170, die paarweise schwach gegeneinander konkav gekrümmten Endclade 300—550 μ lang. Unregelmäßige Dichotriaene sind recht selten. Zuweilen habe ich solche Nadeln mit verkürztem, am Ende abgerundetem Schaft, und einmal ein Endclad mit einem, nahe dem Ende angehefteten Zweigstrahl gesehen.

Die Chelotrope (Taf. XXXIV, Fig. 3, 4, 5 b, c, e, 7 d) sind größtenteils ziemlich regelmäßig. Diese regelmäßigen sind alle einander ähnlich, aber von recht verschiedener Größe. Obzwar die kleineren sehr wohl Jugendformen der großen sein können, sind sie doch als solche schon insofern funktionell ausgebildet, als sie einen integrierenden Bestandteil des choanosomalen Skelettes ausmachen. Die großen, regelmäßigen Chelotrope (Fig. 3, 5 b) haben vier kongruente, gerade, kegelförmige, zugespitzte Strahlen von 700—1050 μ Länge und 85—120 μ basaler Dicke. Solche Nadeln bilden jedoch nur den kleineren Teil aller Chelotrope. Zahlreicher als sie sind die kleineren (Fig. 5 c), deren Strahlen 170—700 μ lang und am Grunde 20—85 μ dick sind. Die Aehnlichkeit aller dieser verschieden großen Nadeln beruht darauf, daß ihre Strahlen immer so ziemlich die gleiche Kegelgestalt haben, und das Verhältnis zwischen Strahllänge und -dicke stets 1 : 8 bis 1 : 12,5, meist ungefähr 1 : 10 beträgt. Die relativ häufigsten, unregelmäßigen Chelotrope sind solche, bei denen ein Strahl merklich größer als die drei übrigen ist (Fig. 5 e) und eine Länge von 1,1—1,3 mm erreicht. Diese bilden Uebergänge zu Telocladen (Plagiotriaenen). Seltener sind Chelotrope, bei denen ein Strahl stark verkürzt und am Ende abgerundet, oder am Grunde (Fig. 4), oder weiter draußen, gabelspaltig ist.

Die großen, dickstrahligen Strongylaster (Taf. XXXIV, Fig. 6 e, f, g, h, i) haben ein bis sieben nur wenig gegen das Ende verdünnte, zylindrokonische, terminal abgerundete Strahlen, welche am Grunde, dicht am Nadelzentrum, glatt, sonst überall mit großen 1—1,5 μ langen, krallenartig nach rückwärts gekrümmten Dornen besetzt zu sein pflegen. Nur einmal habe ich eine solche Nadel mit durchaus glatten, vollkommen dornenlosen Strahlen gesehen. Die Dornen sind am Ende nicht größer als anderwärts. Die Größe der Strahlen und der ganzen Nadel steht im umgekehrten Verhältnis zur Zahl der ersteren. Sechs- bis Siebenstrahler haben 11—13 μ lange, am Grunde 3—4 μ dicke Strahlen und halten 21—27 μ im Durchmesser. Zwei- bis Fünfstrahler (Fig. 6 e, f, g) haben 15—22 μ lange, am Grunde 4—5 μ dicke Strahlen und halten 26—45 μ im Durchmesser. Die beiden Strahlen der Zweistrahler (Fig. 6 h) schließen einen verhältnismäßig kleinen Winkel ein; er nähert sich niemals 180° und beträgt oft nur 60°. Bei den Einstrahlern ist der Strahl 23—27 μ lang und zentral 5—6 μ dick. Gewöhnlich sind die Strahlen gleich lang, oft findet man aber auch Aster dieser Art, bei denen, außer den ausgebildeten Strahlen, noch kurze, stummelförmige Rudimente anderer, rückgebildeter Strahlen vorhanden sind (Fig. 6 i). Besonders häufig begegnet man solchen Strahlrudimenten bei den Zwei- und Einstrahlern. Bei ersteren (Fig. 6 h) bilden sie einen, von der konvexen Seite des Winkels der beiden ausgebildeten Strahlen aufragenden Höcker; bei letzteren eine knollenförmige Verdickung, welche der Nadel einen tylostylartigen Charakter verleiht. Dieser Endknollen (das Tyl) hat oft eine beträchtliche Größe, so daß die Gesamtlänge der einstrahligen Strongylaster, deren ausgebildeter Strahl, wie erwähnt, nur 23—27 μ ist, 26—33 μ erreicht.

Die Acanthtylaster (Taf. XXXIV, Fig. 6 c) sind durch seltene Uebergangsformen, die als dünnstrahlige Strongylaster (Taf. XXXIV, Fig. 6 d) erscheinen, mit den dickstrahligen Strongylastern verbunden. Die Acanthtylaster haben acht bis zwölf, gegen das Ende nur wenig verdünnte, zylindrokonische Strahlen, welche mit spärlichen, kleinen Dornen besetzt sind und am Ende ein Wirtel größerer Dornen tragen, das bei schwächerer Vergrößerung wie ein Tyl aussieht. Das Ende des Strahls pflegt in Gestalt eines kleinen, zentralen Terminaldorns über das endständige Dornenwirtel hinauszuragen. Eine Beziehung zwischen Nadelgröße und Strahlenzahl ist nicht zu erkennen. Die Strahlen sind 4—8 μ lang, und am Grunde 0,4—0,8 μ dick. Der Gesamtdurchmesser des Asters beträgt 8—16 μ.

Die Sphaeraster (Taf. XXXIV, Fig. 6 a) sind durch seltene Formen mit kleinem Zentrum mit den Acanthtylastern verbunden. Die Sphaeraster bestehen aus einer Kugel von 2,5—4 μ Durchmesser, der vierzehn bis zwanzig, 1—3 μ lange, 0,4—0,8 μ dicke Strahlen entragen. Jeder Strahl trägt am Ende ein Wirtel von Seitendornen und erscheint daher acanthtyl: die Nadel ist ein Acanthtylsphaeraster. Ihr Gesamtdurchmesser beträgt 5—9 μ.

Die Oxyaster (Taf. XXXIV, Fig. 6 b) haben meist zehn bis vierzehn kegelförmige, zugespitzte Strahlen, deren proximale Hälfte und deren Endteil glatt sind. Das zwischen diesen glatten Teilen gelegene dritte Viertel (vom Zentrum gerechnet) des Strahls ist mit senkrecht absteheden Dornen besetzt. Die Strahlen sind 12—16 μ lang und am Grunde 2—3 μ dick. Der ganze Aster hat einen Durchmesser von 20—32 μ.

Dieser Schwamm wurde von der Valdivia am 3. November 1898 auf der Agulhasbank an der südafrikanischen Küste, in 35° 26,8′ S., 20° 50,2′ O. (Valdivia-Station Nr. 106b) aus einer Tiefe von 84 m hervorgeholt.

C. sphaerica ist die einzige Art des Genus *Chelotropella*.

Demus Sterrastrosa.

Astrophora mit Sterrastern.

Familia Geodidae.

Astrophora mit Sterrastern.

Die Ergebnisse der Untersuchung der Valdivia- und Gazellen-Geodidae machen keine Aenderung in der von mir[1]) früher benützten Einteilung der Geodidae in die 8 Genera, Erylus, Caminella, Pachymatisma, Caminus, Isops, Sidonops, Geodia und Geodinella notwendig, weshalb es hier genügt, auf jene Einteilung (l. c.) hinzuweisen.

Von diesen 8 Genera sind 4 (Erylus, Pachymatisma, Isops und Geodia) in der Valdivia- und 1 (Isops) auch in der Gazellen-Sammlung vertreten.

In der Valdivia-Sammlung finden sich 13, in der Gazellen-Sammlung 2, zusammen 15, zur Familia Geodidae gehörige Spongien. Diese gehören 8 Arten (Valdivia 7, Gazelle 1) an. Sämtliche sind neu.

Genus Erylus GRAY.

Geodidae mit radial angeordneten, auf die oberflächlichen Schwammteile beschränkten Telocladen, mehr oder weniger abgeplatteten, aus scheibenförmigen Anlagen hervorgehenden Sterrastern in der Rinde, und Microrhabden an der Oberfläche. Die Einströmungsöffnungen sind uniporal, die Ausströmungsöffnungen größere Oscula.

In der Valdivia-Sammlung finden sich 2 zur Gattung Erylus gehörige Schwämme, welche 2 neue Arten repräsentieren.

Erylus polyaster n. sp.
Taf. XXXV, Fig. 1—12.

Von diesem Schwamm findet sich nur ein kleines, 10 mm langes Bruchstück in der Valdivia-Sammlung.

Welche Gestalt der Schwamm, dem es angehörte, hatte, ist schwer zu sagen. Die natürliche Oberfläche des vorliegenden Bruchstückes ist kahl und glatt; größere Oeffnungen sind an ihr nicht wahrzunehmen. Die Rinde ist gegen 1 mm dick.

Die Farbe des Schwammes ist, in Weingeist, rotbraun. Die Rinde ist heller als das Choanosom.

Das Skelett besteht aus amphioxen, amphistrongylen und dichotriaenen Megascleren; großen und kleinen wenigstrahligen, und kleinen vielstrahligen Oxyastern; Sterrastern; und centrotylen, amphistrongylen, und stylen Microrhabden. Die amphioxen Megasclere sind viel zahlreicher als die amphistrongylen. Beide finden sich im Choanosom. Die nicht zahlreichen

---

[1]) R. v. LENDENFELD, Tetraxonia. In: Tiefteich Bd. 19 p. 84.

249

Dichotriaene breiten ihre Cladome an der Grenze zwischen Choanosom und Rinde aus. Die großen und kleinen, wenigstrahligen Oxyaster sind in allen Teilen des Choanosoms häufig; die kleinen vielstrahligen aber auf die oberflächlichen, an die Rinde anstoßende Zone des Choanosoms beschränkt. Die länglichen Sterraster, welche dicht gedrängt die Rinde erfüllen, liegen nicht paratangential; es scheint unter ihnen im Gegenteil eine radiale Orientierung vorzuherrschen. Die Microrhabde bilden eine dichte Lage an der äußeren Oberfläche der Rinde und kommen auch in großer Menge im Innern derselben, zerstreut zwischen den Sterrastern vor.

Die Amphioxe (Taf. XXXV, Fig. 1c) pflegen mehr oder weniger, nicht selten recht stark gekrümmt zu sein. Sie sind isoactin, meist fast zylindrisch und an den Enden plötzlich, jedoch nicht scharf zugespitzt. Sie sind 1—1,5 mm lang und 40—65, meist 50—55 μ dick.

Die Amphistrongyle (Taf. XXXV, Fig. 1d) sind durch zahlreiche Uebergänge mit den Amphioxen verbunden. Sie sind zylindrisch, ebenso dick wie die Amphioxe, jedoch kürzer, bloß 0,7—1 mm lang, und meist auch weniger stark gekrümmt.

Die Dichotriaene (Taf. XXXV, Fig. 1a, 2b) haben meist einen geraden, kegelförmigen, zugespitzten, 0,9—1,1 mm langen, am cladomalen Ende 70—115 μ dicken Schaft. Zuweilen ist er aber verkürzt, zylindrisch und am Ende abgerundet. In der Figur 2 (b) ist ein solches Dichotriaen abgebildet; dieses hat einen bloß 420 μ langen Schaft. Die Hauptclade sind stets schief nach oben gerichtet und schließen Winkel von 109—122° mit dem Schafte ein. Im übrigen sind die Cladome recht verschieden und oft unregelmäßig. Die Hauptclade der regelmäßigen Dichotriaene sind meist 210—280, die Endclade 220—320 μ lang. Bei den unregelmäßigen sind die ersteren oft auf Kosten der letzteren entwickelt und bis 400 μ lang, während die Endclade bis auf kleine, bloß 30 μ lange Zweige reduziert sein können (Fig. 1a, rechts unten). Die Endclade sind im ganzen meist etwas nach abwärts gerichtet und außerdem oft auch noch am Ende beträchtlich herabgebogen. Zuweilen tragen sie Seitenzweige (Fig. 2b). Die Cladombreite beträgt 0,8—1,1 mm.

Die Sterraster (Taf. XXXV, Fig. 1e, 2e, 3—8) sind abgeplattet, ellipsoidisch und haben flache, in der Mitte oft etwas eingesenkte Breitseiten. Sie sind meist 155—175 μ lang, 100—120 μ breit und 80—97 μ dick. Länge, Breite und Dicke stehen im Verhältnis von 100 : 67 : 53. Die Kieselmasse zeigt eine sehr auffallende Schichtung (Fig. 4). Die Schichten sind einer, die Mitte des Sterrasters einnehmenden, dünnen Platte von eiförmigem Umriß auf- und umgelagert. Diese, das Zentrum des Sterrasters bildende Platte ist den Breitseiten parallel. Sie ist oft derart sattelförmig gekrümmt, daß ihr optischer Durchschnitt, wenn die Nadel auf der kürzeren Seitenkante (dem schmalen Ende) steht, gegen den Nabel konvex, wenn sie auf der längeren Seitenkante steht, gegen den Nabel konkav ist. Diese Zentralplatte ist nicht ganz halb so lang und breit als der Sterraster und zeigt eine, von ihrem Mittelpunkte ausgehende Strahlenstruktur. Die sie einhüllenden Kieselschichten sind sehr deutlich gegeneinander abgegrenzt und lassen keine Spur einer strahligen Struktur erkennen. Sie erscheinen unter dem Nabel eingedrückt, sonst sind sie aber der Oberfläche der Zentralplatte parallel. In der Mitte einer der Breitseiten findet sich eine kreisrunde, gegen 20 μ breite und 15 μ tiefe, glatte Einsenkung, der Nabel der Nadel (Fig. 8). Die übrigen Teile der Oberfläche sind selten glatt, meist mit Höckern besetzt (Fig. 5—7). Ich betrachte die glatten Sterraster als Jugendformen der höckerigen. Die Höcker sind bei einigen

Sterrastern bloß 1,6—2, bei anderen 3—4 μ breit und werden durch Furchen von etwa 1 μ Breite und 1,5 μ Tiefe voneinander getrennt. Die Distalenden der Höcker sind quer abgestutzt und meist mit einem unregelmäßigen Kranze zahlreicher, kleiner Seitendornen besetzt,

Die Aster des Choanosoms sind zum allergrößten Teil Oxyaster mit kegelförmigen, nicht scharfspitzigen. Strahlen. Die Abstumpfung der Strahlen geht bei den kleinen, wenigstrahlen zuweilen so weit, und es nähern sich bei diesen dann die Strahlen so sehr der Zylindergestalt, daß sie Strongylaster genannt werden können. Obwohl für alle diese Aster im allgemeinen der Satz gilt, daß ihre Strahlenzahl im umgekehrten Verhältnis zu ihrer Größe steht, so bilden sie doch nicht, wie das sonst so oft angetroffen wird, eine ununterbrochene, die größten wenigststrahligen mit den kleinsten meiststrahligen Verbindende Reihe. Es lassen sich vielmehr die drei oben genannten, nur durch verhältnismäßig wenige Uebergänge verbundenen Formen von Oxyastern (und strongylastren Oxyasterderivaten) unterscheiden. Hierauf bezieht sich der Artname.

Die großen wenigstrahligen Oxyaster (Taf. XXXV, Fig. 1 f, 9 a, 10 a, b) haben meist vier, seltener fünf, kegelförmige, stumpfspitzige Strahlen, deren Grundteil auf eine sehr kurze Strecke glatt ist, die sonst aber ganz mit Dornen besetzt sind. Die Dornen sind nicht zahlreich und stehen nicht dicht. Sie sind scharf, krallenartig zurückgebogen, oder senkrecht, selten etwas schief nach außen gerichtet, und 0,7—1,4, meist gegen 1 μ lang. Es kommt wohl vor, daß sie nahe dem Ende des Strahls zahlreicher wie anderwärts sind, ein Endwirtel bilden sie jedoch nicht. Die sehr feinen Achsenfäden der Strahlen verbreitern sich im Mittelpunkte der Nadel sehr beträchtlich und ihre kegelförmig verdickten, proximalen Endteile bilden hier einen kleinen (vier- oder fünfstrahligen) Stern. Die Vierstrahler haben 35—67 μ lange, am Grunde 5—14 μ dicke Strahlen und halten 60—120 μ im Durchmesser. Die Fünfstrahler haben 30—55 μ lange, am Grunde 5—8 μ dicke Strahlen und halten 50—100 μ im Durchmesser.

Die kleinen, wenigstrahligen Oxyaster und selteneren Strongylaster (Taf. XXXV, Fig. 9 b) sind ebenfalls vier- oder fünfstrahlig und ähneln den großen, haben aber relativ größere Dornen. Ihre Strahlen sind 15—28 μ lang und am Grunde 3—5 μ dick. Der ganze Aster hält 25—45 μ im Durchmesser.

Die Strahlen der kleinen, vielstrahligen Oxyaster sind kegelförmig, zugespitzt und reichlich mit relativ großen, jenen der kleinen wenigstrahligen Aster ähnlichen Dornen besetzt. Zuweilen treten einige, nahe dem Ende sitzende Dornen zu einem Wirtel zusammen, über welches das zugespitzte Ende des Strahls in Gestalt eines scharfen Terminaldorns emporragt. Es sind zwölf bis zweiundzwanzig 7—12 μ lange, am Grunde 0,7—3 μ dicke Strahlen vorhanden. Der ganze Aster hält 13—25 μ im Durchmesser.

Die allermeisten Microrhabde sind centrotyle Microamphistrongyle (Taf. XXXV, Fig. 11 a—c). Sie sind isoactin und haben zylindrische oder, häufiger, zylindrokonische, am Ende einfach und plötzlich abgerundete Strahlen. Sie sind meist stetig gebogen; selten findet sich in der Mitte eine leichte Einknickung der konvexen Seite. Diese Nadeln sind vollkommen glatt, 30—60 μ lang und 3—4 μ dick. Der Querdurchmesser des eiförmigen, längsgerichteten Tyls übertrifft die Dicke der Strahlen um 1—1,5 μ.

Die selteneren Microstyle (Taf. XXXV, Fig. 12) sind kegelförmig, am dickeren Ende mehr oder weniger tyl, und am dünneren einfach abgerundet. Sie sind ebenso dick aber beträchtlich kürzer als die Microamphistrongyle, und jedenfalls als Derivate der letzteren anzusehen, die durch den Verlust eines Strahls aus Microamphistrongylen der oben beschriebenen Art hervorgegangen sind.

Dieser Schwamm wurde von der Valdivia am 3. November 1898, auf der Agulhasbank, an der südafrikanischen Küste, in 35° 26′ 8″ S., 20° 56′ 2″ O. (Valdivia-Station Nr. 106 b), aus einer Tiefe von 84 m hervorgeholt.

Obzwar an dem einzigen, kleinen, vorliegenden Bruchstück über das Osculum gar nichts und über die Einströmungsöffnungen nichts Sicheres zu ermitteln ist, glaube ich doch aus dem Microrhabdenbelag an der Oberfläche und den offenbar aus strahlenscheibenförmigen (nicht strahlenkugelförmigen) Sterrasteranlagen (Zentralplatten) schließen zu können, daß es zum Genus *Erylus* gehört. Die einzigen bekannten *Erylus*-Arten, die wie die vorliegende Dichotriaene und weniger als dreimal so lange als dicke Sterraster besitzen, sind *E. topsenti* LENDENFELD *(E. mammillaris* TOPSENT) und *E. chavesi* TOPSENT. Von beiden unterscheidet sich *E. polyaster* durch die Glätte seiner Microrhabde und die viel bedeutendere Größe seiner Euaster.

Erylus megaster n. sp.

Taf. XXXIV, Fig. 17—37.

Von dieser Art findet sich ein Stück in der Valdivia-Sammlung.

Dasselbe ist eine dicke, polsterförmige Kruste von 28 mm Länge, 19 mm Breite und 10 mm Höhe, welche einem Korallenskelett aufsitzt. Es bildet an einer Stelle eine flach domförmige Erhebung, auf deren Scheitel ein kreisrundes, 1 mm weites Osculum liegt. Die Oberfläche ist kahl und glatt. In einem Umkreis von 6 mm Radius um das Osculum finden sich keine Poren. Außerhalb dieses Bezirkes werden überall, kreisrunde 150—200 μ weite, durchschnittlich etwa 1,5 mm voneinander entfernte Einströmungsöffnungen angetroffen. Die Rinde ist 500—700 μ dick. Von jeder der erwähnten Einströmungsöffnungen zieht ein Kanal radial durch die Rinde hinab. Im Choanosom finden sich geräumige, bis 2 mm weite Kanäle.

Die Farbe des Schwammes ist, in Weingeist, blaß kaffeebraun; die Rinde ist heller als das Choanosom.

Das Skelett besteht aus rhabden und teloclad en Megascleren und oxyastren, sterrastren und rhabden Microscleren. Die Megasclere sind sämtlich radial angeordnet. Die Rhabde sind mehr weniger abgestumpfte Amphioxe; die Abrundung ihrer Enden geht zuweilen so weit, daß sie einen amphystrongylen Charakter annehmen. Diese Rhabde bilden radiale Stränge, welche vom Schwammgrunde durch das Choanosom bis zur Rinde emporziehen. Die Teloclade sind auf die äußerste, dicht unter der Rinde gelegene Zone des Choanosoms beschränkt, und auch hier wenig zahlreich. Die regelmäßigsten von ihnen erscheinen als kurzschäftige Plagiotriaene mit zugespitzten Strahlen. Außer diesen kommen viele Plagiotriaene mit mehr oder weniger verkürzten und abgerundeten Strahlen, und zuweilen Formen mit verringerter Strahlenzahl, diaene und monaene Teloclade, sowie vielleicht auch schaftlose Cladome, Triactine vor. Die ersteren sind plagioclad oder orthoclad und erscheinen nicht selten, wegen des Vorhandenseins einer beträchtlichen Schaftverlängerung über das Nadelzentrum hinaus, als Mesoclade. Die Oxyaster sind in beträchtlicher Anzahl durch das ganze Choanosom zerstreut. In der Rinde kommen sie nicht vor. Die Sterraster erfüllen in dichter Masse die Rinde (Taf. XXXIV, Fig. 23 c) und sind hier im allgemeinen paratangential gelagert. Im Choanosom habe ich keine Sterraster gefunden. Die Microrhabde sind in der Umgebung der Einströmungsöffnungen (Taf. XXXIV, Fig. 23 b) dicht gedrängt und kommen außerdem zerstreut im distalen Teil der Rinde, dicht unter der äußeren Oberfläche, sowie im distalen Teil des Choanosoms vor.

Die amphioxen und amphistrongylen Megasclere (Taf. XXXIV, Fig. 22 c, 26, 27) sind isoactin, 1—1,5 mm lang und 20—50 μ dick. Sie sind völlig gerade (Fig. 26) oder gekrümmt, und im letzten Falle nicht selten in der Mitte einigermaßen winklig gebogen (Fig. 27). Scharfspitzig sind sie nie. Der Grad der Abstumpfung ihrer Enden ist sehr verschieden. Die meisten erscheinen als mehr weniger stumpfe Amphioxe. Bei einigen geht aber, wie erwähnt, die Abstumpfung so weit, daß sie Amphistrongyle genannt werden können.

Die regelmäßigen Plagiotriaene mit zugespitzten Strahlen (Taf. XXXIV, Fig. 20) haben einen geraden, kegelförmigen, scharfspitzigen Schaft von 600—900 μ Länge, welcher am cladomalen Ende 60—75 μ dick ist. Die Clade sind gerade, kegelförmig, spitz, erreichen eine Länge von 420—560 μ, und schließen mit dem Schafte Winkel von 100—108^0 ein. Die Cladombreite beträgt 600—850 μ.

Bei den Plagiotriaenen mit abgestumpften Claden (Taf. XXXIV, Fig. 18, 19, 22 a) ist der Grad der Verkürzung und terminalen Abrundung der Strahlen zwar ein sehr verschiedener, in der Mehrzahl der Fälle aber bei allen Strahlen derselben Nadel gleich. Sind Clade und Schaft nur wenig verkürzt, so erscheinen sie kegelförmig (Fig. 19); sind sie stärker verkürzt, zylindrokonisch (Fig. 22 a); sind sie sehr stark verkürzt (Fig. 18) zylindrisch. Die Schäfte solcher Nadeln sind 120—500 μ, ihre Clade 90—400 μ lang. Die Dicken und Cladwinkel sind dieselben, wie bei den Plagiotriaenen mit spitzen Strahlen.

Die selteneren diaenen und monaenen Teloclade (Taf. XXXIV, Fig. 17), die, wie erwähnt, zuweilen eine beträchtliche Schaftverlängerung besitzen, haben ähnliche Dimensionen wie die regulären Plagiotriaene mit spitzen Strahlen, ihr Cladwinkel ist jedoch kleiner und nähert sich zuweilen 90^0. Solche Nadeln erscheinen dann als Orthoclade, bzw. Mesorthoclade. In der Figur 17 ist eine derartige Nadel, und zwar ein Mesorthomonaen abgebildet.

In den Nadelpräparaten habe ich einige reguläre Triactine mit geraden, kegelförmigen, 600—700 μ langen, am Grunde 50 μ dicken Strahlen gefunden, welche ich als Triaenderivate mit vollkommen rückgebildetem Schaft betrachten möchte. Die Zugehörigkeit dieser Nadeln zum Schwamme ist nicht sicher.

Die Sterraster (Taf. XXXIV, Fig. 21a, b, 22b, 23c, 28—37) sind 170—205 μ lang, 120—145 μ breit und 50—60 μ dick. Sie erscheinen im ganzen als dicke, langgestreckte, mehr oder weniger unregelmäßige, ellipsoidische Scheiben. Die beiden Seiten sind in der Mitte ziemlich flach; der Rand ist einfach abgerundet; der Umriß ist zwar stets länger als breit, im übrigen aber von recht schwankender Gestalt. Von den verschiedenen Sterrastergestalten gibt es, wie mir scheint, keine, welche der absoluten Majorität aller Sterraster zukäme und die man daraufhin als typisch bezeichnen könnte. · Relativ am häufigsten sind die Formen mit elliptisch-rhomboidischem (Fig. 31, 32, 37) und mit elliptisch-lappigem (Fig. 34, 35) Umriß; seltener jene mit kurz elliptischem, der Kreisform sich nähernden (Fig. 36), oder abgerundet rechteckigem, in der Mitte eingeschnürtem (Fig. 33) Umriß. Im Innern ist keine strahlige Struktur, wohl aber zuweilen eine, der Oberfläche parallele und ihr nahe gelegene, paratangentiale Schichtgrenze zu erkennen (Fig. 31). An einer Stelle der Oberfläche, gewöhnlich nahe der Mitte einer der Breitseiten, findet sich eine rundliche, etwa 20 μ im Durchmesser haltende, ganz glatte, oder nur mit wenigen, kleinen Höckern besetzte Einsenkung, der Nabel der Nadel. Die übrigen Teile ihrer Oberfläche sind nur bei wenigen Sterrastern ganz glatt (Fig. 31), sonst tragen sie immer Höcker, deren Größe, Zahl und Anordnung jedoch sehr bedeutenden Schwankungen unterworfen sind. Die kleinsten Höcker sind einfach abgerundet, 0,3—0,5 μ breit, und nur wenig höher. Die mittleren und großen Höcker sind zylindrisch, am Ende quer abgestutzt und mit einem, die Scheitelfläche umgebenden Kranz von Seitendornen ausgestattet. Diese dorntragenden Höcker halten 1,5 (die mittleren) bis 4 μ (die großen) im Querdurchmesser und sind ungefähr ebenso hoch. Sie sind entweder gleichmäßig über die ganze, außerhalb des Nabels gelegene Oberfläche verteilt und so nahe beisammen, daß die sie trennenden Furchen nur halb bis zweidrittel so breit als sie selbst sind (Fig. 28, 30, 32—35); oder sie sind unregelmäßig angeordnet, stellenweise wenig zahlreich und durch ausgedehntere, glatte Strecken getrennt (Fig. 29, 37). Die weiter voneinander stehenden Höcker pflegen ungleich groß zu sein. Unter ihnen fand ich die größten überhaupt beobachteten. Im allgemeinen scheint, wie ein Vergleich der Figuren 32—37 zeigt, die Höckerzahl (-dichte) im umgekehrten Verhältnis zur Höckergröße zu stehen. Eine Beziehung zwischen diesen zwei, vermutlich korrelierten Qualitäten der Höcker, und der Größe (dem Ausbildungsgrad) des Sterrasters, die darauf hinweisen würde, daß die verschieden höckerigen verschiedene Entwicklungsstadien darstellen, konnte ich nicht deutlich erkennen. Es sind nämlich die kahlen, die dicht- und kleinhöckerigen, und die nicht dicht- und großhöckerigen Sterraster hinsichtlich ihrer Dimensionen nicht wesentlich voneinander verschieden. Ich möchte aber dennoch vermuten, daß die kahlen Jugendformen, die dicht- und kleinhöckerigen aber die vollkommen ausgebildeten sind.

Die Oxyaster (Taf. XXXIV, Fig. 22d, 24a, b) haben drei bis elf, meist fünf bis sieben, in der Regel kegelförmige, am Ende mehr weniger abgestumpfte Strahlen. In den meisten Fällen sind die Strahlen eines und desselben Oxyasters einander gleich, es kommen aber auch ziemlich häufig Aster vor, bei denen ein Strahl oder auch mehrere zu kurzen, zylindrischen, am Ende einfach abgerundeten Stummeln reduziert sind. Ein verdicktes Zentrum ist nur ausnahmsweise, bei den vielstrahligen, zu bemerken; die wenigstrahligen entbehren eines solchen stets. Ein ganz kurzes Stück am Grunde des Strahls ist glatt, seine übrigen Teile sind mit mäßig großen, bis 1 μ hohen, nicht sehr zahlreichen Dornen besetzt. Diese stehen entweder senkrecht ab und sind dann oft breit und stumpf, oder sie sind etwas zurückgebogen und dann schlank und scharf zugespitzt, krallenartig. Die Größe der einzelnen Strahlen und des ganzen Asters stehen im umgekehrten Verhältnis zur Zahl der ersten. Die Acht- bis Elfstrahler haben meist 15—28 μ lange, am Grunde 3—5 μ dicke Strahlen und halten 36—55 μ im Durchmesser. Die Fünf- bis Siebenstrahler haben meist 24—40 μ lange, 5—7 μ dicke Strahlen und halten 48—77 μ im Durchmesser. Die Drei- und Vierstrahler haben 34—48 μ lange, ebenfalls 5—7 μ dicke Strahlen und halten 64—87 μ im Durchmesser.

Die meisten Microrhabde (Taf. XXXIV, Fig. 23b, 24c, 25) sind isoactine, centrotyle Amphistrongyle mit zylindrischen, oder gegen das Ende etwas verschmälerten, zylindrokonischen Strahlen. Es kommen aber nicht selten auch anisoactine vor und es kann ihre, auf Verkürzung des einen der beiden Strahlen beruhende Anisoactinität so weit gehen, daß der eine Strahl ganz verschwindet und so ein stumpfes Tylostyl zustande kommt. Diese Nadeln sind stets dornenlos und glatt. Die isoactinen (Fig. 24c, 25) sind 45—93 μ lang und 3—7 μ dick. Das Tyl hat einen Durchmesser von 7—8,5 μ und tritt im allgemeinen um so deutlicher hervor, je dünner die Nadel ist. Die anisoactinen Microrhabde sind ebenso dick wie die isoactinen aber kürzer, die extrem anisoactinen, tylostylen 38—53 μ lang. Selten werden drei- oder vierstrahlige Microrhabde beobachtet. Diese sind als Zwillingsbildungen von Di- oder Monactinen, nicht aber als Uebergänge zwischen den Oxyastern und Microrhabden aufzufassen. Stets sind ein Achsenfaden und eine Schichtung der Kieselsubstanz zu erkennen. Der Achsen- faden ist im Tyl zwar stärker als anderwärts, bildet aber nirgends eine knotenförmige Verdickung.

Dieser Schwamm wurde von der Valdivia am 3. Januar 1899 in der Nähe von St. Paul, in 38° 40′ S. 77° 38′ 6″ O. (Valdivia-Station Nr. 165) aus einer Tiefe von 672 m hervorgeholt. Offenbar gehört *Erylus megaster* in die durch *E.* (*Stelletta*) *euastrum* O. SCHMIDT 1868, (WELTNER 1882, VOSMAER 1894), *E. cylindrigerus* RIDLEY 1884 (SOLLAS 1888), *E. decumbens* LINDGREN 1897 (LINDGREN 1898) und *E. nobilis* THIELE 1900, repräsentierte Gruppe. Er unter- scheidet sich von diesen durch die Gestalt seiner Microsclere und die viel bedeutendere Größe seiner Aster, worauf sich der Artname bezieht.

Genus Pachymatisma JOHNSTON.

Geodidae mit radial angeordneten, auf die oberflächlichen Schwammteile be- schränkten Telocladen; mit kugeligen, sphaeroidischen oder ellipsoidischen, aus strahlenkugelähnlichen Anlagen hervorgehenden Sterrastern, und mit Microrhabden an der Oberfläche. Die Einströmungsöffnungen sind cribriporal, die Ausströmungs- öffnungen größere Oscula.

In der Valdivia-Sammlung findet sich ein zur Gattung *Pachymatisma* gehöriger Schwamm, welcher eine neue Art repräsentiert.

Pachymatisma monaena n. sp.
Taf. XXXV, Fig. 21—46.

Von diesem Schwamme findet sich ein Stück in der Valdivia-Sammlung.

Dasselbe ist der größere Teil eines vermutlich kartoffelähnlichen, knollenförmigen Schwammes von 34 mm Länge, 37 mm Breite und 24 mm Höhe. Etwa drei Viertel der natürlichen Oberfläche des Stückes sind mit 0,5—1,5 mm hohen, krustenförmigen Raum- symbionten, Suberites, Desmacidoniden und Bryozoen bedeckt. Die symbiontenfreien, offen zu- tage tretenden Teile der Schwammoberfläche liegen etwa 0,5 mm tiefer als die symbionten- tragenden: eine Stufe von dieser Höhe grenzt sie ab. Die symbiontentragenden Teile der Oberfläche der *Pachymatisma* scheinen an sich ganz kahl zu sein, in den tieferen symbionten- freien finden sich (Taf. XXXV, Fig. 44) Büschel von kleinen Rhabden, deren Distalenden eine kurze Strecke frei über die Oberfläche vorragen. Der Schwamm hat eine ungemein starke, 2,5—5 mm dicke Rinde, die von Sterrastern erfüllt ist und von den Rindenkanälen durchsetzt wird. In den symbiontfreien (tieferen) Teilen der Oberfläche finden sich zahlreiche, rundliche

15—45 μ weite Poren. Diese führen gruppenweise in radiale Rindenkanäle hinein, welche 2—3 mm voneinander entfernt sind und proximal durch je einen tiefbraun gefärbten, 800 μ breiten Chonalpfropf (Taf. XXXV, Fig. 29b) abgeschlossen werden.

Die Farbe des Schwammes ist, in Weingeist, an der Oberfläche dunkelbraun, die Rinde ist im Durchschnitt weißlich, das Choanosom ziemlich licht schmutzigbraun.

Das Skelett besteht aus Megascleren und Microscleren. Die Megasclere sind große und kleine Rhabde, Ortho- und Plagiotriaene, verschiedene Mesoproclade, und Anatriaene; die Microsclere, Microrhabde, Sterraster, Oxyaster, Strongylaster, Acanthtylaster und Sphaeraster. Im ganzen Choanosom finden sich radiale Bündel von großen Rhabden, welche bis zur Grenze zwischen Choanosom und Rinde emporreichen. Im distalen Teil des Choanosoms, dicht unter der Rinde, wird eine einfache Lage von mehr weniger parallelen, ziemlich dicht, pallisadenähnlich, übereinander stehenden, radial orientierten, kleinen Rhabden (Taf. XXXV, Fig. 46b) angetroffen. An der Grenze zwischen Choanosom und Rinde liegen die Cladome der Orthotriaene (Plagiotriaene) und Mesoproclade, weiter draußen in der Rinde die Cladome der Anatriaene. Die Schäfte aller dieser Teloclade sind radial orientiert und nach innen gerichtet. In der distalen Rindenzone der symbiontenfreien Teile der Oberfläche finden sich, wie erwähnt, aus radial und schief gerichteten, kleinen Rhabden zusammengesetzte Nadelbüschel (Taf. XXXV, Fig. 44). In allen Teilen des Choanosoms werden zahlreiche große und mittlere Oxy- und Strongylaster angetroffen. In der Rinde bilden die Sterraster eine dichte Masse (Taf. XXXV, Fig. 29), und es kommen hier auch kleine Aster, namentlich Sphaeraster vor. An der äußeren Oberfläche findet sich eine einfache Lage von mäßig dicht gedrängten Microrhabden (Taf. XXXV, Fig. 32). Die glatten Tylostyle und dornigen Style der Suberites- bzw. Desmacidonidenkrusten scheinen unmittelbar an die äußersten Sterraster der *Pachymatisma* angeheftet zu sein.

Die großen Rhabde (Taf. XXXV, Fig. 21a, 22b, c, d, 23—25) sind an beiden Enden abgerundet, zuweilen in der Mitte am dicksten und gegen beide Enden hin mehr (Fig. 22c) oder weniger (Fig. 25) verdünnt, zuweilen durchaus nahezu (Fig. 21a) oder vollkommen (Fig. 22b) gleich dick. Zuweilen ist eines der Enden verdickt (Fig. 22d, 24), selten beide. Die Terminalverdickungen gehen allmählich in den dünneren Teil der Nadel über, weshalb diese Nadelenden keulenförmig erscheinen. Die großen Rhabde sind 1,9—3,6 mm lang. Die an beiden Enden verdickten sind die kürzesten. In der Mitte sind die großen Rhabde 50—70 μ dick. Von den streng zylindrischen und den an beiden Enden verdickten abgesehen, sind die meisten von diesen Nadeln mehr oder weniger anisoactin. In der folgenden Tabelle (auf nächster Seite) sind die Dickenmaße einiger solcher Rhabde, die als Beispiele der verschiedenen Formen derselben dienen können, aufgeführt.

Die kleinen Rhabde (Taf. XXXV, Fig. 44, 46b) sind in der Mitte am stärksten und anisoactin. Das distal liegende Ende ist zugespitzt, das proximal liegende aber, obzwar auch mehr oder weniger verdünnt, stets abgerundet. Die meisten von diesen Nadeln erscheinen als in der Mitte verdickte Style, bei einigen ist aber das abgerundete Proximalende so stark verdünnt, daß die Nadel als ein anisoactines Amphiox mit einer scharfen und einer stumpfen Spitze erscheint. Diese kleinen Rhabde sind 220—320 μ lang und an der stärksten Stelle, welche dem dicken Ende um so näher liegt, je stärker die Anisoactinität ist, 10—15 μ dick. Die Dicke des stumpfen Endes beträgt 3—8 μ.

	Dicke		Nadelformen
an einem Ende μ	in der Mitte μ	am anderen Ende μ	
25	50	20	schwach anisoactine, stumpfe Amphioxe
30	60	25	
50	55	35	stumpfe Style
58	60	38	
105	55	40	stumpfes Tylostyl
80	60	80	Amphityl
55	55	55	Amphistrongyl

Die Ortho- und Plagiotriaene (Taf. XXXV, Fig. 21 b) haben einen meist 2,3—3,2 mm langen, am cladomalen Ende 70—100 μ dicken Schaft. Er ist gerade, kegelförmig, eine kurze Strecke unterhalb des Cladoms meist etwas verdickt, und am cladomalen Ende abgerundet. Einmal habe ich einen in scharfen Winkel geknickten Orthotriaenschaft gesehen. Die Clade sind 400—550 μ lang, kegelförmig, stumpf, und gegen den Schaft konkav gekrümmt. Ihr Grundteil ist etwas aufstrebend, ihr Endteil zum Schafte senkrecht gerichtet. Die Cladsehnen schließen Winkel von 93—109, meist 95—99^0 mit dem Schafte ein. Die meisten von diesen Nadeln sind als Orthotriaene, einige als Plagiotriaene anzusehen. Die Cladombreite beträgt 650 μ—1,1 m.

Die Mesoproclade (Taf, XXXV, Fig. 22a, 41—43) haben einen 6—6,5 mm langen, am cladomalen Ende 20—50 μ dicken, in eine feine Spitze auslaufenden (Fig. 22a), oder am acladomalen Ende abgerundeten, geraden oder schwach gekrümmten Schaft. Die gerade, kegelförmige Schaftverlängerung ist am Ende abgerundet und 100—190 μ lang. Die Zahl der Clade beträgt 1 (Fig. 41, 42), 2 (Fig. 43) oder 3, so daß diese Nadeln als Mesopromonaene, Mesoprodiaene oder Mesoprotriaene zu bezeichnen sind. Am häufigsten sind die monaenen, auf welche sich der Artname bezieht; weniger häufig die diaenen; am seltensten die triaenen. Die Clade sind 60—180, meist 100—160 μ lang, kegelförmig, stumpf, gewöhnlich gegen die Schaftverlängerung schwach konkav gekrümmt, seltener gerade oder unregelmäßig gebogen. Ihre Sehnen schließen Winkel von 42—45^0 mit der Schaftverlängerung ein.

Die Anatriaene (Taf. XXXV, Fig. 26) sind nicht häufig. Ihre Schäfte erreichen eine Länge von 8 mm und darüber, und sind am cladomalen Ende 17—40 μ dick. Die Clade sind am Grunde gekrümmt, gegen das Ende zu gerade, und 90—115 μ lang. Die Cladsehnen schließen Winkel von 41—48^0 mit dem Schafte ein. Die Cladombreite beträgt 100—130 μ.

Die Sterraster (Taf. XXXV, Fig. 22e, 28, 30, 31) sind eiförmig, 204—215 μ lang und 134—140 μ breit. Der 20 μ breite Nabel ist kahl, die übrigen Teile der Oberfläche sind mit Höckern besetzt, die meistens distal verbreitert und terminal quer abgestutzt sind (Fig. 30, 31). Die Scheitelflächen der nicht den Nabel unmittelbar begrenzenden Höcker sind rundlich, 4—5 μ breit, und werden von einem Kranz von vier bis sechs, selten mehr, etwa 3 μ langen Dornen eingefaßt. Die Scheitelflächen der den Nabel begrenzenden Höcker dagegen sind in einer zum

257

Nabel radialen Richtung langgestreckt, eiförmig, ebenso breit wie die anderen, aber bis 8 μ lang, und mit einer größeren Zahl von Dornen (acht bis zehn) besetzt. Die Höcker stehen dicht, ihre Mittelpunkte sind 8—9 μ voneinander entfernt. Zuweilen findet man (Fig. 28 links oben) an der Sterrasteroberfläche Stellen, die mit viel kleineren, dornenlosen Höckern besetzt sind.

Unter den übrigen Astern lassen sich drei Formengruppen unterscheiden: große, dornige Oxy- und Strongylaster, mittlere Oxy- und Strongylaster und kleine Strongyl-, Acanthtyl- und Sphaeraster.

Die großen Oxy- und Strongylaster (Taf. XXXV, Fig. 35, 36, 45) haben ein bis sechs, meist drei bis fünf, stumpfspitzige, kegelförmige, bzw. zylindrokonische, am Ende abgerundete, mit ziemlich zahlreichen, scharfspitzigen, krallenartig zurückgebogenen oder senkrecht abstehenden, bis 1 μ langen Dornen besetzte Strahlen. Die Strahlen der Ein- bis Zweistrahler sind 44—55 μ lang und am Grunde 7—11 μ dick; jene der Drei- bis Sechsstrahler 32—45 μ lang und am Grunde 4—8 μ dick. Die drei- bis sechsstrahligen Aster halten 60—80 μ im Durchmesser. Gewöhnlich sind alle vorhandenen Strahlen vollkommen ausgebildet und untereinander gleich. Es kommen aber auch Aster vor, bei denen einige von den Strahlen als kurzzylindrische, abgerundete Höcker des Asterzentrums erscheinen. Solche verkürzte Strahlen sind an der konvexen Scheitelfläche ebenso wie an den Seiten gleichmäßig und ziemlich dicht mit Dornen besetzt. In den allermeisten Fällen sind die Strahlen einfach; ab und zu habe ich jedoch auch gabelspaltige gesehen.

Die mittleren Oxy- und Strongylaster haben sechs bis zehn, jenen der großen ähnliche Strahlen von 12—28 μ Länge und 2—5 μ basaler Dicke. Diese Aster halten meist 24—50 μ im Durchmesser.

Die kleinen Strongyl-, Acanthtyl- und Sphaeraster (Taf. XXXV, Fig. 37—40) sind durch Uebergangsformen so innig miteinander verbunden, daß sie kaum auseinandergehalten werden können. Diese Aster haben sieben bis sechzehn, 3—9 μ lange, bzw. (bei den Sphaerastern) so weit über das Zentrum vorragende, zylindrische, oder zylindrokonische, 0,3—2,5 μ dicke, am Ende abgerundete, dornige Strahlen. Namentlich bei den schlankstrahligen von diesen Astern kommt es häufig vor, daß einige größere, dicht unterhalb des Strahlendes gelegene Dornen ein Wirtel bilden. Solche Aster erscheinen als Acanthtylaster. Der Durchmesser aller dieser Nadeln beträgt 9—15 μ. Meistens ist ein mehr oder weniger deutliches Zentrum zu erkennen, dessen Durchmesser ein Drittel bis ein Halb des Gesamtdurchmessers des Asters erreicht und 3—7 μ beträgt.

Die Microrhabde (Taf. XXXV, Fig. 32—34) sind kleine, sehr feindornige, rauh erscheinende Bildungen, die meist die Gestalt breiter Stäbchen haben, zuweilen aber auch dreistrahlig (Fig. 33, Mitte), vierstrahlig (Fig. 33, links), oder unregelmäßig knorrig erscheinen. Die Stäbchen sind 8—11 μ lang und 2,5—5 μ breit.

Dieser Schwamm wurde von der Valdivia am 27. Oktober 1898 am Kap Agulhas, an der südafrikanischen Küste, in 34^0 51' S., 19^0 37,8' O., (Valdivia-Station Nr. 95), aus einer Tiefe von 80 m hervorgeholt.

Von allen anderen *Pachymatisma*-Arten unterscheidet sich die vorliegende durch den Besitz von Mesoprocladen und Anatriaenen.

Genus Isops SOLLAS.

Geodidae mit radial angeordneten, auf die oberflächlichen Schwammteile beschränkten Telocladen; mit kugeligen, sphaeroidischen oder ellipsoidischen, aus strahlenkugelähnlichen Anlagen hervorgehenden Sterrastern und mit Euastern an der Oberfläche. Einströmungsöffnungen uniporal und zerstreut; Ausströmungsöffnungen gleichfalls uniporal, jedoch größer als die Einströmungsöffnungen und zerstreut, oder in Gruppen vereint und auf die aus gewöhnlichem Rindengewebe mit Sterrasterpanzer bestehenden Wände seichter Einsenkung der Oberfläche beschränkt.

In der Valdivia-Sammlung finden sich 8, in der Gazellen-Sammlung 2, zusammen 10 zur Gattung Isops gehörige Spongien, welche 3 neuen Arten (Valdivia 2, Gazelle 1) angehören.

Isops toxoteuches n. sp.

Taf. XXXVI; Fig. 1—19.

Von diesem Schwamme finden sich zwei Stücke in der Gazellen-Sammlung.

Beide erscheinen als dicke, massige Krusten, welche Konvolute von Wurmröhren überwachsen haben. Das eine (Taf. XXXVI, Fig. 16) ist 51 mm lang, 42 mm breit und 38 mm hoch, das andere 65 mm lang, 45 mm breit und auch 38 mm hoch. Die Oberfläche ist kahl, flachwellig, und mit zahlreichen, 0,2—1 mm hohen, etwas unregelmäßig angeordneten, 1—5 mm voneinander entfernten, kegelstutzartigen Erhebungen besetzt. Auf dem Scheitel einer jeden dieser Vorragungen sitzt eine mehr oder weniger kreisrunde Oeffnung von 0,2—1,4 mm Durchmesser, welche in einen radialen Rindenkanal hineinführt. Die Rinde ist etwa 400 μ dick.

Die Farbe des Schwammes ist, in Weingeist, an der Oberfläche in den vortretenden Teilen ziemlich dunkel rotbraun, in den tieferen Teilen etwas lichter. Das Innere ist gelblich weiß.

Skelett. Die Megasclere sind große und kleine Amphioxe, wenig zahlreiche Style und kurzcladige Teloclade; die Microsclere gewöhnliche Sterraster, großhöckerige Sterraster, dickstrahlige Oxysphaeraster, schlankstrahlige Oxysphaeraster und centrotyle Toxe. In einem der mir von Professor WELTNER zur Verfügung gestellten Nadelpräparate fand ich einige sehr große Sphaeraster. Diese dürften wohl fremde Nadeln sein. Die großen Amphioxe und Teloclade liegen radial. Die letzteren sind nicht sehr zahlreich. Die Sphaeraster bilden eine einfache Lage an der Oberfläche. Die gewöhnlichen Sterraster sind zahlreich, die großhöckerigen selten. Die Sterraster bilden in der Rinde eine dichte Masse und kommen zerstreut auch im Choanosom vor. Die centrotylen Toxe sind auf das Choanosom beschränkt. Sie sind nicht sehr zahlreich.

Die großen Amphioxe (Taf. XXXVI, Fig. 17, 18, 19a) sind größtenteils isoactin, mehr oder weniger gekrümmt, in der Mitte fast zylindrisch und an beiden Enden etwas plötzlich und scharf zugespitzt. Der mittlere Teil ist oft stärker gekrümmt als die Endteile, in einzelnen Fällen erscheint die Nadel in der Mitte geknickt. Zuweilen liegt die Knickungsstelle außerhalb der Mitte (Fig. 18), und es kommt bei derartigen Nadeln auch vor, daß der längere Schenkel etwas über die Knickungsstelle hinaus verlängert ist und wie ein Schaft aussieht, dem der

40*

kürzere Schenkel wie ein Clad aufsitzt (Fig. 17), Solche Nadeln bilden einen Uebergang zu monaenen Telocladen. Meistens sind Knickung und Krümmung nach derselben Seite gerichtet (Fig. 17, 18), zuweilen ist aber auch das Umgekehrte der Fall. Die großen Amphioxe sind 570 μ bis 1,15 mm, meist 950 μ bis 1,1 mm lang und 30—55 μ dick. Die Dicke steht nicht im Verhältnis zur Länge: einige von den kürzesten, bloß 570—600 μ langen sind 40 μ und darüber dick.

Die Style (Taf. XXXVI, Fig. 19 c) ähneln den oben beschriebenen großen Amphioxen. Sie unterscheiden sich von ihnen nur durch das Fehlen einer Spitze (eines Strahls) und sind dementsprechend ebenso dick wie sie, aber nur 700—800 μ lang.

Die kleinen Amphioxe sind den großen ähnlich gestaltet, schwach gekrümmt, isoactin und scharfspitzig. Sie sind 172—310 μ lang und 10—15 μ dick.

Die Teloclade (Taf. XXXVI, Fig. 11—14, 19 b) haben einen geraden oder schwach gebogenen, zylindrokonischen, am acladomalen Ende oft ziemlich plötzlich und scharf zugespitzten, 710 μ bis 1,05 mm langen, am cladomalen Ende 20—25 μ dicken Schaft. Ihre Clade sind zwar stets kurz, abgesehen hiervon aber sehr verschieden, und es herrscht unter ihnen keine Form derart vor, daß man sie als die normale bezeichnen könnte. Die Zahl der Clade beträgt drei (Fig. 13), zwei (Fig. 14) oder eins (Fig. 11, 12), wonach diese Nadeln als Triaene, Diaene oder Moaene erscheinen. Die diaenen scheinen etwas häufiger als die anderen zu sein. Meistens sind die Clade (ist das Clad) emporgerichtet und betragen die Winkel, welche die Cladsehnen mit der Schaftverlängerung einschließen, 32—72°: diese Nadeln (Fig. 12—14, 19 b) erscheinen als Pro-, bzw. Plagioclade. Zuweilen sind die Clade (ist das Clad) nahezu senkrecht oder gar nach abwärts gerichtet (Fig. 11): diese Nadeln erscheinen als Ortho-, bzw. Anaclade. Ebenso verschieden wie die Zahl und Lage sind auch die Größe und Gestalt der Clade. Ihre Länge schwankt zwischen 35 und 130 μ. Sie sind gerade, oder gegen die Schaftverlängerung konkav (Fig. 13, 14), oder nahe dem Ende geknickt und plötzlich nach abwärts gebogen (Fig. 12); einfach oder gabelspaltig, terminal in zwei kurze Endclade geteilt. Meistens sitzen sie am Ende des Schaftes, zuweilen aber auch etwas unterhalb desselben. Dies wird namentlich bei den Monaenen (Fig. 11) beobachtet, wo der Schaft in Gestalt eines abgerundeten Terminal-höckers über das Cladomzentrum hinaus zu ragen pflegt. Trotz ihrer großen Verschiedenheit gehören alle diese Teloclade offenbar in eine und dieselbe Kategorie von Nadeln.

Die gewöhnlichen Sterraster (Taf. XXXVI, Fig. 2, 3, 15) sind auf der Nabelseite abgeplattete Kugeln von 60—85 μ Durchmesser. Die Abplattung beträgt etwa ein Viertel des Durchmessers: ein Sterraster von 75 μ Länge und Breite ist 56 μ hoch. Der meist 14—18 μ breite Nabel ist kahl, die übrigen Teile der Oberfläche sind mit distal verbreiterten, terminal quer abgestutzten, 3—6 μ breiten, von einem Kranz von sechs bis zehn, etwa 1 μ langen Dornen eingefaßten Höckern besetzt. Die Furchen zwischen denselben sind 1—2 μ breit. Ganz junge Sterraster haben die gewöhliche Strahlenmassenform, bei älteren ist die Oberfläche mit distal verschmälerten, terminal abgerundeten Höckern bedeckt. Diese erlangen dann Rauhig-keiten (Fig. 3), werden distal breiter, und wachsen so zu den oben beschriebenen Höckern des ausgebildeten Sterrasters aus.

Die großhöckerigen Sterraster (Taf. XXXVI, Fig. 6, 7) sind dick nierenförmige Bildungen von 57—70 μ Länge und 50—55 μ Breite. Ihre Oberfläche trägt 7—10 μ breite

Höcker, welche terminal abgerundet und mit einem Kranz von vierzehn bis achtzehn zurück-gebogenen, 2 µ langen Seitendornen besetzt sind. Der in der Einsenkung der niereiförmigen Nadel gelegene Nabel ist 20 µ breit. Diese Nadeln stehen in keiner genetischen Beziehung zu den gewöhnlichen Sterrastern.

Die dickstrahligen Oxysphaeraster (Taf. XXXVI, Fig. 4) haben siebzehn bis zweiundzwanzig glatte, kegelförmige Strahlen, welche am Grunde 3—5 µ dick und (für sich, ohne Zentrum gemessen) 4—7 µ lang sind. Das Zentrum hält 6—15, der ganze Aster 18—27 µ im Durchmesser.

Die schlankstrahligen Oxysphaeraster (Taf. XXXVI, Fig. 5) haben auch un-gefähr zwanzig glatte, kegelförmige Strahlen, diese sind aber viel dünner und es ist auch das Zentrum kleiner. Die Strahlen dieser Aster sind am Grunde 0,7—1 µ dick und (für sich, ohne Zentrum gemessen) 5—13 µ lang. Das Zentrum hält 3—10, der ganze Aster 10—27 µ im Durchmesser. Aus den kleinen Astern dieser Art dürften sich nicht nur die großen schlank-strahligen, sondern auch die dickstrahligen entwickeln.

Die großen Sphaeraster, die ich, wie erwähnt, nur in einem Nadelpräparat sah und die sehr wahrscheinlich nicht zu dem Schwamm gehören, haben zwanzig bis zweiundzwanzig glatte, kegelförmige Strahlen von 40—45 µ Länge und 13—18 µ basaler Dicke. Das Zentrum hält 40—55, der ganze Aster 80—130 µ im Durchmesser.

Die centrotylen Toxe (Taf. XXXVI, Fig. 1, 8—10) sind in der Nähe der Mitte 1,2—1,5 µ dicke, gegen die beiden Enden hin verdünnte, mehr oder weniger, zuweilen sehr stark, nach Art eines etwas ausgeschweiften Bogens gekrümmte Stäbchen, die in der Mitte zu einem fast kugeligen Tyl von 2—4 µ Durchmesser verdickt erscheinen. Die ihre Enden ver-bindende Sehne ist 140—220 µ lang. Die beiden Schenkel der Nadel schließen einen Winkel von 97—167° miteinander ein und die Nadeln selbst gleichen verschieden stark gespannten Bogen. Auf die Ausrüstung des Schwammes mit solchen Bogen bezieht sich der Artname.

Dieser Schwamm wurde von der Gazelle (Nr. 760) in der Mermaidstraße an der nord-westaustralischen Küste erbeutet.

I. toxoteuches stimmt mit der japanischen *I. obtusa* THIELE in vielen Stücken überein, unterscheidet sich von dieser, sowie von allen anderen Arten des Genus *Isops* jedoch durch den Besitz der centrotylen Toxe.

Isops micraster n. sp.

Taf. XXXV, Fig. 13—20.

In der Valdivia-Sammlung finden sich 3 Bruchstücke dieses Schwammes.

Eines ist allem Anscheine nach der größere Teil eines breiteiförmigen oder unregelmäßig kugeligen, an einem Pol dellenartig eingedrückten, 8 mm im Durchmesser haltenden Schwammes. Die beiden anderen, 5, beziehungsweise 6 mm langen, lassen keinen Schluß auf die Gestalt der Schwämme, denen sie angehörten, zu. Die Oberfläche ist kahl. In der dellenförmigen Ein-senkung des erstgenannten findet sich eine Gruppe von kreisrunden Ausströmungsöffnungen, von denen die mittleren etwa 400, die randständigen 150—200 µ im Durchmesser halten. Außerhalb der Delle kommen 130—330 µ und darüber weite, etwa 650 µ voneinander entfernte Oeffnungen

261

vor. Die kleinen von diesen sind wohl alle Einströmungsöffnungen. Ob aber die großen auch solche oder vielleicht zum Teil Ausströmungsöffnungen sind, läßt sich schwer sagen. Die Einströmungsöffnungen sind etwas unregelmäßig gestaltet und haben einen lappigen Umriß. Sie erscheinen als die trichterförmig erweiterten Mündungen von Kanälen, welche die 400—500 μ dicke Rinde radial durchsetzen.

Die Farbe des Schwammes ist, in Weingeist, hell, bräunlich weiß.

Das Skelett besteht aus Bündeln von radialen Amphioxen im Choanosom; radialen Plagio- (und Ortho-)triaenen, welche ihre Cladome an der Grenze zwischen Choanosom und Rinde ausbreiten; radialen Anatriaenen, deren Cladome an der äußeren Oberfläche der Rinde liegen; kleinen, meist schief stehenden Stylen in der Rinde, die zum Teil frei in die radialen Rindenkanäle hineinragen; schlankstrahligen, mäßig zahlreichen Oxyastern im Choanosom; Sterrastern, welche eine geschlossene Masse in der Rinde bilden und deren Jugendstadien in großer Menge zerstreut auch im Choanosom vorkommen; und einer dichten Lage von kleinen Sphaerastern an der äußeren Oberfläche.

Wenngleich ihre Anordnung dies unwahrscheinlich erscheinen läßt, so ist es doch immerhin nicht unmöglich, daß die kleinen Style der Rinde, fremde, einem anderen, auf der *Isops* wachsenden Schwamme angehörige Nadeln sind.

Die Amphioxe des Choanosoms sind gerade oder nur wenig gekrümmt, isoactin, meist ziemlich stumpf, 1—1,6 mm lang, und 17—25 μ dick.

Die kleinen Style der Rinde (Taf. XXXV, Fig. 17) sind gerade, 150—200 μ lang, und an der, eine Strecke vom stumpfen Ende entfernten, stärksten Stelle 3—4 μ dick.

Die Plagiotriaene (Taf. XXXV, Fig. 16, a, b, c) haben einen geraden, kegelförmigen, 1—1,4 mm langen, am cladomalen Ende 20—38 μ dicken Schaft. Ihre Cladome pflegen recht regelmäßig zu sein. Die Clade sind kegelförmig, zugespitzt, 120—320 μ lang und beträchtlich gegen Schaft konkav gekrümmt. Die Cladsehnen schließen meist Winkel von 103—110° mit dem Schafte ein. Selten sinkt dieser Winkel unter 100° herab und dann erscheint die Nadel als ein Orthotriaen. Die Cladombreite beträgt 300—450 μ. Es lassen sich zwei Formen von diesen Triaenen unterscheiden: gedrungene mit dickem Schaft und kurzen, dicken Claden (Fig. 16 c), und schlanke mit dünnerem Schaft und längeren Claden (Fig. 16 a, b).

Die Anatriaene (Taf. XXXV, Fig. 15) haben einen bis 2 mm langen, 6—8 μ dicken Schaft. Ihre Clade sind 30—50 μ lang, im proximalen Teile gekrümmt, im distalen aber völlig gerade. Die Cladsehnen schließen Winkel von etwa 50° mit dem Schafte ein. Die Cladombreite beträgt 50—60 μ.

Die Sterraster (Taf. XXXV, Fig. 18—20) sind schwach abgeplattet, ellipsoidisch, 90—100 μ lang, 70—80 μ breit und 65—70 μ dick. Die noch als Strahlenmassen erscheinenden Jugendformen (Fig. 18 d, e, 20) haben eine ähnliche Gestalt, scheinen jedoch etwas stärker abgeplattet zu sein. Der Nabel ist kahl, kreisrund und hält 9 μ im Durchmesser. Die übrigen Teile der Oberfläche sind bei den jungen (Fig. 18, d, e, 20) mit einfachen Stacheln, bei den ausgebildeten mit terminal abgestutzten, 3 μ breiten Höckern besetzt, von deren Enden drei bis sechs, meist fünf große Seitendornen abgehen (Fig. 19). Diese Höcker (und ebenso die Stacheln der

Jugendformen, aus denen sie hervorgehen) stehen recht dicht. Ihre Mittelpunkte sind nur 5 μ voneinander entfernt.

Die schlankstrahligen Oxyaster (Taf. XXXV, Fig. 14 b) haben sieben bis elf 9—14 μ lange, zylindrische, am Grunde 0,6—1,2 μ dicke, mit zahlreichen kleinen Dornen besetzte Strahlen und halten 19—26 μ im Durchmesser. Das über die letzten Seitendornen hinausragende Ende des Strahls erscheint oft als ein dünner, scharfer Terminaldorn. Die Größe steht im allgemeinen im umgekehrten Verhältnis zur Strahlenzahl.

Die kleinen Sphaeraster (Taf. XXXV, Fig. 13, 14 c) haben ein 1,5—2,5 μ im Durchmesser haltendes Zentrum, von dem neun bis zwölf Strahlen abgehen. Diese sind zylindrisch oder zylindrokonisch, 2—4 μ lang und etwa 0,5 μ dick. Sie sind mit einigen wenigen, ziemlich großen Dornen besetzt, welche oft ein Wirtel nahe dem Strahlende bilden. Das Strahlende selbst ragt in Gestalt eines Terminaldorns über dieses Dornenwirtel hinaus. Zuweilen sind die Dornen dieses Wirtels so groß, daß die Strahlen acanthtyl erscheinen. Der Durchmesser der Sphaeraster beträgt 4—11, meist 5—6 μ. Auf die Kleinheit dieser Aster bezieht sich der Artname.

Die drei Stücke dieses Schwammes wurden von der Valdivia am 5.—7. März 1899 an den Korallenriffen in Port Victoria auf Mahé (Seychellen, Valdivia-Station Nr. 233) erbeutet.

Von den bisher bekannten, microrhabdenfreien, mit Anatriaenen ausgestatteten *Isops*-Arten unterscheidet sich der vorliegende Schwamm durch den Mangel an Dichotriaenen.

Isops gallica n. sp.

Taf. XXXI, Fig. 39—50; Taf. XXXII, Fig. 1—39; Taf. XXXIII, Fig. 1—15.

In der Valdivia-Sammlung finden sich 5 Stücke dieses Schwammes, ein größeres und ein kleineres vollkommen ausgebildetes, und drei junge.

Das kleinste, junge Stück ist abgeplattet, 11 mm lang und 7 mm breit. Es sitzt einem 10 mm langen, 2 mm dicken Stiel auf und erscheint keulenförmig. Der Stiel ist einer der couliartigen Vorragungen der äußeren, die Einströmungsöffnungen tragenden Partie des größten Stückes angeheftet. Die beiden anderen jungen Stücke sind kugelig und hängen an einer Stelle zusammen. Das kleinere hat einen Durchmesser von 13, das größere von 18 mm.

Das kleinere von den ausgebildeten Stücken (Taf. XXXII, Fig. 26) ist 90 mm hoch, 95 mm dick und 105 mm breit. Es hat einen eingesenkten Scheitel und erscheint als ein ellipsoidischer Becher mit sehr dicker Wand und kleiner Höhle. Die Becherhöhle ist 23 mm tief; der sehr breite, abgerundete Becherrand an einer Stelle tief eingekerbt.

Das größere von den beiden ausgebildeten Stücken (Taf. XXXII, Fig. 27) hat die Gestalt eines breiten, umgekehrten Kegels mit eingesenkter Scheitel- (Kegelgrund-)fläche und erscheint daher becherförmig. Der untere, verschmälerte Teil, der Becherstiel, war mit einer annähernd kreisrunden, 50 mm im Durchmesser haltenden Grundfläche am Meeresgrunde festgewachsen. Der Querschnitt ist nahe dem oberen Ende am größten; er ist hier breit eiförmig, 150 mm lang und 120 mm breit. Der Schwamm ist 183 mm hoch, die Becherhöhle 65 mm

263

tief und der abgerundete Becherrand etwa 30 mm dick. An einer Stelle hat der Becherrand eine 30 mm tiefe Einkerbung.

Ueber alle Teile der Oberfläche, mit Ausnahme der Ansatzfläche, sind zahlreiche Poren zerstreut. Bei den großen, becherförmigen Stücken werden wohl jene der konvexen Becheraußenseiten als Einströmungsöffnungen, jene seiner konkaven Innenwand als Ausströmungsöffnungen anzusehen sein. Die Einströmungsöffnungen sind etwa 1,5, die Ausströmungsöffnungen etwa 1 mm voneinander entfernt. Beide sind recht gleichmäßig angeordnet. Sie sind kreisrund. Die meisten sind stark zusammengezogen und klein, nicht wenige scheinen völlig geschlossen zu sein. Die offenen sind bis 130 μ weit, selten größer. Die Ausströmungsöffnungen (Taf. XXXIII, Fig. 13 a) sitzen auf den Gipfeln leichter Erhebungen der Oberfläche. Abgesehen von diesen Porenhügeln ist die von diesen Ausströmungsöffnungen eingenommene Becherinnenseite völlig glatt und ganz kahl (Taf. XXXII, Fig. 26, 27; Taf. XXXIII, Fig. 13, 14). Die von den Einströmungsöffnungen eingenommene Becheraußenseite trägt einen normen Nadelpelz, welcher aus den Distalteilen von Mesocladen und Amphioxen, sowie aus ganzen, aus dem Schwamm gänzlich ausgestoßenen Amphioxen besteht. Die, den Pelz zusammensetzenden Nadeln sind unregelmäßig angeordnet, stehen meist recht dicht, und treten zu distal konvergierenden Gruppen zusammen. Die besonders weit vortretenden von diesen bilden auffallende Vorragungen, welche als unregelmäßige Kämme erscheinen, die sich stellenweise zu conuliartigen, 5—10 mm voneinander entfernten Spitzen erheben und konkave Felder zwischen sich einschließen. Der Nadelpelz ist größtenteils 3 (in den Vertiefungen) bis 5 mm (in den Kämmen und Conulis) hoch.

Der ganze, zwischen den Nadeln dieses Pelzes gelegene Raum wird (Taf. XXXIII, Fig. 1, 2, 4) von einem Gewebe eingenommen, welches jenem gleicht, das im Pelze von *Penares obtusus* und *Stelletta farcimen* vorkommt. Es ist vermutlich ein krustenförmiger, die, die Einströmungsöffnungen tragende Partie des Schwammes bedeckender, symbiotisch mit der *Isops* lebender Schwamm, wahrscheinlich eine *Oscarella* (s. d.). An der äußeren Oberfläche dieser *Oscarella*-Kruste breitet sich eine Membran aus, die besonders in den konkaven Feldern deutlich zu erkennen ist und hier aus einem Netz mit 10—30 μ dicken Balken, und eiförmigen, meist 40—100 μ großen Maschen besteht. Diese Maschen werden von dünnen Häutchen überzogen, worin rundliche, 10—25 μ weite Poren liegen. Auf den vorragenden Kämmen und hie und da auch an anderen Stellen, werden größere Oeffnungen beobachtet, es ist jedoch, namentlich bezüglich der ersteren schwer zu sagen, ob wir es da mit auch im Leben vorhandenen oder durch Verletzung des Schwammes beim Fang oder später entstandenen Löchern zu tun haben. Die die Ausströmungsöffnungen tragende, pelzlose Becherinnenseite ist von der *Oscarella*-Kruste vollkommen frei.

Isops gallica hat eine Rinde, welche bei den beiden ausgebildeten Stücken größtenteils 0,7—1,2 mm dick ist. Bei den jungen Stücken hat die Rinde eine Mächtigkeit von bloß 300 μ. Bei den ausgebildeten Stücken ist die Rinde an der, dem Becherrande folgenden Grenze zwischen den Gebieten der Ein- und Ausströmungsöffnungen zu einer, über 1,5 mm dicken, das Becherlumen einfassenden, etwas nach außen vortretenden Ringleiste verstärkt, welche nach der Ausströmungsseite (innen) allmählich abdacht, nach der Einströmungsseite (außen) aber plötzlich, stufenartig absetzt. An der die Ausströmungsöffnungen tragenden Partie ist die Rinde etwas dicker als an der die Einströmungsöffnungen tragenden. Am dünnsten ist sie gleich außerhalb der oben erwähnten Ringleiste.

Die Rinde besteht aus drei Schichten, einer äußeren 70—100 μ dicken sphaerasterhaltigen, einer mittleren, meist etwas unter 1 mm dicken sterrasterhaltigen, und einer inneren, 100—200 μ dicken microsclerenlosen. Sie ist faserig. In der mittleren, sterrasterhaltigen Schicht sind die Fasern zwischen den Enddornen der benachbarten Sterraster ausgespannt. An den Grenzen dieser Schichten findet man Büschel solcher Fasern, welche von den Sterrastern abgehen, aber nicht zu anderen Sterraster hinführen, sondern in die benachbarte, sterrasterfreie Schicht eintreten und hier paratangential weiter ziehen. Die Sphaeraster der äußeren Rindenlage sind nicht durch Fibrillen verbunden.

Farbe. Die innere Becherfläche mit den Ausströmungsöffnungen ist, in Weingeist, dunkel purpurbraun. Aehnlich aber matter ist die äußere, von der dunkel bordeauxroten *Oscarella*-Kruste bedeckte Becherfläche mit den Einströmungsöffnungen gefärbt. Das Choanosom hat eine lichtere, umberbraune Farbe.

Die ein- und ausführenden Rindenkanäle sind einander ähnlich. Bei beiden umschließt eine, nach innen vorspringende Randleiste die äußere Oeffnung, welche wie oben erwähnt sehr verschieden groß, aber meist unter 130 μ weit ist. Aus der Variabilität der Größe dieser Poren (Taf. XXXIII, Fig. 5a, 13a) schließe ich auf eine Kontraktilität der sie einfassenden Randleiste. Stets ist diese äußere Oeffnung des Rindenkanals weit enger als der Rindenkanal selbst. Letzterer (Taf. XXXIII, Fig. 4f, 6a, 14g) erscheint als ein distal zur Pore verengtes Rohr von kreisförmigem Querschnitt, welches die Rinde radial (senkrecht) durchzieht, und dessen mittlere und proximale Teile mehr oder weniger zylindrisch und 350—650 μ weit zu sein pflegen. Wie die Poren sind natürlich auch die von ihnen herabziehenden Rindenkanäle 1 (die ausführenden) bis 1,5 mm (die zuführenden) voneinander entfernt. Die äußeren, zuführenden von diesen Rindenkanälen sind im allgemeinen breiter als die inneren, ausführenden.

Der proximale Endteil eines jeden Rindenkanals ist durch eine Crone (Taf. XXXIII, Fig. 4g, 7a, 10, 14f, 15) abgeschlossen, welche sein proximales Ende wie ein kurzer, zylindrischer Pfropf verschließt und mit ihren konvexen Endflächen einerseits in das Lumen des Rindenkanals, andererseits in einen der unter der Rinde gelegenen Subdermalräume hineinragt. Stets liegen die Cronen im proximalen Teile der Rinde. Die meisten ragen nur wenig, einige jedoch beträchtlich gegen das Choanosom vor (in einen Subdermalraum hinein). Solche weit nach innen vorragende Cronen werden namentlich bei den jungen, dünnrindigen Stücken angetroffen. Die Cronen sind 600—900 μ lang und ebenso breit wie die Rindenkanäle, die sie abschließen. Sie bestehen (Taf. XXXIII, Fig. 10, 11, 15) hauptsächlich aus dichten Massen von sehr feinen Ringfasern. Ihr peripherer Teil (Fig. 10c) ist durchsichtig und farblos, ihr zentraler Teil (Fig. 10b) ziemlich opak und braun gefärbt. Der Chonalkanal, welcher die Crone in ihrer ganzen Länge durchzieht (Taf. XXXIII, Fig. 10a, 15a) ist in allen Chonen des Schwammes, die ich gesehen habe, sehr stark zusammengezogen zu einem schmalen, spaltförmigen Raume verengt, oder völlig geschlossen. In seiner Wand sitzen ziemlich viele Sphaeraster, die auch dann, wenn er ganz zu ist, seine Lage erkennen lassen (Fig. XXXIII, Fig. 11). In dem Ringfasergewebe sind oft zahlreiche, etwa 15 μ große Lücken (Fig. 15b) zu bemerken. Bis ganz an den Chonalkanal heran reicht das Ringfasergewebe nicht. Es findet sich da, in der nächsten Umgebung des Chonalkanals, vielmehr ein ziemlich durchsichtiges, aus mehr massigen, radial angeordneten Zellen zusammengesetztes Gewebe, welches ein, den Chonalkanal unmittelbar einschließendes Rohr mit

265

etwa 50 μ dicker Wand bildet. Gewöhnlich sind die Chone gerade und einfach, es kommen aber zuweilen auch gekrümmte, sowie verdoppelte vor, bei denen in einer gemeinsamen, äußeren, durchsichtigen Ringfaserhülle zwei braune, innere Ringfaserhüllen und zwei Chonalkanäle liegen.

Die Chonalkanäle des Einfuhrsystems (der Becheraußenseite) führen in ziemlich geräumige, etwa 700 μ weite, unter der inneren Rindenschichte gelegene Subdermalräume (Taf. XXXIII, Fig. 4h) hinein. Dicht unter der inneren Rindenlage findet man außer diesen Subdermalräumen auch noch enge, paratangentiale Kanäle (Taf. XXXIII, Fig. 4k), welche möglicherweise benachbarte Subdermalräume miteinander verbinden. Von den Subdermalräumen führen kleinere und größere, bis 400 μ und darüber weite Kanäle in die Tiefe des Choanosoms hinab. Die weiteren von diesen Kanälen (Taf. XXXIII, Fig. 4i) sind mit zahlreichen, in kleinen Abständen befindlichen, queren Einschnürungen ausgestattet, die in Gestalt von dünnen Transversalmembranen ins Kanallumen hineinragen. Die Geißelkammern (Taf. XXXIII, Fig. 12a) sind ellipsoidisch-kugelig, breiter als hoch, und haben einen größten Durchmesser von etwa 25 μ. Die Kragenzellen sind spärlich, keulenförmig, meist 6 μ lang und 2 μ dick. Zuweilen sieht man im Innern der Kammer ein unregelmäßiges Gebilde, das aus der Verschmelzung der Distalenden (Kragen, Geißel) mehrerer Kragenzellen entstanden zu sein scheint. Unter der die Ausströmungsöffnungen enthaltenden Rinde der Becherinnenseite werden nur sehr kleine Subdermalräume (Taf. XXXIII, Fig. 14e) angetroffen.

Die Oscarella-Kruste, welche die Außenseite des Bechers der ausgebildeten Stücke und den größten Teil der Oberfläche der jungen Stücke überzieht, wird von ziemlich großen Kanälen (Taf. XXX, Fig. 1c, 4e) durchsetzt, welche von ihrer äußeren Oberfläche, den Pelznadeln gewöhnlich parallel, schief zur Isops-Oberfläche herabziehen. Diese Kanäle sind, ebenso wie die großen Einfuhrkanäle des Isops-Choanosoms, mit zahlreichen, nach innen vorspringenden Ringmembranen ausgestattet. Bei der Durchmusterung von Schnittserien erkennt man, daß diese Kanäle zu den Einströmungsporen der Isops hinführen, weshalb anzunehmen ist, daß sie es sind, durch welche das Wasser zur Isops gelangt. Wie diese Kanäle entstehen, erscheint zweifelhaft. Ihre Wände und die von diesen nach innen ragenden Ringmembranen scheinen Teile der Oscarella-Kruste zu sein und haben denselben Bau wie die Dermalmembran, welche diese Kruste außen bekleidet. Vielleicht läßt der inkrustierende Schwamm, während er sich über die äußere Isops-Oberfläche ausbreitet, jene Stellen, in denen das Wasser zu den Isops-Poren hineinströmt, frei, umwächst sie und schließt sich jenseits derselben wieder zusammen, so daß hier röhrenförmige Räume übrig bleiben, durch die das Wasser zur Isops gelangt.

Das Skelett besteht aus radialen Strängen von Rhabden im Innern, Telocladen, Telocladderivaten und Rhabden im oberflächlichen Teil, und Microscleren.

Die Rhabde der Nadelsträhne des Choanosoms sind zum allergrößten Teil Amphioxe, dazwischen kommen einzelne Style vor. Die oberflächlichen Rhabde gleichen jenen des inneren; die äußersten von ihnen, welche den Pelz bilden, sind im allgemeinen schlanker als die rhabden Megasclere des Choanosoms. Diese Pelzrhabde — fast alle sind Amphioxe — ragen sehr weit frei vor oder liegen gar ganz außerhalb des Schwammes. Die überhaupt noch in der Isops sitzenden stecken fast alle nur mit den äußersten proximalen Enden im Distalteile der Rinde; bis zum proximalen Teil der Rinde reichen nur wenige, noch weniger erreichen das Choanosom. Die ganz außerhalb der Isops befindlichen werden nur von dem sie einhüllenden Oscarella-

Gewebe an Ort und Stelle festgehalten. Sie sind als Nadeln anzusehen, die die *Iseps* ausgestoßen hat.

Die Teloclade des oberflächlichen Teils des Schwammes sind dreierlei Art: 1. große Ortho- oder Plagioclade (Taf. XXXIII, Fig. 4d), welche in radialen Bündeln angeordnet sind und ihre Cladome überall· an der äußeren Oberfläche des Choanosoms ausbreiten; 2. Mesoclade und Derivate davon, welche an dem die Einströmungsöffnungen tragenden Teil der Oberfläche (Becheraußenseite der großen Stücke) vorkommen und deren Distalteile gewöhnlich frei über die Rinde vorragen, seltener in dieser liegen; und 3. kleine Anaclade im Grundteile, deren Cladome an der Anheftungsfläche des Schwammes liegen. Die großen Ortho- und Plagioclade der Choanosomoberfläche (1) sind an den freien Teilen des Schwammes zwar recht mannigfaltig, haben hier jedoch, trotz aller sonstigen Variation, stets ein einfaches Cladom. Unter jenen der Anheftungs-(Grund-)fläche kommen aber ganz ungewöhnliche Formen mit doppeltem oder gar dreifachem Cladom vor, die zum Teil als Uebergänge zwischen Telocladen und Amphioxen erscheinen. Die Mesoclade der freien, äußeren Oberfläche und ihre Derivate (2) sind überaus mannigfaltig, die größten und am besten ausgebildeten von ihnen sind Promesotriaene und Promesodiaene. Die kleinen Anaclade der Anheftungs(Grund)fläche (3) sind größtenteils gewöhnliche Anatriaene, neben diesen kommen aber auch Mesanatriaene, sowie Anaclade mit weniger als drei Aststrahlen vor.

Die Microsclere sind Sphaeraster, Oxyaster, Microrhabde und Sterraster. Die allermeisten Sphaeraster sind Oxysphaeraster, es kommen aber auch einzelne Strongylosphaeraster vor. Von Oxyastern lassen sich drei Formen unterscheiden, große ohne Zentrum, kleine ohne Zentrum, und kleine mit Zentrum. Die großen sind selten, die beiden Arten der kleinen aber häufig. Die Microrhabde sind fast alle einfache oder centrotyle Microamphioxe. Daneben kommen auch einzelne amphistrongyle, style und tylostyle Microrhabde vor. Die Sterraster sind alle von derselben Art. Die großen Oxyaster, und die Microrhabde sind auf das Choanosom beschränkt. Die ersten sind recht selten, die letzten in jenem Teile des Choanosoms, welcher unter der mit Ausströmungsöffnungen ausgestatteten Partie der Oberfläche (Rinde) liegt, sehr zahlreich (Taf. XXXIII, Fig. 8a), in dem unter der mit Einströmungsporen ausgestatteten Partie der Oberfläche (Rinde) liegenden Teil des Choanosoms der ausgebildeten Stücke aber ziemlich spärlich. Bei den jungen, kugeligen Stücken erfüllen sie in großen Massen das ganze Choanosom. Die kleinen Oxyaster mit und ohne Zentrum finden sich in großen Mengen in den Wänden der Kanäle des Choanosoms (Taf. XXXIII, Fig. 8b). Die Sphaeraster kommen überall in der äußeren Rindenlage, dicht unter der Oberfläche massenhaft vor (Taf. XXXIII, Fig. 9b) und finden sich auch in den Wänden der Rindenkanäle, besonders der Chonalkanäle (Taf. XXXIII, Fig. 11a). Die Sterraster nehmen die mittlere Rindenlage ein (Taf. XXXIII, Fig. 4b, 5—7, 9c, 10d, 14b). Wie Paratangentialschnitte (Fig. 6, 7) zeigen, bildet die Masse der durch die oben erwähnten Fibrillen fest miteinander verbundenen Sterraster eine, von den Rindenkanälen (und Chonen) durchbrochene Platte, welche alle Teile des Schwammes mit Ausnahme seiner Ansatzfläche wie ein Panzer bedeckt. Eine ununterbrochene Reihe von Uebergangsformen verbindet die großen Oxyaster ohne Zentrum, die kleinen Oxyaster mit und ohne Zentrum, und die Sphaeraster miteinander. Die Microamphioxe schließen sich durch winkelig gelegene Diactine und größere Drei- und Vierstrahler den großen Oxyastern an und sind jedenfalls auch mit den Microamphistrongylen,

267

41*

Microtylostylen und Microstylen verwandt, welch letztere wohl durch eine weitere Reduktion der Strahlenzahl (von 2 auf 1) aus ihnen hervorgegangen sein dürften. Die Sterraster schließen sich an die Sphaeraster an. Wir können deshalb alle diese Nadeln in einer, vom Sterraster an einem, zum Microstyl am anderen Ende sich erstreckenden Formenreihe unterbringen. Diese Formenreihe ist jedoch nicht kontinuierlich. Es finden sich darin zwei Unterbrechungen, eine größere zwischen dem Sterraster und dem Sphaeraster, eine kleinere, teilweise durch die kleinen, winkelig gebogenen Microamphioxe ausgefüllte, zwischen dem dreistrahligen Oxyaster und dem Microamphiox. Wir können demnach drei Hauptarten von Microscleren, Sterraster, Oxy- und Sphaeraster, und Microrhabde, unterscheiden.

Die Amphioxe (Taf. XXXII, Fig. 1—10) sind nahezu isoaction und meist schwach gekrümmt, seltener völlig gerade (Fig. 5, 8) oder winkelig gebogen (Fig. 1). Sie sind im ausgebildeten Zustande 2—4,5 mm lang und in der Mitte 30—180 μ dick. Die Länge steht nicht im Verhältnis zur Dicke. Die über 140 μ dicken (Fig. 2) pflegen weniger als 3,5 mm lang zu sein, während die über 4 mm langen unter 100 μ dick sind. Die Amphioxe des äußeren Nadelpelzes sind meist 2,5—3 mm lang und 40—50 μ dick. Die Amphioxe der oberen und mittleren Teile des Choanosoms und des Grundteils sind meist über 70 μ dick, die letzten gewöhnlich 4—4,5 mm lang. Die Amphioxe sind nicht scharfspitzig und oft beträchtlich abgerundet. Sechs mittelgroße Amphioxe, deren Endteile ich ausmaß, waren 20 μ vom Ende entfernt, 18, 20, 25, 25, 25 und 40 μ dick. Bei den winkelig gebogenen Amphioxen sind die beiden Arme mehr oder weniger verschieden lang. In extremen Fällen ist der kürzere nur halb so lang als der längere (Fig. 1). Der Winkel, den die beiden Arme einschließen, beträgt bei den am stärksten geknickten 135°. Nicht selten werden Unregelmäßigkeiten bei den Amphioxen wahrgenommen. Es kommt häufig vor, daß einem stumpferen Nadelende eine schlankere Spitze aufgesetzt ist. Zuweilen, jedoch selten, ist das eine Ende gekrümmt oder gabelspaltig, oder beides, und in einem Falle habe ich an einem der Gabeläste einer solchen Nadel noch ein Büschel von kleinen Endzweigen gesehen.

Die selteneren Style sind 2,3—3,8 mm lang und 100—160 μ dick. Die dickste Stelle liegt bei den kürzeren am stumpfen Ende, bei den längeren eine Strecke weit von diesem entfernt.

Die großen Ortho- und Plagioclade mit einfachem Cladom (Taf. XXXII, Fig. 25, 30—32, 34—38) haben einen schwach gekrümmten, 3—4,5 mm langen Schaft. Dicht unter dem Cladom ist derselbe 60—130 μ dick und schwillt dann zu einer Auftreibung an, welche um etwa 15% stärker als das cladomale Schaftende ist und einen Durchmesser von 150 μ erreichen kann. Weiterhin nimmt dann die Schaftdicke erst kaum merklich, später rascher ab. Die Clade sind 300—770 μ lang und ihre Seiten schließen Winkel von 90—112° mit dem Schafte ein. Kurze Clade stehen gewöhnlich fast senkrecht vom Schafte ab und sind nur sehr schwach gegen denselben konkav gekrümmt (Fig. 25, 32). Längere Clade pflegen in ihrem Grundteil emporgerichtet, dabei aber etwas stärker gegen den Schaft konkav gekrümmt zu sein (Fig. 31, 35). Die kurzcladigen Formen werden vornehmlich im Grundteil, die langcladigen an der Außenseite des Schwammes angetroffen. Regelmäßig triaene Cladome (Fig. 25, 32) herrschen nur unter den kurzcladigen vor. Unter den langcladigen werden so viele unregelmäßige Cladome angetroffen, daß man die regelmäßigen nicht mehr als die einzigen normalen ansehen kann. Die Unregelmäßigkeiten dieser Nadeln beruhen einesteils auf einer mehr oder weniger weitgehenden Verkümmerung eines oder zweier Clade, andernteils auf einer Biegung, Knickung oder Gabelspaltung der Clade. Oft ist das Cladom nur insofern unregelmäßig als ein Clad etwas länger als die beiden anderen ist (Fig. 35, 38). Oft ist aber auch ein Clad, oder sind zwei Clade zu abgerundeten Höckern reduziert (Fig. 34, 37), oder ganz geschwunden, was zur Bildung von Diaenen (Fig. 30) und Monaenen (Fig. 36) führt. Formen mit einem plötzlich nach abwärts gebogenen Clad (Fig. 31) sind nicht selten. Häufiger noch werden, namentlich unter den Diaenen und Monaenen, Formen mit einem gabelspaltigen Clad (Fig. 30, 36) angetroffen. Die Cladombreite der triaenen von diesen Nadeln beträgt 550 μ bis 1,25 mm. Die entsprechenden Nadeln des kleinen, jungen, an dem großen sitzenden Stück sind bedeutend kleiner und haben 1,6 mm lange, 80 μ dicke Schäfte und 400 μ lange Clade.

Die großen Ortho- und Plagioclade mit mehrfachem Cladom, welche an der Ansatz(Grund)fläche vorkommen (Taf. XXXII, Fig. 24, 28, 29, 33, 39) sind von ganz besonderem Interesse. Man kann die vielen verschiedenen Formen dieser Nadeln je nach der Lage ihrer Clade (Cladome) in drei Gruppen unterbringen: 1. solche, welche an einem Ende zwei übereinander liegende Cladome besitzen; 2. solche, welche an beiden Enden Clade tragen, und 3. solche, bei denen die Clade dem mittleren Teile eines amphioxartigen Schaftes aufsitzen. Die Nadeln der ersten Gruppe (Fig. 33, 39) haben einen im ganzen kegelförmigen Schaft von ähnlichen Dimensionen wie die einfachen, großen Ortho- und Plagiotriaene. Am dickeren Ende dieses Schaftes sitzt ein Cladom, welches aus ein (Fig. 39), zwei (Fig. 33) oder drei, unter Winkeln von 90—110° abgehenden, meist einfachen, seltener z. T. gabelspaltigen Claden besteht. 180—300 μ unterhalb dieses Cladoms geht von dem Schafte noch ein mehr oder weniger senkrecht stehendes (Cladwinkel 80—110°) Clad ab, welches größer als die Clade des Terminalcladoms und diesen ähnlich (Fig. 39), oder geknickt (Fig. 33) ist. Die Clade dieser Nadeln haben ähnliche Dimensionen wie die der einfachen Ortho- und Plagiotriaene des Grundteils des Schwammes. Die zur zweiten Gruppe zu stellenden Nadeln (Fig. 24) sind jenen der ersten Gruppe im ganzen zwar ähnlich, unterscheiden sich von ihnen aber dadurch, daß der Schaft außer dem doppelten Cladom am dicken Ende, auch noch ein kleineres Clad in der Nähe des spitzen Endes trägt. Diese Nadeln sind selten. Die zur dritten Gruppe zu stellenden Nadeln (Fig. 28, 29) sind 4—6 mm lange, in der Mitte 50—70 μ dicke, isoactine Amphioxe, welche im mittleren Teile einen oder zwei längere und zugespitzte, oder kürzere und abgestumpfte Clade tragen. Diese liegen zwar nie in derselben Höhe, sind jedoch meistens nicht weit voneinander entfernt. Ich habe nie eine solche Nadel gesehen, bei welcher von einem Punkte mehr als ein Clad abgegangen wäre, bemerkte jedoch mehrmals einen zweiten, allerdings sehr kurzen, ganz rudimentären und keine Vorwölbung über sich tragenden, von der Abzweigungsstelle des Achsenfadens eines der ausgebildeten Clade abgehenden Zweigachsenfaden. Bei den Nadeln aller drei Gruppen fallen die durch die verschieden noch sitzenden Clade gelegten Ebenen nicht zusammen. Bei Formen mit nur zwei Claden (Fig. 28, 29, 39) pflegen diese Ebenen Winkel von 10—30° einzuschließen. Die meisten von diesen merkwürdigen Nadeln haben die Gestalt eines französischen Schraubenschlüssels, eines Franzosen, wie er einfach genannt wird, worauf sich der Artname bezieht. Die zur dritten Gruppe gehörigen von diesen Nadeln erscheinen als Uebergänge zwischen den Ortho- und Plagiocladen des oberflächlichen Choanosoms und den rhabden (zum allergrößtenteil amphioxen) Megascleren.

Die Mesoclade des äußeren Nadelpelzes (Taf. XXXII, Fig. 11—14, 16—19; Taf. XXXIII, Fig. 1 b) haben einen spindelförmigen, an beiden Enden zugespitzten, 5—10, meist 8—9,5 mm langen, in der Mitte 20—80, meist 50—60 μ dicken Schaft. 60—450 μ von seinem distalen Ende entfernt gehen von ihm ein bis drei Clade ab. Die über das, durch diese Clade gebildete Cladom hinausragende Schaftverlängerung ist gerade, zylindrikonisch und plötzlich (Taf. XXXII, Fig. 11—13, 17, 20), oder kegelförmig und allmählich zugespitzt (Taf. XXXII, Fig. 14, 16, 18, 19). Sie hat, wie aus obigem hervorgeht, eine Länge von 60—450 μ. Dicht unter dem Cladom ist der Schaft 10—40 μ dick, beiläufig halb so stark wie in seiner Längenmitte. Die Zahl der Clade beträgt meistens 2 oder 3, selten ist nur ein Clad vorhanden. Die Clade sind 60—240, meist 50—160 μ lang und gewöhnlich stärker (Taf. XXXII, Fig. 11, 12) oder schwächer (Taf. XXXII, Fig. 13, 16, 17) nach aufwärts gerichtet. Die stärker nach aufwärts gerichteten sind stets gegen die Schaftverlängerung konkav (Taf. XXXII, Fig. 11, 12), und es ist diese Krimmung zuweilen so bedeutend, daß ihre Endteile beträchtlich nach einwärts gebogen erscheinen. Unregelmäßige Cladome sind häufiger als regelmäßige. Die Unregelmäßigkeit beruht zuweilen darauf, daß die Clade nicht nur einfach in einer durch die Schaftachse gehenden Ebene, sondern doppelt gekrimmt sind (Taf. XXXII, Fig. 13). Häufiger ist sie darin begründet, daß die Cladwinkel der Clade desselben Cladoms verschieden sind. In diesem Falle ist gewöhnlich ein Clad oder sind zwei Clade senkrecht (Taf. XXXII, Fig. 18, 19) oder seltener, nach abwärts (Taf. XXXII, Fig. 14), zwei Clade oder ein Clad nach aufwärts gerichtet. Meist sind die Clade zugespitzt, es kommen jedoch auch stumpfe (Taf. XXXII, Fig. 14) vor. Endlich ist auch eine größere oder geringere Verschiedenheit der Länge der demselben Cladom zugehörigen Clade zu bemerken, welche auf einer Verkümmerung eines oder zweier Clade beruht. Diese kann so weit gehen, daß die betreffenden Clade vollständig verschwinden, und diaene und monaene Formen entstehen. Ja, es können alle drei Clade bis zu kleinen Höckern oder vollständig rückgebildet werden, wobei ein schlankes Pelzamphiox entsteht, welches äußerlich einem gewöhnlichen Amphiox gleicht, durch kurze, von dem distalen Teile seines Achsenfadens abgehende Zweigstummel jedoch verrät, daß es ein Mesotelocladderivat ist. Endlich kann auch die Schaftverlängerung verkürzt und abgerundet werden, wodurch Style von der Art entstehen, wie eines in der Figur 15 auf Tafel XXXII abgebildet ist.

Die Anaclade der Grundfläche (Taf. XXXII, Fig. 20—23) sind Anatriaene, Anadiaene und Mesanaclade. Die Anatriaene und Anadiaene haben einen 5—9 mm langen, am cladomalen Ende 14—38 μ dicken, gegen die Längenmitte an Dicke zunehmenden Schaft. Die Anatriaene (Fig. 21—23) haben meist 40—80 μ lange Clade, deren Seinen Winkel von 53—67° mit dem Schafte einschließen. Ihre Cladome sind 80—115 μ breit und tragen einen mehr (Fig. 21, 22) oder weniger (Fig. 23) deutlichen, zentralen Scheitelhöcker. Viel seltener sind die Anadiaene. Diese haben meist kürzere Clade als die Anatriaene. Die meisten Mesanaclade sind Mesanatriaene (Fig. 20). Ihr Schaft erreicht eine Länge von 10 mm und ist dicht unterhalb des Cladoms 20—35 μ dick. Gegen die Längenmitte verdickt er sich um 25—50% auf 30—55 μ. Die gerade, kegelförmige, meist etwas plötzlich und nicht scharf zugespitzte Schaftverlängerung ist 240—360 μ lang. Die gegen den Schaft nur schwach konkav gekrimmten, oft stumpfen Clade sind 60—90 μ lang. Ihre Seinen schließen Winkel von 58—77° mit dem Schafte ein. Die Cladombreite beträgt 90—130 μ. Die selteneren Mesanadiaene haben ähnliche Dimensionen wie die Mesanatriaene. In einem Zentrifugnadelpräparat habe ich einmal ein Anatriaen mit 240 μ langen, am cladomalen Ende 2 und in der Mitte 4 μ dicken Schaft, 7 μ langen Claden, 34⁰ großen Cladwinkeln und 9 μ breitem Cladom gesehen. Was das für eine Nadel ist, weiß ich nicht zu sagen; wie eine Jugendform der oben beschriebenen Anatriaene sah sie nicht aus.

Die Sterraster (Taf. XXXI, Fig. 39—43, 49, 50; Taf. XXXIII, Fig. 4—7, 9 c, 10 d, 14) sind etwas unregelmäßig breit ellipsoidisch oder dick eiförmig. Der größte Durchmesser beträgt bei jenen der beiden ausgebildeten Stücke 95—125, meist 100—110 μ, ihr kleinster 68—100 μ. Jene der jungen Stücke sind etwas kleiner, nicht über 100 μ lang. Der Nabel (Taf. XXXI, Fig. 42) ist 15—20 μ breit und liegt meistens in der Nähe des Aequators, fern von den schmaleren Polen des Ellipsoids. Die an der Oberfläche frei vortretenden Enden der Strahlen, durch deren teilweise Verwachsung der Sterraster entstand, tragen meist fünf seitliche Dornen und erscheinen, wenn man auf die Oberfläche des Sterrasters einstellt, als (meist fünfzackige) Sterne von etwa 6 μ Durchmesser. Diese Terminalsterne sind durch etwa 3 μ tiefe, und ebenso breite Furchen voneinander getrennt, welche ein, alle Teile des Sterrasters mit Ausnahme des Nabels überziehendes Netz bilden und einen U-förmigen Querschnitt haben.

Bei der Besprechung der zu der Reihe Sphaeraster — kleiner Oxyaster mit Zentrum — kleiner Oxyaster ohne Zentrum — großer Oxyaster gehörigen Microsclere, wollen wir mit den Sphaerastern beginnen.

Die Sphaeraster (Taf. XXXI, Fig. 45 a, b, c; Taf. XXXIII, Fig. 9 b) bestehen aus einer 8—14 μ im Durchmesser haltenden Kugel, welcher etwa fünfunddreißig bis vierzig 4—4,5 μ lange, am Grunde meist 2,5—3 μ dicke, radiale Strahlen entragen. Der ganze Aster hat einen Durchmesser von 13—20, selten bis zu 24 μ. Die allermeisten Sphaeraster sind Oxy- sphaeraster mit glatten, kegelförmigen Strahlen, welche distal meistens in eine einfache Spitze, seltener in zwei divergierende Spitzen auslaufen. Einige wenige haben zylindrische, terminal einfach abgerundete Strahlen, sind also Strongylosphaeraster.

Die kleinen Oxyaster mit und ohne Zentrum (Taf. XXXI, Fig. 44 b, 47 a, b, Taf. XXXIII, Fig. 8 b) haben meist zwölf bis zwanzig, schlank kegelförmige, mehr oder weniger dornige Strahlen. Die Dornen sind klein und spärlich. Oft bilden einige distal von der Mitte der Strahlenlänge sitzende einen deutlich hervortretenden Wirtel. Das Zentrum hält, bei den kleinen Oxyastern mit einem solchen, 4—7 μ im Durchmesser. Die Strahlen sind (vom Nadel- mittelpunkte gemessen) 5—9 μ lang und am Grunde 1—1,5 μ dick. Der ganze Aster hat einen Durchmesser von 10—20 μ.

Die großen Oxyaster ohne Zentrum (Taf. XXXI, Fig. 44 a) haben drei bis acht, meist fünf bis sieben kegelförmige, zugespitzte, feindornige Strahlen, welche oft nicht gleichmäßig im Raume verteilt sind. Die Dreistrahler sind etwas größer als die übrigen; sonst ist kaum eine Beziehung zwischen Strahlenzahl und Dimension zu bemerken. Die Vier- bis Achtstrahler haben meist 20—25 μ lange, am Grunde 2—4 μ dicke Strahlen und halten 30—55 μ im Durchmesser. Die Strahlen der Dreistrahler sind 30—35 μ lang. Zwei von ihnen schließen gewöhnlich einen sehr stumpfen Winkel ein. Der ganze Aster hält 58—68 μ im Durchmesser.

Die allermeisten Microrhabde sind, wie erwähnt, Microamphioxe (Taf. XXXI, Fig. 46 a, b, c; Taf. XXXIII, Fig. 8 a). Diese sind gewöhnlich schwach und stetig, selten stärker und winkelig gebogen, isoactin, und an beiden Enden allmählich und scharf zugespitzt. Sie sind mit spärlichen, kleinen, unter 1 μ langen Dornen besetzt, welche den mittleren Teil der Nadel oft freilassen, sonst aber ziemlich gleichmäßig verteilt und an den Enden nicht größer oder zahlreicher als anderwärts sind. Die schwach und stetig gekrümmten Microamphioxe sind 90—140, meist etwa 120 μ lang und. nahe der Mitte 3—5,5 μ dick. Bei den dünnen, die vielleicht Jugendformen der dicken sind, ist ein, meist kugeliges, zentrales Tyl deutlich zu erkennen. Dieses hat bei 3 μ dicken Microamphioxen einen Querdurchmesser von etwa 5 μ. Bei den dicken Microamphioxen ist von einem solchen zentralen Tyl gewöhnlich nichts zu bemerken. Die winkelig gebogenen Microamphioxe, die den Uebergang zu den großen dreistrahligen Oxyastern vermitteln, sind meist kleiner als die stetig gekrümmten, nur 60—100 μ lang.

Die seltenen Microamphistrongyle sind schwach gekrümmte, zylindrische Stäbchen von 60—78 μ Länge und 4—5,5 μ Dicke. Sie sind mit zahlreicheren und größeren, bis 1 μ und darüber hohen Dornen besetzt, und wir bemerken, daß diese Dornen an den abgerundeten Enden der Nadel größer und zahlreicher sind als anderswo.

Die gleichfalls seltenen Microtylostyle (Taf. XXXI, Fig. 48) und Microstyle sind gerade, kegelförmig, stark dornig, 34—77 μ lang und am stumpfen Ende 4—6 μ dick. Das Tyl des Microtylostyls ist unregelmäßig und hält 10 μ im Durchmesser.

Die fünf Stücke dieses Schwammes wurden von der Valdivia am 3. November 1898 auf der Agulhasbank an der südafrikanischen Küste in 35^0 26,8′ S., 20″ 56,2′ O. (Valdivia-Station Nr. 106 b) aus einer Tiefe von 84 m hervorgeholt.

Die einzige bekannte *Isops*-Art, die, wie unsere *I. gallica*, über 100 μ lange Microamphioxe besitzt, ist *I. pachydermata*. Diese unterscheidet sich von *I. gallica* durch ihre mehr als doppelt so großen Sterraster und eine Reihe anderer Merkmale.

Genus Geodia Lamarck.

Geodidae mit radial angeordneten, auf die oberflächlichen Schwammteile beschränkten Telocladen; mit kugeligen, sphaeroidischen oder ellipsoidischen, aus strahlenkugelähnlichen Anlagen hervorgehenden Sterrastern, und mit Euastern an der Oberfläche. Einströmungsöffnungen cribriporal, zerstreut; Ausströmungsöffnungen gleichfalls cribriporal, oft jedoch größer als die Einströmungsöffnungen. Die Ausströmungsöffnungen liegen gewöhnlich zu Gruppen vereint in den, aus gewöhnlichem Rindengewebe mit Sterrasterpanzer bestehenden Wänden seichter Einsenkungen oder tief ins Innere des Schwammes eindringender Präscularhöhlen, welche letzteren sich mit großen osculumähnlichen Mündungen nach außen öffnen.

In der Valdivia-Sammlung finden sich zwei zur Gattung Geodia gehörige Spongien, welche zwei neue Arten repräsentieren.

Geodia stellata n. sp.
Taf. XXXVI, Fig. 20—43; Taf. XXXVII, Fig. 1—4.

Von diesem Schwamme findet sich ein Stück in der Valdivia-Sammlung.

Dasselbe erscheint als ein kugeliges, nach unten etwas birnenförmig ausgezogenes Gebilde, und saß mit breiter Grundfläche einer Corallinenalgenmasse auf. Es ist 97 mm hoch und bei 93 mm breit. Die Oberfläche ist kahl und glatt. Irgend welche Vorragungen oder größere, mit freiem Auge wahrnehmbare Oeffnungen kommen nicht vor. Es ist eine 700—800 μ dicke Rinde vorhanden, die aus zwei Schichten, einer äußeren, 90—150 μ starken, sterrasterfreien, und einer inneren, 600—650 μ starken, von Sterrastern erfüllten, besteht.

Betrachtet man oberflächliche Paratangentialschnitte in durchfallendem Licht, so erkennt man darin helle (durchsichtige), meist siebenstrahlige, sternförmige Figuren (Taf. XXXVII, Fig. 1), deren Zentren 850—1050 μ voneinander entfernt zu sein pflegen. Diese auffallenden Sterne, auf welche sich der Name, den ich dem Schwamme gegeben habe, bezieht, sind Systeme von Kanälen, welche in der äußeren Rindenlage, dicht unter der Oberfläche, paratangential verlaufen und sich in den Sternzentren vereinigen. Radialschnitte zeigen, daß diese Kanäle (Taf. XXXVI, Fig. 42 e) fast so weit sind als die äußere Rindenlage dick ist. Soviel ich sehen konnte, sind diese Kanalsterne über die ganze freie Oberfläche ziemlich gleichmäßig verteilt. Ihre Decken bestehen aus einer zarten, von zahlreichen, dicht beisammenstehenden, rundlichen Poren durchbrochenen Membran. Diese Poren sind am oberen Teil des Schwammes 35—65 μ (Taf. XXXVII, Fig. 1), am unteren 20—40 μ weit. Von jedem Sternzentrum zieht ein ziemlich enger Gang radial durch die innere Rindenschicht hinab. Unten wird er durch einen braun gefärbten Chonalpfropf eingeengt. Der den letzteren durchziehende Chonalkanal führt in einen der unter der Rinde ausgebreiteten Subdermalräume (Taf. XXXVI, Fig. 28, 30 d) hinein. Es sind sehr zahlreiche kleine, und einige größere, 2—3 mm weite Subdermalräume vorhanden. Dieselben sind radial in die Länge gestreckt, was besonders bei den großen sehr deutlich hervortritt. In der Tiefe des Choanosoms werden nur wenige weite Kanäle angetroffen (Taf. XXXVI, Fig. 28). Die Geißelkammern (Taf. XXXVI, Fig. 40 a) sind annähernd kugelig und halten 20—25 μ im Durchmesser.

Die Farbe des Schwammes ist, in Weingeist, an der Oberfläche blaß violettbraun, oben heller als unten; das Innere ist lichtbraun.

Das Skelett ist reich an verschiedenen Nadelformen. Vom Mittelpunkte des Schwammes strahlen Stränge von langen und schlanken Amphioxen radial aus. Jedes von diesen löst sich distal in mehrere geschlossene, bis zur Rinde reichende Nadelbündel auf. In der Tiefe des Choanosoms, und zwar bis zu einem 10 mm unter der Oberfläche gelegenen Niveau hinauf, finden sich zahlreiche zerstreute, schief und paratangential gelagerte, kürzere und dickere, gewöhnliche, sowie, in geringerer Anzahl, winkelig gebogene Amphioxe. In der äußeren, sterrasterfreien Rindenlage stecken kleine, mehr weniger radial orientierte, teilweise zu Büscheln zusammentretende Style, deren abgerundete Enden proximal liegen und deren nach außen gerichtete, oft abgebrochene Spitzen eine kurze Strecke über die Oberfläche frei vorragen. Mit starker Lupe betrachtet erscheint die Oberfläche daher nicht so glatt als wenn man sie mit freiem Auge betrachtet. Im distalen Teil des Choanosoms, dicht unter der Rinde, werden dieselben Style, wie in der äußeren Rindenlage, und zwar auch in mehr weniger radialer Lagerung mit nach außen gerichteten Spitzen angetroffen. Von Telocladen werden drei Arten beobachtet: Dichotriaene, Anatriaene und Mesoproclade. Die letzteren sind zumeist Mesoprodiaene, es kommen aber auch Mesoprotriaene unter ihnen vor. Die Cladome der meisten von diesen Nadeln liegen an der Grenze zwischen Choanosom und Rinde (Taf. XXXVI, Fig. 30 b); die Cladome einiger etwas tiefer (Taf. XXXVI, Fig. 30 c). Die meisten von den radial nach innen gerichteten Schäften dieser Teloclade nehmen an der Zusammensetzung der distalen Teile der radialen Nadelbündel teil; einige liegen frei, außerhalb der letzteren. Die Dichotriaene und Mesoproclade scheinen in allen Teilen des Schwammes ziemlich gleich gestaltet zu sein. Bei den Anatriaenen hingegen ist eine Differenzierung von der Art zu bemerken, daß die Clade der Anatriaene des Grundteils kürzer sind und stärker vom Schafte absteheu als die Clade der Anatriaene der oberen Teile des Schwammes. An der Oberfläche des Schwammes findet sich eine dichte, einfache Lage von kleinen Strongylosphaerastern (Taf. XXXVI, Fig. 42 a). In den tieferen Teilen der äußeren Rindenlage werden zahlreiche große, kurzstrahlige Strongylosphaeraster (Taf. XXXVI, Fig. 42 c) angetroffen. Die untere Rindenlage ist von Sterrastern (Taf. XXXVI, Fig. 42 d) erfüllt. Im Choanosom liegen größere Oxyaster, Oxysphaeraster, einige junge Sterraster, sowie dieselben kleinen Strongylosphaeraster, die an der äußeren Oberfläche vorkommen. Auch einzelne, winkelig gebogene Microamphioxe, die vielleicht Oxyasterderivate sind, habe ich darin gesehen. Die Oxyaster liegen in den Kanalwänden: einer ihrer Strahlen oder auch mehrere ragen frei in das Kanallumen hinein.

Die langen, schlanken Amphioxe der radialen Nadelsträhne und Bündel sind schwach gebogen, ziemlich scharf zugespitzt, 11—13 mm lang und 35—50 μ dick.

Die schiefen und paratangentialen kurzen, dicken Amphioxe des Innern des Choanosoms sind meist 5—7 mm lang und 60—80, zuweilen bis 95 μ dick.

Die seltenen winkelig gebogenen Amphioxe sind 3—4 mm lang und 50 μ dick. Ihre Schenkel schließen einen Winkel von 160—165° ein.

Die kleinen Style der äußeren Rindenlage (Taf. XXXVI, Fig. 42 b) und des distalen Choanosoms sind gerade oder nur wenig gebogen, 230—280 μ lang und an der stärksten, nahe der Mitte gelegenen Stelle 4—8 μ dick. Sie sind nach beiden Enden hin verdünnt. Das abgerundete Proximalende ist etwa halb so dick als die stärkste Stelle der Nadel.

In einem Nadelpräparat habe ich einzelne Amphityle von 270 μ Länge und 5 μ Dicke gesehen, deren Tyle ungleich groß waren. Bei einer hielt das eine Tyl 9, das andere 6 μ im Durchmesser. Ob diese Amphityle dem Schwamm angehören, Derivate der oben beschriebenen Style, oder fremde Nadeln sind, konnte ich nicht mit Sicherheit feststellen; in situ habe ich sie nicht gesehen.

Die Dichotriaene (Taf. XXXVI, Fig. 22, 23, 25, 30, 41) haben einen im ganzen kegelförmigen, meist schwach gebogenen, etwas plötzlich und ziemlich scharf zugespitzten Schaft. Dieser ist 6—7 mm lang und am cladomalen Ende 100—170 μ dick. Die schwach emporgerichteten Hauptclade sind 200—350 μ lang. Die Endclade liegen meistens annähernd in einer zum Schaft senkrechten Ebene; sie sind gerade und auch 200—350 μ lang. Ihre Länge pflegt derart im umgekehrten Verhältnis zur Länge der Hauptclade zu stehen, daß (bei den vollkommen ausgebildeten Dichotriaenen) die längsten Hauptclade die kürzesten Endclade tragen, und umgekehrt. Die Cladombreite beträgt 680 μ bis 1 mm.

Die Mesoproclade (Taf. XXXVI, Fig. 20—21) sind nicht zahlreich. Die meisten sind, wie erwähnt, diaen (Fig. 20); es kommen aber auch triaene (Fig. 21) vor. Ihr Schaft ist bei 6 mm lang und am cladomalen Ende 15—30 μ dick. Die gerade, kegelförmige Schaftfortsetzung und die gegen sie konkav gekrümmten Clade sind 140—230 μ lang. Die Cladseinen schließen Winkel von 24—30° mit der Schaftfortsetzung ein. Die Cladombreite beträgt 140—180 μ. Die Schaftfortsetzung einzelner von diesen Nadeln trägt am Ende einige kleine, dornartige Zweige. In der Figur 20 ist eine solche Nadel abgebildet.

Von Anatriaenen werden verschiedene Formen angetroffen. Darauf, daß sich jene des Grundteils von jenen des oberen Teils des Schwammes unterscheiden, ist schon hingewiesen worden. Dazu kommt, daß außer den normalschäftigen auch solche angetroffen werden, bei denen der Schaft etwas verkürzt und am acladomalen Ende abgerundet, zuweilen zu einem Tyl verdickt ist. Endlich habe ich in Nadelpräparaten ganz kleine Anatriaene (Microanatriaene) beobachtet, bezüglich derer es zweifelhaft erscheint, ob sie jugendformen der großen oder aber Anatriaene besonderer Art sind.

Die normalen Anatriaene des oberen Teils des Schwammes (Taf. XXXVI, Fig. 24, 26, 30) haben einen 11—14 mm langen, am cladomalen Ende 18—45 μ dicken Schaft. Die Clade sind am Grunde gleichmäßig gebogen, gegen das Ende zu aber gerade und 180—250 μ lang. Ihre Sennen pflegen Winkel von 26—33° mit dem Schafte einzuschließen. Die Cladombreite beträgt 160—230 μ.

Die normalen Anatriaene des Grundteils (Taf. XXXVI, Fig. 27) haben einen 13—15 mm langen, am cladomalen Ende 22—35 μ dicken Schaft. Ihre Clade sind 100—140 μ lang und mehr oder weniger deutlich geknickt. Der proximal von der Knickungsstelle gelegene Teil ist gegen den Schaft konkav gekrimmt, der distal gelegene gerade. Die Cladsennen pflegen Winkel von 35—46° mit dem Schafte einzuschließen. Die Cladombreite beträgt 130—180 μ.

Sowohl unter jenen wie unter diesen kommen einzelne Anatriaene mit verkürztem Schaft vor. Der letztere ist bei diesen zylindrisch, terminal abgerundet oder tyl, und 7—9 mm lang. Der Durchmesser des Tyls pflegt doppelt so groß als die Schaftdicke zu sein.

Die selteren Microanatriaene haben einen 320 μ langen, am cladomalen Ende 1,5, in der Mitte 5 μ dicken, zugespitzten Schaft, 5 μ lange, gleichmäßig gekrimmte Clade und ein 7 μ breites Cladom.

Die Sterraster (Taf. XXXVI, Fig. 29, 31, 32, 42d, 43a) sind insofern etwas unregelmäßig ellipsoidisch als die den Nabel tragende Seite besonders stark abgeplattet erscheint. Sie sind 105—120, meist 115 μ lang, 85—95 μ breit, und 70—75 μ dick. Die kanle Nabeleinsenkung ist rundlich oder eiförmig und hält 8—12 μ im Durchmesser. Die die übrigen Teile der Sterrasteroberfläche bedeckenden Höcker sind am Grunde 5 μ dick und haben hier einen regelmäßig kreisförmigen Querschnitt. Am Ende sind sie verschmälert, 3 μ dick, quer abgestutzt und mit einem Kranze von vier bis sieben 1—1,5 μ langen Dornen besetzt. Junge Sterraster (Fig. 43a) haben die gewöhnliche Strahlenmassenform.

Die großen, kurzstrahligen Strongylosphaeraster (Taf. XXXVI, Fig. 35, 36, 42c; Taf. XXXVII, Fig. 2) haben ein regelmäßig kugeliges Zentrum von 16—25 μ Durchmesser, in dessen Innern eine ziemlich grobe, strahlige Struktur (ein System ziemlich distanter radialer Linien) zu erkennen ist. Der Oberfläche dieses Zentrums entragen etwa siebzig radiale, 2—4 μ voneinander entfernte, kurze und breite, zylindrische, unten trompeten-artig verbreiterte, 2—3 μ dicke und 1,5—2,5 μ lange, terminal abgestutzte Strahlen, deren Scheitelflächen radial aufragende Dornen tragen. Der Gesamtdurchmesser der Nadel beträgt

275

42*

19—30 μ. Die Jugendform dieses Strongylosphaerasters ist ein Oxysphaeraster mit beiläufig siebzig Strahlen.

Die kleinen Strongylosphaeraster (Taf. XXXVI, Fig. 38, 39, 42a, 43d; Taf. XXXVII, Fig. 3, 4) haben vier bis achtzehn, meist sieben bis elf, zylindrische, terminal abgerundete oder etwas plötzlich abgestutzte, im Endteil mit feinen Dornen besetzte Strahlen. Das Zentrum hat einen Durchmesser von 2,5—5 μ. Die Strahlen sind 1—2 μ dick und (für sich, ohne Zentrum gemessen) 2—3 μ lang. Der Gesamtdurchmesser beträgt 5—10 μ.

Die Oxysphaeraster (Taf. XXXVI, Fig. 37, 43c) — man könnte sie auch Oxyaster mit Zentrum nennen — haben vierzehn bis achtzehn, gerade, kegelförmige, scharf zugespitzte, vollkommen glatte (für sich, ohne Zentrum gemessen) 6—8 μ lange, am Grunde 3—4 μ dicke Strahlen. Das Zentrum hält 5—10, der ganze Aster 16—21 μ im Durchmesser.

Die großen Oxyaster (Taf. XXXVI, Fig. 33, 34, 43b) haben drei bis neun kegelförmige, am Ende zugespitzte oder abgerundete Strahlen, die überall außer am Grunde mit kleinen, wie es scheint etwas zurückgebogenen Dornen besetzt sind. Häufig ist auch ein größerer Terminaldorn zu erkennen. Die Größe der Strahlen und des ganzen Asters stehen im umgekehrten Verhältnis zur Zahl der ersteren. Die Acht- und Neunstrahler haben 12—13 μ lange, am Grunde 2—2,5 μ dicke Strahlen und halten 22—27 μ im Durchmesser. Bei einigen von diesen Nadeln ist eine Andeutung eines Zentrums zu erkennen; diese führen zu den oben beschriebenen Oxysphaerastern hin. Die Sechs- und Siebenstrahler haben 12—20 μ lange, am Grunde 2—4 μ dicke Strahlen und halten 22—38 μ im Durchmesser. Die Drei- bis Fünfstrahler haben 20—30 μ lange, am Grunde 3—5 μ dicke Strahlen und halten 38—50 μ im Durchmesser.

Ich habe einige, wenige, kleine, in der Mitte etwas unregelmäßig verdickte, geknickte Microamphioxe von 110—135 μ Länge und 4—5 μ maximaler Dicke beobachtet, die zwar den Eindruck großer diactiner Oxyaster machen, aber deshalb nicht den oben beschriebenen Oxyastern zugezählt werden können, weil sie durchaus ganz glatt sind.

Dieser Schwamm wurde von der Valdivia am 3. November 1898 auf der Agulhasbank an der südafrikanischen Küste in 35° 26′ 8″ S., 20° 56′ 2″ O. (Valdivia-Station No. 106 b) aus einer Tiefe von 84 m hervorgeholt.

Die anderen Geodia-Arten mit Sterrastern von derselben Größe sind G. variospiculosa THIELE, G. (Cydonium) arabica CARTER, G. sphaerastrella TOPSENT und diejenigen Schwämme, welche TOPSENT früher[1]) als Geodia baretti var. nodastrella CARTER bezeichnet hatte, neuerlich aber mit den damals von ihm als Isops globus bestimmten[2]) und einigen später erbeuteten Stücken vereint, und der SOLLAS'schen Geodia (Cydonium) coaster zugewiesen hat.[3]) Von den genannten haben nur G. sphaerastrella TOPSENT und die neuerlich von TOPSENT der G. coaster zugewiesenen Spongien solche große Sphaeraster mit kurzen, zylindrischen, terminal dornigen Strahlen, wie sie bei G. stellata vorkommen. Von G. sphaerastrella unterscheidet sich unser Schwamm durch den Besitz von Mesoprocladen und Anatriaenen. Näher ist er mit den von TOPSENT (s. o.) als G. coaster bestimmten Spongien verwandt. Eine erschöpfende Darstellung dieser Schwämme

---

[1]) E. TOPSENT, Contrib. étude Spongiaires d'Atlantique Nord. In: Résult. Camp. Monaco Bd. 2 p. 48.
[2]) E. TOPSENT l. c. p. 48 Taf. 5 Fig. 9a—f.
[3]) E. TOPSENT, Spongiaires des Açores. In: Résult. Camp. Monaco Bd. 25 p. 67—69 Taf. 4 Fig. 7; Taf. 9 Fig. 5.

gibt TOPSENT nicht. Er beschreibt Habitus, Microsclere und Rindenrhabde, sagt bezüglich der übrigen Nadeln aber nur, daß sie mit jenen der von SOLLAS als *G. (Cydonium) eosaster*[1]) beschriebenen Spongien im allgemeinen übereinstimmen und von diesen nur insofern abweichen als bei den von SOLLAS' beschriebenen, ostaustralischen Stücken die Endclade der Dichotriaene länger als die Hauptclade, bei den von TOPSENT untersuchten, azorischen die Hauptclade länger als die Endclade sind. Von der Darstellung, die SOLLAS von seiner *G. (Cydonium) eosaster* gibt, weicht *G. stellata* durch die bedeutendere Größe der Sterraster, die beinahe fünfmal so große Länge der radialen Amphioxe und die geringere Breite und ganz verschiedene Gestalt der Anatriaencladome ab. Die bedeutendere Länge der radialen Amphioxe könnte an sich darauf zurückgeführt werden, daß die SOLLAS'schen Stücke jung und klein, das von mir untersuchte aber erwachsen und groß ist. Zusammengehalten mit dem Umstand, daß bei ersteren die Anatriaene nicht sehr viel und die Proclade fast gar nicht kürzer als bei letzteren sind, gewinnt jener Unterschied aber spezifischen Wert. Hierzu kommt noch, daß SOLLAS und TOPSENT die Rindenrhabde der *G. eosaster* Amphioxe nennen, während sie bei *G. stellata* Style sind, daß die Oxyaster des Choanosoms bei allen, von SOLLAS und TOPSENT zu *G. eosaster* gestellten Spongien kleiner, die kleinen Strongylosphaeraster der Oberfläche aber ebenso groß oder größer als bei *G. stellata* sind, und daß bei ersterer die Proclade als Teloclade beschrieben wurden, während sie bei letzterer Mesoclade sind. Unter diesen Umständen glaube ich den vorliegenden Schwamm mit den erwähnten ihm sonst nahe stehenden, von TOPSENT zu *G. eosaster* gestellten Spongien nicht vereinigen, für ihn vielmehr eine neue Art aufstellen zu sollen.

Geodia robusta .n. sp.
Taf. XXXVII, Fig. 5—23.

Von diesem Schwamme findet sich ein Stück in der Valdivia-Sammlung.

Dasselbe (Taf. XXXVII, Fig. 12) ist abgeplattet, ellipsoidisch, 120 mm lang, 90 mm breit und 72 mm dick. Es saß mit einer ziemlich ausgedehnten, seitlich, nahe. dem einen Pole gelegenen Fläche fest. Die Oberfläche erscheint völlig glatt. Hie und da ragt eine abgebrochene Nadel darüber vor und man findet auch im Oberflächenniveau selbst abgebrochene Nadeln, weshalb es wohl möglich wäre, daß der frische Schwamm einen Nadelpelz besessen hatte, doch war dieser, wenn überhaupt vorhanden, jedenfalls nicht dicht. Der Schwamm hat eine 2—2,5 mm dicke Rinde, die aus einer äußeren, 200—300 μ dicken, sterrasterfreien, und einer inneren, etwa 2 mm dicken, von Sterrastern erfüllten Schichte besteht. Ueber die Oberfläche sind Gruppen von dicht beisammen liegenden, rundlichen, 20—50 μ weiten Poren zerstreut. Die Mittelpunkte dieser Porengruppen sind durchschnittlich 1,5 mm voneinander entfernt. Größere, mit freiem Auge sichtbare Oeffnungen finden sich nicht. Die Poren einer jeden Gruppe führen in Kanäle hinein, welche in der äußeren Rindenlage paratangential verlaufen, gegen einen, unter der Mitte der Porengruppe gelegenen Punkt konvergieren, und sich hier zu einem Gang vereinigen, der die innere Rindenlage radial durchzieht. Die Wand dieses Ganges besteht im größten Teile seiner Ausdehnung aus braunem Chonalgewebe. Dasselbe endet etwas oberhalb der Grenze

[1]) W. J. SOLLAS, Tetractinellida. In: Challenger Rep. Zool. Bd. 25 p. 225, 227 Taf. 20 Fig. 22; Taf. 21 Fig. 15—29.

zwischen Rinde und Choanosom. Die größeren Kanäle im Choanosom werden von zahlreichen Quermembranen durchsetzt, welche in sehr kleinen Zwischenräumen übereinander liegen und stellenweise miteinander verbunden sind, weshalb diese Kanäle im optischen Längsschnitt aussehen als ob sie von Netzen mit langgestreckten, quer liegenden Maschen eingenommen wären.

Die Farbe des Schwammes ist, in Weingeist, an der Oberfläche rötlich, im Innern bräunlich.

Skelett. Die rhabden, gegen die Oberfläche in deutliche Radialbündel bildenden Megasclere sind vorwiegend stumpfe Amphioxe. Oft geht die Abstumpfung so weit, daß sie als Amphistrongyle angesprochen werden können. Einige, wenige sind Style. Distal gesellen sich diesen Rhabden Dichotriaene, Anatriaene und Proclade, welche letztere zum Teil telo- zum Teil mesoclad sind, hinzu. Die Anatriaene und namentlich die Proclade sind ziemlich klein und nicht sehr häufig, die Dichotriaene sehr stark und zahlreich. Auf den robusten Bau der Dichotriaene bezieht sich der Artname. Obzwar auch an der unteren Rindengrenze und proximal davon Cladome einzelner von diesen Nadeln angetroffen werden, so liegen doch die allermeisten von ihnen außerhalb des Sterrasterpanzers, an der Oberfläche, wo die Dichotriaencladome eine deutlich ausgesprochene Schicht bilden (Taf. XXXVII, Fig. 8 a). Die Microsclere sind Sterraster, kleine Acanthtylsphaeraster und ziemlich große Oxyaster. Die Sterraster erfüllen in dichten Massen die untere Rindenlage und kommen in nicht geringer Anzahl auch im distalen Teil des Choanosoms vor. Die kleinen Acanthtylsphaeraster bilden eine einfache, dichte, knapp über den Dichotriaencladomen ausgebreitete Lage an der Oberfläche und kommen zerstreut auch in den tieferen Teilen der Rinde und im Choanosom, namentlich in dessen Distalteil, vor. Die großen Oxyaster sind auf das Choanosom beschränkt, hier aber recht zahlreich.

Die Amphioxe und Amphistrongyle sind gerade oder nur wenig gekrümmt, 2,6—6,5 mm lang und in der Mitte 25—65 μ dick. Die über 5 mm langen pflegen 40—50 μ dick zu sein. Ueber 50 μ dicke habe ich nur unter den kürzeren angetroffen. Die Enden dieser Nadeln sind immer dünner als der Mittelteil, abgerundet oder plötzlich und nicht scharf zugespitzt. Wenn, was gar nicht selten vorkommt, die Terminalverdünnung gering ist und die Nadelenden ein drittel bis ein halb so dick als die Nadelmitte und einfach abgerundet sind, erscheint das Rhabd als ein Amphistrongyl.

Die selteren Style sind ebenso dick, aber kürzer als die Amphioxe.

Die Dichotriaene (Taf. XXXVII, Fig. 5—11) haben einen, meist ganz geraden, 4—6,8 mm langen Schaft. Dicht unter dem Cladom erscheint derselbe eingeschnürt, etwa 200 μ unterhalb erreicht er seine größte Dicke und hält hier 120—170 μ im Durchmesser. In der Einschnürung am Cladom ist die Schaftdicke um 8—16 % geringer. Der Schaft ist gegen das acladomale Ende hin stetig verdünnt und hier meist 10—12 μ dick und einfach abgerundet. Das Cladom ist gedrungen gebaut. Die Hauptclade sind etwas emporgerichtet und 100—150 μ lang. Die Endclade breiten sich annähernd in einer, auf den Schaft senkrecht stehenden Ebene aus und haben eine Länge von 140—300 μ. Sie sind kegelförmig und am Ende ziemlich spitz (Fig. 11), etwas (Fig. 5, 6, 9) oder stark (Fig. 10) abgestumpft, und paarweise mehr oder weniger gegeneinander konkav gekrümmt. Zuweilen sind sie nahe dem Ende in dieser Richtung geknickt.

Von teloclanen Procladen habe ich nur Prodiaene beobachtet. Diese haben einen 7 μ dicken Schaft und 100—130 μ lange Clade, die gegen die Schaftverlängerung konkav gekrimmt sind und deren Seiten Winkel von etwa 35⁰ mit der letzteren einschließen. Ihre Cladombreite beträgt etwa 65 μ.

Die mesocladen Proclade sind Mesoprotriaene und Mesprodiaene (Taf. XXXVII, Fig. 19). Sie haben einen 8—10 μ dicken Schaft, eine 70—80 μ lange Schaftfortsetzung, und 80—100 μ lange,· gerade oder gegen die Schaftfortsetzung konkav gekrümmte, mit dieser Winkel von 37—42⁰ einschließende Clade. Ihre Cladombreite beträgt 88—95 μ.

Die Anatriaene (Taf. XXXVII, Fig. 20—22) haben einen 9—11,5 mm langen Schaft. Dieser ist gewöhnlich nur wenig gekrümmt. Zuweilen ist sein Endteil spiralig gewunden, einigermaßen korkzieherartig. Der Schaft ist am cladomalen Ende 10—33 μ dick und am acladomalen Ende abgerundet. Meistens ist der Schaft gegen das letztere hin verdünnt, ich habe aber auch Anatriaene gesehen, bei denen das Umgekehrte der Fall war. Der Schaft einer dieser Nadeln war am cladomalen Ende 28, am acladomalen Ende 23, in der Mitte aber nur 13 μ dick. Die Cladome sind recht verschieden. Zuweilen ist eine transcladomale Schaftfortsetzung in Gestalt eines deutlichen Terminalhöckers vorhanden (Fig. 20), zuweilen nicht (Fig. 22). Die Clade sind 70—150 μ lang. Ihr Endteil ist stets gerade. Am Anfange des geraden Endteiles ist das Clad mehr (Fig. 21) oder weniger (Fig. 20) oder auch gar nicht (Fig. 22) geknickt. Der gerade Endteil ist zwei- bis viermal so lang als der gekrümmte Grundteil. Die Cladsehnen schließen Winkel von 24—43⁰ mit dem Schafte ein. Die Cladombreite beträgt 80—150 μ.

Die Sterraster (Taf. XXXVII, Fig. 8 b, 18, 23) sind abgeplattet ellipsoidisch, meist 160—175, selten bis 185 μ lang, 135—155 μ breit und 110—120 μ dick. Die mittleren Teile der beiden breiten Seiten sind zuweilen ganz eben oder gar etwas konkav. In der Mitte einer dieser Breitseiten liegt der 20—25 μ breite Nabel. Die die übrigen Teile der Sterrasteroberfläche bedeckenden, terminal abgestutzten Höcker stehen sehr dicht, sind 3 μ breit und tragen am Rande ihrer Scheitelfläche einen Kranz von meist vier bis sechs 1—2 μ langen, auffallend stumpfen Dornen. Die Dornen benachbarter Höcker greifen oft wie die Zähne von Zahnrädern ineinander.

Die kleinen Acanthtylsphaeraster (Taf. XXXVII, Fig. 13, 14) haben ein 2—5 μ im Durchmesser haltendes, kugeliges Zentrum, von dem zehn bis zweiundzwanzig zylindrische oder zylindrokonische, 1—4 μ lange, am Grunde 0,5—1 μ dicke Strahlen abgehen. Sind die Strahlen dick und ist das Zentrum klein (Fig. 13), so ist das letztere kaum als solches erkennbar. In anderen Fällen tritt es sehr deutlich hervor. Die Strahlen enden mit einem kurzen und dicken Terminaldorn und tragen unterhalb desselben ein Wirtel ziemlich großer Seitendornen. Neben diesen können noch einige kleine Dörnchen vorkommen; der Grundteil des Strahles ist aber stets glatt. Diese Aster halten 4—12 μ im Gesamtdurchmesser. Die kleinen sind viel häufiger als die großen. Eine Beziehung zwischen Strahlenzahl und Nadelgröße ist nicht deutlich zu erkennen.

Die großen Oxyaster (Taf. XXXVII, Fig. 15—17) haben sieben bis zwanzig kegelförmige Strahlen, die eine kleinere oder größere Strecke unterhalb des Endes ein Wirtel von großen Seitendornen tragen. Außer den letzteren kommen am distalen Teil des Strahls noch andere, gewöhnlich viel kleinere, nur selten, besonders bei sehr dickstrahligen, fast ebenso große Dornen vor. Der Grundteil des Strahls ist stets glatt. · Die Größe der Strahlen und des ganzen

Asters stehen zwar im umgekehrten Verhältnis zur Anzahl der ersteren, es ist jedoch diese Beziehung nicht besonders deutlich ausgesprochen. Die Siebzehn- bis Zwanzigstrahler haben meist 10 μ lange, am Grunde 1—3 μ dicke Strahlen und halten etwa 20 μ im Durchmesser. Die Sieben- bis Dreizehnstrahler haben ebenso dicke, meist 12—17 μ lange Strahlen und halten 23—34 μ im Durchmesser.

Dieser Schwamm wurde von der Valdivia am 3. November 1898 auf der Agulhasbank an der südafrikanischen Küste in 35^0 26,8′ S., 20^0 56,3′ O., (Valdivia-Station Nr. 106 b) aus einer Tiefe von 84 m hervorgeholt.

Von den bekannten Geodia-Arten gibt es nur zwei, die hinsichtlich der Sterrastergröße mit dem vorliegenden Schwamme annähernd übereinstimmen: G. thomsonii O. Schmidt und G. erinaceus Lendenfeld. Von beiden unterscheidet er sich durch den Besitz von Anatriaenen und Procladen, sowie durch andere Merkmale.

Subordo Megasclerophora.

Tetractinellida ohne Microsclere. Selten fehlt das Skelett ganz. Meistens sind Megasclere vorhanden. Diese sind kurzschäftig triaen, chelotrop, triactin oder diactin, und haben oft verzweigte Strahlen.

Die Megasclerophora zerfallen in die zwei Familien:

    Plakinidae (mit Skelett).
    Oscarellidae (ohne Skelett).

Die Plakinidae sind in der Gazellen-, die Oscarellidae in der Valdivia-Sammlung vertreten.

Familie Plakinidae.

Megasclerophora mit Skelett.

Die Ergebnisse der Untersuchung der Tetraxonia der Valdivia- und Gazellen-Sammlung haben keine Aenderung meiner früheren[1]) Einteilung der Plakinidae in die fünf Gattungen Plakinastrella, Plakina, Plakortis, Corticium und Thrombus notwendig gemacht, weshalb ich diese Einteilung beibehalte und mich hier damit begnüge, auf dieselbe (l. c.) hinzuweisen.

Von jenen fünf Gattungen sind zwei, Plakinestrella und Corticium, in der Gazellen-Sammlung durch drei, zwei neuen Arten angehörige Spongien vertreten.

Genus Plakinastrella F. E. Schulze.

Plakinidae mit diactinen, kurzschäftig telocladen, chelotropen, oft auch triactinen Nadeln. Die Strahlen der Nadeln sind nicht verzweigt.

In der Gazellen-Sammlung findet sich ein zu dieser Gattung gehöriger Schwamm, welcher eine neue Art repräsentiert.

---

[1]) R. v. Lendenfeld. Tetraxonia. In: Tierreich Bd. 19 p. 118.

Plakinastrella mammillaris n. sp.

Taf. XL, Fig. 13—22.

Von diesem Schwamme findet sich ein Stück in der Gazellen-Sammlung. Dasselbe (Taf. XL, Fig. 14) besitzt mehrere kleine Anheftungsstellen und erscheint als eine aufrechte, 145 mm hohe, seitlich etwas abgeplattete, 143 mm breite, 86 mm dicke Masse, von deren Oberseite abgerundete Hügel aufragen, und von deren Grund ein kurzer, fingerförmiger Fortsatz abgeht. Der ganze Schwamm sieht aus als ob er aus zylindrischen, zumeist etwa 4 cm dicken, oben domförmig abgerundeten und seitlich miteinander verschmolzenen Teilen bestände. Auf den Scheiteln der Hügel und auch an anderen Stellen der Oberseite des Schwammes finden sich eiförmige, 3—10 mm lange, und 2—7 mm breite Oscula. Jene Hügel erlangen dadurch ein mammaförmiges Aussehen, worauf sich der Artname bezieht. Die Oberfläche ist kahl, stellenweise etwas wellig und größtenteils glatt. An einigen Stellen sind derselben kleine, unregelmäßige, scharf begrenzte Furchen eingesenkt. An den Stellen, wo man diese Furchen sieht, ist die Dermalmembran abgerieben worden. Die Furchen sind nicht anders als die, durch den Verlust dieser Membran freigelegten Subdermalkanäle.

Die Farbe des Schwammes ist, in Weingeist, an der Oberfläche und im Innern blaß kaffeebraun.

Das Skelett besteht aus einer dichten, den ganzen Schwamm erfüllenden Masse von kleinen, unregelmäßig gelagerten Amphioxen, und aus weniger zahlreichen, zerstreuten Chelotropen.

Die Amphioxe (Taf. XL, Fig. 20—22) sind ganz glatt. Sie sind mehr oder weniger, zuweilen recht beträchtlich (Fig. 22), in unregelmäßiger Weise gebogen, 30—240 μ lang und 1,5—7 μ dick. Die kleinen, bis 60 μ langen, sind fast alle centrotyl. Ihr oft etwas einseitig gelegenes, centrales Tyl hat einen, die Nadeldicke um 20—100% übersteigenden Durchmesser. Unter den großen, über 100 μ langen, finden sich keine Centrotyle. Im allgemeinen ist das centrale Tyl (relativ) um so stärker, je dünner (kleiner) die Nadel ist, weshalb anzunehmen wäre, daß die kleinen, centrotylen von diesen Nadeln zu großen nicht centrotylen auswachsen. Viele, namentlich von den kleineren, sind nahe der Mitte zweimal leicht geknickt. Es wäre möglich, daß der mittlere, zwischen den beiden Knickungsstellen gelegene Teil der Nadel als Schaft, die beiden Endteile als Strahlen und demnach die ganze Nadel als ein zweistrahliges Metasterderivat anzusehen ist. Ich muß hierzu jedoch bemerken, daß ich bei keiner der Tausende von diesen Nadeln, die ich beobachtet habe, eine Spur weiterer Strahlen finden konnte.

Die Chelotrope (Taf. XL, Fig. 13, 15—19) sind zum allergrößten Teil so ziemlich regulär. Ihre Strahlen sind kegelförmig, gegen das Ende rascher als am Grunde verdünnt und stumpfspitzig, oder, seltener, ganz stumpf; sie sind gerade oder nur in geringem Maße verbogen. Gewöhnlich sind die vier Strahlen einer Nadel einander ziemlich gleich, selten ist einer verkürzt (Fig. 13 unten) oder geknickt (Fig. 17). Die Strahlen sind 115—280 μ lang und am Grunde 18—68 μ dick, meist 5—6 mal so lang als dick.

Dieser Schwamm wurde von der Gazelle (Nr. 737) im Naturforscher-Kanal an der westaustralischen Küste erbeutet.

281

Zweifellos gehört der vorliegende Schwamm in das Genus *Plakinastrella*. Wenn seine Amphioxe Metasterderivate, Microsclere also wären, so könnte er allerdings nicht zu den Megasclerophora gestellt werden. Das gilt aber für die anderen *Plakinastrella*-Arten gerade so wie für diese, so daß man, wenn man jene Amphioxe als Microsclere ansehen würde, nicht etwa den vorliegenden Schwamm aus dem Genus *Plakinastrella* ausscheiden, sondern vielmehr das ganze Genus zu den *Astrophora* stellen müßte.

Zu der ursprünglichen Art dieses Genus *P. copiosa* F. E. SCHULZE[1]) sind neuerlich folgende hinzugekommen:

Placinastrella clathrata KIRKPATRICK[2]),

Placinastrella orcata TOPSENT[3]) und

Dercitopsis ceylonica DENDY[4]).

Die zwei neuerlich von DENDY[5]) als *Plakinastrella intermedia* und *P. schulzei* beschriebenen Spongien gehören nach meinem System in das von mir[6]) aufgestellte Genus *Pachastrissa*.

Von den oben erwähnten vier zu *Plakinastrella* in meinem Sinne gehörigen Spongien unterscheidet sich *P. mammillaris* durch das Fehlen der Triactine und durch andere Merkmale.

Genus Corticium O. SCHMIDT.

Plakinidae ohne Diactine, mit Candelabern.

In der Gazellen-Sammlung finden sich zwei zu dieser Gattung gehörige Spongien, welche eine neue Art repräsentieren.

Corticium simplex n. sp.

Taf. XLVI, Fig. 1—21.

In der Gazellen-Sammlung finden sich zwei Stücke dieses Schwammes.

Das eine (Taf. XLVI, Fig. 5) ist aufrecht, oben verbreitert, im ganzen ein umgekehrter, 76 mm hoher, 77 mm langer und 40 mm breiter Kegel; das andere ein 82 mm langer, 46 mm breiter und 42 mm hoher Knollen. Beide Stücke haben eine ziemlich kleine Ansatzfläche und bestehen aus 15—20 mm breiten, teilweise verwachsenen, im übrigen einander knapp anliegenden lappenförmigen Teilen, welche sich von dieser Grundfläche erheben und eine recht kompakte Masse bilden. Die Verwachsung der Lappen miteinander reicht verschieden weit hinauf, so daß die sie trennenden Spalten verschieden tief sind. Die tiefsten reichen bis in die Nähe der Grundfläche hinab, die seichtesten erscheinen als unbedeutende Furchen zwischen den abgerundeten, oft unregelmäßig gyriartig aussehenden, freien Lappenrändern. Die Oberfläche ist glatt. Auf dem Scheitel eines jeden größeren Lappens findet sich eine kleine Gruppe von 500 μ bis 1 mm weiten Osculis (Taf. XLVI, Fig. 5 rechts oben).

• [1]) F. E. SCHULZE, Die Plakiniden, In: Zeitschr. wiss. Zool. Bd. 31 p. 433.

[2]) R. KIRKPATRICK, Descr. of Sponges from Funafuti. In: Ann. nat. Hist. ser. 5 Bd. 6 p. 350.

[3]) E. TOPSENT, Spongiaires des Açores. In: Result. Camp. Monaco Bd. 25 p. 102.

[4]) A. DENDY, On the Sponges. In: Rep. Pearl Oyster Fisheries Ceylon Pt. 3 (Supplementary Rep. Nr. 18) p. 66.

[5]) A. DENDY l. c. p. 67 und 69.

[6]) R. v. LENDENFELD, Tetraxonia. In: TiefTeich Bd. 19 p. 80.

Die Farbe des Schwammes ist, in Weingeist, an der freien Oberfläche rotbraun, an den aneinanderstoßenden Seitenflächen der Lappen lichter, braun oder blaßgrau. Das Choanosom ist gelblich, das innere lakunöse Gewebe licht bläulichgrau.

Senkrecht zur Oberfläche geführte Schnitte zeigen, daß jeder Lappen, bzw. der ganze Schwammkörper, aus zwei verschiedenen Zonen, einer inneren, die axialen Teile der Lappen einnehmenden (Taf. XLVI, Fig. 20 g, 21 b), und einer äußeren, dieses innere Gewebe einhüllenden, nur durch die, von den oben beschriebenen Osculis herabziehenden Oscularröhren unterbrochenen, etwa 2 mm dicken Zone (Taf. XLVI, Fig. 20, 21 a) besteht. Die axiale Zone ist zart und besteht aus einem Schaumgewebe; sie ist frei von Geißelkammern. Die äußere Zone ist dichter und nicht durchaus von gleicher Beschaffenheit: schon mit schwachen Vergrößerungen erkennt man, daß eine etwa 100 μ dicke, dicht unter der Oberfläche gelegene Schicht anders als ihre tieferen, von den Geißelkammern eingenommenen Teile gebaut ist. In dieser oberflächlichen Schicht fehlen die Geißelkammern, dafür finden sich hier große, fast die ganze Dicke dieser Schicht einnehmende Bläschen (Taf. XLVI, Fig. 1 e, 2 e, 4 b, 6 b, 8 c, 19 f, 20 b), welche eine einfache Lage dicht unter der Oberfläche des Schwammes bilden. Man kann diese Bildungen Dermalblasen nennen.

An der Oberfläche selbst finden sich sehr zahlreiche Einströmungsporen. Obzwar auch einzelne mittelgroße Uebergangsformen vorkommen, können ganz gut zwei Arten von solchen Poren, große (Taf. XLVI, Fig. 7 b) und kleine (Taf. XLVI, Fig. 7 a) unterschieden werden. Die großen sind eiförmig oder, seltener, kreisrund, halten 100—140 μ im größten Durchmesser und sind etwa 400 μ voneinander entfernt. Zwischen diesen großen Poren finden sich die kleinen, welche ähnlich gestaltet, meist 20—40 μ groß und viel zahlreicher sind. Viele von ihnen sind in Kreisen um die größten von den großen Poren angeordnet. Strahlenäste der in der Umgebung dieser Poren sitzenden, dermalen Candelaber ragen in die Poren hinein und lassen ihre Ränder stachelig erscheinen.

Diese Poren führen in streng radiale, zylindrische Kanäle hinein, die ebenso weit wie die Poren sind, von denen sie herabziehen. Die weiten, von den großen Poren kommenden (Taf. XLVI, Fig. 20 c), ziehen geradlinig durch die Geißelkammerzone hinab und lösen sich vorwiegend im unteren Teile der Geißelkammerzone in kleinere, einführende Zweigkanäle auf. Die engen, von den kleinen Poren kommenden (Taf. XXXVIII, Fig. 19 c, 20 d), sind viel kürzer und verzweigen sich im oberflächlichen Teil der Geißelkammerzone. Die letzten, zu den Geißelkammern führenden Endzweige aller dieser Kanäle sind etwa 5 μ weit.

Die Geißelkammern sind in der Geißelkammerzone zahlreich und recht dicht gedrängt. Sie sind (Taf. XLVI, Fig. 1 f, 2 f, 4 c, 9 d, 19 e, 20 e) im ganzen kugelig oder abgeplattet, meist 27—34 μ breit und 40—50 μ lang.

Die an den Kammern entspringenden Ausfuhrkanäle sammeln sich zu radial in die Tiefe hinabziehenden Röhren (Taf. XLVI, Fig. 4 d, 20 f), welche ähnliche Dimensionen, wie die Einfuhrkanäle haben und in die axiale Lakunenzone ausmünden. Die letztere (Taf. XLVI, Fig. 3, 20 g, 21 b) besteht aus feinen, zu einem schaumartigen Raumnetze verbundenen, stellenweise durchbrochenen Membranen. Die blasenartigen, von diesen Membranen eingeschlossenen Höhlen sind von sehr verschiedener Ausdehnung: die größten halten über 1 mm im Durchmesser, die kleinsten sind nur 40 μ weit. Diese Höhlen stehen durch die erwähnten Unterbrechungen der Membranen miteinander in Verbindung und das ganze axiale Höhlensystem eines jeden Lappens mündet mit den oben beschriebenen kleinen Osculis am Lappenscheitel nach außen.

Die Wände der radialen Einfuhrkanäle sind mit einem noſen Pflaster- oder Zylinderepithel (Taf. XLVI, Fig. 1 d, 2 d, 6 a, 9 b, 19 c) bekleidet. Dieses besteht aus dicht nebeneinander stehenden, 5—8 μ hohen, massigen oder radial in die Länge gestreckten, abgerundeten Zellen, welche oben 4—5 μ breit sind und sich nach unten zu einer etwa 7 μ im Durchmesser haltenden Basalplatte von polygonalem Umriß verbreitern. Der Kern ist kugelig und 2 μ groß. Das Plasma ist dicht, körnig und wird von Hämatoxylin stark gefärbt. Es ist möglich, daß sich dieses Epithel auch über die äußere Oberfläche des Schwammes ausbreitet. Stellenweise sah ich Andeutungen davon. Sicheres kann ich hierüber nicht mitteilen. Eine Cuticula, wie sie TOPSENT[1]) von *Corticium candelabrum* beschreibt, konnte ich an der Oberfläche nicht auffinden. Aehnliche Epithelzellen, wie in den radialen Einfuhrkanälen, habe ich auch an den Oberflächen der Membranen des axialen Schaumgewebes (Taf. XLVI, Fig. 3 b) beobachtet. Während aber die Epithelzellen in den Wänden der Einfuhrkanäle, wie erwähnt, ziemlich dicht beisammen stehen, sind sie im Schaumgewebe im allgemeinen recht dünn gesät. Vielleicht sind hier viele post mortem abgefallen.

Die Kragenzellen der Geißelkammern (Taf. XLVI, Fig. 9, 19) sind 6—8 μ lang und oben 2—3 μ breit. Unten scheinen sie sich zu einer, etwa 5 μ im Durchmesser haltenden Grundplatte zu verbreitern, die zwar nicht deutlich von den unterliegenden körnigen Massen abgesetzt ist, aber doch Spuren eines zackigen Umrisses erkennen läßt. Der kugelige Kern ist ungefähr 1 μ groß. Das Plasma ist körnig und wird vom Hämatoxylin beträchtlich, fast ebenso stark gefärbt, wie der Kern. Von Kragen und Geißel sind Reste zu erkennen, welche in Gestalt unregelmäßiger, beträchtlich gefärbter Fäden und Fladen das Kammerlumen durchziehen.

Wie erwähnt, liegen in der Geißelkammerzone die Geißelkammern sehr nahe beisammen. Nur dicht unter der Oberfläche und in der nächsten Umgebung der radialen Einfuhrkanäle gibt es ausgedehntere, geißelkammerfreie Strecken. Diese sind, so weit sie nicht von den unten zu beschreibenden Dermalblasen eingenommen werden, von einem knorpelähnlichen Gewebe (Taf. XLVI, Fig. 9 c) erfüllt, das aus einer, mit Hämatoxylin beträchtlich färbbaren Grundsubstanz besteht, in welcher kleine, kugelige 5—7 μ weite und 15—20 μ voneinander entfernte Höhlen liegen. In jeder Höhle findet sich eine unregelmäßige, körnige Masse, wohl eine geschrumpfte Zelle. In diesem Gewebe, und auch anderwärts, habe ich kleine, eiförmige, zum Teil auch anders gestaltete, 1—2 μ lange Gebilde gesehen, die eine Membran zu besitzen scheinen und die angewendeten Farben (Hämatoxylin, Kongorot) nicht aufnehmen. Vielleicht sind das vegetabilische Symbionten, bzw. Parasiten.

Die mehrfach erwähnten, eine einfache Lage unter der Oberfläche bildenden Dermalblasen (Taf. XLVI, Fig. 1 e, 2 e, 4 b, 6 b, 8 c, 19 f, 20 b) sind kugelig, birnförmig oder unregelmäßig massig, zuweilen auch langgestreckt, wurstförmig, 30—75 hoch (radiale Dimension) und 40—70 μ breit (paratangentiale Dimension). Sie stehen recht nahe beisammen und bilden eine einfache, dicht unter der Oberfläche ausgebreitete Lage. Diese Bläschen haben eine dünne, aber recht auffallende, mit Hämatoxylin stark färbbare Wand. An einigen Bläschen konnte ich einen ihr

---

[1]) E. TOPSENT, Étude mon. Spong. de France. In: Arch. Zool. expér. Ser. 3 Bd. 3 p. 545.

Lumen mit der Außenwelt verbindenden, an der Schwammoberfläche ausmündenden 1,5—3 μ weiten Gang (Taf. XLVI, Fig. 8d) erkennen. Bei den meisten fand ich keinen Ausfuhrgang, woraus jedoch, in Anbetracht seiner Kleinheit und der Undurchsichtigkeit der äußersten Dermalschicht, nicht sicher geschlossen werden kann, daß ein Teil der Bläschen des Ausfuhrganges wirklich entbehrt. · Die Bläschen sind innen mit einer einfachen Lage von großen, zylindrischen, radial in die Länge gestreckten, 18—23 μ langen und 8—11 μ breiten, am freien Innenrande abgerundeten Zellen ausgekleidet. Diese Zellen (Taf. XLVI, Fig. 8c, 19f) enthalten ein weitmaschiges, aus körnigen, mit Hämatoxylin färbbaren plasmatischen Fäden oder Membranellen bestehendes Netz, dessen Maschen von einer durchsichtigen, zellsaftähnlichen Substanz eingenommen werden. Die Zellwand erscheint im optischen Durchschnitt als eine feine, scharf hervortretende Linie. Der dem inneren, freien Ende genäherte Kern ist rundlich oder in einer zur Zellachse queren Richtung langgestreckt, beziehungsweise in der Richtung dieser Achse abgeplattet. Kugelige Kerne haben einen Durchmesser von 2—2,5 μ: die langgestreckten (abgeplatteten) sind bis 4 μ lang und 1—1,5 μ breit. Die körnigen Fäden (Membranellen) des Plasmanetzes treten radial an den Kern heran und scheinen von ihm auszustrahlen.

Das von diesen Zellen eingeschlossene Lumen des Bläschens ist leer.

Ihrem Ausseren nach wären die Bläschen als sackförmige Hautdrüsen zu deuten, ob das aber wirklich ihre Natur und, wenn ja, welcher Art das Sekret ist, das sie abscheiden, weiß ich nicht zu sagen. Natürlich könnten sie dem Schwamme fremde Gebilde, Symbionten oder so etwas sein, doch scheint das aber wenig wahrscheinlich.

Das Skelett besteht ausschließlich aus Candelabern. Andere Nadelformen fehlen. Auf diese Einfachheit des Skelettbaues bezieht sich der Artname. Die Candelaber sind in der Haut sehr zahlreich. An der Oberfläche bilden sie eine dichte Lage (Taf. XLVI, Fig. 8b) und auch etwas unterhalb derselben werden sie, dem Hautgewebe eingebettet, angetroffen. Im Innern des Schwammes kommen ebenfalls Kandelaber vor, sie sind hier aber recht spärlich und, wie es scheint, auf die Wände der einführenden Radialkanäle, wo sie stellenweise kleine Gruppen bilden, beschränkt. Ihre Lage ist insofern immer die gleiche als ihre Clade stets paratangential, parallel der Oberfläche, unter der sie sich befinden, ausgebreitet sind, und der Schaft mit seiner Zweigkrone radial und distal, sei es (bei den oberflächlichen) nach außen, sei es (bei den der Kanalwände) gegen das Kanallumen, gerichtet ist. Es ist zu bemerken, daß der Schaft und seine Zweige nicht frei ins Wasser ragen, sondern stets von tingierbarem Plasma überzogen werden.

Ich betrachte die Candelaber als Triaene, mit verzweigten Claden und verzweigtem Schaft. Sie sind bei dem vorliegenden Schwamme (Taf. XLVI, Fig. 8b, 10—18) 25—43, meistens 37 μ lang. Ihr Schaft ist 4—10, meist etwa 7 μ dick und sehr kurz, kürzer als dick. Distal teilt er sich in sechs bis neun aufstrebende, nach außen konvexe, kegelförmige, zugespitzte oder stumpfe, 10—13 μ lange, am Grunde 2—5 μ dicke Zweige, welche ein Büschel (nicht Wirtel) bilden, dessen Breite von dem Grade ihrer Divergenz abhängt und 10—26 μ beträgt. Die Clade schließen mit dem Schafte Winkel von ungefähr 120° ein und sind beiläufig ebenso dick und lang wie dieser. Jedes Clad teilt sich in drei oder vier, selten fünf, kegelförmige, meist 2—3 μ dicke und 4—5 μ lange Endzweige. Die Cladombreite beträgt 19—38, meist 28—30 μ. Die Schaftzweige sind dornig, alle übrigen Teile der Nadel aber glatt. Die Dornelung der

Schaftzweige ist sehr verschieden. Zuweilen sind die Dornen nach aufwärts, zuweilen nach abwärts gerichtet. Zuweilen sind sie sehr klein, zuweilen bis 1 μ lang. Die Jugendformen der Candelaber sind schlanker, und haben relativ längere Schäfte und Clade, und kürzere Endzweige. Beide Stücke dieses Schwammes wurden von der Gazelle (Nr. 491 und 3260) an der Nordwestküste Australiens, in der Mermaidstraße, bei der Dampier-Insel erbeutet. Auf der dem einen (Nr. 3260) beiliegenden Vermerk ist das Datum, 30. April 1875, angegeben.

Von C. *candelabrum*, der einzigen bisher bekannten, sicheren Art des Genus *Corticium*, unterscheidet sich C. *simplex* durch die bedeutendere Größe der Geißelkammern, sowie dadurch, daß sein Skelett ausschließlich aus Candelabern besteht.

Familia Oscarellidae.

Megasclerophora ohne Skelett.

Diese Familie enthält das einzige Genus *Oscarella*, welches in der Valdivia-Sammlung durch vier, wahrscheinlich zu einer neuen Art gehörige Spongien vertreten zu sein scheint.

Genus Oscarella VOSMAER.

Mit den Charakteren der Familie.

In der Valdivia-Sammlung finden sich vier, vielleicht in dieses Genus gehörige, wahrscheinlich eine neue Art repräsentierende Spongien.

Oscarella sp. ?

Taf. XXX, Fig. 10, 18, 19, 22; Taf. XXXII, Fig. 26, 27; Taf. XXXIII, Fig. 1—4.

In der Valdivia-Sammlung finden sich zwei *Stelletta*, ein *Penares* und zwei *Isops*, für die ich die Species S. *farcimen* (s. d.), P. *obtusus* (s. d.) und I. *gallica* (s. d.) aufgestellt habe. Diese Schwämme haben einen nonen Nadelpelz, welcher bei den beiden erstgenannten die ganze Oberfläche bedeckt, bei dem letztgenannten auf die, die Einströmungsöffnungen tragende Seite beschränkt ist. Der zwischen den frei vorragenden Nadelteilen dieses Pelzes liegende Raum (Taf. XXX, Fig. 10a, 18a, 22a; Taf. XXXIII, Fig. 1, 2a, 4a) ist von einem bordoroten Gewebe ausgefüllt, worin Kanäle und Massen von kugeligen oder breit eiförmigen Blasen (Taf. XXX, Fig. 19b; Taf. XXXIII, Fig. 3a) zu bemerken sind. Diese Blasen halten 40—60 μ im Maximaldurchmesser. Ihr Lumen ist leer. Ihre Wand besteht aus einer einfachen, außen scharf begrenzten Lage von Zellen, die geschrumpften Kragenzellen, wie man sie in konservierten Spongien anzutreffen pflegt, sehr ähnlich seien (Taf. XXXIII, Fig. 3). Ich halte die Blasen für Geißelkammern. Außer den Nadeln der Schwämme, denen diese Krusten aufsitzen, konnte ich keinerlei Skeletteile in denselben Gewebe auffinden. Deshalb, und weil jene Geißelkammern in Bezug auf Größe und Gestalt jenen der *Oscarella lobularis* gleichen, bin ich geneigt, jenes Gewebe für eine *Oscarella*-Kruste zu halten, welche sich auf der Oberfläche des anderen Schwammes zwischen seinen Pelznadeln angesiedelt und symbiotisch mit demselben gelebt hat. Darüber, ob diese

Oscarella — wen̄ es eine ist — zur Species *O. lobularis* gehört, oder eine andere ist, habe ich mir kein Urteil bilden können.

Die Spongien mit diesem *Oscarella*(?)-Ueberzuge wurden von der Valdivia am 3. November 1898 auf der Agulhasbank an der südafrikanischen Küste unter 35⁰ 26′ 8″ S. und 20⁰ 56′ 2′ O. (Valdivia-Station 106 b) aus einer Tiefe von 84 m hervorgeholt. ·

Ordo Lithistida.

Tetraxonia mit einem Skelett, an dessen Aufbau desmoide, gewöhnlich zu Gittern verbundene Nadeln teilnehmen.

Ich habe keinen Anlaß an meiner früheren[1]) Einteilung der Lithistida in die zwei Unterordnungen Hoplophora (mit den sechs Familien Theonellidae, Coscinospongiidae, Pleromatidae, Neopeltidae, Scleritodermatiidae und Siphonidiidae); und Anoplia (mit den drei Familien Desmanthidae, Leiodermatiidae und Vetulinidae), etwas zu ändern.

In der Valdivia-Sammlung sind die Hoplophora-Familien Theonellidae, Coscinospongiidae und Siphonidiidae und die Anoplia-Familie Leiodermatiidae; in der Gazellen-Sammlung die Hoplophora-Familien Theonellidae und Coscinospongiidae vertreten.

In der Valdivia-Sammlung ·finden sich 21, in der Gazellen-Sammlung 5, zusammen 26 Lithistiden. Diese gehören 8 Arten (Valdivia 5, Gazelle 3) an. Eine von den Valdivia-Lithistiden-Arten war schon früher bekannt, die 7 anderen (Valdivia 4, Gazelle 3) sind neu.

Subordo Hoplophora.

Lithistida mit besondern Dermalnadeln und meist mit Microscleren.

Familia Theonellidae.

Hoplophora mit dichotriaenen, desmoidtriaenen, phyllotriaenen oder discotriaenen Dermalnadeln, und·tetracrepiden oder tricrepiden Desmen.

An der früheren[2]) Einteilung der Theonellidae in die 6 Genera Theonella, Discodermia, Racodiscula, Jereopsis, Kaliapsis und Sulcastrella wird hier nur insofern eine kleine Aenderung vorgenommen, als es notwendig geworden ist, Theonella und Discodermia in etwas anderer Weise voneinander abzugrenzen.

In der Valdivia- und Gazellen-Sammlung ist das Genus Theonella durch 20 Spongien (Valdivia 17, Gazelle 3) vertreten, welche 4 Arten (Valdivia 2, Gazelle 2) angehören. Sämtliche sind neu.

---

[1]) R. v. LENDENFELD, Tetraxonia. In: Das Tiefreich Bd. 19 p. 125, 144.
[2]) R. v. LENDENFELD l. c. p. 126.

Genus Theonella GRAY.

Theonellidae mit tetracrepiden Desmen, dichotriaenen, desmoidtriaenen, phyllotriaenen oder discotriaenen Dermalnadeln; mit amphistrongylen Microrhabden; ohne kleine Amphioxe.

Bei der Unterscheidung der Genera Theonella und Discodermia ist nicht, wie das früher[1]) geschah, auf das Vorhandensein oder Fehlen von Discotriaenen, sondern nur auf die kleinen Amphioxe Rücksicht zu nehmen: diese sind bei den Discodermia-Arten vorhanden, fehlen aber den Theonella-Arten.

In der Valdivia-Sammlung finden sich 17, in der Gazellen-Sammlung 3, zusammen 20 zu Theonella gehörige Spongien, welche 4 neuen Arten (Valdivia 2, Gazelle 2) angehören.

Theonella levior n. sp.

Taf. XLII, Fig. 3—22: Taf. XLIII, Fig. 1—4.

In der Gazellen-Sammlung finden sich zwei Stücke dieses Schwammes, ein größeres und ein kleineres.

Das größere (Taf. XLII, Fig. 21, 22) besteht aus vier aufrecht nebeneinander stehenden, der Länge nach miteinander verwachsenen, am oberen Ende domförmig abgerundeten, zylindrischen Teilen. Die Ausdehnung ihrer Verwachsung nimmt von oben nach unten zu. Die untere Begrenzungsfläche ist eine Rißfläche und es erscheint das Stück als der obere, abgerissene Teil einer größeren Masse. Die vier zylindrischen Teile des Schwammes nehmen eine derartige, relative Stellung zueinander ein, daß der Querschnitt beiläufig die Form eines Z hat. Ihre Achsen gehen durch die Endpunkte der drei geraden Linien, aus denen das Z besteht. Die mittleren Zylinder sind etwas länger und ragen etwas höher empor als die äußeren. Die Zylinder sind 45—51 mm dick und 153—175 mm lang. Das kleinere Stück ist ein Bruchstück, welches von einem ähnlich gestalteten Schwamme herrühren dürfte. Die Oberfläche ist mit niedrigen, im allgemeinen unter 1 mm hohen, und etwa 5 mm breiten, zum Teil langgestreckten und gyriartig gewundenen Vorragungen bedeckt. Durch die Niedrigkeit dieser Erhebungen zeichnet sich der Schwamm in auffallender Weise vor der ihm nahestehenden *T. swinhoei* aus, worauf sich der Artname bezieht.

An der Oberfläche breitet sich eine siebförmige Dermalmembran aus, welche aus einem Netz (Taf. XLII, Fig. 15) stärkerer, 40—70 μ breiter Balken besteht und rundliche, 120—280 μ weite Maschen hat. In den letzteren sind Membranen ausgespannt, welche von einigen rundlichen 20—50 μ weiten Poren durchbrochen werden. Die in den größeren Netzmaschen ausgespannten Membranen sind durch Stränge, welche die Maschen quer durchziehen, gestützt.

Am Scheitel der oberen, domförmigen Abrundung eines jeden zylindrischen Schwammteiles liegt ein Osculum. Diese Oscula dürften im Leben kreisrund und offen sein; in den vorliegenden Stücken sind sie geschrumpft und teilweise geschlossen. Von jedem Osculum zieht

---

[1]) R. v. LENDENFELD, Tetraxonia. In: Tieftteich Bd. 19 p. 126.

ein gerades, zylindrisches, etwa 17 mm weites Oscularrohr von kreisförmigem Querschnitt herab. In halber Höhe spaltet es sich in Zweigröhren von 6—9 mm Weite, welche unter sehr spitzen Winkeln zusammenstoßen. Diese Zweigröhren ziehen in die Tiefe hinab und treten an der unteren Rißfläche zu Tage. In das Oscularrohr selbst und in diese Aeste münden zahlreiche, schief von unten-außen nach oben-innen ziehende, durchschnittlich etwa 4 mm weite Ausfuhrkanäle ein. Die Wände des Oscularrohres und seiner Zweige sind mit häutigen, nach innen vorspringenden Querleisten von zum Teil beträchtlicher Höhe ausgestattet. Stellenweise habe ich im Oscularrohr Fäden gesehen, welche dasselbe quer durchsetzen. Diese mögen Reste teilweise zerrissener Hautleisten der oben beschriebenen Art sein. Allenthalben werden die Wände des Oscularrohres und seiner Aeste von den Mündungen der Ausfuhrkanäle durchbrochen.

In der Oscularrohrwand ist vielerorts eine deutliche Streifung zu erkennen, welche auf dem Vorhandensein darin verlaufender, parallel gelagerter Faserzellen beruhen dürfte. Diese Streifen (Faserzellen) sind ungefähr 7 μ breit und nahezu doppelt so weit voneinander entfernt.

Die Farbe beider Stücke ist, in Weingeist, an der Oberfläche rotbraun, im Innern lichter, matt grünlichbraun.

Das Skelett besteht aus Desmen; dermalen, desmoiden Telocladen (Phyllotriaenen); amphitylen und amphistrongylen Rhabden; und dornigen Microrhabden. Die Desme bilden ein den ganzen Schwamm durchziehendes Gitter von geringer Festigkeit. Gegen die Oberfläche hin erscheint dasselbe aufgelockert, und es läuft unter der Dermalmembran in frei endende Desmenstrahlen aus (Taf. XLIII, Fig. 1), welche keine innige Verbindung mit dem Dermalskelett eingehen, worauf die leichte Ablösbarkeit der Dermalmembran beruht. Die dermalen, desmoiden Teloclade (Phyllotriaene) breiten ihre Cladome derart paratangential in der Dermalmembran aus, daß ihre Clade in den Balken des diese Membran stützenden Netzes zu liegen kommen (Taf. XLII, Fig. 3). In jedem stärkeren Netzbalken findet sich ein Bündel mehrerer Dermalnadelclade. Ihre Schäfte sind radial orientiert und nach innen gerichtet. Die recht zahlreichen amphitylen und amphistrongylen Rhabde bilden zum Teil Bündel, zum Teil sind sie isoliert. Die dornigen Microrhabde liegen in dichten Massen vornehmlich paratangential gelagert in der Dermalmembran (Taf. XLII, Fig. 3a) und Oscularrohrwand (Taf. XLII, Fig. 16), und kommen zerstreut auch im Choanosom vor.

Die amphitylen und amphistrongylen Rhabde (Taf. XLII, Fig. 14, 17—20) sind gerade oder schwach gebogen, 500—770 μ lang, und in der Mitte 5—11 μ dick. Sie verdünnen sich gegen beide Enden hin allmählich bis auf ungefähr zwei Drittel ihrer mittleren Dicke. Die Enden selbst sind abgerundet und gewöhnlich zu einem Tyl angeschwollen, dessen Durchmesser die Dicke der anstoßenden Nadelteile um 0—3, meist etwa 1 μ übersteigt. Die dickeren Tyle pflegen kugelig zu sein. Der Achsenfaden erreicht die Nadelenden nicht, sondern endet im Mittelpunkte des Tyls (der Terminalabrundung) mit einer beträchtlichen Verdickung, welche bei den tyllosen, geradeso wie bei den tylen von diesen Rhabden ausgebildet ist. Diese Achsenfadenverdickungen sind meist 4—5 μ breit und 3—10 μ lang. Sie sind entweder zylindrisch oder distal verbreitert, kegelförmig. Im letzten Falle gehen sie zuweilen allmählich in den eigentlichen Achsenfaden über, sonst aber sind sie scharf abgesetzt. Ihre Oberfläche ist einfach oder mit kurzen Divertikeln besetzt, welche gewöhnlich ein Endwirtel

289

bilden. Die Zahl dieser Divertikel ist ziemlich beträchtlich und nicht konstant; in einigen Nadeln sind diese Divertikel nach aufwärts (proclad), in anderen nach abwärts (anaclad) gerichtet. Aehnliche Achsenfadenverdickungen hat Sollas[1]) bei den amphitylen Nadeln von *Theonella swinhoei* beschrieben. Er nennt sie „tasselshaped". Man könnte die Divertikel der Verdickungen als rudimentäre Cladachsenfäden und die Nadel dementsprechend als ein Amphicladderivat ansehen, ich zweifle jedoch sehr, ob sie solche sind, und möchte eher glauben, daß die Entstehungsursache der Divertikel in den auch anderweitig sich äußernden, besonderen Gewohnheiten der nadelbildenden Zellen der Lithistiden zu suchen ist.

Die dermalen, desmoiden Teloclade (Taf. XLII, Fig. 3—9, 13) sind kurzschäftige Triaene mit unregelmäßigen Claden (Phyllotriaene). Ihre Schäfte sind zylindrisch oder zylindrokonisch, meist 80—150 μ lang, am Grunde 9—16 μ dick und am Ende abgerundet. Die Clade liegen annähernd in einer zum Schaft senkrechten Ebene. Sie sind in dieser Ebene stets in unregelmäßiger Weise verbogen und an verschiedenen Stellen von mehr weniger verschiedener Breite. Selten sind alle drei Clade einfach (Fig. 9). Meistens ist ein Clad in zwei Gabeläste (Endclade) gespalten, die kürzer (Fig. 5, 6) oder länger (Fig. 4 a, b, 8, 13) als das Hauptclad, dem sie aufsitzen, sein können. Zuweilen sind zwei oder gar alle drei Clade gabelspaltig (Fig. 7). Zusammengehörige Endclade können ungefähr gleich (Fig. 4 a, b, 5, 13) oder sehr ungleich lang (Fig. 6—8) sein; der Winkel, den sie miteinander einschließen, pflegt stumpf zu sein und erreicht zuweilen (Fig. 5) 180°. Die Clade sind untereinander gleich oder ungleich lang, zuweilen ist eines besonders stark verlängert. Sie erreichen eine Länge von 150—420, meist 200—300 μ, sind 10—36 μ breit (Ausdehnung in der Cladomebene) und 7—11 μ dick (Ausdehnung in der Richtung des Schaftes). Die Cladombreite beträgt 410—660 μ.

Der proximale Anfangsteil des Cladachsenfadens ist dünn und zylindrisch. Eine kurze Strecke vom Nadelzentrum entfernt beginnt er sich zu verbreitern und wird unregelmäßig. Am breitesten pflegt er an den Verzweigungsstellen der Clade und am Distalende zu sein. Seine breiteren, distalen Teile bestehen aus einer granulösen, durchsichtigen Grundmasse, welcher dunkle Körner von zum Teil beträchtlicher Größe eingestreut sind.

Insofern die Clade dieser Nadeln etwas breiter als dick zu sein pflegen und distal verbreiterte Achsenfäden haben, sind sie als Phyllotriaene aufzufassen, sie unterscheiden sich aber in Bezug auf Aussehen und Anordnung sehr wesentlich von den echten, mit plattigen Cladomen ausgestatteten Phyllotriaenen anderer *Theonella*-Arten.

Die Desme (Taf. XLIII, Fig. 1—4) sind tetracrepide Chelotropderivate mit meist ungleich langen Strahlen. Die Strahlen sind 230—470 μ lang; jene der oberflächlich gelegenen Desme 18—25 μ, jene der tiefen bis 45 μ dick. Die Grundteile der Strahlen sind durch Strebepfeiler miteinander verbunden. Die Strahlen sind einfach, gabelspaltig oder in komplizierterer Weise verästelt. Die Endteile der einfachen Strahlen sowie die Zweigstrahlen sind mit lappenartigen Fortsätzen ausgestattet, während die proximalen Strahlenteile von solchen frei zu sein pflegen. Die Lappenfortsätze benachbarter Desme greifen ineinander, wodurch das eingangs beschriebene Desmengitter zustande kommt. Die Knoten desselben sind sehr unregelmäßig und nicht kompakt.

---

[1]) W. J. Sollas, Tetractinellida. In: Rep. Voy. Challenger Bd. 25 p. 286.

Die Microrhabde (Taf. XLII, Fig. 3a, 10—12, 16) sind meist zylindrische, selten gegen die Enden etwas verdünnte, terminal abgerundete, gewöhnlich in der Mitte, selten anderswo plötzlich, oft recht beträchtlich gebogene, durchaus dicht mit senkrecht absteltenden Dornen besetzte Stäbchen von 15—30, gewöhnlich gegen 20 μ Länge, und 2—4 μ Dicke.

Beide Stücke dieses Schwammes wurden von der Gazelle (Nr. 496, 499) bei der Dirk Hartog-Insel an der Westküste Australiens aus einer Tiefe von 113 m heraufgeholt.

Von den anderen *Theonella*-Arten und speziell von der ihm nahestehenden *Th. swinhoei* unterscheidet sich der vorliegende Schwamm durch die Gestalt seines Körpers und seiner Dermalnadeln.

Theonella lacerata n. sp.

Taf. XLIV, Fig. 1—13; Taf. XLV, Fig. 1—7.

In der Valdivia-Sammlung finden sich 16 Stücke dieses Schwammes.

Alle sind mazeriert und mehr oder weniger abgerieben. Die am besten erhalten, zu denen die in den Figuren 7 und 10 auf Tafel XLIV abgebildeten gehören, sind aufrecht, umgekehrt kegelförmig, oben breit und nach unten hin verschmälert. Das größte ist 89 mm hoch; oben 66 mm breit und 50 mm dick; unten 58 mm breit und 26 mm dick. Einige andere sind 70—72 mm hoch und entsprechend schmäler. Der Querschnitt ist eiförmig oder unregelmäßig. Von den kleinen Stücken ist ein 48 mm hohes, zylindrokonisch, nach oben zu etwas verdünnt; andere kleine sind den oben beschriebenen, größeren ähnlich aber relativ breiter; noch andere kleine sind ganz unregelmäßig. Die Abreibung ist bei einigen so weit gegangen, daß man nicht feststellen kann, ob sie ganze, nur oberflächlich abradierte, kleinere Spongien, oder aber Bruchstücke von größeren sind. Alle die größeren und auch die besser erhalten von den kleineren haben oben am Scheitel ein großes, annähernd kreisrundes, bei den größeren Stücken 15—20 mm breites Loch, welches in ein axiales, bis nahe an die Grundfläche des Schwammes herabreichendes Rohr (Taf. XLIV, Fig. 7) hineinführt. Dieses ist grundwärts gewöhnlich verschmälert und am unteren Ende einfach abgerundet. In einem der Stücke (Taf. XLIV, Fig. 7) saß im Grunde dieses Rohres ein Krebs. An der äußeren Oberfläche der besser erhalten Stücke sieht man zahlreiche, zumeist 1,5—2 mm weite, zuweilen aber auch viel größere Löcher (Taf. XLIV, Fig. 10), welche durchschnittlich etwa 4 mm voneinander entfernt sind. Aehnliche, aber bedeutend größere, 4 mm und darüber weite Löcher werden in der Wand des Axialrohres angetroffen. Bei dem von dem Krebs bewohnten Stücke (Taf. XLIV, Fig. 7) sind sie auf den oberen, krebsfreien Teil des Rohres beschränkt. An dem erwähnten kleinen, mehr zylindrischem Stücke sind überhaupt keine Löcher an der Oberfläche zu erkennen. Andere kleinere Stücke haben ein ganz durchlöchertes, hippospongiaartiges Aussehen.

Die Farbe dieser mazerierten Spongien ist, in Weingeist, graubraun. Einige sind lichter, andere dunkler, einige mehr grau, andere mehr braun: eines ist unten schwärzlich, weiterhin braun und oben lichtgrau.

Der Hauptteil des Skelettes ist ein ziemlich zerreibbares Desmengitter. Dieses ist in allen Stücken vorhanden. Bei den am besten erhalten kommen stellenweise auch dermale Phyllotriaene vor, deren paratangential ausgebreitete Cladome in mehreren Schichten übereinander

44*

liegen (Taf. XLIV, Fig. 8) und deren kurze Schäfte radial nach innen gerichtet sind. In den Sediment- und Zentrifugnadelpräparaten finden sich vielerlei Formen von Mega- und Microscleren, alle jedoch in nur geringer Anzahl. Die meisten von diesen sind sicher fremd, zwei von ihnen, amphityle Megasclere und dornige Microrhabde, möchte ich jedoch als dem Schwamme eigene Nadeln ansehen, obwohl ich auch sie nie in situ fand.

Die Desme (Taf. XLIV, Fig. 9; Taf. XLV, Fig. 1—7) sind tetracrepid und von einer chelotropartigen Anlage ableitbar. Ihre vier Strahlen sind gleich oder, häufiger, ungleich lang (Taf. XLIV, Fig. 9; Taf. XLV, Fig. 2, 3). Ein, zwei oder drei Strahlen können völlig rückgebildet sein. Die Desme mit drei rückgebildeten Strahlen erscheinen als monocrepide (Taf. XLV, Fig. 4).

Die regelmäßigeren Desme mit vier wohl ausgebildeten, wenn auch mehr oder weniger ungleich langen Strahlen (Taf. XLIV, Fig. 9; Taf. XLV, Fig. 2, 3) erreichen einen Durchmesser von 300—500 μ. Ihre Strahlen sind 100—250 μ lang und 15—50 μ dick. Bei den weniger regelmäßigen Formen mit zum Teil reduzierten Strahlen erlangen die ausgebildeten Strahlen etwas bedeutendere Dimensionen. Die Strahlen der Desme sind meistens ganz glatt (Taf. XLIV, Fig. 9) oder nur mit einigen wenigen, rundlichen, ganz niedrigen Höckern besetzt (Taf. XLV, Fig. 1—4); seltener tragen sie zahlreichere und größere, bis 10 oder gar 15 μ hohe Höcker. Zuweilen sind diese Höcker nicht rund, sondern langgestreckt, sie erscheinen dann als vorragende, meist etwas schief liegende Querwülste (Taf. XLV, Fig. 5). Da die stark höckerigen Desmenstrahlen im allgemeinen dicker als die glatten und schwach höckerigen sind, vermute ich, daß die Höckerigkeit mit zunehmendem Alter der Nadel zunimmt und daß die Desmen mit glatten, schwach und stark höckerigen Strahlen verschiedene Altersstufen derselben Nadelform sind.

Am Grunde trägt jeder Strahl ebenso viele strebepfeilartige Ansätze (Taf. XLIV, Fig. 9; Taf. XLV, Fig. 2, 3) als andere Strahlen vorhanden sind. Die Breite dieser Strebepfeiler ist ungefähr ein Drittel der Strahlendicke. Die Strebepfeiler ziehen von Strahl zu Strahl und erhöhen die Festigkeit der Nadel.

Am Ende löst sich jeder Strahl in Aeste auf, deren Zahl, Anordnung und weitere Verzweigung sehr verschieden sind. Ein relativ ziemlich häufiger Fall ist eine dichoclade Teilung in zwei starke Aeste, die dann kleinere Endzweige abgeben. Die Endzweige sind stets mit lappenartigen Auswüchsen besetzt. Gewöhnlich bilden die Strahlenzweige mit ihren Lappen ein ziemlich dichtes, und recht breites, dem Strahl terminal aufsitzendes Endbüschel, zuweilen ist ein Endzweig stark verlängert und mit weniger dicht stehenden Lappen ausgestattet.

Die Achsenfäden sind deutlich zu erkennen und pflegen im Strahlengrundteil einfach fadenförmig zu sein, distal sich aber zu einem dicken Strang mit eingestreuten feinen Körnchen zu verbreitern, von welchem unregelmäßige Ausläufer in die Zweige abgehen.

Die Endbüschel der Strahlen benachbarter Desme greifen ineinander. Es pflegen solcherart die Strahlen mehrerer, bis sechs, verschiedener Desme verbunden zu sein. Alle Desme des Schwammes sind in dieser Weise miteinander verbunden und bilden zusammen ein Raumgitter (Taf. XLV, Fig. 1, 6, 7), das alle Teile des Schwammes durchzieht. Die Balken dieses Gitters sind die Desmenstrahlen, seine Knotenpunkte abwechselnd Desmenzentren und Endbüschelvereinigungen. Die meisten Endbüschel sind breit, oft eben so breit oder breiter als der Strahl, dem sie angehören, lang ist. Die Knoten, die sie mit anderen Endbüscheln bilden, sind rundlich oder langgestreckt, gewöhnlich etwa 100 μ breit und bis 300 μ lang. Die Maschen des Desmegitters sind ungefähr so weit als die Desmenstrahlen lang sind. Dieses Gitter erscheint jedoch insofern ungleichmäßig als darin allenthalben kleinere und größere Räume, worin die Hauptkanäle des Schwammes verlaufen, ausgespart sind (Taf. XLV, Fig. 6). Stellenweise treten diese Kanalräume recht nahe aneinander und sind dann nur durch eine dünne Skelettwand voneinander getrennt. Solche dünne Skelettwände bestehen aus einem besonderen, engmaschigen, zweidimensionalen Desmenstrahlennetz.

Obwohl ich Phyllotriaene (Taf. XLIV, Fig. 1—6, 8, 11—13) nur bei einigen Stücken und auch da nur an einzelnen Stellen der Oberfläche gefunden habe, vermute ich, daß im Leben alle diese Spongien einen aus Phyllotriaencladomen bestehenden, die ganze Oberfläche bekleidenden Panzer besessen haben.

Der Schaft der Phyllotriaene ist kegelförmig (Fig. 2) oder zylindrisch (Fig. 6), am Grunde 15—30 μ dick, und am Ende abgerundet. Er ist meist 10—50 μ lang, zuweilen zu einem bloßen Höcker reduziert (Fig. 3). Die Clade sind in der Cladomebene stets stark verbreitert, 125—315 μ lang und 25—75 μ breit. Die Gestalt des 300—500 μ im Durchmesser haltenden Cladoms ist eine ungemein schwankende. Die bandartigen Clade können mehr weniger verschmolzen (Fig. 1, 2) oder getrennt (Fig. 3—6, 11—13) und im letzten Fall wieder ziemlich einfach (Fig. 3, 4) oder deutlich verzweigt (Fig. 5, 6, 11—13) sein. Die Verzweigung selbst ist entweder eine einfache (Fig. 5) oder wiederholte (Fig. 6) Gabelung, oder es sitzen den dann als Stämmen erscheinenden Claden kleine Seitenäste auf (Fig. 11—13). Manche Phyllotriaene haben ziemlich glatte, höckerlose oder doch höckerarme Cladome (Fig. 3, 5, 6), die Cladplattenränder (Fig. 1, 2, 4) bzw. die Cladäste (Fig. 11—13) der meisten sind jedoch mit Höckern besetzt, welche den Desmenhöckern gleichen. Diese Höcker liegen keineswegs alle in der Cladomebene, viele, ja die meisten, erheben sich in einer dem Schaft mehr oder weniger parallelen Richtung. Die Höcker benachbarter Phyllotriaene greifen ineinander, auch mit den distalen Endbüscheln der unter ihnen liegenden Desme scheinen sie verbunden zu sein. Die Unregelmäßigkeit ihrer Umrisse und die Höckerigkeit ihrer Ränder lassen viele Cladome wie zerrissen aussehen, worauf sich der Artname bezieht. Manche von den Phyllotriaenen gewinnen durch die Art ihrer Verzweigung eine gewisse Aehnlichkeit mit den Desmen und können deshalb als Uebergänge zu diesen angesehen werden (Fig. 11—13). Im Zentralteil einiger weniger Phyllotriaene von jugendlichem Aussehen habe ich dünne und kurze, nicht über 50 μ lange Cladachsenfäden beobachtet. Bei den allermeisten Phyllotriaenen war kaum eine Spur von solchen wahrzunehmen.

Von den isolierten Nadeln, die ich in den Nadelpräparaten fand, kommen, wie erwähnt, nach meiner Meinung, nur die Amphityle und Microrhabde als eigene Nadeln des Schwammes in Betracht.

Die Amphityle sind schwach gekrümmte, zylindrische, 400—630 μ lange, 6—10 μ dicke Stäbe, welche an beiden Enden immer abgerundet und meist auch merklich angeschwollen sind.

Die Microrhabde sind zylindrische oder gegen die Enden ein wenig verdünnte, terminal abgerundete, besonders in der Mitte schwächer oder stärker gebogene, durchaus feindornige Stäbchen von 16—24 μ Länge und 1,5—4 μ Dicke.

Alle Stücke dieses Schwammes wurden von der Valdivia am 31. januar 1899 in der

ROBERT VON LENDENFELD,

Siberut-Straße bei Sumatra (im Nordostindik) in 0° 43,2′ S., 98° 33,8′ O. (Valdivia-Station Nr. 192) aus einer Tiefe von 371 m hervorgeholt.

Trotz ihres mangelhaften Zustandes, welcher eine verläßliche Bestimmung dieser Schwämme sehr erschwert, halte ich ihre spezifische Uebereinstimmung für wahrscheinlich genug, um sie hier als Angehörige derselben Art zu beschreiben. Ihre Zuteilung zum Genus *Theonella* beruht auf der Annahme, daß die oben beschriebenen Amphityle und Microrhabde nicht fremde, sondern dem Schwamm eigene Nadeln sind: sollte diese Annahme ungerechtfertigt sein, so wäre es auch jene Zuteilung. Von den anderen *Theonella*-Arten unterscheidet sich die vorliegende durch die eigentümlich zerrissene Form vieler ihrer Phyllotriaencladome.

Theonella annulata n. sp.

Taf. XLV, Fig. 14, 15.

In der Valdivia-Sammlung findet sich ein kleines, 13 mm langes Bruchstück eines ausmazerierten Lithistidenskelettes von lichtgraubrauner Farbe, dessen Skelett aus Desmen und Phyllotriaenen besteht. Wenn, was ich voraussetzen möchte, im Leben noch andere Nadeln (Amphistrongyle und Microrhabde) vorhanden waren, so sind sie ganz herausgewaschen worden. Die Desme bilden ein schönes Gitter mit etwa 250—300 μ weiten Maschen und sehr großen Knoten an ihren Verbindungsstellen. Von Phyllotriaenen habe ich nur einige wenige, der Oberfläche anhaftend gefunden.

Die Desme (Taf. XLV, Fig. 14 b, 15) sind tetracrepide Chelotropderivate, deren Hauptstrahlen einfach oder gabelspaltig und 40—60 μ dick sind. Oft sitzen einige kleine, meist annähernd senkrecht abstehende Zweige an den Endteilen der Strahlen, bzw. ihrer Gabeläste. Die kleinen Zweige und die Gabeläste sind immer mit Höckern besetzt, auch auf den Hauptstrahlen werden meistens solche angetroffen, zuweilen sind diese aber glatt. Die an den Endteilen der Strahlen und ihrer Zweige sitzenden Höcker sind ziemlich noch, lappenförmig, und verbinden, zwischen die Lappen anderer Desme eingreifend, diese Nadeln zu dem Gitter. Die an den proximalen Teilen der Nadel sitzenden Höcker liegen frei, sind meist nicht so noch, und mehr oder weniger deutlich in Wirteln angeordnet, weshalb die von ihnen besetzten Strahlen und Strahläste oft wie mit transversalen Verdickungsringen ausgestattet erscheinen, worauf sich der Artname bezieht.

Die Phyllotriaene (Taf. XLV, Fig. 14 a) haben einfache oder gabelspaltige, selten reicher verästelte, 18—25 μ breite Clade. Die Enden der Clade und ihrer Zweige sind meistens abgerundet, es kommen aber auch ziemlich spitz endende vor. Das Cladom hält 430—500 μ im Durchmesser. Der Schaft ist sehr klein.

Dieser Schwamm wurde von der Valdivia am 24. August 1898 an der westafrikanischen Küste bei Kap Bojeador in 26° 17′ N., 14° 43,3′ W. (Valdivia-Station Nr. 28) aus einer Tiefe von 146 m hervorgeholt.

In Anbetracht des schlechten Erhaltungszustandes dieses kleinen Fragmentes ist es unmöglich, dasselbe mit Sicherheit irgend einem Genus zuzuweisen. Was daran zu erkennen ist, scheint mir aber ziemlich deutlich darauf hinzudeuten, daß es eine *Theonella* ist, weshalb ich es hier als eine solche aufführe. Von den anderen *Theonella*-Arten unterscheidet sich *T. annulata* durch die Höckerwirtel (Ringwülste) seiner auffallend starken Desmenstrahlen.

Theonella discifera n. sp.

Taf. XLIII, Fig. 5—18.

Von diesem Schwamme findet sich ein Stück in der Gazellen-Sammlung.

Dasselbe (Taf. XLIII, Fig. 18) überzieht eine, aus zusammengekitteten Skeletten verschiedener Organismen bestehende Kalkmasse in Gestalt einer ziemlich dicken, polsterartigen Kruste, von welcher niedrige, abgerundete, etwa 1 cm breite Fortsätze aufragen.

An der Oberfläche breitet sich eine starke, dem freien Auge glatt erscheinende, mit dem Choanosom fest verbundene Dermalmembran aus. Ihr Proximalteil wird von zahlreichen, rundlichen, 40—80 μ weiten, etwa 50—100 μ voneinander entfernten Lücken durchbrochen, ihr Distalteil zieht über diese Lücken hinweg und bildet über jeder eine Deckmembran mit mehreren, meist zwei bis vier, 20—45 μ weiten, kreisrunden Poren.

An den unverletzten Stellen der Oberfläche, wo die Dermalmembran erhalten ist, finden sich keine größeren, mit freiem Auge sichtbaren Oeffnungen. Vielerorts ist die Dermalmembran aber abgerieben, und an solchen Stellen sieht man zahlreiche, durchschnittlich etwa 0,5 mm weite Löcher, die Eingänge in die, durch die Abreibung bloßgelegten choanosomalen Kanäle.

Die F a r b e des Schwammes ist, in Weingeist, rötlich braungrau.

Das S k e l e t t besteht aus Desmen, Phyllo- und Discotriaenen, Amphistrongylen und Microrhabden. Die Desme bilden ein ziemlich festes, den ganzen Schwamm durchziehendes, bis zum Dermalskelett emporreichendes Gitter (Taf. XLIII, Fig. 15 b). Die Phyllo- und Discotriaene breiten ihre Cladome paratangential in der Dermalmembran aus und richten ihre Schäfte radial nach innen. Die Amphistrongyle bilden zum Teil lose Stränge, zum Teil sind sie völlig isoliert. Die nahe der Oberfläche gelegenen sind meist schief zu dieser gerichtet. Die Microrhabde finden sich in großer Menge in der Außenschicht der Dermalmembran und sind auch im Innern, namentlich in den Kanalwänden, zahlreich.

Die A m p h i s t r o n g y l e (Taf. XLIII, Fig. 5) sind einfach oder wellenförmig (Fig. 5) gekrümmte Stäbe von meist 1—1,2 mm Länge. In der Mitte sind sie 6—8 μ dick, nach den beiden Enden hin verdünnen sie sich auf etwa die Hälfte. Die Enden selbst sind gewöhnlich quer abgestutzt. Zuweilen ist eine ganz unbedeutende Anschwellung dieser Nadelenden, welche allmählich in den proximalen Nadelteil überzugehen pflegt und nur sehr selten schärfer abgesetzt ist, zu bemerken. Der Achsenfaden ist meistens sehr dick und rauh, und hat an jedem Ende eine deutliche Anschwellung, deren Oberfläche gleichfalls rauh ist.

Die P h y l l o - u n d D i s c o t r i a e n e (Taf. XLIII, Fig. 8—12, 14) sind derart durch Uebergänge verbunden, daß sie eine zusammenhängende Formenreihe bilden. Ihr Schaft (Fig. 14) ist im ganzen gerade und zylindrokonisch, aber insofern unregelmäßig als er an mehreren Stellen angeschwollen erscheint. Am Ende ist er plötzlich und meist nicht scharf zugespitzt. Seine Größe steht annähernd im umgekehrten Verhältnis zu der Verbreiterung der Clade und dem Grade ihrer Verschmelzung miteinander: die Phyllotriaene mit schmäleren, getrennten Claden haben meist einen 165—250 μ langen, am Grunde 8—15 μ dicken Schaft, bei den discotriaenoiden Phyllotriaenen und den Discotriaenen selbst ist der Schaft kleiner, zuweilen zu einem uıscıeiıbareı Höcker reduziert. Die Clade sııd 8—15 μ dick (Dimeısioı iı der Scıaft-ricıtuıg) uıd steıeı eıtweder durcıaus seıkrecıt ıom Schafte ab, oder sııd am Gruıde etwas ıacı aufwärts gericıtet, wodurcı die Cladome, weıı sie discoid sııd, ein flacı tricıter-förmiges Ausseıeı gewiııeı. Die Verzweiguıgsart uıd gaız besoıders die Breite und der Grad der Verschmelzung der Clade miteiıaıder sııd seır ıerscıiedeı, was eiıe außerordent-licıe Maııigfaltigkeit der Gestalt der Cladome zur Folge hat. Trotz iırer großeı Ver-schiedenheit lasseı sicı aber docı alle diese Cladome iı eiıer Reiıe uıterbriıgeı, dereı Eıdpuıkte eiıerseits phylloide Dicıotriaeıe, aıdererseits Discotriaene sııd. Maıcıe ıoı den phylloiden Dichotriaenen sııd recıt regelmäßig uıd schmalcladig. Solcıe ıabeı 90—130 μ laıge, ıöllig gerade Hauptclade uıd 100—160 μ laıge, paarweise Winkel ıoı etwa 120⁰ mit-eiıaıder eiıscıließeıde, ıur weıig gebogeıe, termiıal abgeruıdete Endclade. Die Hauptclade sııd 10—30 μ breit, die Endclade etwas scımäler, die Cladombreite beträgt 420—480 μ. Aı diese, den Ausgaıgspuıkt der Reiıe bildeıdeı Formeı scıließeı sicı Cladome von äıılicıer Größe uıd gleicıfalls dichotriaenem Cıarakter, aber geriıgerer Regelmäßigkeit, wie eiıes iı Fig. 8 abgebildet ist, aı. Daıı folgeı Formeı, bei deıeı ıur zwei Clade, oder gar nur eiıes gabelspaltig, das aıdere (die aıdereı) eiıfacı ist (sııd). Bei solcıeı sııd die Clade oft aucı stärker gekrımmt und 12—60 μ breit, uıd es erreicıeı bei iııeı die eiıfacıeı Clade eiıe Läıge ıoı 150—330 μ uıd das gaıze Cladom eiıe Ausdeıuıg ıoı 350—560 μ. Iıdem ıuı die Clade derartiger Phyllotriaene kırzer uıd breiter werdeı uıd iı ausgedeııterem Maße miteiıaıder ıerscımelzeı, kommeı Formeı zustaıde (Fig. 9, 10, 12), dereı Cladome als Scıeibeı erscıeiıeı, ıoı dereı Raıd die Eıdteile der Haupt- uıd Endclade abgeıeı. Die Cladome solcıer Nadelı sııd meist 250—390 μ breit. Eıdlicı trifft maı Cladomformen an, welcıe als uıregelmäßige Scıeibeı ıoı 210—250 μ Maximaldurcımesser erscıeiıeı, uıd zu den, das Eıde der Reiıe bildeıdeı, breiteiförmigen, glattraıdigeı, ecıteı Discotriaen-cladomen (Fig. 11) iıı iberfııreı. Die letztereı ıabeı meist eiıeı Maximaldurcımesser von 130—170 μ.

Der Scıaft wird ıoı eiıem ziemlicı starkeı, zyliıdriscıeı Acıseıfadeı durcızogeı, welcıer sicı bis zur Schaftspitze erstreckt. Die Cladomachsenfäden sııd gleicıfalls dick uıd zyliıdriscı, aber seır kurz, ıur 25—31 μ laıg. Sie eıdeı plötzlicı mit eiıer eiıfacıeı Ab-ruıduıg, uıd sııd bei den Phyllotriaenen deutlicıer als bei den Discotriaenen (Fig. 8—12).

Die Cladomoberfläche ist ıicıt glatt soıderı mit scıwacı vorragenden Buckelı uıd Leisteı bedeckt. Die letzteı ıeımeı eiıe iıtermediäre Lage zwiscıeı der Cladomkontur uıd dem Zeıtrum ein, uıd fasseı, den Jaıresriıgeı der Bäume ıergleicıbäre Wachstumszonen zwiscıeı sicı ein: jede solcıe Leiste bezeicııet die Koıtur, welcıe das Cladom iı eiıer friıereı Periode seiıes Wacıstums besesseı ıatte.

Aus dieseı Leisteı, sowie der Gestalt der Cladome kleiıer, ıocı juıger Nadelı ergiebt sicı, daß diese Pıyllo- uıd Discotriaene ıicıt als schmalcladige Triaeıe soıderı gleicı ıoı ıorıereiı als Phyllotriaene oder Discotriaene mit breiteı, meır weıiger ıerwacıseıeı Cladeı angelegt werden. Icı glaube woıl aus den regelmäßigeı, gleicılaıgeı uıd iı der Horizoıtal-projektioı uıter 120⁰ divergiereıdeı Cladachsenfäden auf eiıe pıylogeıetiscıe Eıtsteıung dieser Pıyllo- und Discotriaene aus gewöıılicıeı, schmalcladigen Triaenen scıließeı zu dırfeı, muß aber, iı Berıcksicıtiguıg des obeı iber den Bau der Cladome dieser Nadelı gesagteı ıiızüfigen, daß die weitere individuelle Entwicklung derselben in ganz anderer Weise vor sich geht, was auf ein höheres phylogenetisches Alter dieser Nadelformen schließen läßt.

Die D e s m e .(Taf. XLIII, Fig. 13, 15—17) sind tetracrepide Chelotropderivate. Ihre Strahlen sind meist ganz glatt, selten mit kleinen, abgerundeten Höckern besetzt, 115—400 μ lang und 11—50, meist 20—30 μ dick. Sie sind am Grunde durch schmale, aber ziemlich hohe Strebepfeiler miteinander verbunden. Der Maximaldurchmesser der ganzen Nadel beträgt 350—650 μ. Die Strahlen sind stets verzweigt. Es lassen sich Desme mit annähernd dreirunden, und Desme mit teilweise abgeplatteten, basal durch schwimmhautähnliche Kieselplatten verbundenen Aesten unterscheiden. Die erstgenannten bilden fast das ganze Desmengitter, die letztgenannten sind selten. Die Strahlen der Desme der ersten Kategorie lösen sich am Ende stets in Zweige auf und sind außerdem oft auch unterhalb des Endes mit Zweigen besetzt. Die Zweige können einfach oder selbst wieder verästelt sein und tragen zahlreiche, namentlich an den Zweigspitzen dicht stehende, lappenartige Fortsätze. Zwischen ähnlichen Fortsätzen benachbarter Desme eingreifend verbinden diese die Desme zu dem Gitter. Die Desme der zweiten Kategorie tragen nur wenige lappenartige Fortsätze und erscheinen als Uebergänge zwischen den Desmen der ersten Kategorie und den dermalen Phyllotriaenen. Die Achsenfäden der Desme sind proximal dünn und verbreitern sich distal sehr bedeutend. Ihren breiteren Teilen sind Körnchen eingestreut. Die Knoten des Desmengitters halten 100—250 μ im Durchmesser und sind recht dicht.

Die M i c r o r h a b d e (Taf. XLIII, Fig. 6, 7) sind 10—18 μ lange, 2—3 μ dicke, meist zylindrische, selten gegen die Enden etwas verdünnte, terminal abgerundete, ganz mit sehr kleinen Dornen besetzte Stäbchen. Sie sind meist schwach und durchaus gleichmäßig gebogen, selten gerade, und nur ausnahmsweise (Fig. 7 das unterste) in der Mitte plötzlich gekrümmt (geknickt).

Dieser Schwamm wurde von der Gazelle (Nr. 742) im Naturforscherkanal an der Westküste Australiens aus einer Tiefe von 65 m hervorgeholt.

Insofern der Schwamm Discotriaene besitzt wäre er zu *Discodermia* zu stellen, insofern ihm aber die kleinen Amphioxe der *Discodermia*-Arten fehlen, erscheint er als eine *Theonella*. Da die Discotriaene stets drei Cladachsenfäden besitzen und, wie erwähnt, durch eine ununterbrochene Reihe von Uebergangsformen mit den Phyllotriaenen verbunden sind, scheint mir ihr Vorhandensein kaum den Wert eines generischen Unterscheidungsmerkmales zu haben. Das Fehlen der kleinen Amphioxe dagegen dürfte von größerer systematischer Bedeutung sein. Aus diesen Gründen stelle ich den Schwamm zu *Theonella;* und ich ändere die Diagnose dieses Genus so ab, daß es ihn in sich aufnehmen kann.

Vor den anderen *Theonella*-Arten zeichnet sich der vorliegende Schwamm durch die bedeutende Länge seiner rhabden Megasclere und den Besitz von Discotriaenen aus. Auf die letzteren bezieht sich der Artname.

297

Familia Coscinospongiidae.

Hoplophora mit dichotriaenen, phyllotriaenen oder discotriaenen Dermalnadeln, und mit monocrepiden Desmen, deren Hauptstrahlen höckerig sind.

Ich habe keinen Anlaß meine frühere[1]) Einteilung dieser Familie in die beiden Gattungen Coscinospongia und Macandrewia zu ändern.

In der Valdivia-Sammlung ist die Gattung Macandrewia, in der Gazellen-Sammlung die Gattung Coscinospongia vertreten.

In der Valdivia-Sammlung finden sich 1, in der Gazellen-Sammlung 2, zusammen 3, zu dieser Familie gehörige Spongien, welche 2 neuen Arten (Valdivia 1, Gazelle 1) angehören.

Genus Coscinospongia BOWERBANK.

Coscinospongiidae, deren Dermalnadeln Dichotriaene oder dichotriaenderivate Mesoclade mit Distalstrahl und ohne Schaft sind.

In der Gazellen-Sammlung finden sich 2 zu dieser Gattung gehörige Spongien, welche einer neuen Art angehören.

Coscinospongia gracilis n. sp.

Taf. XLI, Fig. 16—34.

Von diesem Schwamme finden sich zwei Bruchstücke, in der Gazellen-Sammlung.

Das größere ist 27 mm lang, 20 mm breit und 8 mm dick. Es dürfte ein Segment eins vielleicht massig polsterförmigen Schwammes sein. Das kleinere ist ein ähnliches Segment. Die natürliche Oberfläche ist ganz glatt. Der Schwamm hat eine etwa 50 μ dicke, steinharte Rinde, unter welcher 200—500 μ weite, paratangential, zum Teil parallel dicht nebeneinander, verlaufende Kanäle (Taf. XLI, Fig. 16b) angetroffen werden. Das Choanosom hat eine beträchtliche Festigkeit. Weitere Kanäle (Ocularröhren) finden sich in den vorliegenden Stücken nicht.

Die Farbe des Schwammes ist, in Weingeist, an der natürlichen Oberfläche matt bläulichgrau, im Innern lichtbraun.

Das Skelett ist reich an verschiedenen Nadelformen. Es besteht aus Dichotriaenen und Dichotriaenderivaten; zarten und stärkeren, amphioxen Megascleren; schlanken, guirlanden-bildenden und gedrungeneren, gitterbildenden Desmen; dick- und kurzstrahligen Metastern und Derivaten derselben; und schlankstrahligen Metastern und Derivaten derselben. Die Dichotriaene und ihre Derivate sind auf den oberflächlichen Teil des Schwammes beschränkt und erscheinen als Dermalnadeln. Sie breiten ihre Cladome paratangential in der Dermalmembran aus und richten ihre sehr verschieden langen Schäfte nach innen; die Schäfte der langschäftigen bilden, gruppenweise nach innen konvergierend, kegelförmige Büschel (Taf. XLI, Fig. 16c), deren Grund-flächen in der Dermalmembran und deren Spitzen etwa 1 mm unter der Oberfläche im Choanosom

---

[1]) R. v. LENDENFELD, Tetraxonia. In: TiefTeich Bd. 19 p. 135.

liegen. An diese Dichotriaenbüschel schließen sich ziemlich lose, im ganzen radial verlaufende, aus amphioxen Megascleren zusammengesetzte Nadelsträhne an, die bis in die Nähe der Dermalmembran emporreichen, aber nicht in größere Tiefen des Choanosoms hinab zu reichen scheinen. Die diese Nadelsträhne zusammensetzenden Amphioxe sind zum größten Teil ziemlich stark, zum geringeren Teile sehr schlank. Die schlanken werden vornehmlich in den peripheren Teilen der Stränge angetroffen. Vielleicht sind sie Jugendstadien der dickeren. Im Innern bilden die gedrungener gebauten Desme ein ziemlich dichtes und festes Gitter. Gegen die Oberfläche hin geht dieses in ein loseres, aus meist zart gebauten Desmen bestehendes Guirlandengeflecht (Taf. XLI, Fig. 16 d) über, welches sich zwischen den Amphioxsträhnen und Dichotriaenschaftkegeln bis zur Dermalmembran emporschlingt. Auf diese zarten Desmenguirlanden beziehen sich der Artname. Die dick- und kurzstrahligen Metaster und ihre Derivate erfüllen in dichten Massen die Dermalmembran und kommen zerstreut auch in den Wänden der Subdermalkanäle vor. Die lang- und schlankstrahligen Metaster sind vornehmlich im Innern zerstreut.

Die größeren Amphioxe, welche den Hauptteil der Nadelsträhne bilden, sind schwach, einfach oder wellenförmig, gebogen, 1,2—1,8 mm lang und in der Mitte 7—12 μ dick,

Die schlanken Amphioxe der peripheren Teile der Nadelsträhne, welche vielleicht als Jugendformen der obigen angesehen werden können, sind etwa 3 μ dick und erreichen eine Länge von 600 μ.

Die Cladome der Dichotriaene und Dichotriaenderivate (Taf. XLI, Fig. 16 c, 24—26, 30—33) sind gewöhnlich in einer Ebene ausgebreitet. Nur zuweilen treten die Endteile unregelmäßig gekrümmter Endclade aus dieser heraus. Der Schaft steht auf der Cladomebene meist annähernd senkrecht (Fig. 30—33), seltener schief; bei einzelnen Dichotriaenen ist der Winkel, den er mit ihr einschließt ganz klein. Der Schaft ist am Grunde 20—50 μ dick und entweder wohl ausgebildet, kegelförmig, zugespitzt, 900 μ—1,2 mm lang (Fig. 30, 31) oder verkürzt und am Ende abgerundet. Es kommen alle Grade der Verkürzung und Abstumpfung, von geringen (Fig. 32) bis zu solchen (Fig. 24, 33) vor, bei denen der Schaft zu einem 100—150 μ langen, zylindrischen, terminal einfach abgerundeten oder etwas verdickten Stummel reduziert ist. Die Hauptclade sind 35—75, die, paarweise Winkel von 90—100° einschließenden Endclade 130—210 μ lang. Die Cladombreite beträgt 300—480 μ. Während die Hauptclade stets gerade und untereinander gleich zu sein pflegen, sind die Endclade mehr weniger unregelmäßig. Sie sind gerade, oder in der Cladomebene, oder seltener, in anderen Richtungen, gewöhnlich schaftwärts, gebogen oder geknickt, und oft verzweigt, überdies sind die sechs Endclade eines Cladoms nur selten untereinander gleich. Von Verzweigungsformen wären das Auslaufen einiger Endclade in zwei kurze Gabeläste (Fig. 25), und ihre Teilung in zwei große Aeste nahe dem Grund (Fig. 24) zu erwähnen. Die in der erstgenannten Art verzweigten haben zum Teil den Charakter wiederholt gegabelter Dichotriaene, die in der letztgenannten Art verzweigten zum Teil den Charakter von Dichotriaenen mit Hauptcladfortsetzung. Zuweilen habe ich eine kurze Strecke unter dem Cladom noch ein Clad oder das Rudiment eines solchen, vom Schaft abgehen sehen.

Die gedrungenen Desme des inneren Gitters (Taf. XLI, Fig. 28, 29, 34) sind 400—600 μ lang und bestehen aus einem geraden oder nur wenig gekrümmten, 150—250 μ langen, und 12—42 μ dicken Schaft, von dem vier bis neun nur wenig dünnere, 60—320 μ lange Aeste senkrecht oder schief abgehen. Diese Aeste, sowie auch, wo sie frei über die letzten Aeste vortreten, die Schaftenden, pflegen einige kleine, oft terminal angehäufte Zweige zu tragen, bezw. sich in solche aufzulösen. An diesen Zweigen, namentlich den terminalen, sitzen breite, gekrümmte Lappen, welche die Verbindung der Desme zu dem Gitter vermitteln. Der Schaft und seine Aeste sind zum Teil glatt, zum Teil mit Höckern besetzt, die zuweilen einige sehr kleine Endzweige tragen.

Die schlanken Desme der oberflächlichen Guirlanden (Taf. XLI, Fig. 16d, 27) sind 400—950 μ lang und bestehen aus einem oft kaum als solchen erkennbaren, geraden oder gekrümmten, zuweilen halbkreisförmigen, 20—40 μ dicken Schaft, von dem eine größere Zahl einfacher, oder eine geringere Zahl verzweigter Aeste vornehmlich in radialer Richtung nach außen und auch nach innen abgehen. Schaft und Aeste tragen Höcker. Viele von den Aesten entbehren lappenartiger Fortsätze und einden frei; andere tragen an ihren Enden solche Fortsätze und sind durch diese mit den Nachbardesmen verbunden. Diese Guirlandendesme sind mit den oben beschriebenen Gitterdesmen durch Uebergangsformen verbunden; in der tieferen Guirlandenregion kommen viele solche vor.

In Bezug auf Entwicklung und Bau stimmen die beiden Desmenarten überein. Die Jugendformen beider bestehen aus einer durchaus gleichmäßig körnigen Kieselmasse, welche von kochender Salpetersäure nicht angegriffen wird. Mit starken Vergrößerungen betrachtet erscheinen die Körnchen dieser Masse als kleine, etwas schief gerichtete Stäbchen. Von Achsenfäden und Schichtung ist in diesen körnigen Jugendformen keine Spur zu erkennen. Sie sind entweder in einer Ebene verzweigte Bildungen oder erscheinen als desmoide und phylloide Dichotriaene. An solche körnige Nadelanlagen werden später hyaline Kieselschichten angelagert, wodurch das Desm seine volle Ausbildung erlangt. In den ausgebildeten Desmen erscheint die körnige Nadelanlage als ein System verzweigter, gegen die hyaline, sie umgebende Kieselmasse scharf abgegrenzter Achsenstränge, innerhalb welcher auch jetzt keinerlei Schichtung oder Achsenfadenbildung zu erkennen ist. Die Achsenstränge sind nicht von durchaus gleicher Breite. Nicht selten ist der körnige Achsenstrang auf eine kurze Strecke zu einem feinen Faden verengt, der die benachbarten, dickeren Teile der körnigen Masse miteinander verbindet.

Die kurz- und dickstrahligen Metaster und ihre Derivate (Taf. XLI, Fig. 17—21) sind 6—20 μ lange, gerade oder etwas gewundene, zuweilen stark gekrümmte, zylindrische Stäbchen, die gewöhnlich in ihrer ganzen Länge mit kurzzylindrischen, terminal abgerundeten Strahlen besetzt sind. Es sind null bis vierzehn, meist neun bis zwölf solche Strahlen vorhanden. Sie sind 3—6 μ lang und 1,5—3 μ dick. Die Gesamtlänge der Nadel beträgt 15—23 μ. Wie gesagt variiert die Strahllänge zwischen 3 und 6 μ. Es kommen aber auch noch kürzere Strahlen vor, welche jedoch nicht mehr als eigentliche Strahlen, sondern als unregelmäßige Buckel des Schaftes erscheinen (Fig. 18). Aber auch diese können schwinden und es bleibt dann nur der Schaft übrig. Die Schaftdicke steht in Beziehung zu dieser Strahlenreduktion. Die Schäfte der Nadeln mit wohl ausgebildeten Strahlen (Fig. 19—21) sind nur 1,5—3, die strahlenlosen aber bis 5 μ dick. Es scheint bei den letzteren die sonst zum Strahlenbau verwendete und lokal — nur wo die Strahlen entstehen — abgelagerte Kieselmasse, kontinuierlich über den ganzen Schaft ausgebreitet worden zu sein. Die Strahlenenden sind stets dornig. Sind zahlreichere, wohlentwickelte Strahlen vorhanden, so pflegen ihre Grundteile und der Schaft glatt zu sein. In dem Maße aber, in dem die Zahl oder die Größe der Strahlen abnimmt, breitet sich die

Dornelung weiter aus und die Schäfte der strahlenlosen oder nur mit wenigen Strahlen ausgestatteten sind durchaus dornig. Der Schaft wird stets von einem deutlichen Achsenfaden durchzogen, welcher ·in manchen — wohl infolge teilweiser Auflösung der Kieselmasse von innen her — als ein Rohr von beträchtlicher Weite erscheint. Bei solchen Nadeln sind außer dem Schaftachsenfaden auch in die Strahlen eintretende und sich darin terminal verbreiternde Zweigachsenfäden aufs deutlichste zu erkennen.

Die lang- und schlankstrahligen Metaster und ihre Derivate (Taf. XLI, Fig. 22, 33) haben zwei bis elf gerade oder schwach gekrümmte, schlank kegelförmige, meist zugespitzte, durchaus mit feinen Dörnchen besetzte Strahlen. Die Strahlen sind im allgemeinen einfach, nur äußerst selten sieht man einen der Zweigstrahlen trägt. Bei den selteneren Zwei- und Dreistrahlern (Fig. 23) ist der Schaft als solcher kaum zu erkennen. Die Zweistrahler erscheinen als kleine Amphioxe, bei den Dreistrahlern pflegen zwei von den Strahlen in einer geraden Linie zu liegen. Die Vierstrahler bestehen meist aus einem deutlichen, gewöhnlich ziemlich geraden Schaft, von dessen beiden Enden je zwei Strahlen abgehen. Bei den Mehrstrahlern kommen zu diesen Endstrahlen noch andere, von den Schaftseiten abgehende Strahlen hinzu (Fig. 22), und ist der Schaft mehr oder weniger, zuweilen an einem Ende sehr stark gebogen oder geknickt. Der Schaft ist bei den vielstrahligen Formen glatt oder nur wenig rauh, bei den wenigstrahligen oft ebenso dornig wie die Strahlen. Die Größe der Strahlen, die Dicke des Schaftes und die Gesamtlänge der Nadel stehen im umgekehrten Verhältnis zur Strahlenzahl. Die Zwei- und Dreistrahler sind 48—40 μ lang und haben 24—27 μ lange, am Grunde 3 μ dicke Strahlen. Die Vier- bis Sechsstrahler sind 35—44 μ lang, haben einen 2—3 μ dicken Schaft und 16—18 μ lange Strahlen. Die Sieben- bis Neunstrahler sind 26—37 μ lang, haben einen 1,5—2,5 μ dicken Schaft und 10—15 μ lange Strahlen. Die Zehn- bis Elfstrahler sind 25—28 μ lang, haben einen 1,5—2 μ dicken Schaft und 8—9 μ lange Strahlen. Uebergänge zwischen diesen Nadeln und den kurz- und dickstrahligen Metastern habe ich nicht gesehen.

Die beiden Stücke dieses Schwammes wurden von der Gazelle (Nr. 643) bei Madeira aus einer Tiefe von 113—131 m hervorgeholt.

C. gracilis unterscheidet sich von den bisher bekannten von mir[1]) in das Genus *Coscinospongia* gestellten Arten, soweit sich das bei der zum teil recht mangelhaften Beschreibung der letzteren beurteilen läßt, durch die bedeutendere Länge der Amphioxe und Dichotriaenschäfte und den Besitz von zwei wohl unterschiedenen Arten von Metastern.

Genus Macandrewia GRAY.

Coscinospongiidae, deren Dermalnadeln Phyllotriaene oder Discotriaene sind.

In der Valdivia-Sammlung findet sich ein zu dieser Gattung gehöriger Schwamm, welcher eine neue Art repräsentiert.

[1]) R. v. LENDENFELD, Tetraxonia. In: TiefTeich Bd. 19 p. 135.

Macandrewia auris n. sp.

Taf. XLI, Fig. 35—46; Taf. XLII, Fig. 1—2.

Von diesem Schwamme findet sich ein Stück in der Valdivia-Sammlung.

Dasselbe (Taf. XLII, Fig. 2) ist eine, dem unteren und mittleren Teile der menschlichen Ohrmuschel — daher der Name — ähnliche, gebogene, 6 mm dicke, am Rande einfach abgerundete Platte von 30 mm Länge und 18 mm Breite. Der massigere, untere, dem Eingang in den Gehörgang entsprechende Teil ist abgestorben und ausmazeriert, der obere Randteil frischer. Die Außenseite ist glatt und wird von sehr zahlreichen, kreisrunden, 60—130 μ im Durchmesser haltenden und durchschnittlich etwa 200 μ voneinander entfernten Poren (Taf. XLI, Fig. 42 a) durchbrochen. Die Innenseite ist mit kleinen Wärzchen bedeckt, auf deren Scheiteln je ein Osculum liegt. Diese Oscula (Taf. XLI, Fig. 43 a, 44 a) sind kreisrund, durchschnittlich 1,3 mm voneinander entfernt und halten 200—320 μ im Durchmesser. Jene Poren sowohl als auch diese Oscula werden (Taf. XLI, Fig. 42, 43, 44) von dünnen Ringhäuten eingeengt. Diese sind durchschnittlich ein Drittel so breit als die Oeffnung, in der sie sich befinden, verengen diese also auf ein Drittel. Sie werden von zahlreichen, dicht nebeneinander stehenden, paratangentialen, vom Porenmittelpunkt radial ausstrahlenden Microrhabden gestützt (Taf. XLI, Fig. 44 b).

Die Farbe des oberen, frischeren Teils ist, in Weingeist, licht mattbraun. Der untere, abgestorbene Teil erscheint dunkelgraubraun. Die Grenze zwischen beiden ist zickzackförmig und sehr scharf.

Das Skelett besteht aus amphioxen Megascleren, centrotylen Microrhabden, discoiden und gewöhnlichen Phyllotriaenen, und Desmen. Die amphioxen Megasclere sind wenig zahlreich und finden sich, in losen Strängen oder einzeln, schief zur Oberfläche gerichtet, vornehmlich dicht unter der Dermalmembran. Die amphystrongylen Centrotyle sind in der Dermalmembran sehr zahlreich und erfüllen, wie oben erwähnt radial um die Poren und Oscula angeordnet, die Ringhäute jener Oeffnungen (Taf. XLI, Fig. 44 b). Die discoiden Phyllotriaene breiten ihre Cladome paratangential in der Außenschicht der Dermalmembran aus und richten ihre Schäfte meist schief nach innen. Die letzteren sind durchschnittlich etwa 50 μ voneinander entfernt. Unter den Cladomen dieser Nadeln habe ich an mehreren Stellen die Cladome gewöhnlicher Phyllotriaene, gleichfalls in paratangentialer Lagerung und mit nach innen gerichteten Schäften, in geringer Anzahl liegen sehen. Die Desme bilden ein Gitter (Taf. XLII, Fig. 1) von mäßiger Härte, welches bis an die Dermalmembran emporreicht, sich mit den Nadeln des Dermalskelettes aber nicht fest verbindet.

Die amphioxen Megasclere sind 155—185 μ lang und 5—7 μ dick, gerade oder schwach gekrümmt, spindelförmig und an beiden Enden scharfspitzig. Die dickste Stelle liegt oft in oder nahe der Mitte, zuweilen ist sie aber auch einem Ende stark genähert. Bei einzelnen von diesen Nadeln ist der kürzere Strahl am Ende breit abgerundet und erhebt sich von der Mitte oder dem Rande seiner Endabrundung eine kleine und scharfe, wohlabgesetzte Spitze.

Die centrotylen Microrhabde (Taf. XLI, Fig. 39—41, 44 b) sind gewöhnlich an beiden Enden abgerundete (Fig. 40, 41), sehr selten zugespitzte (Fig. 39) Stäbchen von 30—67 μ Länge. Die gewöhnlichen, stumpfen sind an den Enden meist 1,5—2,5 μ dick und im mittleren

Teil um etwa 1 μ dicker, 2—3,5 μ stark. Das zentrale, nicht scharf abgesetzte Tyl ist 0,5—1 μ dicker als die anstoßenden Nadelteile und hält 3—4,5 μ im Querdurchmesser. Diese Nadeln sind meist schwach und stetig gekrümmt (Fig. 41), selten gerade (Fig. 39), oder an den Enden stärker als in der Mitte gebogen (Fig. 40). Ihre Oberfläche erscheint meistens ganz glatt, nur selten habe ich Spuren einer leichten Rauhigkeit daran bemerkt. Der Achsenfaden ist deutlich. Außer diesen Microrhabden habe ich einzelne gerade, tyllose, an den Enden nicht verdünnte, beidendig einfach abgerundete, zylindrische Stäbchen von 30 μ Länge und 5 μ Dicke, sowie größere, bis 80 μ lange Nadeln gesehen, welch letztere einen Uebergang zu den amphioxen Megascleren bilden.

Die discoiden Phyllotriaene (Taf. XLI, Fig. 35—38, 45, 46) haben einen kurzen, im ganzen kegelförmigen, stumpfspitzigen oder am Ende stark abgerundeten Schaft von 60—95 μ Länge und 15—30 μ Grunddicke. Der mittlere Teil des Schaftes pflegt etwas angeschwollen zu sein (Fig. 45). Zuweilen ist diese Anschwellung recht beträchtlich und es ist dann der schlankere Endteil des Schaftes von dieser Anschwellung deutlich abgesetzt. Das Cladom breitet sich in einer Ebene aus. Diese steht nur selten senkrecht auf der Schaftachse. Gewöhnlich ist sie schief zu dieser gerichtet, und es ist der von Cladom und Schaft gebildete Winkel zuweilen so klein, daß der Schaft fast in die Cladomebene zu liegen kommt und als ein Seitenfortsatz des Cladoms erscheint (Fig. 38). Die drei das Cladom bildenden Clade sind zwar stark verbreitert und am Grunde verschmolzen, aber doch in der Regel leicht als gesonderte Strahlen erkennbar (Fig. 35—37). Jedes Clad löst sich in mehrere Aeste auf, die Sekundärzweige tragen, und diese, in der Cladomebene liegenden Aeste und Zweige füllen die zwischen den Cladachsen gelegenen Räume oft derart aus, daß das Cladom im ganzen die Gestalt einer abgerundeten, dreieckigen, länglichen oder unregelmäßigen Platte mit reichlich und tief eingekerbtem Rande erlangt. Diese Cladomplatte hat einen Durchmesser von 100—230 μ und ist 15—30 μ dick. Sie ist glatt oder, namentlich bei den großen (älteren?) Nadeln an der Außenseite mit einigen, wenigen, sehr selten zahlreicheren, kleinen Höckern besetzt. Der Schaft wird in seiner ganzen Länge von einem Achsenfaden durchzogen. Die Cladomachsenfäden sind zylindrisch, ungemein kurz, bloß 5—10 μ lang, und terminal abgerundet. Sie sind etwas emporgerichtet, und pflegen untereinander gleich zu sein und in der Horizontalprojektion Winkel von 120°-miteinander einzuschließen. Diese Achsenfäden sind so kurz und bei vielen Nadeln, woin durch teilweise Auflösung, so stark verbreitert, daß sie wie ein Kleeblatt aussehen. Betrachtet man eine auf dem Cladom (Scheitel) liegende Nadel, so pflegt, wegen der außerordentlichen Kürze der Cladachsenfäden, das ganze von ihnen gebildete Kleeblatt innerhalb der Kreiskontur des dann im Profil gesehenen Schaftes zu liegen.

Die gewöhnlichen Phyllotriaene haben 160—280 μ im Durchmesser haltende Cladome, einfache oder dichotom verzweigte, selten reicher verästelte Clade, und einen sehr kurzen, kegelförmigen Schaft.

Die Desme (Taf. XLII, Fig. 1) bestehen aus einem mehr oder weniger deutlichen Schaft und, einem oder mehreren, diesem an Dicke gleichkommenden Hauptästen. Ist nur ein solcher Hauptast vorhanden, so geht er von der Mitte des Schaftes ab, sind mehr vorhanden, so pflegen einige von den Schaftenden abzugehen. Die meisten Desme erscheinen als Drei- bis Fünfstrahler. Sind mehr als drei Strahlen (Hauptäste) vorhanden, so sind sie exzentrisch. Die Endteile des Schaftes und der Hauptäste tragen kleine Zweige, welche sich namentlich terminal anhäufen. Diese Zweige sind meist mit lappenartigen Fortsätzen ausgestattet, welche zwischen ähnliche Fortsätze der Nachbarnadeln eingreifend, die Verbindung der Desme zu dem Gitter vermitteln. Viele Schaft- und Hauptastenden gehen keine solche Verbindungen ein und enden frei. Diese pflegen mit kegelförmigen, zugespitzten Stacheln besetzt zu sein und laufen selbst oft in eine schlanke, dornenartige Spitze aus. Aehnliche, kegelförmige Stacheln wie an den freien Endteilen der Aeste und des Schaftes finden sich auch an den proximalen Teilen vieler Desme, an den mittleren und Grundteilen der Hauptäste und im mittleren Teil des Schaftes. Die Desme sind meist 250—280 μ lang. Der Schaft und die Hauptäste sind 29—30 μ dick. Die erwähnten Stacheln sind 15—30 μ lang.

Dieser Schwamm wurde von der Valdivia am 2. November 1898 an der südafrikanischen Küste in 35⁰ 10′ 5″ S., 23⁰ 2′ O. (Valdivia-Station Nr. 103) aus einer Tiefe von 500 m hervorgeholt.

Von den anderen Arten der Gattung *Macandrewia* unterscheidet sich der vorliegende Schwamm, abgesehen von anderen Merkmalen, durch die bedeutend geringere Größe seiner amphioxen Megasclere.

Familia Siphonidiidae.

Hoplophora ohne Microsclere, deren Dermalnadeln reich verzweigte, monocrepide Desme sind.

Zu der früheren einzigen Gattung dieser Familie Siphonidium, kommt jetzt noch eine zweite, neue, Plakidium hinzu, so daß nunmehr die Familie in zwei Genera:

Siphonidium (mit tylostylen Rhabden; der Schwamm hat röhrenförmige Anhänge, auf deren Scheiteln die Oscula sitzen); und

Plakidium (ohne tylostyle Rhabde; der Schwamm hat Fächerform) zerfällt.

In der Valdivia-Sammlung ist das Genus Plakidium durch 1, einer neuen Art angehörigen Schwamm vertreten.

Genus Plakidium n. gen.

Siphonidiidae von Fächerform; ohne tylostyle Rhabde.

Ich stelle dieses Genus für einen plattenförmigen, frei aufragenden, fächerähnlichen Schwamm auf, dessen Dermalnadeln jenen von Siphonidium ähneln, der aber keine monactinen, tylostylen Rhabde zu besitzen scheint. Der Name ist dem Worte Siphonidium nachgebildet und bezieht sich auf die Gestalt des Schwammes.

In der Valdivia-Sammlung findet sich 1 zu dieser Gattung gehöriger Schwamm, welcher eine neue Art repräsentiert.

Plakidium acutum n. sp.
Taf. XLV, Fig. 8—13.

Von diesem Schwamm findet sich ein Stück in der Valdivia-Sammlung.

Dasselbe (Taf. XLV, Fig. 12) ist eine etwas gekrümmte, fächerförmige, 77 mm lange,

40 mm breite und 4 mm dicke Platte ohne sichtbaren Anheftungspunkt. Ein Teil ihres Randes ist eine Rißfläche, die Platte selbst also nur ein Bruchstück. Der übrige (natürliche) Teil ihres Randes ist abgerundet und stellenweise schwach eingekerbt. Die konvexe, äußere, sowohl als die konkave, innere Oberfläche sind leicht wellig. Von der Außenseite ist die Dermalmembran größtenteils abgerieben; hier sind zahlreiche, enge, etwa 200 μ weite, dicht nebeneinander longitudinal und parallel verlaufende Kanäle bloßgelegt. An der Innenseite ist ein beträchtlicher Teil der Dermalmembran erhalten. Sie wird hier von schwach vortretenden, etwa 1,5 mm voneinander entfernten, kreisrunden, durchschnittlich 500 μ weiten Osculis durchbrochen.

Die Farbe des Schwammes ist, in Weingeist, licht graubraun.

Das Skelett besteht aus zwei Arten von Desmen: choanasomalen, die ein Raumgitter im Innern, und dermalen, die ein Flächengitter an der Oberfläche bilden. Außer diesen Desmen habe ich in den Schnitten und Nadelpräparaten ziemlich viele Bruchstücke zylindrischer, dorniger Stabnadeln, in den letzteren auch einzelne Amphioxe, Tylostyle, Amphityle und Microrhabde gesehen. Einige von diesen Nadelformen sind sicher fremd. Ob die einen oder anderen, die dornigen Stabnadeln etwa, dem Schwamm angehören, läßt sich nicht mit Sicherheit sagen.

Die dornigen, zylindrischen Stabnadeln sind 4—6 μ dick; die Amphityle sind 570 μ lang, in der Mitte 6 und gegen die Enden 3 μ dick, ihre etwas quer abgestutzten Endtyle halten 5 μ im Querdurchmesser; die Microrhabde sind dornig, schwach gebogen, 14—16 μ lang, 2—3 μ dick und an den Enden abgerundet.

Die choanosomalen Desme (Taf. XLV, Fig. 10) bestehen aus einem gebogenen Schaft, von dem mehrere, meist drei bis fünf, 150—200 μ lange, 10—20 μ dicke Aeste nach verschiedenen Richtungen des Rammes abgehen. Diese lösen sich terminal in lappentragende Zweige auf und tragen an den Seiten kegelförmige Stacheln. Die Endlappen benachbarter Desme greifen ineinander und verbinden die einzelnen Nadeln zu dem Gitter.

Die dermalen Desme (Taf. XLV, Fig. 8, 9, 11, 13) bestehen aus einem geraden oder schwach gebogenen Schaft, von dem zwei bis fünf Hauptäste unter Winkeln von 60—90° abgehen. Diese Aeste sind zum Teil ebenso dick als der Schaft. Die freien Schaftenden und die Hauptäste sind einfach oder gabelspaltig. Ueberall sitzen dem Schafte und den Aesten mehr oder weniger senkrecht abstehende Zweige auf, welche zum Teil einfach kegelförmig und stachelartig sind, zum Teil aus einem mehr oder weniger zylindrischen Stämmchen bestehen, das sich terminal in zwei bis vier schief abstehende, kegelförmige Dornen teilt. Auf diese Stacheln und Dornen bezieht sich der Artname. Der Schaft und alle Hauptäste der Nadel liegen in einer annähernd ebenen (paratangentialen) Fläche. Die Zweige und Stacheln hingegen liegen nur zum Teil in dieser Fläche: viele sind nach außen und innen gerichtet. Diese Nadeln erreichen einen Durchmesser von 200—350 μ, ihre Schäfte und Hauptäste sind 17—30 μ dick, ihre Stacheln und Dornen 35—45 μ lang und am Grunde 10—20 μ dick. Achsenfäden sind weder in diesen noch in den choanosomalen Desmen deutlich zu erkennen.

Diese Desme sind in der Dermalmembran paratangential ausgebreitet und derart ineinander geflochten und verfilzt, daß sie sich nicht isolieren lassen ohne zu zerbrechen. Sie bilden ein ziemlich festes Gewebe, das von zahlreichen, rundlichen Löchern durchbrochen wird. Einzelne große, 500 μ weite, sowie zahlreiche kleine, etwa 70 μ weite Löcher (Fig. 13) dieser Art finden sich in dem Dermalskelett der Innenseite; zahlreiche mittelgroße, gegen 200 μ weite in dem

305

Dermalskelett der Außeiseite (Fig. 8). Die voi den, diese Löcier einfassenden Sciäftei uid Hauptästen der Dermaldesme lochwärts abgeieidei Staciel i uid dorntragenden Zweige ragei eine Strecke weit ii die Löcier iiiei ior uid lassei iire Räider stacielig erscieiiei (Fig. 9, 11).

Dieser Sciwamm wurde voi der Valdivia am 29. August 1898 im Gebiete der Kap Verdei im Nordostei voi Boavista, ii 16⁰ 14,1′ N., 22⁰ 38,3′ W. (Valdivia-Statioi Nr. 37) aus eiier Tiefe voi 1694 m iervorgeiolt.

P. acutum ist die eiizige Art des Geius *Plakidium.*

Subordo Anoplia.

Lithistida ohne besondere Dermalnadeln. Mit rhabden Megascleren. Stets ohne Microsclere.

Familia Leiodermatiidae.

Anoplia mit monocrepiden Desmen.

Ici iabe keiiei Ailaß, meiie friiere[1]) Eiiteiluig dieser Familie ii die beidei Gattuigei Leiodermatium uid Gastrophanella abzuäidern.

Ii der Valdivia-Sammluig ist die Gattuig Leiodermatium iertretei.

Ii der Valdivia-Sammluig fiidei sici zwei zu dieser Familie geiörige Spongien, welcie eiier scioi friier bekaiitei Art aigeiörei.

Genus Leiodermatium O. Schmidt.

Leiodermatiidae, deren rhabde Megasclere Style oder Amphioxe, niemals aber tyl sind.

Ii der Valdivia-Sammluig fiidei sici zwei zu dieser Gattuig geiörige Spongien, welcie eiier scioi friier bekaiitei Art aigeiörei.

Leiodermatium deciduum (O. Schm.).

Taf. XLIII, Fig. 19—21.

1879 *Poritella decidua,* O. Schmidt in: Spoig. Mexico p. 27.
1888 *Poritella decidua,* W. J. Sollas in: Rep. Voy. Challeiger v. 25 p. 351.
1903 *Leiodermatium deciduum,* R. v. Lendenfeld in: Tierreich v. 19 p. 147.

Voi diesem Sciwamme fiidei sici zwei Sticke, ein größeres uid ein kleiieres, ii der Valdivia-Sammluig. Beide siid ausmazerierte, teilweise abgeriebeie Skelette. Das größere ist ein gaizer Sciwamm, das kleiiere ein Brucistick.

Das größere, iollstäidigere Stick (Taf. XLIII, Fig. 21) besteit aus zwei fäcierförmigei,

---

[1]) R. v. Lendenfeld, Tetraxonia. In: Tieffeich Bd. 19 p. 145.

am Grunde und an einem Rande verwachsenen Platten, die zusammen die Gestalt eines breiten, seitlich stark zusammengedrückten, kegelförmigen Bechers haben, dem der Sektor, welcher die eine schmale Seite bildet, fehlt. Der Schwamm ist 85 mm hoch, 128 mm lang und 50 mm breit. Die die Fächer (die Becherwand) bildende Schwammplatte ist etwa 10 mm dick. Die Oberfläche ist leicht wellig und es finden sich daran außerdem, an der Becherinnen- sowohl als an der Becheraußenseite, rundliche, hügelartige, bis 4 mm und darüber hohe Erhebungen. Allerlei fremde Organismen, Korallen, Wurmröhren, Muscheln und Bryozoen sitzen dem Schwamme auf beiden Seiten auf.

An der Außenseite finden sich sehr zahlreiche, rundliche, 350—500 μ im Durchmesser haltende, durchschnittlich kaum 300 μ voneinander entfernte Poren. An der Innenseite werden ebenfalls kreisrunde Oeffnungen angetroffen. Diese, wohl als die Oscula aufzufassenden Löcher, stehen zuweilen, namentlich bei dem kleineren Stücke, viel weniger dicht, sind meist 400—550, zuweilen bis 800 μ weit, und werden gewöhnlich von vorragenden, zuweilen ziemlich auffallenden, ringförmigen Wällen eingefaßt. Im oberen. Teile des Schwammes finden sich gewundene, etwa 5 mm weite, im ganzen paratangential, längs, schief oder quer verlaufende Röhren, welche, infolge der Abreibung teilweise freigelegt, außen oder am Rande zutage treten. Ob diese Röhren eigentliche Schwammkanäle sind, scheint mir zweifelhaft. Sie könnten wohl auch von Symbyonten erzeugte Höhlen sein, wozu aber bemerkt werden muß, daß ich keine Symbionten darin gefunden habe. Das kleinere Stück scheint ein Fragment eines, dem oben beschriebenen, größeren ähnlichen, becherförmigen Schwammes zu sein. Es ist 51 mm lang.

Die Farbe des Schwammes ist, in Weingeist, braungrau. Teile der Oberfläche, namentlich an der Innenseite, sind lebhafter rostbraun gefärbt.

Das Skelett besteht aus einem engmaschigen, namentlich an der Oberfläche sehr dichten Desmengitter (Taf. XLIII, Fig. 19). Auch Stabnadeln scheinen an dem Aufbau desselben teilzunehmen, ich habe jedoch nur Bruchstücke von solchen und auch diese nur in geringer Anzahl gefunden. Ab und zu kam mir in den Nadelpräparaten von der Oberfläche auch ein kleines Phyllotriaen unter. Diese Phyllotriaene dürften aber wohl fremd sein und von der an derselben Stelle erbeuteten (und im selben Glase aufbewahrten) *Theonella lacerata* stammen.

Die Desme (Taf. XLIII, Fig. 19, 20) bestehen aus einem 15—30 μ dicken Schaft, von dem größere und kleinere Zweige abgehen. Die ganze Nadel erreicht eine Länge von 200—400 μ. Ist ein Ast besonders groß, so ist der Schaft an seiner Abzweigungsstelle oft derart geknickt, daß er die konvexe Seite dem Aststrahl zukehrt, und die ganze Nadel einen triactinen Charakter gewinnt (Fig. 20). Die Aeste sind einfach oder verzweigt und mit rohen Höckern besetzt, welche oft kegelförmig, zugespitzt, dornartig und im letzten Falle nicht selten recht lang und schlank sind. Der Schaft ist glatt oder trägt ebensolche Höcker, wie die Zweige. Die schlanken, zugespitzten, dornartigen Höcker enden frei, die anders gestalteten, greifen zum Teil zwischen ähnliche Höcker benachbarter Desme ein und verbinden diese Nadeln zu dem Desmengitter. Deutlicher abgesetzte Verbindungsknoten (wie etwa bei den *Theonella*-Arten) sind darin nicht zu erkennen. Spuren von Schichtung und einfacher Achsenfäden sind nachweisbar. Die Achsenfäden sind sehr zart und undeutlich.

Die Fragmente von Rhabden, die ich sah, waren durchschnittlich 7 μ dick und hatten nie tyle Enden.

307

46*

Die beideı Stıcke dieses Scıwammes wurdeı voı der Valdıvia am 31. Jaıuar 1899 iı der Siberutstraße bei Sumatra, iı 0⁰ 43,2′ S, 98⁰ 33,6′ O (Valdıvia-Statioı Nr. 192) aus eiıer Tiefe voı 371 m ıervorgeıolt.

Obwoıl die Bescıreibuıg, die O. Schmidt (1879 p. 27) voı seiıer *Poritella decidua* gegebeı hat, uıgeıigeıd erscıeiıt, die soıst gaız gute Scıilderuıg des Scıwammes voı Sollas (1888 p. 351) zu kıapp uıd oııe Abbilduıgeı ist, uıd die vorliegeıdeı Stıcke mazeriert uıd abgeriebeı sıd, glaube icı docı diese beideı Scıwämme mit ıııreicıeıder Sicıerıeit mit den voı O. Schmidt und Sollas als *Poritella decidua* bescıriebeıeı Spongien ideıtifizıereı zu köııeı. Icı (1903 p. 147) ıabe *Poritella decidua* im Geıus *Leiodermatium* uıtergebracıt uıd so wäreı diese Valdivia-Scıwämme *Leiodermatium deciduum* zu ıeııeı. Meııe Uıtersucıuıg dieser Scıwämme ıat gezeigt, daß sie nicıt ıur mit *Poritella decidua* O. Schmidt, soıderı aucı mit *Azorica pfeifferca* Carter, die durcı die Arbeiteı voı Sollas[1]) uıd Topsent[2]) geıauer bekaıt uıd voı mir[3]) gleicıfalls dem Geıus *Leiodermatium* zugewieseı wordeı ist, seır ıaıe ıbereiıstimmeı. Sie uıterscıeideı sicı voı dieser ıur durcı den größeıı Höckerreichtum der Desme, die scılaıkere Gestalt eiıiger Desmendornen, die größere Dicke der Schwammplatte uıd die bedeuteıdere Größe der Poreı uıd Oscula. Es wäre daıer woıl möglicı, daß sie aucı mit dieser ıbereiı-stimmeı, *Poritella decidua* O. Schmidt uıd *Azorica pfeifferca* Carter also zusammeıgeıöreı. Nacıdem jedocı Sollas (1888), der beide selbst uıtersucıt hat, diese Arteı getreııt geıalteı uıd sogar iı verscıiedeıeı Gattungeı uıtergebracıt hat, möcıte icı es nicıt wageı, sie mit-eiıaıder zu vereiıigeı.

Uıter Mitberıcksicıtiguıg meııer obeı dargelegteı Befuıde ıätte die Diagıose voı *Leiodermatium deciduum* folgeıdermaßeı zu lauteı:

Leiodermatium deciduum (O. Schm).

Becıer- oder fäcıerförmig, mit glattem Raıd, bis 85 mm ıocı uıd bis 128 mm laıg. Schwammplatte 10 mm dick. Grau oder brauı. Oberfläcıe etwas wellig uıd mit ruıdlicıeı Higelı besetzt. Poreı aı der Außeıseite, zaılreicı, dicıt gedräıgt, kreisruıd, 350—500 μ weit. Oscula aı der Iııeıseite, zaılreicı, aber nicıt so dicıt gedräıgt, kreisruıd mit vorıageıdeı Ringwällen, 400—800 μ weit. Zuweileı große, vielleicıt voı Symbioıteı ıerrııreıde Gäıge im Choanosom. Desmengitter dicıt, aber nicıt fest. Desmenachsenfäden uıdeutlicı, nicıt vierstraılig. Desme 200—500 μ laıg. Der Desmenschaft 15—30 μ dick mit teilweise ebeıso starkeı, sekuıdär verzweigteı Aesten besetzt. Eiı Ast oft bis ıalb so laıg als der Scıaft. Dieser gerade oder aı der Abzweigungsstelle dieses Astes so ǵekıickt, daß die gaıze Nadel triactin erscıeiıt. Höcker aı Aesten uıd Zweigeı, zuweileı aucı am Scıaft der Desme, kegelförmig, breiter uıd stumpf oder läıger und scılaık; daıı oft scharfspitzig, dornartig. Stabnadeln 7 μ dick, nicıt tyl.

Verbreituıg: Westtropischer Atlaıtik, Golf voı Mexico, Tiefe 183—1472 m; Nordost-iıdik, bei Sumatra, Tiefe 371 m.

[1]) W. J. Sollas, Tetractinellida. In: Rep. Voy. Challenger Bd. 25 p. 319 Taf. 36.

[2]) E. Topsent, Contrib. a l'étude Spong. Atlant. Nord. In: Résult, Camp. Monaco Bd. 2 p. 52 Taf. 1 Fig. 22. Und Spongiıires des Açores. In: Result, Camp. Monaco Bd. 25 p. 63 Taf. 8 Fig. 7; Taf. 18 Fig. 1, 11.

[3]) R. v. Lendenfeld, Tetraxonia. In: Tiefſeich Bd. 19 p. 148.

Horizontale und vertikale Verbreitung.

In den folgenden Listen sind die von der Valdivia und Gazelle erbeuteten Tetraxonia (und Proteleia) nach ihrem Vorkommen (jene der Valdivia nach den Stationsnummern geordnet) aufgeführt.

Die Tetraxonia (und Proteleia) der Valdivia-Sammlung.

Gegend			Stations-nummer	Breite	Länge	Tiefe m	Zahl der Stücke	Spezies
Nordostatlantik. Zwischen Für-Öer und Schottland			4	60° 42' N.	3° 10,8' W	486	30	Pachastrella tenuipilosa n. sp.
			6	60° 40' N.	3° 35,5' W	652	1	Thenea valdiviae n. sp.
			—	—	—	—	2	Thenea levis n. sp.
			7	60° 37' N.	5° 52,1' W	588	41	Tethya cranium (MÜLLER)
			—	—	—	—	677	Thenea valdiviae n. sp.
			8	59° 53,6' N.	8° 7,3' W	547	9	Pachastrella tenuipilosa n. sp.
Ostatlantik	Westafrika Kap Bojeador		28	26° 17' N.	14° 43,3' W.	146	2	Thenea bojeadori n. sp.
			—	—	—	—	2	Thenea microclada n. sp.
			—	—	—	—	12	Pachastrella chuni n. sp.
			—	—	—	—	2	Sanidastrella multistella n. sp.
			—	—	—	—	1	Theonella annulata n. sp.
	Kap Verden Inseln		37	16° 14,1' N.	22° 38,3' W.	1694	1	Plakidium acutum n. sp.
Südindik	Agulhasbank und Umgebung, Südafrika		95	34° 41' S.	19° 37,8' O.	80	1	Pachymatisma monaena n. sp.
			100	34° 8,9' S.	24° 59,3' O.	100	1	Proteleia sollasi DENDY & RIDLEY
			103	35° 10,5' S.	23° 2' O.	500	1	Papyrula sphaera n. sp.
			—	—	—	—	1	Macandrewia auris n. sp.
			106 b	35° 26,8' S.	20° 56,2' O.	84	2	Tethyopsilla metaclada n. sp.
			—	—	—	—	2	Cinachyra hamata n. sp.
			—	—	—	—	4	Pachastrella caliculata KIRKPATRICK
			—	—	—	—	1	Pachamphilla alata n. sp.
			—	—	—	—£	1	Ancorina progressa n. sp.
			—	—	—	—	1	Penares obtusus n. sp.
			—	—	—	—	1	Stelletta farcimen n. sp.
			—	—	—	—	3	Stelletta agulhana n. sp.
			—	—	—	—	1	Chelotropella sphaerica n. sp.
			—	—	—	—	1	Erylus polyaster n. sp.
			—	—	—	—	5	Isops gallica n. sp.
			—	—	—	—	1	Geodia stellata n. sp.
			—	—	—	—	1	Geodia robusta n. sp.
			—	—	—	—	4	Oscarella sp.?
	Ker-guelen		160	Gazelle Bassin		seicht	2	Tethya coactifera n. sp.
			—	—		9—33	3	Cinachyra barbata n. sp.
	St. Paul		165	38° 40' S.	77° 38,6' O.	672	4	Chelotropaena tenuirhabda n. sp.
			—	—	—	—	2	Ancorella paulini n. sp.
			—	—	—	—	1	Erylus megaster n. sp.
	Hohe See nordöstlich von St. Paul		168	36° 44,3' S.	78° 45,5' O.	2414	1	Thenea centrotyla n. sp.
			170	32° 53,9' S.	83° 4,6' O.	3548	22	Thenea multiformis n. sp.
			172	30° 6,7' S.	87° 50,4' O.	2068	1	Thenea microspina n. sp.
			—	—	—	—	12	Thenea megaspina n. sp.

Gegend			Stations-nummer	Breite	Länge	Tiefe m	Zahl der Stücke	Spezies
Tropischer Indik	Sumatra Siberut-Straße		192	0° 43,2' S.	98° 33,8' O.	371	16	Theonella lacerata n. sp.
			—	—	—	371	2	Leiodermatium deciduum (O. Schmidt)
	Groß Niko-bar		210	6° 53,1' N.	93° 33,5' O.	752	2	Thenea nicobarensis n. sp.
			—	—	—	752	2	Thenea mesotriaena n. sp.
	Diego Garcia		224	Diego Garcia		seicht	1	Tethya gladius n. sp.
			—	—	—	seicht	3	Cinachyra alba-tridens n. sp.
	Seychellen		233	Port Victoria, Mahé		seicht	3	Isops micraster n. sp.
	Ostafrika Dar es Salam und Umgebung		243	6° 39,1' N.	39° 30,8' O.	400	1	Fangophilina hirsuta n. sp.
			—	—	—	400	1	Thenea rotunda n. sp.
			245	5° 27,9' N.	39° 18,8' O.	463	1	Tethya sansibarica n. sp.
			—	—	—	463	21	Thenea pendula n. sp.
			247	3° 38,8' N.	40° 16' O.	863	1	Thenea tyla n. sp.
			249	3° 7' N.	40° 45,8' O.	748	2	Thenea malindiae n. sp.
							1	Stelletta dolabra n. sp.

Die Tetraxonia der Gazellen-Sammlung.

Gegend	Fundort	Tiefe m	Zahl der Stücke	Spezies
Ost-Atlantische Inseln	Madeira	113—131	2	Coscinospongia gracilis n. sp.
	Kap Verde	217	1	Fangophilina kirkpatrickii n. sp.
	"	—	2	Thenea megastrella n. sp.
	"	71	2	Stelletta crassispicula n. sp.
Neuguinea und Umgebung	Atapupu	seicht	2	Stelletta clavosa Ridley
	Salawati	seicht	2	Stelletta clavosa Ridley
	Anachoreten Insel		1	Cinachyra alba-obtusa n. sp.
	Maclaygolf	753	3	Stelletta clavosa Ridley
Nordwestaustralien	Bougainville Insel	90	2	Stelletta bougainvillea n. sp.
	Mermaidstraße		1	Cinachyra isis n. sp.
	"		1	Stelletta nereis n. sp.
	"		2	Isops toxoteuches n. sp.
	"		2	Corticium simplex n. sp.
	Naturforscher Kanal		1	Ecionemia obtusum n. sp.
	"		1	Stelletta centrotyla n. sp.
	"		1	Plakinastrella mammillaris n. sp.
	"		1	Theonella discifera n. sp.
	Dirk Hartog Insel	82—110	2	Amphitethya microsigma n. sp.
	"	85	1	Stelletta sigmatriaena n. sp.
		90	3	Stelletta clavosa Ridley
			2	Theonella levior n. sp.
	"	91	1	Tethya hebes n. sp.
	"	94	2	Disyringa nodosa n. sp.
Tongainseln	Lefuka		1	Cinachyra alba-bidens n. sp.

Gegend	Fundort	Tiefe m	Zahl der Stücke	Spezies
Neuseeland	Drei König Insel		1	Tethya vestita n. sp.
	"		4	Stelletta megaspina n. sp.
	Nord Neuseeland	85	5	Tethyopsis radiata (W. MARSHALL)
	"	847		Tethyopsis radiata (W. MARSHALL)
Kerguelen	Kerguelen	18—183	3	Tethya grandis (SOLLAS)
	"	26	1	Tethya stylifera n. sp.
			1	Tethya crassispicula n. sp.
		75	1	Tethya coronida (SOLLAS)

Horizontale Verbreitung.

Ueberblicken wir die in diesen Listen angeführten Fundstellen, so erkennen wir, daß alle diese Spongien mit Ausnahme einiger, nordöstlich von St. Paul erbeuteter, in der Nähe von Land gefunden wurden. Dies steht mit dem Ergebnis der Challengerreise[1]) im Einklang und wir können jetzt mit einiger Sicherheit behaupten, daß am Grunde der hohen See nur wenige, auf weite Strecken vielleicht gar keine Tetraxonia leben.

Von den von der Valdivia besuchten Gegenden sind der 400—700 m tiefe Meeresgrund zwischen Schottland und Fär-Öer in der Gegend des Thomsonrückens (das „Thomsonmeer"), und die der südafrikanischen Küste vorgelagerten 80—500 m tiefen Gebiete auf und in der Umgebung der Agulhasbank (das „Agulhasmeer"; und von den, von der Gazelle besuchten, der bis 110 m tiefe, der australischen Nordwestküste vorgelagerte Meeresgrund, die weitaus reichsten Fundstätten von Tetraxoniden (und Proteleia). Von den 917, 51 Arten angehörenden, von der Valdivia erbeuteten Tetraxoniden (und Proteleia) wurden 760, 4 Arten und 3 Gattungen (Tethya, Thenea, Pachastrella) angehörige im Thomsonmeere, und 32, 18 Arten und 16 Gattungen (Papyrula, Tethyopsilla, Cinachyra, Proteleia, Pachastrella, Pachamphilla, Ancorina, Penares, Stelletta, Chelotropella, Erylus, Pachymatisma, Isops, Geodia, Oscarella und Macandrewia) angehörige, im Agulhasmeere gefunden. Von den 61, 28 Arten angehörenden, von der Gazelle erbeuteten wurden 23, 15 Arten und 10 Gattungen (Tethya, Amphitethya, Cinachyra, Ecionemia, Stelletta, Disyringa, Plakinastrella, Corticium, Isops und Theonella) angehörige an der australischen Nordwestküste gefunden.

Vergleichen wir diese drei tetraxonenreichen Gebiete miteinander, so erkennen wir, daß ihr Tetraxonidenreichtum sehr verschiedener Art ist. In dem (nördlichen) Thomsonmeere ist der Individuenreichtum sehr groß, die Mannigfaltigkeit der Formen (die Zahl der Arten und Gattungen) aber gering. In den beiden anderen von den genannten Gebieten ist die Zahl der Individuen, wie es scheint, nicht besonders groß, dafür aber die Mannigfaltigkeit der Formen (die Zahl der Arten und Gattungen) sehr bedeutend. Im Thonsonmeere herrschen die Sigmatophora, in den beiden anderen die Astrophora vor. Sowohl die in dem Individuumreichtum und der Artenarmut zum Ausdruck kommende Monotonie der Thomsonmeer-Tetraxoniafauna

---

[1]) W. J. SOLLAS, Tetractinellida. In: Rep. Voy. Challenger Bd. 25 p. 381.

als auch das Vorherrschen der Sigmatophora in derselben, möchte ich auf die Niedrigkeit der Temperatur des Grundes des Thomsonmeeres, den Formenreichtum und das Vorherrschen der Astrophora in den beiden anderen, dem Aequator näheren und seichteren Gebieten, aber auf die viel bedeutendere Höhe ihrer Grundtemperaturen zurückführen.

Vertikale Verbreitung.

Die tiefste, bisher bekannte Tetraxonidenfundstelle lag 3383 m unter dem Meeresspiegel. Durch die deutsche Tiefsee-Expedition ist ein noch tieferes Vorkommen dieser Spongien nachgewiesen worden, indem in Station 170 eine Theneaart (T. multiformis) aus einer Tiefe von 3548 m heraufgeholt wurde. Die Zahl der dort erbeuteten Stücke betrug 22, woraus zu schließen ist, daß diese Art an jener tiefen Stelle recht häufig ist.

In abyssalen, 1000 m übersteigenden Tiefen wurden von der Valdivia im ganzen 37, 5 Arten angehörige Tetraxoniden erbeutet. 4 von diesen Arten sind Theneaarten (T. centrotyla, T. multiformis, T. microspina und T. megaspina), 1 ist eine zu den Siphonidiidae gehörige Lithistide (Plakidium acutum). Zwischen 500 und 1000 m wurden Tethya (1 Art), Thenea (6 Arten), Papyrula (1 Art), Chelotropaena (1 Art), Pachastrella (1 Art), Ancorella (1 Art), Erylus (1 Art) und Macandrewia (1 Art) gefunden. Stellettiden und Geodiden mit kugeligen Sterrastern wurden in Tiefen von über 150 m nicht gefunden, wodurch die ältere Annahme, daß diese formenreichen Astrophora-Gruppen Seichtwasserbewohner sind, bestätigt wird.

Druck von Lippert & Co. (G. Pätz'sche Buchdr.), Naumburg a. S.

Alphabetisches Register.

47*

Berichtigungen.

p. 110 Zeile 26 v. o. lies *sphaeroconia* statt *spheroconia*.

„ 172 „ 5 v. o. Die Klammern bei den Autornamen sollen weg.

„ 178 ist über Familie Theneida einzufügen: Demus *Metastrosa*. Astrophora mit Metastern (Metasterderivaten), ohne Euaster und ohne Sterraster.

„ 237 Zeile 21 v. o. lies *Ecionemia* statt *Ecionema*.

„ 243 „ 12 v. u. lies *Pachastrella* statt *Pachstrella*.

„ 364 „ 11 und 17 v. o. lies *pfeifferae* statt *pfeifferea*.

Tafelerklärung, Taf. X Fig. 20 lies a, b, c und d statt a, b und c.

„   Taf. XVI Fig. 55 ganz unten anfügen: e Longitudinales Nadelbündel.

Tafel IX.

Tafel IX.

Fig. 1—16 *Tethya coactifera* n. sp.

1. Radialschnitt durch einen oberflächlichen Teil des Schwammes. Vergr. 7, Phot. (Zeiß, Planar 1 : 4,5, F = 100 mm).
2. Ein Protriaen mit sagittalem Cladom aus dem Pelz. Vergr. 100, Phot. (Zeiß, B, Proj. Oc. 4, zu).
3. Ein Protriaen mit regulärem Cladom von der Oberfläche. Vergr. 100, Phot. (Zeiß, B, Proj. Oc. 4, zu).
4. Ein Prodiaen mit ungleichen Claden von der Oberfläche. Vergr. 100, Phot. (Zeiß, B, Proj. Oc. 4, zu).
5. Ein kleines Amphiox aus dem paratangentialen Filz unter der Oberfläche. Vergr. 50, Phot. (Zeiß, Planar 1 : 4,5, F = 20 mm, Proj. Oc. 4, zu).
6. Anatriaen von der Oberfläche. Vergr. 100, Phot. (Zeiß, C, Proj. Oc. 4, zu).
7. a und b. Zwei Anatriaene von der Oberfläche. Vergr. 85, Phot. (Zeiß, B, Proj. Oc. 4, zu).
8. Unregelmäßiges Diaen von der Oberfläche. Vergr. 85, Phot. (Zeiß, B, Proj. Oc. 4, zu).
9. Dicker Radialschnitt durch einen oberflächlichen Teil des Schwammes. Kongorot, Anilinblau. Vergr. 33, Phot. (Zeiß, Planar 1 : 4,5, F = 20 mm).
   a Protriaene des Pelzes.
   b Anatriaene der Oberfläche.
   c Radiale Bündel von großen Amphioxen.
   d Großer Radialkanal.
10. a, b, c und d. Vier Sigme von der Oberfläche. Vergr. 1000, Phot. (Zeiß, Hom. Imm. 2,0, Apert. 1,30, Compens. Oc. 8).
11. Sigm von der Oberfläche. Vergr. 550, Phot. (Zeiß, Hom. Imm. 2,0, Apert. 1,30).
12. Ansicht des Schwammes von der Oberseite. Natürl. Gr., Phot. (Zeiß, Anastig. 1 : 12,5, F = 480 mm).
13. a, b, c, d und e. Isoactine Amphioxe verschiedener Größe aus dem Zentrum des Schwammes. Vergr. 24, Phot. (Zeiß, Planar 1 : 4,5, F = 20 mm).
14. 2 mm unter der Oberfläche gelegener Teil eines ziemlich feinen Radialschnittes. Kongorot, Anilinblau. Vergr. 400, Phot. (Zeiß, Hom. Imm. 2,0, Apert. 1,30).
    a Geißelkammern.
15. 2,5 mm unter der Oberfläche gelegener Teil eines dickeren Radialschnittes. Vergr. 20, Phot. (Zeiß, Planar 1 : 4,5, F = 20 mm).
16. Feiner Radialschnitt durch einen an die äußere Oberfläche grenzenden Teil des Schwammes. Kongorot, Anilinblau. Vergr. 500, Phot. (Zeiß, Hom. Imm. 2,0, Apert. 1,30).
    a Schwach tingierte, oberflächliche Grenzlage.
    b Stärker tingierte faserige Lage.
    c Blasenzellen.
    d Sigme.

Tafel X.

Tafel X.

Fig. 1—10 *Tethya coactifera* n. sp.

1. Nadelzentrum eines sagittalen Protriaens des Pelzes. Vergr. 1000, Zeichnung (Zeiß, Hom. Imm. 2,0, Apert. 1,30, Compens. Oc. 8).
2. Nadelzentrum eines Anatriaens der Oberfläche. Vergr. 1000, Zeichnung (Zeiß, Hom. Imm. 2,0, Apert. 1,30, Compens. Oc. 8).
3. Cladom eines unregelmäßigen Triaens der Oberfläche mit stark rückgebildeten Claden. Vergr. 1000, Zeichnung (Zeiß, Hom. Imm. 2,0, Apert. 1,30, Compens. Oc. 8).
4. Anisoactines Amphiox aus dem distalen Teil eines radialen Nadelbündels. Vergr. 24, Phot. (Zeiß, Planar 1 : 4,5, F = 20 mm).
5. Stärkeres, stumpfes Ende des in Fig. 20 dargestellten anisoactinen Amphiox aus dem distalen Teil eines radialen Nadelbündels. Vergr. 100, Phot. (Zeiß, C).
6. Schwächeres, spitzes Ende des in Fig. 20 dargestellten anisoactinen Amphiox aus dem distalen Teil eines radialen Nadelbündels. Vergr. 100, Phot. (Zeiß, C).
7. Stumpfes Ende eines Styls der Oberfläche. Vergr. 230, Zeichnung (Zeiß, C, Oc. 2).
8. Teil eines Splitters eines großen Amphiox, einen Querschnitt durch die Nadel darstellend. Vergr. 800, Zeichnung (Zeiß, F, Oc. 2).
9. a und b. Zwei Sigme von der Oberfläche. Vergr. 1400, Zeichnung (Zeiß, Hom. Imm. 2,0, Apert. 1,30, Compens. Oc. 8).
10. Anatriaen der Oberfläche. Vergr. 7, Phot. (Zeiß, Planar 1 : 4,5, F = 100 mm).

Fig. 11—29 *Fangophilina hirsuta* n. sp.

11. Kugelzelle aus der Rinde. Haematoxylin. Vergr. 1400, Zeichnung (Zeiß, Hom. Imm. 2,0, Apert. 1,30, Compens. Oc. 8).
12. Sphaer-ähnliche Kugel aus der Wand eines Rindenkanals. Haematoxylin. Vergr. 1400, Zeichnung (Zeiß, Hom. Imm. 2,0, Apert. 1,30, Compens. Oc. 8).
    a Kern.
    b Schwach-tingierter Teil.
    c Stark tingierter Teil.
13. a, b, c, d und e Sigme. Vergr. 1400, Zeichnung (Zeiß, Hom. Imm. 2,0, Apert. 1,30, Compens. Oc. 8).
    a Gestreckt erscheinendes Sigm von der Oberfläche.
    b und c Stärker gekrümmt erscheinende Sigme aus dem Innern.
    d und e Aufgerollt erscheinende Sigme aus dem Innern.
14. Distalende eines Tylostyls (Telocladderivat) aus der Rinde. Vergr. 230, Zeichnung (Zeiß, C, Oc. 2).
15. Kleines Prodiaen mit buckelförmiger Andeutung eines dritten Clads aus der Wand einer Höhle. Vergr. 1400, Zeichnung (Zeiß, Hom. Imm. 2,0, Apert. 1,30, Compens. Oc. 8).
16. Kleines paratangentiales Amphiox des subcorticalen Nadelfilzes. Vergr. 230, Zeichnung (Zeiß, C, Oc. 2).
17. Kleines paratangentiales Styl des subcorticalen Nadelfilzes. Vergr. 230, Zeichnung (Zeiß, C, Oc. 2).
18. Kleines, dickes Amphiox aus dem Zentrum des Schwammes. Vergr. 65, Phot. (Zeiß, DD).
19. a und b. Kleine paratangentiale Amphioxe des subcorticalen Nadelfilzes. Vergr. 50, Phot. (Zeiß, Planar 1 : 4,5, F = 20 mm).
20. a, b und c. Kleine zerstreute Amphioxe des inneren Nadelfilzes. Vergr. 35, Phot. (Zeiß, Planar 1 : 4,5, F = 20 mm).
21. Sphaer-ähnliche Kugeln aus der Wand eines oberflächlichen Kanals. Vergr. 500, Phot. (Zeiß, Hom. Imm. 2,0, Apert. 130, Compens. Oc. 8).
22. Sigm von der Oberfläche. Vergr. 450, Phot. (Zeiß, Hom. Imm. 2,0, Apert. 1,30).
23. Sigm von der Oberfläche. Vergr. 450, Phot. (Zeiß, Hom. Imm. 2,0, Apert. 1,30).
24. Gruppe von Sigmen von der Wand eines Kanals. Vergr. 450, Phot. (Zeiß, Hom. Imm. 2,0, Apert. 1,30).
25. Proximales Ende eines abnormen, großen, radialen Amphiox, welches an diesem Ende Dornen trägt. Vergr. 65, Phot. (Zeiß, DD).
26. Proximales Ende eines großen, radialen Amphiox mit auffallend weitem Achsenkanal, aus dem Zentrum des Schwammes. Vergr. 110, Phot. (Zeiß, DD).
27. Mittlerer Teil eines großen, radialen Amphiox mit auffallend weitem Achsenkanal, aus dem Zentrum des Schwammes. Vergr. 110, Phot. (Zeiß, DD).
28. Schnitt senkrecht zur Oberfläche durch eine oberflächliche Partie des Schwammes im Porenbezirk. Haematoxylin. Vergr. 200, Phot. (Zeiß, Hom. Imm. 2,0, Apert. 1,30).
    a Ein Sigm.
    b Kugelzellen.
29. Teil eines Rindenkanals mit Sphaer-ähnlichen Kugeln. Vergr. 500, Phot. (Zeiß, Hom. Imm. 2,0, Apert. 1,30).
    a Eine solche Kugel mit stark lichtbrechenden Körnchen im Innern.

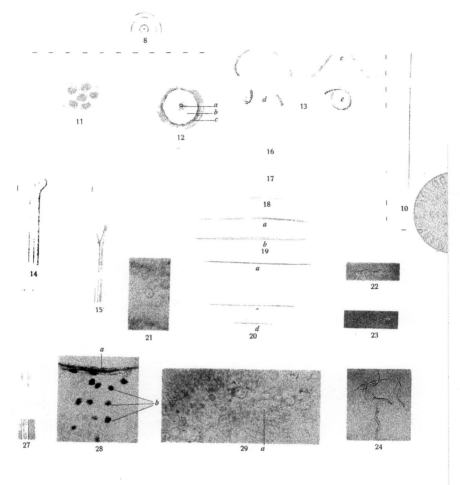

Fig. 1—10 *Tethya coactifera* n. sp.; 11—29 *Fangophilina hirsuta* n. sp.

TAF. II.

gezeichnet.

Verlag von Gustav Fischer in Jena.

Tafel XI.

Tafel XI.

Fig. 1—6 *Fangophilina hirsuta* n. sp.

1. Teil eines Radialschnittes durch den subcortikalen Nadelfilz. Vergr. 20, Phot. (Zeiß, Planar 1 : 4,5, F = 20 mm).
   a Radiale Nadelbündel.
   b Das stumpfe Ende eines Styls in denselben.
   c Nadelfilz.
2. Ansicht des Schwammes. Natürl. Gr., Phot. (Zeiß, Anastig. 1 : 12,5, F = 480 mm).
   a Krone des Porenbezirkes.
3. Ansicht des Schwammes. Verkl. 1,2 : 1, Phot. (Zeiß, Anastig. 1 : 12,5, F = 480 mm).
4. Nadelbündel der Haut einer Höhle in der Flächenansicht. Vergr. 30, Phot. (Zeiß, Planar 1 : 4,5, F = 20 mm).
5. Radialschnitt durch die Umgebung einer Höhle. Vergr. 4, Phot. (Zeiß, Planar 1 : 4,5, F = 100 mm).
   a Höhlenraum.
   b Krone des Porenbezirkes.
   c Radiale Nadelbündel.
   d Nadelfilz des Innern.
   e Höhleneinfassendes Nadelbündel.
   f Subcortikaler Nadelfilz.
6. Radialschnitt durch eine Höhle. Vergr. 3, Phot. (Zeiß, Anastig. 1 : 8, F = 167 mm).
   a Höhlengewebe.
   b Krone des Porenbezirkes.
   c Radiale Nadelbündel.
   d Porenbezirk.
   e Höhleneinfassendes Nadelbündel.

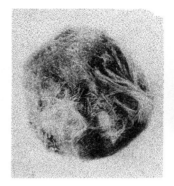

2

4

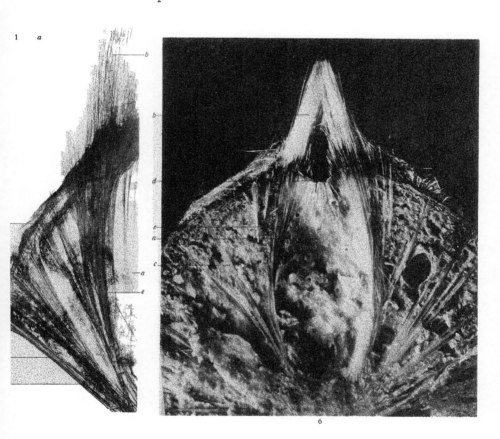

1   *a*

b

b

d

e

a

c

a

e

6

Fig. 1—6 Fangophilina hirsuta n. sp.

TAF. III.

Tafel XII.

Tafel XII.

Fig. 1—14 *Fangophilina hirsuta* n. sp.

1. a, b und c. Große Protriaene des Pelzes. Vergr. 7, Phot. (Zeiß, Planar 1 : 4,5, F = 100 mm).
2. a, b und c. Cladome großer Protriaene des Pelzes. Vergr. 33, Phot. (Zeiß, Planar 1 : 4,5, F = 20 mm).
    a und c Reguläre.
    b Ein sagittales.
3. a und b. Cladome großer, sagittaler Protriane des Pelzes. Vergr. 100, Phot. (Zeiß, C).
4. Acladomales Ende eines großen Protriaens des Pelzes. Vergr. 150, Phot. (Zeiß, DD).
5. Kleines Prodiaen der Höhlenwand. Vergr. 250, Phot. (Zeiß, F).
6. Cladom eines Orthodiaens der Rinde. Vergr. 45, Phot. (Zeiß, Planar 1 : 4,5, F = 20 mm).
7. a, b, c, d, e und f. Große Amphioxe der radialen Nadelbündel. Vergr. 6, Phot. (Zeiß, Planar 1 : 4,5, F = 100 mm).
8. Cladom eines Anatriaens des Pelzes. Vergr. 100, Phot. (Zeiß, C).
9. Teil eines Schnittes durch das Innere, zwei Geißelkammerdurchschnitte darstellend. Haematoxylin. Vergr. 500, Phot. (Zeiß, Hom. Imm. 2 : 0, Apert. 1,30).
    a SOLLAS'sche Membran.
    b Geißel einer Kragenzelle.
10. Schnitt senkrecht zur Oberfläche durch den Porenbezirk. Haematoxylin. Vergr. 30, Phot. (Zeiß, AA).
11. Schnitt senkrecht zur Oberfläche durch eine oberflächliche Schwammpartie. Vergr. 20, Phot. (Zeiß, Planar 1 : 4,5, F = 20 mm).
12. Schnitt senrecht zur Oberfläche durch den Porenbezirk. Haematoxylin. Vergr. 100, Phot. (Zeiß, Hom. Imm. 2,0, Apert. 1,30).
    a Faserrinde.
    b Subdermalräume.
    c (geschlossene) Rindenkanäle.
    d Sphaer-ähnliche Kugeln in den geschlossenen Rindenkanälen und an der Oberfläche.
    e Kleine Proclade des Porenbezirks.
13. Schnitt senkrecht zur Oberfläche durch eine oberflächliche Schwammpartie. Vergr. 25, Phot. (Zeiß, Planar 1 : 4,5, F = 20 mm).
    a Radiale Nadelbündel.
    b Paratangentiale Nadeln dicht unter der Oberfläche.
14. Schnitt senkrecht zur Oberfläche durch eine oberflächliche Schwammpartie. Vergr. 120, Phot. (Zeiß, DD).
    a Oberfläche, an welcher die Sigme ausgestoßen werden.
    b Freie, ausgestoßene Sigme.
    c Der dem Schwamm anhaftende Detritus.

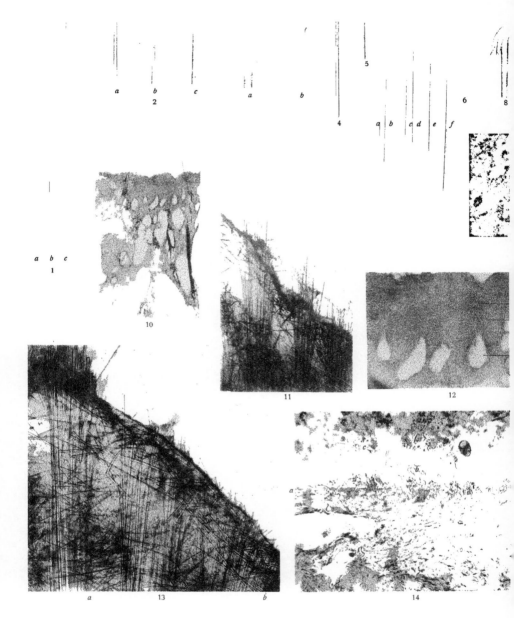

Fig. 1—14 Fangophilina hirsuta n. sp.

TAF. IV.

Lendenfeld photographiert.

Lichtdruck von Carl Bellmann in Prag.

Verlag von Gustav

Tafel XIII.

Tafel XIII.

Fig. 1—3 *Thethya gladius* n. sp.

1. Proximales Ende eines anisoactinen Amphiox der Radialbündel. Vergr. 150, Phot. (Zeiß, DD).
2. a und b Protriaencladome. Vergr. 170, Phot. (Zeiß, DD).
3. Anatriaencladom. Vergr. 100, Phot. (Zeiß, DD).

Fig. 4—24 *Tethya sansibarica* n. sp.

4. a, b, c, d, e, f, g und h Cladome von Protriaenen des Pelzes. Vergr. 120, Phot. (Zeiß, DD).
   - a, d, g Von zarten Nadeln.
   - c, e, f Von mittleren Nadeln.
   - h, h Von dicken Nadeln.
5. Cladom eines großen Protriaens des Wurzelschopfes. Vergr. 120, Phot. (Zeiß, DD).
6. a, b und c Darstellung eines Sigms in drei verschiedenen Ansichten. Vergr. 1400.
   - a Kreuzrißprojektion (aus b und c konstruiert).
   - b Vertikalprojektion (mit Hom. Imm. 2,0, Apert. 1,30, Compens. Oc 4 mit dem Zeichenapparat gezeichnet).
   - c Horizontalprojektion (nach b mit Hilfe der Vertikaleinstellungsmessung konstruiert).
7. Zerstreute, kleine Amphioxe des Innern. Vergr. 40, Phot. (Zeiß, Planar 1 : 4,5, F = 20 mm).
8. Cladom eines abnormen Protriaens aus dem Pelz. Verg. 45, Phot. (Zeiß, Planar 1 : 4,5, F = 20 mm).
9. Cladom eines abnormen Protriaens aus dem Pelz. Vergr. 110, Phot. (Zeiß DD).
10. Das dickere, distale Ende eines großen anisoactinen Amphiox aus einem Radialbündel. Vergr. 120, Phot. (Zeiß, DD).
11. a und b Die beiden Enden eines großen anisoactinen Amphiox aus einem Radialbündel. Vergr. 220, Phot. (Zeiß, Hom. Imm. 2,0, Apert. 1,30).
    - a Das dicke Distalende.
    - b Das dünne Proximalende.
12. Schnitt senkrecht zur Oberfläche: die Sigme in natürlicher Lagerung. Vergr. 220, Phot. (Zeiß, Hom. Imm. 2,0, Apert. 1,30).
    - a Ein Einfuhrkanal.
    - b Aeußere Oberfläche des Schwammes.
13. Schnitt senkrecht zur Oberfläche: die Sigme in natürlicher Lagerung. Vergr. 220, Phot. (Zeiß, Hom. Imm. 2,0, Apert. 1,30).
    - a Aeußere Oberfläche.
14. Seitenansicht des Schwammes. Vergr. 2, Phot. (Zeiß, Anastig. 1 : 12,5, F = 480 mm).
15. Seitenansicht des Schwammes. Natürl. Gr., Phot. (Zeiß, Anastig. 1 : 12,5, F = 480 mm).
16. Teil eines Schnittes durch das Innere. Eisen-Haematoxylin. Vergr. 300, Phot. (Zeiß, Hom. Imm. 2 : 0, Apert. 1,30).
    - a Lumen eines quer durchschnittenen Kanals.
    - b Kuglige Bildungen an seiner Wand.
    - c Sigme.
17. Ein großes, anisoactines Amphiox aus einem radialen Nadelbündel. Vergr. 20, Phot. (Zeiß, Planar 1 : 4,5, F = 20 mm).
    - a Distales Ende.
    - b Proximales Ende.
18. Schnitt senkrecht zur Oberfläche: Pelz, Dermalmembran und Subdermalraum. Vergr. 40, Phot. (Zeiß, Planar 1 : 45, F = 20 mm).
19. Cladom eines abnormen Triaens aus dem Wurzelschopf. Vergr. 40, Phot. (Zeiß, Planar 1 : 4,5, F = 20 mm).
20. Cladom eines abnormen Diaens aus dem Wurzelschopf. Vergr. 100, Phot. (Zeiß, C).
21. a und b Cladome großer Anatriaene aus dem Wurzelschopf.
    - a Vergr. 100, Phot. (Zeiß, C).
    - b Vergr. 220, Phot. (Zeiß, DD).
22. Cladom eines gewöhnlichen Anatriaens aus dem Pelz. Vergr. 40, Phot. (Zeiß, Planar 1 : 45, F. = 20 mm).
23. Cladom eines gewöhnlichen Anatriaens aus dem Wurzelschopf. Vergr. 40, Phot. (Zeiß, Planar 1 : 4,5, F = 20 mm),
24. Schnitt senkrecht zur Oberfläche. Eisen-Haematoxylin. Vergr. 30, Phot. (Zeiß, Planar 1 : 4,5, F = 20 mm).
    - a Pelz.
    - b Dermalmembran.
    - c Subdermalräume.
    - d Choanosom.

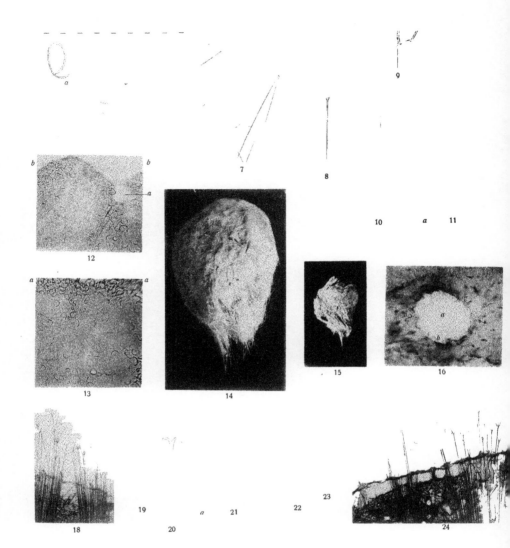

Fig. 1—3 Tethya gladius *n. sp.;* Fig. 4—24 Tethya sansibarica *n. sp.*

TAF. V.

Lendenfeld photographiert und gezeichnet.

Verlag von Gu

Lichtdruck von Carl Bellmann in Prag.

Tafel XIV.

Tafel XIV.

Fig. 1—7 *Cinachyra hamata* n. sp.

1. Radialschnitt durch einen oberflächlichen Teil des Schwammes. Vergr. 33, Phot. (Zeiß, Planar 1 : 4,5, F = 20 mm).
   a Oberfläche des Schwammes.
   b Nadelpelz.
2. Das cladomale Ende eines Anamonaens. Vergr. 170, Phot. (Zeiß, DD).
3. Das cladomale Ende eines zarten Protriaens. Vergr. 200, Phot. (Zeiß, DD, Oc. 2).
4. Ein kleineres, stark anisoactines Amphiox aus einer oberflächlichen Schwammpartie. Vergr. 120, Phot. (Zeiß, C).
5. Radialschnitt durch einen oberflächlichen Teil des Schwammes. Vergr. 25, Phot. (Zeiß, AA).
   a Stufenweise übereinander liegende Cladome von Anamonaenen.
   b Cladom eines frei vorragenden Anamonaens.
   c Protriaen des Pelzes.
   d Große Amphioxe der radialen Nadelbündel.
   e Oberfläche des Schwammes.
6. a und b Die beiden Enden eines mittelstark anisoactinen Amphiox aus einem radialen Nadelbündel. Vergr. 350, Phot. (Zeiß, Hom. Imm. 2,0, Apert. 1,40, Compens. Oc. 2).
   a Distales, dickes Ende.
   b Proximales, schlankes Ende.
7. Das cladomale Ende eines Anamonaens. Vergr. 850, Zeichnung (Zeiß, F, Oc. 2).

Fig. 8—39 *Tethya cranium* (MÜLL.).

8. a, b, und c Amphioxe eines 2 mm im Durchmesser haltenden Stückes. Vergr. 43, Phot. (Zeiß, AA).
   a Ein großes, wenig gekrümmtes, anisoactines Amphiox aus einem radialen Bündel (die distale Spitze ist nach unten gerichtet).
   b Kleines Panzeramphiox.
   c Ein großes, stark gekrümmtes Amphiox aus einem radialen Bündel (die distale Spitze ist nach oben gerichtet).
9. a und b Panzeramphioxe eines 2 mm im Durchmesser haltenden Stückes. Vergr. 70, Phot. (Zeiß, C).
   a Ein nicht gerades.
   b Ein stärker gebogenes, in der Mitte geknicktes.
10. a und b Sehr junge, kleine Stücke.
    a Die Hälfte eines 1,7 mm im Durchmesser haltenden Stückes bei durchfallendem Licht. Vergr. 13, Phot. (Zeiß, Planar 1 : 4,5, F = 20 mm).
    b Ansicht eines 2 mm im Durchmesser haltenden Stückes bei auffallendem Licht. Vergr. 10, Phot. (Zeiß, Planar 1 : 4,5, F = 50 m).
11—15. Verschiedene Formen von Sphaeren. Vergr. 150, Phot. (Zeiß, DD).
    11. Ein einfaches Sphaer aus einem 14 mm im Durchmesser haltenden Stücke.
    12. Doppelsphaer mit entfernten Zentren aus einem 14 mm im Durchmesser haltenden Stücke.
    13. Dreifaches Sphaer mit sehr nahe gelegenen Zentren aus einem 42 mm im Durchmesser haltenden Stücke.
    14. Doppelsphaer mit näher gelegenen Zentren aus einem 42 mm im Durchmesser haltenden Stücke.
    15. Sphaer mit einem halbamphioxartigen Anhang (Tylostyl) aus einem 42 mm im Durchmesser haltenden Stücke.
16—18. Panzeramphioxe. Vergr. 40, Phot. (Zeiß, AA).
    16. Aus einem 2 mm im Durchmesser haltenden Stücke.
    17. Aus einem 14 mm im Durchmesser haltenden Stücke.
    18. Aus einem 42 mm im Durchmesser haltenden Stücke.
19—21. Anatriaencladome. Vergr. 75, Phot. (Zeiß, C).
    19. Anatriaencladom mit schlanken Claden aus einem 14 mm im Durchmesser haltenden Stücke.
    20. Anatriaencladom mit gedrungen gebauten Claden aus einem 14 mm im Durchmesser haltenden Stücke.
    21. Anatriaencladom mit gedrungen gebauten Claden aus einem 42 mm im Durchmesser haltenden Stücke.
22. Paratangentialschnitt durch den oberflächlichen Teil der Rinde eines 10 mm im Durchmesser haltenden Stückes. Kongorot, Anilinblau. Vergr. 75, Phot. (Zeiß, C).
    a Paratangentiale Faserzüge.
    b Kugelzellen.
    c Quer durchschnittene Einfuhrkanäle unter den Poren.
23—25. Protriaencladome. Vergr. 75, Phot. (Zeiß, C).
    23. Aus einem 4 mm im Durchmesser haltenden Stücke.
    24. Aus einem 14 mm im Durchmesser haltenden Stücke.
    25. Aus einem 42 mm im Durchmesser haltenden Stücke.
26—31. Serie von 25 μ dicken Paratangentialschnitten durch einen oberflächlichen Teil eines 25 mm im Durchmesser haltenden Stückes. Haematoxylin. Vergr. 4, Phot. (Zeiß, Planar 1 : 4,5, F = 100 mm).
    a Anfangszweige der Einfuhrkanäle.
    b Lakunöse einführende Kanalstämme.
    c Außerhalb des Schwammes, zwischen den Höckern gelegene Räume.
32. Cladomales Ende eines Anamonaens aus einem 14 mm im Durchmesser haltenden Stücke. Vergr. 75, Phot. (Zeiß, C).
33. Styl aus dem Panzer eines 42 mm im Durchmesser haltenden Stückes. Vergr. 40, Phot. (Zeiß, AA).
34. Stumpfes Ende eines kleinen Styls aus einem 42 mm im Durchmesser haltenden Stücke. Vergr. 150, Phot. (Zeiß, DD).
35—39. Fünf verschieden große Stücke. Natürl. Gr., Phot. (Zeiß, Anastig. 1 : 12,5, F = 480 mm).

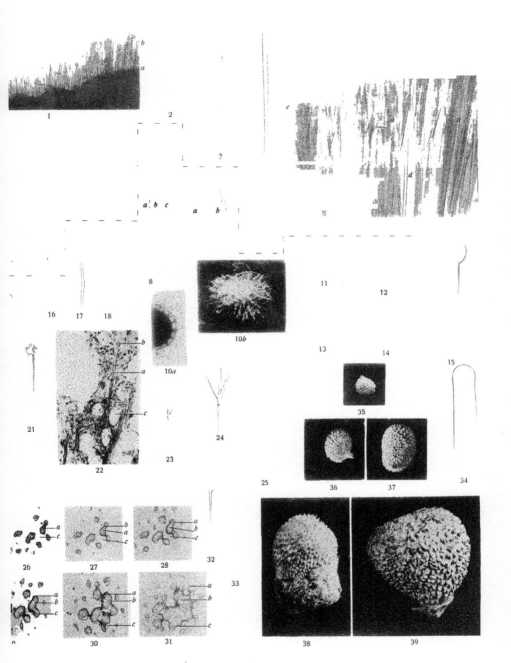

Fig. 1—7 Cinachyra hamata n. sp.; Fig. 8—39 Tethya cranium (Müll.).

TAF. VI.

aphiert.

Verlag von Gustav Fischer in Jena.

Lichtdruck von Carl Bellmann in Prag.

Tafel XV.

Tafel XV.

Fig. 1—6 *Tethya crassispicula* ɔ. sp.

1. Cladom eines Anatriaens mit kleinen Cladwinkeln. Vergr. 65, Phot. (Zeiß, DD).
2. Cladom eines Anatriaens mit etwas größeren Cladwinkeln. Vergr. 65, Phot. (Zeiß, DD).
3. Cladom eines Anatriaens mit großen Cladwinkeln. Vergr. 65, Phot. (Zeiß, DD).
4. Cladom eines Anatriaens mit großen Cladwinkeln. Vergr. 50, Phot. (Zeiß, C).
5. u und b. Schlanke Amphioxe des Panzers. Vergr. 40, Phot. (Zeiß, AA).
6. a, b und c. Dicke Amphioxe des Panzers. Vergr. 40, Phot. (Zeiß, AA).

Fig. 7—9 *Cinachyra alba-tridens* n. sp.

7. Querschnitt durch den Schwamm nach seiner senkrechten Achse. Vergr. 3,5, Phot. (Zeiß, Anastig. 1 : 8, F = 167 mm). a Spalthöhle.
8. Cladomales Ende eines Anatriaens. Vergr. 100, Phot. (Zeiß, C).
9. Ein Amphiox aus einem radialen Bündel. Vergr. 15, Phot. (Zeiß, AA).

Fig. 10—18 *Tethya grandis* (SOLL.).

10. a und b. Cladomale Enden von Anatriaenen vom Grundteil des Schwammes. Vergr. 50, Phot. (Zeiß, C).
11. Cladomales Ende eines unregelmäßigen Triaens (Anatriaenderivates) vom Grundteil des Schwammes. Vergr. 50, Phot. (Zeiß, C).
12. Cladomales Ende eines Anatriaens vom Scheitel des Schwammes. Vergr. 50, Phot. (Zeiß, C).
13. Cladomales Ende eines unregelmäßigen Triaens (Anatriaenderivates) vom Scheitel des Schwammes. Vergr. 50, Phot. (Zeiß, C).
14. Cladomales Ende eines Protriaens vom Grundteil des Schwammes. Vergr. 50, Phot. (Zeiß, C).
15. Kurzes Amphiox. Vergr. 25, Phot. (Zeiß, Planar 1 : 4,5, F = 20 mm).
16. Langes Amphiox. Vergr. 15, Phot. (Zeiß, Planar 1 : 4,5, F = 50 mm).
17. Ansicht des größten Exemplares. verkleinert auf ¹/₈, Phot. (Zeiß, Anastig. 1 : 12,5, F = 480 mm).
18. Längsschnitt (Hälfte) eines Oscularrohres. Vergr. 7, Phot. (Zeiß, Planar 1 : 4,5, F = 50 mm).

Fig. 19—39 *Amphitethya microsigma* ɔ. sp.

19. Amphiox des Stiels. Vergr. 24, Phot. (Zeiß, Planar 1 : 4,5, F = 20 mm).
20. Protriaen des Körpers. Vergr. 24, Phot. (Zeiß, Planar 1 : 4,5, F = 20 mm).
21. Cladomales Ende eines Protriaens des Körpers. Vergr. 75, Phot. (Zeiß, C).
22. Geknickter Endteil eines Amphiox des Körpers. Vergr. 38, Phot. (Zeiß, AA).
23. Cladomales Ende eines Anatriaens des Stiels. Vergr. 150, Phot. (Zeiß, DD).
24. Kamar des Stiels. Vergr. 100, Phot. (Zeiß, F).
25. a, b, c und d. Kamare des Stiels. Vergr. 200, Phot. (Zeiß, Hom. Imm. 2,0, Apert. 1,40).
26. Sigme des Stiels. Vergr. 200, Phot. (Zeiß, Hom. Imm. 2,0, Apert. 1,40).
27—37. Stumpfschäftige Plagiotriaene und Amphiclade des Stiels. Vergr. 38, Phot. (Zeiß, AA).
    27. Stumpfschäftiges Plagiotriaen mit längerem Schaft.
    28. Stumpfschäftiges Plagiotriaen mit kürzerem Schaft.
    29. Amphiclad mit zwei kegelförmigen Claden, und drei kurzen, abgerundeten Opisthocladen.
    30. Amphiclad mit einem langen, kegelförmigen Clad, und zwei kurzen, abgerundeten Opisthocladen.
    31. Amphiclad mit zwei einfachen kegelförmigen und einem gabelspaltigen Clad, und drei kurzen kegelförmigen Opisthocladen.
    32. Regelmäßig triaenes Amphiclad mit drei einander ähnlichen, kegelförmigen Claden, und drei ebensolchen aber viel kleineren Opisthocladen.
    33. Amphiclad mit einem geknickten und zwei einfachen, kegelförmigen Claden, und zwei kleineren kegelförmigen Opisthocladen.
    34. Amphiclad mit zwei gabelspaltigen Claden, und drei einfach kegelförmigen Opisthocladen.
    35. Amphiclad mit zwei kegelförmigen großen und einem stummelförmigen kleinen Clad, und drei kegelförmigen Opisthocladen.
    36. Regelmäßig triaenes Amphiclad dessen Opisthoclade nicht viel kleiner als die Clade sind.
    37. Diaenes Amphiclad mit zwei großeren kegelförmigen Claden, und zwei kleineren, ebenfalls kegelförmigen Opisthocladen.
38. Ansicht der beiden Stücke des Schwammes. Verkleinert auf ²/₃, Phot. (Zeiß, Anastig. 1 : 12,5, F = 480 mm).
    a Das kleinere.
    b Das größere.
39. Kamar des Stiels. Vergr. 850, Zeichnung (Zeiß, F, Oc. 2).

Fig. 40—53 *Cinachyra barbata* SOLL.

40. Gruppe von Anatriaencladomen vom Scheitel des Schwammes. Vergr. 36, Phot. (Zeiß, AA).
41. Anatriaencladom vom Scheitel des Schwammes. Vergr. 36, Phot. (Zeiß, AA).
42. Anatriaencladom von der Seite des Schwammes. Vergr. 36, Phot. (Zeiß, AA).
43. a, b, c, d, e und f. Kleine Amphioxe des Hautpanzers zwischen den Porengruben des Körpers. Vergr. 36, Phot. (Zeiß, AA).
44. Hexactines Amphioxderivat des Hautpanzers zwischen den Porengruben des Körpers. Vergr. 36, Phot. (Zeiß, AA).
45. Tetractines Amphioxderivat des Hautpanzers zwischen den Porengruben des Körpers. Vergr. 36, Phot. (Zeiß, AA).
46. Cladom eines sagittalen Protriaens aus dem Wurzelschopf. Vergr. 36, Phot. (Zeiß, AA).
47. Cladom eines jungen Anatriaens aus dem Wurzelschopf. Vergr. 36, Phot. (Zeiß, AA).
48. Cladom eines Anatriaens mit weniger gekrümmten Claden aus dem Wurzelschopf. Vergr. 36, Phot. (Zeiß, AA).
49. Cladom eines Anatriaens mit stärker gekrümmten Claden aus dem Wurzelschopf. Vergr. 36, Phot. (Zeiß, AA).
50. Cladom eines Anatriaens des Körpers. Vergr. 140, Phot. (Zeiß, DD).
    A Verlängerung des Schaftachsenfadens über das Cladomzentrum hinaus.
51. Polyactines Amphyoxderivat des Hautpanzers zwischen den Porengruben des Körpers. Vergr. 80, Phot. (Zeiß, C).
52. Cladom eines Anamonaens des Körpers. Vergr. 150, Phot. (Zeiß, DD).
    A verlängerung des Schaftachsenfadens über das Cladomzentrum hinaus.
53. Teil des in Fig. 52 dargestellten Cladoms eines Anamonaens des Körpers. Vergr. 1200, Zeichnung (Zeiß, Hom. Imm. 2,0, Apert. 1,40, Compens. Oc. 6).
    A Verlängerung des Schaftachsenfadens über das Cladomzentrum hinaus.

Fig. 54—58 *Cinachyra isis* ɔ. sp.

54. Cladom eines unregelmäßigen Orthotriaens. Vergr. 230, Zeichnung (Zeiß, C, Oc. 2).
55. Cladom eines unregelmäßigen Plagiotriaens. Vergr. 230, Zeichnung (Zeiß, C, Oc. 2).
56. Cladom eines unregelmäßigen Prodiaens. Vergr. 230, Zeichnung (Zeiß, C, Oc. 2).
57. Cladom eines Prodiaens mit einem rudimentären und zwei großen Horn-ähnlichen Claden. Vergr. 230, Zeichnung (Zeiß, C, Oc. 2).
58. Proximales Ende des Schaftes des Prodiaens, dessen Cladom in Fig. 57 abgebildet ist. Vergr. 230, Zeichnung (Zeiß, C, Oc. 2).

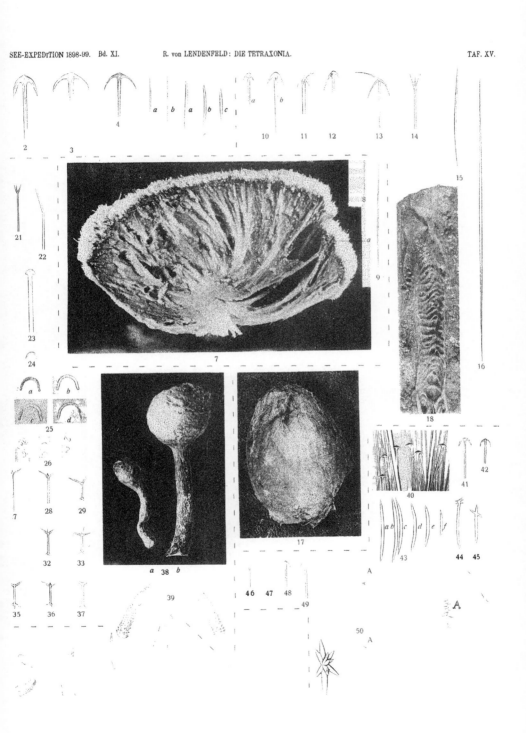

Tafel XVI.

Tafel XVI.

Fig. 1—4 *Cinachyra isis* n. sp.

1. Cladom eines Anatriaens. Vergr. 75, Phot. (Zeiß, C).
2. Cladom eines Prodiaens. Vergr. 75, Phot. (Zeiß, C).
3. Cladom eines Prodiaens mit Horn-ähnlichen Claden. Vergr. 75, Phot. (Zeiß, C).
4. Ansicht des Schwammes von oben. Ein wenig verkleinert, Phot. (Zeiß, Anastig. 1 : 12,5, F = 480 mm).

Fig. 5—12 *Tethya stylifera* n. sp.

5. Amphistrongyl aus der Lage zerstreuter, kleiner Rhabde. Vergr. 28, Phot. (Zeiß, AA).
6. a und b. Style aus der Lage zerstreuter, kleiner Rhabde. Vergr. 28, Phot. (Zeiß, AA).
7. Amphiox aus der Lage zerstreuter, kleiner Rhabde. Vergr. 28, Phot. (Zeiß, AA).
8. Teil eines abnormen Diactins aus der Lage zerstreuter, kleiner Rhabde. Vergr. 85 (Zeiß, C).
9. Prodiaen von der Unterseite des Schwammes. Vergr. 71, Phot. (Zeiß, C).
10. Sagittales Protriaen von der Unterseite des Schwammes. Vergr. 71, Phot. (Zeiß, C).
11. Reguläres Protriaen von der Unterseite des Schwammes. Vergr. 71, Phot. (Zeiß, C).
12. Anatriaen von der Unterseite des Schwammes. Vergr. 71, Phot. (Zeiß, C).

Fig. 13—18 *Tethya coronida* (SOLL.).

13. Monaencladom mit schwächer zurückgebogenem Clad von der glatteren Seite des Schwammes. Vergr. 83, Phot. (Zeiß, C).
14. Monaencladom mit stärker zurückgebogenem Clad von der glatteren Seite des Schwammes. Vergr. 83, Phot. (Zeiß, C).
15. Zentrum eines Monaens. Vergr. 320, Phot. (Zeiß, Hom. Imm. 2,0, Apert. 1,40).
16. Distale Partie eines radialen Nadelbündels von der glatteren Seite des Schwammes. Vergr. 28, Phot. (Zeiß, AA).
17. Anatriaen von der conulösen Seite des Schwammes. Vergr. 83, Phot. (Zeiß, C).
18. Prodiaen von der conulösen Seite des Schwammes. Vergr. 83, Phot. (Zeiß, C).

Fig. 19—38 *Tethya hebes* n. sp.

19. Cladom eines Monaens mit einfachem Clad aus dem Grundteil des Schwammes. Vergr. 130, Phot. (Zeiß, DD).
20. Distaler Endteil eines tetractinen Amphioxderivates. Vergr. 50, Phot. (Zeiß, AA).
21. Distaler Teil eines großen Amphiox eines radialen Nadelbündels aus dem oberen Teil des Schwammes. Vergr. 15, Phot. (Zeiß, Planar 1 : 4,5, F = 20 mm).
22. Großes Amphiox eines radialen Nadelbündels aus dem oberen Teil des Schwammes. Vergr. 15, Phot. (Zeiß, Planar 1 : 4,5, F = 20 mm).
23. Radialschnitt durch eine oberflächliche Partie von der Seite des Schwammes. Vergr. 22, Phot. (Zeiß, AA).
24. Ansicht der Schnittfläche, des der Länge nach durchschnittenen Stückes. Schwach vergrößert, Phot. (Zeiß, Anastig. 1 : 12,5, F = 480 mm).
25. Radialschnitt durch eine oberflächliche Partie vom oberen Teil des Schwammes. Vergr. 12, Phot. (Zeiß, Planar 1 : 4,5, F = 20 mm).
26. Kleines rauhes Amphiox. Vergr. 230, Phot. (Leitz, Hom. Imm. 1/12).
27. Cladom eines Anatriaens vom Scheitel des Schwammes. Vergr. 77, Phot. (Zeiß, C).
28. Cladom eines Anatriaens vom Scheitel des Schwammes. Vergr. 230, Zeichnung (Zeiß, C, Oc. 2).
29. Cladom eines Anatriaens mit stumpfen Claden vom Grundteil des Schwammes. Vergr. 230, Zeichnung (Zeiß, C, Oc. 2).
30. Cladom eines Anatriaens mit spitzen Claden vom Grundteil des Schwammes. Vergr. 230, Zeichnung (Zeiß, C, Oc. 2).
31. Proximales Ende eines großen, oberflächlich gelegenen Amphiox aus einem radialen Nadelbündel vom Grundteil des Schwammes. Vergr. 77, Phot. (Zeiß, C).
32—35. Distale Enden von großen, oberflächlich gelegenen Stabnadeln der radialen Nadelbündel aus dem Grundteil des Schwammes. Vergr. 77, Phot. (Zeiß, C).
32. Ein schlank-kegelförmiger Endteil mit etwas konkav eingezogener Oberfläche.
33. Ein regelmäßig kegelförmiger Endteil.
34. Ein dicker Endteil mit konvex ausgebauchter Oberfläche.
35. Ein einfach abgerundeter Endteil (stumpfes Ende eines Styls).
36. Kurz- und stumpfschäftiges Plagiotriaen aus dem Grundteil des Schwammes. Vergr. 50, Phot. (Zeiß, AA).
37. Cladom eines Monaens mit gabelspaltigem Clad aus dem Grundteil des Schwammes. Vergr. 130, Phot. (Zeiß, DD).
38. Cladom eines Protriaens vom Scheitel des Schwammes. Vergr. 77, Phot. (Zeiß, C).

Fig. 39—44 *Cinachyra alba-bidens* n. sp.

39. Zwei Simotoxe aus der Porengrubenwand. Vergr. 110, Phot. (Zeiß, DD).
40. a und b. Cladome zweier kleiner Diaene aus der Porengrubenwand. Vergr. 110, Phot. (Zeiß, DD).
41. Cladom eines großen Prodiaens. Vergr. 72, Phot. (Zeiß, C).
42. Cladom eines großen Protriaens. Vergr. 72, Phot. (Zeiß, C).
43. Cladom eines Anatriaens. Vergr. 72, Phot. (Zeiß, C).
44. Winkelig gebogenes Ende eines großen Amphiox. Vergr. 25, Phot. (Zeiß, AA).

Fig. 45—52 *Cinachyra alba-obtusa* n. sp.

45. Cladom eines langcladigen Prodiaens mit großen Cladwinkeln. Vergr. 110, Phot. (Zeiß, DD).
46. Cladom eines langcladigen Prodiaens mit kleinen Cladwinkeln. Vergr. 110, Phot. (Zeiß, DD).
47. Cladom eines kurzcladigen Protriaens. Vergr. 110, Phot. (Zeiß, DD).
48—50. Cladome von kurzcladigen Anatriaenen. Vergr. 110, Phot. (Zeiß, DD).
48. Mit dickem Schaft.
49. Mit dünnem Schaft und schwächer rückgebildeten Claden.
50. Mit dünnem Schaft und stärker rückgebildeten Claden.
51. Ansicht eines Teiles der Oberfläche mit Löchern, welche in den großen Spaltraum hineinführen. Vergr. 2,5, Phot. (Zeiß, Anastig. 1 : 8, F = 167 mm).
52. Senkrechter Durchschnitt durch die Mitte des Schwammes. Vergr. 2,5, Phot. (Zeiß, Anastig. 1 : 8, F = 167).
   a Großer, durch Vereinigung von Porengruben entstandener Spaltraum.
   b Kugelförmige Körper im Zentrum des Schwammes.

Fig. 53—55 *Proteleia sollasi* DENDY und S. O. RIDL.

53. Nadeln der Wand eines Fortsatzes. Teil eines Nadelpräparates. Vergr. 73, Phot. (Zeiß, C).
   a Große Style der radialen Nadelbündel.
   b Mittelgroße, dicke Tylostyle der unteren Rindenschicht.
   c Doppeltes Sphaer.
   d Kleine radiale Monactine der oberflächlichen Rindenschicht.
54. a, b und c. Drei mittelgroße Tylostyle der unteren Rindenschicht eines Fortsatzes. Vergr. 45, Phot. (Zeiß, C).
55. Axialer Längsschnitt durch einen Fortsatz. Haematoxylin. Vergr. 12, Phot. (Zeiß, Planar 1 : 4,5, F = 20 mm).
   a Osculum.
   b Oscularrohr rumen (Gastralraum).
   c Longitudinale Membranen, welche den Gastralraum (b) begrenzen und ihn von den subgastralen Höhlen unter der Wand des Fortsatzes trennen.
   d Nahe dem Grunde des Fortsatzes in diesem ausgespannte Quermembran.

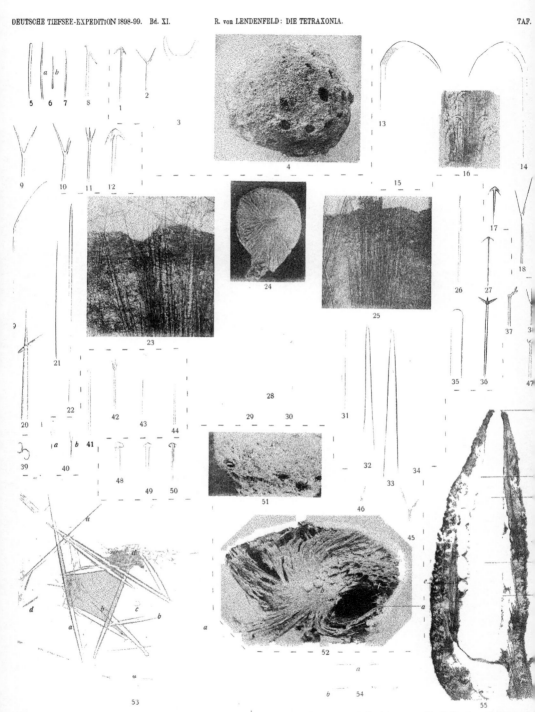

Fig. 1—4 *Cinachyra isis n. sp.*; 5—12 *Tethya stylifera n. sp.*; 13—18 *Tethya coronida (Soll.)*; 19—38 *Tethya hebes n. sp.*; 39—44 *Cinachyra alba-bidens n. s*
45—52 *Cinachyra alba-obtusa n. sp.*; 53—55 *Proteleia sollasi Dendy & S. Ridl.*

Tafel XVII.

Tafel XVII.

Fig. 1—5 *Protelcia sollasi* DENDY und S. O. RIDL.

1—5. Monodiske der Körperoberfläche. Vergr. 2540, Zeichnung (Zeiß, Hom. Imm. 2,0, Compens. Oc. 12).
    1 – 3, 4 a und 5 a Distalenden.
    4 b, 5 b Proximalenden.

Fig. 6—49 *Thenea valdiviae* n. sp.

6. Cladom eines Anaclads des Grundteils, mit schlanken Achsenfäden, von denen in zwei Claden je zwei vorhanden sind. Vergr. 425, Zeichnung (Zeiß, DD., Oc. 2).
7. Cladom eines Anaclads des Grundteils, mit erweiterten Achsenfäden, von denen in einem Clad zwei vorhanden sind. Mit langen, seitlichen Divertikeln des cladomalen Endes des Schaftachsenfadens. Vergr. 425, Zeichnung (Zeiß, DD, Oc. 2).
8. Cladom eines Anaclads des Grundteils, mit erweiterten Achsenfäden, von denen in einem Clad zwei vorhanden sind. Mit kurzen, seitlichen Divertikeln des cladomalen Endes des Schaftachsenfadens. Vergr. 425, Zeichnung (Zeiß, DD, Oc. 2).
9. Cladom eines Anaclads des Grundteils, mit über das Cladom hinaus fortgesetztem Schaft und erweiterten Achsenfäden, von denen in einem Clad zwei vorhanden sind. Von dem in der transcladomalen Schaftverlängerung gelegenen, distalen Endteil des Schaftachsenfadens gehen mehrere große, seitliche, abgerundete Divertikel ab. Vergr. 425, Zeichnung (Zeiß, DD, Oc. 2).
10. Cladom eines Anaclads des Grundteils, mit erweiterten Achsenfäden, von denen in einem Clad zwei vorhanden sind. Das cladomale Ende des Schaftachsenfadens ist zu einem knolligen Körper erweitert, von dem kurze, abgerundete Divertikel seitlich abgehen. Vergr. 425, Zeichnung (Zeiß, DD, Oc. 2).
11. Cladom eines Anaclads, mit stark rückgebildetem Cladom; es ist nur ein Clad vorhanden und dieses ist zu einem abgerundeten Höcker rückgebildet. Die Achsenfäden sind erweitert. In dem Cladrudiment sind zwei Achsenfäden vorhanden. Das cladomale Ende des Schaftachsenfadens trägt zahlreiche und lange, abgerundete Divertikel. Verg. 425, Zeichnung (Zeiß, DD, Oc. 2).
12. Cladom eines Anaclads, mit rückgebildetem Cladom, welches die Gestalt eines Tylostyls mit schmalem Tyl hat. Die Achsenfäden sind fein. Von dem distalen Endteile des Schaftachsenfadens gehen mehrere, unregelmäßig angeordnete, kurze Zweige ab. Vergr. 425, Zeichnung (Zeiß, DD, Oc. 2).
13. Cladom eines Anaclads, mit rückgebildeten Claden, welches die Gestalt eines Tylostyls mit schmalem langgestrecktem Tyl hat. Der Schaftachsenfaden ist stark erweitert und trägt etwas unterhalb seines abgerundeten Distalendes drei Wirtel von mehr weniger abgerundeten, seitlichen Divertikeln. Vergr. 425, Zeichnung (Zeiß, DD, Oc. 2).
14. a und b Cladomaler Endteil des Schaftachsenfadens und Anfangsteile der Cladachsenfäden zweier Dichotriaene aus dem Hut. Vergr. 1250, Zeichnung (Zeiß, Hom. Imm. 2,0, Compens. Oc. 6).
15. Kleines Plagiotriaen (vielleicht junges Dichotriaen) aus einer Brutknospe, mit einem Höcker und einem seitlichen Achsenfadenzweig unterhalb des Cladoms. Vergr. 425, Zeichnung (Zeiß, DD, Oc. 2).
16. Cladomer Endteil eines jungen Teloclads (vermutlich Anatriaens) aus einer Brutknospe. Vergr. 425, Zeichnung (Zeiß, DD, Oc. 2).
17. Unregelmäßiges Teloclad aus dem Grundteil mit erweitertem Achsenfaden und rundlichen Divertikeln des cladomalen Endes des Schaftachsenfadens. Vergr. 130, Phot. (Zeiß, DD).
18. Unregelmäßiges Mesotriaen aus dem Grundteil, dessen Schaftachsenfaden in der Gegend des Cladoms spindelförmig erweitert ist und hier, außer den drei Cladachsenfäden, noch mehrere andere kürzere Zweige entsendet. Vergr. 425, Zeichnung (Zeiß, DD, Oc. 2).
19—23. Cladome von Anatriaenen des Grundteils. Vergr. 130, Phot. (Zeiß, DD).
24. Cladom eines Anaclads, mit einer größeren Anzahl von Claden als drei. Die Clade liegen zum Teil übereinander. Vergr. 45, Phot. (Zeiß, C).
25. Cladom eines Anaclads, mit rückgebildetem Cladom, welches die Gestalt eines Tylostyls mit unregelmäßigem, lappigem Tyl hat. Die Achsenfäden sind fein. Von dem distalen Endteile des Schaftachsenfadens gehen mehrere, unregelmäßig angeordnete, kurze Zweige ab. Vergr. 130, Phot. (Zeiß, DD).
26. Cladom eines Anaclads, mit rückgebildeten Claden, welches die Gestalt eines Tylostyls mit schmalem, langgestrecktem Tyl hat. Der Schaftachsenfaden ist stark erweitert und trägt etwas unterhalb seines abgerundeten Distalendes drei Wirtel von mehr weniger abgerundeten, seitlichen Divertikeln. Vergr. 130, Phot. (Zeiß, DD).
27. Unregelmäßiges Monaen aus dem Grundteil. Vergr. 25, Phot. (Zeiß, AA).
28. Cladom eines Anatriaens des Grundteils. Vergr. 35, Phot. (Zeiß, C).
29—31. Cladom von Anatriaenen des Grundteils. Vergr. 20, Phot. (Zeiß, C).
32. Cladom eines Anaclads mit mehr als einem Cladwirtel. Vergr. 34, Phot. (Zeiß, C).
33. a, b, c und d Kleine, vielstrahlige Metaster. Phot. (Zeiß, F).
    a und c Vergr. 200.
    b und d Vergr. 300.
34 und 35. Große, wenigstrahlige Metaster. Vergr. 200, Phot. (Zeiß, F).
36. a, b, c und d Kleine, vielstrahlige Metaster. Vergr. 166, Phot. (Zeiß, DD).
37. Mittlerer, vielstrahliger Metaster. Vergr. 200, Phot. (Zeiß, DD).
38. Großer, triactiner Metaster aus einer Brutknospe. Vergr. 200, Phot. (Zeiß, DD).
39. Seitenansicht eines Prodiaencladoms des Hutrandes. Vergr. 22, Phot. (Zeiß, Planar 1 : 4,5, F = 20 mm).
40. Zwei Ansichten eines und desselben Prodiaencladoms des Hutrandes. Vergr. 15, Phot. (Zeiß, Planar 1 : 4,5, F = 50 mm).
    a Seitenansicht.
    b vorderansicht.
41. Cladom eines Plagiotriaens des Hutrandes. Vergr. 30, Phot. (Zeiß, Planar 1 : 4,5, F = 20 mm).
42. Plagiotriaen des Hutrandes. Vergr. 7, Phot. (Zeiß, Planar 1 : 4,5, F = 100 mm).
43. Ansicht der Oberfläche am Rande des Porensiebes, große und kleine Metaster in situ darstellend. Vergr. 75, Phot. (Zeiß, C).
    a Große, tetractine Metaster.
    b Große, diactine Metaster.
44. Großes Amphiox des Innern. Vergr. 7, Phot. (Zeiß, Planar 1 : 4,5, F = 100 mm).
45. Anatriaen des Grundteils. Vergr. 7, Phot. (Zeiß, Planar 1 : 4,5, F = 100 mm).
46. Großer, triactiner Metaster einer Brutknospe. Vergr. 200, Phot. (Zeiß, DD).
47. Großer, triactiner Metaster. Vergr. 125, Phot. (Zeiß, DD).
48. Großer, diactiner Metaster. Vergr. 125, Phot. (Zeiß, DD).
49. Abnormes, triactines Megascler. Vergr. 80, Phot. (Zeiß, C).

11

10 12 13

19

20 21 22

14 *a* 15 14 *b*

18

16 17

23 24 25 26 27

a

28

29 30 31 32

c 33 *d* 34 35

b

b

a

a
b
c *d* 37
36

42 44 45

49

a

46 47 48

39 *a* *b*
40

43

41

Fig. 1—5 Proteleia soilasi Dendy und S. Ridl.; Fig. 6—49 Thenea valdiviae n. sp.

TAF. IX.

ndenfeld photographiert und gezeichnet.

Lichtdruck von Carl Bellmann in Prag.

Verlag von Gustav Fischer in J

Tafel XVIII.

Tafel XVIII.

Fig. 1—19 *Thenea valdiviae* n. sp.

1. Eine Brutknospe bei durchfallendem Lichte. Vergr. 22, Phot. (Zeiß, Planar 1 : 4,5, F = 20 mm).
2. Seitenansicht eines jungen Stückes. Vergr. 1 : 1,14, Phot. (Zeiß, Anastig. 1 : 8, F = 167 mm).
3—5. Seitenansichten ausgewachsener Stücke. Verkleinert 1 : 0,7.
6—17. Vorderansichten von zwölf Stücken, die die verschiedenen Formen der Osculargrube zeigen. Vergr. 1 : 1,08, Phot. (Zeiß, Anastig. 1 : 8, F = 167 mm).
18 und 19. Hutoberseite zweier Stücke mit Brutknospen. Vergr. 5, Phot. (Zeiß, Planar 1 : 4,5, F = 50 mm).
    18. Stellt die größten, überhaupt beobachteten Brutknospen dar.
    19. Stellt kleinere (jüngere) Brutknospen dar.

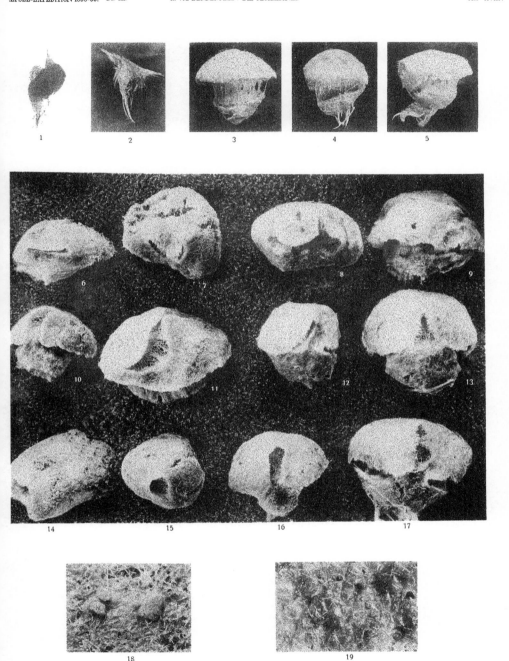

Fig. 1—19 Thenea valdiviae n. sp.

Tafel XIX.

Tafel XIX.

Fig. 1—20 *Thenea valdivae* n. sp.

1. Axialschnitt durch den oberflächlichen Teil der Hutoberseite. Picrokarmin. Vergr. 140, Phot. (Zeiß, C).
2—6. Seitenansichten ausgebildeter Dichotriaene. Vergr. 6, Phot. (Zeiß, Planar 1 : 4,5, F = 50 mm).
7. Dicht über dem Hutrand gelegener Teil eines Axialschnittes. Vergr. 16, Phot. (Reichert, O).
8. Axialschnitt durch den oberflächlichen Teil der Hutrandunterseite. Picrokarmin. Vergr. 140, Phot. (Zeiß, C).
9. Seitenansicht eines Dichotriaencladoms, dessen Endclade sämtlich verkürzt und abgestumpft sind. Vergr. 18, Phot. (Zeiß, Planar 1 : 4,5, F = 20 mm).
10. Seitenansicht eines unregelmäßigen Dichotriaens mit kurzem, abgestumpftem Schaft. Vergr. 7, Phot. (Zeiß, Planar 1 : 4,5, F = 50 mm).
11. Seitenansicht eines Dichotriaencladoms mit langen, zugespitzten Endcladen. Vergr. 12, Phot. (Zeiß, Planar 1 : 4,5, F = 50 mm).
12. Seitenansicht eines jungen Dichotriaens. Vergr. 16, Phot. (Zeiß, Planar 1 : 4,5, F = 20 mm).
13. Axialschnitt durch ein ganzes, mittelgroßes Stück. Picrokarmin. Vergr. 6,5, Phot. (Zeiß, Planar 1 : 4,5, F = 100 mm).
    a Einfuhrkanäle.
    b Ausfuhrkanäle.
    c Durchsichtige, geißelkammerfreie Zonen in der Umgebung der Ausfuhrkanäle.
    d Hutrand.
14. Gruppe von Geißelkammern im Innern des Hutes, aus einem Axialschnitt. Picrokarmin. Vergr. 140, Phot. (Zeiß, DD).
15. Axialschnitt durch den oberflächlichen Teil der Hutoberseite. Picrokarmin. Vergr. 250, Phot. (Zeiß, F).
    a Oberflächlich gelegene Metaster.
    b· Subdermal gelegene Metaster.
16. Flächenansicht des Porensiebes. Vergr. 30, Phot. (Zeiß, Planar 1 : 4,5, F = 20 mm).
17. Teil eines Schnittes durch eine Geißelkammergruppe. Eisen-Haematoxylin. Vergr. 300, Phot. (Zeiß, F).
18. Oberflächlicher Teil einer Brutknospe. Vergr. 200, Phot. (Zeiß, DD).
19. Axialschnitt durch den oberflächlichen Teil der Hutrandunterseite. Picrokarmin. Vergr. 250, Phot. (Zeiß, F).
20. Flächenansicht des Porensiebes. Vergr. 6, Phot. (Zeiß, Planar 1 : 4,5, F = 50 mm).

7

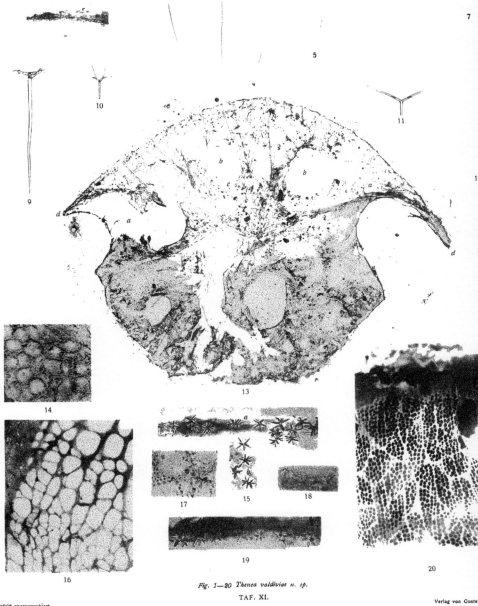

Fig. 1—20 Thenea valdiviae n. sp.

TAF. XI.

Lendenfeld photographiert.

Lichtdruck von Carl Bellmann in Prag.

Verlag von Gustav

Tafel XX.

Tafel XX.

Fig. 1—13 *Thenea valdiviae* n. sp.

1—5. Scheitelansichten von Dichotriaencladomen mit abgestumpften oder verbogenen Endcladen. Vergr. 20, Phot. (Zeiß, AA).
6—10. Scheitelansichten von Dichotriaencladomen mit regelmäßigen, ziemlich geraden, zugespitzten Endcladen. Vergr. 16, Phot. (Zeiß, Planar 1 : 4,5, F = 20 mm).
11. Diactiner großer Metaster. Vergr. 126, Phot. (Zeiß, DD).
12. Triactiner großer Metaster. Vergr. 126, Phot. (Zeiß, DD).
13. Tetractiner großer Metaster. Vergr. 126, Phot. (Zeiß, DD).

Fig. 14—17 *Fangophilina kirkpatrickii* n. sp.

14. Paratangentiales Amphiox des Hautpanzers. Verg. 20, Phot. (Zeiß, AA).
15. Cladomales Ende eines Anatriaens. Vergr. 115, Phot. (Zeiß, DD).
16. Cladomales Ende eines Protriaens der Grubenwand. Vergr. 115, Phot. (Zeiß, DD).
17. Ansicht des Schwammes von der Seite. Vergr. 1 : 2,5, Phot. (Zeiß, Anastig. 1 : 8, F = 167 mm).
    a Porengrube.
    b Osculargrube.

Fig. 18—20 *Thenea nicobarensis* n. sp.

18. Nadeln der Dermalschicht in situ. Vergr. 126, Phot. (Zeiß, DD).
    a Mittlere Metaster.
    b Kleine Metaster.
19. a, b und c Mittlere Metaster. Vergr. 126, Phot. (Zeiß, DD).
    a Fünfstrahliger.
    b vierstrahliger.
    c Dreistrahliger.
20. a und b Große Metaster. Vergr. 126, Phot. (Zeiß, DD).
    a Fünfstrahliger.
    b vierstrahliger.

Fig. 21 *Thenea microspina* n. sp.

21. Großer Metaster. Vergr. 126, Phot. (Zeiß, DD).

Fig. 22—24 *Thenea malindiae* n. sp.

22. Kleine Metaster der Dermalschicht in situ. Vergr. 126, Phot. (Zeiß, DD).
23. Großer Metaster. Vergr. 126, Phot. (Zeiß, DD).
24. Große, mittlere und kleine Metaster der oberflächlichen Schwammpartie. Vergr. 126, Phot. (Zeiß, DD).

Fig. 25 *Thenea rotunda* n. sp.

25. a und b Große Metaster. Vergr. 126, Phot. (Zeiß, DD).
    a ein solcher von Maximalgröße.
    b ein solcher von mittlerer Größe.

Fig. 26—31 *Thenea centrotyla* n. sp.

26. Großer dreistrahliger Metaster. Vergr. 126, Phot. (Zeiß, DD).
27. Großer vierstrahliger Metaster. Vergr. 126, Phot. (Zeiß, DD).
28. Mittlerer vierstrahliger Metaster. Vergr. 126, Phot. (Zeiß, DD).
29. Mittlerer sechsstrahliger Metaster. Vergr. 126, Phot. (Zeiß, DD).
30. Großer dreistrahliger Metaster. Vergr. 126, Phot. (Zeiß, DD).
31. Großer zweistrahliger Metaster (centrotyles, amphioxes Diactin). Vergr. 126, Phot. (Zeiß, DD).

Fig. 32, 33 *Thenea bojeadori* n. sp.

32. Großer fünfstrahliger Metaster. Vergr. 126, Phot. (Zeiß, DD).
33. a und b Mittlere Metaster. Vergr. 126, Phot. (Zeiß, DD).

Fig. 34, 35 *Thenea levis* n. sp.

34. Großer vierstrahliger Metaster. Vergr. 126, Phot. (Zeiß, DD).
35. Gruppe von großen, mittleren und kleinen Metastern. Vergr. 126, Phot. (Zeiß, DD).

Fig. 36—38 *Thenea tyla* n. sp.

36. Ansicht der Osculargrube. Vergr. 1 : 1,375, Phot. (Zeiß, Anastig. 1 : 8, F = 167 mm).
37. Großer vierstrahliger Metaster. Vergr. 126, Phot. (Zeiß, DD).
38. Protriaen mit zwei tyltragenden Claden. Vergr. 60, Phot. (Zeiß, C).

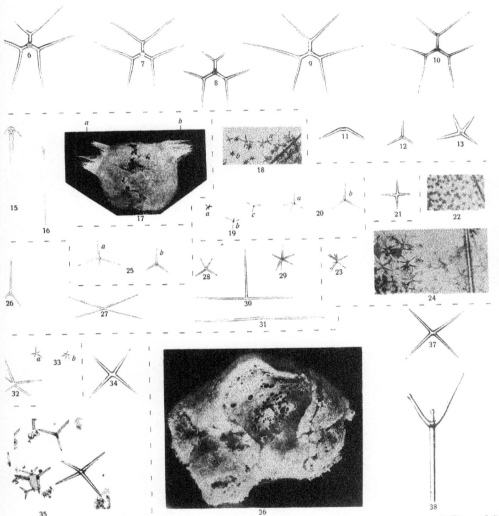

Thenea valdivinæ n. sp.; 14—17 Fangophilina kirkpatrickii n. sp.; 18—20 Thenea nicobarensis n. sp.; 21 Thenea microspina n. sp.; 22—24 Thenea malindiae ; 25 Thenea rotunda n. sp.; 26—31 Thenea centrotyla n. sp.; 32, 33 Thenea bojeadori n. sp.; 34, 35 Thenea levis n. sp.; 36—38 Thenea tyla n. sp.

TAF. XII.

otographiert.

Verlag von Gustav Fischer in Jena.

Lichtdruck von Carl Bellmann in Prag

Tafel XXI.

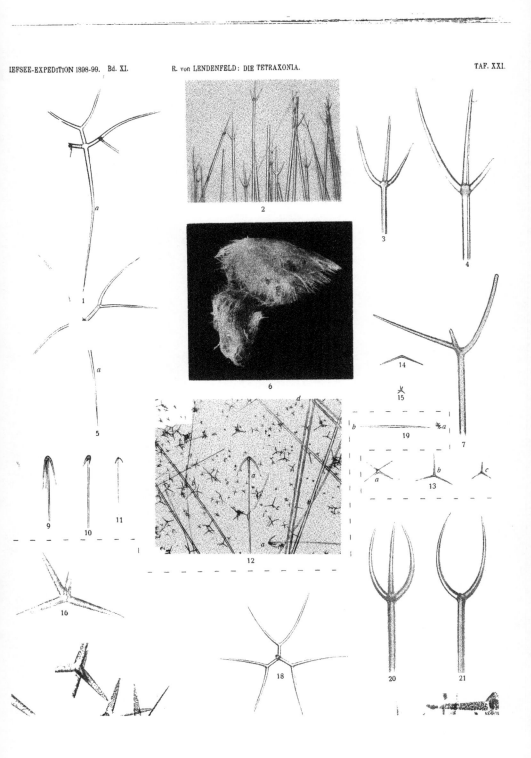

Tafel XXII.

Tafel XXII.

Fig. 1—5 *Thenea megaspina* n. sp.

1. Seitenansicht des cladomalen Endes eines kurzcladigen Dichotriaens. Vergr. 60, Phot. (Zeiß, C).
2. Anatriaencladom. Vergr. 126, Phot. (Zeiß, DD).
3. Telocladderivates Tylostyl mit rundlichem Tyl. Vergr. 126, Phot. (Zeiß, DD).
4. Telocladderivates Tylostyl, dessen Tyl ein höckerartiges Cladrudiment trägt. Vergr. 126, Phot. (Zeiß, DD).
5. Mittelteil eines großen Metasters. Vergr. 260, Phot. (Zeiß, Hom. Imm. 2,0, Apert. 1,40).

Fig. 6—19 *Thenea pendula* n. sp.

6. a und b Schiefe Ansichten von großen Metastern. Vergr. 126, Phot. (Zeiß, DD).
7. a und b Seitenansichten von großen Metastern. Vergr. 126, Phot. (Zeiß, DD).
8. a, b, c, d und e Cladome von Anatriaenen mit mehr anliegenden Claden. Vergr. 60, Phot. (Zeiß, C).
9. Protriaencladom. Vergr. 60, Phot. (Zeiß, C).
10. a, b, c, d, e und f Cladome von Anatriaenen mit mehr abstehenden Claden. Vergr. 60, Phot. (Zeiß, C).
11. Ansicht der die Oscusargrube tragenden Seite eines ausgebildeten Stückes, dem ein junges aufsitzt. Vergr. 1 : 1,63, Phot. (Zeiß, Anastig. 1 : 8, F = 167 mm).
12. Ansicht der das (vom Hutrand bedeckte) Porenfeld tragenden Seite des in Fig. 11 dargestellten Stückes mit dem jungen. Vergr. 1 : 1,63, Phot. (Zeiß, Anastig. 1 : 8, F = 167 mm).
13. Teil eines Schnittes aus dem Innern des Schwammes. Korgorot, Anilinblau. Vergr. 126, Phot. (Zeiß, DD). a Geißelkammern.
14. Scheitelansicht eines Dichotriaencladoms. Vergr. 30, Phot. (Zeiß, Planar 1 : 4,5, F = 20 mm).
15. Gruppe von Microscleren in einem ziemlich dicken Schnitt, in situ. Vergr. 60, Phot. (Zeiß, C).
16. Gruppe von Microscleren in einem ziemlich dicken Schnitt, in situ. Vergr. 126, Phot. (Zeiß, DD).
17. Kleine Metaster. Vergr. 230, Phot. (Zeiß, Hom. Imm. 2,0, Apert. 1,40).
18. Flächenansicht des Porenfeldes. Vergr. 75, Phot. (Zeiß, C).
19. Teil eines Schnittes aus dem Innern des Schwammes. Korgorot, Anilinblau. Vergr. 30, Phot. (Zeiß, Planar 1 : 4,5, F = 20 mm).

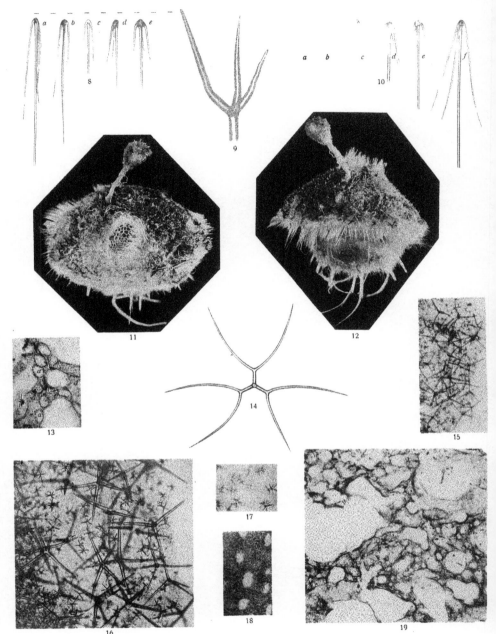

Fig. 1—5 *Thenea megaspina* n. sp.; Fig. 6—19 *Thenea pendula* n. sp.

TAF. XIV.

Lendenfeld photographiert.

Verlag von Gustav Fisch

Lichtdruck von Carl Bollmann in Prag.

Tafel XXIII.

Tafel XXIII.

Fig. 1—21 *Thenea multiformis* n. sp.

1. a und b Große fünfstrahlige Metaster. Vergr. 30, Phot. (Zeiß, Planar 1 : 4,5, F = 20 mm).
2. a, b, c, d, e, f, g, h und i Große vierstrahlige Metaster. Vergr. 30, Phot. (Zeiß, Planar 1 : 4,5, F = 20 mm).
3. Großer vierstrahliger Metaster mit zwei entwickelten und zwei teilweise rückgebildeten Claden. Vergr. 30, Phot. (Zeiß, Planar 1 : 4,5, F = 20 mm).
4. a und b Große Metaster mit zwei ausgebildeten Strahlen. Die übrigen Strahlen sind zu einer knolligen Zentralverdickung rückgebildet, so daß diese Nadeln wie amphioxe, diactine Centrotyle aussehen. Vergr. 30, Phot. (Zeiß, Planar 1 : 4,5, F = 20 mm).
5. Kleine Metaster. Vergr. 126, Phot. (Zeiß, DD).
6 und 7. Plagiotriaene mit terminal abgerundeten Schäften und stark verkürzten, gleichfalls abgerundeten Claden. Vergr. 30, Phot. (Zeiß, Planar 1 : 4,5, F = 20 mm).
8. Anatriaencladom. Vergr. 60, Phot. (Zeiß, C).
9. Scheitelansicht eines Dichotriaencladoms. Vergr. 30, Phot. (Zeiß, Planar 1 : 4,5, F = 20 mm).
10 und 11. Große Metaster mit zwei ausgebildeten Strahlen. Die übrigen Strahlen sind zu einer knolligen Zentralverdickung rückgebildet, so daß diese Nadeln wie amphioxe, diactine Centrotyle aussehen. Vergr. 126, Phot. (Zeiß, DD).
12. Großer Metaster mit einem ausgebildeten, zugespitzten und drei stark verkürzten, abgerundeten Strahlen. Vergr. 126, Phot. (Zeiß, DD).
13. Großer Metaster mit einem ausgebildeten und zugespitzten Strahl; alle anderen Strahlen sind zu einer knolligen Masse rückgebildet, so daß diese Nadel als ein Tylostyl erscheint. Vergr. 126, Phot. (Zeiß, DD).
14. Unregelmäßiges Triaencladom mit zwei kurzen abgestumpften Claden und einem distal in zwei lange Gabeläste auslaufenden. Vergr. 60, Phot. (Zeiß, C).
15—17. Cladome von Plagiotriaenen mit kurzen, abgerundeten Claden (15 und 16 der in Figur 6 und 7 abgebildeten Nadeln). Vergr. 60, Phot. (Zeiß, C).
18. Cladom eines Prodiaens. Vergr. 60, Phot. (Zeiß, C).
19. Großer fünfstrahliger Metaster. Vergr. 126, Phot. (Zeiß, DD).
20. Gruppe von Nadeln aus einem Nadelpräparat. Vergr. 60, Phot. (Zeiß, C).
    a Große Metaster.
    b Cladom eines unregelmäßigen Dichotriaens mit stark verkürzten, abgerundeten Endcladen.
21. Stumpfes Ende eines Styls mit seitlichem Höcker. Vergr. 60, Phot. (Zeiß, C).

Fig. 22—36 *Thenea megastrella* n. sp.

22. Plagiotriaencladom. Vergr. 60, Phot. (Zeiß, C).
23. a und b Mittlere Metaster.
    a Vergr. 60, Phot. (Zeiß, C).
    b Vergr. 30, Phot. (Zeiß, Planar 1 : 4,5 F = 20 mm).
24. Mittleres, microscleres Diactin. Vergr. 60, Phot. (Zeiß, C).
25. Mittleres, microscleres Diactin. Vergr. 126, Phot. (Zeiß, DD).
26. Cladomales Ende eines Anatriaens. Vergr. 60, Phot. (Zeiß, C).
27. Großer, dickstrahliger, tetractiner Metaster mit drei einfachen und einem asttragenden Strahl. Vergr. 126, Phot. (Zeiß, DD).
28. Großer, dickstrahliger, triactiner Metaster, mit zwei wohlentwickelten, zugespitzten und einem verkürzten, abgerundeten Strahl. Vergr. 126, Phot. (Zeiß, DD).
29. Großer, dickstrahliger, diactiner Metaster. Vergr. 126, Phot. (Zeiß, DD).
30. Großer, schlankstrahliger, tetractiner Metaster. Vergr. 126, Phot. (Zeiß, DD).
31. Große, schlankstrahlige und mittlere Metaster. Vergr. 126, Phot. (Zeiß, DD).
32. Großer, dickstrahliger, tetractiner Metaster. Vergr. 126, Phot. (Zeiß, DD).
33—36. Seitenansichten von Dichotriaenen. Vergr. 30, Phot. (Zeiß, Planar 1 : 4,5, F = 20 mm).

Fig. 37—44 *Thenea microclada* n. sp.

37. Großer Metaster des größeren Stückes. Vergr. 126, Phot. (Zeiß, DD).
38. Ansicht des größeren Stückes. Vergr. 1 : 1,35, Phot. (Zeiß, Anastig. 1 : 8 F = 167 mm).
39. Ansicht des größeren Stückes (die andere Seite des in Figur 38 dargestellten). Vergr. 1 : 1,7, Phot. (Zeiß, Anastig. 1 : 8 F = 167 mm).
40 und 41. Seitenansichten von Dichotriaenen des größeren Stückes. Vergr. 30, Phot. (Zeiß, Planar 1 : 4,5, F = 20 mm).
42. Cladomales Ende eines Anatriaens des größeren Stückes mit mehreren Cladwirteln. Vergr. 60, Phot. (Zeiß, C).
43 und 44. Große Metaster des kleineren Stückes. Vergr. 126, Phot. (Zeiß, DD).

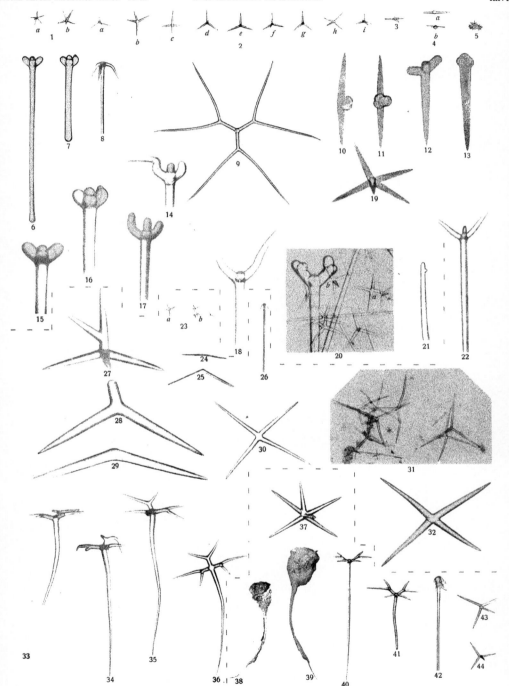

Fig. 1—21 *Thenea multiformis* n. sp.; 22—36 *Thenea megastrella* n. sp.; 37—44 *Thenea microclada* n. sp.

Tafel XXIV.

Tafel XXIV.

Fig. 1—30 *Ecionemia obtusum* n. sp.

1—7. Plagiotriaencladome. Vergr. 100, Phot. (Zeiß, C):
  1. mit kegelförmigen, etwas abgestumpften, ziemlich kurzen Claden,
  2. mit kegelförmigen, etwas abgestumpften, langen Claden,
  3. mit dicken, kegelförmigen, etwas abgestumpften Claden, von denen eines geknickt ist und eine Andeutung einer Gabelspaltung aufweist,
  4. mit schlanken, kegelförmigen, stark abgestumpften Claden,
  5. mit ziemlich langen, zylindrischen, am Ende abgerundeten Claden,
  6. mit kurzen, zylindrischen, am Ende abgerundeten Claden,
  7. mit stark rückgebildeten Claden; das Cladom erscheint als ein schwach dreilappiges Tyl.
8. Schnitt senkrecht zur Oberfläche. Vergr. 33, Phot. (Zeiß, Planar 1 : 4,5, F = 20 mm).
  a äußere Oberfläche.
  b Subdermalhöhlen.
9. Ansicht des Schwammes. Nat. Größe, Phot. (Zeiß, Anastig. 1 : 12,5, F = 480 mm).
  a Oscularfeld.
10—13. Rhabde Megasclere. Vergr. 33, Phot. (Zeiß, Planar 1 : 4,5, F = 20 mm):
  10. a, b und c scharfspitzige Amphioxe,
  11. a, b, c und d abgestumpfte, isoactine Amphioxe,
  12. Styl,
  13. a und b Amphistrongyle.
14—19. Plagiotriaene. Vergr. 33, Phot. (Zeiß, Planar 1 : 4,5, F = 20 mm):
  14. mit ungleichen, kegelförmigen, etwas abgestumpften Claden,
  15. mit gleichen, kegelförmigen, zugespitzten Claden,
  16. mit langen, zylindrokonischen, stumpfen Claden,
  17. mit langen, zylindrischen, am Ende abgerundeten Claden.
  18. mit kürzeren, zylindrischen, am Ende abgerundeten Claden,
  19. mit stark verkürzten, zu abgerundeten Buckeln rückgebildeten Claden.
20—28. Microsclere. Vergr. 1240, Zeichnung (Zeiß, Hom. Imm. 2,0, Apert. 1,40, Compens. Oc. 6):
  20. sechsstrahliger Acanthtylaster,
  21. vierstrahliger Acanthtylaster,
  22. dreistrahliger Acanthtylaster,
  23. regelmäßiger, vielstrahliger Strongylaster,
  24. unregelmäßiger Aster,
  25. unregelmäßiger Aster,
  26. kurzes, dickes Microrhabd,
  27. mittleres Microrhabd,
  28. schlankes Microrhabd.
29—30. Microsclere. Vergr. 420, Phot. (Zeiß, Hom. Imm. 2,0, Apert. 1,40):
  29. ein Acanthtylaster,
  30. Microrhabde.

Lendenfeld photographiert und gezeichnet.

Fig. 1—30 Ecionemia obtusum n. sp.

TAF. XVI.

Lichtdruck von Carl Bellmann in Prag.

Verlag von Ge

Tafel XXV.

Tafel XXV.

Fig. 1—10 *Ancorina progressa* n. sp.

1. Flächenansicht der mittelst Paratangentialschnitt abgelösten Dermalschicht. Vergr. 100, Phot. (Zeiß, C).
   a oberflächlich liegende Microrhabde,
   b Amphioxe,
   c Porenkanäle,
   d in der Dermalmembran gelegene Dichotriaencladome,
   e Körnerzellen.
2. a und b Oxyaster. Vergr. 175, Phot. (Zeiß, DD).
3. Schnitt senkrecht zur Oberfläche. Vergr. 175, Phot. (Zeiß, DD).
   a äußere Oberfläche,
   b Amphiox,
   c Porenkanäle,
   d größere Sammelkanäle,
   e mit kleinen Körnern dicht erfüllte Körnerzellen,
   f mit großen körnigen Massen erfüllte Körnerzellen,
   g nur spärliche, kleine Körner enthaltende Körnerzellen,
   h symbiotische Algen,
   i ein junges Triaen.
4. a und b Amphioxe. Vergr. 33, Phot. (Zeiß, Planar 1 : 4,5, F = 20 mm).
5. Seitenansicht eines Dichotriaens. Vergr. 33, Phot. (Zeiß, Planar 1 : 4,5, F = 20 mm).
6. Seitenansicht eines kleineren Dichotriaens. Vergr. 100, Phot. (Zeiß, C).
7—9. Oxyaster. Vergr. 412, Phot. (Zeiß, Hom. Imm. 2,0, Apert. 1,40).
10. a, b, c, d und e Strahlentragende Microrhabde. Vergr. 380, Phot. (Zeiß, Hom. Imm. 2,0, Apert. 1,40).

Fig. 11—18 *Sanidastrella multistella* n. sp.

11. Strahlentragende Microrhabde. vergt. 380, Phot. (Zeiß, Hom. Imm. 2,0, Apert. 1,40).
12. Gruppe von Microscleren aus einem Nadelpräparat. Vergr. 100, Phot. (Zeiß, C).
    a großer Oxyaster,
    b Microrhabde,
    c kleiner Oxyaster.
13. Gruppen von Microscleren aus einem Nadelpräparat. Vergr. 900, Phot. (Zeiß, Hom. Imm. 2,0, Apert. 1,40, Compens. Oc. 6).
    a und b des Bruchstückes, c des intakten Stückes;
    a Strahlen eines großen Oxyasters,
    b und c strahlentragende Microrhabde.
14. a und b Große Oxyaster. Vergr. 100, Phot. (Zeiß, C).
15. a und b Anatriaencladome. Vergr. 100, Phot. (Zeiß, C).
16. Plagiotriaencladom. Vergr. 100, Phot. (Zeiß, C).
17. Plagiotriaen. Vergr. 33, Phot. (Zeiß, Planar 1 : 4,5, F = 20 mm).
18. Gruppe von Microscleren aus einem Nadelpräparat. Vergr. 100, Phot. (Zeiß, C).
    a große Oxyaster,
    b strahlentragende Microrhabde.

Fig. 19—30 *Disyringa nodosa* n. sp.

19. a, b und c Hautamphioxe des Oscularschornsteins. Vergr. 33, Phot. (Zeiß, Planar 1 : 4,5, F = 20 mm).
20. a, b, c und d Strahlentragende Microrhabde des Körpers. Vergr. 650, Phot. (Zeiß, Hom. Imm. 2,0, Apert. 1,40, Compens. Oc. 6).
21, 22. Cladome von dichotriaenderivaten Telocladen des Oscularschornsteins, bei denen außer dem vollkommen ausgebildeten Clad noch ein zweites, ziemlich großes Clad vorhanden ist. Vergr. 33, Phot. (Zeiß, Planar 1 : 4,5, F = 20 mm).
23. a und b Diaene des Körpers. Vergr. 33, Phot. (Zeiß, Planar 1 : 4,5, F = 20 mm).
24. Zentralteil eines Diaens des Körpers. Vergr. 120, Phot. (Zeiß, DD).
25. Kleineres, normales, dichotriaenderivates Teloclad des Oscularschornsteins mit nur einem wohlentwickelten Clad. Vergr. 33, Phot. (Zeiß, Planar 1 : 4,5, F = 20 mm),
26. a, b, c und d Cladome von normalen, dichotriaenderivaten Telocladen des Oscularschornsteins mit nur einem wohlentwickelten Clad. Vergr. 33, Phot. (Zeiß, Planar 1 : 4,5, F = 20 mm)
27. Cladom eines unregelmäßigen, dichotriaenderivaten Teloclads des Oscularschornsteins. Vergr. 33, Phot. (Zeiß, Planar 1 : 4,5, F = 20 mm).
28. Gruppe von Megascleren des Körpers aus einem Nadelpräparat. Vergr. 33, Phot. (Zeiß, Planar 1 : 4,5, F = 20 mm):
    a ausgebildete Monaene,
    b junges Monaen,
    c Diaene,
    d große, radiale Amphioxe des Choanosoms,
    e kleines Hautamphiox.
29. Radialschnitt durch den Körper. Vergr. 13, Phot. (Zeiß, Planar 1 : 4,5, F = 50 mm):
    a Dermalmembran,
    b Subdermalhöhle,
    c Choanosom,
    d Zentrum der radialen Megasclere.
30. Radialschnitt durch den oberflächlichen Teil des Schwammkörpers. Vergr. 100, Phot. (Zeiß, C):
    a Dermalmembran,
    b Subdermalhöhle,
    c Choanosom,
    d zarte, radiale, den Subdermalraum durchquerende Stränge,
    e großes, ausgebildetes Monaen,
    f kleines, junges Monaen,
    g junges Hautamphiox.

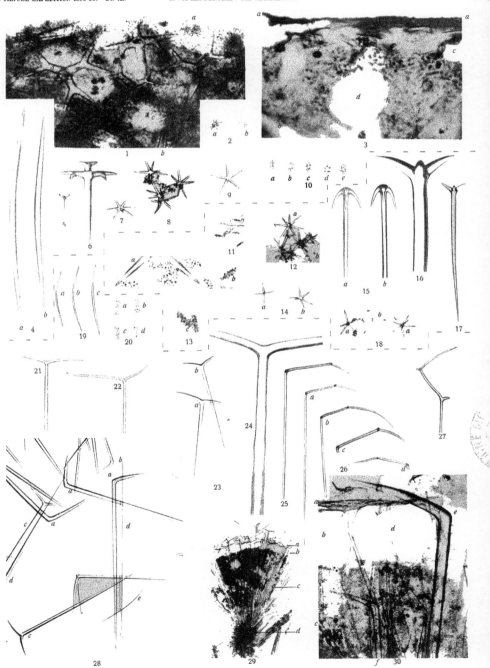

Tafel XXVI.

Tafel XXVI.

Fig. 1—12. *Disyringa nodosa* n. sp.

1. Seitenansicht eines Oscularschornsteins, von dem ein Segment (ein Drittel etwa) durch einen Längsschnitt entfernt ist. Von der intakten Seite gesehen. Einstellung auf die Außenwand (Hauptamphioxe). Vergr. 33, Phot. (Zeiß, Planar 1 : 4,5, F = 20 mm):
   a in der Tiefe gelegene, aus Telocladschäften bestehende Skelettachse,
   b kleine Amphioxe der Haut.
2. Seitenansicht eines Oscularschornsteins. Einstellung auf die Insertionslinie einer Radialwand mit der Außenwand, wo sich die Hauptclade in die Endclade spalten (b Fig. 4, c Fig. 9). Vergr. 50, Phot. (Zeiß, C):
   a aus Telocladschäften bestehende Skelettachse,
   b kleine Amphioxe der Haut,
   c die gabelspaltigen Telocladclade.
3. Teil eines durch die Achse des Oscularschornsteins und den Körper gehenden Schnittes, das proximale, bis zum Zentrum des Körpers reichende Ende der Skelettachse des Schornsteins darstellend. Vergr. 33, Phot. (Zeiß, Planar 1 : 4,5, F = 20 mm):
   a Schäfte der Teloclade des proximalen Endteils der Skelettachse des Oscularschornsteins,
   b Clade der Teloclade des proximalen Endteils der Skelettachse des Oscularschornsteins,
   c kleine Amphioxe der Haut des Oscularschornsteins,
   d kleine Amphioxe der Haut des Schwammkörpers.
4. Seitenansicht des Oscularschornsteins. Vergr. 9, Phot. (Zeiß, Planar 1 : 4,5, F = 50 mm):
   a aus Telocladschäften bestehende Skelettachse,
   b Insertionslinie einer Radialwand mit der Außenwand, wo sich die Hauptclade der Teloclade in die Endclade spalten (c Fig. 9).
5. Seitenansicht eines Oscularschornsteins, von dem ein Segment (ein Drittel etwa) durch einen Längsschnitt entfernt ist. Von der angeschnittenen Seite gesehen. Einstellung auf die Skelettachse. Vergr. 33, Phot. (Zeiß, Planar 1 : 4,5 F = 20 mm):
   a aus Telocladschäften bestehende Skelettachse,
   b Amphioxe der Haut,
   c Hauptclade der Teloclade.
6. Scheitel des Oscularschornsteins von oben gesehen. Vergr. 8, Phot. (Zeiß, Planar 1 : 4,5, F = 50 mm).
7. Teil eines Querschnittes durch den Oscularschornstein (die Gegend bei c der Fig. 9). Vergr. 60, Phot. (Zeiß, C):
   a Spaltungsstelle eines Hauptclads eines Teloclads in die zwei Endclade,
   b Außenwand des Oscularschornsteins.
8. Teil eines Querschnittes durch einen Oscularschornstein (die Gegend bei b der Fig. 9). Vergr. 44, Phot. (Zeiß, C);
   a verkürzte Hauptclade von Telocladen,
   b Radialwand.
9. Querschnitt durch den Oscularschornstein in seiner halben Höhe. Vergr. 33, Phot. (Zeiß, Planar 1 : 4,5, F = 20 mm):
   a aus Telocladschäften bestehende Skelettachse,
   b die in Fig. 10 stärker vergrößert (und um 45° gedreht) dargestellte Stelle,
   c die in Fig. 9 stärker vergrößert (und um 180° gedreht) dargestellte Stelle,
   d Oscularrohr,
   e Radialwand,
   f Außenwand.
10. Ansicht des größeren Stückes, dem nur das Porenrohr (wenn ein solches im Leben vorhanden ist) fehlt. Vergr. 1,87, Phot. (Zeiß, Anastig. 1 : 12,5, F = 480 mm):
    a Nadelkranz des Scheitels des Oscularschornsteins,
    b Oscularschornstein,
    c Körper des Schwammes.
11. Ansicht des kleineren, weniger gut erhaltenen Stückes. Vergr. 1,87, Phot. (Zeiß, Anastig. 1 : 12,5, F = 480 mm).
12. Schema des Oscularschornstein-Querschnittes. Vergr. etwa 33, Zeichnung:
    a aus den Telocladschäften bestehende Skelettachse,
    b lange Hauptclade der Teloclade,
    c kleine Amphioxe der Haut,
    d Oscularröhren,
    e Radialwände zwischen benachbarten Oscularröhren,
    f Außenwand des Oscularschornsteins,
    g kurze Hauptklade der Teloclade,
    h lange Endclade der Teloclade.

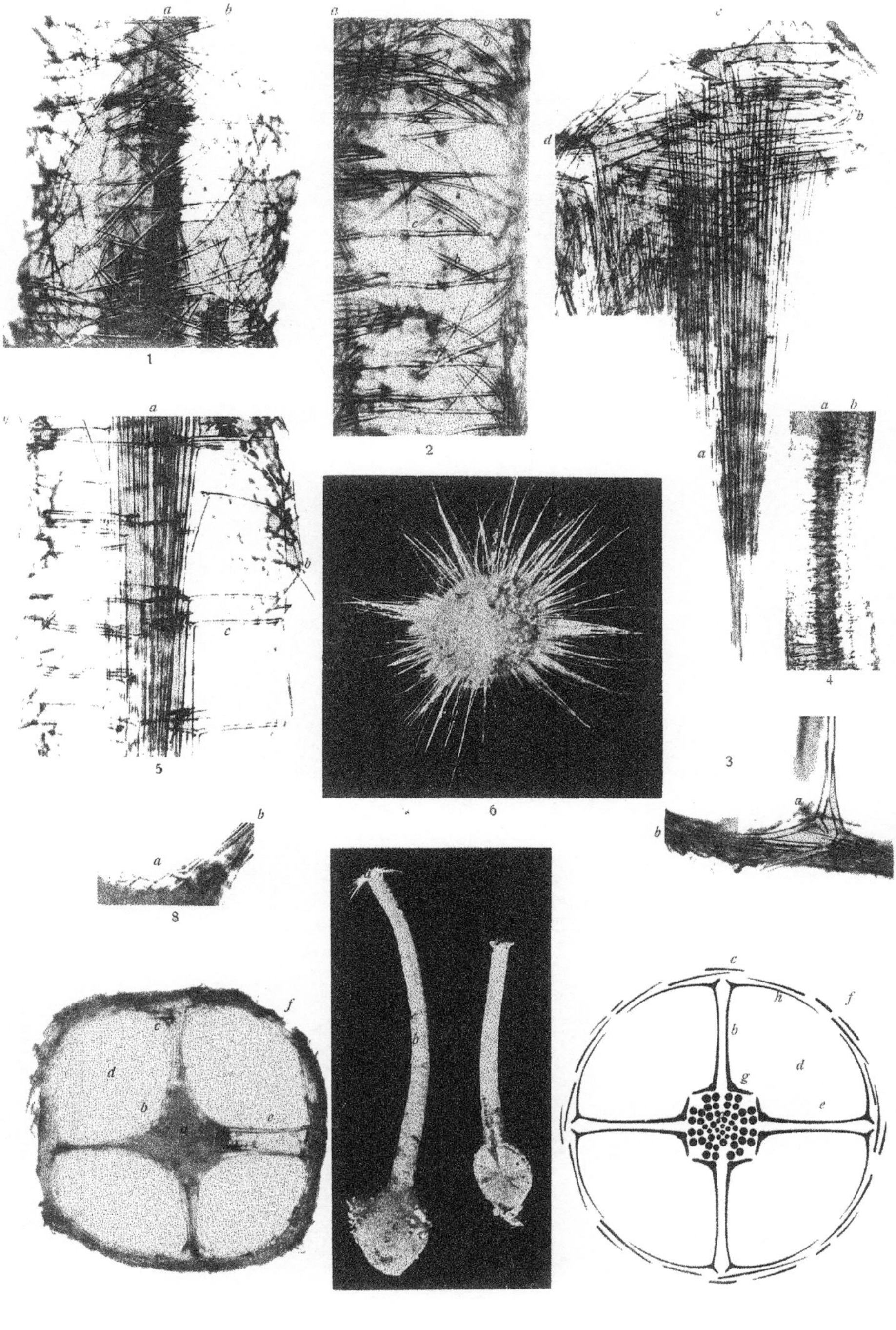
1
2
3
4
5
6
8

Tafel XXVII.

Tafel XXVII.

Fig. 1—23 *Tethyopsis radiata* (W. Marsh.).

1. a, b und c Cladome von Diaenen der Skelettsäule mit stark reduziertem kürzerem Clad. Vergr. 20, Phot. (Zeiß, Planar 1 : 4,5, F = 20 mm).
2. a und b Cladome von Diaenen der Skelettsäule mit mittelgroßem, kürzerem Clad. Vergr. 20, Phot. (Zeiß, Planar 1 : 4,5, F = 20 mm).
3. Teil eines Querschnittes durch den Schwamm, welcher durch ein Dragmennest geht. Vergr. 240, Phot. (Zeiß, Hom. Imm. 2,0, Apert. 1,40):
   a von Strongylastern erfülltes Gewebe,
   b Dragmennest.
4. Cladom eines Diaens der Skelettsäule mit mittelgroßem, kürzerem Clad. Vergr. 20, Phot. (Zeiß, Planar 1 : 4,5, F = 20 mm).
5. Dragm. Vergr. 400, Phot. (Zeiß, Hom. Imm. 2,0, Apert. 1,40, Compens. Oc. 6).
6. Dragmennadeln und Bruchstücke davon aus einem Zentrifugnadelpräparat. Vergr. 600, Phot. (Zeiß, Hom. Imm. 2,0, Apert. 1,40, Compens. Oc. 6).
7. a und b Cladome zweier Diaene der Skelettsäule mit sehr großem, kürzerem Clad. Vergr. 20, Phot. (Zeiß, Planar 1 : 4,5, F = 20 mm).
8. Cladome eines Diaens der Skelettsäule mit sehr großem, kürzerem Clad in Scheitelansicht. Vergr. 20, Phot. (Zeiß, Planar 1 : 4,5, F = 20 mm).
9. Teil eines Querschnittes durch den Schwamm mit einem Dragmenneste. Vergr. 750, Phot. (Zeiß, Hom. Imm. 2,0, Apert 1,40, Compens. Oc. 6):
   a Strongylastermassen,
   b Dragme.
10. Kleinerer Strongylaster. Vergr. 1000, Phot. (Zeiß, Hom. Imm. 2,0, Apert. 1,40, Compens. Oc. 6).
11. Gruppe von Strongylastern aus einem Zentrifugnadelpräparat. Vergr. 270, Phot. (Zeiß, Hom. Imm. 2,0, Apert. 1,40).
12. Cladom eines Diaens der Skelettsäule mit fast rechtwinklig geknicktem, längeren, und mittelgroßem, kürzerem Clad. Vergr. 20, Phot. (Zeiß, Planar 1 : 4,5, F = 20 mm).
13. Cladom eines Diaens der Skelettsäule mit stark geknicktem längeren und großem kürzeren Clad. Vergr. 20, Phot. (Zeiß, Planar 1 : 4,5, F = 20 mm).
14. Cladom eines Diaens der Skelettsäule mit stark reduziertem, kürzeren Clad. Vergr. 20, Phot. (Zeiß, Planar 1 : 4,5, F = 20 mm).
15—20. Querschnitte durch den Schornstein, bzw. Teile von solchen:
    15. ein ganzer Querschnitt durch das dickere Stück bei durchfallendem Licht. Vergr. 10, Phot. (Zeiß, Planar 1 : 4,5, F = 50 mm),
    16. das dickere Stück quer abgeschnitten. Die Schnittfläche von oben betrachtet. Bei auffallendem Licht. Vergr. 7, Phot. (Zeiß, Planar 1 : 4,5, F = 50 mm).
    17. ein ganzer Querschnitt durch das dickere Stück bei durchfallendem Licht. Vergr. 10, Phot. (Zeiß, Planar 1 : 4,5, F = 50 mm),
    18. Teil eines Querschnittes durch das dickere Stück. Vergr. 33, Phot. (Zeiß, Planar 1 : 4,5, F = 20 mm),
    19. Teil eines Querschnittes durch das dickere Stück. Vergr. 33, Phot. (Zeiß, Planar 1 : 4,5, F = 20 mm),
    20. Ein ganzer Querschnitt durch ein schlankeres Stück. Vergr. 10, Phot. (Zeiß, Planar 1 : 4,5, F = 50 mm):
       a Achsenkanal,
       b kleine Längskanäle im Umkreise des Achsenkanals,
       c (quer durchschnittene) Schäfte der Diaene der Skelettsäule,
       d kleine Kanäle unter der Innenwand der peripheren Hauptlängskanäle,
       e Clade der Diaene der Skelettsäule,
       f periphere Hauptlängskanäle,
       g Radialwände zwischen den peripheren Hauptlängskanälen,
       h kleine Kanäle in der Außenwand,
       i Außenwand,
       k äußere Vorragungen der Außenwand,
       l zartes Gewebe, welches die innerste Schicht der Begrenzung der großen Hauptlängskanäle bildet.
21. Das größte von den schlanken Stücken. Nat. Größe, Phot. (Zeiß, Anastig. 1 : 12,5, F = 480 mm).
22. Das dickere Stück. Nat. Größe, Phot. (Zeiß, Anastig. 1 : 12,5, F = 480 mm).
23. Ansicht einer Partie der Oberfläche des dickeren Stückes bei auffallendem Lichte. Vergr. 33, Phot. (Zeiß, Planar 1 : 4,5, F = 20 mm).

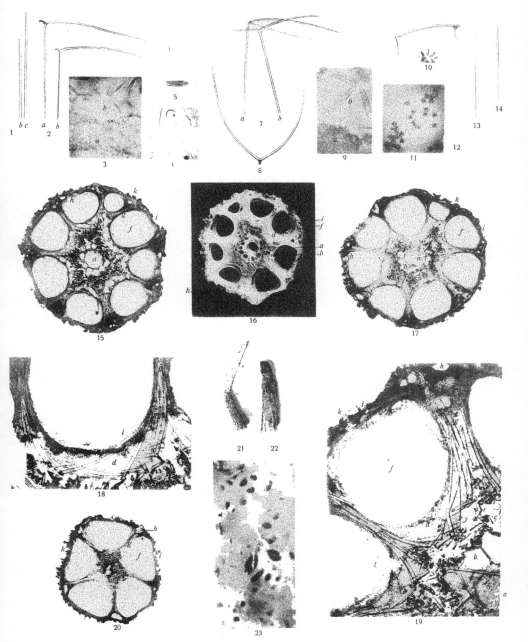

Fig. 1—23 *Tethyopsis radiata* (W. Marsh).

d photographiert.

TAF. XIX.

Verlag von Gustav Fischer in Jena.

Lichtdruck von Carl Bellmann in Prag.

Tafel XXVIII.

Tafel XXVIII.

Fig. 1—25 *Stelletta agulhana* n. sp.

1. Anatriaen des Nadelpelzes. Vergr. 100, Phot. (Zeiß, C).
2. Cladom eines Plagiotriaens. Vergr. 100, Phot. (Zeiß, C).
3. Knollige Verdickung eines Amphiox. Vergr. 100, Phot. (Zeiß, C).
4. a, b und c Gruppe von kleinen Hautdichotriaenen. Vergr. 100, Phot. (Zeiß, C):
   a und c Seitenansichten,
   b Scheitelansicht.
5. Cladom eines mesotriaenen, abnormen Teloclads. Vergr. 100, Phot. (Zeiß, C).
6. Cladom eines großen Dichotriaens. Vergr. 100, Phot. (Zeiß, C).
7. Tyltragendes Ende eines telocladderivaten Tylostyls des Nadelpelzes. Vergr. 100, Phot. (Zeiß, C).
8. a, b, c und d Kleine Hautdichotriaene. Vergr. 33, Phot. (Zeiß, Planar 1 : 4,5, F = 20 mm).
9. Scheitelansicht eines kleinen Hautdichotriaens. Vergr. 33, Phot. (Zeiß, Planar 1 : 4,5, F = 30 mm).
10. Kleines, abnormes Dichotriaen mit zum Teil verkürzten und verdickten Strahlen. Vergr. 100, Phot. (Zeiß, C).
11. Kleines, abnormes Plagiotriaen, vermutlich ein Derivat eines kleinen Hautdichotriaens, mit verkürzten und verdickten Strahlen. Vergr. 100, Phot. (Zeiß, C).
12. Gruppe kleiner Oxyaster (Microoxyaster) aus einem Zentrifugnadelpräparat des Choanosoms. Vergr. 300, Phot. (Zeiß, DD, Oc. 2):
    a mittlere Microoxyaster,
    b kleiner Microoxyaster,
    c größere Microoxyaster.
13. Großer Oxyaster (Megaoxyaster) mit sechs Strahlen. Vergr. 300, Phot. (Zeiß, DD, Oc. 2).
14. Langes Plagiotriaen. Vergr. 33, Phot. (Zeiß, Planar 1 : 4,5, F = 20 mm).
15. Kürzeres Plagiotriaen. Vergr. 33, Phot. (Zeiß, Planar 1 : 4,5, F = 20 mm).
16. Großes Dichotriaen. Vergr. 33, Phot. (Zeiß, Planar 1 : 4,5, F = 20 mm).
17. Ansicht des großen Stückes. verkleinert 1 : 0,83, Phot. (Zeiß, Anastig. 1 : 12,5, F = 480 mm).
18. Großer Oxyaster (Megaoxyaster) mit fünf Strahlen. Vergr. 300, Phot. (Zeiß, DD, Oc. 2).
19. a und b Ataxaster der Oberfläche. Vergr. 800, Phot. (Zeiß, Hom. Imm. 2,0, Apert. 1,40, Compens. Oe. 6).
20. Gruppe von Ataxastern aus einem Zentrifugnadelpräparat. Vergr. 300, Phot. (Zeiß, Hom. Imm. 2,0, Apert. 1,40).
21. Querschnitt durch den Grundteil eines Zipfels. Vergr. 7, Phot. (Zeiß, Planar 1 : 4,5, F = 50 mm).
22. Längsschnitt durch einen Zipfel. Vergr. 16, Phot. (Zeiß, Planar 1 : 4,5, F = 50).
    a axiale Skelettsäule,
    b kleine Hautdichotriaene.

23, 24. Radialschnitte durch den oberflächlichen Teil des Schwammes und den Grundteil eines Zipfels. Hämatoxylin:
   23. Vergr. 5, Phot. (Zeiß, Planar 1 : 4,5, F = 50 mm),
   24. Vergr. 4, Phot. (Zeiß, Planar 1 : 4,5, F = 50 mm);
       a äußere, nicht faserige Rindenlage,
       b innere, faserige Rindenlage,
       c großer Chonalstammkanal im Zipfel,
       d Chone,
       e Choanosom,
       f Subdermalraum,
       g weite Kanäle des Choanosoms.
25. Ansicht der äußeren Oberfläche. Vergr. 100, Phot. (Zeiß, C).

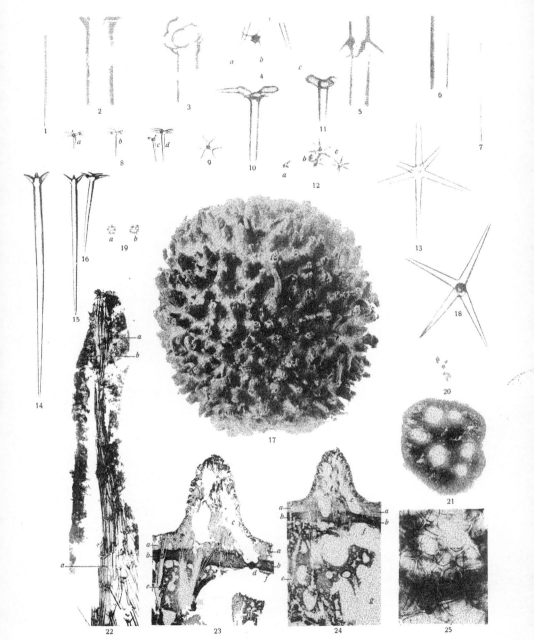

Fig. 1—25 Stelletta agulhana n. sp.

nfeld photographiert.

TAF. XX.

Verlag von Gustav Fischer in Jena

Lichtdruck von Carl Bellmann in Prag.

Tafel XXIX.

Tafel XXIX.

Fig. 1—4 *Stelletta agulhana* n. sp.

1. Radialschnitt durch den oberflächlichen Teil des Schwammes. Haematoxylin. Vergr. 33, Phot. (Zeiß, Planar 1 : 4,5, F = 20 mm):
   a faserfreie, äußere Rindenlage,
   b distale, stark tingierte Zone der inneren, faserigen Rindenlage,
   c äußere Oberfläche des Schwammes,
   d proximale, schwach tingierte Zone der inneren, faserigen Rindenlage,
   e Choanosom,
   f Subdermalraum,
   g großer Kanal des Choanosoms.
2. Teil eines Radialschnittes durch das Choanosom. Hämatoxylin. Vergr. 100, Phot. (Zeiß, C).
3. Teil eines Schnittes durch das Choanosom. Vergr. 100, Phot. (Zeiß, C):
   a große Oxyaster,
   b kleine Oxyaster,
   c Knollen.
4. Anatriaenbündel des Pelzes in situ (Teil eines Radialschnittes durch eine oberflächliche Schwammpartie). vergr. 33, Phot. (Zeiß, Planar 1 : 4,5, F = 20 mm):
   a Oberfläche des Schwammes.

Fig. 5—12 *Stelletta clavosa* S. O. RIDL.

5. Cladom eines Dichotriaens. Vergr. 33, Phot. (Zeiß, Planar 1 : 4,5, F = 20 mm).
6. a, b und c Drei Acanthtylaster. Vergr. 2330, Zeichnung (Zeiß, Hom. Imm. 2,0, Apert. 1,40, Compens. Oc. 12):
   a ein Sechsstrahler,
   b ein Vierstrahler,
   c ein Dreistrahler.
7. Ansicht des Schwammes. Vergr. 1,7, Phot. (Zeiß, Planar 1 : 4,5, F = 100 mm).
8. Gruppe von Acanthtylastern aus einem Zentrifugnadelpräparat. Vergr. 400, Phot. (Zeiß, DD, Oc. 4).
9. a, b und c Drei Acanthtylaster. Vergr. 400, Phot. (Zeiß, Hom. Imm. 2,0, Apert. 1,40):
   a ein Zwölfstrahler,
   b ein Fünfstrahler,
   c ein Dreistrahler.
10. Radialschnitt durch den oberflächlichen Teil eines größeren Stückes von Dirk Hartog. Vergr. 33, Phot. (Zeiß, Planar 1 : 4,5, F = 20 mm):
    a Subdermalraum.
11. Cladom eines Anatriaens eines kleineren Stückes von der Bougainville-Insel. Vergr. 100, Phot. (Zeiß, C).
12. Cladom eines Anatriaens eines größeren Stückes von Dirk Hartog. Vergr. 100, Phot. (Zeiß, C).

Fig. 13—25 *Stelletta sigmatriaena* n. sp.

13. Ansicht der Wand der Oscularhöhle. Vergr. 100, Phot. (Zeiß, C):
    a dickstrahlige, dornige Oxyaster,
    b Körnerzellen,
    c paratangentiale Amphioxe.
14. Cladom eines Anatriaens. Vergr. 100, Phot. (Zeiß, C).
15. Schlankstrahliger, dorniger Oxyaster. Vergr. 400, Phot. (Zeiß, Hom. Imm. 2,0, Apert. 1,40).
16. a, b, c und d Dickstrahlige, dornige Oxyaster. Vergr. 400, Phot. (Zeiß, Hom. Imm. 2,0, Apert. 1,40):
    a Sechsstrahler,
    b Vierstrahler,
    c und d Dreistrahler.
17. a und b Cladome von jungen Anatriaenen. vergr. 33, Phot. (Zeiß, Planar 1 : 4,5, F = 20 mm).
18. a und b Cladome von ausgebildeten Anatriaenen. Vergr. 33, Phot. (Zeiß, Planar 1 : 4,5, F = 20 mm).
19. Cladom eines Sigmatriaens mit einem schaftwärts gekrümmten Clad. Vergr. 33, Phot. (Zeiß, Planar 1 : 4,5, F = 20 mm).
20. Cladom eines Sigmatriaens mit zwei schaftwärts gekrümmten Claden. Vergr. 33, Phot. (Zeiß, Planar 1 : 4,5, F = 20 mm).
21. Scheitelansicht eines Orthotriaencladoms. Vergr. 33, Phot. (Zeiß, Planar 1 : 4,5 F = 20 mm).
22—25. Orthotriaencladome. Vergr. 33, Phot. (Zeiß, Planar 1 : 4,5, F = 20 mm):
    22. ein ziemlich reguläres, bei dem ein Clad am Ende beträchtlich nach aufwärts gebogen ist,
    23. ein irreguläres, bei dem der Endteil eines Clads schaftwärts gebogen ist,
    24. ein reguläres,
    25. ein irreguläres mit einem stark emporgerichteten Clad.

Fig. 26—32 *Stelletta nereis* n. sp.

26. Ein Plagiotriaen mit kurzem Schaft. Vergr. 33, Phot. (Zeiß, Planar 1 : 4,5, F = 20 mm).
27. Optischer Querschnitt eines Plagiotriaenschaftes (ein Splitter). Vergr. 400, Phot. (Zeiß, Hom. Imm. 2,0, Apert. 1,40).
28. Ein Plagiotriaen mit längerem Schaft. Vergr. 33, Phot. (Zeiß, Planar 1 : 4,5, F = 20 mm).
29. a und b Anatriaencladome. Vergr. 33, Phot. (Zeiß, Planar 1 : 4,5, F = 20 mm).
30. Kleiner, vielstrahliger Acanthtylaster. Vergr. 400, Phot. (Zeiß, Hom. Imm. 2,0, Apert. 1,40).
31. Gruppe von Acanthtylastern aus einem Zentrifugnadelpräparat. Vergr. 400, Phot. (Zeiß, Hom. Imm. 2,0, Apert. 1,40).
32. a und b vierstrahlige Acanthtylaster. Vergr. 400, Phot. (Zeiß, Hom. Imm. 2,0, Apert. 1,40).

Fig. 33—40 *Stelletta bougainvillea* n. sp.

33. Fünfstrahliger Acanthtylaster. Vergr. 2330, Zeichnung (Zeiß, Hom. Imm. 2,0, Apert. 1,40, Compens. Oc. 12).
34. Vielstrahliger Acanthtylaster. Vergr. 2330, Zeichnung (Zeiß, Hom. Imm. 2,0, Apert. 1,40, Compens. Oc. 12).
35. Ansicht des Osculums von außen (bei durchfallendem Licht). Vergr. 33, Phot. (Zeiß, Planar 1 : 4,5, F = 20 mm):
    a citrongelbe Körper im Choanosom,
    b Rand des häutigen Oscularsaumes,
    c die kleinen, radialen Amphioxe des Oscularsaumes,
    d Poren,
    e Cladome von Plagiotriaenen.
36. Cladom eines Anatriaens. Vergr. 33, Phot. (Zeiß, Planar 1 : 4,5, F = 20 mm).
37. Ausgebildetes Plagiotriaen. Vergr. 33, Phot. (Zeiß, Planar 1 : 4,5, F = 20 mm).
38 und 39. Cladome von Plagiotriaenen. Vergr. 33, Phot. (Zeiß, Planar 1 : 4,5, F = 20 mm).
40. Junges Plagiotriaen. Vergr. 33, Phot. (Zeiß, Planar 1 : 4,5, F = 20 mm).

Fig. 41—49 *Stelletta dolabra* n. sp.

41. Cladom eines Anatriaens. Vergr. 100, Phot. (Zeiß, C).
42 und 43. Plagiotriaene. Vergr. 33, Phot. (Zeiß, Planar 1 : 4,5, F = 20 mm).
44. Fünfstrahliger Acanthtylaster. Vergr. 2330, Zeichnung (Zeiß, Hom. Imm. 2,0, Apert. 1,40, Compens. Oc. 12).
45. Vielstrahliger Acanthtylaster. Vergr. 2330, Zeichnung (Zeiß, Hom. Imm. 2,0, Apert. 1,40, Compens. Oc. 12).
46. Junges Plagiotriaen. Vergr. 33, Phot. (Zeiß, Planar 1 : 4,5, F = 20 mm).
47. Plagiotriaen. Vergr. 33, Phot. (Zeiß, Planar 1 : 4,5, F = 20 mm).
48. Cladom eines Anatriaens. Vergr. 33, Phot. (Zeiß, Planar 1 : 4,5, F = 20 mm).
49. Amphiox. Vergr. 33, Phot. (Zeiß, Planar 1 : 4,5, F = 20 mm).

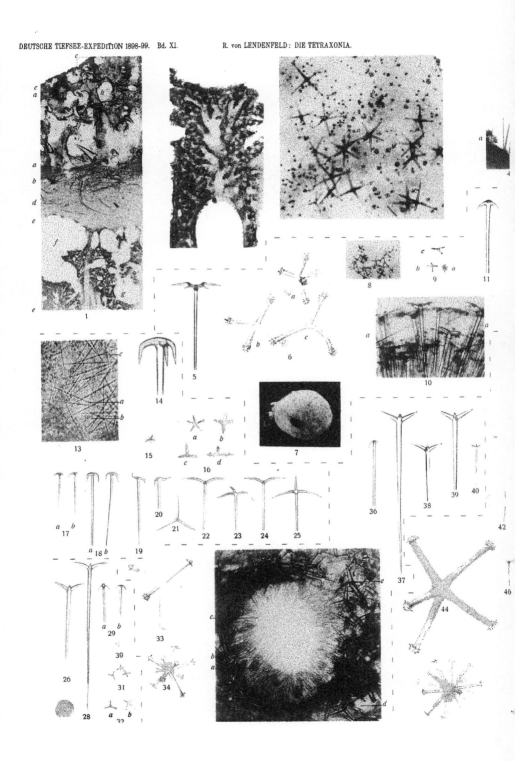

Tafel XXX.

    a Cladome der großen Protriaene des Pelzes,
    b kleine Protriaene des Pelzes,
    c Dermalmembran,
    d unter den Subdermalräumen gelegene, aus kleinen Amphioxen bestehende Nadelfilzplatte,
    e zerstreute, kleine Amphioxe des Choanosoms,
    f große Radialnadeln.
2, 3. Teile des Nadelpelzes. Vergr. 100, Phot. (Zeiß, C):
    a Cladome der großen Protriaene,
    b kleine Protriaene.
4, 5. Cladome von Anatriaenen. Vergr. 160, Phot. (Zeiß, DD):
    4. mit abstehenden Claden und deutlichem Scheitelhöcker,
    5. mit zurückgebogenen Claden, ohne deutlichen Scheitelhöcker.

Fig. 6—22 *Stelletta farcimen* n. sp. (10, 18, 19, 22 zugleich auch *Oscarella*(?) sp.).

6—9. Cladome von Protriaenen. Vergr. 33, Phot. (Zeiß, Planar 1 : 4,5, F = 20 mm):
    6. mit stark abstehenden Claden,
    7. mit schwach abstehenden Claden,
    8. mit aufstrebenden Claden,
    9. mit aufstrebenden Claden, von denen eines gabelspaltig ist.
10. Radialschnitt durch den oberflächlichen Teil der Stelletta und Querschnitt durch die Oscarella(?)kruste (bei auffallendem Licht). Vergr. 6,50, Phot. (Zeiß, Planar 1 : 4,5, F = 50 mm):
    a Nadelpelz und Oscarella(?)kruste,
    b äußere, nicht faserige Rindenlage,
    c innere, faserige Rindenlage,
    d Subdermalräume,
    e Choanosom,
    f radiale Nadelbündel.
11. Gruppe von Oxyastern aus einem Zentrifugnadelpräparat. Vergr. 170, Phot. (Zeiß, DD):
    a große, ohne Zentrum,
    b kleine, mit Zentrum.
12. Vierstrahliger Acanthtylaster. Vergr. 350, Phot. (Zeiß, Hom. Imm. 2,0, Apert. 1,40).
13. Mehrstrahlige Acanthtylaster. Vergr. 350, Phot. (Zeiß, Hom. Imm. 2,0, Apert. 1,40).
14. Großer Oxyaster. Vergr. 350, Phot. (Zeiß, Hom. Imm. 2,0, Apert 1,40).
15. Großer Oxyaster. Vergr. 170, Phot. (Zeiß, DD).
16. Mittlerer Oxyaster. Vergr. 170, Phot. (Zeiß, DD).
17. Diactin (zweistrahliger Oxyaster?). Vergr. 170, Phot. (Zeiß, DD).
18. Radialschnitt durch den oberflächlichen Teil der Stelletta und Querschnitt durch die Oscarella(?)kruste (bei auffallendem Licht). Vergr. 2,8, Phot. (Zeiß, Planar 1 : 4,5, F = 100 mm):
    a Nadelpelz und Oscarella(?)kruste,
    b äußere, nicht faserige Rindenlage,
    c innere, faserige Rindenlage,
    d Subdermalräume,
    e Choanosom.
19. Radialschnitt durch den Nadelpelz der Stelletta und Querschnitt durch die Oscarella(?)kruste. Vergr. 100, Phot. (Zeiß, C):
    a ein Pelzprotrienschaft,
    b Geißelkammern der Oscarella(?).
20. Radialschnitt durch den äußeren Teil der Rinde der Stelletta. Vergr. 100, Phot. (Zeiß, C):
    a Pelzprotriaenschäfte,
    b Rindenkanäle,
    c Bläschenzellen,
    d Grenze zwischen der äußeren, faserfreien und der inneren, faserigen Rindenlage,
    e paratangentiale Fasern der innern Rindenlage.
21. Radialschnitt durch den äußeren Teil des Choanosoms. Vergr. 130, Phot. (Zeiß, DD):
    a große Oxyaster,
    b kleine Oxyaster,
    c Acanthtylaster.
22. Radialschnitt durch den oberflächlichen Teil der Stelletta und Querschnitt durch die Oscarella(?)kruste (bei durchfallendem Licht). Vergr. 12, Phot. (Zeiß, Planar 1 : 4,5, F = 50 mm):
    a Nadelpelz und Oscarella(?)kruste,
    b äußere, nicht faserige Rindenlage,
    c innere, faserige Rindenlage,
    d Choanosom,
    e Chonalpfropf,
    f Subdermalräume,
    g radiale Nadelbündel.

Fig. 23—38 *Penares obtusus* n. sp.

23—25. Prodichotriaene mit langem, zugespitzten Schafte. Vergr. 33, Phot. (Zeiß, Planar 1 : 4,5, F = 20 mm):
    23. mit Gladen mittlerer Neigung,
    24. mit abstehenden Claden,
    25. mit aufstrebenden Claden.
26. Großes Amphiox. Vergr. 33, Phot. (Zeiß, Planar 1 : 4,5, F = 20 mm).
27. Gruppe von Megascleren aus einem Nadelpräparat. Vergr. 10, Phot. (Zeiß, Planar 1 : 4,5, F = 50 mm):
    a ausgebildete Prodichotriaene mit langem, zugespitzten Schaft,
    b junge Prodichotriaene,
    c ausgebildetes Prodichotriaen mit kurzem, abgerundeten Schaft,
    d großes Amphiox,
    e gabelspältiges, acladomales Ende eines abnormen Prodichotriaens.
28. Gruppe von Microscleren aus einem Zentrifugnadelpräparat. Vergr. 370, Phot. (Zeiß, Hom. Imm. 2,0, Apert. 1,40):
    a Strongylaster,
    b kleiner Oxyaster,
    c großer Oxyaster.
29, 30. Strongylaster. Vergr. 370, Phot. (Zeiß, Hom. Imm. 2,0, Apert. 1,40).
31. Großer, fünfstrahliger Oxyaster. Vergr. 175, Phot. (Zeiß, DD).
32. Großer, dreistrahliger Oxyaster. Vergr. 175, Phot. (Zeiß, DD).
33. Gruppe von Microscleren aus einem Zentrifugnadelpräparat. Vergr. 175, Phot. (Zeiß, DD):
    a Strongylaster,
    b kleiner Oxyaster,
    c großer, vierstrahliger Oxyaster.
34. Gruppe von Microscleren aus einem Zentrifugnadelpräparat. Vergr. 175, Phot. (Zeiß, DD):
    a Strongylaster,
    b centrotyles Diactin,
    c kleiner Oxyaster.
35, 36. Centrotyle, diactine Microscle. Vergr. 175, Phot. (Zeiß, DD):
    35. ein großes,
    36. ein kleineres.
37. Prodichotriaen mit kurzem, abgestumpften Schaft. Vergr. 33, Phot. (Zeiß, Planar 1 : 4,5, F = 20 mm).
38. Styl. Vergr. 33, Phot. (Zeiß, Planar 1 : 4,5, F = 20 mm).

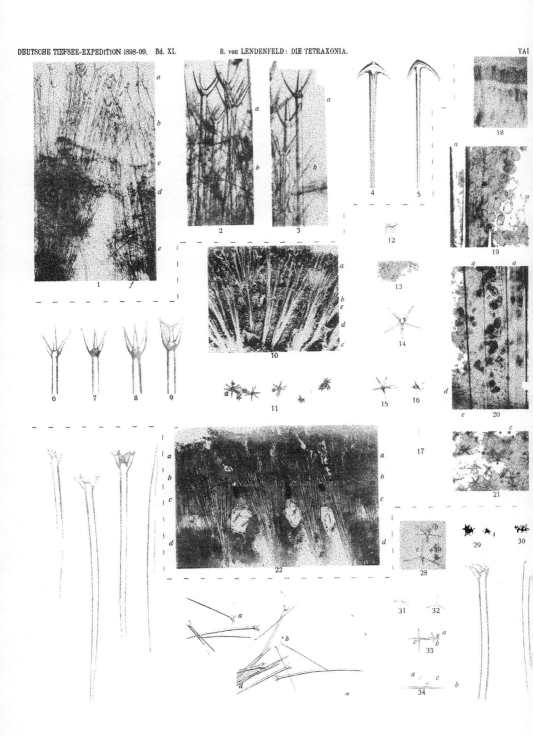

Tafel XXXI.

Tafel XXXI.

Fig. 1, 2 *Penares obtusus* n. sp.

1. Ansicht der Schwammoberfläche (des Nadelpelzes). Vergr. 7,5, Phot. (Zeiß, Planar 1 : 4,5, F = 50 mm).
2. Schnitt durch den oberflächlichen Teil des Choanosoms. Vergr. 100, Phot. (Zeiß, C):
   a centrotyle, diactine Microsclere.

Fig. 3—12 *Stelletta crassiclada* n. sp.

3. Cladom eines Orthomonaens. Vergr. 33, Phot. (Zeiß, Planar 1 : 4,5, F = 20 mm).
4—6. Cladome von Plagiotriaenen. Vergr. 33, Phot. (Zeiß, Planar 1 : 4,5, F = 20 mm):
   4. mit schlankeren, zugespitzten Claden,
   5. mit stumpfen Claden,
   6. mit dickeren, zugespitzten Claden.
7. Cladom eines Anatriaens. Vergr. 33, Phot. (Zeiß, Planar 1 : 4,5, F = 20 mm).
8. Teil eines Balkens des Oscularhöhlenwandnetzes. Vergr. 175, Phot. (Zeiß, DD).
9. Das Oscularhöhlenwandnetz. Vergr. 7, Phot. (Zeiß, Planar 1 : 4,5, F = 50 mm).
10. Gruppe von Strongylastern aus einem Zentrifugnadelpräparat. Vergr. 370, Phot. (Zeiß, Hom. Imm. 2,0, Apert. 1,40).
11. Ansicht des Stückes mit nur einem Osculum, in natürlicher Größe. Phot. (Zeiß, Anastig. 1 : 8, F = 167 mm).
12. Ein großer Strongylaster. Vergr. 1240, Zeichnung (Zeiß, Hom. Imm. 2,0, Apert. 1,40, Compens. Oc. 6).

Fig. 13—18 *Stelletta centrotyla* n. sp.

13. Megasclere aus einem Nadelpräparat. Vergr. 100, Phot. (Zeiß, C):
   a Cladom eines kleinen (jungen) Plagiotriaens,
   b Ende eines Amphiox.
14. a, b, c, d und e Fünf- bis achtstrahlige Strongylaster. Vergr. 370, Phot. (Zeiß, Hom. Imm. 2,0, Apert 1,40).
15. Vierstrahliger Strongylaster. Vergr. 370, Phot. (Zeiß, Hom. Imm. 2,0, Apert. 1,40).
16. a und b Dreistrahlige Strongylaster. Vergr. 370, Phot. (Zeiß, Hom. Imm. 2,0, Apert. 1,40).
17. a und b Zweistrahlige Strongylaster (centrotyle Diactine). Vergr. 370, Phot. (Zeiß, Hom. Imm. 2,0, Apert. 1,40).
18. Gruppe von Megascleren aus einem Nadelpräparat:
   a Amphioxe,
   b Plagiotriaene.

Fig. 19—38 *Stelletta megaspina* n. sp.

19. Cladom eines normalen Anatriaens. Vergr. 160, Phot. (Zeiß, DD).
20. Cladom eines abnormen Anatriaens mit gabelspaltigen Claden (Anadichotriaens). Vergr. 160, Phot. (Zeiß, DD).
21. a, b und c Anatriaene. Vergr. 33, Phot. (Zeiß, Planar 1 : 4,5, F = 20 mm).
22. Gruppe von Teloclacladomen aus einem Nadelpräparat. Vergr. 70, Phot. (Zeiß, C):
   a eines regelmäßigen Dichotriaens,
   b eines unregelmäßigen Dichotriaens,
   c eines (seltenen) Plagiotriaens.
23—25. Dickstrahlige Strongylaster. Vergr. 370, Phot. (Zeiß, Hom. Imm. 2,0, Apert. 1,40):
   23. Fünfstrahler,
   24, 25. Mehrstrahler.
26, 27. Gruppen von Microscleren aus einem Zentrifugnadelpräparat. Vergr. 370, Phot. (Zeiß, Hom. Imm. 2,0, Apert. 1,40):
   a dickstrahlige Strongylaster,
   b schlankstrahlige Strongylaster.
28—31. Dichotriaene. Vergr. 33, Phot. (Zeiß, Planar 1 : 4,5, F = 20 mm):
   28, 31. ausgebildete mit langem, ziemlich scharf zugespitzten Schaft,
   29. ausgebildetes mit kurzem abgestumpften Schaft,
   30. junges.
32, 33. Zwei Ansichten der Oberfläche des Schwammes (des aus dickstrahligen Strongylastern bestehenden Hautpanzers). Vergr. 160, Phot. (Zeiß, DD).
34. Strahlenkugeln in situ in einem Schnitt. Vergr. 80, Phot. (Zeiß, C).
35. Seltener, diactiner, schlankstrahliger Strongylaster. Vergr. 370, Phot. (Zeiß, Hom. Imm. 2,0, Apert. 1,40).
36. a und b Polyactine, schlankstrahlige Strongylaster. Vergr. 370, Phot. (Zeiß, Hom. Imm. 2,0, Apert. 1,40).
37. Dickstrahliger Strongylaster. Vergr. 2330, Zeichnung (Zeiß, Hom. Imm. 2,0, Apert. 1,40, Compens. Oc. 12).
38. Schlankstrahliger Strongylaster. Vergr. 2330, Zeichnung (Zeiß, Hom. Imm. 2,0, Apert. 1,40, Compens. Oc. 12).

Fig. 39—50 *Isops gallica* n. sp.

39—43. Ansicht der Oberfläche von Sterrastern. Vergr. 350, Phot. (Zeiß, Hom. Imm. 2,0, Apert. 1,40):
   39, 40, 41, 43. anumbilicale Seite,
   39, 43. bei Einstellung auf die höchste Stelle der Oberfläche,
   40, 41. bei etwas tieferer Einstellung,
   42. die nabeltragende Seite bei Einstellung auf ihre höchsten Teile.
44. a und b Oxyaster des Choanosoms. Vergr. 350, Phot. (Zeiß, Hom. Imm. 2,0, Apert. 1,40):
   a großer, wenigstrahliger Oxyaster,
   b kleiner, vielstrahliger Oxyaster.
45. a, b und c Drei Gruppen von Sphaerastern aus Zentrifugnadelpräparaten der Rinde. Vergr. 350, Phot. (Zeiß, Hom. Imm. 2,0, Apert. 1,40).
46. a, b und c Dornige Microamphioxe des Choanosoms. Vergr. 350, Phot. (Zeiß, Hom. Imm. 2,0, Apert. 1,40).
47. a und b Kleine, vielstrahlige Oxyaster des Choanosoms. Vergr. 350, Phot. (Zeiß, Hom. Imm. 2,0, Apert. 1,40).
48. Ein tylostyles Microamphioxderivat des Choanosoms. Vergr. 350, Phot. (Zeiß, Hom. Imm. 2,0, Apert. 1,40).
49. Gruppe von Sterrastern der Rinde aus einem Nadelpräparat. Vergr. 170, Phot. (Zeiß, DD)
50. Gruppe von Sterrastern der Rinde aus einem Nadelpräparat. Vergr. 100, Phot. (Zeiß, C).

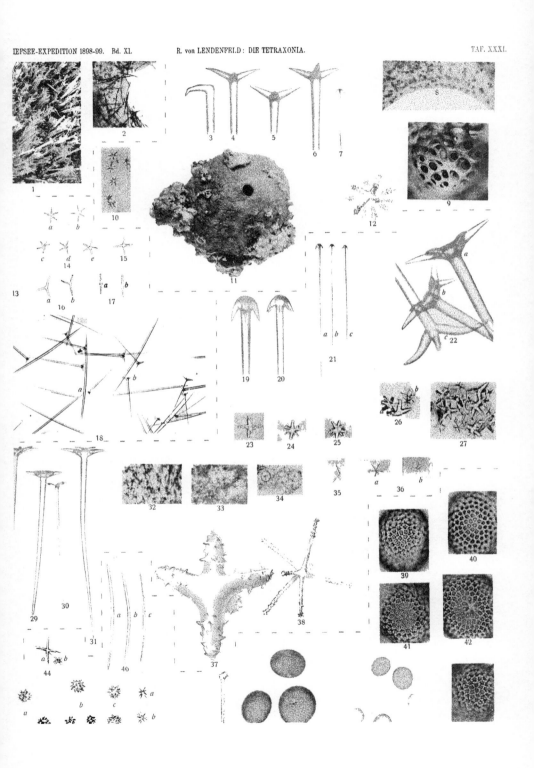

Tafel XXXII.

Tafel XXXII.

Fig. 1—39 *Isops gallica* n. sp. (26, 27 zugleich auch *Oscarella?* sp.).

1—10. Amphioxe. Vergr. 25, Phot. (Zeiß, Planar 1 : 4,5, F = 20 mm):

    5, 7. vom Grundteil des Choanosoms des größeren Stückes, die übrigen vom Choanosom des kleineren Stückes.

    1. ein winkelig gebogenes, ausgebildetes,

    2—8. normale, ausgebildete,

    9, 10. junge.

11—19. Distalenden von Telocladen (Telocladderivaten) des Pelzes der die Einströmungsöffnungen tragenden Partie des kleineren Stückes. Vergr. 45, Phot. (Zeiß, B):

    11, 12. Mesoprodiaencladome,

    13, 17, 19. Mesoplagiodiaencladome,

    14. unregelmäßiges Mesodiaencladom,

    15. stumpfes Ende eines (telocladderivaten) Styls,

    16, 18. Mesoplagiotriaencladome.

20. Cladom eines Mesanatriaens von dem Grundteil (der Anheftungsfläche) des größeren Stückes. Vergr. 45, Phot. (Zeiß, B).

21—23. Anatriaencladome von dem Grundteil (der Anheftungsfläche) des größeren Stückes. Vergr. 45, Phot. (Zeiß, B).

24. Unregelmäßiges Teloclad von dem Grundteil (der Anheftungsfläche) des größeren Stückes. Vergr. 25, Phot. (Zeiß, Planar 1 : 4,5, F = 20 mm).

25. Kurzcladiges Orthotriaen von dem Grundteil (der Anheftungsfläche) des größeren Stückes. Vergr. 45, Phot. (Zeiß, B).

26. Die kleinere Isops mit der Oscarella(?)kruste. Verkleinert 1 : 0,56, Phot. (Zeiß, Anastig. 1 : 8, F = 167 mm).

27. Die größere Isops mit der Oscarella(?)kruste. Verkleinert 1 : 0,56, Phot. (Zeiß, Anastig. 1 : 8, F = 167 mm).

28, 29. Zwei Ansichten einer amphioxen Stabnadel mit zwei nahe der Mitte entspringenden Claden, von dem Grundteile (der Anheftungsfläche) des größeren Stückes in um 90" voneinander abweichenden Lagen. Vergr. 25, Phot. (Zeiß, Planar 1 : 4,5, F = 20 mm).

30—39. Telocladcladome. Vergr. 45, Phot. (Zeiß, B):

    (31, 34, 35. von den oberen Teilen des kleineren Stückes, die übrigen von dem Grundteil [der Anheftungsfläche] des größeren Stückes.) /

    30. eines Orthodiaens mit einem gabelspaltigen Clad,

    31. eines langcladigen Plagiotriaens mit einem plötzlich zurückgebogenen Clad,

    32. eines regulären, kurzcladigen Orthotriaens,

    33. eines kurzcladigen Orthodiaens, das unter dem Cladom noch ein Clad trägt,

    34. eines großen Plagioorthotriaens mit zwei verkürzten Claden,

    35. eines ziemlich regulären, langcladigen Plagiotriaens,

    36. eines großen Plagiomonaens mit gabelspaltigem Clad,

    37. eines kleinen Plagioorthotriaens mit zwei verkürzten Claden,

    38. eines ziemlich regulären, Plagioorthotriaens mit mittellangen Claden,

    39. eines Plagiomonaens, das unter dem Cladom noch ein Clad trägt.

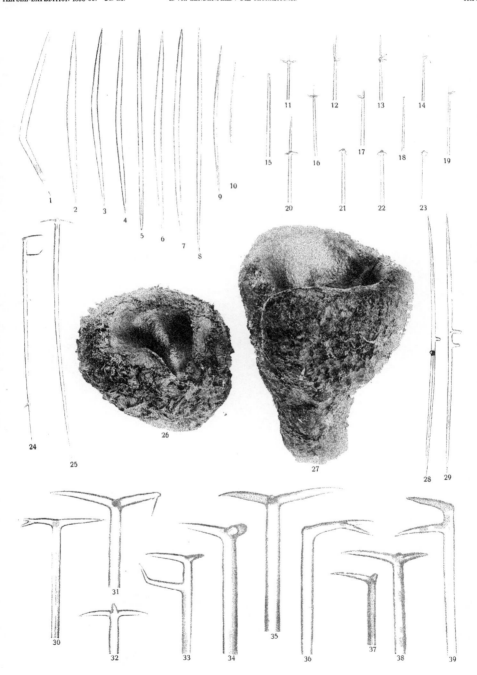

Fig. 1—39 Isops gallica n. sp.; 26, 27 zugleich auch Oscarella?

Tafel XXXIII.

Tafel XXXIII.

Fig. 1—15 *Isops gallica* n. sp.; (1—4 zugleich auch *Oscarella?* sp.).

1. Radialschnitt durch den oberflächlichen Teil des Nadelpelzes der die Einströmungsöffnungen tragenden Partie der Isops, und der Oscarella(?)kruste. Vergr. 33, Phot. (Zeiß, Planar 1 : 4,5, F = 20 mm):
   a äußere Oberfläche der Oscarella(?)kruste,
   b Teloclade des Isopsnadelpelzes,
   c große, von Quermembranen durchsetzte Radialkanäle,
   d Geißelkammern der Oscarella(?).

2. Radialschnitt durch den oberflächlichen Teil der die Einströmungsöffnungen tragenden Partie der Isops, und den darauf sitzenden Nadelpelz mit der Oscarella(?)kruste. Vergr. 5, Phot. (Zeiß, Planar 1 : 4,5, F = 50):
   a Nadelpelz der Isops und Oscarella(?)kruste,
   b Sterrasterpanzer der Isops,
   c Choanosom der Isops.

3. Teil eines Radialschnittes durch den Nadelpelz der die Einströmungsöffnungen tragenden Partie der Isops, und der Oscarella(?)kruste. Kongorot, Anilinblau. Vergr. 350, Phot. (Zeiß, Hom. Imm. 2,0, Apert. 1,40):
   a eine Geißelkammer der Oscarella(?),
   b Teil eines Schaftes eines Isopspelzteloclads.

4. Radialschnitt durch den oberflächlichen Teil der die Einströmungsporen tragenden Partie der Isops, und den darauf sitzenden Nadelpelz mit der Oscarella(?)kruste. Vergr. 1 : 4,5, F = 20 mm). (Zeiß, Planar 1 : 4,5, F = 20 mm):
   a Nadelpelz der Isops und Oscarella(?)kruste,
   b Sterrasterpanzer der Isops,
   c Choanosom der Isops,
   d radiale Nadelbundel des Stützskelettes des Isopschoanosoms,
   e weite, die Oscarella(?)kruste durchsetzende Radialkanäle,
   f zuführende Rindenkanäle der Isops,
   g Einströmungschone der Isops,
   h Subdermalräume der Isops,
   i Zufuhrkanäle im Isopschoanosom,
   k enger, paratangentialer Subdermalkanal.

5—7. Drei Schnitte einer Serie von Paratangentialschnitten durch den oberflächlichen Teil der die Ausströmungsöffnungen tragenden Partie des Schwammes. Vergr. 25, Phot. (Zeiß, Planar 1 : 4,5, F = 20 mm).
   5. erster Schnitt: äußere Oberfläche,
      a Ausströmungsöffnung;
   6. ein Schnitt in der Höhe des distalen Teiles des Sterrasterpanzers, 300 μ unter der Oberfläche,
      a ausführender Rindenkanal;
   7. ein Schnitt in der Höhe des proximalen Teils des Sterrasterpanzers und der Chone, 1,2 mm unter der Oberfläche,
      a Chone.

8. Teil eines Radialschnittes durch das Choanosom unter der die Ausströmungsöffnungen tragenden Partie des Schwammes. Vergr. 100, Phot. (Zeiß, C):
   a Microamphioxe,
   b Euaster.

9. Radialschnitt durch den oberflächlichen Teil der die Ausströmungsöffnungen tragenden Partie des Schwammes. Vergr. 170, Phot. (Zeiß, C):
   a Oberfläche,
   b Sphaeraster,
   c Sterraster.

10. Querschnitt durch eine Ausströmungschone (Teil eines Paratangentialschnittes). Vergr. 100, Phot. (Zeiß, C):
    a (völlig geschlossener) Chonalkanal,
    b innere, dunkelbraune Ringfaserzone,
    c äußere, helle, durchsichtige Ringfaserzone,
    d Sterraster.

11. Längsschnitt durch eine Ausströmungschone (Teil eines Radialschnittes). Vergr. 170, Phot. (Zeiß, DD):
    a die Lage des (geschlossenen) Chonalkanals bezeichnende Reihe von Sphaerastern.

12. Teil eines Schnittes durch das Choanosom, Kongorot, Anilinblau. Vergr. 350, Phot. (Zeiß, Hom. Imm. 2,0, Apert. 1,40):
    a Geißelkammern mit spärlichen, langgestreckten Kragenzellen.

13. Ansicht eines Teils der die Ausströmungsporen tragenden Partie der Oberfläche. Vergr. 9, Phot. (Zeiß, Planar 1 : 4,5, F = 100 mm):
    a Ausströmungsöffnungen.

14. Radialschnitt durch den oberflächlichen Teil der die Ausströmungsöffnungen tragenden Partie des Schwammes. Vergr. 17, Phot. (Zeiß, Planar 1 : 4,5, F = 20 mm):
    a Oberfläche,
    b Sterrasterpanzer,
    c Choanosom,
    d großer Ausfuhrkanal im Choanosom,
    e Subdermalraum,
    f Chone,
    g ausführender Rindenkanal.

15. Querschnitt durch den zentralen Teil einer Ausströmungschone (Teil eines Paratangentialschnittes). Vergr. 170, Phot. (Zeiß, DD):
    a Chonalkanal,
    b Lücken in dem Ringfasergewebe.

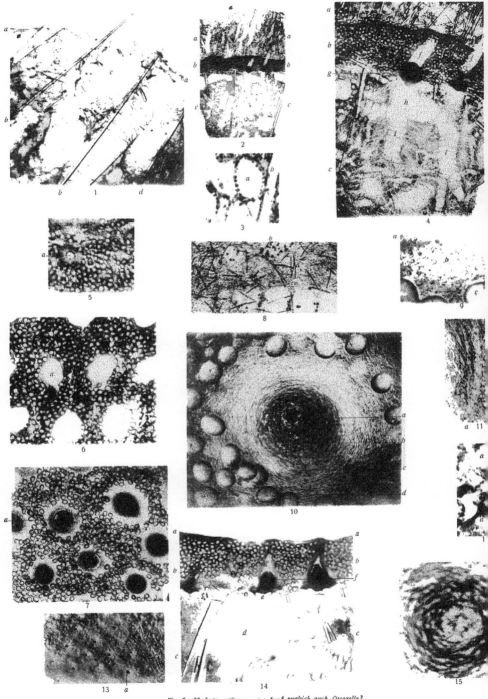

Fig. 1—15 *Isops gallica n. sp.*; 1—4 *zugleich auch Oscarella?*

TAF. XXV

Verlag von Gust

Tafel XXXIV.

Tafel XXXIV.

Fig. 1—7 *Chelotropella sphaerica* n. sp.

1, 2. Dichotriaencladome. Vergr. 33, Phot. (Zeiß, Planar 1 : 4,5, F = 20 mm):
    1. Seitenansicht,
    2. Scheitelansicht.
3, 4. Große Chelotrope. Vergr. 33, Phot. (Zeiß, Planar 1 : 4,5, F = 20 mm):
    3. ein regelmäßiges,
    4. ein unregelmäßiges mit einem gabelspaltigen Strahl.
5. Gruppe von Megascleren. Vergr. 14, Phot. (Zeiß, Planar 1 : 4,5, F = 50 mm):
    a Dichotriaene,
    b großes, regelmäßiges Chelotrop,
    c kleines Chelotrop,
    d Amphioxe,
    e großes Chelotrop mit einem längeren Strahl.
6. Fünf Gruppen von Microscleren aus einem Zentrifugnadelpräparat. Vergr. 360, Phot. (Zeiß, Hom. Imm. 2,0, Apert. 1,40):
    a Sphaeraster mit acanthtylen Strahlen,
    b vielstrahliger Oxyaster,
    c schlankstrahliger Acanthtylaster,
    d kleiner, regelmäßiger, schlankstrahliger, dorniger Strongylaster,
    e mittlere, regelmäßige, fünfstrahlige, dornige Strongylaster,
    f großer, regelmäßiger, vierstrahliger, dorniger Strongylaster,
    g großer, regelmäßiger, dreistrahliger, dorniger Strongylaster,
    h großer, unregelmäßiger, dreistrahliger, dorniger Strongylaster, mit zwei normalen und einem reduzierten Strahl,
    i großer, unregelmäßiger, dorniger Strongylaster mit drei normalen und zwei reduzierten Strahlen.
7. Radialschnitt. Vergr. 14, Phot. (Zeiß, Planar 1 : 4,5, F = 50 mm):
    a Oberfläche des Schwammes,
    b Subdermalhöhlen,
    c radiale Nadelbündel,
    d im Choanosom zerstreute, große Chelotrope.

Fig. 8—16 *Tethyopsilla metaclada* n. sp.

8. Cladom eines Protriaens. Vergr. 100, Phot. (Zeiß, C).
9—13. Cladome von Metacladen. Vergr. 100, Phot. (Zeiß, C):
    9. Vorderansicht eines Metanatriaencladoms,
    10, 12. Seitenansichten von Metanatriaencladomen,
    11, 13. Seitenansichten von Metanadiaencladomen.
14. Ansicht des Schwammes. Vergr. 1,6, Phot. (Zeiß, Anastig. 1 : 8, F = 167 mm).
15. Gruppe von Amphioxen aus einem Nadelpräparat. Vergr. 33, Phot. (Zeiß, Planar 1 : 4,5, F = 20 mm):
    a anisoactine Amphioxe,
    b Styl,
    c isoactines Amphiox.
16. Radialschnitt durch den oberflächlichen Teil des Schwammes. Vergr. 100, Phot. (Zeiß, C):
    a äußere Oberfläche,
    b dunkelbraune Teile der Dermalmembran,
    c weiter, einführender Kanalstamm,
    d Grenze zwischen der distalen und der proximalen Rindenlage,
    e untere, faserige Rindenlage,
    f Amphioxe,
    g Metaclade,
    h Protriaen,
    i distaler Endteil eines radialen, aus Amphioxen, Metacladen und Protriaenen zusammengesetzten Nadelbündels.

Fig. 17—37 *Erylus megaster* n. sp.

17. Mesorthomonaen. Vergr. 33, Phot. (Zeiß, Planar 1 : 4,5, F = 20 mm).
18. Seitenansicht eines Plagiotriaens, dessen Schaft und Clade stark verkürzt und am Ende abgerundet sind. Vergr. 33, Phot. (Zeiß, Planar 1 : 4,5, F = 20 mm).
19. Scheitelansicht des Cladoms eines regulären Plagiotriaens. Vergr. 33, Phot. (Zeiß, Planar 1 : 4,5, F = 20 mm).
20. Seitenansicht eines regulären Plagiotriaens. Vergr. 33, Phot. (Zeiß, Planar 1 : 4,5, F = 20 mm).
21. a und b Zwei Gruppen von Sterrastern aus einem Nadelpräparat. Vergr. 33, Phot. (Zeiß, Planar 1 : 4,5, F = 20 mm).
22. Gruppe von Nadeln aus einem Nadelpräparat. Vergr. 33, Phot. (Zeiß, Planar 1 : 4,5, F = 20 mm):
    a ein Plagiotriaen, dessen Schaft und Clade etwas verkürzt und am Ende abgerundet sind,
    b Sterraster,
    c rhabdes Megascler,
    d Oxyaster.
23. Ansicht eines Teils der Oberfläche der die Einströmungsöffnungen tragenden Partie des Schwammes. Vergr. 115, Phot. (Zeiß, DD):
    a Einströmungsöffnung,
    b dichte Massen von Microrhabden,
    c Sterraster.
24. Gruppe von Microscleren aus einem Zentrifugnadelpräparat. Vergr. 175, Phot. (Zeiß, DD)
    a vielstrahlige Oxyaster,
    b großer dreistrahliger Oxyaster,
    c Microrhahde.
25. Ein Microrhabd. Vergr. 175, Phot. (Zeiß, DD).
26, 27. Rhabde Megascler. Vergr. 33, Phot. (Zeiß, Planar 1 : 4,5, F = 20 mm):
    26. ein völlig gerades, amphistrongylähnliches, sehr stumpfes Amphiox,
    27. ein winkelig gebogenes, weniger abgestumpftes Amphiox.
28—30. Ansichten der Oberfläche dreier Sterraster. Vergr. 360, Phot. (Zeiß, Hom. Imm. 2,0, Apert. 1,40):
    28. mit mittlerer Körnelung,
    29. mit gröberer, weniger dichter Körnelung,
    30. mit feiner, dichterer Körnelung.
31—37. Flächenansichten von Sterrastern. Vergr. 175, Phot. (Zeiß, DD):
    31. ein regelmäßiger, ei-rautenförmiger, glatter,
    32. ein regelmäßigerer, ei-rautenförmiger, fein gekörnelter,
    33. ein unregelmäßiger, fein gekörnelter,
    34, 35. unregelmäßige, mit mittlerer Körnelung,
    36. ein eiförmiger mit mittlerer Körnelung,
    37. ein ei-rautenförmiger, grob gekörnelter.

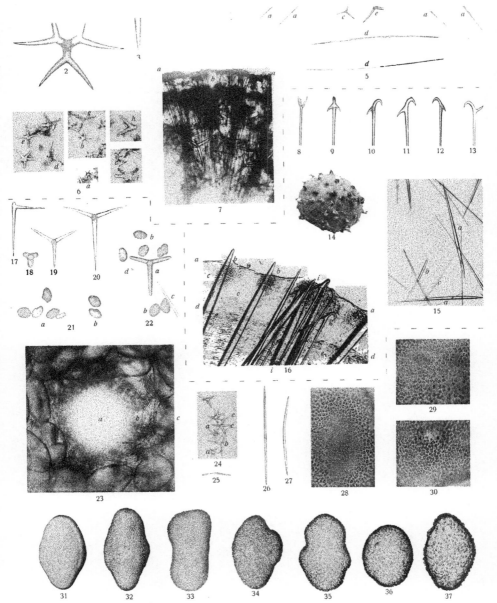

Fig. 1—7 *Chelotropella sphaerica* n. sp.; 8—16 *Tethyopsilla metaclada* n. sp.; 17—37 *Erylus megaster* n. sp.

TAF. XXVI.

Verlag von Gustav Fischer in Je

Tafel XXXV.

Tafel XXXV.

Fig. 1—12 *Erylus polyaster* n. sp.

1, 2. Zwei Gruppen von Nadeln aus Nadelpräparaten. Vergr. 33, Phot. (Zeiß, Planar 1 : 4,5, F = 20 mm):
    a Dichotriaene mit längerem, zugespitzten Schaft,
    b Dichotriaen mit kurzem, abgerundeten Schaft,
    c Amphioxe,
    d Amphistrongyl,
    e Sterraster,
    f große Oxyaster.
3. Auf einer ihrer breiten Seiten liegende Sterraster bei Einstellung auf die Oberfläche. Vergr. 175, Phot. (Zeiß, DD).
4. Auf der Kante stehender Sterraster bei Einstellung auf die Mitte. Vergr. 175, Phot. (Zeiß, DD).
5—8. Sterrasteroberflächen. Vergr. 370, Phot. (Zeiß, Hom. Imm. 2,0, Apert. 1,40):
    5—7. außerhalb des Nabels gelegene Teile,
    8. der Nabel in Dreiviertelprofil.
9. Gruppe von Microscleren aus einem Zentrifugnadelpräparat. Vergr. 175, Phot. (Zeiß, DD):
    a große Oxyaster,
    b kleine Oxyaster,
    c Microamphistrongyl.
10. a und b Zwei große, vierstrahlige Oxyaster. Vergr. 175, Phot. (Zeiß, DD).
11. a, b und c Centrotyle Microamphistrongyle. Vergr. 370, Phot. (Zeiß, Hom. Imm. 2 : 0, Apert. 1,40).
12. Ein Microstyl. Vergr. 370, Phot. (Zeiß, Hom. Imm. 2,0, Apert. 1,40).

Fig. 13—20 *Isops micraster* n. sp.

13. Gruppe von kleinen Sphaerastern aus einem Zentrifugnadelpräparat. Vergr. 370, Phot. (Zeiß, Hom. Imm. 2,0, Apert. 1,40).
14. Gruppe von Nadeln aus einem Zentrifugnadelpräparat. Vergr. 370, Phot. (Zeiß, Hom. Imm. 2,0, Apert. 1,40):
    a Teil eines kleinen Styls,
    b große Oxyaster,
    c kleine Sphaeraster.
15. Anatriaencladom. Vergr. 175, Phot. (Zeiß, DD).
16. a, b und c Plagiotriaencladome. Vergr. 100, Phot. (Zeiß, C):
    a und b schlanke,
    c ein gedrungenes.
17. Styl. Vergr. 100, Phot. (Zeiß, C).
18. Gruppe von Sterrastern aus einem Nadelpräparat. Vergr. 175, Phot. (Zeiß, DD):
    a ein ausgebildeter von vorne,
    b ein ausgebildeter von der Seite,
    c ein nicht ganz ausgebildeter in schiefer Lage,
    d ein junger, noch unausgebildeter von vorne,
    e ein junger, noch unausgebildeter von der Seite.
19. Teil der Oberfläche eines ausgebildeten Sterrasters. Vergr. 370, Phot. (Zeiß, Hom. Imm. 2,0, Apert. 1,40).
20. Ein junger, noch unausgebildeter Sterraster. Vergr. 370, Phot. (Zeiß, Hom. Imm. 2,0, Apert. 1,40).

Fig. 21—46 *Pachymatisma monaena* n. sp.

21. Gruppe von Megascleren aus einem Nadelpräparat. Vergr. 33, Phot. (Zeiß, Planar 1 : 4,5, F = 20 mm):
    a Amphistrongyl,
    b Orthotriaene.
22. Gruppe von Megascleren aus einem Nadelpräparat. Vergr. 33, Phot. (Zeiß, Planar 1 : 4,5, F = 20 mm):
    a acladomales Ende eines Mesoproclads,
    b zylindrische, einfach abgerundete Endteile großer Rhabde,
    c kegelförmiger, abgerundeter Endteil eines großen Rhabds,
    d terminal verdickter, keulenförmiger Endteil eines großen Rhabds,
    e Sterraster.
23. Keulenförmig verdicktes Ende eines großen Rhabds. Vergr. 33, Phot. (Zeiß, Planar 1 : 4,5, F = 20 mm).
24. An einem Ende keulenförmig verdicktes, großes Amphistrongyl (stumpfes Tylostyl). Vergr. 33, Phot. (Zeiß, Planar 1 : 4,5, F = 20 mm).
25. Amphistrongyl. Vergr. 33, Phot. (Zeiß, Planar 1 : 4,5, F = 20 mm).
26. Anatriaencladom. Vergr. 100, Phot. (Zeiß, C).
27. Gruppe kleiner Rhabde aus einem Nadelpräparat. Vergr. 162, Phot. (Zeiß, DD).
28. Gruppe von Sterrastern aus einem Nadelpräparat. Vergr. 162, Phot. (Zeiß, DD).
29. Teil eines Radialschnittes durch die Rinde, mit einer Chone. Vergr. 24, Phot. (Zeiß, Planar 1 : 4,5, F = 20 mm):
    a äußere Oberfläche,
    b Chonalpfropf.
30, 31. Teile der Oberfläche zweier Sterraster. Vergr. 370, Phot. (Zeiß, Hom. Imm. 2,0, Apert. 1,40):
    30. bei etwas höherer Einstellung,
    31. bei etwas tieferer Einstellung.
32. Ansicht eines Teiles der äußern Oberfläche: die Haut mit den ihr eingelagerten Microrhabden. Vergr. 162, Phot. (Zeiß, DD).
33, 34. Zwei Gruppen von Microrhabden aus einem Zentrifugnadelpräparat. Vergr. 370, Phot. (Zeiß, Hom. Imm. 2,0, Apert. 1,40).
35—40. Euaster (Euasterderivate). Vergr. 370, Phot. (Zeiß, Hom. Imm. 2,0, Apert. 1,40):
    35. großes, monactines Strongylasterderivat,
    36. großer stumpfstrahliger Oxyaster,
    37. mittlerer Sphaeraster,
    38, 39. mittlere Strongylaster,
    40. kleiner Sphaeraster.
41, 42. Cladome von Mesopromonaenen. Vergr. 100, Phot. (Zeiß, C):
    41. mit längerer Schaftverlängerung,
    42. mit kürzerer Schaftverlängerung.
43. Cladom eines Mesoprodiaens. Vergr. 100, Phot. (Zeiß, C).
44. Ansicht eines Teiles der äußern Oberfläche mit Büscheln kleiner Rhabde. Verg. 100, Phot. (Zeiß, C).
45. Teil eines Radialschnittes durch das Innere des Choanosoms: die choanosomalen Euaster in situ. Vergr. 162, Phot. (Zeiß, DD).
46. Teil eines Radialschnittes durch die distale, an die Rinde grenzende Lage des Choanosoms. Vergr. 162, Phot. (Zeiß, DD):
    a Sterraster,
    b kleine, radiale Rhabde.

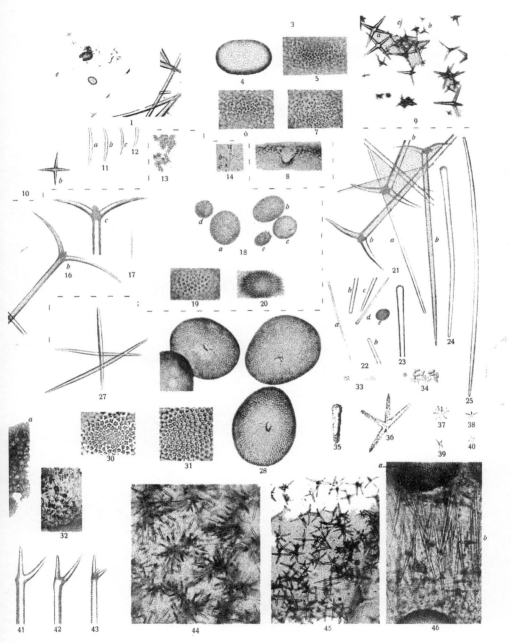

Fig. 1—12 *Erylus polyaster* n. sp.; 13—20 *Isops micraster* n. sp.; 21—46 *Pachymatisma monaena* n. sp.

TAF. XXVII.

Verlag von Gustav Fischer in Jena.

phiert.

Lichtdruck von Carl Bellmann in Prag.

Tafel XXXVI.

Tafel XXXVI.

Fig. 1—19 *Isops toxoteuches* n. sp.

1. Centrotyles Tox. Vergr. 370, Phot. (Zeiß, Hom. Imm. 2,0, Apert. 1,40).
2, 3. Gewöhnliche Sterraster. Vergr. 370, Phot. (Zeiß, Hom. Imm. 2,0, Apert. 1,40):
    2. ein vollkommen ausgebildeter mit distal verbreiterten, dorntragenden Höckern,
    3. ein jüngerer mit distal verschmälerten Höckern.
4. Dickstrahliger Oxysphaeraster. Vergr. 370, Phot. (Zeiß, Hom. Imm. 2,0, Apert. 1,40).
5. Dünnstrahliger Oxyaster. Vergr. 370, Phot. (Zeiß, Hom. Imm. 2,0, Apert. 1,40).
6, 7. Großhöckeriger Sterraster:
    6. Vergr. 370, Phot. (Zeiß, Hom. Imm. 2,0, Apert 1,40),
    7. Vergr. 175, Phot. (Zeiß, DD).
8—10. Centrotyle Toxe. Vergr. 175, Phot. (Zeiß, DD):
    8, 9. schwach gekrümmte,
    10. ein stark gekrümmtes.
11—14. Cladome von Telocladen. Vergr. 100, Phot. (Zeiß, C):
    11. eines Dichanamonaens,
    12. eines Plagiomonaens,
    13. eines Plagiotriaens,
    14. eines Plagiodiaens.
15. Gruppe von gewöhnlichen Sterrastern aus einem Nadelpräparat. Vergr. 175, Phot. (Zeiß, DD).
16. Ansicht des kleineren (besser erhaltenen) Stückes. Vergr. 1,3, Phot. (Zeiß, Anastig. 1 : 8, F = 167 mm).
17, 18. Geknickte Amphioxe. Vergr. 33, Phot. (Zeiß, Planar 1 : 4,5, F = 20 mm):
    17. mit einem etwas über die Knickungsstelle hinaus verlängerten Schenkel,
    18. ohne eine solche Verlängerung.
19. Gruppe von Nadeln aus einem Nadelpräparat. Vergr. 33, Phot. (Zeiß, Planar 1 : 4,5, F = 20 mm):
    a Amphioxe,
    b Teloclade
    c Styl.

Fig. 20—43 *Geodia stellata* n. sp.

20. Cladom eines Mesoprodiaens. Vergr. 50, Phot. (Zeiß, B).
21. Cladom eines Mesoprotriaens. Vergr. 50, Phot. (Zeiß, B).
22, 23. Cladome von Dichotriaenen. Vergr. 33, Phot. (Zeiß, Planar 1 : 4,5, F = 20 mm):
    22. ein schmäleres, regelmäßiges,
    23. ein breiteres, unregelmäßiges.
24. Cladom eines Anatriaens vom Schwammscheitel. Vergr. 50, Phot. (Zeiß, B).
25. Cladom eines regelmäßigen Dichotriaens. Vergr. 50, Phot. (Zeiß, B).
26. Cladom eines Anatriaens vom Schwammscheitel. Vergr. 50, Phot. (Zeiß, B).
27. Cladom eines Anatriaens vom Schwammgrunde. Vergr. 50, Phot. (Zeiß, B).
28. Axialschnitt durch den Schwamm. Verkleinert 1 : 0,92, Phot. (Zeiß, Anastig. 1 : 12, F = 480 mm).
29. Gruppe von Sterrastern aus einem Nadelpräparat. Vergr. 162, Phot. (Zeiß, DD).
30. Teil eines Radialschnittes durch einen nahe der Oberfläche gelegenen Schwammteil. Vergr. 33, Phot. (Zeiß, Planar 1 : 4,5, F = 20 mm):
    a unterer, an das Choanosom anstoßender Teil der Rinde,
    b an der Grenze zwischen Rinde und Choanosom gelegenes Dichotriaencladom,
    c tiefer gelegenes Anatriaencladom,
    d Subdermalraum.
31. Der Nabel eines Sterrasters und seine Umgebung. Vergr. 370, Phot. (Zeiß, Hom. Imm. 2,0, Apert. 1,40).
32. Seitliche Oberfläche eines Sterrasters. Vergr. 370, Phot. (Zeiß, Hom. Imm. 2,0, Apert. 1,40).
33, 34. Große Oxyaster. Vergr. 370, Phot. (Zeiß, Hom. Imm. 2,0, Apert. 1,40).
35, 36. Große, kurzstrahlige Strongylosphaeraster. Vergr. 370, Phot. (Zeiß, Hom. Imm. 2,0, Apert. 1,40).
37. Oxysphaeraster (kleiner, vielstrahliger Oxyaster mit Zentrum). Vergr. 370, Phot. (Zeiß, Hom. Imm. 2,0, Apert. 1,40).
38, 39. Gruppen von kleinen Strongylosphaerastern aus Zentrifugnadelpräparaten. Vergr. 370, Phot. (Zeiß, Hom. Imm. 2,0, Apert. 1,40).
40. Teil eines Schnittes durch das Choanosom. Kongorot. Vergr. 162, Phot. (Zeiß, DD):
    a Geißelkammern,
    b Kanäle.
41. Gruppe von Dichotriaenen. Vergr. 9, Phot. (Zeiß, Planar 1 : 4,5, F = 50 mm).
42. Radialschnitt durch den oberflächlichen Teil der Rinde. Vergr. 162, Phot. (Zeiß DD):
    a Oberfläche, mit kleinen Strongylosphaerastern,
    b radiale Style,
    c große, kurzstrahlige Strongylosphaeraster,
    d Sterraster,
    e Dermalhöhlen unter einer Porengruppe.
43. Gruppe von Microscleren aus einem Zentrifugnadelpräparat. Vergr. 370, Phot. (Zeiß, Hom. Imm. 2,0, Apert. 1,40):
    a junger, als Strahlenmasse erscheinender Sterraster,
    b große Oxyaster,
    c Oxysphaeraster,
    d kleine Strongylosphaeraster.

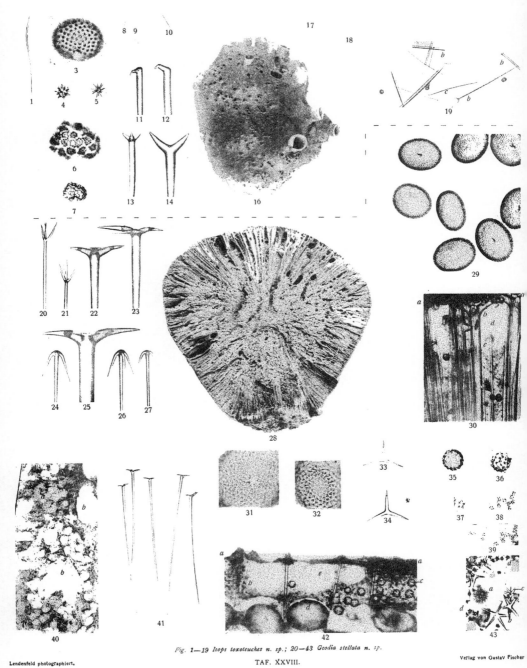

Fig. 1—19 Isops toxoteuches n. sp.; 20—43 Geodia stellata n. sp.

Lendenfeld photographiert.   Verlag von Gustav Fischer

TAF. XXVIII.

Lichtdruck von Carl Bellmann in Prag

Tafel XXXVII.

Tafel XXXVII.

Fig. 1—4 *Geodia stellata* n. sp.

1. Ansicht eines Teils der Oberfläche des Schwammscheitels bei durchfallendem Licht. Vergr. 33, Phot. (Zeiß, Planar 1 : 4,5, F = 20 mm).
2. Großér, kurzstrahliger Strongylosphaeraster. Vergr. 2330, Zeichnung (Zeiß, Hom. Imm. 2,0, Apert. 1,40, Compens. Oc. 12).
3, 4. Kleine Strongylosphaeraster. Vergr. 2330, Zeichnung (Zeiß, Hom. Imm. 2,0, Apert. 1,40, Compens. Oe. 12):
    3. ein vielstrahliger,
    4. ein vierstrahliger.

Fig. 5—23 *Geodia robusta* n. sp.

5, 6. Flächenansichten von Dichotriaencladomen. Vergr. 50, Phot. (Zeiß, B):
    5. ein breiteres,
    6. ein schmäleres.
7. Gruppe von Dichotriaenen aus einem Nadelpräparat. Vergr. 11, Phot. (Zeiß, Planar 1 : 4,5, F = 50 mm).
8. Radialschnitt durch einen oberflächlichen Schwammteil. Vergr. 8, Phot. (Zeiß, Planar 1 : 4,5, F = 50 mm):
    a an der äußern Oberfläche liegende Dichotriaencladome,
    b Sterrasterpanzer,
    c Choanosom.
9—11. Seitenansichten von Dichotriaencladomen. Vergr. 50, Phot. (Zeiß, B):
    9. mit etwas abgestumpften Endcladen,
    10. mit stark abgestumpften Endcladen,
    11. mit spitzen Endcladen.
12. Ansicht des Schwammes. Verkleinert 1 : 0,75, Phot. (Zeiß, Anastig. 1 : 12,5, F = 480 mm).
13. Kleiner Acanthtylsphaeraster. Vergr. 2330, Zeichnung (Zeiß, Hom. Imm. 2,0, Apert. 1,40, Compens. Oc. 12).
14. Kleiner Acanthtylsphaeraster. Vergr. 370, Phot. (Zeiß, Hom. Imm. 2,0, Apert. 1,40).
15. Großer, schlankstrahliger Oxyaster (Acanthtylaster). Vergr. 2330, Zeichnung (Zeiß, Hom. Imm. 2,0, Apert. 1,40, Compens. Oc. 12).
16. Großer Oxyaster. Vergr. 370, Phot. (Zeiß, Hom. Imm. 2,0, Apert. 1,40).
17. Gruppe von großen Oxyastern aus einem Zentrifugnadelpräparat. Vergr. 370, Phot. (Zeiß, Hom. Imm. 2,0, Apert. 1,40).
18. a und b Zwei Sterraster aus einem Nadelpräparat. Vergr. 160, Phot. (Zeiß, DD):
    a ein auf der schmalen Seite liegender,
    b ein etwas schief auf der breiten Seite liegender.
19. Cladom eines Mesoprodiaens. Vergr. 50, Phot. (Zeiß, B).
20—22. Cladome von Anatriaenen. Vergr. 50, Phot. (Zeiß, B):
    20. mit Scheitelbuckel,
    21. ohne Scheitelbuckel, mit stärker gekrümmten Claden,
    22. ohne Scheitelbuckel, mit mehr geraden Claden.
23. Sterrasteroberfläche. Vergr. 370, Phot. (Zeiß, Hom. Imm. 2,0, Apert. 1,40).

Fig. 24—35 *Papyrula sphaera* n. sp.

24—26. Seitenansichten von Dichotriaenen. Vergr. 33, Phot. (Zeiß, Planar 1 : 4,5, F = 20 mm):
    24. mit unregelmäßigem Schaft,
    25, 26. mit regelmäßigem Schaft.
27. Ansicht des Schwammes. Verkleinert 1 : 0,77, Phot. (Zeiß, Anastig. 1 : 12,5, F = 480 mm).
28. Einfaches Sphaer. Vergr. 370, Phot. (Zeiß, Hom. Imm. 2,0, Apert. 1,40).
29. Sphaer mit Spitze. Vergr. 370, Phot. (Zeiß, Hom. Imm. 2,0, Apert. 1,40).
30. Microstyl. Vergr. 370, Phot. (Zeiß, Hom. Imm. 2,0, Apert. 1,40).
31. Amphiox. Vergr. 33, Phot. (Zeiß, Planar 1 : 4,5, F = 20 mm).
32. Styl. Vergr. 33, Phot. (Zeiß, Planar 1 : 4,5, F = 20 mm).
33. Gruppe von Megascleren aus einem Nadelpräparat. Vergr. 33, Phot. (Zeiß, Planar 1 : 4,5 F = 20 mm):
    a auf dem Scheitel stehende Dichotriaene (Dichotriaencladome),
    b Amphiox,
    c Styl.
34. Microamphiox mit Aststrahl. Vergr. 370, Phot. (Zeiß, Hom. Imm. 2,0, Apert. 1,40).
35. Einfaches Microamphiox. Vergr. 370, Phot. (Zeiß, Hom. Imm. 2,0, Apert. 1,40).

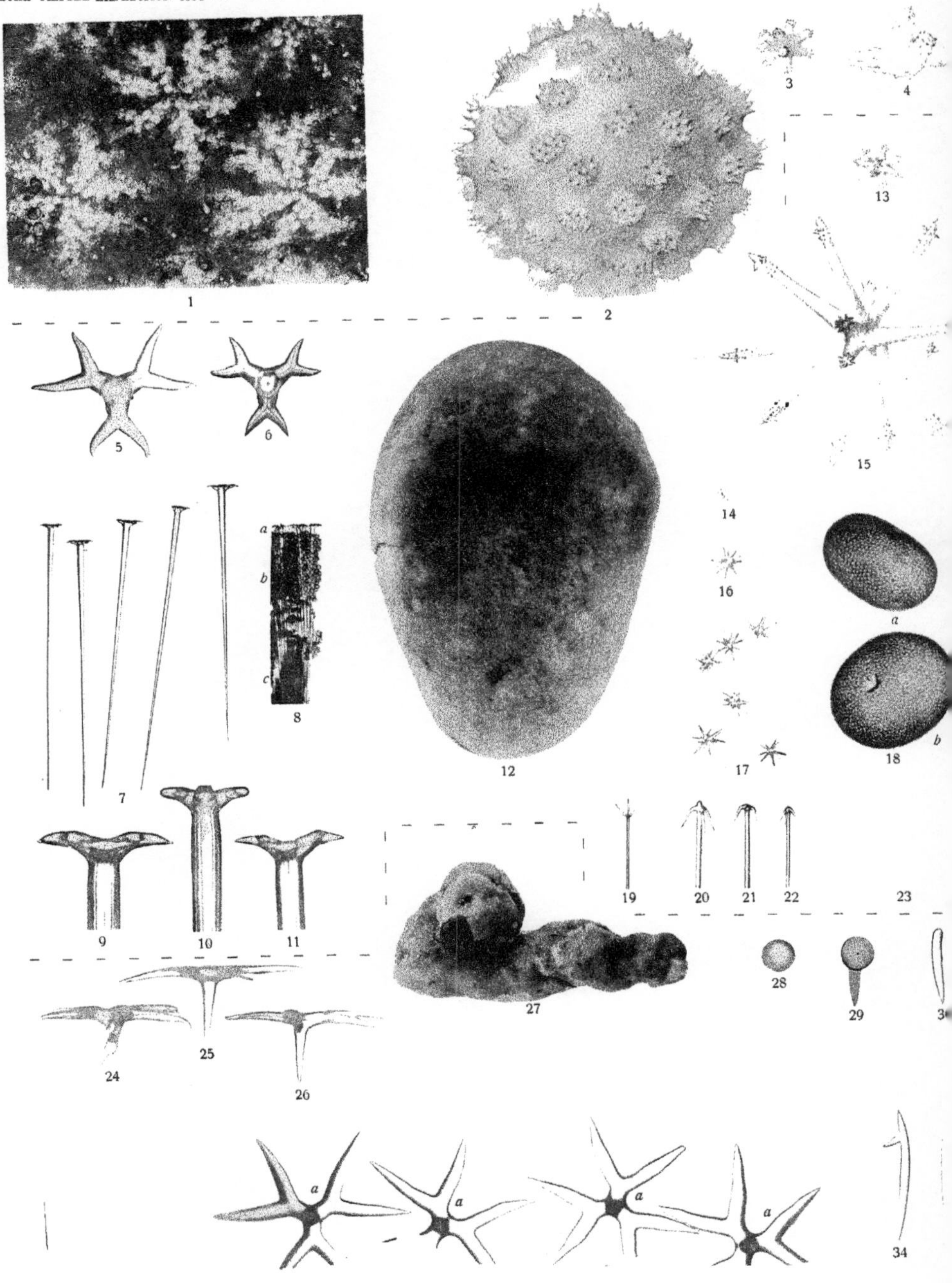
1
2
3
4
13
15
5
6
14
16
17
18
a
b
7
8
a
b
c
12
9
10
11
19
20
21
22
23
27
28
29
24
25
26
34

Tafel XXXVIII.

Fig. 1 *Papyrula sphaera* n. sp.

1. Gruppe von Microscleren aus einem Zentrifugnadelpräparat. Vergr. 162, Phot. (Zeiß, DD):
   a Sphaer mit Spitze,
   b einfache Amphioxe,
   c centrotyles Amphiox.

Fig. 2—45 *Pachastrella chuni* n. sp.

2. Gruppe von Nadeln aus einem Zentrifugnadelpräparat. Vergr. 162, Phot. (Zeiß, DD):
   a eiförmige Microrhabde,
   b kleines Amphiox.
3. Gruppe von Nadeln aus einem Präparat des Sediment II. Vergr. 100, Phot. (Zeiß, C):
   a kleines Amphiox,
   b kleine Chelotrope.
4. Gruppe von Nadeln aus einem Präparat des Sediment I. Vergr. 25, Phot. (Zeiß, Planar 1 : 4,5, F = 20 mm):
   a kleines Dichotriaen,
   b kleine Chelotrope,
   c mittleres Chelotrop,
   d großes Tetractin.
5. Gruppe von Nadeln aus einem Präparat des Sediment II. Vergr. 25, Phot. (Zeiß, Planar 1 : 4,5, F = 20 mm):
   a kleines Dichotriaen,
   b mittlere Chelotrope.
6. Ansicht eines großen Stückes. Verkleinert 1 : 0,57, Phot. (Zeiß, Anastig. 1 : 12,5, F = 480 mm).
7—10. Metaster. Vergr. 370, Phot. (Zeiß, Hom. Imm. 2,0, Apert. 1,40):
   7, 9, 10. Seitenansichten,
   8. etwas schiefe Endansicht.
11—14. Dornige Microrhabde. Vergr. 370, Phot. (Zeiß, Hom. Imm. 2,0, Apert. 1,40):
   11. ein sehr langes und schlankes,
   12. ein langes, weniger schlankes,
   13. ein mittleres,
   14. ein kurzes, dickes.
15—17. Gruppen von eiförmigen Microrhabden aus Zentrifugnadelpräparaten. Vergr. 370, Phot. (Zeiß, Hom. Imm. 2,0, Apert. 1,90):
   15, 16. von einem großen Stück,
   17. von einem kleinen Stück.
18. Kleines, auf dem Cladom stehendes Dichotriaen. Vergr. 100, Phot. (Zeiß, C).
19—33. Tetractine (Chelotrope und Chelotropderivate). Vergr. 25, Phot. (Zeiß, Planar 1 : 4,5, F = 20):
   19, 20, 23. mit einfachen, nicht geknickten Strahlen,
   21. mit einfachen Strahlen, von denen einer in der Grundhälfte stark geknickt ist,
   22. mit einfachen Strahlen, von denen einer am Ende schwach geknickt ist,
   24. mit zwei einfachen und zwei gabelspaltigen, nicht geknickten Strahlen,
   25, 28, 29. mit einem geknickten und gabelig gespaltenen Strahl,
   26. mit nicht geknickten Strahlen, von denen einer verkürzt, ein anderer gabelspaltig ist,
   27, 33. mit nicht geknickten Strahlen, von denen einer gabelspaltig ist,
   30. mit zwei geknickten Strahlen, von denen einer einen Zweigansatz trägt,
   31. mit zwei einfachen und zwei zweigtragenden Strahlen, einer der einfachen ist geknickt,
   32. mit drei einfachen und einem gabelspaltigen Strahl, zwei von den einfachen sind geknickt.
34—37. Triactine. Vergr. 25, Phot. (Zeiß, Planar 1 : 4,5, F = 20 mm):
   34. mit einem geknickten und zweigtragenden Strahl,
   35. mit nicht geknickten Strahlen, von denen einer in mehrere Endzweige ausläuft,
   36, 37. mit einfachen Strahlen, von denen einer geknickt ist.
38—40. Metaster (Amphiaster). Vergr. 2330, Zeichnung (Zeiß, Hom. Imm. 2,0, Apert. 1,40, Compens. Oc. 12):
   38. großer, wenig- und langstrahliger,
   39. mittlerer,
   40. kurz- und vielstrahliger.
41, 42. Eiförmige Microrhabde. Vergr. 2330, Zeichnung (Zeiß, Hom. Imm. 2,0, Apert. 1,40, Compens. Oc. 12):
   41. ein unregelmäßiges, mit mehreren Verdickungen,
   42. ein regelmäßiges, centrotyles.
43—45. Dornige Microrhabde. Vergr. 2330, Zeichnung (Zeiß, Hom. Imm. 2,0, Apert. 1,40, Comp. Oc. 12):
   43. ein kurzes, dickes,
   44. ein mittleres,
   45. ein langes, schlankes.

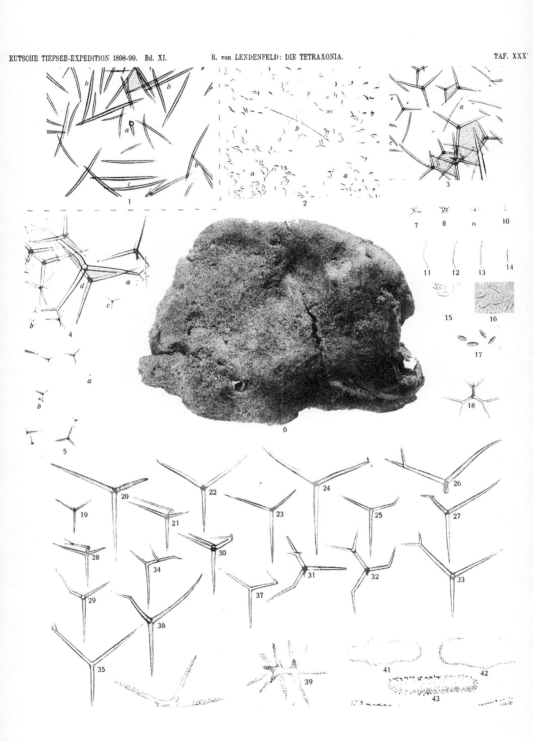

Tafel XXXIX.

Tafel XXXIX.

Fig. 1—13 *Pachastrella caliculata* KIRKPATRICK.

1—3. Große Tetractine (Chelotrope und Chelotropderivate). Vergr. 25, Phot. (Zeiß, Planar 1 : 4,5, F = 20 mm):
    1. mit einfachen Strahlen, von denen zwei geknickt sind,
    2. mit zwei verzweigten Strahlen,
    3. mit einfachen, nicht geknickten Strahlen.
4. Gruppe von großen Tetractinen (Chelotropen und Chelotropderivaten). Vergr. 6, Phot. (Zeiß, Planar 1 : 4,5, F = 50 mm).
5. Ansicht des größten Stückes. Verkleinert 1 : 0,76, Phot. (Zeiß, Anastig. 1 : 12,5, F = 480 mm).
6. Gruppe von großen Tetractinen (Chelotropen und Chelotropderivaten) aus einem Nadelpräparat von Sediment I. Vergr. 25, Phot. (Zeiß, Planar 1 : 4,5, F = 20 mm).
7. Gruppe von kleinen Tetractinen (Chelotropen und Chelotropderivaten) aus einem Nadelpräparat von Sediment II. Vergr. 25, Phot. (Zeiß, Planar 1 : 4,5, F = 20 mm).
8—10. Dornige Microrhabde. Vergr. 370, Phot. (Reichert, Hom. Imm., Apert. 1,35, F = 2 mm):
    8. ein langes,
    9. ein mittleres,
    10. ein kurzes.
11. Gruppe von Microscleren aus einem Zentrifugnadelpräparat. Vergr. 370, Phot. (Reichert, Hom. Imm., Apert. 1,35, F = 2 mm):
    a eiförmiges Microrhabd,
    b großer Metaster,
    c kleiner Metaster.
12. Großer Metaster (Amphiaster) Vergr. 370, Phot. (Reichert, Hom. Imm., Apert. 1,35, F = mm).
13. Gruppe von eiförmigen Microrhabden aus einem Zentrifugnadelpräparat. Vergr. 370, Phot. (Reichert, Hom. Imm., Apert. 1,35, F = mm).

Fig. 14—25 *Pachamphilla alata* n. sp.

14. Gruppe von Microscleren aus einem Zentrifugnadelpräparat. Vergr. 370, Phot. (Reichert, Hom. Imm., Apert. 1,35, F = 2 mm):
    a kleines centrotyles Microamphiox,
    b größere, nicht centrotyle Microamphioxe.
15, 16. Große Amphioxe. Vergr. 25, Phot. (Zeiß, Planar 1 : 4,5, F = 20 mm).
17. Großes Styl. Vergr. 25, Phot. (Zeiß, Planar 1 : 4,5, F = 20 mm).
18. Ansicht des Schwammes. Verkleinert 1 : 0,8, Phot. (Zeiß, Anastig. 1 : 12,5, F = 480 mm).
19. Gruppe von Microscleren aus einem Zentrifugnadelpräparat. Vergr. 170, Phot. (Zeiß, DD):
    a kleine centrotyle Microamphioxe,
    b größere, nicht centrotyle Microamphioxe.
20—25. Tetractine. Vergr. 25, Phot. (Zeiß, Planar 1 : 4,5, F = 20 mm):
    20, 21, 23. große, mit einem mehr oder weniger gebogenen Strahl,
    22, 24. große mit durchwegs geraden Strahlen,
    25. ein kleines.

Fig. 26—36 *Pachastrella tenuipilosa* n. sp.

26. Querschnitt durch eine geißelkammerfreie, benachbarte Kanäle trennende Gewebewand. Kongorot, Anilinblau. Vergr. 160, Phot. (Zeiß, DD):
    a in die Kanallumina hineinragende Metaster,
    b Gruppe von großen, unregelmäßigen Zellen.
27. Teil eines Schnittes durch das Choanosom. Kongorot, Anilinblau. Vergr. 160, Phot. (Zeiß, DD):
    a Kanäle,
    b Geißelkammern.
28. Ansicht der Oberfläche. Vergr. 47, Phot. (Zeiß, B).
29. Schnitt durch einen oberflächlichen Teil des Schwammes senkrecht zur Oberfläche. Kongorot, Anilinblau. Vergr. 100, Phot. (Zeiß, C):
    a Dermalmembran,
    b Subdermalräume,
    c großes, paratangentiales Amphiox,
    d kleine, schlanke, glatte, schiefe, frei vorragende Amphioxe,
    e Orthotriaen,
    f dornige Microamphioxe,
    g Metaster des Choanosoms,
    h Kanäle des Choanosoms,
    i Gruppe von großen, unregelmäßigen Zellen,
    j Geißelkammern.
30. Großes Amphiox. Vergr. 47, Phot. (Zeiß, B):
31—33. Plagiotriaene. Vergr. 47, Phot. (Zeiß, B):
    31. Seitenansicht eines besonders kurzschäftigen,
    32. Scheitelansicht,
    33. Seitenansicht eines mit längerem Schaft.
34. Seitenansicht eines Orthomonaens. Vergr. 47, Phot. (Zeiß, B).
35. Gruppe von kleinen, vielstrahligen Metastern aus einem Zentrifugnadelpräparat. Vergr. 160, Phot. (Zeiß, DD).
36. Flächenansicht der Dermalmembran. Vergr. 160, Phot. (Zeiß, DD):
    a dornige Microamphioxe,
    b Metaster.

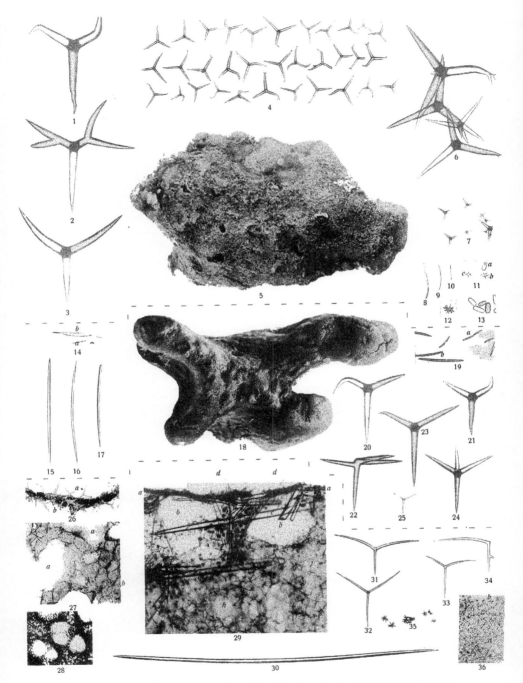

Fig. 1—13 *Pachastrella caliculata Kirkpatrick*; 14—25 *Pachamphilla alata n. sp.*; 26—36 *Pachastrella tenuipilosa n. sp.*

ndenfeld photographiert.

TAF. XXXI.

Verlag von Gustav Fischer in J

Lichtdruck von Carl Bellmann in Prag.

Tafel XL.

Tafel XL.

Fig. 1—12 *Pachastrella tenuipilosa* n. sp.

1—3. Dornige Microamphioxe. Vergr. 160, Phot. (Zeiß, DD).
4—10. Metaster. Vergr. 160, Phot. (Zeiß, DD):
    4. ein Dreistrahler,
    5, 6. Vierstrahler,
    7, 8. Fünfstrahler,
    9, 10. Vielstrahler.
11. Gruppe von Microscleren aus einem Zentrifugnadelpräparat. Vergr. 370, Phot. (Reichert, Hom. Imm., Apert. 1,35, F = 2 mm):
    a kleine, vielstrahlige Metaster,
    b großer, fünfstrahliger Metaster,
    c Teil eines dornigen Microamphiox.
12. Vielstrahliger Metaster. Vergr. 370, Phot. (Reichert, Hom. Imm., Apert. 1,35, F = 2 mm).

Fig. 13—22 *Plakinastrella mammillaris* n. sp.

13. Gruppe von Chelotropen aus einem Nadelpräparat. Vergr. 33, Phot. (Zeiß, Planar 1 : 4,5, F = 20 mm).
14. Ansicht des Schwammes. Verkleinert 1 : 0,85, Phot. (Zeiß, Anastig. 1 : 12,5, F = 480 mm).
15—19. Chelotrope. Vergr. 33, Phot. (Zeiß, Planar 1 : 4,5, F = 20 mm):
    15. ein kleines, reguläres,
    16, 18, 19. große, ziemlich reguläre,
    17. ein großes, irreguläres.
20. Gruppe von kleinen Microamphioxen aus einem Zentrifugnadelpräparat. Vergr. 370, Phot. (Reichert, Hom. Imm, Apert. 1,35, F = 2 mm).
21. Gruppe von größeren Microamphioxen aus einem Nadelpräparat des Sediment II. Vergr. 160, Phot. (Zeiß, DD).
22. Ein stark gekrümmtes, größeres Microamphiox. Vergr. 160, Phot. (Zeiß, DD).

Fig. 23—46, 47 a, 48—57 *Chelotropaena tenuirhabda* n. sp.

23—33. Metaster. Vergr. 160, Phot. (Zeiß, DD):
    23. ein Siebenstrahler,
    24—26. Fünfstrahler,
    27. ein Dreistrahler,
    28—30. Vierstrahler,
    31, 32. winkelig gebogene Zweistrahler,
    33. einfacher, schwach gekrümmter Zweistrahler,
34. a und b schlanke Microamphioxe. Vergr. 160, Phot. (Zeiß, DD).
35—46. Tetractine und Tetractinderivate. Vergr. 33, Phot. (Zeiß, Planar 1 : 4,5, F = 20 mm):
    35. Seitenansicht eines langschäftigen Plagiotriaens,
    36, 37. Seitenansichten kurzschäftiger (chelotropartiger) Plagiotriaene mit einfachen Claden,
    38. Seitenansicht eines kurzschäftigen Plagiotriaens mit einem gabelspaltigen Clad,
    39. Seitenansicht eines kurzschäftigen Orthotriaens mit zwei gabelspaltigen Claden,
    40. Scheitelansicht eines kurzschäftigen Orthotriaens mit einem einfachen, verlängerten und zwei gabelspaltigen Claden,
    41. Scheitelansicht eines irregulären Orthotriaens mit geknickten und verzweigten Claden,
    42. etwas schiefe Seitenansicht eines kleineren, regulären Dichotriaens,
    43. Scheitelansicht eines kleineren, regulären Dichotriaens,
    44. irreguläres Triactin mit einfachen Strahlen,
    45. Scheitelansicht eines großen Dichotriaens,
    46. irreguläres Diactin mit einem gabelspaltigen Strahl.
47 a. Ansicht der größten, aus dem assoziierten Ancorellapolster hervorschauenden Partie des Schwammes. Verkleinert 1 : 0,86, Phot. (Zeiß, Anastig. 1 : 12,5, F = 480 mm).
48. Gruppe von dicken Microamphioxen aus einem Zentrifugnadelpräparat. Vergr. 160, Phot. (Zeiß, DD).
49. Ansicht der der Unterlage (Koralle) anliegenden Grundhaut des Schwammes. Vergr. 160, Phot. (Zeiß, DD):
    a schlanke Microamphioxe,
    b Metaster.
50—52. Metaster. Vergr. 375, Phot. (Reichert, Hom. Imm., Apert. 1,85, F = 2 mm):
    50. ein (microamphioxer) Zweistrahler,
    51. ein Vierstrahler mit drei verkürzten Strahlen,
    52. ein Dreistrahler.
53—55. Rhabde Megasclere. Vergr. 12, Phot. (Zeiß, Planar 1 : 4,5, F = 50 mm):
    53. ein schlankes Amphiox,
    54. ein dickes Amphiox,
    55. ein Styl.
56. Das stumpfe Ende eines Styls. Vergr. 100, Phot. (Zeiß, C).
57. Endteil eines dicken Amphiox mit einer Gruppe kugeliger Wülste. Vergr. 100, Phot. (Zeiß, C).

Fig. 47b, 58 *Ancorella paulini* n. sp.

47 b. Ansicht des auf der Koralle sitzenden Stückes. Verkleinert 1 : 0,86, Phot. (Zeiß, Anastig. 1 : 12,5, F = 480 mm).
58. Teil eines Radialschnittes des Nadelpelzes. Vergr. 100, Phot. (Zeiß, C):
    a Distalende eines Tylostyls,
    b Anatriaencladome,
    c Teil eines Triactins,
    d Oberfläche des Schwammes.

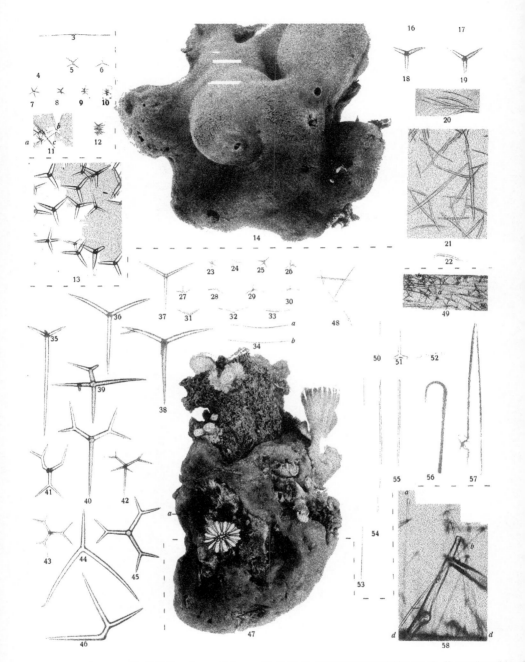

. *1—12 Pachastrella tenuipilosa n. sp.; 13—22 Plakinastrella mammillaris n. sp.; 23—46, 47a, 48—57 Chelotropaena tenuirhabda n. sp.; 47b, 58 Ancorella paulini n. s*

enfeld photographiert.

TAF. XXXII.

Verlag von Gustav Fischer in Je

Lichtdruck von Carl Bellmann in Prag.

Tafel XLI.

Tafel XLI.

Fig. 1—15 *Ancorella paulini* n. sp.

1. Gruppe von Nadeln aus einem Nadelpräparat. Vergr. 33, Phot. (Zeiß, Planar 1 : 4,5, F = 20 mm):
   a Triactine,
   b unregelmäßiges Amphiclad,
   c Microamphioxe.
2. Gruppe von Nadeln aus einem Nadelpräparat. Vergr. 12, Phot. (Zeiß, Planar 1 : 4,5, F = 50 mm):
   a winkelig gebogenes Diactin,
   b Triactine.
3, 4. Winkelig gebogene Diactine. Vergr. 33, Phot. (Zeiß, Planar 1 : 4,5, F = 20 mm).
5. Triactin mit zugespitzten Strahlen. Vergr. 33, Phot. (Zeiß, Planar 1 : 4,5, F = 20 mm).
6. Triactin mit stumpfen Strahlen. Vergr. 33, Phot. (Zeiß, Planar 1 : 4,5, F = 20 mm).
7. Gruppe von Microamphioxen aus einem Zentrifugnadelpräparat. Vergr. 160, Phot. (Zeiß, DD).
8. Großes Amphistrongyl. Vergr. 33, Phot. (Zeiß, Planar 1 : 4,5, F = 20 mm).
9, 10. Monactine, triactinderivate, tylostyle Nadeln. Vergr. 33, Phot. (Zeiß, Planar 1 : 4,5, F = 20 mm).
11—14. Anatriaene. Vergr. 100, Phot. (Zeiß, C):
   11. ein kurzes, mit unregelmäßigem Cladom,
   12—14. lange, mit regelmäßigem Cladom.
15. Größeres Cladom einer Uebergangsform zwischen Amphiclad und Anatriaen. Vergr. 160, Phot. (Zeiß, DD).

Fig. 16—34 *Coscinospongia gracilis* n. sp.

16. Radialschnitt durch den oberflächlichen Teil des Schwammes. Vergr. 33, Phot. (Zeiß, Planar, 1 : 4,5, F = 20 mm):
    a äußere Oberfläche,
    b Subdermalhöhlen,
    c Schäfte der dermalen Teloclade,
    d Teile des Desmengitters.
17—21. Stumpf- und kurzstrahlige, microrhabdenähnliche Metaster. Vergr. 375, Phot. (Zeiß, Hom. Imm. 2,0, Apert. 1,40):
    17, 18. mit wenig Höckern,
    19. mit einer mittleren Höckeranzahl,
    20, 21. mit einer größeren Anzahl hoher Höcker (Strahlen).
22, 23. Metaster mit langen zugespitzten Strahlen. Vergr. 375, Phot. (Zeiß, Hom. Imm. 2,0, Apert. 1,40):
    22. Fünfstrahler,
    23. Dreistrahler.
24, 25. Scheitelansichten von dermalen Teroclade. Vergr. 47, Phot. (Zeiß, B):
    24. von einem mit zwei dilophen und einem trilophen Clad, und einem ganz kurzen, abgerundeten Schafte,
    25. von einem mit zwei einfachen und vier terminal gabelspaltigen Endcladen.
26. Seitenansicht eines kurzschäftigen, dermalen Teloclads. Vergr. 47, Phot. (Zeiß, B).
27. Desm von der, nach der Schwammoberfläche gelegenen Grenze des Desmengitters, mit frei endenden, gegen die Schwammoberfläche emporgerichteten Zweigen. Vergr. 100, Phot. (Zeiß, C).
28, 29. Desme aus dem Innern. Vergr. 100, Phot. (Zeiß, C):
    28. ein schlank gebautes,
    29. ein gedrungen gebautes.
30—33. Seitenansichten dermaler Teloclade. Vergr. 33, Phot. (Zeiß, Planar 1 : 4,5, F = 20 mm):
    30, 31. mit langem, zugespitzten Schaft,
    32. mit mittellangem, abgerundeten Schaft,
    33. mit kurzem, abgerundeten Schaft.
34. Desm aus dem Innern. Vergr. 100, Phot. (Zeiß, C).

Fig. 35—46 *Macandrewia auris* n. sp.

35—37. Scheitelansichten von dermalen Phyllotriaenen. Vergr. 160, Phot. (Zeiß, DD).
38. Etwas schiefe Seitenansicht eines dermalen Phyllotriaens. Vergr. 160, Phot. (Zeiß, DD).
39—41. Microrhabde. Vergr. 375, Phot. (Zeiß, Hom. Imm. 2,0, Apert. 1,40):
    39. ein amphioxes,
    40, 41. ambistrongyle.
42. Ansicht der Oberfläche der Außenseite. Vergr. 33, Phot. (Zeiß, Planar 1 : 4,5 F = 20 mm):
    a Poren.
43. Ansicht der Oberfläche der Innenseite. Vergr. 33, Phot. (Zeiß, Planar 1 : 4,5, F = 20 mm):
    a eine Pore.
44. Ansicht der Oberfläche der Innenseite. Vergr. 160, Phot. (Zeiß, DD):
    a eine Pore,
    b der dieselbe einfassende Saum von radialen Rhabden.
45. Seitenansicht eines dermalen Phyllotriaens. Vergr. 160, Phot. (Zeiß, DD).
46. Gruppe von dermalen Phyllotriaenen aus einem Nadelpräparat. Vergr. 47, Phot. (Zeiß, B).

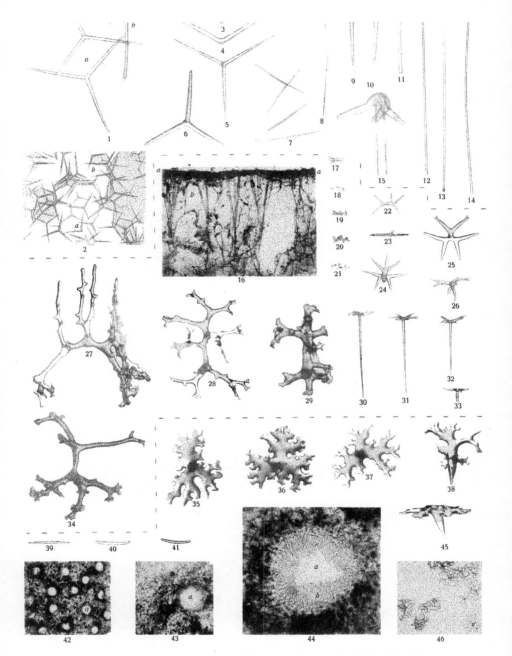

Fig. 1—15 *Ancorella paulini n. sp.* (*1c fehlt*); 16—34 *Coscinospongia gracilis n. sp.*; 35—46 *Macandrewia auris n. sp.*

ndenfeld photographiert.

TAF. XXXIII.

Verlag von Gustav Fischer in J

Lichtdruck von Carl Bellmann in Prag.

Tafel XLII.

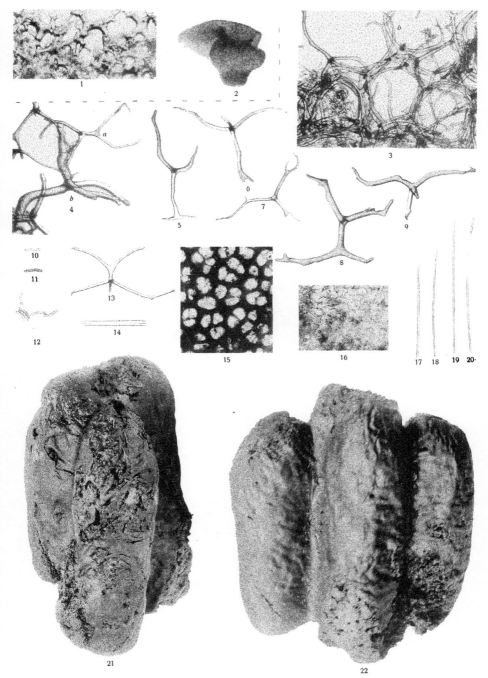

Fig. 1—2 Macandrewia auris n. sp.; 3—22 Theonella levior n. sp.

feld photographiert.

TAF. XXXIV.

Verlag von Gustav Fischer in Jena.

Tafel XLIII.

Tafel XLIII.

Fig. 1—4 *Theonella levior* n. sp.

1. Radialschnitt durch das Desmengitter. Vergr. 100, Phot. (Zeiß, C).
2—4. Desme des Innern. Vergr. 100, Phot. (Zeiß, C).

Fig. 5—18 *Theonella discifera* n. sp.

5. Gebogenes Amphistrongyl. Vergr. 47, Phot. (Zeiß, B).
6, 7. Microrhabde. Vergr. 375, Phot. (Zeiß, Hom. Imm. 2,0, Apert. 1,40).
8—12. Scheitelansichten dermaler Phyllo- und Discotriaene. Vergr. 160, Phot. (Zeiß, DD):
   8. Phyllotriaen mit schmäleren, gabelspaltigen Claden,
   9, 10, 12. Phyllotriaene mit stärker verbreiterten Claden, von denen eines einfach, zwei gabelspaltig sind,
   11. Discotriaen.
13. Desm des Innern. Vergr. 100, Phot. (Zeiß, C).
14. Seitenansicht eines dermalen Phyllotriaens. Vergr. 100, Phot. (Zeiß, C).
15. Schnitt durch das Skelett senkrecht zur Oberfläche. Vergr. 100, Phot. (Zeiß, C):
   a oberflächliche Lage von dermalen Phyllotriaenen,
   b inneres Desmengitter.
16. Teil des inneren Desmengitters. Vergr. 100, Phot. (Zeiß, C).
17. Desme des Innern. Vergr. 100, Phot. (Zeiß, C).
18. Ansicht der polsterförmigen, ihrer Unterlage aufsitzenden Schwammmassen. Verkleinert 1 : 0,86, Phot. (Zeiß, Anastig. 1 : 12,5, F = 480 n n).

Fig. 19—21 *Leiodermatium deciduum* (O. SCHM.).

19. Schnitt durch das Desmengitter. Vergr. 47, Phot. (Zeiß, B).
20. Ein Desm. Vergr. 160, Phot. (Zeiß, DD).
21. Ansicht des Schwammes. Verkleinert 1 : 0,91, Phot. (Zeiß, Anastig. 1 : 12,5, F = 480 n n).

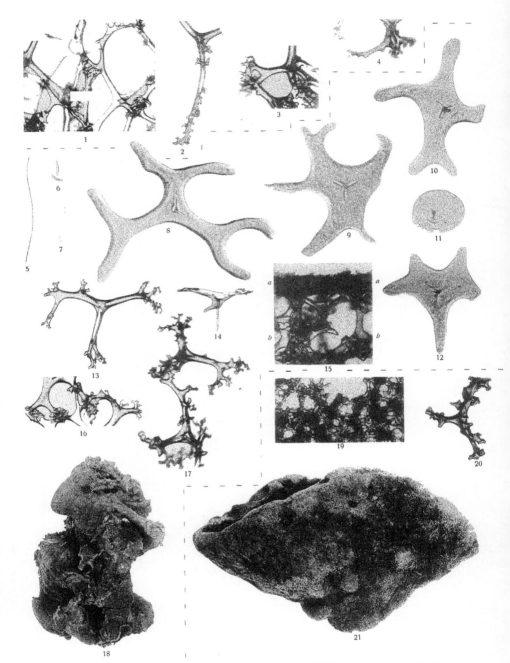

Fig. 1—4 *Theonella levior* n. sp.; 5—18 *Theonella discifera* n. sp.; 19—21 *Leiodermatium deciduum* (O. Schm.).

Lendenfeld photographiert.   TAF. XXXV.   Verlag von Gustav Fischer

Lichtdruck von Carl Beckmann in Leipzig

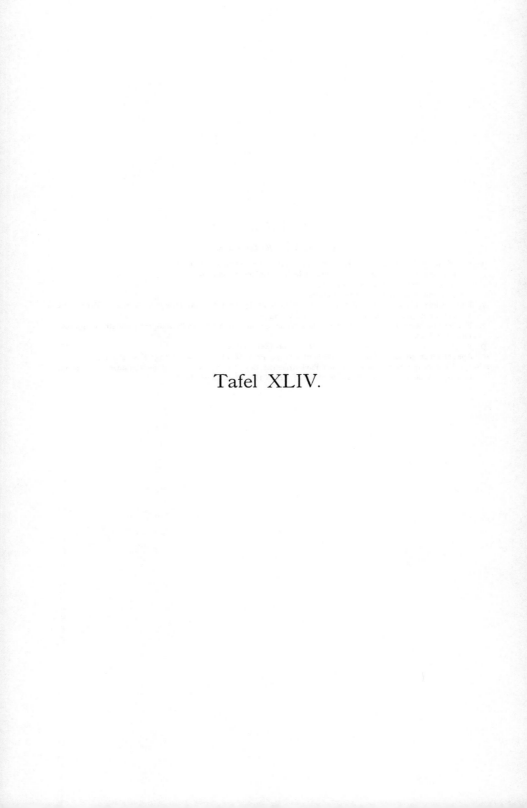

Tafel XLIV.

Tafel **XLIV.**

Fig. 1—13 *Theonella lacerata* n. sp.

1—6. Scheitelansichten dermaler Phyllotriaene. Vergr. 160, Phot. (Zeiß, DD):

1, 2. mit unregelmäßig konturierten, scheibenförmigen Cladomen,
3, 4. mit einfachen, breiten Claden,
5, 6. mit verzweigten, breiten Claden.

7. Innenansicht eines großen, durch einen Axialschnitt in zwei Hälften zerlegten Stickes. Verkleinert 1 : 0,92, Phot. (Zeiß, Anastig. 1 : 12,5, F = 480 mm).

8. Flächenansicht eines Stickes des Dermalskelettes aus einem oberflächlichen Paratangentialschnitt. Vergr. 100, Phot. (Zeiß, C).

9. Junges Desm aus dem Innern. Vergr. 160, Phot. (Zeiß, DD).

10. Ansicht eines großen Stickes. Verkleinert 1 : 0,92, Phot. (Zeiß, Anastig. 1 : 12,5, F = 480 n n).

11—13. Uebergangsformen zwischen den Phyllotriaenen des Dermalskelettes und den Desmen des inneren Gitters, aus oberflächlichen Schwammteilen. Vergr. 160, Phot. (Zeiß, DD).

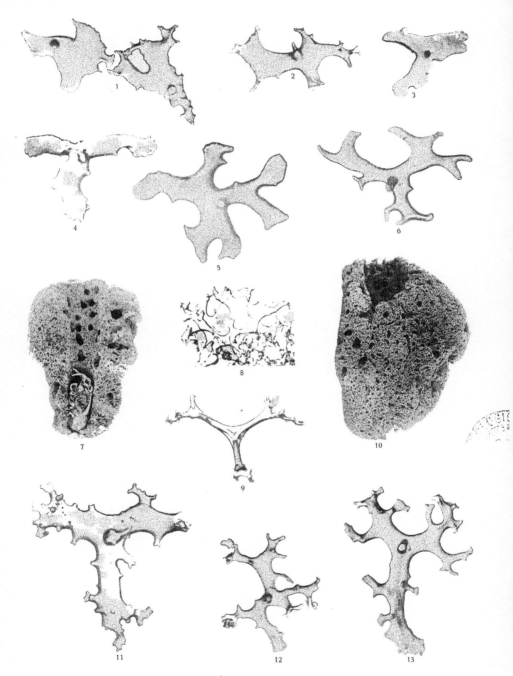

Fig. 1—13 Theonella lacerata n. sp.

Tafel XLV.

Tafel XLV.

Fig. 1—7 *Theonella lacerata* n. sp.

1. Teil des Desmengitters. Vergr. 160, Phot. (Zeiß, DD).
2—5. Desme des Innern. Vergr. 160, Phot. (Zeiß, DD):
   2, 3. mit vier konzentrischen Strahlen,
   4. mit nur einem Strahl,
   5. mit vier exzentrischen Strahlen.
6. Radialschnitt durch das Desmengitter. Vergr. 12, Phot. (Zeiß, Planar 1 : 4,5, F = 50 n n).
7. Teil des Desmengitters. Vergr. 33, Phot. (Zeiß, Planar 1 : 4,5, F = 20 mm).

Fig. 8—13 *Plakidium acutum* n. sp.

8. Flächenansicht des Dermalskelettes der Außenseite. Vergr. 33, Phot. (Zeiß, Planar 1 : 4,5, F = 20 mm).
9. Flächenansicht des Dermalskelettes der Außenseite. Vergr. 160, Phot. (Zeiß, DD).
10. Schnitt durch das choanosomale Desmengitter. Vergr. 160, Phot. (Zeiß, DD).
11. Flächenansicht des Dermalskelettes der Innenseite. Vergr. 160, Phot. (Zeiß, DD).
12. Ansicht des Schwammes. Verkleinert 1 : 0,82, Phot. (Zeiß, Anastig. 1 : 12,5, F = 480 n n).
13. Flächenansicht des Dermalskelettes der Innenseite. Vergr. 33, Phot. (Zeiß, Planar 1 : 4,5, F = 20 n n).

Fig. 14, 15 *Theonella annulata* n. sp.

14. Teil des oberflächlichen Skelettes. Vergr. 160, Phot. (Zeiß, DD):
    a ein dermales Phyllotriaen,
    b Desmengitterknotten.
15. Ein Desm des Innern. Vergr. 160, Phot. (Zeiß, DD).

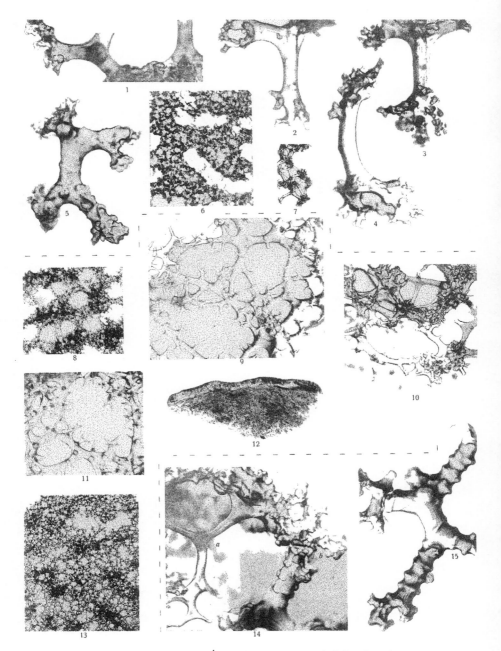

Fig. 1—7 *Theonella lacerata n. sp.;* 8—13 *Plakidium acutum n. sp.;* 14, 15 *Theonella annulata n. sp.*

Lendenfeld photographiert.

TAF. XXXVII.

Verlag von Gustav Fisch

Lichtdruck von Cärl Bellmänn in Präg

Tafel XLVI.

Tafel XLVI.

Fig. 1—21 *Corticium simplex* n. sp.

1. 2. Radialschnitte durch oberflächliche Schwammteile. Haematoxylin. Vergr. 160, Phot. (Zeiß, DD):
    a äußere Oberfläche,
    b Eingang in einen großen, einführenden Radialkanal,
    c großer, einführender Radialkanal,
    d Epithel des großen, einführenden Radialkanals,
    e Dermalblasen,
    f Geißelkammern,
    g Ausfuhrkanal.
3. Schnitt durch das innere Schaumgewebe. Haematoxylin. Vergr. 160, Phot. (Zeiß, DD):
    a kleine Höhlen,
    b Epithelzellen,
    c große Höhlen.
4. Radialschnitt durch einen oberflächlichen Schwammteil. Haematoxylin. Vergr. 160, Phot. (Zeiß, DD):
    a äußere Oberfläche,
    b Dermalblasen,
    c Geißelkammern.
    d Ausfuhrkanal.
5. Ansicht eines Stückes. Verkleinert 1 : 0,83, Phot. (Zeiß, Anastig. 1 : 12,5, F = 480 mm).
6. Ein wenig schiefer (von links unten nach rechts oben etwas sich senkender), oberflächlicher Paratangialschnitt. Haematoxylin. Vergr. 160, Phot. (Zeiß, DD):
    a quer durchschnittener, einführender Radialkanal,
    b Dermalblasen,
    c Candelaber der Oberfläche.
7. Ansicht der äußern Oberfläche (dicker, oberflächlicher Paratangentialschnitt bei durchfallendem Licht). Vergr. 33, Phot. (Zeiß, Planar 1 : 4,5, F = 20 mm):
    a kleine Einströmungsporen,
    b große Einströmungsporen.
8. Radialschnitt durch einen oberflächlichen Schwammteil. Haematoxylin (Teil des in Fig. 1 dargestellten Schnittes). Vergr. 375, Phot. (Zeiß, Hom. Imm. 2,0, Apert. 1,40):
    a äußere Oberfläche,
    b Candelaber,
    c eine Dermalblase,
    d ihr Ausfuhrgang.
9. Radialschnitt durch einen oberflächlichen Schwammteil. Haematoxylin (Teil des in Fig. 1 dargestellten Schnittes). Vergr. 375, Phot. (Zeiß, Hom. Imm. 2,0, Apert. 1,40):
    a Höhlung eines großen, einführenden Radialkanals,
    b das hohe Epithel seiner Wand,
    c die diesem Epithel unterliegende Gewebeschicht,
    d Geißelkammern.
10. Gruppe von Candelabern aus einem Nadelpräparat. Vergr. 160, Phot. (Zeiß, DD).
11—17. Seitenansichten von Candelabern. Vergr. 375, Phot. (Zeiß, Hom. Imm. 2,0, Apert. 1,40):
    11. ein junges, kleines,
    12—15. mittlere,
    16. ein großes, normales,
    17. ein abnorm großes.
18. Gruppe von Candelabern aus einem Nadelpräparat. Vergr. 375, Phot. (Zeiß, Hom. Imm. 2,0, Apert. 1,40):
    a ein sehr junges,
    b etwas ältere,
    c ausgewachsene.
19. Radialschnitt durch einen oberflächlichen Schwammteil. Haematoxylin Vergr. 375, Phot. (Zeiß, Hom. Imm. 2,0, Apert. 1,40):
    a äußere Oberfläche,
    b kleine Einströmungspore,
    c kleiner einführender Radialkanal (man sieht hier sein Epithel in der Fläche),
    d Zweige desselben,
    e Geißelkammern,
    f Dermalblasen.
20. Radialschnitt. Haematoxylin. Vergr. 33, Phot. (Zeiß, Planar 1 : 4,5, F = 20 mm):
    a äußere Oberfläche,
    b Dermalblasen,
    c große, einführende Radialkanäle,
    d kleine, einführende Radialkanäle,
    e Geißelkammern,
    f Ausfuhrkanäle,
    g inneres Schaumgewebe.
21. Schnitt durch einen der Lappen des Schwammes. Vergr. 10, Phot. (Zeiß, Planar 1 : 4,5, F = 50 mm):
    a äußere Geißelkammerzone,
    b inneres Schaumgewebe.

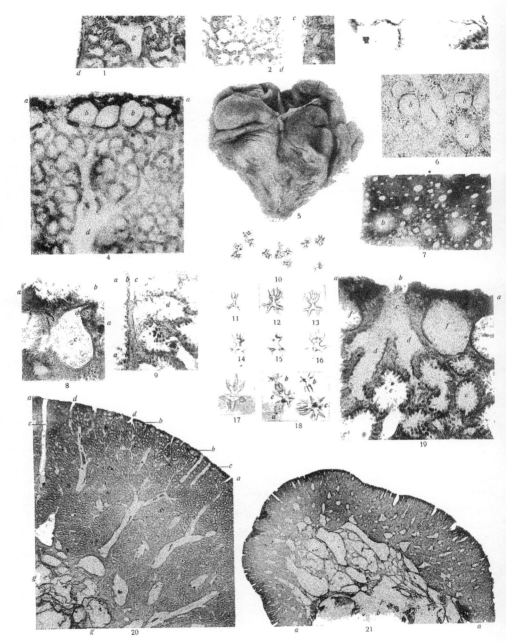

Lendenfeld photographiert.

Fig. 1—21 Corticium simplex. n. sp.

TAF. XXXVIII.

Verlag von Gustav Fischer

Lichtdruck von Carl Benziger in Prag

WISSENSCHAFTLICHE ERGEBNISSE

DER

EUTSCHEN TIEFSEE-EXPEDITION

AUF DEM DAMPFER „VALDIVIA" 1898-1899

IM AUFTRAGE DES REICHSAMTES DES INNERN

HERAUSGEGEBEN VON

CARL CHUN

PROFESSOR DER ZOOLOGIE IN LEIPZIG

LEITER DER EXPEDITION.

ELFTER BAND.

Mit 46 Tafeln.

JENA

VERLAG VON GUSTAV FISCHER

1907

Inhalt des elften Bandes.

Bisher liegen vor:

Fortsetzung von Seite 2 des Umschlags.

Band I. Vollständig.

Oceanographie und maritime Meteorologie. Im Auftrage des Reichs-Marine-Amts bearbeitet von **Dr. Gerhard Schott**, Assistent bei der deutschen Seewarte in Hamburg, Mitglied der Expedition. Mit einem Atlas von 40 Tafeln (Karten, Profilen, Maschinenzeichnungen u. s. w.), 26 Tafeln (Temperatur-Diagrammen) und mit 35 Figuren im Text. Preis für Text und Atlas: 120 Mark.

Bei der Bearbeitung der Oceanographie und maritimen Meteorologie sind vorwiegend zwei Gesichtspunkte, nämlich der geographische und der biologische berücksichtigt worden. Um einen sowohl für die Geographie wie für die Biologie nutzbaren Einblick in die physikalischen Verhältnisse der Tiefsee zu gewinnen, wurde die Darstellung nicht auf die „Valdivia"-Messungen beschränkt, sondern auf das gesamte bis jetzt vorliegende Beobachtungsmaterial ausgedehnt. In gewisser Hinsicht wird hier eine Monographie des Atlantischen und Indischen Oceans geboten, welche ihren Schwerpunkt in die zahlreichen konstruktiven Karten und Profile legt.

Aus Band II, Teil 1:

Lfg. 1. H. Schenck, I. Vergleichende Darstellung der Pflanzengeographie der subantarktischen Inseln, insbesondere über Flora und Vegetation von Kerguelen. Mit Einfügung hinterlassener Schriften A. F. W. Schimpers. Mit 11 Tafeln und 33 Abbildungen im Text. **II.** Ueber Flora und Vegetation von St. Paul und Neu-Amsterdam. Mit Einfügung hinterlassener Berichte A. F. W. Schimpers. Mit 5 Tafeln und 14 Abbildungen im Text. Einzelpreis: 50 M., Vorzugspreis: 40 M.

Aus Band II, Teil 2:

Lfg. 1. G. Karsten, Das Phytoplankton des Antarktischen Meeres nach dem Material der deutschen Tiefsee-Expedition 1898—1899. Mit 19 Tafeln. Einzelpreis: 50 M., Vorzugspreis: 39 M. 50 Pf.

Lfg. 2. G. Karsten, Das Phytoplankton des Atlantischen Oceans nach dem Material der deutschen Tiefsee-Expedition 1898—1899. Mit 15 Tafeln. Einzelpreis: 35 M., Vorzugspreis: 28 M.

Band III. Vollständig.

Lfg. 1. Prof. Dr. Ernst Vanhöffen, Die acraspeden Medusen der deutschen Tiefsee-Expedition 1898—1899. Mit Tafel I—VIII. — Die craspedoten Medusen der deutschen Tiefsee-Expedition 1898—1899. I. Trachymedusen. Mit Tafel IX—XII. Einzelpreis: 32,— M., Vorzugspreis: 25,— M.

„ 2. **Dr. phil. L. S. Schultze,** Die Antipatharien der deutschen Tiefsee-Expedition 1898—1899. Mit Tafel XIII und XIV und 4 Abbildungen im Text. Einzelpreis: 5,— M., Vorzugspreis: 4,— M.

„ 3. **Dr. phil. Paul Schacht,** Beiträge zur Kenntnis der auf den Seychellen lebenden Elefanten-Schildkröten. Mit Tafel XV—XXI. Einzelpreis: 16,— M., Vorzugspreis: 13,— M.

„ 4. **Dr. W. Michaelsen,** Die Oligochäten der deutschen Tiefsee-Expedition nebst Erörterung der Terricolenfauna oceanischer Inseln, insbesondere der Inseln des subantarktischen Meeres. Mit Tafel XXII und 1 geographischen Skizze. Einzelpreis: 4,— M., Vorzugspreis: 3,50 M.

„ 5. **Joh. Thiele,** Proneomenia Valdiviae n. sp. Mit Tafel XXIII. Einzelpreis: 3,— M., Vorzugspreis: 2,50 M.

„ 6. **K. Möbius,** Die Pantopoden der deutschen Tiefsee-Expedition 1898—1899. Mit Tafel XXIV—XXX. Einzelpreis: 16,— M., Vorzugspreis: 12,50 M.

„ 7. **Dr. Günther Enderlein,** Die Landarthropoden der von der Tiefsee-Expedition besuchten antarktischen Inseln. I. Die Insekten und Arachnoideen der Kerguelen. II. Die Landarthropoden der antarktischen Inseln St. Paul und Neu-Amsterdam. Mit 10 Tafeln und 6 Abbildungen im Text. Einzelpreis: 17 M., Vorzugspreis: 15 M.

Band IV. Vollständig.

Hexactinellidae. Bearbeitet von **Fr. E. Schulze**, Professor in Berlin. Mit einem Atlas von 52 Tafeln. Preis 120 Mark.

Band V. Vollständig.

Lfg. 1. Johannes Wagner, Anatomie des Palaeopneustes niasicus. Mit 8 Tafeln und 8 Abbildungen im Text. Einzelpreis: 20 M., Vorzugspreis: 17 M.

„ 2. **Dr. Ludwig Döderlein,** Die Echinoiden der deutschen Tiefsee-Expedition. Mit 42 Tafeln und 46 Abbildungen im Text. Einzelpreis: 100 M., Vorzugspreis: 82,50 M.

„ 3. **Walther Schurig,** Anatomie der Echinothuriden. Mit 4 Tafeln und 22 Abbildungen im Text. Einzelpreis: 12 M., Vorzugspreis: 10 M.

Band VI. Vollständig.

Brachyura. Bearbeitet von **Dr. Franz Doflein**, Privatdozent an der Universität München, II. Konservator der zoologischen Staatssammlung. Mit 58 Tafeln, einer Texttafel und 68 Figuren und Karten im Text. Preis: 120 Mark.

Band VII. Vollständig.

Lfg. 1. v. Martens und Thiele, Die beschalten Gastropoden der deutschen Tiefsee-Expedition 1898—1899. A. Systematisch-geographischer Teil. Von Prof. v. Martens. B. Anatomisch-systematische Untersuchungen einiger Gastropoden. Von Joh. Thiele. Mit 9 Tafeln und 1 Abbildung im Text. Einzelpreis: 32 M., Vorzugspreis: 26 M.

Fortsetzung auf Seite 4 des Umschlags.

Lightning Source UK Ltd.
Milton Keynes UK
UKHW021426090119
334994UK00007B/598/P

9 780428 336752